Liste des planches

maxi
débutants

édition canadienne

20000 MOTS

les éditions françaises

distributeurs exclusifs au Canada
1411, rue Ampère, C.P. 395, Boucherville, Qué (J4B 5W2)

Direction de la rédaction René LAGANE

Coordination éditoriale Denis VAUGEOIS

Rédaction Micheline DAUMAS
Gisèle DELAGE
Christine EYROLLES-OUVRARD
Nicole LABRECQUE
Reynald LESSARD
Jean-Pierre MÉVEL

Dessins de Danièle SCHULTHESS
Ginette HOFFMANN-MEYER
Catherine NOUVELLE

Correction-révision Bernard DAUPHIN
Pierre ARISTIDE
Brigitte DOYLE

ISBN 2-03-320010-8

Découvre la richesse du Maxi-Débutants

En plus du dictionnaire proprement dit, des illustrations et des tableaux, tu trouveras ici en annexe :

La **note** des pages 932-933 s'adresse surtout aux **maîtres** et aux **parents**.

Larousse·Canada publie aujourd'hui une nouvelle édition du **Maxi-Débutants**.

Cette édition a pour but de rendre compte à la fois de l'état du français comme langue internationale et de la vitalité de la langue française au Canada, particulièrement au Québec.

Le choix des 20 000 mots du dictionnaire a été réexaminé avec soin. Un certain nombre de mots, anglais surtout, pour lesquels il existe des équivalents français, maintenant bien répandus, ont été supprimés (baby-sitter, bowling, bulldozer, cake, chewing-gum, escalator, home, nurse, pressing, walkman, yard...).

Par ailleurs, les auteurs ont ajouté des centaines de mots et d'expressions propres aux jeunes et qui sont souvent absents des autres dictionnaires qui leur sont offerts. C'est ainsi que le **Maxi-Débutants** fait une plus large place à des ajouts constitués de mots bien répandus chez nous comme *amérindien, berçante, boisé, bretteux, brise-fer, calorifère, coquerelle, défricheur, diaporama, garde-malade, glissoire, habitué, nordet, ramancheur, trâlée, virailler,* etc...

Des mots de formation récente ont été ajoutés qui désignent des réalités nouvelles : *abribus, calculette, écomusée, féminisation, francisation, mercatique, pitonner, téléinformatique, téléthéâtre, vidéodisque, vidéophone,* etc...

Les formes féminines les plus répandues ont été insérées, qu'il s'agisse des adjectifs ou des noms.

La féminisation des noms de professions ou de métiers a été l'objet d'un soin particulier puisque désormais *amirale, contremaîtresse, députée, docteure, échevine, parfumeuse,* etc... font partie intégrante du dictionnaire, selon les recommandations de l'Office de la langue française.

Les « remarques » en fin d'article, donnent, le cas échéant, une autre variante lorsqu'elle est acceptée par l'O.L.F.

D'une façon générale, le **Maxi-Débutants** prévient les difficultés. On y trouvera des pluriels qui font hésiter (pour les mots composés par exemple) et les participes passés les plus déroutants.

La langue française est riche d'expressions qui diffèrent beaucoup d'une région à l'autre. Il nous a paru utile de les insérer, non seulement pour permettre d'en mieux saisir le sens mais aussi pour pouvoir les utiliser à bon escient.

Ainsi cette nouvelle édition du **Maxi-Débutants** a voulu concilier la capacité créatrice des francophones du Canada et les exigences d'une langue ouverte sur le monde et l'innovation.

Denis Vaugeois.

Les signes phonétiques, les sons correspondants, les principales écritures des sons

[A]	[a]	papa, à, haricot, femme		[ɥ]	lui, huit
	[ɑ]	bâton, hâte		[w]	oui, oiseau, western
[E]	[e]	bébé, hérisson, nez		[p]	père, apporter
	[ɛ]	sel, mère, clair, herbe, être, neige, maître		[b]	banc, abbé
				[d]	dans, addition, adhésif
	[i]	il, île, lys, hiver, hygiène		[t]	train, attention, thé
[O]	[o]	aube, peau, rose, pôle, zoo, hôtel, haute		[k]	coq, que, kilo, accourir, chorale, stock, acquitter, cueillir
	[ɔ]	robe, homme		[g]	gare, guérir, agglomération
	[u]	mou, goûter, où, houle		[f]	fable, affreux, phare
	[y]	mur, mûr, hutte		[v]	vie, wagon
[Œ]	[ø]	peu, vœu, heureuse		[s]	sur, casser, cire, ça, action, ascenseur, six, isthme
	[œ]	jeune, œuvre, œil, heure			
	[ə]	me, remède		[z]	zéro, cousin, deuxième
[Ẽ]	[ɛ̃]	brin, bain, faim, plein, chien, thym, synthèse		[ʒ]	jour, gigot, flageolet
	[œ̃]	brun, parfum		[ʃ]	chou, schéma, short
				[l]	calcul, million
	[ɑ̃]	plante, fente, hangar, paon		[r]	finir, arriver, rhume
	[ɔ̃]	mon, tomber, honteux		[m]	mer, nommer
	[j]	panier, payer, soleil, tailler, hier, faïence		[n]	nage, bonnet, damner
				[ɲ]	agneau, oignon
				[ŋ]	camping, bowling

Note. — Il arrive souvent qu'on ne distingue pas nettement la différence entre deux voyelles qui se ressemblent : dans ce cas, on utilise un seul signe [A] pour [a] et [ɑ], [E] pour [e] et [ɛ], [O] pour [o] et [ɔ], [Œ] pour [ø] et [œ], [Ẽ] pour [œ̃] et [ɛ̃].

Pour chercher un mot dans le dictionnaire

La première lettre d'un mot ne correspond pas toujours au premier son que l'on entend : le son [O] s'écrit **o** dans *orage*, **au** dans *aube*, **ho** dans *homme*, **eau** dans *eau-de-vie*. Ce tableau aide à trouver les mots d'après le premier son qu'on entend.

LE PREMIER SON DU MOT EST UNE VOYELLE

on entend	on cherche (dans l'ordre)					mots qui s'écrivent d'une façon particulière
	1	*2*	*3*	*4*	*5*	
[A]	a ou â	ha				**à**, le **hâ**le, la **hâ**te, tu **as**, **ah** !
[Œ]	eu	œ ou œu	heu			**euh**...
[E]	é ou e	hé ou he	ai			l'**ère**, **être**, la **haie**, la **haine**, le **hêtre**, l'**aîné**, **et**, **eh** !, tu **es**, il **est**, que j'**aie**, qu'il **ait**
[i] ou [j]	i	hi	hy	y		une **île**, un **îlot**
[O]	o	au	ho ou hô	hau		**ô**ter, l'**eau**, **aux**, **haut**, **oh** !, le **hall**, les **os**, le **heaume**
[y] ou [ɥ]	u	hu				j'ai **eu**, il **eut**, qu'il **eût**
[u] ou [w]	ou	hou	w	o(i)		**août**, **où**, le **houx**
[ã]	en	em	an	am	han	la **hampe**
[Ẽ]	in	im				**un**, **ain**si, **hin**dou, **hum**ble, **hein** ?
[ɔ̃]	on	om	hon			ils **ont**

LE PREMIER SON DU MOT EST UNE CONSONNE

la première lettre correspond au son		*la première lettre peut être différente*	
on entend	on cherche	on entend	on cherche
[b]	b	[f]	f, ph
[d]	d	[v]	v, w
[l]	l	[s]	s, c, ç (ça)
[m]	m	[ʃ]	ch, sh, sch
[n]	n	[ʒ]	j, g, ge (geôle)
[p]	p	[k]	c, qu, k, ch, cu (cueillir)
[z]	z		
[t]	t, th		
[r]	r, rh		
[g]	g, gu, gh (ghetto)		

Conseils pratiques pour l'emploi du dictionnaire

1. Tu sais bien que les mots ont souvent plusieurs sens ; les principaux sens sont donnés par ton dictionnaire. Choisis, parmi les exemples en *italique*, celui qui se rapproche le plus de la phrase où tu as rencontré un mot que tu ne comprends pas bien (ce mot figure en *italique gras* dans l'exemple). Lis ensuite l'explication donnée.

2. Souvent, tu trouveras, entre parenthèses, des *synonymes,* c'est-à-dire des mots de sens équivalent, précédés du signe =, ou des mots de sens *contraire,* précédés du signe ≠. Par exemple, au mot **obscur**, tu trouveras :

*Cette rue est très **obscure,***   il n'y a pas de lumière   (= sombre ; ≠   éclairé).

       ↓   ↓   ↓   ↓

   exemple   explication   synonyme   contraire

    Ces mots synonymes ou contraires sont toujours donnés à l'infinitif s'il s'agit de verbes, au masculin singulier s'il s'agit d'adjectifs. Parfois le synonyme ou le mot contraire suffisent à faire comprendre le sens, sans qu'une explication soit nécessaire.

3. Si tu vois un ou plusieurs chiffres dans la marge, cela signifie que dans les pages en couleurs qui correspondent à ces chiffres, tu trouveras une illustration du mot (à toi de chercher dans la page). Parfois l'illustration est à elle seule une explication suffisante.

4. Les mots sont souvent regroupés par familles, à la suite d'un mot (l'**entrée**) qui joue le rôle de chef de famille. Pour bien comprendre le sens d'un mot ainsi **regroupé**, il faut en principe se reporter au sens correspondant de l'entrée, signalé par un numéro. Regarde, par exemple, le mot **arrêt,** qui est placé à la suite d'**arrêter.** Ce mot a trois sens, qui correspondent aux sens 1, 2 et 4 d'**arrêter** ; **arrestation** n'a qu'un sens, qui correspond au sens 3 d'**arrêter.**

    Si le regroupement rattache à la famille un mot qui en serait séparé alphabétiquement par d'autres, un renvoi figure à sa place alphabétique normale. Ce n'est pas le cas pour la famille d'**arrêter**, mais il y a par exemple un renvoi de **abriter** à *abri* (**abriter** → *abri*) car entre les deux, il y a *abricot*.

Liste des abréviations et des signes

adj.	adjectif : *abominable, abondant* sont des adjectifs
adv.	adverbe : *d'abord, abondamment* sont des adverbes
art.	article : *le, une* sont des articles
conj.	conjonction : *car, donc* sont des conjonctions
conj. n°...	conjugaison numéro ... : se reporter à la liste des conjugaisons irrégulières pages 925 à 931
fam.,	familier : le mot appartient à la langue familière ou
très fam.	très familière ; en principe, **tu ne dois pas l'employer quand tu écris ou quand tu surveilles ton langage**
interj.	interjection : *aïe !, ah !* sont des interjections
inv.	invariable : *abat-jour* est un mot invariable
n.	nom : *adversaire* peut s'employer aussi bien comme nom masculin que comme nom féminin
n. f.	nom féminin : *abbaye, abeille* sont des noms féminins
n. m.	nom masculin : *abbé, abcès* sont des noms masculins
pers.	personnel : *je, il* sont des pronoms personnels
pl. ou plur.	pluriel : *abats, abattis* sont des noms qui ne s'emploient qu'au pluriel
prép.	préposition : *à, de, vers* sont des prépositions
pron.	pronom : *je, ce, mien* sont des pronoms
R.	remarque (de prononciation, d'orthographe, de grammaire)
v.	verbe : *abandonner, abasourdir* sont des verbes
→	voir : se reporter à la remarque **R.** du mot indiqué.

Liste des tableaux

a

à prép. joue un rôle grammatical très important, dans des emplois très divers : *Reste à ta place. Je viendrai à 3 heures. J'écris une lettre à ma cousine. Elle a gagné la côte à la nage. Voici une machine à coudre. Je commence à m'ennuyer.*
R. *À* se distingue par l'accent grave de [*il*] *a* (du v. *avoir*). Suivi de *le* ou de *les, à* devient *au* ou *aux* : *Je vais au lit. Elle est allée aux États-Unis.*

abaissement, abaisser → *bas* 1.

abandonner v. 1. *Les propriétaires ont abandonné la maison,* ils l'ont quittée définitivement. 2. *Il a abandonné son meilleur ami,* il l'a délaissé. 3. *Le boxeur a abandonné au troisième round,* il a renoncé à continuer. 4. *Ne vous abandonnez pas au désespoir,* ne vous y laissez pas aller.
■ **abandon** n.m. SENS 1 *La guerre a provoqué l'abandon de ces villages* (= désertion). SENS 2 *Ce jardin est laissé à l'abandon,* on ne s'en occupe pas. SENS 3 *Il y a eu dix abandons dans cette étape,* dix concurrents qui ont abandonné.

abasourdir v. 1. *Ce vacarme m'abasourdit,* il me casse les oreilles. 2. *Marie est abasourdie par une telle nouvelle,* elle est stupéfiée (= ahurir).
R. On prononce [abazurdir].

s'abâtardir → *bâtard.*

abat-jour n.m.inv. *L'abat-jour rabat la lumière de la lampe.*

abats n.m.pl. *Les pieds, les rognons, le cœur, les poumons des animaux de boucherie sont des abats.* | 222
■ **abattis** n.m.pl. *Les pattes, la tête, le cou d'une volaille sont des abattis.*

abat-son n.m.inv. *Les abat-son d'un clocher sont les lames qui renvoient le son des cloches vers le bas.* | 148

abattis → *abats.*

abattre v. 1. *Le vent a abattu un arbre,* il l'a fait tomber par terre (= renverser). 2. *Le boucher a abattu dix veaux,* il les a tués. 3. *Les policiers ont abattu un gangster,* ils l'ont tué. 4. *Elle a été très abattue par cette nouvelle* (= décourager, démoraliser). 5. *La grêle s'est abattue sur les récoltes,* elle y est tombée avec violence.
■ **abattage** n.m. SENS 1 *Les bûcherons sont chargés de l'abattage des arbres.* SENS 2 *L'abattage des bœufs est réglementé.*
■ **abattant** n.m. SENS 1 *L'abattant du meuble est brisé,* un panneau qu'on peut abaisser ou relever. | 77
■ **abattement** n.m. 1. SENS 4 *Lucie est dans un profond abattement* (= découragement). 2. *Les familles nombreuses ont droit à des abattements d'impôts* (= réduction, déduction).
■ **abattoir** n.m. SENS 2 *On mène les moutons à l'abattoir,* l'endroit où on les abat.
R. → Conj. n° 56.

abbaye n.f. Une *abbaye* est un bâtiment habité par des moines ou des religieuses (= monastère).
R. On prononce [abei].

abbé n.m. *L'abbé Dubois a dit sa messe,* le prêtre catholique. *Bonjour monsieur l'abbé.*

abc n.m. *Préparer du ciment, pour un maçon c'est l'abc du métier,* c'est une des premières choses à savoir faire, c'est très simple.

abcès n.m. *Je souffre d'un abcès dentaire,* d'un amas de pus.

abdiquer v. *Napoléon dut abdiquer en 1814,* renoncer au pouvoir.
■ **abdication** n.f. *On avait annoncé l'abdication du couple royal.*

294,
33
abdomen n.m. *L'intestin est contenu dans l'abdomen* (= ventre).
■ **abdominal, e, aux** adj. *Il souffre de douleurs abdominales.*
■ **abdominaux** n.m.pl. *Maman fait de la gymnastique pour développer ses abdominaux,* les muscles de l'abdomen.
R. On prononce [abdɔmɛn].

362
abeille n.f. *On élève les abeilles dans des ruches ; elles produisent le miel et la cire.*

aberrant, e adj. *Ce projet est aberrant,* il ne tient pas debout, il est irréalisable.
■ **aberration** n.f. *Par quelle aberration ont-ils fait ça ?,* par quelle erreur de jugement.

abêtir → *bête.*

abîme n.m. *Une équipe de spéléologues a exploré un nouvel abîme souterrain* (= gouffre).

abîmer v. *Qui a abîmé tous ces jouets ?,* qui les a mis en mauvais état (= détériorer, endommager). *Ne regarde pas de trop près la télévision, tu vas t'abîmer les yeux,* les mettre en mauvais état.

abject, e adj. *Ce film est abject* (= répugnant, ignoble).

abjurer v. *Henri IV abjura le protestantisme en 1593,* il renonça à cette religion.

ablation n.f. *La malade a subi l'ablation d'un rein,* on lui a ôté un rein.

ablette n.f. *Une ablette* est un petit poisson d'eau douce.

ablutions n.f.pl. *Faire ses ablutions,* c'est faire sa toilette, se laver.

abnégation n.f. *Elle se consacre à cette œuvre avec une abnégation totale,* en renonçant à tout intérêt personnel (= dévouement).

aboiement → *aboyer.*

abois n.m.pl. *Elle n'a plus de quoi vivre, elle est aux abois,* dans une situation désespérée.

abolir v. *L'esclavage est aboli depuis longtemps,* il est légalement supprimé.
■ **abolition** n.f. *Les députés ont voté une loi portant sur l'abolition de la peine de mort* (= suppression).

abominable adj. *Quel crime abominable !* (= affreux).
■ **abominablement** adv. *Cette chorale chante abominablement faux* (= affreusement).

abondant, e adj. *La récolte a été abondante,* très importante (≠ insuffisant).
■ **abondance** n.f. *Nous avions des provisions en abondance,* en grande quantité. *Il y a abondance de fruits cette année.*
■ **abondamment** adv. *Il pleut abondamment* (= beaucoup).
■ **abonder** v. *Le gibier abonde dans cette région,* il y en a beaucoup (= foisonner, pulluler).
■ **surabondant** adj., **surabondance** n.f., **surabondamment** adv., **surabonder** v. indiquent une quantité encore plus grande.

abonnement n.m. *On prend un abonnement à un journal quand on paie d'avance pour le recevoir régulièrement par la poste.*

■ **abonné, e** n. *Ce journal a 15 000 abonnés. Le nom des abonnés est dans l'annuaire du téléphone.*

■ **abonner** v. *On s'est abonné à plusieurs revues.*

d'abord adv. *On sert d'abord les hors-d'œuvre, puis la viande, pour commencer, en premier lieu* (≠ *ensuite, après*).

aborder v. 1. *Le bateau a abordé dans une petite île, il est arrivé à la côte.* 2. *Les deux navires se sont abordés,* ils se sont heurtés. 3. *Marie m'a abordé dans la rue,* elle s'est approchée de moi pour me parler (= *accoster*). 4. *Nous avons abordé ce problème difficile,* nous avons commencé à nous en occuper.

■ **abord** n.m. 1. SENS 3 *Cette personne est d'un abord facile,* il est facile de l'aborder. 2. *Au premier abord, cela paraît possible,* selon la première impression, à première vue. 3. (au plur.) *La police surveille les abords de l'immeuble,* les environs immédiats.

■ **abordage** n.m. SENS 1 *La tempête rendait l'abordage difficile.* SENS 2 *Le bateau a coulé à la suite d'un abordage.*

■ **abordable** adj. *Un prix abordable* n'est pas excessif.

■ **inabordable** adj. *La viande atteignait des prix inabordables.*

s'aboucher v. *Pour faire ce mauvais coup, il s'était abouché avec un repris de justice,* il s'était entendu avec lui (= *s'acoquiner*).

aboutir v. 1. *Cette rue aboutit à la gare,* elle s'y termine. 2. *La discussion a abouti à un accord,* elle a eu ce résultat.

■ **aboutissement** n.m. SENS 2 *Cette découverte est l'aboutissement de mes recherches* (= *résultat*).

aboyer v. 1. *Les chiens aboient,* ils poussent leur cri à eux. 2. *Il aboya un ordre contre les employés,* il le cria très fort.

■ **aboiement** n.m. SENS 1 *L'aboiement* est le cri du chien.

abracadabrant, e adj. *Pour s'excuser, Julie a inventé une excuse abracadabrante* (= *invraisemblable, extraordinaire*).

abréger v. *J'ai dû abréger mon voyage,* le raccourcir.

■ **abrégé** n.m. 1. *Un abrégé* est un texte qui ne dit que l'essentiel (= *résumé*). 2. *« Madame » s'écrit Mme en abrégé,* en employant une forme du mot plus courte.

s'abreuver v. *Les lions s'abreuvent à la mare,* ils y boivent.

■ **abreuvoir** n.m. 1. *Dans un abreuvoir, on fait boire le bétail.* 2. *Les enfants se bousculent à l'abreuvoir,* une fontaine d'eau potable.

363

abréviation n.f. *« Car », « c.-à-d. » sont des abréviations pour « autocar », « c'est-à-dire »,* des mots raccourcis.

abri n.m. 1. *Une grotte peut servir d'abri contre la pluie,* de protection. 2. *Elle est à l'abri de la misère,* elle n'a pas à la craindre.

435, 509

■ **abriter** v. SENS 1 *Un store nous abrite du soleil* (= *protéger*).

■ **sans-abri** n.inv. SENS 1 *Le tremblement de terre a fait mille sans-abri,* mille personnes sans logement.

■ **abribus** n.m. SENS 1 *Entrons vite dans l'abribus,* un abri pour les usagers de l'autobus.

abricot n.m. *L'abricot* est un fruit jaune produit par un **abricotier**.

abrier v. *Maman a bien abrié bébé,* elle l'a bien couvert avec une couverture.

■ **désabrier** v. *Pendant son sommeil Lucien s'est désabrié,* il s'est découvert.

abriter → **abri**.

abroger v. *Abroger une loi, un décret,* c'est l'annuler, le supprimer.

■ **abrogation** n.f. *Le Parlement a voté l'abrogation de cette loi.*

abrupt, e adj. *Une falaise abrupte* est presque verticale (= *escarpé*).

abrutir v. *Il est abruti par l'alcool,* il est rendu stupide.

■ **abrutissant, e** adj. *Il fait une chaleur abrutissante,* qui rend incapable de réagir, de penser (= accablant).

■ **abrutissement** n.m. *Cet ivrogne est tombé dans l'abrutissement.*

absent, e adj. et n. *Deux élèves sont absentes,* elles ne sont pas là (≠ présent). *On a relevé le nom des absents.*

■ **absence** n.f. *Son absence a été involontaire* (≠ présence). *Elle se plaint de l'absence de renseignements* (= manque).

■ **s'absenter** v. *Je m'absenterai de Paris au mois d'août,* je partirai momentanément.

148 **abside** n.f. *L'abside d'une église est située derrière le chœur.*

absolu, e adj. *Ici, on exige une obéissance absolue,* totale, complète.

■ **absolument** adv. *C'est absolument faux* (= complètement).

■ **absolutisme** n.m. *Des opposants luttaient contre l'absolutisme du pouvoir* (= totalitarisme).

absolution → absoudre.

absorber v. 1. *Le buvard absorbe l'encre,* il s'en imbibe, s'en imprègne. 2. *Depuis hier, je n'ai rien pu absorber,* boire ou manger (= avaler). 3. *Son travail l'absorbe,* l'occupe entièrement. *Elle est très absorbée par son travail.*

■ **absorbant, e** adj. SENS 1 *Ces serviettes sont en tissu très absorbant.* SENS 3 *La comptabilité est une occupation absorbante.*

absoudre v. *Absoudre une faute,* c'est la pardonner.

■ **absolution** n.f. *Le prêtre donne l'absolution aux fidèles.*

s'abstenir v. 1. *Je m'abstiens de critiquer cela,* j'évite de le faire. 2. *De nombreux électeurs se sont abstenus,* ils n'ont pas pris part au vote. *Lors du vote,*

notre député s'est abstenu, il a refusé de se prononcer en faveur ou en défaveur.

■ **abstention** n.f. SENS 2 *Il n'y a eu que quelques abstentions.*

■ **abstentionniste** n. SENS 2 *On ne tient pas compte des abstentionnistes.*

R. → Conj. n° 22.

abstrait, e adj. *« Bonté », « sagesse », « repos » sont des noms abstraits,* ils ne désignent pas des êtres ou des objets matériels (≠ concret).

absurde adj. *Cette explication est absurde,* car elle ne tient pas compte de la réalité (= déraisonnable, stupide).

■ **absurdité** n.f. *C'est une absurdité de vouloir faire de l'alpinisme sans préparation* (= stupidité).

abus n.m. *L'abus du tabac nuit à la santé,* l'usage excessif.

■ **abuser** v. 1. *Tu abuses de tes droits,* tu en fais un usage excessif, injuste. 2. *Ne vous laissez pas abuser par cette ressemblance* (= tromper).

■ **abusif, ive** adj. 1. *L'emploi abusif de médicaments peut nuire à la santé* (= excessif, exagéré). 2. *L'emploi de ce mot est abusif,* on l'emploie dans un sens qui n'est pas le sens habituel.

acabit n.m. *Quel personnage bizarre ! je n'ai jamais vu une personne de cet acabit,* de ce genre.

acacia n.m. *L'acacia est un arbre qui a des fleurs jaunes ou blanches.*

académie n.f. *L'Académie française est une société d'écrivains.*

■ **académicien, enne** n. *Les académiciens ont un habit vert pour les cérémonies.*

acadianisme n.m. *Un acadianisme est un terme ou une locution propre au français de l'Acadie.*

acajou n.m. *Ce coffret est en acajou,* en un bois rougeâtre.

acariâtre adj. *Cette personne a un caractère acariâtre* (= désagréable, revêche).

accabler v. *Elle est accablée de travail* (= surcharger, écraser).
■ **accablant, e** adj. *En août, la chaleur a été accablante* (= insupportable).
■ **accablement** n.m. *Cette mauvaise nouvelle l'a jeté dans un profond accablement* (= abattement).

accalmie → *calme.*

accaparer v. *Un incident a accaparé l'attention générale,* il l'a entièrement retenue. *Tu accapares la conversation,* tu parles tellement que les autres ne peuvent pas parler.

accéder → *accès.*

accélérer v. 1. *Le conducteur accélère dans la ligne droite,* il va plus vite (≠ ralentir). 2. *Accélérez vos préparatifs !* (= hâter).
■ **accélération** n.f. *L'accélération du progrès est continue.*
■ **accélérateur** n.m. SENS 1 *Appuie sur l'accélérateur !,* sur le mécanisme qui fait aller plus vite.

accent n.m. 1. *Mireille a l'accent marseillais,* elle prononce le français comme les Marseillais. 2. *L'accent est aigu dans « pré », grave dans « près », circonflexe dans « prêt »,* le signe placé sur la voyelle. 3. *On a mis l'accent sur son rôle,* on a insisté.
■ **accentuer** v. SENS 2 *Ce texte est mal accentué,* les accents ne sont pas correctement mis. SENS 3 *La hausse des prix s'accentue,* elle devient plus forte (= s'intensifier, s'accroître).
■ **accentuation** n.f. SENS 2 *Tu as oublié l'accent de « âme » : c'est une faute d'accentuation.* SENS 3 *On note une accentuation du froid* (= accroissement).

accepter v. *J'accepte votre aide,* je veux bien la recevoir (≠ refuser).
■ **acceptable** adj. *Ce devoir est acceptable* (= convenable).
■ **acceptation** n.f. *Je me réjouis de son acceptation* (≠ refus).

■ **inacceptable** adj. *Vos conditions son inacceptables : je refuse.*

accès n.m. 1. *L'accès de ce sommet est difficile,* le fait d'y arriver, de l'atteindre. 2. *L'enfant a eu un accès de fièvre,* une brusque poussée.
■ **accessible** adj. SENS 1 *Un lieu très accessible* est facile à atteindre.
■ **accession** n.f. SENS 1 *Depuis son accession à la présidence, la situation s'est améliorée* (= arrivée).
■ **accéder** v. SENS 1 *Rachid a accédé à une situation importante,* il y est parvenu.
■ **inaccessible** adj. SENS 1 *Ce pic est inaccessible.*

accessoire 1. adj. *Je ferai une remarque accessoire,* qui s'ajoute (= secondaire ; ≠ essentiel). 2. n.m. *Le cric est un accessoire d'automobile,* un objet dont on peut avoir besoin pour utiliser l'automobile.

accident n.m. 1. *Elle a été victime d'un accident de la circulation,* d'un choc causant des dommages, parfois des blessures ou la mort. 2. *J'ai appris cela par accident,* par hasard. 3. *Un accident du terrain* est une inégalité du sol.
■ **accidenté, e** adj. SENS 1 *Une voiture accidentée* est celle qui a subi un accident. SENS 3 *Un terrain accidenté* a un relief inégal.
■ **accidentel, elle** adj. SENS 1 *Sa mort a été accidentelle.* SENS 2 *Une rencontre accidentelle* est due au hasard.
■ **accidentellement** adv. SENS 2 *Un trésor a été découvert accidentellement* (= par hasard).

acclamer v. *La foule acclame la championne,* elle la salue par des cris d'enthousiasme.
■ **acclamation** n.f. *Les spectateurs poussent des acclamations de joie* (= cri).

acclimatation, acclimater → *climat.*

accolade n.f. **1.** Une *accolade* ({) sert à réunir plusieurs lignes . **2.** *Le président donne l'accolade à celui qu'il décore,* il le tient entre ses bras et place sa tête contre la sienne.

accoler v. *Leurs deux noms sont accolés sur l'affiche,* ils sont mis côte à côte.

accommoder v. **1.** *Accommoder des aliments,* c'est les apprêter. **2.** *S'accommoder de quelque chose,* c'est s'en contenter.
- **accommodant, e** adj. SENS 2 *Elle est d'un caractère accommodant* (= conciliant, arrangeant).
- **accommodement** n.m. SENS 2 *On a trouvé un accommodement pour les mettre d'accord* (= arrangement).
R. Attention à l'orthographe : deux *c* et deux *m*.

accompagner v. **1.** *J'accompagne un ami à la gare,* j'y vais avec lui. **2.** *L'orchestre accompagne la chanteuse,* il joue une musique s'adaptant à l'air qu'elle chante.
- **accompagnement** n.m. SENS 2 *Linda chante avec accompagnement de guitare.*
- **accompagnateur, trice** n. SENS 1 L'*accompagnateur* d'un groupe d'enfants voyage avec eux. SENS 2 *Cette pianiste est l'accompagnatrice du chanteur.*
- **raccompagner** v. SENS 1 *Je vais vous raccompagner chez vous.*

accomplir v. *Les éclaireurs ont accompli leur mission,* ils l'ont réalisée complètement (= exécuter). *Un changement total s'est accompli* (= se réaliser).
- **accompli, e** adj. *C'est une escrimeuse accomplie,* parfaite. *On m'a mis devant le fait accompli,* devant une situation sur laquelle je ne peux plus rien faire.

- **accomplissement** n.m. *Maria se consacre à l'accomplissement de sa tâche.*

accord → *accorder.*

accordéon n.m. **1.** *On danse au son de l'accordéon,* un instrument à soufflet et à touches. **2.** *Cette feuille est pliée en accordéon,* elle forme des plis parallèles comme le soufflet d'un accordéon.
- **accordéoniste** n. SENS 1 L'*accordéoniste* joue de l'accordéon.

accorder v. **1.** *Les deux adversaires se sont enfin accordés,* ils ont été du même avis (= s'entendre). **2.** *Les musiciens accordent leurs instruments,* ils les règlent pour jouer juste. **3.** *L'adjectif s'accorde avec le nom,* il se met au même genre (masculin ou féminin) et au même nombre (singulier ou pluriel). **4.** *Je vous accorde cette autorisation,* j'accepte de vous la donner (≠ refuser).
- **accord** n.m. SENS 1 L'*accord* règne entre nous, la bonne entente, la concorde. *Nous sommes d'accord,* nous sommes du même avis. *Un accord commercial* est une convention, un traité. SENS 2 *Faire un accord au piano,* c'est jouer plusieurs notes ensemble. SENS 3 L'*accord du verbe se fait avec le sujet.* SENS 4 *Je donne mon accord à ce projet,* je l'accepte.
- **accordeur** n.m. SENS 2 *Ce piano est faux, il faut faire venir l'accordeur.*
- **désaccord** n.m. SENS 1 *Un désaccord subsiste entre eux* (= divergence, différend).

accort, e adj. *Une jeune fille accorte* est aimable et d'une vivacité agréable.

accoster v. **1.** *Le bateau accoste,* il se range le long du quai. **2.** *Accoster un passant,* c'est s'approcher pour lui parler (= aborder).
- **accostage** n.m. SENS 1 *La houle rendait l'accostage difficile.*

06 | **accotement** n.m. *Défense de stationner sur l'accotement,* le bord de la route (= bas-côté).

accoucher v. *Cette femme va bientôt accoucher,* elle va mettre un enfant au monde.

■ **accouchement** n.m. *Son mari a assisté à l'accouchement, il a vu naître l'enfant.*

■ **accoucheur, euse** adj. et n. *Un (médecin) accoucheur est spécialisé dans les accouchements.*

s'accouder → *coude.*

s'accoupler → *couple.*

accourir → *courir.*

accoutrer v. *Tu es bizarrement accoutré aujourd'hui !,* tu es habillé d'une drôle de façon (= affubler).

■ **accoutrement** n.m. *Quel accoutrement grotesque !*

accoutumance, accoutumer → *coutume.*

accréditer v. *L'absence du président a accrédité la rumeur de sa maladie,* elle l'a rendue plus digne de foi.

accrocher v. 1. *On a accroché le tableau au mur,* on l'y a attaché au moyen d'un clou, d'un crochet, etc. 2. *Édith a accroché sa chemise au fil de fer barbelé,* elle l'a déchirée. 3. *Le chauffeur a accroché l'aile d'une voiture,* il l'a heurtée, cabossée. 4. *S'accrocher aux branches,* c'est s'y cramponner, s'y agripper. 5. *S'accrocher à un travail,* c'est s'y obstiner.

■ **accroc** n.m. SENS 2 *J'ai fait un accroc à ma veste,* une déchirure.

■ **accrochage** n.m. SENS 1 *L'accrochage des wagons à la locomotive est bruyant.* SENS 3 *Il y a eu un accrochage entre deux camionnettes* (= collision).

■ **accrocheur, euse** adj. 1. SENS 5 *Un garçon accrocheur est tenace, actif.* 2. *Ce message publicitaire est très accrocheur,* il retient l'attention.

■ **décrocher** v. 1. SENS 1 *Décroche la carte murale !* 2. *J'ai décroché le télé-*

phone, mais il n'y avait personne au bout du fil, j'ai soulevé le combiné.

■ **décrocheur, euse** n. *Cette école offre des classes pour décrocheurs,* les élèves qui abandonnent l'école avant la fin de la scolarisation obligatoire.

■ **raccrocher** v. 1. SENS 1 *Elle a raccroché sa veste au portemanteau.* 2. *Allô ! ne raccrochez pas,* ne reposez pas la poignée sur le socle du téléphone pour couper la communication.

accroire v. *Tu as voulu m'en faire accroire, mais je ne suis pas dupe,* me tromper, me berner.

accroissement, accroître → *croître.*

s'accroupir v. *Les enfants s'accroupissent pour jouer,* ils s'assoient sur leurs talons.

accueillir v. *Mehdi accueille chaleureusement son amie,* il la reçoit.

■ **accueil** n.m. *Jean nous a fait un accueil amical.*

■ **accueillant, e** adj. *Cette personne est accueillante,* elle vous reçoit bien.

R. → Conj. n° 24.

acculer v. *Certains commerçants sont acculés à la faillite,* ils n'ont plus d'autre possibilité.

accumuler v. *Elle a accumulé les preuves,* elle en a rassemblé beaucoup.

■ **accumulation** n.f. *L'accumulation des preuves se poursuit.*

■ **accumulateur** n.m. *Un accumulateur est un appareil qui emmagasine l'électricité* (= batterie).

accuser v. 1. *On accusait le gardien de négligence,* on disait qu'il était coupable. 2. *La comparaison entre vous accuse vos différences,* elle les souligne, les fait apparaître. *Leurs divergences se sont accusées avec le temps,* elles sont devenues plus sensibles. 3. *J'accuse réception de votre envoi,* je déclare l'avoir reçu.

■ **accusation** n.f. SENS 1 *Ton accusation est injuste* (= reproche).

■ **accusateur, trice** adj. et n. SENS 1 *Je répondrai à mes accusateurs,* à ceux qui m'accusent.

■ **accusé, e 1.** n. et adj. SENS 1 *L'accusé affirmait son innocence.* **2.** adj. SENS 2 *Des traits accusés sont très visibles.* **3.** n.m. SENS 3 *Un accusé de réception* est un papier par lequel on reconnaît qu'on a reçu un envoi.

acéré, e adj. *Mon couteau a une lame acérée,* très tranchante.

achalandé, e adj. **1.** *Ce magasin est bien achalandé,* il a beaucoup de marchandises (= fourni, approvisionné). **2.** *Ce restaurant est très achalandé,* il est fréquenté par beaucoup de clients.

achaler v. *Tu m'achales avec tes problèmes,* tu m'ennuies.

■ **achalant, e** adj. *Félix est achalant,* il est agaçant.

s'acharner v. *S'acharner contre* (ou *sur*) *un adversaire,* c'est l'attaquer avec obstination et violence.

■ **acharné, e** adj. *Les deux lionnes ont livré un combat acharné* (= furieux).

■ **acharnement** n.m. *Nadia travaille avec acharnement* (= obstination, ténacité).

achat → *acheter.*

acheminer → *chemin.*

acheter v. *On achète le pain à la boulangerie,* on se le procure en payant.

■ **achat** n.m. **1.** *Ils envisagent l'achat d'une maison* (= acquisition). **2.** *Emportez vos achats* (= emplette).

■ **acheteur, euse** n. *L'acheteuse a payé comptant* (= acquéreur, client).

■ **racheter** v. **1.** *Il n'y a plus de sucre, il faut en racheter. Si tu veux vendre ta voiture, je te la rachète.* **2.** *Elle était en retard au rendez-vous, mais elle s'est rachetée en apportant des fleurs,* elle s'est fait pardonner.

■ **rachat** n.m. SENS 1 *Elle lui a proposé le rachat de sa voiture.* SENS 2 *Il s'est consa-*

cré *au rachat de ses fautes passées* (= réparation).

R. → Conj. n° 7.

achever v. **1.** *Je n'ai pas achevé la lecture de ce livre,* je ne l'ai pas finie. **2.** *Achever un animal blessé,* c'est lui donner le coup qui le tue.

■ **achèvement** n.m. SENS 1 *L'achèvement des travaux est proche* (= fin).

■ **inachevé, e** adj. SENS 1 *J'ai remis un devoir inachevé* (= incomplet).

■ **parachever** v. SENS 1 *J'ai encore besoin de quelques jours pour parachever mon travail,* pour finir de l'exécuter très soigneusement (= parfaire).

achigan n.m. *J'ai pêché un achigan dans le lac,* une perche noire.

achopper v. *Virginie a besoin d'aide, elle achoppe sur des questions administratives,* elle se heurte à des difficultés.

acide adj. *Ces pommes ont un goût acide,* piquant à la langue.

■ **acide** n.m. *Les acides sont des corps chimiques particuliers.*

■ **acidité** n.f. *Je n'aime pas l'acidité du citron,* sa saveur acide.

■ **acidulé, e** adj. *Les bonbons acidulés sont légèrement acides.*

acier n.m. *La lame de ton couteau est en acier,* une sorte de fer très dur.

■ **aciérie** n.f. *Dans les aciéries, on transforme la fonte en acier.*

acompte n.m. *Verser un acompte sur une commande,* c'est payer d'avance une partie du prix (= arrhes).

s'acoquiner v. Fam. *Il a eu tort de s'acoquiner avec ces mauvais garçons,* de se lier avec eux en devenant leur complice (= s'aboucher).

à-côté n.m. *Ces inconvénients font partie des à-côtés du métier,* de ce qui est accessoire, qui vient en supplément.

à-coup n.m. *C'est un métier irrégulier; on ne travaille que par à-coups,* par intermittence, irrégulièrement.

72

acoustique n.f. *Cette salle a une bonne acoustique,* on y entend bien.

acquérir v. 1. *Acquérir une voiture,* c'est en devenir le propriétaire (= acheter). 2. *Acquérir une preuve, une certitude, etc.,* c'est les obtenir.

■ **acquéreur, euse** n. SENS 1 *Cette maison n'a pas trouvé d'acquéreur* (= acheteur).

■ **acquis** n.m. SENS 2 *Défendons nos acquis,* les avantages, les droits que nous avons obtenus.

■ **acquisition** n.f. SENS 1 *Line a fait l'acquisition d'un piano* (= achat).

R. → Conj. n° 21.

acquiescer v. *J'acquiesce à cette proposition,* je donne mon accord.

■ **acquiescement** n.m. *Elle a fait connaître son acquiescement* (= accord, acceptation).

acquis, acquisition → acquérir.

acquit n.m. *J'ai vérifié l'adresse par acquit de conscience,* par scrupule, pour éviter tout risque de remords.

acquitter v. 1. *Le tribunal l'a acquitté,* il l'a déclaré innocent (≠ condamner). 2. *J'ai acquitté une facture* (= payer). 3. *Le messager s'est acquitté de sa mission,* il l'a remplie, il a fait ce qu'il devait.

■ **acquittement** n.m. SENS 1 *Le tribunal a prononcé l'acquittement de l'accusé.*

acre n.m. *L'acre* est une ancienne mesure de surface valant environ 4 000 m².

âcre adj. *Ce fromage de chèvre a un goût âcre* (= piquant).

■ **âcreté** n.f. *L'âcreté du médicament lui fait faire la grimace.*

acrobate n. *Au cirque, des acrobates font des sauts périlleux,* des gymnastes très agiles.

■ **acrobatie** n.f. *Nous avons applaudi les acrobaties du trapéziste.*

■ **acrobatique** adj. *Les trapézistes font un numéro acrobatique.*

R. *Acrobatie* se prononce [akrɔbasi].

acte n.m. 1. *Vous êtes responsables de vos actes,* de ce que vous faites (=

action). 2. *Une tragédie en cinq actes* est en cinq parties. 3. *Un acte de naissance* est un écrit officiel.

acteur, trice n. *Quel est le nom de l'actrice de ce film ?,* la personne qui joue un rôle dans un film ou une pièce de théâtre (= interprète). 440

actif → agir.

1. action n.f. *Mme Bailly possède des actions d'une société,* des parts du capital de cette société.

■ **actionnaire** n. *Les actionnaires ont touché des revenus importants,* les possesseurs d'actions.

2. action, actionner, activement, activer, activité → agir.

actuel, elle adj. *Les événements actuels* sont ceux qui ont lieu maintenant (= présent).

■ **actuellement** adv. *Nous sommes actuellement en vacances* (= pour le moment). 835

■ **actualité** n.f. 1. *On se tient au courant de l'actualité,* de ce qui se passe maintenant. 2. (au plur.) *C'est l'heure des actualités à la télévision,* du journal filmé d'information.

■ **actualiser** v. *Il faut actualiser les prix,* les adapter à la période actuelle.

acupuncture ou **acuponcture** n.f. *L'acuponcture* est un traitement médical qui consiste à piquer des aiguilles en certains points du corps.

■ **acupuncteur** ou **acuponcteur, trice** n. *Un acupuncteur* est spécialisé dans la pratique de l'acupuncture.

adapter v. 1. *Adapter une poignée à un récipient,* c'est l'y fixer, l'y ajuster. 2. *Adapter un roman à l'écran,* c'est en faire un film. 3. *Il a bien fallu s'adapter aux circonstances,* s'y plier, s'y conformer.

■ **adaptation** n.f. SENS 2 *Ce film est une adaptation d'un roman.* SENS 3 *Ce travail demande une période d'adaptation* (= apprentissage, mise au courant).

■ **inadapté, e** adj. SENS 3 *Cette décision est* **inadaptée** *à la situation, elle ne convient pas.*

■ **inadaptation** n.f. SENS 3 *Cet enfant a souffert de son* **inadaptation** *au milieu scolaire.*

■ **réadapter** v. SENS 3 *Après vingt ans passés à l'étranger, elle se* **réadapte** *difficilement dans son pays.*

additif n.m. *Ce gâteau contient des* **additifs,** *des produits chimiques qu'on y a ajoutés.*

addition n.f. **1.** *Quand on ajoute un nombre à un autre, on fait une* **addition.** **2.** *Ajouter de l'eau à une pâte, c'est faire une* **addition** *d'eau.* **3.** *Payer l'* **addition** *au restaurant,* c'est payer le montant total de la dépense (= note).

■ **additionner** v. SENS 1 *Il faut* **additionner** *ces nombres pour obtenir le total* (= ajouter). SENS 2 *Elle boit du vin* **additionné** *d'eau* (= mêler, étendre).

adepte n. *Nous sommes des* **adeptes** *de la musique moderne,* cette musique nous plaît (= partisan).

adhérer v. **1.** *Le timbre* **adhère** *à l'enveloppe,* il y colle. **2.** *Adhérer à un parti,* c'est en devenir membre.

■ **adhérent, e** **1.** adj. SENS 1 *Le goudron est une matière très* **adhérente** (= collant). **2.** n. SENS 2 *De nouveaux* **adhérents** *se sont inscrits au syndicat* (= membre).

■ **adhérence** n.f. SENS 1 *Ce pneu a une bonne* **adhérence,** *il ne dérape pas.*

■ **adhésion** n.f. SENS 2 *J'ai toujours refusé mon* **adhésion** *à un parti* (= inscription).

■ **adhésif, ive** adj. SENS 1 *Tu fermeras le paquet avec du ruban* **adhésif.** *J'ai mis un pansement* **adhésif** *sur ma blessure.*

adieu interj. et n.m. *On dit* **adieu** *à quelqu'un qu'on quitte pour longtemps. Je pars demain, je viens vous* **faire mes adieux.**

adjacent, e adj. *Mon garage est dans la rue* **adjacente,** *la rue voisine.*

adjectif n.m. *« Grand », « beau » sont des* **adjectifs,** *des mots qui accompagnent un nom.*

adjoint, e n. *Mme Dubois est* **adjointe** *au maire,* elle l'aide et quelquefois le remplace.

adjudant, e n. *Un* **adjudant** *est un sous-officier immédiatement supérieur au sergent.*

adjuger v. **1.** *Le premier prix* **a été adjugé** *à Lise,* il lui a été attribué, donné. **2.** *Il s'est* **adjugé** *le meilleur morceau,* il l'a pris.

adjurer v. *Je l'ai* **adjuré** *de se taire* (= supplier).

admettre v. **1.** *Aline* **a été admise** *dans la classe supérieure,* elle a pu y entrer (= recevoir). **2.** *J'***admets** *vos explications,* je reconnais qu'elles sont valables (= accepter).

■ **admission** n.f. SENS 1 *Le jury a décidé l'* **admission** *de cette candidate.*

■ **admissible** adj. SENS 1 *Si tu n'as pas de bonnes notes, tu ne seras pas* **admissible** *dans la classe supérieure.* SENS 2 *Une telle erreur n'est pas* **admissible** (= acceptable).

■ **inadmissible** adj. SENS 2 *Une chose* **in-** **admissible** est inacceptable, intolérable. **R.** → Conj. n° 57.

administrer v. **1.** *Le conseil municipal* **administre** *la municipalité,* il la dirige (= gérer). **2.** *On* **a administré** *un remède au malade,* on le lui a donné.

■ **administrateur, trice** n. SENS 1 *Les* **administrateurs** *de la société se sont réunis.*

■ **administratif, ive** adj. SENS 1 *Une décision* **administrative** *est prise par l'Administration.*

■ **administration** n.f. **1.** SENS 1 *Qui est responsable de l'* **administration** *de l'usine ?* (= gestion). **2.** SENS 1 *J'ai des démêlés avec l'* **Administration,** *avec les services publics.*

admirer v. **1.** *Nous* **avons admiré** *le paysage,* nous l'avons trouvé très beau.

2. *J'admire cette actrice,* je trouve qu'elle a de très grandes qualités.

■ **admirable** adj. *Ce film est admirable* (= superbe, merveilleux, magnifique).

■ **admirablement** adv. *Linda chante admirablement* (= merveilleusement).

■ **admirateur, trice** n. *La chanteuse était entourée d'une foule d'admiratrices.*

■ **admiratif, ive** adj. *Un regard admiratif* exprime l'admiration.

■ **admiration** n.f. *Ce spectacle est digne d'admiration. Je suis plein d'admiration pour un tel exploit.*

admissible, admission → admettre.

adolescent, e n. *Un adolescent* n'est plus un enfant et n'est pas encore un adulte.

■ **adolescence** n.f. *L'adolescence* est la période pendant laquelle on est adolescent (entre 14 et 18 ans environ).

adonner v. **1.** *S'adonner au sport, à la lecture,* c'est en faire beaucoup (= se consacrer). **2.** *Fam. Si cela t'adonne nous irons au restaurant,* si cela te convient (= convenir, plaire). **3.** *Fam. Benoît et Nicole s'adonnent bien,* ils s'entendent bien.

adopter v. **1.** *Ils ont adopté un enfant,* ils le traitent légalement comme leur fils (ou leur fille). **2.** *Antonio a adopté un air d'indifférence,* il a pris cet air. **3.** *Adopter un projet,* c'est l'approuver.

■ **adoptif, ive** adj. SENS 1 *Des parents adoptifs* sont ceux qui adoptent un enfant. *Une fille adoptive* est celle qui est adoptée.

■ **adoption** n.f. SENS 1 *L'adoption d'un orphelin est étroitement réglementée.* SENS 3 *L'adoption du projet est décidée.*

adorer v. **1.** *Adorer Dieu,* c'est le prier avec respect. **2.** *Elle adore son chien, les gâteaux, le cinéma,* elle les aime extrêmement (≠ détester).

■ **adorable** adj. SENS 2 *Cet enfant est adorable* (= charmant).

■ **adorateur, trice** n. SENS 1 *Les Incas*

étaient des ***adorateurs** du Soleil.* SENS 2 *Cette chanteuse a beaucoup d'adorateurs* (= admirateur).

■ **adoration** n.f. SENS 1 *Des religieux étaient prosternés en adoration devant l'autel.* SENS 2 *Ils ont une adoration pour leur fils.*

adosser → dos.

adoucir, adoucissant, adoucissement → doux.

1. adresse → adroit.

2. adresse n.f. **1.** *Quelle est ton adresse ?,* l'endroit où tu habites. **2.** *Il a lancé des injures à l'adresse de ses adversaires,* à leur intention.

■ **adresser** v. SENS 1 *Adresser une lettre à quelqu'un,* c'est la lui envoyer. SENS 2 *Adresser la parole à quelqu'un,* c'est lui parler.

adroit, e adj. *Un ouvrier adroit* est celui qui sait s'y prendre (= habile).

■ **adroitement** adv. *La cycliste a évité adroitement l'obstacle* (= habilement).

■ **adresse** n.f. *Marie conduit sa voiture avec adresse* (= habileté, dextérité).

■ **maladroit, e** adj. *Il a eu un geste maladroit* (= gauche).

■ **maladroitement** adv. *Jean dessine maladroitement.*

■ **maladresse** n.f. *J'ai cassé ce vase par maladresse.*

adulte adj. et n. *Mon chat n'a pas encore sa taille adulte,* la taille de son plein développement. *Un adulte* est quelqu'un qui n'est plus dans l'enfance ou dans l'adolescence (= une grande personne).

advenir v. *Quoi qu'il advienne,* il faut continuer, quoi qu'il se produise.

adverbe n.m. *« Maintenant », « bien », « très » sont des adverbes,* des mots invariables.

adversaire n. *Elle a répondu aux attaques de ses adversaires,* des gens qui s'opposent à elle.

■ **adverse** adj. *C'est l'équipe adverse qui a gagné* (= opposé).

adversité n.f. *Elle a été courageuse dans l'adversité* (= malheur).

aération, aéré, aérer, aérien → *air.*

aérobique adj. *Yves est un adepte de la danse aérobique,* une danse aux mouvements rapides, effectuée sur une musique rythmée.

803   **aérodrome** n.m. Un *aérodrome* est un terrain aménagé pour le décollage et l'atterrissage des avions.

219   ■ **aéro-club** n.m. *Dans les aéro-clubs, les pilotes d'avion et les parachutistes apprennent et s'entraînent.*

■ **aérodynamique** adj. *Cette voiture est plus rapide que l'autre grâce à sa forme aérodynamique,* qui offre moins de résistance à l'air.

510   ■ **aérogare** n.f. *Je dois être à 8 heures à l'aérogare,* une gare où on prend l'avion.

■ **aéroglisseur** n.m. Un *aéroglisseur* est un véhicule qui se déplace sur la terre et sur l'eau en glissant sur un coussin d'air (= hydroglisseur).

■ **aéromodélisme** n.m. *Papa fait de l'aéromodélisme,* il construit des modèles réduits d'avions ou de planeurs.

■ **aéronautique** adj. et n.f. *L'industrie aéronautique* est celle qui concerne les avions. L'*aéronautique* est la fabrication des avions.

511   ■ **aéroport** n.m. Un *aéroport* est l'ensemble formé par un aérodrome et par les bâtiments administratifs correspondants.

■ **aéroporté, e** adj. *Des troupes aéroportées* sont transportées par avion.

■ **aérospatial, e, aux** adj. *Le budget alloué à la recherche aérospatiale est moins élevé cette année,* la recherche sur les satellites, l'aéronautique et les engins spatiaux.

aérosol n.m. *On vaporise ce produit contre les insectes grâce à un aérosol,* un récipient contenant un gaz sous pression (= bombe).

affable adj. *La gérante a un air affable* (= aimable, accueillant).

■ **affabilité** n.f. *Elle a répondu avec affabilité* (= amabilité).

s'affadir → *fade.*

affaiblir, affaiblissement → *faible.*

affaire n.f. 1. *Nous avons discuté de cette affaire,* de cette question. 2. *Avoir affaire à quelqu'un,* c'est être mis en rapport avec lui. *C'est mon affaire,* cela ne regarde que moi. 3. *Quand René tricote, il est à son affaire,* cela lui plaît. 4. *Ce morceau de bois fera l'affaire,* il conviendra. 5. *Cette voiture est excellente : j'ai fait une bonne affaire,* un marché avantageux. 6. *Mme Boies est dans les affaires,* elle est dans le commerce ou l'industrie. 7. *Range tes affaires !,* tes vêtements, tes objets personnels.

■ **affairé, e** adj. SENS 1 *Tu es une personne très affairée* (= occupé).

■ **s'affairer** v. *Le cuisinier s'affaire à ses fourneaux,* il s'en occupe activement.

s'affaisser v. 1. *Le lièvre blessé s'est affaissé,* il est tombé sous son propre poids. 2. *Le sol s'est affaissé,* il s'est enfoncé.

■ **affaissement** n.m. SENS 2 *Cet affaissement de terrain est dû aux pluies.*

s'affaler v. *Épuisé par cette longue marche, il s'est affalé sur un lit,* il s'y est laissé tomber.

affamé → *faim.*

affecter v. 1. *On m'a affecté à ce poste* (= nommer). 2. *Affecter une somme à quelque chose,* c'est l'y employer. 3. *Affecter la joie, la tristesse, etc.,* c'est faire semblant de l'éprouver (= feindre, simuler). 4. *Elle a été très affectée par la mort de son amie,* très émue, attristée.

■ **affecté, e** adj. SENS 3 *Son insouciance est affectée,* il fait semblant d'être insouciant.

■ **affectation** n.f. SENS 1 *J'ai reçu un changement d'affectation* (= fonctions, emploi, poste). SENS 3 *Une affectation d'insouciance* est un air d'insouciance qu'on se donne.

■**désaffecté, e** adj. SENS 2 *La colonie de vacances est installée dans une caserne désaffectée,* qui ne sert plus de caserne.

affection n.f. **1.** *Jean a pour moi une affection fraternelle,* il m'aime comme un frère (= tendresse). **2.** *Une affection de la peau* est une maladie de la peau.

■**affectif, ive** adj. SENS 1 *Une réaction affective* est inspirée par un sentiment et non par la raison.

■**affectionner** v. SENS 1 *J'affectionne la musique,* je l'aime beaucoup.

■**affectueux, euse** adj. SENS 1 *Jean est un enfant affectueux* (= tendre, aimant).

■**affectueusement** adv. SENS 1 *Dominique parle affectueusement à son petit frère.*

affermir → *ferme* 2.

afficher v. **1.** *On a affiché un concert,* on l'a annoncé par des affiches. **2.** *Elle affiche son mépris,* elle le montre ouvertement.

■**affiche** n.f. SENS 1 *Le mur est couvert d'affiches publicitaires,* de grandes feuilles portant des inscriptions.

■**affichage** n.m. SENS 1 *Un panneau d'affichage* est un panneau où l'on pose les affiches. *Les résultats de tous les examens sont sur le tableau d'affichage* (= babillard).

■**affichette** n.f. SENS 1 Une *affichette* est une petite affiche.

affilé, e adj. *Une lame affilée* est coupante, aiguisée.

d'affilée adv. *Nous avons travaillé cinq heures d'affilée,* sans interruption (= à la file).

s'affilier v. *Notre club s'est affilié à la fédération,* il y a adhéré.

■**affiliation** n.f. *La fédération a enregistré l'affiliation de notre club.*

affinité n.f. *Il y a entre eux des affinités qui les rapprochent,* des goûts semblables.

affirmer v. *J'affirme que c'est vrai,* je le déclare fermement (= soutenir, certifier).

■**affirmation** n.f. *Cette affirmation est inexacte* (= déclaration).

■**affirmatif, ive** adj. et n.f. *On m'a donné une réponse affirmative,* on m'a dit oui (≠ négatif). *On a répondu par l'affirmative* (≠ la négative).

affleurer → *fleur.*

affligé, e adj. *Être affligé d'une maladie,* c'est en souffrir.

■**affligeant, e** adj. *Ce film est d'une bêtise affligeante,* navrante, désolante, consternante.

affluer v. *Les vacanciers affluent sur cette plage,* ils y arrivent en grand nombre.

■**affluence** n.f. *L'affluence des touristes commence fin juin.*

■**affluent** n.m. *L'Outaouais est un affluent du Saint-Laurent,* un cours d'eau qui se jette dans le Saint-Laurent (= confluent).

■**afflux** n.m. *Aujourd'hui, il y a eu un afflux de visiteurs au musée* (= affluence).

affoler v. *Son imprudence m'affole,* elle m'effraie (≠ calmer). *Ne vous affolez pas, gardez votre calme,* ne perdez pas votre sang-froid.

■**affolant, e** adj. *Ces maisons atteignent un prix affolant* (= effrayant).

■**affolement** n.m. *On entendait des cris d'affolement* (= terreur).

affranchir, affranchissement → *franc* 2.

affreux, euse adj. **1.** *Elle a une robe affreuse,* très laide (= hideux, horrible). **2.** *Quel temps affreux !,* très désagréable, très pénible.

■**affreusement** adv. *Elle est affreusement inquiète* (= terriblement, horriblement).

affront n.m. *Il lui a fait un affront en refusant de lui serrer la main,* une insulte en public (= offense).

affronter v. *Affronter un adversaire,* c'est ne pas craindre de lutter contre lui.
■ **affrontement** n.m. *L'affrontement a été violent.*

affubler v. *Sa mère l'affuble de vêtements trop grands,* elle l'habille de manière ridicule (= accoutrer).

affût n.m. **1.** *La journaliste est à l'affût des nouvelles,* elle les guette. **2.** *L'affût d'un canon,* c'est ce qui sert à le déplacer et à le diriger.

762

affûter v. *Le menuisier affûte ses outils,* il les aiguise.

afin que conj. *Elle crie afin qu'on l'entende,* pour que.
■ **afin de** prép. *Elle crie afin d'être entendue,* pour être entendue.

agacer v. *Tu m'agaces avec tes questions,* tu m'énerves.
■ **agaçant, e** adj. *Ce petit bruit est agaçant* (= énervant).
■ **agacement** n.m. *J'ai eu un geste d'agacement* (= impatience).

agate n.f. *L'agate est une pierre aux couleurs variées dont on fait des bijoux, des bibelots,* etc.

âge n.m. **1.** *Quel âge avez-vous ?,* depuis combien de temps êtes-vous né ? **2.** *Dans son jeune âge, dans l'âge mûr, dans un âge avancé,* dans sa jeunesse, sa maturité, sa vieillesse. **3.** *M. et Mme Dupont fréquentent un club du troisième âge,* de gens qui ont entre 60 et 75 ans. **4.** *L'âge du bronze est l'époque préhistorique où les hommes fabriquaient beaucoup d'objets en bronze.*
■ **âgé, e** adj. **1.** SENS 1 *Pierre est âgé de douze ans,* il a cet âge. **2.** *Sa grand-mère est âgée,* elle est vieille.

agence n.f. *Une agence de voyages, de publicité,* etc., est une entreprise commerciale qui s'occupe de ces affaires.

agencer v. *Cet appartement est bien agencé,* bien disposé.

■ **agencement** n.m. *L'agencement d'un spectacle,* c'est son organisation.

agenda n.m. *J'inscris mes rendez-vous sur mon agenda* (= carnet).
R. On prononce [aʒɛ̃da].

s'agenouiller → *genou.*

agent, e n. **1.** *Un agent commercial, publicitaire,* etc., est chargé de traiter des affaires commerciales, publicitaires, etc. Un *agent de voyages* travaille dans une agence de voyages. **2.** *L'agent de bord* s'occupe des passagers dans l'avion. **3.** *Dans la phrase « J'ai été aidé par mes amis », « mes amis » est le complément d'agent,* il indique l'auteur de l'action.

51

s'agglomérer v. *La farine mal délayée s'agglomère en grumeaux,* elle se rassemble en masses.
■ **agglomération** n.f. *Une agglomération est un groupe d'habitations formant un village ou une ville et sa banlieue.*

s'agglutiner v. *Les bonbons se sont agglutinés dans le paquet,* ils se sont collés ensemble.

aggravant, aggravation, aggraver → *grave.*

agile adj. *Cet enfant est agile comme un singe* (= leste).
■ **agilité** n.f. *Il court avec agilité* (= légèreté).

agir v. **1.** *Il faut agir, au lieu de vous lamenter,* faire quelque chose. **2.** *Agir auprès d'un ministre,* c'est faire une démarche auprès de lui. **3.** *Vous avez agi sagement en appelant le médecin,* vous vous êtes conduit sagement. **4.** *Ce médicament agit sur les nerfs,* il produit un effet. **5.** *Dans ce roman, il s'agit d'espionnage,* il en est question. **6.** *Maintenant, il s'agit de se dépêcher,* il faut le faire.
■ **agissements** n.m.pl. SENS 3 *Ses agissements m'inquiètent,* ses manières d'agir blâmables.

■ **actif, ive** adj. **1.** SENS 1 *Une personne active* est quelqu'un qui travaille beaucoup, qui agit (= travailleur, énergique). SENS 4 *Un médicament actif* produit un effet (= efficace). **2.** *Dans « le chat attrape la souris », le verbe est à la voix active* (≠ passif).

■ **activement** adv. SENS 1 *Elle prépare activement son départ.*

■ **activer** v. SENS 1 *Activez les travaux* (= hâter). *On s'active autour des blessés* (= s'affairer, s'empresser).

■ **activité** n.f. SENS 1 *À plus de quatre-vingts ans, elle est encore d'une grande activité. Ne négligez pas vos activités professionnelles* (= occupation).

■ **action** n.f. **1.** SENS 1 *L'action de cet homme politique a été importante,* ce qu'il a fait. *Nous allons passer à l'action,* agir. *Ses actions sont désintéressées* (= acte). SENS 4 *L'action de ce médicament est lente* (= effet). **2.** *Mettre en action un appareil,* c'est le faire fonctionner.

■ **actionner** v. *Actionner le signal d'alarme,* c'est s'en servir, le faire fonctionner.

■ **inactif, ive** adj. SENS 1 *Ne restez pas inactif* (= désœuvré, oisif).

■ **inactivité** n.f. SENS 1 *Sa maladie lui impose des semaines d'inactivité.*

■ **inaction** n.f. SENS 1 *Vous n'allez pas vivre dans l'inaction,* sans rien faire (= désœuvrement, oisiveté).

agiter v. **1.** *Le vent agite les branches,* il les fait remuer. **2.** *Cet enfant s'agite nerveusement* (= gigoter). **3.** *Les ouvriers s'agitent,* ils manifestent leur mécontentement.

■ **agitation** n.f. SENS 1 *L'agitation des vagues est perpétuelle.* SENS 2 *Une agitation fiévreuse précède le départ* (= excitation). SENS 3 *L'agitation sociale se développe* (= troubles).

■ **agitateur, trice** n. SENS 3 *Les agitateurs sont ceux qui causent volontairement des incidents politiques ou sociaux.*

agneau n.m., **agnelle** n.f. *Les brebis sont au pré avec leurs agneaux,* les jeunes moutons. 361

■ **agnelet** n.m. *Un agnelet est un petit agneau.*

agonie n.f. *L'agonie,* ce sont les derniers moments d'un mourant.

■ **agoniser** v. *Le blessé agonise,* il est mourant.

agrafe n.f. **1.** *Une agrafe est un petit crochet servant à fermer un vêtement.* **2.** *Une agrafe est une attache métallique servant à fixer des feuilles de papier.* **3.** *Une agrafe est une sorte de crochet qui sert à suspendre un stylo à une poche de vêtement.* 296 292

■ **agrafer** v. SENS 1 *Cette robe s'agrafe au col* (= fermer). SENS 2 *Agrafez ces feuilles ensemble* (= attacher).

■ **agrafeuse** n.f. SENS 2 *Avec une agrafeuse,* on agrafe ensemble des feuilles de papier. 293

■ **dégrafer** v. SENS 1 *Dégrafe ton manteau* (= ouvrir).

agraire adj. *Ce pays a besoin d'une réforme agraire,* d'une nouvelle répartition des terres ou d'une révision de la politique agricole.

R. → *agriculture.*

agrandir, agrandissement → *grand.*

agréable adj. *L'odeur des roses est agréable,* elle plaît.

■ **agréablement** adv. *Les vacances se passent agréablement.*

■ **agrément** n.m. *Cette ville est pleine d'agrément,* de charme.

■ **agrémenter** v. *Elle a agrémenté sa réponse d'un sourire,* elle y a ajouté quelque chose d'agréable.

■ **désagréable** adj. *Ce temps brumeux est désagréable.*

■ **désagréablement** adv. *Son échec a désagréablement surpris la candidate.*

■ **désagrément** n.m. *Les désagréments de la vieillesse* sont les ennuis qui la rendent désagréable.

agréer v. 1. *Veuillez* **agréer** *mes salutations respectueuses,* les accepter (formule de politesse). 2. *Un modèle* **agréé** est un modèle officiellement admis.
■ **agrément** n.m. SENS 1 *Tu as agi sans mon* **agrément,** sans que je l'accepte (= accord, autorisation).

agrégation n.f. L'*agrégation* est un concours très difficile servant à recruter des professeurs.

s'agréger v. *Des passants* **s'étaient agrégés** *au groupe des manifestants,* ils s'y étaient joints (= s'intégrer).

agrément → *agréable* et *agréer.*

agrémenter → *agréable.*

agrès n.m.pl. *La barre fixe, les barres parallèles, les anneaux sont des* **agrès,** des instruments servant à faire de la gymnastique.

agression n.f. *Une* **agression** *à main armée* est une attaque violente.
■ **agresser** v. *Les malfaiteurs* **ont agressé** *un pompiste* (= attaquer).
■ **agresseur** n.m. *Des* **agresseurs** *masqués ont assommé la caissière.*
■ **agressif, ive** adj. *Tu as pris un air* **agressif,** celui d'une personne qui va attaquer.
■ **agressivité** n.f. *J'ai répondu calmement, sans* **agressivité.**
■ **non-agression** n.f. *Un pacte de* **non-agression** *entre deux États* est un engagement de ne pas s'attaquer l'un l'autre.

agriculture n.f. L'*agriculture* est la culture de la terre.
■ **agriculteur, trice** n. *Les* **agriculteurs** *se plaignent de la sécheresse,* ceux qui cultivent la terre (= cultivateur).
■ **agricole** adj. *Les tracteurs sont des machines* **agricoles,** servant à l'agriculture.
■ **agro-alimentaire** adj. *Les industries* **agro-alimentaires** *transforment les produits de l'agriculture en produits alimentaires.*
■ **agronomie** n.f. *Louise étudie l'*agronomie,** les sciences de l'agriculture.

agripper v. L'*homme a réussi à* **agripper** *la rampe et n'est pas tombé,* à l'attraper vite en la serrant (= saisir). **Agrippe-toi** *au rocher* (= s'accrocher, se cramponner).

agrume n.m. *Les citrons, les oranges, les mandarines, les pamplemousses sont des* **agrumes.**

s'aguerrir v. **S'aguerrir** *contre le froid, la douleur,* c'est s'accoutumer à les endurer (= s'endurcir).

aguets n.m.pl. *Le renard est* **aux aguets,** il surveille tout attentivement.

ah !, ah ? interj. exprime la satisfaction, la douleur, la surprise, etc. : *Ah ! quel plaisir ! Ah ! comme c'est dommage ! Ah ? Pourquoi dites-vous cela ?*

ahurir v. *Je suis* **ahuri** *par cette nouvelle,* extrêmement étonné (= abasourdir).
■ **ahurissant, e** adj. *Une invention* **ahurissante** est stupéfiante.
■ **ahurissement** n.m. *Son visage exprimait l'*ahurissement** (= stupéfaction).

aider v. 1. *Nous l'*avons aidé** *dans ses recherches,* nous avons participé à son effort (= seconder). 2. *On* **s'aide** *d'un levier pour déplacer un objet trop lourd,* on s'en sert.
■ **aide** n.f. SENS 1 *Nous comptons sur l'*aide** *de nos amis* (= appui, soutien). SENS 2 *La prisonnière s'est évadée* **à l'aide** *d'une corde* (= au moyen de).
■ **aide** n. SENS 1 *Une* **aide** *familiale* est une personne qui aide une mère de famille.
■ **aide-mémoire** n.m.inv. *J'ai perdu mon* **aide-mémoire** *de mathématiques,* un abrégé contenant toutes les données importantes.
■ **s'entraider** v. SENS 1 *Entre voisins, il faut* **s'entraider,** s'aider l'un l'autre.
■ **entraide** n.f. SENS 1 *Un comité d'*entraide** *a été créé* (= secours, assistance mutuelle).

aïe ! interj. exprime la douleur : *Aïe ! tu me fais mal !*

361

361,
365

aïeux n.m.pl. *Nos aïeux,* ce sont ceux qui ont vécu longtemps avant nous (= ancêtres).

R. Le singulier *aïeul, aïeule* s'emploie rarement pour désigner le grand-père ou la grand-mère, ou chacun des arrière-grands-parents.

aigle n.m. *Un aigle plane dans le ciel,* un grand oiseau de proie.

■ **aiglon** n.m. L'*aiglon* est le petit de l'aigle.

aigre adj. **1.** *Un fruit aigre* a une saveur piquante (= acide). **2.** *Une voix aigre* est désagréable, criarde.

■ **aigre-doux, douce** adj. *Cette sauce aigre-douce accompagne bien le poulet,* dont la saveur est à la fois aigre et douce.

■ **aigrelet, ette** adj. SENS 1 *Des cerises aigrelettes* sont légèrement aigres.

■ **aigrement** adv. SENS 2 *J'ai répondu aigrement.*

■ **aigreur** n.f. SENS 1 L'*aigreur de ce vin le rend imbuvable.* SENS 2 L'*aigreur de ses répliques montre sa colère.*

■ **aigrir** v. SENS 1 *Ce vin commence à aigrir,* à devenir mauvais (= surir). SENS 2 *Elle est aigrie par ses échecs.*

R. Noter le pluriel : des fruits *aigres-doux,* des sauces *aigres-douces.*

aigrette n.f. L'*aigrette* est un petit bouquet de plumes sur la tête de certains oiseaux.

aigu, ë adj. **1.** *Le dard aigu d'une guêpe* est terminé en fine pointe (= piquant). **2.** *Un angle aigu* est un angle inférieur à l'angle droit (≠ obtus). **3.** *Une douleur aiguë* est une douleur vive, intense. **4.** *Un son aigu* est un son émis fortement sur une note élevée (≠ grave). **5.** *Sur le « é » de « aimé »,* il y a un *accent aigu.*

■ **suraigu, ë** adj. SENS 4 *Elle poussait des cris suraigus* (= perçant, strident).

aiguillage n.m. *Un aiguillage* est un dispositif permettant de faire changer un train de voie.

■ **aiguilleur, euse** n. **1.** Un *aiguilleur* manœuvre l'aiguillage. **2.** Les *aiguilleurs du ciel* contrôlent le vol des avions.

aiguille n.f. **1.** *On coud avec une aiguille et du fil.* **2.** *À midi, les deux aiguilles de la montre sont sur le chiffre 12.* **3.** *L'aiguille de la seringue s'est cassée.* **4.** *Les feuilles des pins et des sapins s'appellent des aiguilles.* **5.** *Le sommet très pointu d'une montagne s'appelle une aiguille.*

■ **aiguillon** n.m. *Les guêpes et les abeilles piquent avec leur aiguillon* (= dard).

aiguiller v. *L'enquête s'aiguille vers une nouvelle piste* (= s'orienter).

aiguillon → *aiguille.*

aiguiser v. *La bouchère aiguise ses couteaux,* elle les rend plus coupants.

■ **aiguisoir** n.m. *La mine de mon crayon est cassée, prête-moi ton aiguisoir* (= taille-crayon).

R. On prononce [egize].

aïkido n.m. L'*aïkido* est un sport de combat d'origine japonaise.

ail n.m. *As-tu mis de l'ail dans la salade ?,* une plante qui a une odeur forte et sert d'assaisonnement.

aile n.f. **1.** *Cet oiseau est blessé à une aile, il ne peut plus voler.* **2.** *Les réacteurs sont sous les ailes de l'avion.* **3.** *Un camion a accroché l'aile gauche de ma voiture.* **4.** *Une aile de bâtiment est la partie qui s'étend sur le côté.*

■ **ailé, e** adj. SENS 1 *Les mouches sont des insectes ailés.*

■ **aileron** n.m. SENS 1 *Un aileron de poulet* est l'extrémité d'une aile. SENS 2 L'*aileron de l'avion est le volet mobile situé à l'arrière de l'aile.*

■ **ailier** n.m. *Jean est l'ailier droit de son équipe de hockey,* il joue à l'extrême droite avant.

ailleurs adv. **1.** *Ne reste pas ici, va jouer ailleurs,* à un autre endroit. **2.** *Il faut rentrer, d'ailleurs il pleut,* de plus, de toute façon.

aimable adj. *Une personne aimable cherche à faire plaisir, accueille bien les gens* (= gentil, accueillant).

Numéros en marge gauche : 50, 79, 85, 09

Numéros en marge droite : 296, 220, 38, 655, 651, 367, 651, 505

■ **aimablement** adv. *Elle m'a **aimablement** proposé de m'aider.*

■ **amabilité** n.f. *Nous avons reçu un accueil plein d'**amabilité**.*

aimant n.m. *Un **aimant** est un morceau d'acier qui attire le fer.*

■ **aimanter** v. *L'aiguille **aimantée** de la boussole s'oriente vers le nord.*

aimer v. 1. *Jean **aime** sa femme et ses enfants*, il se sent attiré vers eux, heureux de vivre avec eux. 2. *J'**aime** la musique, le sport*, j'y prends plaisir. 3. *J'**aime** mieux le théâtre que le cinéma* (= préférer). ■ **bien-aimé, e** adj. et n. SENS 1 *Il embrasse sa fille **bien-aimée*** (= chéri).

33 **aine** n.f. *J'ai mal à l'**aine**,* la partie du corps située entre le haut de la cuisse et le bas du ventre.

aîné, e adj. et n. *Le fils **aîné** est celui qui est né le premier.*

ainsi adv. 1. *Pourquoi me regardez-vous **ainsi** ?,* de cette façon (= comme ça). 2. *Il n'y avait **pour ainsi dire** personne à la réunion,* presque personne. 3. *Il est venu **ainsi que** je le lui avais demandé,* comme je le lui avais demandé. 4. *Il avait invité ses proches parents, **ainsi que** quelques amis,* et aussi quelques amis. 5. ***Ainsi**, vous ne vous souvenez de rien ?,* alors, en fin de compte.

air n.m. 1. *Annie respire à pleins poumons le bon **air** de la campagne. La fête a lieu en **plein air**,* dehors et non dans une salle. *Je vais **prendre l'air**,* je sors pour me détendre. 2. *Regardez **en l'air**,* vers le haut. 3. *Tu nous regardes avec un drôle d'**air*** (= expression). 4. *Elle **a l'air** heureuse,* elle semble heureuse. *Cette histoire **a l'air** d'une plaisanterie.* 5. *L'**air** de cette chanson s'adapte bien aux paroles,* la musique.

■ **aérer** v. SENS 1 ***Aérer** une pièce,* c'est en renouveler l'air.

■ **aération** n.f. SENS 1 *Un trou d'**aération** permet à l'air de pénétrer.*

■ **aéré, e** adj. SENS 1 *Cette pièce est mal **aérée**,* l'air n'y circule pas. *Un **centre aéré** est un lieu de vacances pour de jeunes enfants* (= camp de jour).

■ **aérien, enne** adj. 1. SENS 2 *Un câble **aérien** est tendu dans l'air.* 2. *Le transport **aérien** se fait par avion ou par hélicoptère.*

■ **antiaérien, enne** adj. *Un abri **antiaérien** protège des attaques de l'aviation.* 76

aire n.f. 1. *L'avion vient d'arriver sur l'**aire** d'atterrissage,* le terrain plat. 2. *Peux-tu calculer l'**aire** de ce carré ?* (= surface). 3. *Arrêtons-nous à la prochaine **aire** de repos,* une halte en bordure de la route (= halte routière). 50

aisance n.f. 1. *Je soulève avec **aisance** une grosse pierre,* avec facilité. 2. *Ces gens vivent dans l'**aisance**,* ils ont de l'argent.

■ **aisé, e** adj. SENS 1 *Un travail **aisé** ne demande pas d'effort* (= facile, simple). SENS 2 *Une personne **aisée** est celle qui a de quoi vivre largement.*

■ **aisément** adv. SENS 1 *Ce problème se résout **aisément*** (= facilement).

■ **malaisé, e** adj. SENS 1 *Voilà un exercice **malaisé*** (= difficile).

■ **malaisément** adv. SENS 1 *On retrouve **malaisément** son chemin* (= difficilement).

aise n.f. 1. *Je suis **à l'aise** dans ces chaussures,* elles ne me gênent pas. ***Mettez-vous à l'aise**,* installez-vous confortablement, ôtez ce qui vous gêne. 2. (au plur.) *Luce aime ses **aises**,* son confort. 3. *Jean n'est pas très scrupuleux, il **en prend à son aise** avec le règlement,* il ne le respecte guère.

aisé, aisément → **aisance**.

aisselle n.f. *L'**aisselle** est le creux du bras sous l'épaule.* 3

ajonc n.m. *La lande est couverte d'**ajoncs**,* d'arbrisseaux épineux à fleurs jaunes.

ajourner v. *Ajourner un rendez-vous,* c'est le renvoyer à plus tard.

■ **ajournement** n.m. *La présidente a décidé l'**ajournement** de la réunion* (= renvoi).

ajouter v. *Je voudrais **ajouter** quelques lignes à cette lettre,* les mettre en plus (≠ retrancher, ôter, enlever).
■ **ajout** n.m. *Il y a un **ajout** au bas de la page,* un mot ou une ligne ajoutés.
■ **rajouter** v. *Rajoute un peu de sel !* ajoutes-en encore.
■ **surajouter** v. *Diverses taxes **se surajoutent** au prix,* elles viennent en supplément.

ajuster v. 1. *Ajustez bien le couvercle !,* appliquez-le exactement (= adapter). 2. *Je dois **ajuster** mes dépenses à mes revenus,* les faire correspondre.
■ **ajustage** n.m. SENS 1 *L'**ajustage** de ce mécanisme est délicat* (= mise au point).
■ **ajustement** n.m. SENS 2 *L'assemblée a apporté un dernier **ajustement** au projet* (= retouche).
■ **ajusteur, euse** n. SENS 1 *Un **ajusteur** est un ouvrier qui exécute des pièces mécaniques.*
■ **rajuster** ou **réajuster** v. SENS 2 *Rajuster les prix,* c'est les modifier en tenant compte du coût de la vie.
■ **réajustement** n.m. SENS 2 *Les syndicats réclament un **réajustement** des salaires.*

alambic n.m. *Un **alambic** sert à fabriquer de l'alcool.*

alambiqué, e adj. *Cette auteure a un style trop **alambiqué** pour mon goût,* trop recherché (≠ simple, naturel).

alanguir v. *La chaleur nous **alanguit**,* elle nous ôte toute énergie (= amollir).

alarme n.f. *Dès le début de l'incendie, un locataire a donné l'**alarme**,* il a prévenu du danger (= alerte).
■ **alarmer** v. *Vous **vous alarmez** sans raison,* vous vous inquiétez.
■ **alarmant, e** adj. *L'état du malade est **alarmant*** (= inquiétant ; ≠ rassurant).

albatros n.m. *Joëlle a trouvé un **albatros** sur la plage,* le plus grand des oiseaux de mer.

album n.m. 1. *Aline classe ses timbres dans un **album**,* un livre dont les feuilles sont à remplir. *Maman colle ses photos sur son **album**.* 2. *Un **album** est un livre d'images.*
R. On prononce [albɔm].

alchimiste n.m. *Les **alchimistes** du Moyen Âge cherchaient à fabriquer de l'or,* des sortes de magiciens.

alcool n.m. 1. *On désinfecte la plaie avec de l'**alcool** à 90°,* avec un liquide extrait de certains corps végétaux. 2. *L'**alcool**, nuit à la santé,* les boissons fortes faites de certains de ces liquides.
■ **alcoolique** adj. et n. SENS 2 *Quand on boit trop d'alcool, on peut devenir **alcoolique**.*
■ **alcoolisme** n.m. SENS 2 *L'accident est dû à l'**alcoolisme**,* à l'abus de l'alcool.
■ **alcoolisé, e** adj. SENS 2 *Le vin, la bière sont des boissons **alcoolisées**,* contenant de l'alcool.
■ **alcootest** n.m. SENS 2 *Les policiers l'ont fait souffler dans l'**alcootest**,* une sorte de ballon qui permet de voir si quelqu'un a bu de l'alcool.

aléa n.m. *Cet incident est un **aléa** du métier,* un risque. *On doit tenir compte des **aléas** de la situation,* des événements imprévus.
■ **aléatoire** adj. *Nous travaillons pour un résultat **aléatoire*** (= incertain, hasardeux ; ≠ sûr).

alentour adv. *Vous verrez une maison avec des arbres **alentour**,* tout autour.
■ **alentours** n.m.pl. *Les **alentours** de la ville sont pittoresques,* les lieux voisins (= environs).

1. alerte adj. *Marie marchait d'un pas **alerte**,* vif, agile, leste.

2. alerte n.f. *Les sirènes sonnent l'**alerte**,* elles avertissent d'un danger (= alarme).
■ **alerter** v. *On a alerté la police aussitôt après l'accident,* on l'a prévenue.

alevin n.m. *On a jeté 100 kg d'alevins dans l'étang,* de tout jeunes poissons destinés à le repeupler.

alexandrin n.m. *Un alexandrin* est un vers de 12 syllabes.

algarade n.f. *J'ai eu une algarade avec un de mes voisins,* un échange de mots violents (= querelle).

algèbre n.f. *L'algèbre* est une méthode particulière de calcul où certains nombres sont remplacés par des lettres de valeur plus générale.
■ **algébrique** adj. *Son cahier est plein de calculs algébriques.*

723 | **algue** n.f. *Les algues* sont des plantes qui vivent dans l'eau.

alibi n.m. *L'accusée a fourni un alibi,* une preuve qu'elle n'est pas coupable.

aliéné, e adj. et n. *Un aliéné* est un malade mental (= fou).
■ **aliénation** n.f. *L'aliénation mentale,* c'est la folie.

aliéner v. *J'ai toujours refusé d'aliéner mon indépendance,* d'y renoncer, de l'abandonner.

alignement, aligner → *ligne.*

aliment n.m. *Les légumes verts sont des aliments sains* (= nourriture).
■ **alimentaire** adj. *Les produits alimentaires* servent à se nourrir.
■ **alimentation** n.f. *Nous avons une alimentation variée* (= nourriture).
■ **alimenter** v. *On alimente les bébés avec des farines et du lait* (= nourrir).
■ **sous-alimenté, e** adj. *Être sous-alimenté,* c'est être insuffisamment nourri.
■ **sous-alimentation** n.f. *Certaines populations souffrent de sous-alimentation.*
■ **suralimentation** n.f. *Le médecin a prescrit la suralimentation,* une alimentation très nourrissante.

alinéa n.m. *Va à la ligne et commence un nouvel alinéa* (= paragraphe).

s'aliter → *lit.*

allaiter → *lait.*

allécher v. *J'ai été alléché par ces belles promesses,* j'ai été attiré, séduit.
■ **alléchant, e** adj. *Un plat alléchant* est appétissant, il fait envie.

allée n.f. 1. *Les allées d'un parc* sont des chemins bordés d'arbres, de haies, etc. 2. *Les allées et venues des voyageurs dans un hall de gare* sont leurs trajets en tous sens.

allégation → *alléguer.*

alléger → *léger.*

allègre adj. *Maria marche d'un pas allègre,* vif et joyeux.
■ **allégresse** n.f. *Myriam a accepté avec allégresse,* avec une grande joie.

alléguer v. *Pour excuser cet oubli, Sophie a allégué sa fatigue* (= faire valoir, prétexter).
■ **allégation** n.f. *On vérifiera les allégations de l'accusé* (= déclaration, affirmation).

aller v. 1. *Pierre va chaque jour à l'école* (= se rendre). 2. *Cette route va à la mer* (= mener, conduire). 3. *Comment allez-vous ?* (= se porter). 4. *Les affaires vont mal,* elles sont en mauvais état (= marcher). 5. *Cette robe vous va bien,* elle fait un bel effet sur vous (= convenir). 6. *Je vais partir, il va être 3 heures,* je partirai dans un instant, il sera bientôt 3 heures. 7. *Je veux m'en aller, allons-nous-en* (= partir).
■ **aller** n.m. SENS 1 *À l'aller, nous avons voyagé en voiture* (≠ retour).
R. → Conj. n° 12. *Aller* se conjugue avec l'auxiliaire *être.*

allergie n.f. *Marie a une allergie au poisson,* elle le supporte mal, il lui donne des malaises. *Certains ont une allergie aux westerns,* ils ne les supportent pas.

■ **allergique** adj. *Je suis allergique aux westerns, mais non au poisson.*

alliage n.m. *Le laiton est un alliage de cuivre et de zinc,* un métal obtenu en fondant ensemble ces métaux.

alliance n.f. **1.** *Un traité d'alliance a été conclu,* un traité qui établit une union. **2.** *Son alliance est en or,* l'anneau qu'il porte à l'annulaire, comme beaucoup de gens mariés.
■ **allier** v. SENS 1 *Ces deux pays se sont alliés pour se défendre en commun* (= unir, associer).

alligator n.m. *Un alligator est un crocodile d'Amérique.*

allô ! interj. marque le début d'une conversation téléphonique : *Allô ! Qui est à l'appareil ?*

allocation → *allouer.*

allocution n.f. *La directrice a prononcé une allocution de bienvenue,* un petit discours sans solennité.

allongement, allonger → *long.*

allophone n. et adj. *Un allophone est une personne dont la langue maternelle n'est ni le français ni l'anglais.*

allouer v. *Une indemnité a été allouée aux sinistrés,* elle leur a été attribuée.
■ **allocation** n.f. *Les allocations familiales sont des sommes versées par l'État aux familles ayant des enfants.*
R. Ne pas confondre *allocation* et *allocution.*

allumer v. **1.** *On a allumé le feu avec du papier* (= enflammer ; ≠ éteindre). **2.** *Allume la lampe électrique !,* mets le contact (≠ éteindre).
■ **allumage** n.m. SENS 1 *Line est chargée de l'allumage du feu.* SENS 2 *Nous avons eu une panne d'allumage,* du dispositif qui produit les étincelles électriques du moteur.
■ **allumette** n.f. SENS 1 *Frotte une allumette !,* une petite tige de bois produisant du feu.

■ **rallumer** v. *Albert rallume sa pipe éteinte.*

allure n.f. **1.** *La voiture roule à toute allure,* très vite (= vitesse). **2.** *Cette personne a une drôle d'allure* (= air, aspect). **3.** *Cette histoire n'a pas d'allure,* elle est invraisemblable.

allusion n.f. *Sa lettre fait allusion à ses projets,* elle y fait penser sans les indiquer clairement.
■ **allusif, ive** adj. *Son discours contient de nombreuses phrases allusives,* comportant des allusions.

alluvions n.f.pl. *Des alluvions sont un dépôt boueux laissé par un cours d'eau.*

almanach n.m. *Un almanach est un calendrier contenant des renseignements divers.*
R. On prononce [almana].

aloès n.m. *Ce sirop à l'aloès est amer,* un médicament extrait des feuilles d'une plante des pays chauds.

aloi n.m. *Une gaieté de bon aloi est une gaieté de bon goût* (≠ de mauvais aloi).

alors adv. **1.** *J'étais alors un enfant,* à ce moment-là. **2.** *Vous êtes content ? alors tant mieux,* dans ce cas, dans ces conditions. **3.** *Elle perd son temps, alors que son travail n'est pas fait,* tandis que, et cependant.

alouette n.f. *Les alouettes sont des petits oiseaux très répandus dans les campagnes.*

alourdir, alourdissement → *lourd.*

alpage n.m. *Les alpages sont des prairies de haute montagne.*

alphabet n.m. *L'alphabet est l'ensemble des lettres de A à Z.*
■ **alphabétique** adj. *Les noms des élèves sont classés par ordre alphabétique,* dans l'ordre de l'alphabet.

■ **alphabétiser** v. *Alphabétiser des travailleurs immigrés,* c'est leur apprendre à lire et à écrire.

■ **analphabète** adj. et n. *Une personne analphabète* ne sait ni lire ni écrire.

649 **alpinisme** n.m. L'*alpinisme* est un sport consistant en excursions et en ascensions en haute montagne.

■ **alpiniste** n. *Trois alpinistes ont été bloqués par la tempête,* trois personnes pratiquant l'alpinisme.

altercation n.f. Une *altercation* est une querelle violente.

altérer v. 1. *Le soleil altère les couleurs,* il les rend moins belles (= abîmer). 2. *Cette longue promenade m'a altéré,* elle m'a donné soif.

■ **altération** n.f. SENS 1 *C'est une altération de la vérité,* une déformation (= c'est un mensonge).

■ **désaltérer** v. SENS 2 *Une boisson qui désaltère* apaise la soif.

■ **inaltérable** adj. SENS 1 *Un métal inaltérable* ne rouille pas, ne se ternit pas.

alterner v. *Les jours et les nuits alternent régulièrement,* ils se succèdent à tour de rôle.

■ **alternance** n.f. *Nous travaillons tous les deux en alternance,* chacun notre tour.

801 ■ **alternateur** n.m. Un *alternateur* est un appareil qui produit du courant alternatif.

■ **alternatif, ive** adj. *Un mouvement alternatif* va d'abord dans un sens, puis dans un autre. *Un courant électrique alternatif* change périodiquement de sens (≠ continu).

■ **alternative** n.f. L'*alternative* est simple : obéir ou démissionner, le choix à faire.

■ **alternativement** adv. *On stationne alternativement de chaque côté de la rue,* tour à tour.

altesse n.f. Son *Altesse* est un titre donné à un prince ou à une princesse.

altier, ère adj. *Un ton altier* est un ton hautain (≠ modeste).

altimètre n.m. Un *altimètre* sert à mesurer l'altitude.

altitude n.f. *Un sommet de 3 000 mètres d'altitude* s'élève à 3 000 mètres au-dessus du niveau de la mer (= hauteur).

alto n.m. Un *alto* est un violon au son grave.

aluminium n.m. *Ce tube de comprimés est en aluminium,* un métal très léger.

■ **aluminerie** n.f. Une *aluminerie* est une usine où l'on fabrique de l'aluminium.

alunir, alunissage → *lune.*

alvéole n.f. ou n.m. 1. *Un gâteau de miel est formé d'alvéoles,* de petites cases. 2. Les *alvéoles* du poumon sont des sortes de petits sacs à parois minces, entre lesquels circulent les vaisseaux.

amabilité → *aimable.*

amadouer v. *Le prisonnier a amadoué ses gardiens,* il les a rendus plus doux par des paroles flatteuses, aimables.

amaigrir, amaigrissant, amaigrissement → *maigre.*

amalgame n.m. *Ce roman est un amalgame de plusieurs histoires vécues,* un mélange, une fusion.

■ **s'amalgamer** v. *Ces populations se sont amalgamées en un peuple,* elles se sont fondues.

amande n.f. *Nous avons mangé un gâteau aux amandes,* des fruits à coque dure de l'amandier.

■ **amandier** n.m. *Regarde les amandiers en fleurs.*

R. *Amande* se prononce [amãd] comme *amende.*

amanite n.f. *Certaines amanites sont très dangereuses,* des champignons.

amant n.m. L'*amant* d'une femme, c'est l'homme avec qui elle a des relations amoureuses, bien qu'elle ne soit pas mariée avec lui.

amarre n.f. *Les amarres d'un bateau* sont les câbles servant à l'attacher.
■ **amarrer** v. *Amarrer une barque, un paquet,* c'est l'attacher solidement.

amas n.m. *Le tremblement de terre n'a laissé qu'un amas de ruines,* un tas, un monceau.
■ **amasser** v. *Elle a amassé une fortune colossale* (= réunir, entasser).

amateur, trice adj. et n. **1.** *Jean est (un) amateur de musique,* il l'aime. **2.** *Un photographe amateur, un cycliste amateur* pratiquent la photographie, le cyclisme sans en faire profession.

amazone n.f. Selon la légende, les *amazones* étaient des femmes qui combattaient à cheval avec un arc.

sans **ambages** loc. *Elle m'a envoyé promener sans ambages,* sans façons.

ambassadeur, drice n. Un *ambassadeur* ou une *ambassadrice* représente officiellement son pays à l'étranger.
■ **ambassade** n.f. **1.** *Elle est partie en ambassade,* avec une mission d'ambassadrice. **2.** *La foule a manifesté devant l'ambassade,* les locaux où est installé l'ambassadeur.

ambiance n.f. **1.** *Il règne ici une ambiance sympathique* (= atmosphère, climat). **2.** *À la réunion, il y avait de l'ambiance* (= gaieté, animation).
■ **ambiant, e** adj. *La température ambiante* est celle qui règne là où on se trouve.

ambigu, ë adj. *Une réponse ambiguë* peut être interprétée de plusieurs façons.
■ **ambiguïté** n.f. *Explique-toi sans ambiguïté* (= équivoque).

ambition n.f. **1.** *Elle est rongée d'ambition,* du désir de réussite, de gloire. **2.** *Son ambition est d'être élu député* (= rêve).
■ **ambitionner** v. **1.** SENS 2 *Elle ambitionne de faire du cinéma,* elle désire cela

ardemment. **2.** *La musique est beaucoup trop forte, tu ambitionnes,* tu exagères.
■ **ambitieux, euse** adj. SENS 1 *J'ai des projets ambitieux* (≠ modeste).

ambulance n.f. Une *ambulance* est une voiture aménagée pour le transport des malades et des blessés.
■ **ambulancier, ère** n. Un *ambulancier* est un conducteur d'ambulance.

ambulant, e adj. *Une marchande ambulante* transporte avec elle sa marchandise pour la vendre de place en place.

âme n.f. **1.** *L'âme* est le principe de la vie, de la conscience (par opposition au corps). **2.** *Il lui est dévoué corps et âme,* totalement. **3.** *Rendre l'âme,* c'est mourir. **4.** *J'ai agi en mon âme et conscience,* en toute honnêteté. **5.** *Cet homme est une âme noble,* une personne noble. **6.** *L'âme d'un instrument de musique,* c'est une pièce qui sert à régler sa qualité sonore.

amélioration, améliorer → *meilleur.*

amen n.m.inv. Fam. *C'est un garçon docile, qui dit amen à tout ce qu'on lui propose,* qui accepte.
R. On prononce [amɛn].

aménager v. *On a aménagé le grenier en salle de jeu,* on l'a disposé, organisé convenablement.
■ **aménagement** n.m. *J'ai fait des aménagements dans la maison* (= modification, transformation).

amende n.f. **1.** *Défense de stationner sous peine d'amende,* sous peine d'être obligé à payer une certaine somme en punition (= contravention). **2.** *Faire amende honorable,* c'est reconnaître ses torts.
R. → *amande.*

amender v. *Amender un projet de loi,* c'est le modifier.
■ **amendement** n.m. *L'Assemblée a proposé plusieurs amendements,* plusieurs modifications au texte d'origine.

amener v. *J'ai amené un ami à la maison,* je l'ai fait venir avec moi.
■ **ramener** v. *Marie m'a ramené en voiture,* elle m'a fait revenir avec elle.

aménité n.f. *On l'a mis dehors sans aménité,* sans douceur, avec énergie.

s'amenuiser v. *Nos ressources s'amenuisent,* elles diminuent.

amer, ère adj. 1. *Le café sans sucre est amer,* il a un goût rude que la plupart des gens trouvent désagréable. 2. *Son échec a été une amère déception* (= pénible).
■ **amèrement** adv. SENS 2 *Je regrette amèrement mon erreur.*
■ **amertume** n.f. SENS 2 *Je leur ai exprimé mon amertume* (= déception).

amérindien, enne n. et adj. *Les Amérindiens sont les Indiens d'Amérique du Nord.*
■ **amérindianisme** n.m. *Un amérindianisme est un terme ou une locution propre aux Amérindiens.*

amerrir → *mer.*

650 **améthyste** n.f. *L'améthyste est une pierre précieuse violette.*

ameublement → *meuble* 1.

ameublir → *meuble* 2.

ameuter v. *Ses cris ameutèrent les voisins,* ils les firent s'attrouper autour de lui, ils les firent accourir.

ami, e n. *Mehdi a réuni chez lui quelques amis,* des personnes qu'il aime bien et avec lesquelles il reste en relation.
■ **amical, e, aux** adj. *Un salut amical est un salut d'ami.*
■ **amicalement** adv. *Nous avons bavardé amicalement.*
■ **amitié** n.f. 1. *L'amitié est plus profonde que la camaraderie.* 2. (au plur.) *Faites-lui mes amitiés,* donnez-lui mon souvenir amical.
■ **inamical, e, aux** adj. *Tu as fait un geste inamical* (= hostile).

à l'amiable adv. *Un arrangement à l'amiable se fait par accord direct, sans contestation devant des juges.*

amiante n.f. *L'amiante est une matière qui peut servir de protection contre le feu.*

amical, amicalement → *ami.*

amincir → *mince.*

amiral, e n. *Le grade d'amiral est le plus haut dans la marine militaire.*

amitié → *ami.*

amnésie n.f. *À la suite d'un accident, Mme Dubois a été frappée d'amnésie,* elle a perdu la mémoire.
■ **amnésique** adj. et n. *Mme Dubois est devenue amnésique.*

amnistie n.f. *Une amnistie est un pardon général prononcé officiellement en faveur de personnes condamnées.*

amoindrir, amoindrissement → *moindre.*

amollir → *mou.*

amoncellement, amonceler → *monceau.*

amont n.m. *Le lac est en amont du barrage,* plus près de la source. *Le bateau va vers l'amont* (≠ aval).

amorce n.f. 1. *Ce pêcheur utilise des vers comme amorce,* comme moyen d'attirer le poisson. 2. *L'amorce d'un projectile est le petit détonateur qui le fait exploser.* 3. *Un pistolet à amorces est un jouet qui fait éclater de petites charges de poudre contenues dans du papier.* 4. *On entrevoit l'amorce d'une solution,* le début.
■ **amorcer** v. SENS 1 *Ce pêcheur amorce au blé cuit.* SENS 4 *On a amorcé une discussion* (= commencer, entamer, ouvrir).
■ **désamorcer** v. SENS 2 *Désamorcer une bombe,* c'est en ôter l'amorce pour l'empêcher d'exploser.

amorphe adj. *Judith n'a pas réagi, c'est une fille amorphe* (= mou, indolent, apathique).

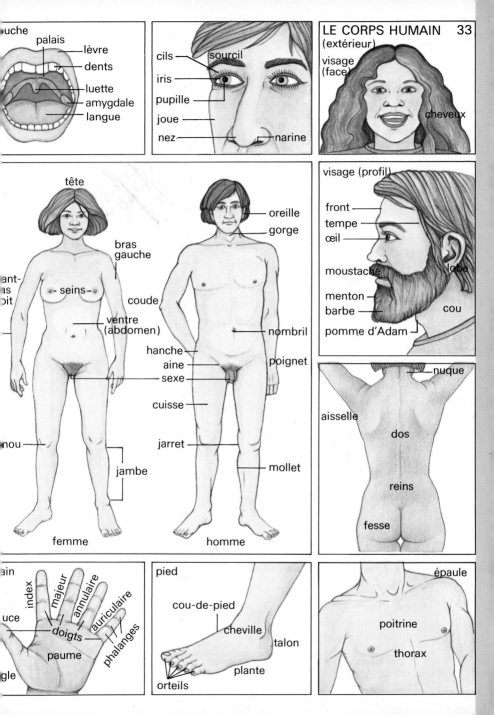

uche

palais
lèvre
dents
luette
amygdale
langue

cils
sourcil
iris
pupille
joue
nez
narine

(extérieur)
visage
(face)

cheveux

tête

bras
gauche

ant-
as
pit

- seins -

coude

ventre
(abdomen)

nou

jambe

femme

oreille
gorge

nombril

hanche
aine
sexe

poignet

cuisse

jarret

mollet

homme

visage (profil)

front
tempe
œil

moustache

lobe

menton
barbe

cou

pomme d'Adam

nuque

aisselle

dos

reins

fesse

ain

index
majeur
annulaire
auriculaire

uce

doigts

phalanges

paume

gle

pied

cou-de-pied

cheville

talon

plante

orteils

épaule

poitrine

thorax

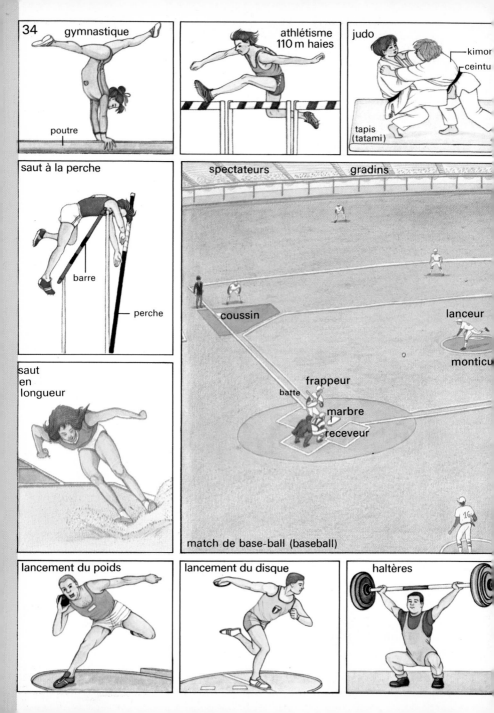

34 gymnastique

poutre

athlétisme
110 m haies

judo

kimor
ceintu

tapis
(tatami)

saut à la perche

barre

perche

saut
en
longueur

spectateurs   gradins

coussin

lanceur

monticu

frappeur

batte

marbre

receveur

match de base-ball (baseball)

lancement du poids

lancement du disque

haltères

tennis

balle

court

raquette

filet

piste

départ

course de vitesse (sprint)

tableau d'affichage

arbitre

basket-ball

panier ballon

gardien de but handball

cage

filets

otball

poteaux

ligne
de but

rrain

escrime masque

fleuret

plastron

36

col roulé

chandail

capuchon

cardigan

tricot

pull-over

ceinture

jean   revers   pantalon

RESTAURANT

badauds   gilet

mécanicien

toque

salopette

complet

cuisinier   boucher   attroupement

imp_erméable

pyjama   chemise de nuit

jupe

écharpe

cintre

soutien-gorge   collants

tee-shirt

slip

chaussettes

franges

chemise

blouson

manche

veston

revers

manteau

robe

tailleur

uniforme

témoin

civière

agente
de police

motocycliste

blouse

ambulance

accident

infirmier

tablier

blouse

casque

béret

visière

gant

casquette

pantoufle

sandale

talon

botte

fermoir

sac à main

courroie

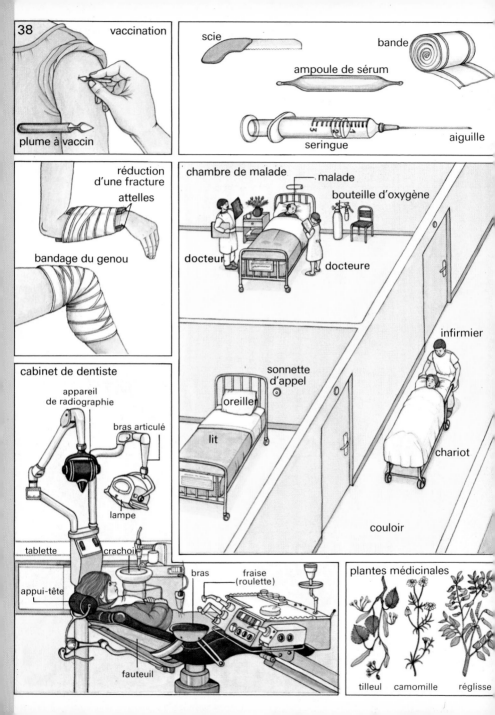

38 vaccination

scie

bande

ampoule de sérum

plume à vaccin

seringue

aiguille

réduction
d'une fracture

attelles

bandage du genou

chambre de malade

malade

bouteille d'oxygène

docteur

docteure

infirmier

cabinet de dentiste

appareil
de radiographie

bras articulé

sonnette
d'appel

oreiller

lampe

lit

chariot

tablette

crachoir

couloir

appui-tête

bras

fraise
(roulette)

plantes médicinales

fauteuil

tilleul   camomille   réglisse

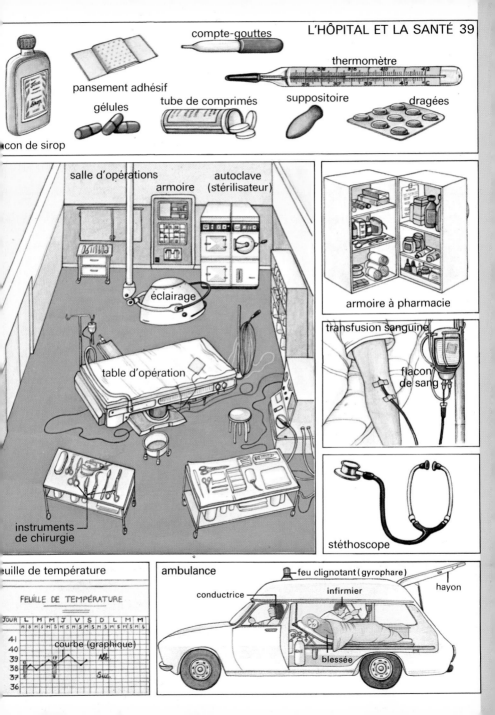

compte-gouttes

thermomètre

pansement adhésif

tube de comprimés

suppositoire

dragées

gélules

con de sirop

salle d'opérations

armoire

autoclave
(stérilisateur)

éclairage

table d'opération

armoire à pharmacie

transfusion sanguine

flacon
de sang

instruments
de chirurgie

stéthoscope

uille de température

FEUILLE DE TEMPÉRATURE

JOUR	L		M		M		J		V		S		D		L		M		M	
	M	S	M	S	M	S	M	S	M	S	M	S	M	S	M	S	M	S	M	S
41																				
40					courbe (graphique)															
39														Nb.						
38																				
37														Suc.						
36																				

ambulance

feu clignotant (gyrophare)

hayon

conductrice

infirmier

blessée

40 LE CORPS HUMAIN
(intérieur)

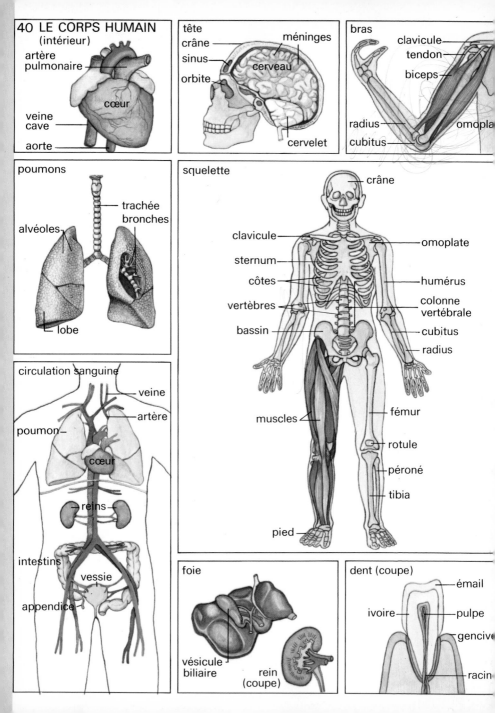

artère pulmonaire
cœur
veine cave
aorte

tête
crâne
sinus
orbite
méninges
cerveau
cervelet

bras
clavicule
tendon
biceps
radius
cubitus
omopla

poumons
trachée
bronches
alvéoles
lobe

squelette
crâne
clavicule
sternum
côtes
vertèbres
bassin
omoplate
humérus
colonne vertébrale
cubitus
radius
muscles
fémur
rotule
péroné
tibia
pied

circulation sanguine
veine
artère
poumon
cœur
reins
intestins
vessie
appendice

foie
vésicule biliaire
rein (coupe)

dent (coupe)
émail
ivoire
pulpe
gencive
racin

amortir v. *Le tapis a amorti sa chute,* il l'a rendue moins violente (= atténuer).
■ **amortisseur** n.m. *Les amortisseurs atténuent les secousses de la voiture.*

amour n.m. **1.** *Il s'est marié par amour,* par attirance pour sa femme. **2.** *L'amour de la liberté, du sport, de la littérature* est un goût vif pour ces choses.
■ **amoureux, euse** adj. et n. SENS 1 *Il est amoureux de sa voisine,* il l'aime. *Les amoureux s'embrassent.*
■ **amoureusement** adv. *Il la regardait amoureusement,* avec amour.

amour-propre n.m. *Marie a trop d'amour-propre pour accepter cet échec,* elle est trop consciente de sa valeur (= fierté).

amovible adj. *Les sièges de la voiture sont amovibles,* on peut les enlever.
■ **inamovible** adj. *Certains juges sont inamovibles,* on ne peut pas les obliger à partir ailleurs.

amphibie adj. *La grenouille est amphibie,* elle vit à l'air et dans l'eau.

amphithéâtre n.m. **1.** Dans l'Antiquité, un *amphithéâtre* était un théâtre en demi-cercle et à gradins. **2.** *Les cours ont lieu dans un amphithéâtre,* dans une grande salle disposée en gradins.

amphore n.f. Dans l'Antiquité, une *amphore* était un grand récipient.

ample adj. *Un manteau ample* est large.
■ **amplement** adv. *C'est amplement suffisant* (= largement).
■ **ampleur** n.f. *Il faut donner de l'ampleur à cette jupe. On a constaté l'ampleur du désastre* (= étendue).
■ **amplifier** v. *Le micro amplifie le son* (= augmenter).
■ **amplificateur** ou **ampli** n.m. *Sa guitare électrique est branchée sur un amplificateur,* un appareil qui amplifie le son.

ampoule n.f. **1.** *L'ampoule de la lampe est cassée, il faut la changer,* un petit globe de verre qui contient un filament électrique. **2.** *Ce médicament se vend en ampoule,* un petit tube de verre dont on casse les bouts pour faire sortir le liquide. **3.** *J'ai des ampoules aux pieds à force de marcher* (= cloque).

amputer v. *On a amputé le malade d'une jambe,* on la lui a coupée.
■ **amputation** n.f. *Le médecin a décidé l'amputation d'un doigt.*
■ **amputé, e** n. *Les amputés de guerre se réunissent une fois par an,* les personnes qui ont subi une amputation.

amuse-gueule n.m.inv. *Il reste quelques amuse-gueule,* des petits canapés que l'on sert à l'apéritif.

amuser v. **1.** *Les clowns amusent les enfants* (= distraire, divertir). **2.** *Les enfants s'amusent dans la cour* (= jouer).
■ **amusant, e** adj. SENS 1 *Cette histoire est amusante* (= drôle).
■ **amusement** n.m. SENS 2 *Le jeu de boules est son amusement favori* (= distraction, passe-temps).

amygdale n.f. *Les amygdales sont de petits organes situés de chaque côté de la gorge.*
R. On prononce [amidal].

an n.m. *Sa maladie a duré un an,* douze mois (= année). *Le jour de l'an, le premier de l'an,* c'est le 1er janvier.

anachronique adj. *Cette voiture a une ligne anachronique,* démodée, désuète.
■ **anachronisme** n.m. *Le film commet un anachronisme en présentant Louis XIV en pantalon,* il ne respecte pas la réalité de l'époque.

anagramme n.f. *« Rage » est une anagramme de « gare »,* un mot formé en changeant l'ordre des lettres d'un autre mot.

analogie n.f. *Il y a une analogie d'aspect entre le loup et le chien,* une ressemblance générale.

38

125,
871

■**analogue** adj. *Ces deux projets sont analogues* (= voisin, comparable ; ≠ différent).

analphabète → *alphabet.*

analyse n.f. **1.** *L'analyse du sang* est l'examen détaillé de ce qui le compose. *Faire l'analyse d'un discours,* c'est en examiner les différents points. **2.** En grammaire, l'*analyse* est l'étude de la nature et de la fonction des mots ou des propositions.
■**analyser** v. SENS 1 *On a fait analyser l'eau du puits.* SENS 2 *Analysez cette phrase !*

ananas n.m. *L'ananas* est un fruit des pays chauds.
R. On prononce [anana] ou [ananas].

anarchie n.f. *Chacun n'en fait qu'à sa tête, c'est l'anarchie,* c'est un grand désordre dû à l'absence d'autorité.
■**anarchiste** n. Les *anarchistes* rejettent toute autorité.

728, 294
anatomie n.f. *L'anatomie* est l'étude scientifique du corps des êtres vivants.
■**anatomique** adj. *Ce livre contient des dessins anatomiques.*

ancêtre n.m. Nos *ancêtres* sont ceux qui ont vécu avant nous, dont nous sommes les descendants.
■**ancestral, e, aux** adj. *Dans ce pays, les familles ont gardé des mœurs ancestrales,* de leurs ancêtres.

579
anchois n.m. Les *anchois* sont des petits poissons de mer.

ancien, enne adj. **1.** *Une église ancienne* existe depuis longtemps (≠ récent, neuf). **2.** *Aline est ancienne dans l'entreprise,* elle y travaille depuis longtemps (≠ nouveau). **3.** *Ce musée est installé dans une ancienne église,* c'était autrefois une église.
■**anciennement** adv. SENS 3 *Paris s'appelait anciennement Lutèce* (= autrefois).
■**ancienneté** n.f. SENS 2 *Aline a vingt ans d'ancienneté.*

ancre n.f. *Le bateau a jeté l'ancre,* une lourde pièce métallique qui s'accroche au fond de l'eau.
R. *Ancre* se prononce [ãkr] comme *encre.*

ancrer v. *Qui t'a ancré cette idée dans la tête ?,* qui te l'a mise, enfoncée (= inculquer).

andouille n.f. *La charcutière vend de l'andouille,* du boyau de porc rempli de morceaux de tripes.
■**andouillette** n.f. Une *andouillette* est une petite andouille qu'on mange grillée.

âne n.m. **1.** *L'âne* est un animal domestique voisin du cheval. **2.** *Cet âne-là n'a rien compris !,* cette personne stupide.
■**ânesse** n.f. SENS 1 *L'ânesse* est la femelle de l'âne.
■**ânerie** n.f. SENS 2 Fam. *Tu as dit une ânerie,* une chose stupide.
■**ânon** n.m. SENS 1 *L'ânon* est le petit de l'âne.

anéantir v. **1.** *Le village a été anéanti par un tremblement de terre,* il a été totalement détruit. **2.** *Nous sommes anéantis par cette nouvelle,* nous sommes moralement abattus.
■**anéantissement** n.m. SENS 1 *C'est l'anéantissement de tous ses espoirs* (= ruine).

anecdote n.f. *Tu sais raconter des anecdotes amusantes,* des faits curieux mais non essentiels (= historiette).
■**anecdotique** adj. *Un récit anecdotique* consiste en anecdotes.

anémie n.f. *Je prends des fortifiants contre l'anémie,* une faiblesse maladive.
■**anémier** v. *Elle est anémiée par la fièvre* (= affaiblir).
■**anémique** adj. *Cet enfant est anémique.*

anémone n.f. **1.** *Les anémones* sont des fleurs à large corolle. **2.** *L'anémone de mer* est un animal marin qui vit fixé aux rochers et qui est muni de tentacules.

ânerie, ânesse → *âne.*

anesthésie n.f. L'*anesthésie* est la suppression de la douleur par l'emploi d'un produit appelé **anesthésique**.

■ **anesthésier** v. *Anesthésier un malade,* c'est le rendre insensible à la douleur avant une opération (= endormir, insensibiliser).

anfractuosité n.f. *Les anfractuosités du rocher,* ce sont ses creux.

ange n.m. **1.** Un *ange* est un être surnaturel, selon certaines religions (≠ diable). **2.** *Cette personne est un ange,* elle est douce, bonne, gentille. **3.** *Cette infirmière a une **patience d'ange**,* une patience extraordinaire. **4.** *Quand il a fini son biberon, le bébé **est aux anges**,* il est heureux et satisfait.

■ **angélique** adj. SENS 2 *Un sourire angélique* est très doux.

angine n.f. *Marie souffre d'une angine,* d'une maladie de la gorge.

anglais, e adj et n. *Cite-moi trois villes anglaises,* de l'Angleterre. *Elle a épousé un Anglais.*

■ **anglais** n.m. *À ce congrès international, on parle anglais.*

■ **anglicisation** n.f. *Au Québec, les francophones ont toujours résisté à l'anglicisation,* le processus par lequel on adopte l'usage de l'anglais.

■ **angliciser** v. *S'angliciser,* c'est parler l'anglais plutôt que sa langue maternelle et adopter les coutumes anglaises.

■ **anglophile** n. *Jack est un anglophile,* un partisan de tout ce qui est anglais, qui aime ce qui est anglais.

■ **anglophone** n. et adj. *Peter est un anglophone,* une personne dont la langue maternelle est l'anglais.

angle n.m. **1.** *Deux lignes qui se coupent forment quatre angles.* **2.** *Le mur forme un angle,* un coin (= arête, encoignure). **3.** *Arrondir les angles,* c'est rechercher la conciliation. **4.** *Vue sous cet angle, la question paraît simple,* sous cet aspect.

■ **anguleux, euse** adj. SENS 2 *Un visage anguleux* est maigre et forme des sortes d'angles.

angoisse n.f. *L'angoisse lui serrait la gorge,* une inquiétude extrême (= anxiété).

■ **angoissant, e** adj. *La situation est angoissante* (= tragique).

■ **angoissé, e** adj. *Sa voix est angoissée* (= anxieux, affolé).

angora adj. *Marie a un chat angora,* à poils longs et doux.

anguille n.f. L'*anguille* est un poisson allongé comme un serpent.

anguleux → **angle.**

animal n.m. **1.** *L'homme est un animal raisonnable,* un être vivant capable de sensibilité et de mouvement. **2.** *Françoise aime les animaux,* les êtres vivants autres que l'homme. **3.** Fam. *Cet animal-là m'a menti,* cet individu.

■ **animal, e, aux** adj. SENS 1 *La chaleur animale* est celle des êtres animés.

■ **animalerie** n.f. *Ma mère a acheté un perroquet dans une animalerie,* un magasin spécialisé dans la vente des petits animaux et de tout ce qui les concerne.

animer v. **1.** *Animer un débat, une discussion,* c'est y mettre de la vie. **2.** *Une chose animée d'un mouvement* est une chose qui bouge. **3.** *Elle est animée par des intentions louables,* celles-ci les poussent à agir (= diriger). **4.** *L'été, ce village s'anime,* il devient vivant, actif.

■ **animé, e** adj. SENS 2 *Les êtres animés* sont les êtres vivants. *Un dessin animé* est un film dont les images ont été dessinées. SENS 4 *Une rue animée, une conversation animée* sont pleines d'activité, de vie.

■ **animateur, trice** n. SENS 1 *L'animateur ou l'animatrice d'une réunion* est la personne qui la dirige.

■ **animation** n.f. SENS 1 *Ils discutent avec animation* (= vivacité). SENS 4 *Ce quartier est plein d'animation* (= vie).

■ **inanimé, e** adj. SENS 2 *Il est resté inanimé sur le sol* (= évanoui, inerte).

■ **ranimer** ou **réanimer** v. SENS 2 *On a ranimé la noyée par la respiration artifi-*

721

cielle. *L'incendie* **s'est ranimé** (= se rallumer).

■ **réanimation** n.f. SENS 2 *Le blessé est dans la salle de* **réanimation.**

animosité n.f. *Il a de l'animosité envers moi* (= malveillance, hostilité).

anis n.m. *J'aime les bonbons à l'anis,* parfumés avec cette plante.
R. On prononce [ani].

ankylose n.f. *Au bout de cette longue période d'immobilité, elle a un début d'ankylose,* ses membres ont perdu de leur liberté de mouvement.

■ **s'ankyloser** v. *La malade commence à s'ankyloser.*

anneau n.m. 1. *Un anneau de rideau* est un cercle de métal, de bois, etc. 2. *Elle porte un anneau au doigt,* une bague ou une alliance. 3. (au plur.) *Sur le portique, il y a des anneaux pour faire de la gymnastique,* deux cercles de métal fixés chacun au bout d'une corde.

■ **annulaire** n.m. SENS 2 *L'annulaire* est le quatrième doigt, où l'on porte souvent un anneau.

année n.f. 1. *Il y a beaucoup de fruits cette année,* dans la période actuelle de douze mois, comptée du 1er janvier au 31 décembre. 2. *C'était au début de la deuxième année de guerre,* de la période de douze mois comptée à partir d'un moment particulier. *L'année scolaire* est la période qui va de la rentrée d'automne aux grandes vacances.

■ **annuel, elle** adj. *Une fête annuelle* revient chaque année.

■ **annuellement** adv. *Combien dépensez-vous annuellement pour le chauffage ?,* chaque année.

annexe adj. *Des dépenses annexes* s'ajoutent aux dépenses principales.

■ **annexe** n.f. *Une annexe* est un bâtiment qui s'ajoute au bâtiment principal.

■ **annexer** v. *Ce quartier fut annexé à la ville il y a deux ans,* il lui fut rattaché.

■ **annexion** n.f. *On projette l'annexion de cette banlieue à la ville* (= rattachement).

annihiler v. *L'ouragan a annihilé le travail de plusieurs années,* il l'a anéanti, ruiné.

anniversaire n.m. 1. *Ils fêtent le dixième anniversaire de leur mariage,* le souvenir de cet événement qui s'est passé à la même date. 2. *C'est aujourd'hui mon anniversaire,* la date (jour et mois) de ma naissance.

annoncer v. 1. *Jean a annoncé son mariage à ses amis,* il le leur a fait savoir (= apprendre, informer de). 2. *Les hirondelles annoncent le printemps,* elles en sont le signe. 3. *La journée s'annonce bien,* elle commence bien.

■ **annonce** n.f. SENS 1 *Zoé a été bouleversée à l'annonce de cet accident* (= nouvelle). *Elle lit les annonces des journaux pour trouver un emploi* (= avis, information).

■ **annonceur, euse** n. *L'annonceur de la télévision présente les émissions et donne les informations.*

■ **annonciateur, trice** adj. SENS 2 *Ces nuages sont annonciateurs de pluie.*

annotation, annoter → *note.*

annuaire n.m. *L'annuaire du téléphone* est un livre contenant un ensemble de renseignements et publié chaque année.

annuel, annuellement → *année.*

annulaire → *anneau.*

annuler → *nul.*

anoblir → *noble.*

anodin, e adj. *Sa blessure n'est qu'une écorchure anodine,* sans gravité (= bénin).

anomalie n.f. *Cette chaleur en plein hiver est une anomalie,* une particularité anormale (= bizarrerie).

ânon → *âne.*

ânonner v. *Cet enfant **ânonne** sa récitation,* il la dit avec peine et en hésitant sur les mots.

anonyme adj. *Une lettre **anonyme**, un don **anonyme*** proviennent de quelqu'un qui n'a pas dit son nom.
■ **anonymat** n.m. *Garder l'anonymat,* c'est ne pas se faire connaître comme l'auteur de quelque chose.

anorak n.m. *Un **anorak** est une veste imperméable et chaude, à capuchon.

anormal, anormalement → *normal.*

anse n.f. **1.** *Elle a passé son bras dans l'anse du panier,* dans la partie courbe par laquelle on le tient. **2.** *Le bateau a jeté l'ancre dans une **anse** abritée,* une petite baie.

antagonisme n.m. *Un **antagonisme** entre deux partis politiques* est un état d'opposition, de rivalité.
■ **antagoniste** n. *Les deux **antagonistes** s'affrontent* (= adversaire).

d'antan adv. s'emploie rarement pour d'autrefois, de jadis : *Oublions les querelles **d'antan**.*

antarctique → *arctique.*

antécédent n.m. **1.** *L'antécédent d'un pronom relatif* est le nom ou le pronom représenté par ce relatif. **2.** *Cet accusé a de mauvais **antécédents**,* sa conduite passée a été mauvaise.

antenne n.f. **1.** *Une **antenne** est un dispositif métallique permettant de diffuser ou de recevoir les émissions de radio, de télévision. **2.** *Les papillons ont deux **antennes**,* des sortes de cornes mobiles.

antérieur, e adj. **1.** *La période antérieure à la guerre* est celle qui l'a précédée. **2.** *Les pattes **antérieures** d'un chat* sont ses pattes avant (≠ postérieur).
■ **antérieurement** adv. SENS 1 *Je formais ce projet **antérieurement** à mon accident* (= avant ; ≠ postérieurement).

anthropophage adj. et n. *Des peuplades **anthropophages*** mangeaient de la chair humaine (= cannibale).

anti- indique, au début d'un mot, l'opposition, la défense contre quelque chose : un ***antivol*** protège *contre* le *vol,* un canon ***antichar*** est destiné à *combattre* les *chars,* etc.

antiaérien → *air.*

antibiotique n.m. *La docteure a prescrit un **antibiotique**,* un médicament qui empêche la multiplication de certains microbes.

antichambre n.f. *Une visiteuse attend dans l'antichambre,* dans la pièce qui sert de salle d'attente (= vestibule).

anticiper v. *Vous **anticipez** en faisant comme si vous aviez déjà réussi,* vous agissez avant le moment normal.
■ **anticipation** n.f. *J'ai payé mes dettes par **anticipation**,* avant la date prévue. *Un roman d'anticipation* se situe dans un futur imaginaire.

anticlérical → *clergé.*

anticyclone → *cyclone.*

antidater → *date.*

antidote n.m. *Un **antidote** est un remède contre un poison.

antigel → *geler.*

antilope n.f. *Les **antilopes** courent très vite,* des animaux sauvages d'Afrique et d'Asie.

antimilitariste → *militaire.*

antimite → *mite.*

antipathie n.f. *Cet individu louche m'inspire une profonde **antipathie**,* un sentiment qui me détourne de lui (= aversion ; ≠ sympathie).
■ **antipathique** adj. *Quel visage **antipathique** !* (≠ sympathique).

antipodes n.m.pl. *Cette supposition est aux **antipodes** de la réalité,* totalement à l'opposé.

antiquité n.f. **1.** *L'antiquité d'un monument,* c'est sa grande ancienneté. **2.** Une *antiquité* est un objet datant d'une époque ancienne. **3.** L'*Antiquité,* c'est la période qui correspond aux plus anciennes civilisations.
■ **antique** adj. SENS 3 *Il y a dans ce musée beaucoup de statues antiques,* qui datent de l'Antiquité.
■ **antiquaire** n. SENS 2 *J'ai acheté un vase ancien chez un antiquaire,* un marchand d'antiquités.

antiraciste → *race.*

antireligieux → *religion.*

antisémite adj. et n. *Une politique antisémite* est hostile aux Juifs.

antisepsie n.f. L'*antisepsie* est la lutte contre les microbes.
■ **antiseptique** adj. *Une pommade antiseptique* arrête l'infection.

antitétanique → *tétanos.*

antituberculeux → *tuberculose.*

antivol → *vol 2.*

antre n.m. *Le lion dort dans son antre,* le creux qui lui sert de refuge.

anxieux, euse adj. *Nous étions anxieux sur le sort des sinistrés,* extrêmement inquiets (= angoissé).
■ **anxieusement** adv. *Les naufragés guettaient anxieusement l'arrivée des sauveteurs.*
■ **anxiété** n.f. *À la nouvelle de la catastrophe aérienne, beaucoup de familles étaient dans l'anxiété.*

40 **aorte** n.f. L'*aorte* est l'artère principale qui part du cœur.

125 **août** n.m. *Il a fait très chaud au mois d'août.*
R. On prononce [u] ou [ut].

apaisement, apaiser → *paix.*

apanage n.m. *Le bon sens n'est pas l'apanage des gens instruits,* un avantage propre à ces gens.

aparté n.m. *Je te ferai part de mes projets en aparté,* en confidence.

apatride → *patrie.*

apathie n.f. *Secouez votre apathie !* votre manque de réaction (= mollesse, indolence).
■ **apathique** adj. *Tu es une personne apathique,* tout t'est indifférent (= mou, indolent).

apercevoir v. **1.** *Quelqu'un a aperçu la voleuse qui s'enfuyait,* quelqu'un l'a vue peu distinctement (= entrevoir). **2.** *J'aperçois un ami dans la foule,* je le distingue soudain (= remarquer, discerner). **3.** *Il s'est aperçu de son erreur,* il s'en est rendu compte.
■ **aperçu** n.m. SENS 1 *Elle nous a donné un aperçu de ses projets,* une idée superficielle.
■ **inaperçu, e** adj. SENS 2 *Ce détail est resté inaperçu* (= caché).
R. → Conj. n° 34.

apéritif n.m. *Prendrez-vous un apéritif avant de dîner ?,* une boisson souvent alcoolisée.

apesanteur → *peser.*

apeuré → *peur.*

aphte n.m. *J'ai des aphtes,* des petites plaies dans la bouche.

apiculture n.f. L'*apiculture,* c'est l'élevage des abeilles.
■ **apiculteur, trice** n. *Nous avons acheté du miel chez un apiculteur.*

apitoiement, apitoyer → *pitié.*

aplanir → *plan.*

aplatir → *plat.*

aplomb n.m. **1.** *Cette chaise est branlante, elle n'est pas d'aplomb,* en équilibre (= stable). **2.** *Tu oses me dire ça !, quel aplomb* (= audace, fam. toupet).

apocalypse n.f. *La ville bombardée offrait un spectacle d'apocalypse,* de catastrophe épouvantable.

■**apocalyptique** adj. *Ce film présente des images apocalyptiques,* d'épouvante.

apogée n.m. *La cantatrice était alors à l'apogée de sa gloire,* au plus haut point, au sommet.

apolitique → *politique.*

apologie n.f. *Un journaliste a été accusé de faire l'apologie du crime,* d'en dire du bien, d'en faire l'éloge.

apologue n.m. est un équivalent de *fable.*

apoplexie n.f. *Une crise d'apoplexie* est une perte soudaine de connaissance due à des troubles circulatoires.

apostolat → *apôtre.*

apostrophe n.f. **1.** *Le chauffeur m'a lancé une apostrophe injurieuse,* une parole vive d'interpellation. **2.** *On indique l'élision d'une voyelle par une apostrophe,* un signe d'écriture ('). **3.** *Dans la phrase « Elise, approche-toi », « Elise » est mis en apostrophe.*
■**apostropher** v. SENS 1 *Elle s'est fait apostropher par la monitrice,* interpeller brusquement.

apothéose n.f. *La championne olympique a connu son apothéose à l'arrivée,* des honneurs extraordinaires (= triomphe).

apôtre n.m. **1.** *Pierre était le chef des Apôtres,* des douze disciples que Jésus envoya prêcher l'Évangile. **2.** *Gandhi s'était fait l'apôtre de la non-violence,* il s'était consacré à la diffusion de cette doctrine.
■**apostolat** n.m. SENS 2 *Adeline considère son métier d'enseignante comme un apostolat,* une mission qui demande un grand dévouement.

apparaître v. **1.** *Une image apparaît sur l'écran,* elle se montre soudain

(≠ disparaître). **2.** *Tout ce travail apparaît inutile,* il a l'air inutile (= paraître, sembler).
■**apparence** n.f. SENS 2 *Cette maison a une belle apparence* (= aspect). *Elle n'est douce qu'en apparence, en réalité elle est très exigeante.* (au plur.) *Ne vous fiez pas aux apparences.*
■**apparent, e** adj. SENS 1 *Une tache très apparente* est très visible. SENS 2 *Ce calme apparent cache une vive émotion* (= trompeur, extérieur).
■**apparemment** adv. SENS 2 *Il ne répond pas au téléphone, il est apparemment absent,* à ce qu'il semble (= vraisemblablement).
■**apparition** n.f. SENS 1 *L'apparition de la vedette fut saluée d'applaudissements* (≠ disparition). *La neige a fait son apparition,* il a commencé à neiger.
■**réapparaître** v. SENS 1 *La tache réapparaît malgré le nettoyage.*
■**réapparition** n.f. SENS 1 *On attend la réapparition du soleil après l'orage.*
R. → Conj. n° 64. *Apparaître* se conjugue avec l'auxiliaire *être* ; *réapparaître* se conjugue avec l'auxiliaire *être* ou l'auxiliaire *avoir.*

apparat n.m. *Un costume d'apparat, un discours d'apparat* conviennent à une cérémonie très solennelle.

appareil n.m. **1.** *Un aspirateur, un moulin à café sont des appareils ménagers.* **2.** *Qui est à l'appareil ?,* au téléphone. **3.** *Un appareil s'est écrasé au décollage,* un avion.
■**appareillage** n.m. SENS 1 *L'appareillage électrique* est l'ensemble des appareils d'une installation.

appareiller v. *Le bateau va appareiller,* se préparer au départ.

apparemment, apparence, apparent → *apparaître.*

apparenté → *parent.*

38
437

apparition → *apparaître.*

appartement n.m. *Mon immeuble a deux appartements par étage,* deux logements de plusieurs pièces.

appartenir v. **1.** *Cette voiture lui appartient,* elle est sa propriété. **2.** *La baleine appartient à la classe des mammifères,* elle en fait partie.
■ **appartenance** n.f. SENS 2 *L'appartenance d'une personne à un groupe, à un syndicat,* c'est le fait qu'elle en fait partie.
R. → Conj. n° 22.

appât n.m. **1.** *Le pêcheur a mis un ver comme appât,* comme moyen d'attirer le poisson (= amorce). **2.** *L'appât du gain,* c'est le désir, l'attrait du gain.
■ **appâter** v. SENS 1 *Pour le concours de pêche, j'ai appâté au ver.* SENS 2 *Ta proposition l'a appâté* (= attirer).

appauvrir, appauvrissement → *pauvre.*

appeler v. **1.** *On a appelé les enfants à table,* on leur a dit de venir. *Il y a le feu, il faut appeler les pompiers,* les avertir, les prévenir par téléphone. **2.** *Cela appelle une explication,* cela a besoin d'être expliqué (= demander, nécessiter). **3.** *Comment appelle-t-on cet outil ?,* quel nom lui donne-t-on ? (= nommer). *Ce chien s'appelle Dick,* son nom est Dick.
■ **appel** n.m. **1.** SENS 1 *La naufragée lançait des appels désespérés* (= cri). **2.** SENS 1 *Il y a eu trois appels pour toi,* trois coups de téléphone. *L'institutrice fait l'appel,* elle appelle les enfants par leur nom pour savoir qui est présent. **3.** *Son discours est un appel à la révolte* (= incitation). **4.** *Faire appel à quelqu'un,* c'est lui demander son aide. **5.** *Le condamné fait appel,* il demande à un tribunal supérieur de réviser le jugement qui le condamne.

■ **appellation** n.f. SENS 3 *C'est le même produit sous une appellation différente* (= nom, dénomination).
R. → Conj. n° 6.

appendice n.m. **1.** *Des notes figurent en appendice à la fin du livre,* comme élément ajouté. **2.** *L'appendice est un petit prolongement du gros intestin.*
■ **appendicite** n. f. SENS 2 *Line a une crise d'appendicite,* une inflammation de l'appendice.
R. On prononce [apɛ̃dis, apɛ̃disit].

appentis n.m. *Les outils de jardin sont rangés dans l'appentis,* un petit bâtiment adossé à un mur.
R. On prononce [apɑ̃ti].

appesantir → *peser.*

appétit n.m. *Le convalescent retrouve l'appétit,* le désir de manger.
■ **appétissant, e** adj. *Un plat appétissant* met en appétit (= alléchant).

applaudir v. *Applaudir un artiste, un discours,* c'est battre des mains pour marquer son approbation.
■ **applaudissements** n.m.pl. *Son discours a soulevé des applaudissements.*

applicable, application → *appliquer.*

applique n.f. *L'éclairage du couloir est réalisé par deux appliques,* des supports de lampes fixés au mur.

appliquer v. **1.** *Appliquer une couche de vernis,* c'est l'étendre sur une surface. **2.** *Appliquer une règle,* c'est la mettre en pratique. **3.** *Les élèves s'appliquent,* ils travaillent avec soin.
■ **applicable** adj. SENS 2 *Le nouveau règlement est applicable,* il doit être appliqué.
■ **appliqué, e** adj. SENS 3 *Zoé est une élève appliquée* (= travailleur, soigneux).

■ **application** n.f. SENS 1 *Il faut laisser sécher la première couche de peinture avant l'**application** de la seconde.* SENS 2 *Les clients protestent contre l'**application** des nouveaux tarifs* (= entrée en vigueur). SENS 3 *On l'a félicité pour son **application**.*
■ **inapplicable** adj. SENS 2 *Cette décision est **inapplicable**,* on ne peut pas l'appliquer.

appoint n.m. *On est prié de faire l'**appoint**,* de payer en fournissant la petite monnaie pour arriver à la somme juste.

appointer v. *Les employés **sont appointés** au mois,* ils sont payés.
■ **appointements** n.m.pl. *Ses **appointements** sont médiocres,* ce qu'il gagne régulièrement par son travail (= salaire, traitement).

appontement n.m. *Pour charger et décharger leurs marchandises, les bateaux vont à l'**appontement**,* une construction fixe au bord de l'eau.

apporter v. 1. *Le facteur nous **apporte** le courrier,* il le porte jusqu'à nous. 2. ***Apportez** tous vos soins à ce travail* (= mettre, donner).
■ **apport** n.m. *L'**apport** de quelqu'un,* c'est ce qu'il apporte.

apposer v. *Tu dois **apposer** ta signature au bas du texte,* la mettre.

apposition n.f. *Dans « Ottawa, capitale du Canada », le mot « capitale » est en **apposition** au mot « Ottawa »,* il le précise sans lui être relié par un verbe.

apprécier v. 1. *J'**apprécie** ce gâteau,* je le trouve bon. 2. ***Apprécier** une distance à vue d'œil,* c'est l'évaluer.
■ **appréciable** adj. SENS 1 *Son aide a été **appréciable*** (= utile). SENS 2 *Il n'y a aucune différence **appréciable*** (= sensible, notable).
■ **appréciation** n.f. SENS 1 *J'ai porté une **appréciation** favorable* (= jugement).

SENS 2 *J'ai commis une erreur d'**appréciation*** (= évaluation, estimation).
■ **inappréciable** adj. SENS 2 *Tu nous as rendu un service **inappréciable**,* très précieux (= inestimable).

appréhender v. 1. *Les policiers ont **appréhendé** un malfaiteur,* ils l'ont arrêté. 2. *J'**appréhende** un accident,* je le crains.
■ **appréhension** n.f. SENS 2 *Il s'est présenté à l'examen avec **appréhension*** (= crainte).

apprendre v. 1. *J'ai **appris** cette nouvelle par la radio,* j'en ai été informé. 2. *Ma sœur **apprend** l'anglais,* elle l'étudie pour le savoir. 3. *Il m'a **appris** son mariage,* il me l'a annoncé. 4. *Le professeur **apprend** l'anglais aux élèves,* il le leur enseigne.
■ **apprenti, e** n. SENS 2 *Un **apprenti**, une **apprentie** est celui ou celle qui apprend un métier par la pratique.*
■ **apprentissage** n.m. SENS 2 *Annabelle est en **apprentissage** chez un mécanicien,* elle y apprend le métier par la pratique.
R. → Conj. n° 54.

apprêter v. 1. ***Apprêter** un repas,* c'est le préparer. 2. *Je m'**apprête** à partir* (= se préparer, se disposer).

apprivoiser v. *Pierre a **apprivoisé** un corbeau,* il l'a habitué à vivre avec les hommes (= domestiquer).

approbateur, approbation → **approuver**.

approchant, approche, approcher → **proche**.

approfondir, approfondissement → **profond**.

approprié, e adj. *Chaque objet est à la place **appropriée**,* qui convient.

s'approprier v. *Elle s'est **approprié** la part qui restait,* elle l'a prise pour elle (= s'emparer de, s'adjuger).

approuver v. *Je vous* **approuve** *d'être venu,* je suis d'accord avec vous (≠ blâmer, critiquer, désapprouver).
■ **approbateur, trice** n. et adj. *Ce projet n'a pas que des* **approbateurs,** *des gens qui l'approuvent. Elle a fait un geste* **approbateur,** *d'approbation* (≠ désapprobateur).
■ **approbation** n.f. *Il a manifesté son* **approbation** *par un signe de tête* (= accord ; ≠ condamnation, désapprobation).
■ **désapprouver** v., **désapprobateur** n. et adj., **désapprobation** n.f. expriment des idées contraires.

approvisionnement, approvisionner → provision.

approximation n.f. *Une rapide* **approximation** *permet de chiffrer la dépense à un millier de dollars environ,* un calcul qui donne à peu près la valeur réelle (= évaluation).
■ **approximatif, ive** adj. *Ce paquet a une masse* **approximative** *de 5 kg,* il pèse à peu près 5 kilogrammes.
■ **approximativement** adv. *La séance durera* **approximativement** *deux heures* (= environ, à peu près).

appuyer v. **1.** *Les maçons* **ont appuyé** *une échelle contre le mur,* ils l'ont fait reposer sur le mur. **2.** *Jean* **s'est appuyé** *sur un meuble,* il s'en est servi comme soutien. **3.** *Ne craignez rien, je vous* **appuierai,** je vous procurerai mon aide, mon secours. **4.** **Appuyez** *sur ce bouton !,* exercez une pression dessus (= presser). **5.** *Elle a beaucoup* **appuyé** *sur cette recommandation* (= insister).
■ **appui** n.m. SENS 1 ET 2 *Le blessé prend* **appui** *sur une canne,* il se soutient. SENS 3 *J'ai réussi grâce à l'***appui** *d'un ami* (= aide, soutien). *J'ai des preuves à l'***appui** *de mes accusations,* pour les confirmer.

■ **appui-tête** n.m. *Les sièges avant de ma voiture sont munis d'***appuis-tête,** de coussins placés derrière la tête.

âpre adj. **1.** *Cette poire n'est pas mûre, elle est* **âpre** (= âcre). **2.** *Une lutte* **âpre** *est violente. Noémie est* **âpre au gain,** elle veut gagner de plus en plus d'argent.
■ **âprement** adv. SENS 2 *On combattit* **âprement** (= farouchement).
■ **âpreté** n.f. SENS 2 *Ils discutent avec* **âpreté.**

après prép. ou adv. **1.** *On se reposera* **après** *le travail,* plus tard (≠ avant). **2.** *La gare est* **après** *le carrefour,* plus loin (≠ avant). **3.** *Le chien court* **après** *le lièvre,* en le poursuivant. **4.** *Dessiner* **d'après** *un modèle,* c'est imiter ce modèle. **5.** **D'après** *nous, tout cela est faux,* selon nos paroles, de notre point de vue.

après-demain → demain.

après-midi → midi.

âpreté → âpre.

a priori adv. *A priori, je suis favorable à ce projet,* en principe, avant un examen plus approfondi.

à propos adv. **1.** *Vous arrivez* **à propos,** au moment qui convient. **2.** *J'ignore tout* **à propos de** *cette affaire,* en ce qui la concerne (= au sujet de).
■ **à-propos** n.m. SENS 1 *Agir avec* **à-propos,** c'est agir comme le demandent les circonstances.

apte adj. *Line est* **apte** *à cet emploi,* elle est capable de l'exercer (= propre).
■ **aptitude** n.f. *Travaillez selon vos* **aptitudes** (= capacité).
■ **inapte** adj. *C'est encore une enfant, elle est* **inapte** *aux travaux de force.*
■ **inaptitude** n.f. *Tu as fait preuve d'***inaptitude** (= incapacité).

95 | **aquarelle** n.f. Une *aquarelle* est une peinture avec des couleurs délayées dans l'eau.

34 | **aquarium** n.m. 1. *Les poissons nagent dans l'aquarium,* une boîte de verre. 2. *France est allée visiter l'aquarium de Québec,* un établissement dans lequel sont rassemblés des animaux aquatiques.
R. On prononce [akwarjɔm].

aquatique adj. *Une plante aquatique* vit dans l'eau.
R. On prononce [akwatik].

aqueduc n.m. Un *aqueduc* est un canal pour amener l'eau.

aquilin adj.m. *Un nez aquilin* est recourbé et assez fin.

arabesque n.f. Une *arabesque* est une ligne sinueuse de caractère décoratif.

80 | **arachide** n.f. *Marie met de l'huile d'arachide dans la salade,* une plante.

63 | **araignée** n.f. *L'araignée tisse sa toile au plafond,* un petit animal.

47 | **arbalète** n.f. Au Moyen Âge, une *arbalète* était un arc d'acier monté sur un support.

arbitrage → *arbitre.*

arbitraire adj. *Un acte arbitraire* est accompli par quelqu'un qui ne tient pas compte de la justice, de la raison (= injustifié).
■ **arbitrairement** adv. *On l'a emprisonné arbitrairement* (= illégalement).

35 | **arbitre** n. 1. *L'arbitre a sifflé la mi-temps,* celui qui est responsable du déroulement régulier du match. 2. *Un expert a été désigné comme arbitre,* pour régler le désaccord.
■ **arbitrer** v. SENS 1 *Qui arbitrera ce match ?* SENS 2 *La directrice a essayé d'arbitrer leur querelle.*
■ **arbitrage** n.m. SENS 1 ET 2 *On souhaite un arbitrage impartial.*

arborer v. *Arborer un drapeau,* c'est le déployer, le montrer fièrement.

arbre n.m. 1. *Un arbre a des feuilles, des branches, un tronc, des racines.* 2. *L'arbre de sa voiture est cassé,* l'axe transmettant le mouvement aux roues. 3. *Grand-père a dessiné l'arbre généalogique de la famille,* une sorte d'arbre qui montre les liens de parenté entre les membres d'une famille. | 366, 362
■ **arbuste** ou **arbrisseau** n.m. SENS 1 *Le lilas est un arbuste,* un petit arbre.
■ **arborescent, e** adj. SENS 1 *Une fougère arborescente* est grande comme un petit arbre.
■ **arboriculteur, trice** n. SENS 1 *Nous avons acheté des petits pommiers chez un arboriculteur,* quelqu'un qui cultive des arbres.

arc n.m. 1. *Certaines peuplades primitives chassent avec des arcs,* des armes qui lancent des flèches. 2. *Un arc de cercle* est une portion de cercle. 3. *L'arc d'une voûte* est sa courbure. 4. *Un arc de triomphe* est un monument voûté. | 147 / 579
■ **arcade** n.f. SENS 3. *L'arcade sourcilière* est l'endroit où poussent les sourcils.
■ **arcades** n.f.pl. SENS 3 *On se promène sous les arcades,* dans la galerie dont les piliers sont reliés par des arcs. | 579
■ **arc-boutant** n.m. SENS 3 *Beaucoup de cathédrales ont des arcs-boutants,* des maçonneries en forme d'arc soutenant de l'extérieur un mur. | 149
■ **s'arc-bouter** v. *Ils s'arc-boutent pour pousser la voiture,* ils exercent une forte poussée de tout le corps.
■ **arceau** n.m. SENS 3 *L'allée est bordée par des arceaux de fer,* de tiges courbées en demi-cercle.
■ **arc-en-ciel** n.m. SENS 3 *Après l'orage, un arc-en-ciel est apparu,* une bande lumineuse multicolore en forme d'arc. | 721
■ **arche** n.f. SENS 3 *Une arche* est une voûte qui relie les piles d'un pont.
■ **archer** n.m. SENS 1 *Un archer* est un tireur à l'arc.
R. Noter le pluriel : des *arcs-en-ciel.*

archaïque adj. *Cette voiture est d'un mo-dèle **archaïque**,* très vieux (≠ moderne). **R.** On prononce [arkaik].

arche → *arc.*

archéologie n.f. *L'**archéologie** est l'étude des civilisations anciennes.*
■ **archéologique** adj. *On a entrepris ici des fouilles **archéologiques**.*
■ **archéologue** n. *Béatrice est **archéologue**,* spécialiste d'archéologie.
R. On prononce [arkeɔlɔʒi, arkeɔlɔg].

archer → *arc.*

438 **archet** n.m. *On joue du violon avec un **archet**,* une baguette tendue de crins pour faire vibrer les cordes.

archevêché, archevêque → *évê-que.*

archi- indique, au début d'un mot, un degré supérieur : *archifou, archiconnu,* etc. (= très fou, très connu).

725 **archipel** n.m. *Un **archipel** est un groupe d'îles.*

145 **architecte** n. *L'**architecte** dessine des plans de bâtiments et en dirige l'exé-cution.*
■ **architecture** n.f. **1.** *Sophie fait des études d'**architecture**,* elle étudie l'art de construire. **2.** *Ce château a une **archi-tecture** imposante* (= forme).
■ **architectural, e, aux** adj. *On admire la beauté **architecturale** de ce château.*

archives n.f.pl. *Les historiens consultent les **archives**,* les documents anciens conservés ensemble.

arctique adj. *Une expédition **arctique** a lieu au pôle Nord.*
■ **antarctique** adj. *Les régions **antarcti-ques** sont celles du pôle Sud.*

ardent, e adj. *Une lutte **ardente** est très vive.*
■ **ardemment** adv. *Nous souhaitons ar-demment la paix* (= vivement).

■ **ardeur** n.f. *Travaillons avec **ardeur** !* (= entrain, énergie).

ardoise n.f. **1.** *Les **ardoises** d'un toit sont des plaques de pierre gris foncé qui le couvrent.* **2.** *Julie écrit avec une craie sur une **ardoise**,* une plaque sur laquelle on peut facilement effacer.

ardu, e adj. *Ce problème est **ardu**,* très difficile.

are n.m. *Un **are** est une unité de mesure française valant 100 mètres carrés.* 8
■ **hectare** n.m. *Ce champ mesure un **hectare**,* 100 ares ou 10 000 mètres carrés. 8
R. *Are se prononce* [ar] *comme art et arrhes.*

aréna n.m. ou f. *La partie de hockey se joue à l'**aréna**,* un établissement doté d'une patinoire.

arène n.f. **1.** *Les gladiateurs se battaient dans l'**arène**,* dans la partie centrale d'un amphithéâtre. **2.** (au plur.) *Nous sommes allés voir une corrida aux **arènes** de Bayonne,* dans l'amphithéâtre qui contient l'arène et les gradins.

arête n.f. **1.** *Une **arête** de poisson lui a piqué le gosier.* **2.** *L'**arête** d'un mur,* c'est l'angle extérieur que forment deux faces du mur. 7
6

argent n.m. **1.** *Un bijou d'**argent** est fait d'un métal précieux blanc.* **2.** *Je n'ai pas d'**argent** sur moi,* des billets, des pièces servant à payer. *Avoir de l'**argent**,* c'est être riche.
■ **argenté, e** adj. SENS 1 *Du métal ar-genté est recouvert d'argent. Un reflet argenté a l'éclat de l'argent.*
■ **argenterie** n.f. SENS 1 *Pour ce grand dîner, on avait sorti toute l'**argenterie**,* la vaisselle d'argent.
■ **argentin, e** adj. SENS 1 *Un son **argentin** est un son clair comme celui des pièces d'argent qu'on faisait sonner.*

■**désargenté, e** adj. SENS 1 *Ce plat est désargenté.* SENS 2 *Maria est désargentée,* sans argent.

argile n.f. *Un vase d'argile est fait d'une terre molle et grasse utilisée en poterie et appelée aussi terre glaise.* ■**argileux, euse** adj. *On s'enfonce dans les terrains argileux.*

argot n.m. *L'argot est un ensemble de mots ou d'expressions qui n'appartiennent pas à la langue courante et qu'on emploie parfois par goût du pittoresque : une godasse* (= une chaussure), *se faire la malle* (= partir). ■**argotique** adj. *Une expression argotique appartient à l'argot.*

argument n.m. *J'ai trouvé un argument convaincant,* un raisonnement à l'appui d'une affirmation (= démonstration, preuve). ■**argumentation** n.f. *Son argumentation est faible,* l'ensemble de ses arguments. ■**argumenter** v. *Johanne argumente tout le temps,* elle défend ses idées et donne des arguments.

aride adj. *Un sol aride est sec et ne produit rien.* ■**aridité** n.f. *L'aridité d'un terrain est défavorable à la culture* (= sécheresse).

aristocrate n. *Autrefois, les aristocrates jouissaient d'importants privilèges,* les nobles. ■**aristocratie** n.f. *L'aristocratie est l'ensemble des nobles* (= noblesse). ■**aristocratique** adj. *Cette actrice a une aisance aristocratique* (= distingué, raffiné). **R.** *Aristocratie* se prononce [aristɔkrasi].

arithmétique n.f. *Un problème d'arithmétique* se résout par le calcul.

armateur → *armer 2.*

armature n.f. *L'armature métallique d'une tente* est l'ensemble des éléments rigides qui la soutiennent.

arme n.f. **1.** *Avec une arme, on peut tuer ou blesser ;* une *arme à feu* est un fusil, un pistolet, etc. ; une *arme blanche* est un poignard, un sabre, etc. **2.** *En lui répondant, tu lui fournis des armes contre toi,* des moyens, des arguments. ■**armer** v. SENS 1 *Armer des soldats,* c'est les munir d'armes. SENS 2 *S'armer de patience, de courage,* c'est se préparer à être très patient, très courageux. ■**armé, e** adj. SENS 1 *Il y a eu une attaque à main armée,* faite par des personnes armées. ■**armement** n.m. SENS 1 *Cette troupe est dotée d'un armement moderne,* d'un ensemble d'armes. ■**armure** n.f. SENS 1 *Les chevaliers du Moyen Âge étaient protégés par une armure,* un habillement métallique. ■**armurerie** n.f. SENS 1 *Une armurerie est un magasin où l'on vend des armes.* ■**armurier, ère** n. SENS 1 *L'armurier vend ou fabrique des armes.* ■**désarmer** v. SENS 1 *Le malfaiteur a été désarmé,* dépouillé de ses armes. ■**désarmant, e** adj. SENS 2 *Une réponse, une naïveté désarmante,* vous laisse sans moyen de répondre, sans réaction (= déconcertant). ■**désarmement** n.m. SENS 1 *La conférence a discuté du désarmement,* de la réduction ou de la suppression des moyens militaires.

762

147

armée n.f. **1.** *Une armée est l'ensemble des soldats d'un pays.* **2.** *Une armée d'employés,* c'est une foule d'employés.

763, 355

1. armer → *arme.*

2. armer v. *Armer un bateau,* c'est l'équiper, le mettre en état de naviguer. ■**armateur, eure** n. *Un armateur est celui qui se charge d'équiper et d'exploiter un navire.* ■**armement** n.m. *L'armement d'un navire,* c'est son matériel et son équipage.

■**désarmer** v. *On a désarmé ce navire,* on a retiré le matériel et l'équipage.

■**désarmement** n.m. *On va effectuer le désarmement des navires mis au rebut.*

armes n.f.pl. *Les armes d'une famille, d'une ville,* c'est leur emblème (=armoiries).

■**armoiries** n.f.pl. *Quelles sont les armoiries de cette famille noble ?*

802,
147

armistice n.m. *Les combattants ont signé un armistice,* un accord pour cesser le combat.

294,
79, 77,
39

armoire n.f. *Le linge est rangé dans une armoire,* un grand meuble. *Le peigne, le rasoir sont dans l'armoire de toilette,* une petite armoire à étagères.

armoiries → *armes.*

armure, armurerie, armurier → *arme.*

arôme n.m. *L'arôme d'un vin, du café* est l'odeur agréable qui s'en dégage.

■**aromate** n.m. *Le poivre, la cannelle, le thym sont des aromates,* des substances végétales ayant un parfum caractéristique.

■**aromatique** adj. *Le laurier est une plante aromatique.*

■**aromatiser** v. *Cette crème est aromatisée à la vanille,* parfumée.

arpent n.m. **1.** *Un arpent est une ancienne mesure de longueur valant environ 58 mètres.* **2.** *Un arpent est une ancienne mesure de surface valant 3424 mètres carrés.*

■**arpenter** v. *Aline arpente sa chambre en réfléchissant,* elle la parcourt en divers sens et à grands pas.

arqué, e adj. *Des sourcils arqués* sont recourbés.

arracher v. **1.** *Le jardinier arrache les pommes de terres,* il les enlève de terre

en les tirant. **2.** *Elle m'a arraché la promesse de venir,* elle l'a obtenue avec peine (= soutirer). **3.** *Je n'ai pu l'arracher à son travail,* l'en éloigner (= séparer).

■**arrachage** n.m. SENS 1 *L'arrachage des pommes de terre se fait souvent à la machine.*

■**arracheur, euse** n. SENS 1 *Il ment comme un arracheur de dents,* il fait de gros mensonges.

arraisonner v. *Arraisonner un navire,* c'est le contraindre à s'arrêter pour contrôler sa nationalité, sa cargaison, etc.

■**arraisonnement** n.m. *En temps de guerre, des arraisonnements de navires ont lieu.*

R. Attention à l'orthographe : deux *r* et deux *n*.

arranger v. **1.** *Arrange les meubles dans la pièce,* mets-les dans un certain ordre (= disposer). **2.** *J'ai arrangé le jouet cassé,* je l'ai réparé. **3.** *Arranger une affaire, une difficulté,* c'est la régler. **4.** *Cette date ne m'arrange pas,* elle ne me convient pas. **5.** *Ils se sont arrangés à l'amiable,* ils se sont mis d'accord. **6.** *Je m'arrangerai pour venir* (= se débrouiller).

■**arrangeant, e** adj. SENS 5 *La directrice est très arrangeante,* facilement d'accord (= conciliant ; ≠ intraitable).

■**arrangement** n.m. SENS 1 *On a changé l'arrangement de la salle* (= disposition). SENS 5 *Concluons un arrangement* (= accord, convention).

arrêter v. **1.** *L'agent arrête les voitures,* il les empêche d'avancer. *Les voitures s'arrêtent* (= stopper). **2.** *L'arbitre arrête le combat de boxe,* il l'empêche de continuer. *Arrête de pleurer !* (= cesser ; ≠ continuer). **3.** *Les policiers ont arrêté un malfaiteur,* ils se sont emparés de lui (= appréhender). **4.** *On a arrêté la date de la réunion* (= décider, fixer).

■ **arrêt** n.m. SENS 1 *Ne pas descendre avant l'arrêt complet du train. J'aperçois Cléa à l'arrêt de l'autobus* (= station). SENS 2 *Il pleut sans arrêt* (= continuellement). SENS 4 *Le tribunal a rendu son arrêt* (= décision).

■ **arrêté, e** adj. SENS 4 *Paul a des idées bien arrêtées sur la question,* nettes, précises.

■ **arrêté** n.m. SENS 4 *Un arrêté ministériel est une décision du conseil des ministres.*

■ **arrestation** n.f. SENS 3 *On a annoncé l'arrestation du coupable.*

arrhes n.f.pl. *On a versé des arrhes au moment de la commande,* on a payé une partie du prix (= acompte).
R. *Arrhes* se prononce [ar] comme *are* et *art.*

arrière adv., n.m. et adj.inv. 1. *Aline a fait un pas en arrière,* elle a reculé (≠ en avant). 2. *L'arrière du bateau est trop chargé* (= derrière ; ≠ avant, devant). 3. *Le feu arrière de la voiture est cassé.*
R. *Arrière* s'emploie au début de certains mots pour indiquer ce qui est derrière *(arrière-boutique)* ou ce qui vient après *(arrière-saison).*

arriéré, e 1. adj. *Des idées arriérées* sont très démodées. 2. adj. et n. *Une personne arriérée* a un développement intellectuel insuffisant. 3. n.m. *Il a payé l'arriéré,* ce qui restait dû.

arrière-boutique → *boutique.*

arrière-garde → *garder.*

arrière-goût → *goût.*

arrière-grand-mère, arrière-grands-parents, arrière-grand-père → *grand-père.*

arrière-pensée → *penser.*

arrière-petite-fille, arrière-petit-fils, arrière-petits-enfants → *petit-fils.*

arrière-plan → *plan.*

arrière-saison → *saison.*

arrimer v. *Il faut arrimer les valises sur le toit de la voiture,* les fixer solidement.
■ **arrimage** n.m. *L'arrimage est assuré par des cordes.*

arriver v. *Nous arrivons au but* (= parvenir ; ≠ partir). 2. *Elle est arrivée à faire ce travail* (= réussir). 3. *Cela arrive,* cela se produit.
■ **arrivage** n.m. SENS 1 *L'épicier attend un arrivage de légumes* (= livraison).
■ **arrivée** n.f. SENS 1 *J'attends l'arrivée du facteur. Une concurrente a abandonné à quelques kilomètres de l'arrivée* (= but ; ≠ départ).
■ **arriviste** n. SENS 2 *Cet individu n'a aucun scrupule, c'est un arriviste,* il veut à tout prix arriver à avoir une bonne place.
R. *Arriver* se conjugue avec l'auxiliaire *être.*

arrogant, e adj. *Un ton arrogant* est orgueilleux et méprisant.
■ **arrogance** n.f. *Le chef de service est plein d'arrogance.*

arrondir → *rond.*

arrondissement n.m. *L'île d'Orléans est un arrondissement historique,* un territoire protégé en raison de la concentration des monuments ou des sites historiques qui s'y trouvent.

arroser v. *Arrose les fleurs !,* répands de l'eau sur elles.
■ **arrosage** n.m. *Le tuyau d'arrosage est crevé* (= boyau).
■ **arroseuse** n.f. *L'arroseuse sert à arroser les rues.*
■ **arrosoir** n. m. *Cet arrosoir contient 6 litres,* ce récipient destiné à arroser.

arsenal n.m. 1. *L'arsenal de Toulon* est un lieu spécialement aménagé pour équiper les navires de guerre. 2. *La po-*

512

367,
73

218

366

lice a découvert tout un **arsenal** à son domicile, une accumulation d'armes.

arsenic n.m. On empoisonne les rats avec de l'**arsenic,** un poison.

art n.m. **1.** Ce bracelet est ciselé avec **art,** d'une manière qui le rend beau. Les tableaux, les statues, les bijoux sont des **œuvres d'art,** de belles choses. **2.** L'**art** culinaire est un ensemble de connaissances concernant la cuisine.
■ **artiste** n. SENS 1 Un **artiste** peintre peint des tableaux. Une **artiste** dramatique est une actrice.
■ **artistique** adj. Une photographie **artistique** est agréable à regarder.
■ **beaux-arts** n.m.pl. SENS 1 La peinture, la sculpture, la musique, l'architecture sont les **beaux-arts.**
R. → are et arrhes.

artère n.f. **1.** Le sang qui vient du cœur circule dans les **artères. 2.** Cette avenue est la principale **artère** de la ville (= rue, voie).
■ **artériel, elle** adj. SENS 1 Mon grand-père a une maladie **artérielle.**

artichaut n.m. J'ai mangé des **artichauts** à la vinaigrette, un légume.

article n.m. **1.** Un **article** du Code de la sécurité routière est une division de ce texte. **2.** Le journal publie un **article** important de politique étrangère, un écrit. **3.** Ce magasin vend des **articles** de sport, des objets. **4.** « Le », « un » sont des **articles,** des mots placés devant les noms.

articuler v. **1.** Ces noms étrangers sont difficiles à **articuler,** à prononcer distinctement. **2.** La main s'**articule** à l'avant-bras, elle est unie à lui par une jointure mobile, le poignet.
■ **articulation** n.f. SENS 1 Katia a un défaut d'**articulation** (= prononciation). SENS 2 J'ai une douleur à l'**articulation** du coude (= jointure).

■ **articulaire** adj. SENS 2 Des douleurs **articulaires** se manifestent aux articulations.
■ **désarticuler** v. SENS 2 Le choc a **désarticulé** le mécanisme (= démolir).
■ **inarticulé, e** adj. SENS 1 Des mots **inarticulés** sont incompréhensibles.

1. artifice n.m. On a recouru à un **artifice** pour résoudre cette difficulté, à un moyen habile (= ruse).

2. artifice n.m. Un **feu d'artifice** est une série de fusées lumineuses, de feux colorés, etc.
■ **artificier, ère** n. Les **artificiers** sont les gens qui tirent les feux d'artifice.

artificiel, elle adj. **1.** Un lac **artificiel** est fait par l'homme (≠ naturel). **2.** Les personnages de ce roman sont très **artificiels,** ils ne sont pas conformes à ceux de la vie réelle (= factice).
■ **artificiellement** adv. SENS 1 Ces pommes sont mûries **artificiellement** (≠ naturellement).

artillerie n.f. **1.** Les canons d'une armée constituent son **artillerie. 2.** M. Durand a fait son service militaire dans l'**artillerie,** dans les troupes chargées des canons.
■ **artilleur** n.m. SENS 2 M. Durand était **artilleur,** soldat dans l'artillerie.

artimon n.m. Dans un voilier, le mât d'**artimon** est celui qui est situé à l'arrière.

artisan, e n. J'ai fait relier mes livres par une **artisane,** quelqu'un qui travaille de ses mains pour son propre compte.
■ **artisanal, e, aux** adj. La poterie **artisanale** est plus recherchée que la poterie industrielle.
■ **artisanat** n.m. Dans certaines régions touristiques, l'**artisanat** est développé, le travail des artisans.

artiste, artistique → art.

as n.m. **1.** L'*as* d'un jeu de cartes porte un seul signe. **2.** Aux dés, l'*as* est la face à un seul point. **3.** Fam. *Saïd est un as en mécanique,* il est très fort dans ce domaine.

ascendant, e 1. adj. *Un mouvement ascendant* est un mouvement de bas en haut. **2.** n.m.pl. Les *ascendants* sont les parents et les ancêtres (≠ descendants). **3.** n.m. *Anne a de l'ascendant sur ses camarades,* de l'influence.
■ **ascendance** n.f. SENS 2 *Jean a une ascendance bretonne,* ses ascendants étaient bretons.
■ **ascenseur** n.m. SENS 1 Un *ascenseur* transporte les personnes d'un étage à l'autre d'un immeuble.
■ **ascension** n.f. SENS 1 *Nous avons fait une ascension en haute montagne* (= escalade, course).

ascète n. *Mener une vie d'ascète (ou une vie ascétique),* c'est s'imposer des privations et vivre dans l'austérité.

aseptique adj. *Un pansement aseptique* ne contient pas de microbes.

asile n.m. **1.** *On appelait autrefois asile* un hôpital psychiatrique. **2.** *La fugitive cherchait un asile,* un lieu pour être à l'abri du danger (= refuge).

aspect n.m. *Cette femme a un aspect sévère* (= allure, air).

asperge n.f. *Comme légume, il y avait des asperges,* de jeunes pousses d'une plante.

asperger v. *Une voiture m'a aspergé,* elle a projeté de l'eau sur moi.

aspérité n.f. *On s'écorche les doigts aux aspérités du rocher,* aux parties pointues.

asphalte n.m. *Les rues sont recouvertes d'asphalte* (= bitume).

asphyxie n.f. *Les mineurs accidentés sont morts par asphyxie,* parce qu'ils ne pouvaient pas respirer.
■ **asphyxier** v. *Deux personnes sont mortes asphyxiées par une fuite de gaz.*

aspirant, e n. **1.** Un *aspirant* est un élève officier. **2.** *Voici les aspirants à la direction,* les candidats.

aspirer v. **1.** *Aspirer l'air,* c'est l'attirer, et spécialement le faire pénétrer dans la poitrine. *Aspirer une boisson avec une paille,* c'est l'attirer dans la bouche. **2.** *Aspirer au calme, à la célébrité,* c'est en avoir un désir profond.
■ **aspirateur** n.m. SENS 1 Un *aspirateur* est un appareil de nettoyage qui aspire les poussières.
■ **aspiré, e** adj. Un « h » *aspiré* empêche les élisions et les liaisons au début d'un mot, comme dans : *le hérisson* [leriső], *les haltes* [lealt] (≠ muet).

assagir → *sage.*

assaillir v. *Elle a été assaillie par deux individus masqués,* elle a été attaquée soudain.
■ **assaillant, e** n. *Les assaillants ont subi de lourdes pertes* (= attaquant).
■ **assaut** n.m. **1.** *Nos troupes ont repoussé un assaut,* une vive attaque d'ensemble. **2.** *Deux personnes font assaut d'amabilité* quand chacune s'efforce d'être plus aimable que l'autre.
R. → Conj. n° 23.

assainir, assainissement → *sain.*

assaisonner v. *Assaisonner la nourriture,* c'est lui donner du goût en ajoutant du sel, des épices, etc.
■ **assaisonnement** n.m. *Cette cuisine est riche en assaisonnements* (= condiment).

assassin n. *Celui qui tue un être humain volontairement est un assassin* (= meurtrier, criminel).

■ **assassinat** n.m. *Ce sauvage assassinat est une vengeance* (= crime).
■ **assassiner** v. *Ce dictateur a fait assassiner ses adversaires* (= massacrer, tuer).

assaut → *assaillir.*

assécher → *sec.*

assembler v. 1. *Martine assemble les pièces de son jeu de construction,* elle les réunit en les adaptant les unes aux autres. 2. *La foule s'est assemblée sur la place,* elle s'est réunie, groupée.
■ **assemblage** n.m. SENS 1 *Un moteur est un assemblage de nombreuses pièces.*
■ **assemblée** n.f. SENS 2 *L'oratrice s'adresse à l'assemblée* (= foule, auditoire).
■ **rassembler** v. SENS 2 *Il faudrait rassembler tous ces papiers* (= réunir, recueillir, assembler).
■ **rassemblement** n.m. SENS 2 *L'accident a provoqué un rassemblement,* des gens se sont groupés (= attroupement).

assener v. *Assener un coup,* c'est frapper violemment.
R. On prononce [asene].

assentiment n.m. *Tu as mon assentiment* (= consentement, accord).

asseoir v. 1. *On assoit le bébé sur sa chaise haute. Quand on s'assoit sur une chaise, on y pose ses fesses* (≠ se lever). 2. *Il faut asseoir son jugement sur des preuves* (= fonder, établir).
■ **se rasseoir** v. SENS 1 *Vous pouvez vous rasseoir.*
■ **assis, e** adj. SENS 2 *Sa fortune est solidement assise,* établie.
R. → Conj. n° 44.

asservir v. *Ce journal a toujours refusé de se laisser asservir* (= soumettre, assujettir).

■ **asservissement** n.m. *Dans le pays envahi, des résistants s'opposaient à l'asservissement.*

assez adv. 1. *J'ai assez mangé,* en quantité suffisante (= suffisamment). 2. *Je suis assez surpris,* plus qu'un peu et moins que beaucoup (= passablement).

assidu, e adj. *Un travail assidu* est fait de manière régulière.
■ **assiduité** n.f. *Il travaille avec assiduité* (= persévérance, régularité).
■ **assidûment** adv. *Je m'occupe assidûment de cela* (= sans relâche).

assiégeant, assiéger → *siège.*

assiette n.f. *Nous mangeons dans des assiettes de porcelaine.*
■ **assiettée** n.f. *Tu vas bien avaler une autre assiettée de potage ?*

assigner v. *Attendez qu'on vous assigne une place,* qu'on vous l'attribue (= fixer, désigner).

assimiler v. 1. *On peut assimiler un vélomoteur à une bicyclette,* le ranger dans une même catégorie. 2. *Assimiler un aliment,* c'est bien le digérer. 3. *Assimiler ce qu'on apprend,* c'est bien le comprendre et le retenir. 4. *Katia s'est bien assimilée au groupe,* elle s'y est bien mêlée, intégrée.
■ **assimilation** n.f. SENS 2 *L'assimilation des aliments se fait dans l'estomac et dans l'intestin.* SENS 4 *Cette communauté culturelle résiste à l'assimilation,* à l'intégration au reste de la collectivité.
■ **assimilable** adj. SENS 1, 2, 3, 4.

assis → *asseoir.*

1. assise n.f. *Votre raisonnement n'a pas une assise très solide* (= base, fondement).

2. assises n.f.pl. *La cour d'assises* est un tribunal qui juge les crimes.

assister v. 1. *J'ai assisté à la réunion,* j'y ai été présent. 2. *La Croix-Rouge assiste les sinistrés* (= secourir, aider). 3. *Le maire est assisté de ses adjoints* (= aider, seconder).
■ **assistant, e** n. SENS 1 *Les assistants ont longuement applaudi.* SENS 2 *Les assistantes sociales aident les gens qui en ont besoin.* SENS 3 *Le médecin était accompagné de ses assistants.*
■ **assistance** n.f. SENS 1 *L'assistance à cette séance est obligatoire. Le conférencier parle devant une nombreuse assistance* (= public). SENS 2 *On a créé une organisation d'assistance aux réfugiés.*

associer v. *M. Dupont a associé sa fille à la direction de l'usine,* il lui a donné un rôle, il l'a fait participer.
■ **association** n.f. *La ville possède une association sportive* (= groupe, union).
■ **associé, e** n. *Il lui faut l'accord de son associée,* celle qui travaille avec lui.
■ **dissocier** v. *Des disputes ont dissocié le groupe,* elles ont fait cesser l'association.
■ **dissociation** n.f. *Les disputes ont entraîné la dissociation du groupe* (= séparation).
■ **indissociable** adj. *Ces deux questions sont indissociables* (= inséparable, conjoint).

assoiffé → *soif.*

assombrir → *sombre.*

assommer v. 1. *Julie a été assommée par la chute d'une branche,* elle a été étourdie par un coup sur la tête. 2. Fam. *Tu nous assommes avec tes discours* (= ennuyer, fatiguer).
■ **assommant, e** adj. SENS 2 *Ce roman est assommant* (= ennuyeux).

assortir v. *Voilà un bouquet de fleurs bien assorties,* qui vont bien ensemble.

■ **assortiment** n.m. *On nous a présenté un assortiment de hors-d'œuvre,* un ensemble varié.

s'assoupir v. *Grand-père s'assoupit après les repas,* il s'endort doucement.

assouplir → *souple.*

assourdir, assourdissant → *sourd.*

assouvir v. *Assouvir sa faim,* c'est se rassasier (= calmer). *Assouvir sa vengeance,* c'est se venger (= satisfaire).
■ **assouvissement** n.m. *Il a longtemps préparé l'assouvissement de sa vengeance.*
■ **inassouvi, e** adj. *Son cœur était plein de désirs inassouvis* (= insatisfait).

assujettir v. *Nous sommes assujettis à l'impôt,* nous y sommes soumis.

assumer v. *Je vais assumer mes responsabilités,* m'en charger, y faire face.

assurer v. 1. *Je vous assure que je n'exagère pas* (= affirmer, garantir). 2. *Il faut assurer votre maison contre l'incendie,* la garantir par contrat contre ce risque. 3. *Le bateau assure la liaison entre l'île et le continent,* il la réalise avec régularité.
■ **assurance** n.f. 1. SENS 1 *Nous avons l'assurance de sa participation* (= garantie). 2. SENS 2. *Adressez-vous à une compagnie d'assurances.* 3. *L'avocate parle avec assurance,* avec confiance en soi (= aisance, aplomb).
■ **assuré, e** adj. *Anne parle d'un ton assuré* (= ferme, décidé).
■ **assurément** adv. SENS 1 *Elle viendra assurément* (= certainement, sûrement).

aster n.m. *Dans le jardin, on a planté des asters,* des fleurs en forme d'étoiles.

astérisque n.m. *Un astérisque est un signe en forme d'étoile dans un texte écrit(*).*

363

asthme n.m. *Mme Dubois a une crise d'asthme,* un accès de suffocation.
▪ **asthmatique** adj. *Mme Dubois est asthmatique.*
R. On prononce [asm, asmatik].

asticot n.m. *On pêche souvent avec des asticots comme appât,* des larves de mouches qui ressemblent à des vers.

asticoter v. Fam. *Si tu continues à m'asticoter, je vais me fâcher* (= agacer, irriter).

astiquer v. *Astique tes chaussures !,* fais-les briller en frottant.

astre n.m. *Les étoiles, les planètes sont des astres.*
▪ **astrologie** n.f. *L'astrologie* prétend deviner l'avenir en étudiant la position des astres.
▪ **astrologique** adj. *Crois-tu aux prédictions astrologiques ?*
▪ **astrologue** n. *On représente les anciens astrologues avec de grands chapeaux pointus.*
▪ **astronaute** n. *Des astronautes ont marché sur la Lune* (= cosmonaute).
▪ **astronautique** n.f. *L'astronautique fait des progrès rapides,* la science des voyages dans l'espace.
▪ **astronome** n. *Les astronomes ont découvert une nouvelle étoile.*
▪ **astronomie** n.f. *L'astronomie* est l'étude scientifique de l'univers.
▪ **astronomique** adj. 1. *Une lunette astronomique permet d'observer les astres.* 2. Fam. *Une quantité astronomique* est très grande.

astreindre v. *Le médecin l'a astreinte à un régime sévère,* il l'a obligée, forcée.
▪ **astreignant, e** adj. *Son travail est astreignant,* il lui laisse peu de loisirs.
R. → Conj. n° 55.

astrologie, astrologique, astrologue, astronaute, astronautique, astronome, astronomie, astronomique → *astre.*

astuce n.f. *J'ai trouvé une astuce pour résoudre ce problème,* une manière ingénieuse d'agir (= truc).
▪ **astucieux, euse** adj. *Voilà un procédé astucieux !* (= ingénieux).
▪ **astucieusement** adv. *J'ai résolu astucieusement le problème.*

asymétrique → *symétrique.*

ataca → *atoca.*

atelier n.m. 1. *Le menuisier travaille dans son atelier,* son lieu de travail. 2. *Les participants au congrès travaillent en ateliers,* en petits groupes de travail.

atermoyer v. *Il n'est plus temps d'atermoyer, il faut se décider,* de traîner en longueur, de gagner du temps.
▪ **atermoiement** n.m. *Assez d'atermoiements, il faut agir.*

athée n. et adj. *Les athées ne croient pas en Dieu* (= incroyant).

athlète n. *Un coureur à pied, une lanceuse de poids, une escrimeuse sont des athlètes.*
▪ **athlétique** adj. *Un déménageur athlétique* est puissamment musclé.
▪ **athlétisme** n.m. *L'athlétisme* est la pratique des sports individuels.

atlas n.m. *Un atlas* est un recueil de cartes géographiques.

atmosphère n.f. 1. *La planète Mars a une atmosphère,* une couche de gaz qui l'entoure. 2. *Il règne ici une atmosphère de sympathie* (= ambiance, climat).
▪ **atmosphérique** adj. SENS 1 *La pression atmosphérique est le poids de l'air.*

atoca ou **ataca** n.m. *On sert de la confiture d'atoca avec la dinde,* une petite baie rouge et acide (= airelle canneberge).

■ **atocatière** n.f. *Une atocatière est un terrain où l'on cultive les atocas.*

atoll n.m. *Un atoll est une île des mers tropicales formée de récifs de corail.*

atome n.m. *L'atome est la plus petite particule de matière.*

■ **atomique** adj. *Une pile atomique utilise l'énergie des atomes.*

atomiseur n.m. *Elle s'est acheté un insecticide en atomiseur* (= vaporisateur, bombe).

atone adj. *Un regard atone est sans énergie* (= terne, éteint).

atours n.m.pl. *La gravure représente une duchesse dans ses plus beaux atours* (= ornements, parure).

atout n.m. 1. *Trèfle atout !,* le trèfle est la couleur de carte choisie comme la plus forte. 2. *Sa connaissance de l'anglais est un bon atout,* un bon moyen de réussir.

âtre n.m. *Le feu brûle dans l'âtre* (= cheminée, foyer).

atroce adj. *Une douleur atroce est très cruelle.*

■ **atrocement** adv. *Le blessé souffre atrocement* (= terriblement).

■ **atrocité** n.f. *Ce film montre les atrocités de la guerre* (= horreur).

s'attabler → *table.*

attacher v. 1. *Le chien est attaché à sa niche par une chaîne* (= lier, enchaîner ; ≠ libérer). 2. *Attachez vos ceintures !* (= boucler, agrafer). 3. *Elle s'est attachée à ce chien perdu,* elle l'a pris en affection. 4. *Attacher de l'importance à une chose,* c'est la juger importante.

■ **attachant, e** adj. SENS 3 *Une personne attachante* est sympathique, aimable.

■ **attache** n.f. SENS 1 *On peut réunir des feuilles avec une attache* (= agrafe).

SENS 3 *Avoir des attaches avec quelqu'un,* c'est lui être lié par la parenté ou l'amitié.

■ **attachement** n.m. SENS 3 *Nous proclamons notre attachement à la liberté* (= amour).

■ **détacher** v. 1. SENS 1 *Le chien hurle, il faut le détacher* (= délier). SENS 2 *On détache ses lacets avant d'enlever ses chaussures* (= dénouer). SENS 3 *Sa femme s'est détachée de lui,* elle a cessé de l'aimer. 2. *Des arbres se détachent sur l'horizon,* ils apparaissent nettement (= se découper). 3. *Ce fonctionnaire a été détaché auprès de l'Unesco,* ses supérieurs l'y ont envoyé.

■ **détachable** adj. SENS 1 *J'ai fait un croquis sur un cahier à feuilles détachables.*

■ **détachement** n.m. 1. SENS 3 *Tu parles de tes amis avec détachement* (= indifférence). 2. *Le général a envoyé un détachement pour surveiller l'ennemi,* un groupe de soldats.

■ **rattacher** v. 1. SENS 1 *Rattache le chien !* 2. *Cette municipalité est rattachée à la ville voisine,* elle en dépend.

■ **rattachement** n.m. *Le rattachement de Terre-Neuve au Canada date de 1949.*

attaquer v. 1. *L'ennemi nous a attaqués par surprise,* il s'est élancé contre nous. 2. *Ce journal attaque le gouvernement* (ou *s'attaque au gouvernement*), il le critique. 3. *Attaquer un travail* (ou *s'attaquer à un travail*), c'est l'entreprendre. 4. *La rouille attaque le fer,* elle l'abîme (= ronger).

■ **attaquant** n.m. SENS 1 *Repoussons les attaquants !* (= assaillant, agresseur).

■ **attaque** n.f. 1. SENS 1 *L'infanterie a lancé une violente attaque* (= assaut, offensive). SENS 2 *La députée a répondu aux attaques de ses adversaires* (= critique, accusation). 2. *Cette personne a parfois des attaques d'épilepsie,* des accès violents (= crise).

■**contre-attaquer** v. SENS 1 ET 2 *Nos troupes se sont d'abord repliées, puis ont contre-attaqué.*

■**contre-attaque** n.f. SENS 1 ET 2 *La contre-attaque a été victorieuse* (= riposte).

■**inattaquable** adj. SENS 2 *Sa réputation est inattaquable* (= irréprochable).

R. Noter le pluriel : des *contre-attaques*.

s'attarder → *tard.*

atteindre v. **1.** *Essaie d'atteindre les bonbons sur l'étagère,* de parvenir à les toucher (= attraper). **2.** *Le chevreuil a été atteint d'une balle à l'épaule,* il a été blessé.

■**atteinte** n.f. SENS 1 *Une chose hors d'atteinte* ne peut pas être touchée (= hors de portée). SENS 2 *Porter atteinte à la réputation de quelqu'un,* c'est nuire à cette réputation.

R. → Conj. n° 55.

atteler v. *Le cultivateur avait attelé ses bœufs,* il les avait attachés à la charrue. *On a attelé la remorque au tracteur,* on l'y a accrochée.

■**attelage** n.m. *L'attelage était fatigué,* les animaux attelés.

■**dételer** v. *Dételle les chevaux !,* détache-les de la voiture.

R. → Conj. n° 6.

attelle n.f. Une *attelle* est une planchette pour maintenir des os fracturés.

attendre v. **1.** *Attendez un instant !,* restez là sans changer d'occupation (= patienter). **2.** *Je vous attendrai à la gare,* je serai là pour vous accueillir. **3.** *On attend beaucoup de ces recherches* (= espérer). **4.** *On s'attend à des encombrements sur les routes* (= prévoir).

■**attente** n.f. SENS 1 ET 2 *Ces heures d'attente paraissent interminables.* SENS 3 ET 4 *Le résultat répond à l'attente de tous* (= espoir, prévision).

■**inattendu, e** adj. SENS 4 *Un événement inattendu* est imprévu (= inopiné).

R. → Conj. n° 50.

attendrir v. *Ses paroles pleines de douceur ont attendri les auditeurs* (= émouvoir, apitoyer).

■**attendrissant, e** adj. *Voilà un spectacle attendrissant* (= émouvant).

■**attendrissement** n.m. *Plusieurs personnes pleuraient d'attendrissement* (= émotion).

attendu que conj. *On ne peut pas m'accuser, attendu que j'étais absent,* puisque j'étais absent (= étant donné que).

attentat n.m. *La reine a échappé à un attentat,* on a essayé de l'assassiner (= agression).

attente → *attendre.*

attention n.f. **1.** *Chacun écoute avec attention,* concentration d'esprit. *Faites attention à l'obstacle* (= prendre garde). **2.** (au plur.) *Tu as des attentions pour moi,* tu es aimable avec moi (= prévenances, égards).

■**attentif, ive** adj. SENS 1 *Les spectateurs sont attentifs* (≠ distrait).

■**attentivement** adv. SENS 1 *Lisez attentivement la notice.*

■**attentionné, e** adj. SENS 2 *Une amie attentionnée* est prévenante, dévouée, empressée.

■**inattention** n.f. SENS 1 *J'ai fait une faute d'inattention* (= distraction, étourderie).

■**inattentif, ive** adj. SENS 1 *Paul est un élève inattentif* (= distrait).

atténuer v. *L'emballage a atténué la violence du choc,* il l'a rendue moins forte (= adoucir ; ≠ aggraver).

■**atténuant, e** adj. *Les circonstances atténuantes* diminuent la responsabilité d'un coupable (≠ aggravant).

584, 802

38

■ **atténuation** n.f. *On annonce une at-ténuation du froid* (= diminution ; ≠ augmentation).

atterrer v. *Je suis atterré par cette nou-velle* (= accabler, abattre).
R. Attention à l'orthographe : deux *t* et deux *r*.

atterrir, atterrissage → *terre.*

attester v. *Ce fait est attesté par de nombreuses preuves* (= certifier, établir, confirmer, prouver).
■ **attestation** n.f. *On lui a remis une attestation de bonne conduite* (= certificat).

attirail n.m. *Maria range son attirail de pêcheur,* l'ensemble des objets qu'elle utilise pour la pêche.

attirer v. **1.** *L'aimant attire le fer,* il le fait venir à lui (≠ éloigner, repousser). **2.** *Jean est attiré par la musique classi-que,* elle lui plaît.
■ **attirant, e** adj. SENS 2 *Son projet est attirant* (= attrayant).
■ **attirance** n.f. SENS 2 *Marie éprouve de l'attirance pour Jacques,* il lui plaît.
■ **attraction** n.f. SENS 1 *Le satellite a échappé à l'attraction terrestre,* à la force qui l'attire. SENS 2 *Les attractions d'une fête foraine sont les tirs, les manèges.*
■ **attrait** n.m. SENS 2 *L'attrait de l'aven-ture est grand chez les jeunes* (= atti-rance, goût).
■ **attrayant, e** adj. SENS 2 *Cette lecture est attrayante,* intéressante, amusante.

attiser v. *Attise le feu !,* fais-le brûler plus vivement (= aviver).
■ **attisée** n.f. *Caroline a fait une attisée pour chasser l'humidité,* un feu de bois de courte durée.

attitré → *titre.*

attitude n.f. **1.** *Quelle attitude noncha-lante !,* quelle manière de se tenir (= maintien). **2.** *Mon adversaire a eu*

une attitude conciliante, une manière de se conduire.

attraction, attrait → *attirer.*

attraper v. **1.** *Luce attrape des papillons* (= prendre). **2.** *Tu as été bien attrapé,* surpris ou trompé. **3.** *J'ai attrapé la grippe,* cette maladie m'a atteint (= prendre). **4.** Fam. *Les élèves peu soi-gneux se font attraper* (= réprimander).
■ **attrape** n.f. SENS 2 *Une attrape est une petite farce.*
■ **attrape-nigaud** n.m. SENS 2 *Cette pu-blicité n'est qu'un attrape-nigaud,* une ruse pour tromper les gens naïfs.
R. Noter le pluriel : des *attrape-nigauds.*

attrayant → *attirer.*

attribuer v. **1.** *Le premier prix a été attri-bué à Mehdina* (= donner, décerner). **2.** *On attribue ce tableau à Rembrandt,* on suppose qu'il en est l'auteur.
■ **attribution** n.f. SENS 1 *Le gouverne-ment a décidé l'attribution de secours aux sinistrés.* **2.** (au plur.) *Les attribu-tions de quelqu'un,* c'est ce qu'il est chargé de faire (= fonctions).

attribut adj. et n.m. *Dans « le chat est noir »,* l'adjectif « noir » est *attribut du nom « chat »,* il est relié au nom par le verbe « être ».

attribution → *attribuer.*

attrister → *triste.*

attroupement, attrouper → *troupe.*

au → *à.*

aubade n.f. *Les musiciens ont donné l'aubade aux jeunes mariés,* ils ont joué à l'aube sous leurs fenêtres.

aubaine n.f. *Tous les articles étaient soldés, j'ai profité de l'aubaine,* de cette chance inattendue.

1. aube n.f. *Nous nous lèverons à l'aube,* au début du jour.

2. aube n.f. *Le prêtre revêt une **aube** pour dire la messe,* une robe blanche.

721, 803

3. aube n.f. *C'est une roue à **aubes** qui actionnait ce vieux moulin,* une roue avec des pales.

651

aubépine n.f. *L'**aubépine** est en fleurs,* un arbuste épineux.

auberge n.f. *Nous avons dîné dans une petite **auberge**,* un hôtel-restaurant à la campagne.

802

■ **aubergiste** n. *L'**aubergiste** accueille ses clients.*

aubergine n.f. *Nous avons mangé des **aubergines** farcies,* des légumes violets.

aubergiste → *auberge.*

aubier n.m. *L'**aubier** est la partie la plus tendre du bois, sous l'écorce.*

aucun, e adj. et pron. **1.** *Il n'y a **aucun** risque,* pas un seul. **2.** ***Aucune** d'entre elles n'est au courant* (= nul).

audace n.f. *Ce défi est plein d'**audace**,* d'une grande hardiesse (≠ timidité).

■ **audacieux, euse** adj. *Elle a fait un pari **audacieux*** (= risqué).

audible → *auditeur.*

audience n.f. **1.** *J'ai obtenu une **audience** du président,* un entretien. **2.** *Le procès a duré plus de dix **audiences**,* dix séances du tribunal.

audiovisuel, elle adj. *Les moyens **audiovisuels** sont ceux qui utilisent les sons et les images pour l'enseignement ou l'information.*

auditeur, trice n. *Les **auditeurs** de la radio sont ceux et celles qui écoutent.*

■ **audition** n.f. **1.** *Bruno a des troubles de l'**audition**,* il entend mal (= ouïe). **2.** *La pianiste est dans le studio pour une **audition**,* pour l'exécution d'une œuvre musicale.

■ **auditif, ive** adj. *Bruno a des troubles **auditifs**,* de l'audition.

■ **auditoire** n.m. *L'**auditoire** applaudit,* l'ensemble des auditeurs.

■ **auditorium** n.m. *Un **auditorium** est une salle spécialement aménagée pour entendre de la musique dans les meilleures conditions.*

■ **audible** adj. *L'émission est à peine **audible**,* on peut à peine l'entendre.

■ **inaudible** adj. *À cette distance, l'émission est **inaudible**,* on ne peut pas l'entendre.

auge n.f. *Le cochon mange dans son **auge**,* un grand récipient.

augmenter v. **1.** *Vous **augmentez** vos chances en prenant plusieurs billets de loterie* (= accroître ; ≠ diminuer). **2.** *On va **augmenter** l'essence,* la rendre plus chère. *L'essence va **augmenter**,* devenir plus chère.

■ **augmentation** n.f. SENS 1 *On note une **augmentation** de la circulation* (= accroissement). SENS 2 *Nathalie a demandé une **augmentation** à son employeur,* une hausse de salaire.

augure n.m. *La directrice est de bonne humeur, c'est **de bon augure**,* c'est bon signe.

aujourd'hui adv. **1.** *C'est **aujourd'hui** lundi,* le jour où nous sommes. **2.** *L'homme est **aujourd'hui** capable d'aller sur la Lune,* à notre époque.

aumône n.f. *Faire l'**aumône** à quelqu'un,* c'est lui donner un peu d'argent pour l'aider.

aumônier n.m. *Un **aumônier** est un prêtre exerçant son ministère auprès d'une institution, d'un organisme.*

aumônière n.f. *Les jeunes filles du cortège portaient une **aumônière** à la taille,* une bourse en tissu.

auparavant adv. *Je vais venir, mais **auparavant** j'ai quelques affaires à régler,* d'abord, avant cela.

auprès de prép. 1. *Je reste auprès de vous.* 2. *Cet appartement paraît luxueux auprès du précédent,* en comparaison.

auquel → *lequel.*

auréole n.f. Une *auréole* est un cercle lumineux que les artistes mettent souvent autour de la tête des saints.

auriculaire n.m. L'*auriculaire* est le petit doigt de la main.

aurore n.f. 1. *Je me suis levé à l'aurore,* au lever du soleil (= aube). 2. Une *aurore boréale* est une lumière particulière qui apparaît parfois dans le ciel des régions polaires.

ausculter v. *La docteure ausculte ses malades,* elle écoute les bruits de la respiration et du cœur.

auspices n.m.pl. *L'entreprise a commencé sous d'heureux auspices,* avec de bonnes chances de réussite.

aussi adv. 1. *Cette voiture est aussi chère que l'autre,* elle est d'un prix égal. 2. *Elle part et moi aussi,* je pars comme elle. 3. *J'étais loin, aussi j'ai mal entendu,* c'est pourquoi j'ai mal entendu.

aussitôt adv. 1. *J'ai approché une allumette : aussitôt tout s'est enflammé,* tout de suite, immédiatement. 2. *Je vous rejoindrai aussitôt que je le pourrai* (= dès que).

austère adj. *Une personne austère* ne rit pas, elle est grave.
■ **austérité** n.f. *Cette existence solitaire est pleine d'austérité.*

austral, e, aux adj. *L'Argentine est dans l'hémisphère austral* (= Sud ; ≠ boréal).

autant adv. 1. *Cette voiture coûte autant que l'autre,* elle est d'un prix égal. 2. *Je suis d'autant plus heureux que je ne m'y attendais pas,* encore plus heureux.

autel n.m. *Le calice est sur l'autel,* sur la table qui sert aux cérémonies du culte. **R.** *Autel* se prononce [otɛl] comme *hôtel.* | 148, 149

auteur, eure n. 1. *On a arrêté l'auteur de l'attentat,* celui qui l'a commis (= responsable). 2. *George Sand est l'auteure de « la Mare au diable »,* elle a écrit ce livre.

authentique adj. *Une chose authentique* n'est pas une imitation, une reproduction.
■ **authentiquement** adv. *Ces meubles sont authentiquement anciens* (= véritablement).
■ **authenticité** n.f. *On discute sur l'authenticité de ces documents .*
■ **authentifier** v. *Les experts ont authentifié le tableau,* ils l'ont déclaré authentique.

auto-, au début d'un mot, indique souvent une action faite sur soi-même ou de soi-même : une *autocritique* est une critique de ses propres actes, une enveloppe *autocollante* se colle d'elle-même, sans qu'on la mouille.

auto ou **automobile** n.f. *L'auto est au garage* (= voiture). | 505
■ **automobile** adj. *Nous avons fait un rallye automobile.*
■ **automobiliste** n. *Mme Boies est une automobiliste expérimentée* (= conducteur, chauffeur).
■ **autobus** n.m. *Un autobus assure un service régulier de transport en commun. Sophie prend un autobus scolaire pour se rendre à l'école,* un véhicule servant au transport des élèves. | 217
■ **autocar** ou **car** n.m. *Un autocar est destiné aux transports collectifs hors des villes.* | 506
■ **auto-école** n.f. *Les auto-écoles sont des établissements préparant les candidats au permis de conduire.*
■ **autoradio** n.m. *Cette voiture est équipée d'un autoradio,* d'un poste de radio spécial pour voiture.

507,
511,
582

■ **autoroute** n.f. *Nous sommes allés à Toronto par l'autoroute,* une route sans croisement et à deux sens de circulation séparés.

■ **autoroutier, ère** adj. *Le trafic autoroutier est dense à chaque week-end.*

■ **auto-stop** ou **stop** n.m. *Des jeunes gens font de l'auto-stop* (ou du *stop*) *au bord de la route,* ils font signe aux automobilistes de les prendre à leur bord (= faire du pouce).

■ **auto-stoppeur, euse** n. *Nous avons embarqué des auto-stoppeurs.*

autochtone n. et adj. **1.** *Au Canada, les Inuit et les Amérindiens sont les véritables autochtones,* des personnes qui habitent le pays de leurs ancêtres (≠ immigrant). **2.** *L'épluchette de blé d'Inde est une coutume autochtone,* propre aux habitants du pays.

39

autoclave n.m. *Un autoclave est un récipient hermétique qui permet de cuire ou de stériliser sous pression.*

autocollant → *colle.*

autographe n.m. *L'écrivain distribue des autographes,* des signatures.

automate n.m. *Tu marchais comme un automate,* une machine qui imite les mouvements d'un être vivant.

automatique adj. *La fermeture des portes est automatique,* elle se fait par des moyens mécaniques sans que quelqu'un intervienne.

■ **automatiquement** adv. *Ce tourne-disque s'arrête automatiquement.*

125

automne n.m. *Les feuilles tombent, c'est l'automne.*

automobile, automobiliste → *auto.*

automoteur → *moteur.*

autonome adj. *Un territoire autonome s'administre librement.*

■ **autonomie** n.f. *Certaines régions réclament leur autonomie.*

■ **autonomiste** adj. et n. *Certains mou-vements autonomistes recourent à des méthodes violentes.*

autopsie n.f. *Pour déterminer les causes de la mort, on procède à l'autopsie du cadavre,* à l'examen médical.

autoradio → *auto.*

autorail n.m. *Un autorail est un véhicule circulant sur rails et muni d'un moteur à huile lourde.*

autoriser v. *Le médecin a autorisé la malade à se lever,* il lui en a donné la permission (= permettre ; ≠ interdire).

■ **autorisation** n.f. *Vous devez demander une autorisation d'absence.*

autorité n.f. **1.** *Ces employés sont sous l'autorité d'une directrice,* soumis à ses ordres. **2.** *Sylvie a de l'autorité sur ses camarades* (= influence, poids). **3.** (au plur.) *Les autorités sont les représentants de l'État.*

■ **autoritaire** adj. SENS 1 *Une personne autoritaire impose avec force son autorité.*

■ **autoritarisme** n.m. *Suzan a démissionné parce qu'elle ne pouvait plus supporter l'autoritarisme de sa patronne* (= absolutisme).

autoroute, autoroutier, auto-stop, auto-stoppeur → *auto.*

autour de prép. **1.** *Marie a une écharpe autour du cou,* qui entoure son cou. **2.** *Il a autour de cinquante ans* (= environ).

■ **autour** adv. SENS 1 *Le paquet s'est ouvert, mets une ficelle autour.*

autre adj. ou pron. *Montre-moi ton autre main. Ce n'est pas le même, c'est un autre. Il faut agir d'une autre façon* (= différent).

■ **autrement** adv. **1.** *Il faut s'y prendre autrement* (= différemment). **2.** *Dépêchez-vous, autrement vous serez en retard* (= sinon).

autrefois adv. *Autrefois, Paris s'appelait Lutèce,* il y a longtemps.

autrement → *autre.*

autruche n.f. *L'autruche court très vite,* un très grand oiseau d'Afrique.

autrui pron. *Ne convoite pas le bien d'autrui,* celui des autres.

auvent n.m. *Un auvent nous protège du soleil,* un petit toit au-dessus d'une porte.

aux → *à.*

auxiliaire 1. n. *Sa secrétaire est pour elle une auxiliaire précieuse* (= aide, assistant). 2. n.m. *Les verbes « être » et « avoir » sont des auxiliaires de conjugaison.*
■ **auxiliaire** adj. SENS 1 *Des troupes auxiliaires sont venues à notre secours,* des troupes chargées d'aider, de secourir.

avachir v. 1. *Avachir un vêtement, des chaussures,* c'est les déformer. 2. *Paul s'avachit dans l'inaction,* il se laisse aller, s'amollit.

aval n.m. *Trois-Rivières est en aval de Montréal sur le Saint-Laurent,* plus près de l'embouchure. *Le bateau va vers l'aval* (≠ amont).

avalanche n.f. *Une avalanche a emporté le chalet,* une masse de neige qui s'est détachée du flanc d'une montagne.

avaler v. 1. *J'ai avalé un verre d'eau pour me désaltérer.* 2. Fam. *Tu ne me feras pas avaler cette blague* (= croire).

avancer v. 1. *Avancez cette chaise !,* déplacez-la vers l'avant. *La troupe avance* ou *s'avance* (= approcher ; ≠ reculer). 2. *Mehdina a avancé en grade,* elle a atteint un grade plus élevé (= monter). 3. *As-tu avancé ton travail ?,* l'as-tu fait progresser ? *Le travail n'avance pas* (= s'accomplir). 4. *J'ai avancé mon départ,* je l'ai effectué plus tôt que prévu (≠ reculer, retarder). 5. *Cette montre*

avance de cinq minutes : elle marque midi un quart et il n'est que midi dix (≠ retarder). 6. *Je peux vous avancer de l'argent* (= prêter).
■ **avance** n.f. 1. SENS 1 *On n'a pas pu s'opposer à l'avance de l'armée* (= progression ; ≠ recul). SENS 5 *Tu es en avance d'une heure,* tu arrives une heure plus tôt que prévu (≠ retard). *J'ai su sa décision longtemps à l'avance,* avant le moment fixé. SENS 6 *Pouvez-vous me faire une avance de vingt dollars ?* (= prêt). 2. (au plur.) *M. Martin nous a fait des avances,* il a cherché à entrer en relations avec nous.
■ **avancement** n.m. SENS 2 *Mehdina a eu de l'avancement,* elle a monté en grade. SENS 3 *Où en est l'avancement de ton travail ?* (= progrès, progression).

avant prép., adv., n.m. et adj.inv. 1. *Elle est arrivée avant moi,* plus tôt (≠ après). *Réfléchissez avant d'agir. Rentrons avant qu'il ne fasse nuit.* 2. *Il est tombé en avant.* 3. *Les vagues fouettent l'avant du bateau.* 4. *La roue avant de ma bicyclette est voilée* (≠ arrière).
R. *Avant* s'emploie au début de certains mots pour indiquer ce qui est devant *(avant-bras)* ou ce qui se passe avant *(avant-hier).*

avantage n.m. 1. *Ce métier présente l'avantage d'une vie en plein air* (= agrément, intérêt ; ≠ inconvénient). 2. *Cette concurrente a pris l'avantage sur ses adversaires,* elle leur a été supérieure (= le dessus).
■ **avantager** v. SENS 2 *L'équipe adverse a été avantagée par le vent,* le vent l'a aidée.
■ **avantageux, euse** adj. SENS 1 *Il a fait un échange avantageux* (= intéressant, profitable).
■ **avantageusement** adv. SENS 1 *Les livres ont remplacé avantageusement les parchemins.*
■ **désavantage** n.m. SENS 1 ET 2 *La discussion a tourné à son désavantage,* il a eu le dessous.

835

727,
505

■ **désavantager** v. SENS 2 *Notre équipe a été désavantagée par la blessure d'une joueuse* (= défavoriser, handicaper).

■ **désavantageux, euse** adj. SENS 2 *Il se plaint que le partage soit désavantageux pour lui* (= défavorable).

avant-bras → *bras.*

avant-coureur adj.m. *On observe déjà les signes avant-coureurs du printemps,* les signes qui le précèdent et l'annoncent (= annonciateur).

avant-dernier → *dernier.*

avant-garde → *garde.*

avant-goût → *goût.*

avant-hier → *hier.*

avant-midi → *midi.*

avant-port → *port.*

avant-propos n.m.inv. *L'auteure a expliqué ses intentions dans l'avant-propos* (= introduction, préface).

avant-veille → *veille.*

avare adj. et n. **1.** *Cet homme n'est pas seulement économe, il est avare,* il aime amasser de l'argent et le conserver (≠ généreux, large, prodigue). *C'est un vieil avare.* **2.** *Aline est avare de ses paroles,* elle parle peu.
■ **avarice** n.f. SENS 1 *Par avarice, tu te prives même du nécessaire.*

avarie n.f. *La tempête a causé des avaries au bateau,* elle l'a endommagé.
■ **avarié, e** adj. *Des fruits avariés* sont abîmés, pourris.

avatar n.m. *Ce projet a connu bien des avatars avant d'être adopté,* bien des remaniements, des bouleversements.

avec prép. **1.** *Luce se promène avec un ami,* en sa compagnie. **2.** *Avec quoi fait-on la bière ?,* au moyen de quoi ?

3. *Mme Dubois conduit avec prudence,* d'une manière prudente.

aven n.m. *Un aven est un gouffre dans des régions calcaires.*
R. On prononce [avεn].

avenant, e adj. *Aïcha a un air avenant* (= aimable, accueillant).

à l'avenant adv. *M. Dupont a une voiture toute rouillée, un jardin à l'abandon, et tout à l'avenant,* du même genre.

avènement n.m. *À son avènement, Henri IV avait trente-six ans,* à son arrivée au pouvoir.

avenir n.m. **1.** *Il est difficile de prévoir l'avenir, ce qui arrivera* (= futur). **2.** *Ce garçon songe à son avenir,* à sa situation future. **3.** *À l'avenir, soyez plus prudents,* désormais, dorénavant.

aventure n.f. **1.** *Je me suis perdu : quelle aventure !, quel* événement important et imprévu !. **2.** *Les explorateurs ont le goût de l'aventure,* des entreprises qui comportent des risques. **3.** *Ils sont partis à l'aventure,* sans destination précise. **4.** *Une cartomancienne m'a dit la bonne aventure,* elle m'a prédit l'avenir.
■ **s'aventurer** v. SENS 2 *Peu de bateaux se sont aventurés en mer par ce mauvais temps,* se sont risqués (= se hasarder).
■ **aventureux, euse** adj. SENS 2 *Ce projet est aventureux,* peu sûr (= risqué).
■ **aventurier, ère** n. SENS 2 *Certains soldats mercenaires sont des aventuriers,* des gens qui ont le goût des entreprises audacieuses, même malhonnêtes.
■ **mésaventure** n.f. SENS 1 *Tomber en panne la nuit est une mésaventure* (= malchance, accident).

avenue n.f. *Une avenue est une large rue plantée d'arbres.*

s'avérer v. *Tous les efforts se sont avérés inutiles,* ils sont apparus inutiles (= se révéler).

averse n.f. **1.** *Une averse nous a surpris, une pluie soudaine et courte.* **2.** *Il y aura une averse de neige en fin d'après-midi,* une chute de neige subite et de courte durée.

aversion n.f. *Marie a de l'aversion pour ce travail,* elle ne l'aime pas du tout (= répugnance, répulsion).

avertir v. *Il faut l'avertir du danger,* le prévenir, l'informer.
■ **avertissement** n.m. *Tu as eu tort de ne pas tenir compte de mes avertissements* (= avis, mise en garde).
■ **avertisseur** n.m. *Un avertisseur de voiture est un appareil sonore pour avertir* (= klaxon). *On peut appeler les pompiers en cassant la glace de l'avertisseur d'incendie.*

aveu → **avouer**.

aveugle adj. et n. **1.** *Ce musicien est aveugle,* il est privé de la vue. **2.** *Tu es aveugle sur les défauts de tes amis,* tu ne les remarques pas. **3.** *Pierre a en elle une confiance aveugle,* totale, inébranlable.
■ **aveugler** v. SENS 1 *Le soleil m'aveugle,* il m'empêche de voir (= éblouir).
■ **aveuglement** n.m. SENS 2 *Certains s'obstinent par aveuglement dans l'erreur,* par manque total de jugement.
■ **aveuglément** adv. SENS 2 *Obéir aveuglément,* c'est obéir sans réfléchir, sans discuter.
■ **à l'aveuglette** adv. SENS 1 *Nous avancions à l'aveuglette dans la nuit,* sans voir où nous allions (= à tâtons).

aviateur, aviation → **avion**.

avide adj. *Je suis avide de connaître la vérité,* je le désire avec passion.
■ **avidement** adv. *J'ai lu avidement ce roman passionnant.*
■ **avidité** n.f. *Cette personne est d'une avidité insatiable en affaires* (= cupidité).

avilir → **vil**.

aviné → **vin**.

avion n.m. *Les avions atterrissent et décollent sur l'aérodrome. Un avion-cargo transporte uniquement des marchandises.* 803, 766
■ **aviation** n.f. **1.** *L'aviation a commencé vers 1900,* la navigation aérienne. **2.** *Une partie de l'aviation ennemie avait été détruite,* des avions. 767, 511, 219
■ **aviateur, trice** n. *Un aviateur, une aviatrice est la personne qui pilote un avion.*
■ **avionnerie** n.f. *Une avionnerie est une usine où l'on fabrique des avions.*
■ **porte-avions** n.m.inv. *La piste d'envol de ce porte-avions mesure 80 mètres de long,* de ce navire de guerre aménagé pour transporter des avions. 764

aviron n.m. *Stéphanie manie bien l'aviron,* une rame légère.
■ **avironner** v. *Paule et Luce avironnent sur le lac,* elles se promènent en canot.

avis n.m. **1.** *Je vous donne mon avis sur cette question* (= opinion, point de vue). **2.** *On a affiché un avis à la population,* une note d'information (= avertissement).
■ **aviser** v. **1.** SENS 2 *Elle ne t'a pas avisé de sa décision ?* (= informer) **2.** *Je ne m'étais pas avisé de ce détail,* je ne l'avais pas remarqué (= s'apercevoir). **3.** *Ne vous avisez pas de le contredire,* ne vous y risquez pas.
■ **préavis** n.m. SENS 2 *On est partis sans préavis,* sans avertir personne.

avisé, e adj. *En personne avisée, tu aurais pu prendre tes précautions,* comme quelqu'un qui a du jugement.

aviser → **avis**.

aviso n.m. *Un aviso est un petit navire d'escorte.* 764

aviver → **vif**.

1. avocat, e n. *Un avocat est chargé de défendre l'accusé dans un procès.*

2. avocat n.m. *En hors-d'œuvre, on a mangé un avocat,* un fruit en forme de poire, de couleur vert foncé, qui contient un gros noyau.

364 **avoine** n.f. *Les chevaux mangent de l'avoine,* une céréale.

avoir v. **1.** *J'ai un stylo* (= posséder). **2.** *Avoir du courage, avoir faim,* c'est être courageux, être affamé. **3.** *Ce couloir a 10 mètres de long* (= mesurer). **4.** *Tu as onze ans,* c'est ton âge. **5.** *J'ai quelque chose à faire,* je dois le faire. **6.** *Il y a des gens dehors,* des gens sont là. *Il y a longtemps,* cela fait longtemps.
■ **avoir** n.m. SENS 1 *Je te confie tout mon avoir,* tout ce que je possède (= bien). **R.** *Avoir* sert d'auxiliaire de conjugaison : *j'ai vu.* → Conj. p. 12.

avoisinant → *voisin.*

avorter v. **1.** *Une femme qui avorte* ne met pas vivant au monde l'enfant formé en elle. **2.** *Un projet qui avorte* échoue avant sa réalisation.
■ **avortement** n.m. SENS 1 *Une loi sur l'avortement a été votée.* SENS 2 *L'avortement du projet est regrettable.*

avouer v. *Avoue tes torts !* (= reconnaître ; ≠ nier).
■ **aveu** n.m. *Le juge a entendu les aveux de l'accusé,* ce qu'il a avoué.
■ **inavouable** adj. *Un acte inavouable* est un acte honteux, déshonorant.

avril n.m. *Cette année, Pâques tombe au mois d'avril.*

axe n.m. **1.** *L'axe d'une roue* est la ligne ou la tige centrale autour de laquelle elle peut tourner. **2.** *L'axe d'une rue* est la ligne qui passe au milieu de cette rue.

azalée n.f. *Mme Vandervelde cultive des azalées dans sa serre,* des arbustes à belles fleurs.

azimut n.m. Fam. *Son imagination part dans tous les azimuts, tous azimuts* dans toutes les directions.
R. On prononce le *t* : [azimyt].

azote n.m. *L'air est formé d'oxygène et d'azote,* un gaz.

azur n.m. *L'azur* est le bleu du ciel.

baba n.m. *Nous avons savouré un baba,* un gâteau arrosé de rhum.

babillard n.m. *L'heure de la réunion est affichée sur le babillard,* le tableau d'affichage.

babiller v. *On entend le bébé babiller dans son berceau* (= gazouiller).
■ **babillage** n.m. *Elles perdent leur temps en babillages* (= bavardage).

babines n.f.pl. **1.** *Inquiet, le chien retrousse ses babines,* ses lèvres. **2.** *Que cette glace a l'air bonne, je m'en lèche les babines d'avance !,* je me régale.

babiole n.f. **1.** *Offrons-lui une babiole,* un petit objet de peu de valeur. **2.** *Tu t'inquiètes pour des babioles,* des choses sans importance (= bagatelles).

bâbord n.m. *Le bateau a tourné à bâbord,* à sa gauche (≠ tribord).

babouche n.f. *Dans les pays arabes, on porte des babouches,* des pantoufles en cuir sans talon.

babouin n.m. *Le babouin est un singe d'Afrique au museau allongé comme celui du chien.*

1. bac n.m. **1.** *La viande est conservée dans un bac de matière plastique* (= récipient). **2.** *On passe le fleuve sur un bac,* un bateau qui effectue la traversée de passagers et de voitures.

2. bac ou **baccalauréat** n.m. *Le baccalauréat est un diplôme qui s'obtient après un premier cycle universitaire.*

■ **bachelier, ère** n. *Ma sœur a obtenu son baccalauréat, la voilà bachelière.*

bâche n.f. *On a recouvert la voiture d'une bâche,* d'une toile imperméable. 222
■ **bâcher** v. *On a bâché la voiture.*

bachelier → *bac* 2.

bacille n.m. *La tuberculose est provoquée par un bacille,* un microbe.

bâcler v. Fam. *Ce travail est bâclé,* on l'a fait trop vite, sans soin.

bacon n.m. *Nous prendrons des œufs avec du bacon,* du lard fumé, coupé en tranches et frit.

bactérie n.f. *Sa maladie est causée par des bactéries,* certains microbes.

badaud, e n. *L'accident a attiré une foule de badauds* (= curieux).

badge n.m. *Ce scout porte fièrement des badges sur sa chemise,* des insignes cousus à l'épaule.
R. Ce terme s'utilise souvent au féminin.

badigeon n.m. *Le peintre a passé une couche de badigeon sur la façade,* un enduit léger.
■ **badigeonner** v. *Le pêcheur badigeonne son bateau de goudron. Maman badigeonne la plaie de Françoise avec de la teinture d'iode* (= enduire).

badine n.f. *Une badine est une baguette flexible.*

badiner v. *Le professeur ne badine pas sur l'exactitude,* il est très exigeant (= plaisanter).

■ **badinage** n.m. *Le badinage a assez duré, passons aux choses sérieuses* (= plaisanterie).

badminton n.m. *Le badminton est un jeu de volant qui se joue sur un court.*

bafouer v. 1. *Nous ne nous laisserons pas bafouer, tourner en ridicule.* 2. *On a bafoué le règlement, on s'en est moqué* (≠ respecter).

bafouiller v. Fam. *Tu as bafouillé quelques excuses, tu les a dites de manière peu distincte* (= bredouiller).
■ **bafouillage** n.m. *Ton bafouillage est incompréhensible.*
■ **bafouilleur, euse** n. *Personne n'écoutait plus ce bafouilleur.*

510, 802

bagage n.m. 1. *Nous avons entassé les bagages dans la voiture,* les sacs, les valises, les paquets. 2. *Il va falloir plier bagages,* partir rapidement. 3. *Cette femme a un important bagage scientifique* (= connaissances).

512

■ **porte-bagages** n.m.inv. SENS 1 *J'ai attaché mes livres sur le porte-bagages de ma bicyclette.*

bagarre n.f. *Au cours du bal, une bagarre a éclaté,* des gens se sont battus (= rixe).
■ **se bagarrer** v. Fam. *Les manifestants se sont bagarrés avec la police* (= se battre, lutter).
■ **bagarreur, euse** adj. et n. Fam. *Paul et Zoé sont très bagarreurs* (= batailleur).

bagatelle n.f. 1. *Ils se sont fâchés pour une bagatelle,* pour une chose sans importance (= futilité, babiole). 2. *La bagatelle est son dessert préféré,* un dessert composé de gâteau ou de biscuits, de crème et parfois de confiture.

bagel n.m. *Denise adore manger des bagels au saumon fumé,* des petits pains en forme d'anneau.

bagne n.m. *Certains condamnés étaient envoyés au bagne,* une sorte de prison (= pénitencier, travaux forcés).

■ **bagnard** n.m. *Un bagnard était un forçat.*

bagnole n.f. Très fam. *J'ai acheté une nouvelle bagnole* (= voiture).

bagout ou **bagou** n.m. Fam. *Pour être un bon vendeur, il faut avoir du bagout,* parler avec facilité et être persuasif.

bague n.f. *Tu as une bien grosse bague au doigt !,* un bijou (= anneau).

baguette n.f. 1. *Le chef d'orchestre dirige les musiciens avec une baguette,* un bâton mince. 2. *Va à la boulangerie acheter une baguette,* un pain long et mince. 3. *Elle élève ses enfants à la baguette,* d'une façon dure et autoritaire.

bah ! interj. exprime l'indifférence, l'insouciance : *Bah ! Tout s'arrangera.*

bahut n.m. *L'antiquaire nous a vendu un bahut breton,* un buffet bas.

baie n.f. 1. *Les mûres, les groseilles sont des baies,* de petits fruits à pépins. 2. *Le soleil entre à flots par la baie vitrée,* la grande fenêtre. 3. *Ici, la côte se creuse, formant une baie,* un petit golfe (= anse).

baigner v. 1. *Nous nous sommes baignés dans la rivière,* nous nous sommes plongés dans l'eau. 2. *J'ai le visage baigné de sueur* (= mouiller, inonder). 3. *Les cornichons baignent dans le vinaigre* (= tremper).
■ **baignade** n.f. SENS 1 *C'est l'heure de la baignade,* de se baigner. *Dans la rivière, on a aménagé une baignade,* un endroit pour se baigner.
■ **baigneur, euse** 1. n. SENS 1 *Le beau temps a attiré sur la plage une foule de baigneurs.* 2. n.m. *Marie joue avec son baigneur,* une poupée nue qui ressemble à un bébé.
■ **baignoire** n.f. 1. SENS 1 *Fais-toi couler un bain dans la baignoire,* le récipient pour se baigner. 2. *Au théâtre, une baignoire est une sorte de loge.*

→ p. 81

arrière
glycine
vantail
portail

mur
mitoyen
lierre

haie de
troènes

vigne vierge
saule pleureur
portique
tonnelle
bordure
anneaux
allée
pelouse
balançoire
corde
à nœuds
tuyau
d'arrosage
jet d'eau
tondeuse
à gazon
nénuphar

sapin de
Norvège

cytise

forsythia

crocus

violette
tulipe
jacinthe
chèvrefeuille
clématite

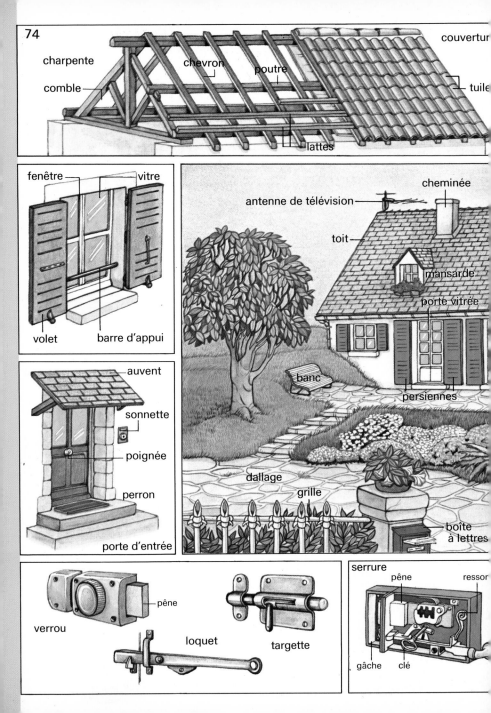

couverture

charpente

comble

chevron

poutre

tuile

lattes

fenêtre

vitre

volet

barre d'appui

antenne de télévision

cheminée

toit

mansarde

porte vitrée

banc

persiennes

auvent

sonnette

poignée

perron

porte d'entrée

dallage

grille

boîte à lettres

verrou

pêne

loquet

targette

serrure

pêne

ressort

gâche

clé

ardoises

gouttière

tige

ombre

chiffres romains

cadran solaire

lucarne faîte girouette

pignon

œil-de-bœuf

store

jardinière

lanterne

terrasse

balustrade

façade

pilier

seuil

garage

soupirail

pelouse (gazon)

dalles

porte-fenêtre

rambarde

balcon

escalier

palier

rampe

marche

contremarche

canalisation (tuyauterie)

thermomètre

brûleur

cuve de mazout

chaudière

niche

jatte (écuelle)

chien

chaîne

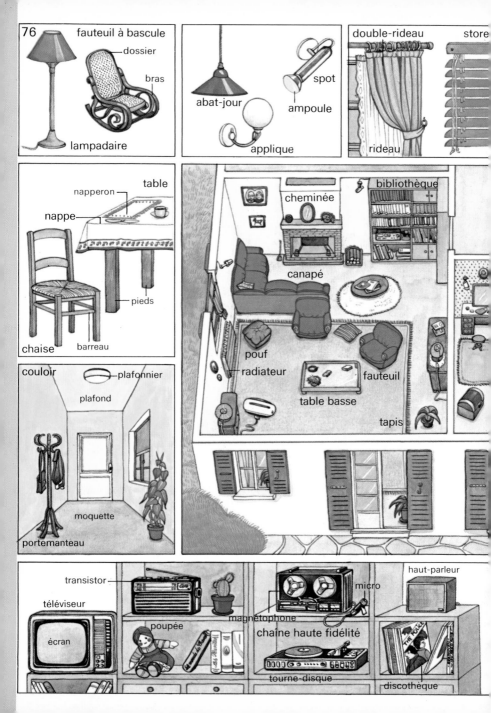

76 fauteuil à bascule
dossier
bras
lampadaire

abat-jour
spot
ampoule
applique

double-rideau store
rideau

table
napperon
nappe
pieds
chaise barreau

couloir
plafonnier
plafond
moquette
portemanteau

bibliothèque
cheminée
canapé
pouf
radiateur
fauteuil
table basse
tapis

transistor
téléviseur
écran
poupée
magnétophone
chaîne haute fidélité
tourne-disque
micro
haut-parleur
discothèque

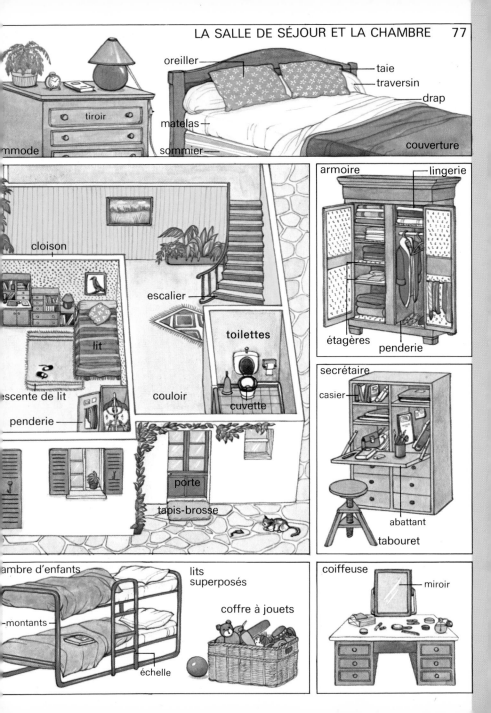

oreiller

taie

traversin

drap

tiroir

matelas

commode

sommier

couverture

armoire

lingerie

cloison

escalier

toilettes

étagères

penderie

lit

secrétaire

casier

descente de lit

couloir

penderie

cuvette

porte

tapis-brosse

abattant

tabouret

chambre d'enfants

lits superposés

coffre à jouets

coiffeuse

miroir

montants

échelle

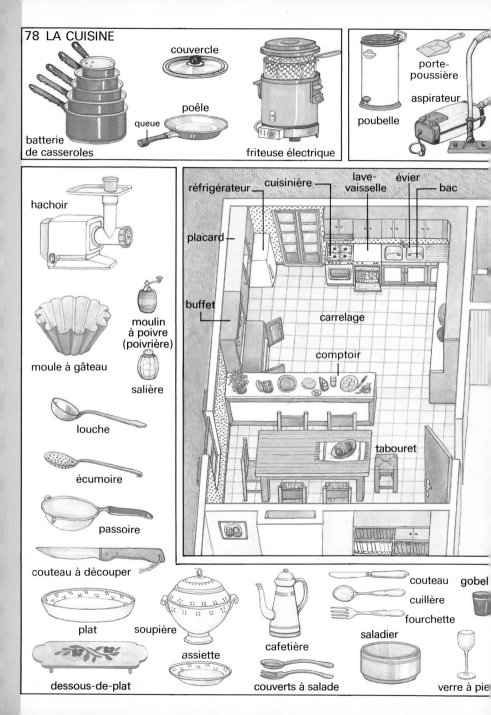

78 LA CUISINE

couvercle

poêle

queue

batterie de casseroles

friteuse électrique

porte-poussière

aspirateur

poubelle

hachoir

moulin à poivre (poivrière)

salière

moule à gâteau

louche

écumoire

passoire

couteau à découper

réfrigérateur — cuisinière — lave-vaisselle — évier — bac

placard —

buffet

carrelage

comptoir

tabouret

plat

soupière

cafetière

assiette

couverts à salade

couteau

gobel

cuillère

fourchette

saladier

verre à pie

dessous-de-plat

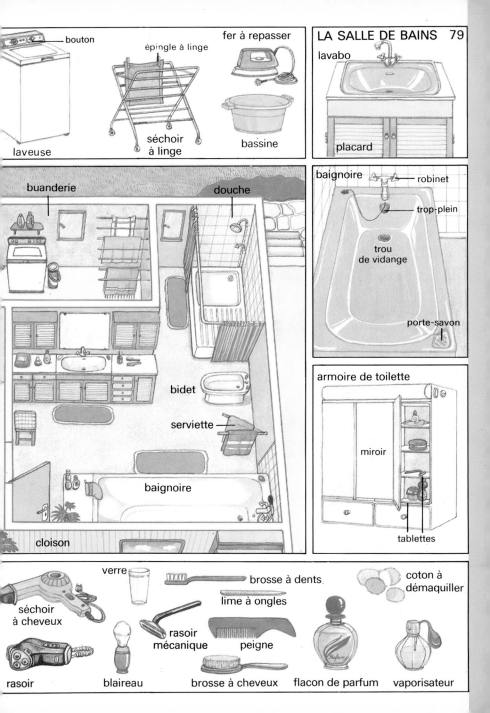

bouton

épingle à linge

fer à repasser

lavabo

séchoir
à linge

bassine

laveuse

placard

buanderie

douche

baignoire

robinet

trop-plein

trou
de vidange

porte-savon

armoire de toilette

bidet

serviette

miroir

baignoire

cloison

tablettes

verre

brosse à dents

coton à
démaquiller

lime à ongles

séchoir
à cheveux

rasoir
mécanique

peigne

rasoir

blaireau

brosse à cheveux

flacon de parfum

vaporisateur

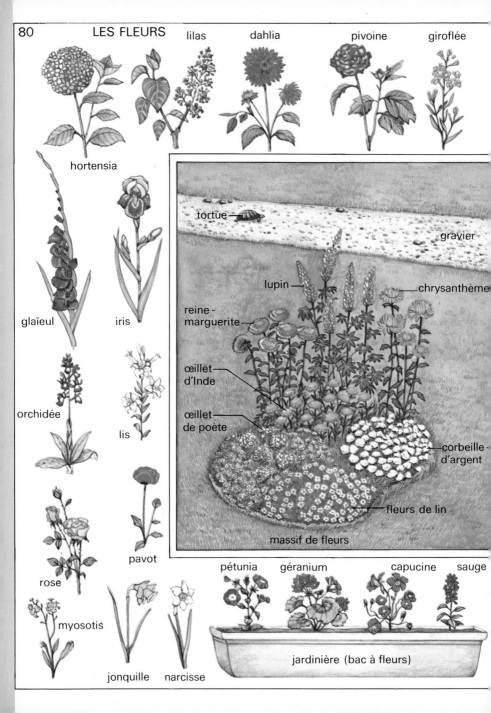

lilas

dahlia

pivoine

giroflée

hortensia

glaïeul

iris

orchidée

lis

rose

pavot

myosotis

jonquille

narcisse

tortue

gravier

lupin

chrysanthème

reine-
marguerite

œillet
d'Inde

œillet
de poète

corbeille-
d'argent

fleurs de lin

massif de fleurs

pétunia

géranium

capucine

sauge

jardinière (bac à fleurs)

■ **bain** n.m. 1. SENS 1 *J'ai pris un* **bain**, je me suis lavé. La **salle de bains** est la pièce dans laquelle se trouvent la baignoire, la douche, etc. 2. *Jeanne prend un* **bain de soleil** *sur la terrasse,* elle expose son corps au soleil. *Le président prend un* **bain de foule,** il se mêle à la foule.

■ **bain-marie** n.m. SENS 3 *Des entremets cuisent au* **bain-marie,** dans un récipient qui baigne dans une casserole d'eau bouillante.

■ **balnéaire** adj. SENS 1 *Ses belles plages font de cette ville une station* **balnéaire** *réputée,* une station pour les baigneurs.
R. Noter le pluriel : des *bains-marie.*

bail n.m. *J'ai signé le* **bail** *de l'appartement,* le contrat fixant le prix et la durée de la location.
R. Le pluriel est *baux,* qui se prononce [bo] comme *beau.*

bâiller v. 1. *Jeanne* **bâille** *de fatigue,* elle ouvre la bouche toute grande. 2. *La porte* **bâille,** elle n'est pas bien fermée ou ajustée.

■ **bâillement** n.m. SENS 1 *Jeanne a étouffé un* **bâillement** *derrière la main.*

bâillon n.m. *Le gangster a mis un* **bâillon** *à sa victime,* un bandeau sur la bouche.

■ **bâillonner** v. *Le caissier a été retrouvé* **bâillonné.**

bain, bain-marie → **baigner.**

baïonnette n.f. *On peut mettre une* **baïonnette** *au bout d'un fusil de guerre,* un long couteau.

baiser n.m. *Donner un* **baiser** *à quelqu'un,* c'est l'embrasser.

■ **baiser** v. *Ce vieux monsieur* **baise** *la main des dames pour les saluer,* il la touche de ses lèvres.

baisse, baisser → **bas** 1.

bajoues n.f.pl. *Ce vieux chien a de grandes* **bajoues,** ses joues pendent.

baklava n.m. *Louis mange des* **baklavas,** des pâtisseries à pâte feuilletée contenant des amandes et du miel.

bal n.m. *Selim et Yasmina sont allés au* **bal,** ils sont allés danser.
R. *Bal* se prononce [bal] comme *balle.* Noter le pluriel : des *bals.*

balade n.f. Fam. *On est partis en* **balade,** en promenade.

■ **se balader** v. Fam. *Allons* **nous balader,** nous promener.
R. → *ballade.*

baladeur n.m. *Pour son anniversaire, Claude a reçu un* **baladeur,** une radio ou une radiocassette portative munie d'écouteurs.

balafre n.f. *Son accident lui a fait une* **balafre** *à la joue,* une longue entaille.

■ **balafré, e** adj. *Un visage* **balafré** est marqué d'une longue cicatrice.

balai n.m. *Donne un coup de* **balai** *dans la cuisine !,* nettoie le sol avec une sorte de brosse fixée au bout d'un long manche.

■ **balayer** v. 1. *Le concierge* **balaie** *l'escalier,* il le nettoie avec un balai. 2. *Le vent* **balaie** *les nuages,* il les pousse devant lui (= chasser).

■ **balayage** n.m. *Le* **balayage** *de la chambre est terminé.*

■ **balayeur, euse** n. *Les* **balayeurs** *municipaux ramassent les feuilles mortes.*

■ **balayette** n.f. *Une* **balayette** *est un petit balai.*

■ **balayure** n.f. *On ramasse les* **balayures** *avec un porte-poussière,* les saletés poussées par le balai.
R. *Balai* se prononce [balɛ] comme *ballet.*

balance n.f. *L'épicière m'a pesé un kilogramme d'oranges sur sa* **balance.**

balancer v. 1. *Le vent* **balance** *la cime des arbres,* il la fait bouger d'un côté et de l'autre. 2. *Les enfants* **se balancent** *dans le jardin,* ils jouent à la balançoire.

■ **balancelle** n.f. SENS 2 *Les soirs d'été, nous nous asseyons dans la* **balancelle,** le siège de jardin dans lequel on peut se balancer à plusieurs.

■ **balancement** n.m. SENS 1 *Le* **balancement** *du bateau m'a donné le mal de mer* (= mouvement, oscillation).

652,
223

223,
222

220 ■**balancier** n.m. **1.** SENS 1 *Le balancier de l'horloge est immobile, elle est arrêtée,* la pièce qui se balance, qui oscille. **2.** *Sur le fil, la funambule se tient en équilibre grâce à un balancier,* une longue perche.

437, 73 ■**balançoire** n.f. SENS 2 *Les enfants jouent à la balançoire,* sur un siège qui les fait monter et descendre.

balayage, balayer, balayette, balayeur, balayure → *balai.*

balbutier v. *L'homme, embarrassé, a balbutié une excuse,* il l'a prononcée confusément (= bredouiller).
■**balbutiement** n.m. *Sa réponse n'a été qu'un balbutiement* (= bredouillement).
R. On prononce [balbysje, balbysimã].

75 **balcon** n.m. **1.** *Les gens étaient sur leur balcon pour voir passer le défilé.* **2.** *Les places de balcon dans un théâtre sont situées en hauteur.*
440

baldaquin n.m. *Dans la chambre royale, il y avait un lit à baldaquin,* un lit surmonté d'une tenture.

584 **baleine** n.f. **1.** *Une baleine peut peser 150 tonnes,* un animal marin. **2.** *Les baleines du parapluie sont les tiges de fer qui tendent le tissu.*

584 ■**baleinier** n.m. SENS 1 *Les baleiniers sont des bateaux équipés pour la chasse à la baleine.*

baleinière n.f. *À bord du paquebot, il y a plusieurs baleinières* (= canot, chaloupe).

727, 511 **balise** n.f. *Ce rocher isolé est signalé aux navigateurs par une balise,* un repère visible de loin. *Avant les premières, neiges, on plante des balises, des poteaux qui indiquent le tracé du chemin.*
■**baliser** v. *La piste d'atterrissage est balisée,* signalée par des balises.
■**balisage** n.m. *Le balisage des routes est réalisé par des panneaux.*

balistique adj. et n.f. *Un engin balistique est destiné à être lancé. La balistique* est la science du mouvement des projectiles.

baliverne n.f. *Ne la crois pas, elle raconte des balivernes,* des choses sans intérêt (= sornette, sottise).

ballade n.f. *Une ballade est un poème à plusieurs strophes.*
R. *Ballade* se prononce [balad] comme *balade.*

ballant, e adj. *Il reste immobile, les bras ballants,* ses bras pendent.

ballast n.m. **1.** *La voie ferrée est posée sur le ballast,* sur un lit de pierres cassées. **2.** *Le sous-marin ouvre ses ballasts pour plonger,* ses compartiments de remplissage.

balle n.f. **1.** *La balle de tennis a frôlé le filet.* **2.** *Le malfaiteur a été atteint de trois balles de revolver,* un projectile d'arme à feu.
■**ballon** n.m. **1.** SENS 1 *Un ballon de basket est rond, un ballon de football est ovale.* **2.** *Il y a encore des amateurs de voyages en ballon,* au moyen d'un appareil gonflé d'un gaz léger ou d'air chaud (= montgolfière).
■**ballonné, e** adj. *Le malade a le ventre ballonné,* gonflé comme un ballon.
R. → *bal.*

ballet n.m. *Cette troupe donne un spectacle de ballet,* de danse.
■**ballerine** n.f. **1.** *Marie voudrait être ballerine,* danseuse de ballet. **2.** *Nadia a mis des ballerines,* des chaussures qui ressemblent à des chaussons de danse.
R. → *balai.*

ballon, ballonné → *balle.*

ballot n.m. *Voilà un ballot de linge sale* (= paquet).

ballottage n.m. *Le premier tour de scrutin a conduit à un ballottage,* aucun candidat n'a eu assez de voix pour être élu.

ballotter v. *Le canot est ballotté par les vagues,* il est secoué en tous sens.

balluchon ou **baluchon** n.m. Fam. *J'ai pris mon balluchon et je suis parti,* un petit paquet d'effets personnels.

balnéaire → *baigner.*

balourd, e adj. *Un individu balourd* manque de finesse d'esprit (= lourd).
■ **balourdise** n.f. *Ses balourdises l'ont ridiculisé* (= sottise).

balsa n.m. Le *balsa* est un bois très léger utilisé pour fabriquer des modèles réduits.

balustrade n.f. *La promeneuse s'appuie à la balustrade du pont,* la rampe supportée par des piliers (= parapet).

bambin, e n. *Un bambin* est un petit enfant.

bambou n.m. *Ma canne à pêche est en bambou,* une sorte de roseau très dur.

ban n.m. **1.** *Il y a eu un ban en l'honneur de l'orchestre,* on a applaudi en cadence. **2.** (au plur.) *Les bans de mariage sont publiés,* une affiche qui annonce le mariage.
R. → *banc.*

banal, e, als adj. *Ce roman raconte une histoire banale,* sans originalité (= commun, ordinaire ; ≠ nouveau, remarquable).
■ **banalisé, e** adj. *Ces policiers circulent dans des voitures banalisées,* que rien ne permet de reconnaître.
■ **banalité** n.f. *La conversation n'a été qu'un échange de banalités,* de propos sans intérêt (= platitude).

banane n.f. *Mange ta banane !,* un fruit allongé à grosse peau jaune.
■ **bananier** n.m. **1.** *La banane est le fruit du bananier.* **2.** *Les bananes sont transportées dans des navires appelés bananiers.*

banc n.m. **1.** *Asseyons-nous sur un banc du parc !,* un siège allongé. **2.** *Un banc de sable barre l'entrée du port à marée basse,* une masse de sable accumulé. **3.** *Un banc de neige* est un amas de neige entassée par le vent (= congère). **4.** *Les sardines se déplacent par bancs,* par troupes très nombreuses.
R. *Banc* se prononce [bã] comme *ban.*

bancaire → *banque.*

bancal, e, als adj. **1.** *Une table bancale* a des pieds de longueurs inégales (= boiteux). **2.** *Ton raisonnement est bancal,* il manque de cohérence.

bande n.f. **1.** *Une bande de tissu* est mince et allongée (= ruban, lanière). **2.** *On peut enregistrer de la musique sur une bande magnétique.* **3.** *Une bande dessinée* est une suite de dessins illustrant une histoire (= B.D.). **4.** *Une bande de loups a attaqué des moutons* (= troupe, meute, groupe).
■ **bandeau** n.m. SENS 1 *Ses cheveux sont tenus par un bandeau,* une sorte de ruban.
■ **bander** v. **1.** SENS 1 *Bander un poignet,* c'est l'entourer d'une bande de tissu. **2.** *Bander un arc,* c'est le tendre.
■ **bandage** n.m. SENS 1 *Le bandage s'est desserré, la cheville n'est plus maintenue* (= pansement).
■ **banderole** n.f. SENS 1 *Des banderoles sont tendues dans les rues pendant les fêtes,* des bandes de tissu avec des inscriptions.

bandit n.m. *Le caissier a été attaqué par deux bandits* (= malfaiteur, gangster, truand).

bandoulière n.f. *Jean porte un sac en bandoulière,* avec une courroie passant sur une épaule et barrant le corps en biais.

banjo n.m. *Dans ce western, on voit une fermière jouer du banjo,* une sorte de guitare ronde avec une peau tendue.

banlieue n.f. *Brossard est située dans la banlieue de Montréal,* elle fait partie de son agglomération tout en étant une ville autonome.
■ **banlieusard, e** n. *Beaucoup de banlieusards viennent travailler en ville,* des habitants de la banlieue.

438,
147
bannière n.f. *La société sportive défile, bannière en tête* (= drapeau).

bannir v. *Le congrès a banni le recours à la violence* (= rejeter, proscrire, condamner).
■ **bannissement** n.m. *Après dix ans de bannissement, elle est rentrée dans son pays* (= exil, interdiction de séjour).

banque n.f. *J'ai retiré de l'argent à la banque,* à l'établissement qui gère mon argent.
■ **bancaire** adj. *J'ai payé mes achats avec un chèque bancaire,* un chèque que le commerçant pourra toucher dans une banque.
■ **banquier, ère** n. *Cette banquière est une femme très riche,* la personne qui dirige une banque.

banqueroute n.f. *Une entreprise fait banqueroute quand elle ne peut plus assurer ses paiements* (= faillite).

banquet n.m. *Après la cérémonie, un banquet réunira les invités,* un grand repas (= festin).

508
banquette n.f. *Cette voiture a une banquette à l'avant,* un siège pour plusieurs personnes.

banquier → *banque.*

584
banquise n.f. *Près des pôles, les navires sont parfois prisonniers de la banquise,* de la mer gelée.

580
baobab n.m. *Le baobab est un grand arbre d'Afrique au tronc énorme.*

baptiser v. **1.** *Le prêtre verse l'eau sur le front de l'enfant qu'il baptise,* à qui il administre le baptême. **2.** *Comment as-tu baptisé ton chien ?,* quel nom lui as-tu donné ?
■ **baptisé, e** n. SENS 1 *La nouvelle baptisée est entourée de son parrain et de sa marraine,* celle qui a reçu le baptême.
■ **baptême** n.m. SENS 1 *L'enfant est appelé par son prénom au moment du baptême,* du sacrement par lequel on devient chrétien.
■ **baptistaire** n.m. *Voici mon baptistaire,* mon extrait de baptême.
■ **débaptiser** v. SENS 2 *On a débaptisé cette rue,* on a changé son nom.
R. On ne prononce pas le *p* : [batize, batɛm].

baquet n.m. *L'eau de la gouttière tombe dans un baquet,* un récipient .

1. bar n.m. **1.** *Allons boire un verre dans un bar.* **2.** *L'ivrogne a passé son après-midi devant le bar,* devant le comptoir où l'on sert des boissons.
■ **barman** n.m. *Le barman sert les consommations* (= garçon).
R. *Barman* se prononce [barman]. Pour une femme, on dit *barmaid* (= serveuse).

2. bar n.m. *Le bar est un très bon poisson de mer* (= loup).
R. *Bar* se prononce [bar] comme *barre.*

baragouiner v. Fam. *Suzan baragouine le français,* elle le parle mal.

baraque n.f. *Les outils de jardin sont rangés dans une baraque,* une petite cabane en planches.
■ **baraquement** n.m. *Les réfugiés étaient logés dans des baraquements,* des constructions provisoires.

baratin n.m. Très fam. *La vendeuse nous a garanti la qualité extra de l'article, mais, tout ça, c'est du baratin,* ce sont de belles paroles, on ne peut pas s'y fier.
■ **baratiner** v. Très fam. *Arrête de baratiner et viens nous aider,* de raconter des boniments.
■ **baratineur, euse** n. Très fam. *C'est une baratineuse intarissable.*

baratte n.f. *On fait le beurre dans une baratte.*

barbare 1. adj. et n. *Ce chef d'État barbare a fait fusiller des innocents* (= cruel, féroce, sauvage). 2. adj. *Cette notice est pleine de mots barbares,* bizarres ou incorrects.

■ **barbarie** n.f. SENS 1 *Cette exécution est un acte de barbarie* (= cruauté, férocité, sauvagerie).

■ **barbarisme** n.m. SENS 2 *En écrivant « je chanta » au lieu de « je chantai » tu as fait un barbarisme,* une grosse faute.

barbe n.f. 1. *Mon frère ne se rase plus, il se laisse pousser la barbe.* 2. *Rire dans sa barbe,* c'est rire intérieurement, sans bruit.

■ **barbiche** n.f. *La chèvre a une barbiche au menton,* une touffe de poils.

■ **barbier** n.m. *Autrefois les hommes se faisaient raser chez le barbier.*

■ **barbu, e** adj. et n. *Pierre est barbu,* il a une barbe.

■ **imberbe** adj. *Être imberbe,* c'est ne pas avoir de barbe.

barbecue n.m. *On a fait griller des saucisses sur le barbecue,* un petit fourneau fonctionnant en plein air au charbon de bois ou au gaz.
R. On prononce [barbəkju].

barbelé, e adj. et n.m. 1. *Le fil de fer barbelé est hérissé de pointes.* 2. *La cour de la prison est entourée de barbelés,* de fils de fer barbelés.

barber v. Fam. *Stéphane me barbe avec ses histoires,* il m'ennuie.

barbiche, barbier → *barbe.*

barbillon n.m. *Les carpes ont des barbillons,* des petits filaments de chaque côté de la bouche.

barbote ou **barbotte** n.f. *La barbote est un poisson de rivière.*

barboter v. *Les canards barbotent dans la mare,* ils s'agitent dans l'eau.

barbouiller v. 1. *Son visage est barbouillé de chocolat,* il en est sali. 2. *Avoir le cœur ou l'estomac barbouillé,* c'est avoir mal au cœur, avoir envie de vomir.

■ **barbouillage** n.m. SENS 1 *Ce n'est pas de la peinture, c'est du barbouillage !*

■ **débarbouiller** v. SENS 1 *Va te débarbouiller* (= se laver).

■ **débarbouillette** n.f. SENS 1 *Prends la débarbouillette pour te laver,* un carré de tissu-éponge.

barbu → *barbe.*

barbue n.f. *La barbue est un poisson de mer qui ressemble au turbot.*

barda n.m. Fam. *Les campeurs ont ramassé leur barda,* leur chargement, leur matériel.

bardeau n.m. *Le toit de la maison est couvert de bardeaux,* des planchettes de bois posées en rangées.

1. barder v. 1. *Barder une volaille,* c'est l'entourer d'une barde. 2. *Ce général a la poitrine bardée de décorations,* couverte de décorations.

■ **barde** n.f. SENS 1 *La bouchère met une barde autour du rôti,* une mince tranche de lard.

2. barder v. Très fam. *Ça va barder,* ça va être très animé, ou dangereux.

barème n.m. *Pour calculer ses prix, la commerçante consulte son barème,* une liste de calculs tout faits.

barge n.f. *Il y a des barges sur le Saint-Laurent,* des grands bateaux à fonds plats qui transportent des marchandises.

baril n.m. *On a acheté un baril de lessive,* une boîte en forme de petit tonneau.

bariolé, e adj. *Marie a une robe bariolée,* avec des dessins de couleurs vives et variées.

barmaid, barman → *bar* 1.

barnache → *bernache.*

baromètre n.m. *La navigatrice surveille le baromètre,* un appareil servant à prévoir le temps en indiquant la pression atmosphérique.

baron n.m., **baronne** n.f. *Baron, duc, comte sont des titres de noblesse. Madame la baronne fait une promenade.*

baroque adj. 1. *Une sculpture, un tableau de style baroque se caractérisent par une surabondance d'ornements.* 2. *Tu as des idées baroques, qui choquent par leur étrangeté* (= bizarre, extravagant).

baroud n.m. *Un baroud d'honneur, c'est un combat, une compétition qu'on livre pour l'honneur, bien qu'on se sache déjà vaincu.*

721, 437

barque n.f. 1. *Pour se promener sur le lac, on peut louer des barques, des petits bateaux à rames.* 2. *Luce mène bien sa barque,* elle se débrouille bien.
■ **barquette** n.f. *Des barquettes aux fraises sont des petits gâteaux en forme de barque.*

barrage → *barrière.*

74, 34

barre n.f. 1. *Une barre de fer est un morceau de fer allongé.* 2. *Une barre de mesure est en musique un trait vertical séparant deux mesures.* 3. *La barre de ton « t » est mal faite,* le trait de plume droit. 4. *Le témoin est appelé à la barre,* il se présente devant les juges. 5. *Les bateaux ne peuvent pas franchir la barre,* la ligne de hautes vagues près du rivage.

765, 726

6. *La pilote tient la barre du bateau,* elle la dirige en actionnant le gouvernail. 7. *Bernard s'est acheté une barre de chocolat,* une tablette.

76

■ **barreau** n.m. SENS 1 *Un barreau de l'échelle est cassé,* une petite barre (= échelon). SENS 4 *Entrer au barreau,* c'est devenir avocat ou avocate.
■ **barrer** v. 1. SENS 2 *Son devoir est plein de mots barrés,* rayés d'un trait (= biffer). 2. SENS 6 *Aline barre le voilier,* elle tient la barre.
■ **barreur, euse** n. SENS 6 *Le bateau a gagné la course grâce à son excellent barreur.*

1. barrer → *barre* et *barrière.*

2. barrer v. *Louise a bien barré la porte,* fermé à clef (= verrouiller).
■ **débarrer** v. *Veux-tu débarrer la porte ?* (= ouvrir).
■ **embarrer** v. *Xavier s'est embarré dans sa chambre* (= s'enfermer).

barrette n.f. *Marie retient ses cheveux à l'aide d'une barrette,* une petite pince allongée.

barreur → *barre.*

barrière n.f. *La barrière du passage à niveau empêche les voitures de passer,* la clôture qui barre la route.
■ **barrer** v. *Pendant les travaux, la rue est barrée* (= boucher ; ≠ ouvrir).
■ **barrage** n.m. 1. *Les policiers ont installé un barrage sur la route,* ils l'ont barrée. 2. *On a construit un barrage sur le fleuve,* un grand mur pour retenir l'eau.
■ **barricade** n.f. *Les manifestants élèvent une barricade,* ils entassent des objets pour barrer le passage.
■ **barricader** v. 1. *Barricader une porte,* c'est la fermer solidement. 2. *Éric a peur, il se barricade dans la maison,* il ferme toutes les ouvertures.

barrique n.f. *Une barrique est un grand tonneau.*

barrir v. *L'éléphant barrit,* il crie.
■ **barrissement** n.m. *Le barrissement est le cri de l'éléphant.*

baryton n.m. *Ce chanteur est un baryton,* sa voix se situe entre celles du ténor et de la basse.

1. bas, basse adj. 1. *Dans le salon, il y a une table basse* (≠ haut). 2. *Chut ! il dort, parlez à voix basse !,* doucement (≠ fort). 3. *Il a acheté sa voiture à bas prix,* peu cher (≠ élevé). 4. *Les Dubois ont un enfant en bas âge,* très jeune. 5. *La manière dont tu te venges est basse* (= méprisable, infâme, odieux ; ≠ noble).
■ **bas** n.m. SENS 1 *Signez au bas de la page,* dans la partie inférieure (≠ haut).

■ **bas** adv. **1.** SENS 1 *Le temps est ora-geux, les hirondelles volent* **bas** (≠ haut). **2.** *La malade est au plus* **bas,** en mauvais état, mal en point. **3.** *La chatte* **a mis bas** *cette nuit,* elle a eu ses petits. **4.** *À* **bas** *la dictature !,* il faut la renverser (≠ vive).

■ **basse** n.f. *Ce chanteur est une* **basse,** il a une voix grave.

■ **bassement** adv. SENS 5 *En vous ven-geant ainsi, vous vous êtes conduits* **bassement,** très mal.

■ **bassesse** n.f. SENS 5 *En le dénonçant, tu as commis une* **bassesse,** un acte infâme.

■ **basset** n.m. SENS 1 Le *basset* est un chien bas sur pattes.

■ **baisser** v. SENS 1 *Baisse la vitre de la voiture !,* mets-la plus bas (= abaisser ; ≠ relever). *La mer* **baisse** (= descen-dre ; ≠ monter). *Elle* **s'est baissée** *pour ramasser son crayon* (≠ se lever). SENS 2 *Baisse le son du poste de radio !,* mets-le moins fort (= diminuer). SENS 3 *Le prix des légumes* **a baissé** (= diminuer ; ≠ s'élever, augmenter). *Sa vue* **baisse** (= s'affaiblir). SENS 5 *Vous* **baissez** *dans mon estime,* je vous estime moins qu'avant.

■ **baisse** n.f. SENS 3 *Il faut profiter de la* **baisse** *des prix pour acheter* (= diminu-tion ; ≠ hausse).

■ **abaisser** v. SENS 1 *On* **a abaissé** *le mur du jardin* (= baisser ; ≠ surélever). SENS 5 *Je ne* **m'abaisserai** *pas à le supplier,* je ne manquerai pas de dignité (= s'avilir).

■ **abaissement** n.m. SENS 2 *On note un* **abaissement** *de la température* (= baisse, diminution).

■ **rabaisser** v. SENS 5 *Ses adversaires cherchent à le* **rabaisser** (= abaisser, déprécier).

■ **rabais** n.m. SENS 3 *La vendeuse m'a fait un* **rabais,** un prix plus bas (= remise, ré-duction). *J'ai acheté ce disque* **au rabais,** à un prix moins élevé que le prix normal.

2. bas n.m. *Ma sœur a retiré ses* **bas** *en nylon :* elle a les jambes nues.

■ **bas-culotte** n.m. Un *bas-culotte* est un sous-vêtement constitué de la culotte et des bas assemblés (= collant).
R. Noter le pluriel : des *bas-culottes.*

basalte n.m. Le *basalte* est une roche volcanique qui forme parfois des co-lonnes appelées *orgues* **basaltiques.**

basané, e adj. *Ces paysans ont la peau* **basanée,** brune, bronzée.

bas-côté → *côté.*

bascule n.f. **1.** *Papa se balance sur son* **fauteuil à bascule,** qui oscille d'avant en arrière (= berçante). **2.** *On pèse des camions sur cette* **bascule,** une balance pour peser des objets très lourds.

■ **basculer** v. SENS 1 *La voiture* **a basculé** *dans le fossé,* elle s'est renversée (= culbuter).

base n.f. **1.** *La* **base** *de la montagne* est sa partie inférieure (≠ sommet). **2.** *La* **base** *du triangle* est le côté opposé au som-met. **3.** *Après l'exercice, les militaires sont rentrés à leur* **base,** là où ils sont installés. **4.** *Les dirigeants des syndicats ont consulté la* **base,** l'ensemble des adhérents. **5.** *Ce projet est* **à la base** *de notre désaccord* (= origine). *L'accord s'est fait* **sur la base** *des dernières propo-sitions patronales,* en partant de ces propositions. **6.** *Une* **base de plein air** est un lieu où chacun peut pratiquer libre-ment des activités de plein air.

■ **baser** v. SENS 3 *Des troupes* **sont ba-sées** *dans la ville,* elles y ont leur base. SENS 5 *Son raisonnement* **est basé** *sur une erreur* (= établir, fonder).

base-ball ou **baseball** n.m. *Il faut deux équipes de 9 joueurs pour jouer au* **base-ball,** un jeu de balle.

bas-fond n.m. **1.** *La barque passe sans danger sur les* **bas-fonds,** les endroits où l'eau est très peu profonde (≠ haut-fond). **2.** *Les* **bas-fonds** *de la ville* sont les quartiers où se concentrent générale-ment la délinquance et la misère.

basilic n.m. *On a mangé une salade de to-mates au* **basilic,** une plante aromatique.

76

361

34

basilique n.f. *L'église de Sainte-Anne-de-Beaupré est une **basilique**,* elle a reçu ce titre du pape.

35 **basket-ball** ou **basket** n.m. *Luce est grande, elle joue bien au **basket-ball**,* un sport de ballon.

bas-relief → relief.

basse → bas 1.

362 **basse-cour** n.f. *On élève les poules et les canards dans la **basse-cour**.*
R. Noter le pluriel : des *basses-cours*.

bassement, bassesse, basset → bas 1.

73, 219 **bassin** n.m. **1.** *Dans le parc, il y a un **bassin** plein de poissons rouges* (= pièce d'eau). **2.** *Nous avons amarré notre bateau dans le **bassin**,* dans la partie la plus abritée du port. **3.** *Le **Bassin** parisien est une vaste région en forme de cuvette.* **4.** *Un **bassin** houiller est une région contenant des gisements de houille.* **5.** *Dans l'accident, elle a eu une fracture du **bassin**,* des os de la base du tronc.
40 ■**bassine** n.f. *Je lave mon linge dans une **bassine**,* un récipient en métal ou en matière plastique.

79

224 **bassinoire** n.f. *Autrefois, on chauffait les draps avec une **bassinoire**,* un récipient où l'on mettait de la braise.

439 **basson** n.m. *Un **basson** est un instrument à vent en bois.*

726 **bastingage** n.m. *Les matelots étaient accoudés au **bastingage**,* à la paroi ou la rampe qui borde le pont du bateau.

bastion n.m. *Les fortifications comportaient des parties en saillie appelées **bastions**.*

bastonnade → bâton.

bastringue n.m. Fam. *Le **bastringue** de la fête foraine nous casse les oreilles,* la musique criarde.

361 **bât** n.m. **1.** *L'âne porte deux gros ballots fixés à un **bât**,* une sorte de selle. **2.** *Voilà où le **bât blesse**,* la faille, le point faible.

bataclan n.m. Fam. *Les photographes sont arrivés avec tout leur **bataclan**,* leur matériel, leur attirail.

bataille, batailler, batailleur → battre.

bataillon n.m. *Un commandant est à la tête d'un **bataillon**,* une unité militaire.

bâtard, e **1.** adj. et n. *Un chien **bâtard** n'est pas de race pure.* **2.** n.m. *Un **bâtard** est une variété de pain.*
■**s'abâtardir** v. SENS 1 *Cette race d'animaux **s'est abâtardie**,* elle a perdu ses anciennes qualités (= dégénérer).

batavia n.f. *Une **batavia** est une salade proche de la laitue.*

bateau n.m. **1.** *Dans le port il y a toutes sortes de **bateaux** :* des barques, des navires, des voiliers, des paquebots, etc. **2.** Fam. *Tu m'**as** encore **monté un bateau**,* tu m'as raconté une histoire.
■**bateau-mouche** n.m. SENS 1 *Les touristes peuvent visiter Paris en **bateaux-mouches**,* des bateaux de promenade sur la Seine.
■**batelier, ère** n. SENS 1 *Les **bateliers** ont amarré leurs péniches devant l'écluse* (= marinier).

bateleur n.m. *Le **bateleur** est un clown qui dans les foires amuse le public par ses acrobaties, ses tours.*

batelier → bateau.

bat-flanc n.m.inv. *Dans l'écurie, les chevaux sont séparés par des **bat-flanc**,* des cloisons.

bâti → bâtir.

batifoler v. *Les chiots **batifolent** dans le jardin* (= jouer, folâtrer).

bâtir v. **1.** *Le maçon **bâtit** une maison,* il la fait en assemblant les matériaux (= construire). **2.** *La couturière **bâtit** une jupe,* elle assemble les morceaux de tissu.
■**bâti, e** adj. *Cette athlète est **bien bâtie**,* solide et bien faite.

■**bâtiment** n.m. **1.** SENS 1 *Ce groupe d'immeubles comprend six bâtiments* (= construction). *Les maçons, les couvreurs, les peintres, les menuisiers sont des ouvriers du bâtiment,* qui travaillent dans l'industrie de la construction. **2.** *Un bâtiment de guerre* est un navire de guerre.

■**bâtisse** n.f. SENS 1 *Ils habitent une grande bâtisse,* une grande maison sans caractère.

bâton n.m. **1.** *Le voyageur marchait en s'appuyant sur un bâton taillé dans une branche,* un bout de bois. **2.** *Un bâton de craie, de rouge à lèvres* a la forme allongée d'un bâton. **3.** *On a parlé à bâtons rompus de nos vacances,* sans qu'il y ait un ordre précis dans la conversation, au fur et à mesure que les idées venaient. **4.** *Ne t'attaque pas à eux, ils te mettront des bâtons dans les roues,* ils créeront des obstacles pour t'empêcher de faire ce que tu veux. **5.** *Cloé a le gros bout du bâton,* elle a l'avantage dans cette affaire.

■**bâtonnet** n.m. SENS 2 *Pendant la leçon de calcul, les petits comptent des bâtonnets,* des petits bâtons.

■**bastonnade** n.f. SENS 1 *Une bastonnade* est une volée de coups de bâton.

batracien n.m. *La grenouille, le crapaud sont des batraciens,* des animaux dont la larve (têtard) vit dans l'eau.

battage, battant, battement → *battre.*

batterie n.f. **1.** *La voiture ne démarre pas, la batterie est à plat,* les accumulateurs. **2.** *Anaïs est à la batterie dans un orchestre de jazz,* elle joue d'un instrument de percussion. **3.** *Une batterie de cuisine* est un ensemble de casseroles, de plats utilisés pour la cuisine.

■**batteur, euse** n. SENS 2 *Jean est le batteur de l'orchestre.*

batteur → *batterie* et *battre.*

battre v. **1.** *Le chien hurle parce que quelqu'un l'a battu,* lui a donné des coups (= frapper). *Cet enfant se bat souvent avec ses camarades.* **2.** *Je l'ai battu aux échecs,* j'ai gagné la partie (= vaincre). **3.** *Je bats des blancs d'œufs en neige* (= fouetter). *On bat le blé pour séparer le grain de la paille.* **4.** *La chienne a eu peur, son cœur bat,* il est animé de mouvements répétés (= palpiter). **5.** *Ferme la porte : elle bat* (= taper). **6.** *Les promeneurs ont battu la forêt en tous sens* (= parcourir, explorer). **7.** *L'armée a battu en retraite,* elle a reculé. **8.** *En voyant les clowns, les enfants ont battu des mains,* ils les ont frappées l'une contre l'autre (= applaudir). **9.** *Élise bat la mesure,* elle marque avec des gestes, les temps de la mesure. **10.** *Renée bat les cartes* (= mélanger).

■**bataille** n.f. SENS 1 *Les deux armées se sont livré bataille,* elles se sont battues.

■**batailler** v. SENS 1 *Les syndicats ont longtemps bataillé pour obtenir ce droit* (= combattre).

■**batailleur, euse** adj. SENS 1 *Une fille batailleuse* aime se battre (= bagarreur).

■**battage** n.m. **1.** SENS 3 *Après la moisson, le battage du blé commence,* on bat le blé pour en séparer les grains. **2.** Fam. *Quel battage autour de la sortie de ce film !,* quelle publicité.

■**battant** n.m. SENS 5 *Le battant de la cloche* est sa partie mobile. *On entre dans la cuisine par une porte à deux battants,* à deux panneaux mobiles.

■**battant, e** adj. **1.** SENS 4 *Laure avait le cœur battant à l'annonce des résultats,* son cœur battait fort. **2.** *Une pluie battante* est une forte pluie.

■**battement** n.m. **1.** SENS 4 *Écoute les battements de mon cœur.* **2.** *Il y a cinq minutes de battement entre les séances,* d'intervalle.

■**batteur** n.m. SENS 3 *La cuisinière bat la crème avec un batteur électrique.*

■**batteuse** n.f. SENS 3 *Les agriculteurs ont loué une batteuse,* une machine qui bat le blé.

148

■ **battu, e** adj. 1. *Le sol de cette ferme est en terre* **battue,** en terre durcie. 2. *Des yeux* **battus** *sont des yeux cernés par la fatigue.*

■ **battue** n.f. SENS 6 *Les chasseurs organisent une* **battue,** *ils parcourent la forêt pour rabattre le gibier.*

■ **batture** n.f. *Les* **battures** *sont les parties du rivage laissées à découvert par la marée basse.*

■ **imbattable** adj. SENS 2 *Cette concurrente est* **imbattable,** *on ne peut pas la battre.*

R. → Conj. n° 56.

baudet n.m. *On appelle parfois un âne un* **baudet.**

baudruche n.f. *Les enfants gonflent des ballons de* **baudruche,** *de caoutchouc très fin.*

bauge n.f. *Le sanglier est dans sa* **bauge,** *le lieu boueux où il se vautre.*

baume n.m. *On a soigné sa brûlure avec un* **baume,** *une pommade.*

bavard, e adj. et n. *Vous êtes* **bavarde,** *vous parlez trop.*

■ **bavarder** v. *En attendant d'entrer au cinéma, les spectateurs* **bavardent** (= causer).

■ **bavardage** n.m. *Ne perdez pas votre temps en* **bavardages** (= parlote).

bave n.f. *Le chien a sali le parquet avec sa* **bave,** *avec la salive qui coule de sa gueule.*

■ **baver** v. *Les bébés* **bavent.**

■ **bavette** n.f. *Le bébé a taché sa* **bavette** (= bavoir).

■ **baveux, euse** adj. *Une omelette* **baveuse** *est un peu liquide à l'intérieur.*

■ **bavoir** n.m. *Bébé porte un* **bavoir** *autour du cou, une petite serviette* (= bavette).

■ **bavure** n.f. 1. *Ce coloriage est plein de* **bavures,** *les couleurs dépassent le contour du dessin.* 2. Fam. *Une* **bavure** *policière est une erreur ou une faute commise au cours d'une opération de police.*

bazar n.m. *Les* **bazars** *sont des magasins où l'on vend un peu de tout.*

B.D. n.f. *Xavier lit souvent des* **B.D.,** *des bandes dessinées.*

béant, e adj. *Un sac* **béant** *est largement ouvert.*

béat, e adj. *Il sourit d'un air* **béat,** *à la fois satisfait et un peu niais.*

■ **béatement** adv. *Quand on le complimente, il sourit* **béatement.**

■ **béatitude** n.f. *Son visage rayonnait de* **béatitude** (= satisfaction).

beau, belle adj. 1. *Tu as fait un* **beau** *dessin* (≠ laid). 2. *Nous avons vu un* **beau** *match à la télé* (= réussi). 3. *Ce n'est pas* **beau** *de mentir !* (= bien). 4. *Mon grand-père a laissé un* **bel** *héritage* (= gros, considérable). 5. *En voilà une* **belle** *excuse !,* *c'est une mauvaise excuse.* 6. *Cette aventure lui arriva un* **beau** *matin, un certain matin, alors qu'il ne s'y attendait pas.*

■ **beau** n.m. SENS 1 *Le chien* **fait le beau,** *il se dresse sur ses pattes de derrière.*

■ **beau** adv. *Il* **a beau** *pleuvoir, je sors,* *bien qu'il pleuve.*

■ **de plus belle** adv. *Il pleure* **de plus belle,** *plus fort qu'avant.*

■ **beauté** n.f. SENS 1 *Je suis émerveillé par la* **beauté** *de ce paysage* (≠ laideur). *Cette statue est une* **beauté.**

■ **embellir** v. SENS 1 *Le papier peint* **embellit** *la pièce, il la rend plus belle. Cette enfant* **embellit,** *elle devient plus belle.*

R. *L'adjectif* **beau** *devient* **bel** *devant une voyelle ou un « h » muet : un* **bel** *arbre, un* **bel** *homme.* → **bail** *et* **bot.**

beaucoup adv. 1. *Il mange* **beaucoup,** *en grande quantité. Elle a* **beaucoup** *d'amis, un grand nombre d'amis* (≠ peu). 2. *Son frère est* **de beaucoup** *le plus âgé* (= de loin ; ≠ de peu).

beau-fils n.m. 1. *M. Dupont a épousé une veuve qui avait deux fils : ce sont ses* **beaux-fils.** 2. *Le mari de sa fille, c'est son gendre, qu'on appelle parfois aussi son* **beau-fils.**

725

■ **belle-fille** n.f. **1.** *Sa belle-fille est la femme de son fils* (on dit moins souvent sa *bru*). **2.** *L'homme que Françoise a épousé avait déjà une fille : c'est la belle-fille de Françoise.*

■ **beau-frère** n.m., **belle-sœur** n.f. **1.** *Les sœurs de ma femme sont mes belles-sœurs.* **2.** *L'épouse de mon frère est ma belle-sœur.*

■ **beau-père** n.m., **belle-mère** n.f., **beaux-parents** n.m.pl. **1.** *Mon beau-père, ma belle-mère sont les parents de mon conjoint ; ce sont mes beaux-parents.* **2.** *Le beau-père de Pierre est le second mari de sa mère. La belle-mère de Jacques est la seconde femme de son père.*

beaujolais n.m. Le *beaujolais* est un vin d'une région voisine de la Bourgogne.

beaupré n.m. Le *beaupré* est un mât oblique à l'avant d'un voilier.

beauté → *beau.*

beaux-arts → *art.*

bébé n.m. **1.** *Le bébé est dans son berceau,* le tout petit enfant. **2.** *Un bébé singe* est un très jeune singe.

bebite → *bibite.*

bec n.m. **1.** *Les oiseaux ont un bec dur et pointu.* **2.** *J'ai tordu le bec de ma plume,* son extrémité. **3.** *Le paquet de sucre en poudre est muni d'un bec verseur,* d'une partie en pointe que l'on sort pour verser. **4.** *Benoît m'a donné un bec,* un baiser.

■ **becquée** n.f. SENS 1 *L'oiseau donne la becquée aux oisillons,* il leur met de la nourriture dans le bec.

■ **becqueter** v. SENS 1 *Les oiseaux commencent à becqueter les cerises,* à les piquer de leur bec.
R. *Becqueter* → conj. n° 8.

bécarre n.m. Le *bécarre* ramène à son ton naturel une note de musique.

bécasse n.f. *Anne a abattu une bécasse à la chasse,* un oiseau à long bec.

■ **bécassine** n.f. La *bécassine* est plus petite que la bécasse.

bec-de-lièvre n.m. *Cet enfant a un bec-de-lièvre,* sa lèvre supérieure est fendue.
R. Noter le pluriel : des *becs-de-lièvre.*

béchamel n.f. La *béchamel* est une sorte de sauce blanche.

bêche n.f. *Avant de planter, on retourne la terre avec une bêche,* une pelle droite.   366

■ **bêcher** v. *Bêcher son jardin,* c'est en retourner la terre avec une bêche.

becquée, becqueter → *bec.*

bédane n.m. Le *bédane* est une sorte de   291
ciseau utilisé par les menuisiers.

bedeau n.m. Le *bedeau* est l'employé qui s'occupe du matériel de l'église.

bedonnant, e adj. *Une personne bedonnante* a un gros ventre (= ventru).

bée adj.f. *Les enfants contemplent bouche bée ce spectacle,* ils ont la bouche ouverte d'étonnement.

beffroi n.m. *Il y a une horloge sur le beffroi de l'hôtel de ville,* sur la tour qui le surmonte.

bégayer v. *Quand il est intimidé, André bégaie,* il parle avec difficulté, en répétant des syllabes.

■ **bégaiement** n.m. *Son bégaiement est pénible.*

■ **bègue** adj. et n. *Doris est bègue,* elle bégaie.

bégonia n.m. *Le balcon est garni de pots de bégonias,* des plantes dont les fleurs ont des couleurs vives.

bègue → *bégayer.*

1. béguin n.m. Le *béguin* était une sorte   805
de bonnet.

2. béguin n.m. Fam. *Oncle Paul dit qu'il a le béguin pour cette femme,* il dit qu'elle lui plaît beaucoup.

296 | **beige** adj. *Le sable est de couleur beige,* brun clair.

beigne n.m. *Au temps des fêtes, maman nous prépare des beignes,* des petits gâteaux en forme d'anneau faits d'une pâte frite.

beignet n.m. *Un beignet,* c'est de la pâte cuite dans la friture.

bel → *beau.*

bêler v. *Le mouton bêle,* il pousse son cri.
■ **bêlement** n.m. *On entend les bêlements de la brebis,* ses cris.

656 | **belette** n.f. *La belette est un petit animal au corps allongé.*

361 | **bélier** n.m. **1.** *Le bélier est un mouton mâle.* **2.** *Autrefois, on défonçait les*
146 | *portes des forteresses avec un bélier,* une longue poutre de bois.

belle → *beau.*

belle-fille, belle-mère, belle-sœur → *beau-fils.*

649 | **belligérant** n.m. *Un armistice a été signé entre les belligérants,* ceux qui étaient en guerre.
■ **belligérance** n.f. *La belligérance,* c'est l'état de guerre.

belliqueux, euse adj. *Une personne belliqueuse aime les querelles* (= agressif ; ≠ pacifique).

belote n.f. *Sais-tu jouer à la belote ?,* un jeu de cartes.

béluga ou **bélouga** n.m. *Protégeons les bélugas !,* des petites baleines blanches des régions arctiques.

belvédère n.m. *Du belvédère, on a une vue superbe sur la vallée,* du lieu aménagé pour l'observation.

438 | **bémol** n.m. *Le bémol abaisse une note de musique d'un demi-ton.*

bénédictin, e n. **1.** *Les bénédictins sont des religieux vivant dans des couvents.* **2.** *Un travail de bénédictin* est long et minutieux.

bénédiction → *bénir.*

bénéfice n.m. *En vendant 10 $ un objet qui a coûté 6 $, on fait un bénéfice de 4 $,* on gagne 4 $ (= profit ; ≠ perte).
■ **bénéficier** v. *L'acheteur bénéficie d'une réduction sur le prix,* il en profite.

bénéfique adj. est un équivalent de *bienfaisant, avantageux.*

benêt adj. et n.m. *Il a un air benêt. Il se dandinait comme un grand benêt* (= niais, nigaud).

bénévole **1.** adj. et n. *Y a-t-il des bénévoles pour nous aider ?,* des volontaires. **2.** adj. *Un travail bénévole* est fait sans intention d'être payé.
■ **bénévolat** n.m. *Thomas fait du bénévolat,* un travail bénévole.

bénin, igne adj. *Une maladie bénigne* est sans gravité.

bénir v. **1.** *Le pape bénit la foule,* il appelle sur elle la protection de Dieu. **2.** *Je bénis cette rencontre,* j'en suis très heureux (≠ maudire).
■ **bénédiction** n.f. SENS 1 *Le prêtre donne sa bénédiction aux mariés,* il les bénit.
■ **bénit, e** adj. SENS 1 *L'eau bénite* est de l'eau consacrée par une cérémonie religieuse.
■ **bénitier** n.m. SENS 1 *Un bénitier* est un petit bassin, souvent en pierre, contenant de l'eau bénite.
R. On distingue dans l'orthographe *bénit,* adjectif, et *béni,* participe passé.

benjamin, e n. *Nicole est la benjamine du groupe,* la plus jeune (≠ aîné).
R. On prononce [bɛ̃ʒamɛ̃].

benne n.f. *Le camion transporte du sable dans sa benne,* dans la grande caisse qu'il a à l'arrière.

béquille n.f. *Depuis sa chute, elle marche avec des béquilles,* des sortes de bâtons sur lesquels elle s'appuie.

bercail n.m. *Anne est revenue au bercail,* chez elle.

bercer v. *Bercer un enfant,* c'est le balancer doucement.

■ **berceau** n.m. *Le nouveau-né est dans un berceau,* un lit que l'on peut balancer.

■ **berçante** n.f. Une *berçante* est un fauteuil à bascule.

■ **bercement** n.m. *Le bercement de la voiture l'avait endormi.*

■ **berceuse** n.f. *La cantatrice chante une berceuse,* une chanson pour endormir les enfants.

béret n.m. *Les marins sont coiffés d'un béret bleu.*

berge n.f. *Le pêcheur est installé sur la berge,* sur le bord de la rivière.

berger, ère n. *La bergère garde ses moutons,* la personne qui veille sur le troupeau.

■ **bergerie** n.f. *Les moutons sont enfermés dans la bergerie,* dans un local de la ferme.

bergère n.f. Une *bergère* est un type de fauteuil large et profond.

berlingot n.m. **1.** *Les enfants se partagent un paquet de berlingots,* une sorte de bonbons. **2.** *Caroline a acheté un berlingot de lait,* du lait dans une boîte de carton.

berlue n.f. *C'est bien ta sœur qui arrive, je n'ai pas la berlue ?,* mes yeux ne me trompent pas ?

bermuda n.m. Un *bermuda* est un short s'arrêtant aux genoux.

bernache ou **barnache** n.f. *À l'automne, on peut admirer le vol des bernaches* (= outarde).

bernard-l'ermite n.m.inv. *Les bernard-l'ermite* sont des petits crustacés qui se logent dans des coquilles vides.

berne n.f. *Les drapeaux sont en berne,* enroulés en signe de deuil.

berner v. *Ce marchand nous a bernés,* il nous a trompés, dupés.

bernique n.f. La *bernique* est un coquillage en forme de cône qu'on trouve sur les rochers de la mer.

besogne n.f. *On l'emploie à toutes sortes de besognes* (= travail, tâche).

besoin n.m. **1.** *J'ai besoin de repos,* le repos m'est nécessaire. **2.** *Ce malheureux est dans le besoin,* il est très pauvre (= misère). **3.** *Les bébés font leurs besoins dans leurs couches* (= excréments).

bestial, bestiaux, bestiole → bête.

best-seller n.m. Un *best-seller* est un livre qui a un très grand succès.
R. On prononce [bɛstsɛlœr]. Noter le pluriel : des *best-sellers.*

bête **1.** n.f. *Ce taureau est une belle bête* (= animal). **2.** adj. *Ce chien est bête,* il n'est pas intelligent (= sot, stupide).

■ **bestial, e, aux** adj. SENS 1 *Cet homme a un visage bestial,* il ressemble à une bête.

■ **bestiaux** n.m.pl. SENS 1 *Dans un marché aux bestiaux, on vend des bœufs, des moutons, des porcs.* 361

■ **bestiole** n.f. SENS 1 *Il y a une bestiole sur le rideau,* une petite bête.

■ **bétail** n.m. SENS 1 Le *bétail* est l'ensemble des bestiaux.

■ **bêtement** adv. SENS 2 *Cet accident est arrivé bêtement,* à cause d'une bêtise.

■ **bêtise** n.f. SENS 2 *Tu as montré ta bêtise* (= sottise, stupidité). *Les enfants ont fait des bêtises* (= sottise).

■ **abêtir** v. SENS 2 *En lisant ces niaiseries, tu vas t'abêtir,* devenir bête.

béton n.m. *Ce mur est en béton,* en un mélange de ciment, de gravier, de sable et d'eau. 801, 152

■ **bétonnière** n.f. *La bétonnière est une cuve tournante qui sert à faire le béton.* 150

bette ou **blette** n.f. La *bette* est un légume de la même espèce que la betterave. 367

betterave n.f. *Dans cette région, on cultive la betterave à sucre,* une plante dont la racine fournit du sucre. *La betterave rouge se mange en salade.* 367, 365

beugler v. *La vache beugle sans arrêt,* elle crie (= mugir).

■ **beuglement** n.m. *On entend les **beuglements** du taureau* (= mugissement).

222 beurre n.m. *On fait du **beurre** avec la crème du lait.*
■ **beurrée** n.f. *Veux-tu une bonne **beurrée** de beurre d'arachide ?,* une tartine.
■ **beurrer** v. **1.** *Beurrer un moule à gâteau,* c'est l'enduire de beurre. **2.** Fam. *Il a les mains **beurrées,*** sales.
■ **beurrier** n.m. *Le beurre est servi à table dans un **beurrier,*** un récipient dans lequel on conserve et met le beurre.

beuverie n.f. *La fête s'est terminée en **beuverie,*** on a bu jusqu'à l'ivresse.

bévue n.f. *Une **bévue** est une grosse erreur.*

bi- au début d'un mot indique l'idée de *deux : un bimoteur a deux moteurs,* etc.

biais n.m. **1.** *La poule a traversé la route en **biais,*** en oblique, en diagonale. **2.** *Tu as trouvé un **biais** pour ne pas répondre à ma question,* un moyen habile.
■ **biaiser** v. SENS 2 *Quand on lui pose une question précise, elle **biaise** toujours,* elle ne répond jamais directement.

bibelot n.m. *L'étagère est garnie de **bibelots,*** de petits objets décoratifs.

biberon n.m. *Mme Dupont fait chauffer le **biberon** de lait de son bébé,* un flacon muni d'une tétine. *Bébé a bu tout son **biberon,*** le contenu du flacon.

bibite ou **bebite** n.f. Fam. **1.** *Martin a peur des **bibites,*** des bestioles. **2.** *Il a des **bibites** plein la tête,* des préoccupations, des idées un peu folles.

bible n.f. **1.** *Le christianisme est fondé sur la **Bible,*** un recueil de textes religieux (= Écriture sainte). **2.** *Ce vieux livre de cuisine est ma **bible,*** j'applique soigneusement les indications qu'il me donne.
■ **biblique** adj. SENS 1 *Moïse est un personnage **biblique,*** de la Bible.

bibliothèque n.f. **1.** *Luce se constitue une **bibliothèque,*** une collection de li-

vres. **2.** *J'emprunte des livres à la **bibliothèque** municipale,* un organisme qui prête des livres. **3.** *On range les livres dans une **bibliothèque,*** un meuble spécial.
■ **bibliothécaire** n. SENS 2 *La **bibliothécaire** s'occupe du classement et du prêt des livres par la bibliothèque.*
■ **bibliobus** n.m. *Un **bibliobus** est un véhicule aménagé en bibliothèque de prêt pour desservir les régions éloignées.*

biblique → *bible.*

bicentenaire → *cent.*

biceps n.m. *L'athlète plie son avant-bras pour gonfler ses **biceps.***

biche n.f. *La **biche** est la femelle du cerf.*

bichonner v. *Elle **bichonne** sa voiture,* elle est aux petits soins pour elle.

bicoque n.f. *Ils se sont acheté une **bicoque** à la campagne,* une petite maison sans grande valeur.

bicorne n.m. *Un **bicorne** est un chapeau à deux pointes.*

bicyclette → *cycle.*

bidet n.m. *Le **bidet** est à côté de la baignoire,* une cuvette allongée.

1. bidon n.m. *L'huile pour moteur est vendue en **bidons,*** dans des récipients de métal ou de plastique.

2. bidon adj.inv. Fam. *Cette histoire est complètement **bidon*** (= faux, truqué).

bidonville n.m. *Des malheureux vivent dans des **bidonvilles,*** des quartiers de cabanes en matériaux divers (planches, plaques de tôles, etc.).

bief n.m. *Un **bief** est un petit canal.*

bielle n.f. *Dans un moteur, le va-et-vient des pistons est transformé en mouvement rotatif par des **bielles,*** des barres métalliques mobiles.

bien adv. **1.** *Il a **bien** chanté* (≠ mal). **2.** *J'aime **bien** les gâteaux* (= beaucoup). **3.** *Elle est* **bien** *contente* (= très). **4.** *J'ai* **bien** *essayé d'entrer, mais la porte était fermée* (= certes, sans doute).

■ **bien** adj.inv. **1.** *Elle est* **bien***, elle est belle.* **2.** *Un homme* **bien** *est un homme estimable* (= sérieux). **3.** *Nous sommes* **bien***, dans des conditions confortables.*

■ **bien** n.m. **1.** *Tu ne distingues pas le* **bien** *du mal,* ce qui est moral, convenable. **2.** *Ce médicament m'a fait du* **bien***,* il m'a soulagé. **3.** *Cette famille possède des* **biens***,* de la fortune et des propriétés.

■ **bien-être** n.m. **1.** *Après le bain on éprouve une sensation de* **bien-être***,* on se sent bien (≠ malaise). **2.** *Vivre dans le* **bien-être***,* c'est vivre dans l'aisance et le confort.

■ **bien que** conj. *Elle sort sans parapluie* **bien que** *le ciel soit menaçant* (= quoique).

■ **bien du, de la, des** adj. indéfinis *Bien des personnes m'approuvent,* beaucoup de personnes. *Ça m'a donné* **bien du** *mal* (= beaucoup de ; ≠ peu de).

bien-aimé → *aimer.*

bienfait n.m. *Je ressens les* **bienfaits** *de ce médicament,* je sens qu'il m'a fait du bien.

■ **bienfaiteur, trice** n. *Elle a été sa* **bienfaitrice***,* elle l'a secouru.

■ **bienfaisant, e** adj. *À la sécheresse a succédé une pluie* **bienfaisante***,* qui a fait du bien (= bénéfique).

■ **bienfaisance** n.f. *Une œuvre de* **bienfaisance** *a pour but de soulager des misères.*
R. On prononce [bjɛ̃fəzɑ̃, bjɛ̃fəzɑ̃s].

bien-fondé n.m. *Nous examinerons le* **bien-fondé** *de votre réclamation,* si elle est justifiée (= légitimité).

bienheureux → *heureux.*

bien-pensant, e n. et adj. *Ces déclarations ont scandalisé les* **bien-pensants***,*

les gens qui se conforment aux traditions (= conformiste).

bienséant, e adj. *Il serait* **bienséant** *de vous excuser de votre absence,* convenable, poli, bien élevé (≠ malséant).

■ **bienséance** n.f. *La* **bienséance** *interdit ici les mots grossiers,* la bonne éducation.

bientôt adv. *Nous serons* **bientôt** *prêts,* dans peu de temps.

bienveillant, e adj. *Des paroles* **bienveillantes** *indiquent qu'on est bien disposé envers quelqu'un.*

■ **bienveillance** n.f. *Ses parents sont d'une grande* **bienveillance** (= compréhension, indulgence ; ≠ malveillance).

bienvenu, e adj. *Cette somme d'argent est* **bienvenue***,* elle vient à point.

■ **bienvenue** n.f. *Mme Durand a souhaité la* **bienvenue** *à ses invités,* elle les a accueillis avec des paroles aimables.

1. bière n.f. *Nous buvons de la* **bière***,* une boisson fermentée, blonde ou brune, faite avec de l'orge et du houblon.

2. bière n.f. *On a mis le corps en* **bière***,* dans un cercueil.

biffer v. *Biffer un mot dans une phrase,* c'est le rayer (= barrer).

bifteck ou **steak** n.m. *Au dîner, j'ai mangé un* **bifteck***,* une tranche de bœuf grillée.

bifurquer v. **1.** *Ici, la route* **bifurque***,* elle se divise en deux branches. **2.** *La voiture a* **bifurqué** *au carrefour,* elle a changé de direction.

■ **bifurcation** n.f. SENS 1 *Prenez à gauche à la* **bifurcation** *!,* à l'endroit où la route bifurque (= croisement, embranchement).

bigame, bigamie → *monogamie.*

bigarré, e adj. *Une étoffe bigarrée a des couleurs vives et contrastées* (= bariolé).
■ **bigarrure** n.f. *Sa robe a des bigarrures.*

bigarreau n.m. Les *bigarreaux* sont des cerises à chair ferme.

722 **bigorneau** n.m. Les *bigorneaux* sont de petits coquillages marins comestibles ressemblant à des escargots.

bigot, e adj. et n. *Cette personne est un peu bigote,* elle a une façon mesquine de pratiquer la religion.
■ **bigoterie** n.f. *La bigoterie est une déformation de la piété.*

bigoudi n.m. *Pour friser une mèche de cheveux, on l'enroule mouillée sur un bigoudi,* un petit rouleau.

bigre ! interj. marque une certaine surprise : *Bigre ! quel froid, ce matin !*
■ **bigrement** adv. *Ce travail est bigrement difficile !* (= très, fameusement).

220 **bijou** n.m. **1.** *Aimez-vous porter des bijoux ?,* des colliers, des bagues, etc. **2.** *Ce meuble est un vrai bijou,* il est finement travaillé.

220 ■ **bijouterie** n.f. SENS 1 *La vitrine de la bijouterie a été cassée,* du magasin où l'on vend des bijoux.
■ **bijoutier, ère** n. SENS 1 *La bijoutière vient de fermer son magasin.*

bilan n.m. **1.** *Le commerçant fait son bilan annuel,* il fait ses comptes de l'année. **2.** *Le bilan d'une journée de travail,* c'est son résultat ; *le bilan d'un accident,* ce sont ses conséquences.

bilatéral → *latéral.*

bile n.f. **1.** *Le foie sécrète la bile,* un suc digestif jaunâtre et amer. **2.** Fam. *Tu te fais trop de bile,* du souci.
■ **se biler** v. SENS 2 Fam. *Ne te bile pas, ça s'arrangera,* ne te fais pas de souci.
■ **bileux, euse** adj. et n. SENS 2 Fam.

Pierre n'est pas bileux, il n'est pas d'un tempérament inquiet.
■ **biliaire** adj. SENS 1 *La vésicule biliaire* est une petite poche qui contient la bile.
■ **bilieux, euse** adj. SENS 1 *Caroline a un teint bilieux,* jaunâtre.

bilingue adj. *Une personne bilingue* parle deux langues.

bille n.f. **1.** *Ces enfants jouent avec des billes,* des petites boules servant à divers jeux. **2.** *Le camion transporte des billes de bois,* des grands morceaux de troncs d'arbres.
■ **billard** n.m. SENS 1 *Nous avons joué au billard,* un jeu où l'on pousse des grosses billes avec un bâton appelé *queue.*
■ **billot** n.m. SENS 2 *Pour fendre une bûche, on la pose sur un billot,* un gros morceau de bois.

billet n.m. **1.** *J'ai payé mes achats avec un billet de 20 $* (= billet de banque). **2.** *Le voyageur montre son billet de chemin de fer au contrôleur* (= ticket).
■ **billetterie** n.f. SENS 2 *Une billetterie est un endroit où l'on vend des billets de spectacle.*

billot → *bille.*

bimensuel → *mois.*

bimoteur → *moteur.*

binaire adj. *Un rythme binaire* est un rythme à deux temps.

biner v. *Le jardinier bine les haricots,* il retourne la terre en surface autour des pieds.
■ **binette** n.f. **1.** *Pour biner on se sert d'une binette.* **2.** Fam. *Tu fais une drôle de binette !* (= tête).

biniou n.m. *Les Bretons et les Bretonnes dansent au son du biniou,* une sorte de cornemuse.

bingo n.m. *Il joue au bingo tous les mercredis,* un jeu de hasard collectif.

binocle n.m. *Autrefois, certains hommes portaient des binocles,* des lunettes sans branches pinçant le nez.

biographie n.f. *La biographie d'un écrivain est l'histoire de sa vie.*
■ **biographique** adj. *Une notice biographique résume la vie de quelqu'un.*

biologie n.f. *Catherine se passionne pour la biologie,* l'étude scientifique des êtres vivants.

bipède n. et adj. *L'être humain est un bipède,* il a deux pieds.

biplace n.m. et adj. *Un biplace est un petit avion à deux places.*

biplan n.m. *Les biplans étaient des avions qui avaient deux paires d'ailes superposées.*

bique n.f. *Fam. Une bique,* c'est une chèvre.

biréacteur → *réaction.*

1. bis adv. *Ma maison porte le numéro 6 bis car la maison voisine porte déjà le numéro 6.*
■ **bis !** interj. *Les spectateurs crient : « Bis ! bis ! »,* ils veulent que l'artiste fasse son numéro une deuxième fois.
R. On prononce le s : [bis].

2. bis, bise adj. *J'aime le pain bis,* un pain de couleur grise.
R. On prononce [bi, biz].

bisbille n.f. Fam. *Être en bisbille avec quelqu'un,* c'est avoir une petite querelle, une dispute peu grave avec quelqu'un.

biscornu, e adj. *1. Un objet biscornu a une forme étrange, irrégulière. 2. Une idée biscornue est bizarre.*

biscotte n.f. *À la place du pain, elle achète des biscottes,* des tranches de pain brioché séchées.

biscuit n.m. *1. Conchita grignote des biscuits,* des gâteaux secs. *2. Fam. Sylvie mange des biscuits soda avec sa crème de tomate,* un type de biscuit, en général salé.

1. bise n.f. *La bise souffle du nord,* un vent glacé.

2. bise n.f. Fam. *Marie nous a fait la bise,* elle nous a embrassés.
■ **bisou** n.m. est un équivalent fam. de *bise, baiser.*

biseau n.m. *Cette glace est taillée en biseau,* le bord est coupé en oblique.
■ **biseauté, e** adj. *Cette glace est biseautée.*

bison n.m. *L'Amérique du Nord avait autrefois d'immenses troupeaux de bisons,* de grands bœufs sauvages.

bissectrice n.f. *La bissectrice d'un angle* partage celui-ci en deux angles égaux.

bissextile adj. *Tous les quatre ans, l'année est bissextile,* elle dure 366 jours et février a 29 jours au lieu de 28.

bistouri n.m. *Le chirurgien opère avec un bistouri,* un petit couteau.

bistre adj.inv. *La moquette est bistre,* d'un brun jaunâtre.

bistrot ou **bistro** n.m. *On va boire un verre au bistrot,* au débit de boissons (= café, bar).

bitume n.m. *Les trottoirs sont revêtus de bitume* (= goudron, asphalte).

bivouac n.m. *Les alpinistes installent un bivouac au pied de la montagne,* un campement pour la nuit.
■ **bivouaquer** v. *Nous bivouaquerons à 2 000 mètres d'altitude* (= camper).

bizarre adj. *Une idée bizarre, un objet bizarre* surprennent, étonnent (= étrange, curieux, extravagant ; ≠ ordinaire).
■ **bizarrement** adv. *Elle gesticulait bizarrement* (= étrangement, curieusement).
■ **bizarrerie** n.f. *Les bizarreries de l'orthographe française sont nombreuses.*

blablabla n.m. Fam. *Tout ça, c'est du blablabla,* de vaines paroles (= verbiage).

583, 802

385

blafard, e adj. *Une lumière blafarde est pâle et triste.*

1. blague n.f. *Mon père prend sa pipe et sa blague à tabac,* un petit sac destiné à contenir du tabac.

2. blague n.f. Fam. 1. *Tu passes ton temps à dire des blagues,* des plaisanteries. 2. *On m'a fait une blague,* une farce. 3. *J'ai fait une grosse blague,* une grosse bêtise.

■ **blaguer** v. SENS 1 *Tu as dit ça pour blaguer* (= plaisanter).

blaireau n.m. 1. *Le blaireau est un petit animal sauvage au poil raide.* 2. *On fait mousser le savon à barbe avec un blaireau,* un gros pinceau.

blâme n.m. *On lui a infligé un blâme,* on l'a réprimandé pour une faute qu'il avait commise.

■ **blâmable** adj. *Les agissements de ces fonctionnaires sont blâmables* (= condamnable).

■ **blâmer** v. *Elle nous a blâmés d'avoir menti* (= désapprouver, critiquer).

blanc, blanche adj. 1. *La neige est blanche.* 2. *Ils sont de race blanche.* 3. *Tu m'accuses à tort, je suis blanc comme neige,* je suis innocent. 4. *Un examen blanc ne compte pas.* 5. *Une nuit blanche est une nuit sans sommeil.* 6. *Denise m'a donné carte blanche dans cette affaire,* elle m'a laissé agir à ma guise.

■ **blanc** n.m. SENS 1 *Ma boîte de gouache contient un gros tube de blanc,* de peinture blanche. *Elle est vêtue de blanc,* de vêtements blancs. *Quand on écrit, on laisse des blancs entre les mots* (= espace). *Le blanc d'œuf, le blanc de l'œil* sont de couleur blanche. SENS 4 *Dans mon fusil il y a une cartouche à blanc,* sans projectile. SENS 2 *L'Europe est habitée par des Blancs,* des gens de race blanche.

■ **blanchâtre** adj. SENS 1 *À force d'être lavé, son jean a pris une teinte blanchâtre,* vaguement blanche.

■ **blanche** n.f. *Une blanche est une note de musique.*

■ **blancheur** n.f. SENS 1 *Nous étions éblouis par la blancheur de la neige.*

■ **blanchir** v. 1. SENS 1 *Le peintre blanchit la façade de la maison,* il y met de la peinture blanche. *Quand on vieillit, les cheveux blanchissent,* ils deviennent blancs. SENS 3 *L'accusée a été blanchie,* on a démontré son innocence. 2. *L'équipe adverse a été blanchie,* elle n'a pas marqué un seul point.

■ **blanchissage** n.m. 1. SENS 1 *Cette lessive est très bonne pour le blanchissage du linge* (= lavage). 2. *Les Nordiques de Québec ont subi un blanchissage.*

■ **blanchisserie** n.f. SENS 1 *Elle donne son linge à laver et à repasser dans une blanchisserie* (= laverie).

■ **blanchisseur, euse** n. SENS 1 *La blanchisseuse est en train de repasser les draps de ses clients.*

blanc-bec n.m. Fam. *Ce n'est pas un blanc-bec comme lui qui va m'apprendre mon métier !,* un jeune homme sans expérience.
R. Noter le pluriel : des *blancs-becs.*

blanchon n.m. *Le blanchon a une fourrure blanche,* le petit du phoque.

blanc-manger ou **blanc mangé** n.m. *Papa prépare du blanc-manger,* une crème en gelée avec du lait et du sucre.
R. Noter les pluriels : des *blancs-mangers,* des *blancs-mangés.*

blanquette n.f. *La blanquette,* c'est de la viande de veau en ragoût.

blasé, e adj. *Elle a lu tellement de romans policiers qu'elle en est blasée,* ils ne l'intéressent plus.

blason n.m. *Les villes, les pays, les familles nobles ont chacun leur blason,* un dessin qui leur est particulier (= armoiries).

blasphème n.m. *Il a proféré des blasphèmes,* il a dit des paroles qui offensent la religion.

■ **blasphémer** v. *La colère le fait blasphémer,* lui fait dire des blasphèmes.

■ **blasphémateur, trice** adj. et n. *On a accusé cet écrivain d'être un **blasphémateur.***
■ **blasphématoire** adj. *Tu as prononcé des paroles **blasphématoires.***

blatte n.f. est un équivalent de *cafard* au sens 1.

blazer n.m. Un *blazer* est une veste croisée en tissu bleu marine ou en flanelle. **R.** On prononce [blazɛr].

blé n.m. **1.** *Avec les grains de **blé** transformés en farine, on fait le pain.* **2.** *Je mets du beurre sur mon **blé d'Inde,*** du maïs en épi.

blême adj. *Après l'accident, son visage était **blême*** (= pâle, livide).
■ **blêmir** v. *Elle **blêmit** de rage,* elle devint blême.

blesser v. **1.** *D'un coup de patte, le lion a **blessé** le dompteur,* il lui a déchiré la chair. **2.** *J'ai été **blessé** par tes paroles désagréables,* j'ai été vexé (= froisser, peiner, offenser).
■ **blessure** n.f. SENS 1 *Une plaie, une fracture, une morsure, une brûlure sont des **blessures.*** SENS 2 *Je n'ai pas oublié cette **blessure** d'amour-propre.*
■ **blessant, e** adj. SENS 2 *Tu m'as dit des paroles **blessantes*** (= vexant).
■ **blessé, e** n. SENS 1 *L'accident a fait un mort et deux **blessés.***

blet, blette adj. *Une poire **blette** est trop mûre, molle.*
■ **blettir** v. *Les poires commencent à **blettir,*** à devenir blettes.

blette → *bette* et *blet.*

bleu, e adj. **1.** *Un ciel sans nuages est **bleu.*** **2.** *J'ai eu une **peur bleue,*** très peur. **3.** *Il aime son steak **bleu,*** très saignant.
■ **bleu** adv. *Ma tante a voté **bleu,*** pour les conservateurs.
■ **bleu** n.m. SENS 1 **1.** *Le **bleu** va très bien à votre teint.* **2.** *En me cognant, je me suis fait un **bleu,*** une marque bleue sur la peau. **3.** *Le mécanicien porte un **bleu** de travail,* un vêtement en toile bleue.

■ **bleuâtre** adj. SENS 1 *Elle porte un pantalon délavé, **bleuâtre,*** vaguement bleu.
■ **bleuet** n.m. SENS 1 *Au bord du champ, on cueille des **bleuets,*** les baies bleues de la myrtille d'Amérique ou de l'airelle des bois. | 651
■ **bleuetière** n.f. SENS 1 *Une **bleuetière** est un terrain où pousse le bleuet.*
■ **bleuir** v. SENS 1 *Ses mains **sont bleuies** par le froid,* elles sont devenues bleues.
■ **bleuté, e** adj. SENS 1 *Le pied de cette lampe est **bleuté,*** légèrement coloré de bleu.

blinder v. *Une porte **blindée** est doublée de métal pour résister aux chocs.*
■ **blindé** n.m. *Un groupe de **blindés** a attaqué l'ennemi* (= char, tank).
■ **blindage** n.m. *Le **blindage** du char a résisté aux obus.*

blizzard n.m. Le *blizzard* est un vent violent, souvent accompagné de neige.

bloc n.m. **1.** *D'énormes **blocs** de pierre se sont détachés de la falaise* (= masse). **2.** *Ces syndicalistes forment un **bloc,*** un groupe uni (= union). **3.** *Un **bloc** de papier à lettres est un ensemble de feuilles collées par le haut.* **4.** Fam. *Il a passé la nuit au **bloc,*** en prison, ou au commissariat de police. **5.** *Les élèves ont refusé **en bloc** le projet de leur camarade,* ils l'ont tous refusé. **6.** *Serrez cette vis **à bloc** !,* le plus possible (= à fond). | 151, 584, 293
■ **bloc-notes** n.m. SENS 3 *La secrétaire a inscrit les renseignements sur son **bloc-notes,*** un bloc à feuilles détachables.

blocage, blocus → *bloquer.*

blond, e **1.** adj. et n. *Martine a les cheveux **blonds** comme les blés* (= clair ; ≠ noir). *C'est une **blonde*** (≠ brun). **2.** n.f. Fam. *Jacques a une nouvelle **blonde,*** une amie de cœur.
■ **blondinet, ette** n. SENS 1 *Son fils est un joli **blondinet,*** un petit enfant blond.

bloquer v. **1.** *L'autoroute **est bloquée** par un accident,* les voitures ne peuvent plus avancer (= boucher). **2.** *L'automobiliste* *a bloqué le frein à main,* elle l'a serré à fond. **3.** *Le gouvernement a décidé de bloquer les prix,* de les empêcher de monter. **4.** *Le gardien a bloqué le ballon* (= arrêter).

■ **blocage** n.m. SENS 3 *Le blocage des prix s'accompagne du blocage des salaires.*

■ **blocus** n.m. SENS 1 *Les ennemis ont fait le blocus de la ville,* on ne peut plus y rentrer ni en sortir (= siège).

■ **débloquer** v. SENS 2 *Peux-tu débloquer cette vis ?,* réussir à la desserrer. SENS 3 *Des crédits ont été débloqués pour financer l'opération,* ils ont été rendus disponibles.

■ **déblocage** n.m. SENS 3 *Le déblocage des crédits permet d'effectuer les travaux.*

se blottir v. *L'enfant apeuré se blottit dans les bras de son père,* il se serre contre lui (= se pelotonner).

37 **blouse** n.f. **1.** *Pour ne pas salir leurs vêtements, beaucoup de travailleurs portent une blouse,* un long vêtement de toile (= tablier). **2.** *Mme Duval a mis une blouse en soie,* un type de corsage.

37, 765 **blouson** n.m. *Hiver comme été, je porte un blouson,* une veste courte.

blue-jean → **jean**.

bluff n.m. *Cette publicité pour un produit qui nettoie tout seul est du bluff,* elle trompe les gens en exagérant.

■ **bluffer** v. *Tu bluffes quand tu affirmes savoir plonger, tu ne sais pas* (= se vanter).

R. On prononce [blœf, blœfe].

434 **boa** n.m. *Le boa est un gros serpent d'Amérique du Sud.*

bob → **bobsleigh**.

bobard n.m. Fam. *On a raconté ça, mais c'est un bobard,* une fausse nouvelle.

296, 440, 807 **bobine** n.f. *Le fil à coudre, les films sont enroulés sur des bobines,* des cylindres spéciaux.

■ **débobiner** v. *Tout le fil est débobiné,* déroulé de la bobine.

■ **embobiner** v. **1.** *Embobiner du fil,* c'est l'enrouler sur une bobine. **2.** Fam. *Tu t'es laissé embobiner,* séduire par de belles paroles, duper.

bobo n.m. Fam. *J'ai un bobo au doigt,* une petite blessure sans gravité.

bobsleigh ou **bob** n.m. *Les compétitions de bobsleigh ont lieu sur des pistes de glace,* un sport pratiqué sur un traîneau.

R. On prononce [bɔbslɛg].

bocage n.m. *La Bretagne est une région de bocages,* les champs sont fermés par des haies.

bocal n.m. **1.** *Certaines conserves de légumes, de fruits sont en bocaux,* dans des récipients de verre. **2.** *Un poisson rouge tourne dans son bocal,* dans son aquarium en forme de globe.

bœuf n.m. *On élève les bœufs pour se nourrir de leur viande.*

■ **bovin, e** adj. *Des yeux bovins sont inexpressifs comme ceux d'un bœuf.*

■ **bovins** n.m.pl. *Les vaches, les taureaux, les bisons sont des bovins.*

R. Le pluriel *bœufs* se prononce [bø].

bohème **1.** n.f. *Mener une vie de bohème,* c'est ne jamais rester longtemps au même endroit. **2.** adj. et n. *Anne est très bohème,* elle mène une existence désordonnée et insouciante.

■ **bohémien, enne** n. *Un groupe de bohémiens campe à l'entrée de la ville* (= nomade, gitan, romanichel).

boire v. **1.** *Quand j'ai soif, je bois de l'eau* (= avaler). **2.** *Cet individu boit,* il absorbe trop d'alcool (= s'enivrer). **3.** *La terre a bu l'eau de pluie,* elle l'a absorbée. **4.** *Tu bois les paroles de ta sœur,* tu les écoutes avec admiration.

■ **boisson** n. f. SENS 1 *Le jus de fruits est une boisson,* un liquide que l'on peut boire. SENS 2 *Cette personne s'adonne à la boisson* (= alcool).

■ **buvable** adj. SENS 1 *Ce médicament existe en ampoules buvables,* que l'on peut boire.

■ **buvard** adj. et n.m. SENS 3 *Le (papier) buvard boit l'encre.*

■ **buveur, euse** n. SENS 1 *C'est un buveur de bière,* il aime en boire.

■ **imbuvable** adj. SENS 1 *Ce vin est imbuvable* (= mauvais, infect).
R. → Conj. n° 75.

bois n.m. **1.** *Ici, la route traverse un bois,* un groupement d'arbres plus petit qu'une forêt. **2.** *Pour faire du feu dans la cheminée, on met du bois,* la matière dure tirée du tronc ou des branches des arbres. *Cette vieille armoire est en bois de pommier.* **3.** *Les bois du cerf sont ses cornes.*

■ **boisé, e** adj. et n.m. SENS 1 *L'Abitibi est une région boisée,* couverte de bois. Un *boisé* est un petit bois.

■ **boiserie** n.f. SENS 2 *Les murs de la salle sont revêtus de boiseries,* de panneaux décoratifs en bois.

■ **bosquet** n.m. SENS 1 *Le champ est bordé par un bosquet,* un petit groupe d'arbres.

■ **déboiser** v. SENS 1 *On a déboisé une partie de la forêt,* on a coupé des arbres.

■ **déboisement** n.m. SENS 1 *Le déboisement excessif risque de modifier le climat.*

■ **reboiser** v. SENS 1 *On a reboisé cette région,* on y a replanté des arbres.

■ **reboisement** n.m. SENS 1 *Le reboisement de la région est en cours.*

■ **sous-bois** n.m. SENS 1 *Nous nous promenons dans un sous-bois,* sous les arbres d'un bois.

boisseau n.m. Le *boisseau* est une ancienne mesure pour les grains qui valait 8 gallons, l'équivalent de 36,36 litres.

boisson → *boire.*

boîte n.f. **1.** *Une boîte à outils* est un récipient dans lequel on met les outils. *Tous les jours, papa va chercher le courrier dans la boîte aux lettres.* **2.** *Ils ont mangé une boîte entière de chocolats,* les chocolats contenus dans une boîte. **3.** *Une boîte de nuit* est un cabaret. **4.** Fam. *Elle a mis Gérard en boîte,* elle s'est moquée de lui, l'a taquiné.

■ **boîtier** n.m. SENS 1 *Le mécanisme de la montre est enfermé dans un boîtier d'acier.*
R. *Boîte* se prononce [bwat] comme [*je*] *boite* (de *boiter*).

boiter v. *Sa blessure au genou la fait boiter,* elle marche en penchant d'un côté.

■ **boiteux, euse** adj. et n. **1.** *Après son accident, Pierre est resté boiteux,* il boite. **2.** *Une explication boiteuse* ne tient pas debout.

boîtier → *boîte.*

bol n.m. **1.** *Verse le lait dans un bol,* un petit récipient rond. **2.** *J'ai bu un bol de café,* le café contenu dans un bol.

boléro n.m. Un *boléro* est une veste de femme courte et sans manches.

bolet n.m. *Nous avons mangé une omelette aux bolets,* des champignons comestibles (= cèpe).

bolide n.m. *Cette voiture est un vrai bolide,* elle est très rapide.

bombance n.f. *À ce banquet, on a fait bombance,* on a mangé et bu abondamment.

bombe n.f. **1.** *Les avions ont lâché des bombes,* des engins de guerre qui explosent. **2.** *J'ai acheté une bombe d'insecticide,* un récipient qui vaporise ce liquide. **3.** *Quand on monte à cheval, on se protège la tête avec une bombe,* une

295, 289

220

656

221

437

sorte de chapeau rond et dur. **4.** *Ce fait divers a fait l'effet d'une **bombe**,* il a provoqué la stupeur. **5.** Une **bombe** est une bouilloire.

■ **bombarder** v. **1.** SENS 1 *Les avions **ont** bombardé un pont,* ils l'ont détruit avec des bombes. **2.** *Les journalistes l'**ont** bombardée de questions,* ils lui en ont posé sans arrêt.

■ **bombardement** n.m. SENS 1 *Le bombardement a détruit un quartier de la ville.*

767 ■ **bombardier** n.m. SENS 1 *Les bombes sont transportées par des **bombardiers**,* des avions spéciaux.

bombé, e adj. *La route est **bombée**,* elle est renflée, arrondie au milieu.

726 **bôme** n.f. La ***bôme*** est la barre horizontale au bas de la grande voile d'un bateau.

bon, bonne adj. **1.** *Ce gâteau est **bon**,* il a un goût agréable (≠ mauvais). **2.** *Une **bonne** actrice* est une actrice qui joue bien. *Une **bonne** voiture* est une voiture de qualité. **3.** *Ce meuble est **bon marché**,* il n'est pas cher. **4.** *La gare est à une **bonne** distance d'ici,* à une distance considérable. **5.** *Ce médicament est **bon** pour le foie,* il soigne le foie. **6.** *Ce billet est **bon** à jeter,* il n'y a rien à en faire que de le jeter. **7.** *Cet homme est **bon*** (= généreux, bienveillant ; ≠ méchant). *C'est une **bonne** fille,* elle est bien gentille (= brave).

■ **bon** n.m. **1.** SENS 5 *Cette solution a du **bon**,* elle a des avantages. **2.** *Un **bon** de réduction sur un paquet de lessive* est un papier donnant droit à une réduction.

■ **bon** adv. SENS 1 **1.** *Aujourd'hui, il fait **bon**,* le temps est doux. **2.** *Les roses sentent **bon**,* elles ont une odeur agréable. **3.** *Tiens **bon** !,* résiste.

■ **bon !** interj. *Ah **bon !** je suis rassuré.*

■ **bonifier** v. SENS 1 *En vieillissant, le vin se **bonifie**,* il devient meilleur (= s'améliorer).

■ **bonté** n.f. SENS 7 *La **bonté** de cette femme se lit dans ses yeux* (= générosité, bienveillance). *Auriez-vous la **bonté** de m'aider ?* (= obligeance, gentillesse).

■ **bonnement** adv. *Il est tout **bonnement** charmant.* (= vraiment, réellement).

R. *Bon* se prononce [bɔ̃] comme *bond.*

bonbon n.m. *Annie suce un **bonbon**,* une friandise à base de sucre.

■ **bonbonnière** n.f. *L'antiquaire vend une **bonbonnière** en porcelaine,* une jolie boîte à bonbons.

bonbonne n.f. *J'ai acheté une **bonbonne** de vin,* une très grosse bouteille.

bond n.m. **1.** *Le kangourou avance par **bonds*** (= saut). **2.** *Les prix ont fait un **bond**,* ils ont brusquement augmenté.

■ **bondir** v. SENS 1 *Le chat **bondit** sur le bouchon,* il saute.

■ **rebondir** v. SENS 1 *La balle **rebondit**,* elle fait un nouveau bond après avoir heurté un obstacle. SENS 2 *La discussion **rebondit**,* elle reprend sur un autre sujet.

■ **rebond** n.m. SENS 1 *Attention au **rebond** de la balle !*

■ **rebondissement** n.m. SENS 2 *L'enquête connaît un **rebondissement*** (= développement).

R. → *bon.*

bonde n.f. *On remplit le tonneau par la **bonde**,* par un trou rond.

bondé, e adj. *Le train est **bondé**,* il est rempli de voyageurs.

bondir → *bond.*

bonheur n.m. **1.** *Je vous souhaite beaucoup de **bonheur**,* d'être heureux (= malheur). **2.** *Elle a eu le **bonheur** de voir ses enfants réussir,* la chance. **3.** *Il distribue son argent au petit **bonheur**,* au hasard, n'importe comment.

■ **porte-bonheur** n.m.inv. SENS 2 *Jean a trouvé un trèfle à quatre feuilles, il dit* que c'est un **porte-bonheur,** que ça lui portera chance.

bonhomme n.m., **bonne femme** n.f. **1.** Fam. *M. Duval est un drôle de* **bonhomme,** d'homme. *C'est une sale* **bonne femme,** une femme désagréable. **2.** *Les enfants ont fabriqué un* **bonhomme** *de neige.* **R.** Remarquer le pluriel *bonshommes* [bɔ̃zɔm].

bonifier → *bon.*

boniment n.m. *Le vendeur nous raconte des* **boniments** *pour nous convaincre d'acheter,* il nous tient des propos habiles et trompeurs.

bonjour n.m. *Quand je rencontre quelqu'un dans la journée, je lui dis* **bonjour** (≠ *au revoir*).
■ **bonsoir** n.m. *Si je rencontre ou si je quitte quelqu'un le soir, je lui dis* **bonsoir.**

bonne n.f. *Nous avons engagé une* **bonne,** une employée logée qui fait les travaux ménagers.

bonnement → *bon.*

bonnet n.m. *Marie porte un* **bonnet** *de laine qui lui cache les oreilles.*

bonsoir → *bonjour.*

bonté → *bon.*

bonze n.m. *Un* **bonze** *est un religieux bouddhiste.*

boom n.m. *Cette entreprise a connu un* **boom** *important cette année,* une prospérité soudaine (= expansion). **R.** On prononce [bum].

boomerang n.m. *Un* **boomerang** *est une lame courbe qui revient à son point de départ quand on la lance d'une certaine façon.* **R.** On prononce [bumrãg].

boqueteau n.m. *Un* **boqueteau** *est un petit bois.*

bord n.m. **1.** *Ton verre est trop près du* **bord** *de la table, il va tomber* (= côté).

Ils ont une maison **au bord de la mer,** sur le rivage, la côte. **2.** *J'étais* **au bord des larmes,** sur le point de pleurer. **3.** *Nous sommes montés* **à bord** *du bateau,* nous avons embarqué.
■ **border** v. **1.** SENS 1 *La route* **est bordée** *d'arbres,* les arbres sont alignés au bord de la route. **2.** **Borde** *le lit !,* rentre les draps et les couvertures sous le matelas.
■ **bordure** n.f. SENS 1 *Une* **bordure** *de fleurs entoure la plate-bande,* des fleurs la bordent. *Une maison* **en bordure de** *mer* est bâtie au bord de la mer.
■ **déborder** v. **1.** SENS 1 *L'eau* **déborde,** *l'évier* **déborde,** l'eau passe par-dessus le bord. **2.** *Cécile* **est débordée** *de travail,* elle en a énormément, elle en est surchargée.
■ **débordement** n.m. SENS 1 *Les pluies ont provoqué le* **débordement** *de la rivière.*
■ **rebord** n.m. SENS 1 *Il s'est assis sur le* **rebord** *de la fenêtre* (= bord).

bordeaux **1.** n.m. *Le* **bordeaux** *est un vin réputé.* **2.** adj.inv. *Une robe* **bordeaux** *est d'un rouge violacé.*

bordée n.f. *Il est tombé une* **bordée** *de neige,* une chute de neige abondante.

border, bordure → *bord.*

boréal, e, als ou **aux** adj. *L'hémisphère* **boréal** *est la moitié de la Terre située au nord de l'équateur* (≠ austral).

borgne n. et adj. *Une personne* **borgne** *ne voit que d'un œil.*
■ **éborgner** v. *Tu vas m'***éborgner** *avec ta baguette !,* me crever un œil.

borne n.f. **1.** *La limite de la propriété est marquée par une* **borne,** un bloc de ciment ou un piquet métallique. **2.** (au plur.) *Tu dépasses les* **bornes** *de la politesse* (= limite).
■ **borner** v. SENS 1 *Borner un champ,* c'est mettre des repères qui en fixent les limites. SENS 2 *Bornons-nous à étudier la première question du problème* (= se limiter).

■ **borné, e** adj. SENS 2 *Un individu **borné** a une intelligence faible* (= *bouché, obtus*).

217 **borne-fontaine** n.f. *Il y a deux **bornes-fontaines** sur ma rue,* des prises d'eau utilisées en cas d'incendie.

bosquet → *bois.*

577 **bosse** n.f. **1.** *Le dos du chameau a deux **bosses*** (= *protubérance*). **2.** *La route est pleine de **bosses**,* de parties bombées. **3.** *En tombant, elle s'est fait une **bosse** au front,* son front a enflé. **4.** Fam. *Jean a la **bosse** des maths,* il est très bon en cette matière.
■ **bosselé, e** adj. SENS 2 *Une casserole **bosselée** est pleine de bosses.*
■ **bossu, e** adj. et n. SENS 1 *Polichinelle est **bossu**,* il a une bosse dans le dos.
■ **débosseler** v. SENS 2 *Karine a **débosselé** les ailes de sa voiture,* elle a réparé la carrosserie.

bot adj. m. *Cet homme a un **pied bot**,* un pied difforme.
R. *Bot* se prononce [bo] comme *beau.*

botanique n.f. **1.** *Anne étudie la **botanique**,* la science des végétaux. **2.** *Les enfants ont visité le **jardin botanique**,* un jardin où sont cultivées des fleurs, des arbres, des plantes en vue de leur étude.

365 **botte** n.f. **1.** *M. Durand a acheté une **botte** de poireaux,* des poireaux liés ensemble. **2.** *Luce a des **bottes** de cuir,* des chaussures montantes couvrant la jambe. **3.** *Porter une **botte**,* en escrime, c'est donner un coup de la pointe du fleuret.
805, 584, 37
■ **botté, e** adj. SENS 2 *Être **botté**,* c'est porter des bottes.
■ **bottillon** n.m. SENS 2 *Marie a des **bottillons** fourrés,* des petites bottes.
804, 224
■ **bottine** n.f. SENS 2 *Vers 1920, on portait des **bottines**,* des chaussures montantes.

36 **bouc** n.m. **1.** *Le **bouc** est le mâle de la chèvre.* **2.** *M. Durand a un **bouc** au menton,* une petite barbe.

boucan n.m. Fam. *Vous faites trop de **boucan**, les enfants ne peuvent pas s'endormir* (= *bruit, vacarme*).

boucane n.f. *Il y a beaucoup de **boucane** ici* (= *fumée*).

bouche n.f. **1.** *La maman met une cuillerée de bouillie dans la **bouche** de son bébé.* **2.** *Sur le trottoir, il y a une **bouche** d'égout,* un trou communiquant avec les égouts.
■ **bouchée** n.f. **1.** SENS 1 *Elle refuse de manger une **bouchée** de viande,* un morceau. **2.** *Une **bouchée** au chocolat est un bonbon fourré au chocolat.* **3.** *Ils ont acheté cette maison pour **une bouchée de pain**,* pour très peu d'argent. **4.** *Il va falloir **mettre les bouchées doubles** pour finir à temps,* aller beaucoup plus vite.
■ **buccal, e, aux** adj. SENS 1 *Ce médicament se prend par la **voie buccale**,* par la bouche.

1. boucher v. **1.** *Le cantonnier **bouche** les trous du chemin,* il les remplit (= *combler*). **2.** ***Bouche** la bouteille !,* ferme-la. **3.** *Le lavabo **est bouché**,* l'eau ne coule plus (= *obstruer*). **4.** *Cet immeuble nous **bouche** la vue,* il nous empêche de voir au loin (= *cacher*).
■ **bouchon** n.m. SENS 2 *Ces bouteilles de vin sont bouchées avec des **bouchons** de liège.* SENS 3 *Il y a un **bouchon** sur l'autoroute,* une accumulation de voitures bloquant la circulation (= *embouteillage*).
■ **déboucher** v. **1.** SENS 2 ET 3 *Mon nez est **débouché**,* l'air passe à nouveau dans mes narines. **2.** *Cette rue **débouche** sur une grande place,* elle y aboutit.
■ **débouché** n.m. *Cette usine cherche de nouveaux **débouchés**,* des endroits pour vendre ses produits.
■ **reboucher** v. SENS 1 ET 2 ***Rebouche** la bouteille !*

2. boucher, ère n. *Les **bouchers** vendent de la viande.*

■ **boucherie** n.f. **1.** *Le lundi, la **bouche-rie** est fermée,* le magasin du boucher. **2.** *Cette bataille fut une **boucherie*** (= tuerie, massacre).

bouchon → *boucher* 1.

boucle n.f. **1.** *La plupart des ceintures s'attachent à l'aide d'une **boucle**.* **2.** *Ma-rie a de belles **boucles**,* ses cheveux ne sont pas raides. **3.** *Je porte des **boucles** d'oreilles,* une sorte de bijou.
■ **boucler** v. **1.** SENS 1 *Je **boucle** les va-lises* (= fermer). *Il faut **boucler** sa cein-ture en automobile* (= attacher). SENS 2 *Fatima a les cheveux **bouclés*** (= frisé ; ≠ plat). **2.** *Les policiers **ont bouclé** le quartier pour rechercher les voleurs* (= encercler).
■ **bouclage** n.m. **1.** SENS 1 *En auto, le **bouclage** de la ceinture est obligatoire.* **2.** *Malgré le **bouclage** du quartier, on n'a pas retrouvé les malfaiteurs.*

bouclier n.m. *Autrefois, les guerriers te-naient un **bouclier**,* une plaque pour se protéger.

bouddhisme n.m. *Le **bouddhisme** est une religion de l'Asie orientale, fondée par Bouddha.*
■ **bouddhiste** adj. et n. *En Inde, en Chine, au Japon, il y a beaucoup de **bouddhistes**.*

bouder v. *Elle **boude** dans son coin,* elle est fâchée et refuse de parler.
■ **bouderie** n.f. *Sa petite **bouderie** n'a pas duré.*
■ **boudeur, euse** adj. et n. *Il a un air **boudeur*** (= renfrogné, grognon).

boudin n.m. **1.** *Le charcutier fait du **bou-din** en mettant du sang de cochon dans un boyau.* **2.** *Le bateau pneumatique est composé de deux **boudins** gonflables,* de deux longs cylindres gonflables.
■ **boudiné, e** adj. Fam. *Depuis que Jean a grossi, il est **boudiné** dans sa veste,* il est serré, à l'étroit.

boue n.f. *Attention, tu marches dans la **boue** !,* dans la terre détrempée par la pluie.
■ **boueux, euse** adj. *N'entre pas ici avec tes chaussures **boueuses**,* pleines de boue.
■ **boueux, euse** ou **éboueur, euse** n. *Les **éboueurs** vident les poubelles dans leur camion,* les employés chargés de ramasser les ordures.
R. *Boue* se prononce [bu] comme *bout* et [*il*] *bout* (de *bouillir*).

bouée n.f. **1.** *L'entrée du port est signalée par une **bouée**,* un objet flottant. **2.** *Les naufragés se cramponnaient à leur **bouée** de sauvetage,* une sorte d'anneau flottant.

boueux → *boue.*

bouffant, e adj. *Cette robe a des man-ches **bouffantes*** (≠ collant).

bouffée n.f. *Une **bouffée** d'air frais entre dans la pièce* (= souffle).

bouffer v. Très fam. *J'ai faim : il n'y a rien à **bouffer** ?,* à manger.
R. On n'emploie pas ce mot quand on surveille sa façon de parler.

bouffi, e adj. *Henri a le visage **bouffi*** (= gros, gonflé ; ≠ maigre).

bouffon, onne **1.** n. *J'aime faire le **bouffon** en société,* je veux faire rire les autres (= clown). **2.** adj. *Cette scène est **bouffonne*** (= drôle, comique).
■ **bouffonnerie** n.f. SENS 2 *L'imitateur dit des **bouffonneries**,* de grosses plaisan-teries.

bouge n.m. *Ces malheureux vivent dans un **bouge**,* un local malpropre, sordide.

bougeoir → *bougie.*

bouger v. *Je prends une photo, ne **bouge** pas !* (= remuer, se déplacer).

bougie n.f. **1.** *Pendant les pannes d'élec-tricité, on s'éclaire à l'aide de **bougies**,* de

217

727, 764

723

505 cylindres de cire ou de paraffine munis d'une mèche qu'on allume. **2.** *Les bougies d'un moteur produisent des étincelles qui font exploser le mélange d'essence et d'air.*

224 ■ **bougeoir** n.m. SENS 1 *Un bougeoir est un support pour bougie.*

bougon, onne adj. et n. *Tu m'as répondu d'un air bougon,* peu aimable.

■ **bougonner** v. *Mécontent, il s'est mis à bougonner,* à marmonner des paroles de protestation (= grogner, ronchonner).

bouillabaisse n.f. *À Marseille, j'ai mangé une bouillabaisse,* des poissons servis dans leur bouillon.

bouillant, bouilli → *bouillir.*

bouillie n.f. *Bébé mange sa bouillie,* un aliment à demi liquide fait de farine et de lait.

bouillir v. **1.** *À 100 degrés celsius, l'eau bout,* il s'y forme de grosses bulles. **2.** *Fais bouillir les légumes,* fais-les cuire dans de l'eau bouillante. **3.** *Je bouillais de colère,* j'avais du mal à contenir ma colère.

■ **bouillant, e** adj. SENS 1 *De l'eau bouillante* est de l'eau en train de bouillir. *J'aime boire mon café bouillant,* très chaud. SENS 3 *Un garçon bouillant* est vif, emporté.

■ **bouilli** n.m. SENS 2 *Ce bouilli est délicieux* (= pot-au-feu).

■ **bouilloire** n.f. SENS 1 *Fais chauffer de l'eau dans la bouilloire* (= bombe).

■ **bouillon** n.m. SENS 1 *Ma sauce doit bouillir à gros bouillons,* en faisant de grosses bulles. SENS 2 *Le bouillon de légumes,* c'est le jus de cuisson de légumes.

■ **bouillonner** v. SENS 1 *Le torrent bouillonne,* il fait des bulles, des remous.

■ **bouillonnement** n.m. SENS 1 *Le bouillonnement du torrent est impressionnant.* SENS 3 *Pendant les révolutions, il se produit des bouillonnements d'idées.*

■ **bouillotte** n.f. SENS 1 *Pour chauffer son lit, on y met une bouillotte,* un récipient plein d'eau bouillante.

■ **court-bouillon** n.m. SENS 2 *Nous avons mangé un court-bouillon de poisson,* du poisson cuit dans du bouillon.

■ **ébouillanter** v. SENS 1 *On ébouillante des légumes en les plongeant quelques instants dans l'eau bouillante. Elle s'est ébouillanté la main,* elle s'est brûlée avec du liquide bouillant.

■ **ébullition** n.f. SENS 1 *Dix minutes d'ébullition suffisent,* il suffit de faire bouillir dix minutes. SENS 3 *Cet incident a mis tout le quartier en ébullition* (= effervescence).

R. *Bouillir* → conj. n° 31. → *boue.*

boulanger, ère n. *Le boulanger et la boulangère fabriquent et vendent le pain.*

■ **boulangerie** n.f. *On achète du pain à la boulangerie.*

boule n.f. *Une boule est un objet tout rond. Les enfants se lancent des boules de neige. On met des boules à mites dans les placards pour protéger les vêtements de laine,* des boules de naphtaline.

■ **boulet** n.m. *Autrefois, les canons lançaient des boulets,* des projectiles en forme de grosse boule.

■ **boulette** n.f. *Ils se lancent des boulettes de papier,* des petites boules.

■ **boulier** n.m. *J'ai appris à compter avec un boulier (ou un boulier compteur),* un cadre formé de tringles sur lesquelles glissent des boules.

■ **boulot, otte** adj. *C'est une personne boulotte,* petite et grosse.

R. *Boulot* se prononce [bulo] comme *bouleau.*

bouleau n.m. *Le bouleau est un arbre à l'écorce blanche.*

R. → *boulot.*

bouledogue n.m. *La villa est gardée par un bouledogue,* un chien à mâchoires saillantes.

boulet, boulette → *boule.*

boulevard n.m. *La ville est entourée d'un boulevard,* une rue très large.

bouleverser v. **1.** *Je suis bouleversé par cette histoire,* très ému (= retourner). **2.** *Tu as bouleversé ma chambre,* tu y as mis du désordre (= déranger).
■ **bouleversant, e** adj. SENS 1 *Elle vient d'apprendre la nouvelle bouleversante de l'accident.*
■ **bouleversement** n.m. SENS 2 *La guerre a causé un bouleversement économique* (= désordre).

boulier → *boule.*

boulon n.m. *Ces deux pièces sont assemblées à l'aide d'un boulon,* d'une tige de métal sur laquelle se visse un écrou.

1. boulot → *boule.*

2. boulot n.m. Très fam. *On va partir au boulot,* au travail.

bouquet n.m. **1.** *Jean a offert un bouquet de fleurs à Marie,* des fleurs réunies ensemble. **2.** *Ce vin a du bouquet,* du parfum. **3.** *Le bouquet d'un feu d'artifice,* c'est la gerbe de fusées qu'on tire à la fin. **4.** Fam. *Ça, c'est le bouquet !,* c'est le plus fort, c'est le comble.

bouquetin n.m. *Le bouquetin est une chèvre sauvage à longues cornes,* qui vit dans les montagnes.

bouquin n.m. Fam. *Mehdi lit un bouquin,* un livre.
■ **bouquiner** v. Fam. *J'aime bouquiner* (= lire).
■ **bouquiniste** n. *Un bouquiniste est un marchand de livres d'occasion.*

bourbier n.m. *Ce chemin est un véritable bourbier,* il est plein de boue.
■ **bourbeux, euse** adj. *Une eau bourbeuse* est boueuse.
■ **s'embourber** v. *Dans un chemin forestier, la voiture s'est embourbée,* elle

s'est immobilisée dans la boue (= s'enliser).

bourde n.f. *Elle a fait des bourdes dans sa dictée* (= bêtise, erreur).

bourdon n.m. *Un bourdon est une grosse abeille velue.*
■ **bourdonner** v. *Beaucoup d'insectes bourdonnent en volant,* ils font un bruit sourd.
■ **bourdonnement** n.m. *On entend le bourdonnement des hannetons.*

bourg n.m. *Les habitants des hameaux vont faire leurs courses au bourg,* dans le gros village.
■ **bourgade** n.f. *Nathalie habite une bourgade,* un petit bourg (= village).

bourgeois, e n. **1.** *Autrefois, le bourgeois était celui qui habitait la ville* (≠ noble et paysan). **2.** *Les banquiers, les industriels sont des grands bourgeois ; les commerçants, les employés sont des petits bourgeois* (≠ ouvrier et paysan).
■ **bourgeois, e** adj. SENS 2 *Ils habitent un quartier bourgeois* (= riche ; ≠ populaire).
■ **bourgeoisie** n.f. SENS 2 *La Révolution française de 1789 a donné le pouvoir à la bourgeoisie,* à la classe moyenne.
■ **s'embourgeoiser** v. SENS 2 *Les Durand se sont embourgeoisés,* ils sont devenus plus riches et ont pris des habitudes de confort.

bourgeon n.m. *Au printemps, les bourgeons grossissent et s'ouvrent, donnant les feuilles et les fleurs.*
■ **bourgeonner** v. *Les arbres bourgeonnent,* les bourgeons se forment.

bourgmestre n.m. *En Belgique, en Suisse, un bourgmestre,* c'est comme un maire en France.
R. On prononce [burgmɛstr].

bourgogne n.m. *On a servi la viande avec un vieux bourgogne,* un vin réputé de la région de Bourgogne.

655

bourrade n.f. *On m'a poussé d'une **bourrade**,* d'un coup brusque.

bourrage → *bourrer.*

bourrasque n.f. *La tente a été arrachée par une **bourrasque**,* un coup de vent bref mais violent.

bourrasser v. Fam. *Réjean s'est encore fait **bourrasser** par sa sœur* (= rudoyer, malmener).

bourratif → *bourrer.*

bourre n.f. *Ce coussin est rempli de **bourre**,* de poils ou de déchets de laine et de tissu.

■ **rembourrer** v. *Les sièges de la voiture sont bien **rembourrés**,* ils sont remplis de bourre.

■ **rembourreur, euse** n. *J'ai laissé mon fauteuil chez le **rembourreur**,* la personne qui rembourre les meubles.

bourreau n.m. 1. *Le **bourreau** exécute les condamnés à mort.* 2. *On a arrêté un **bourreau** d'enfants,* une personne qui martyrisait les enfants. 3. *Denis est un **bourreau** de travail,* un travailleur acharné.

bourrée n.f. *La **bourrée** est une danse d'Auvergne.*

bourrelet n.m. 1. *On a mis un **bourrelet** au bas de la porte,* une bande de feutre, de papier, de caoutchouc qui empêche l'air de passer. 2. *Roberta se plaint de ses **bourrelets**,* ses plis de graisse.

bourrer v. 1. *Bourrer une pipe,* c'est la remplir jusqu'au bord en tassant. *Le train est **bourré** de voyageurs,* il est bondé. 2. *Ne te **bourre** pas de pain !,* n'en mange pas trop (= se gaver). 3. Fam. *On nous avait **bourré** le crâne avec toutes ces histoires,* on nous avait trompés.

■ **bourrage** n.m. SENS 3 Fam. *Toute cette publicité, c'est du **bourrage** de crâne !*

■ **bourratif, ive** adj. SENS 2 Fam. *Ce gâteau est **bourratif**,* il alourdit l'estomac.

bourriche n.f. *Pour Noël, on a acheté une **bourriche** d'huîtres,* une sorte de panier sans anse dans lequel on expédie les huîtres.

bourrique n.f. ou **bourricot** n.m. Fam. *Michel est têtu comme une **bourrique**,* comme un âne.

bourru, e adj. *C'est une personne sympathique, malgré son air **bourru**,* peu aimable (= renfrogné, dur).

bourse n.f. 1. *Autrefois, on mettait son argent dans une **bourse**,* un petit sac de cuir. 2. *Alice a une **bourse** d'études,* elle a reçu de l'argent pour l'aider à payer ses études. 3. *C'est à la **Bourse** que les financiers achètent et vendent leurs valeurs mobilières : actions, titres, etc.*

■ **boursier, ère** n. et adj. SENS 2 *Alice est une élève **boursière**.* SENS 3 *Nous avons effectué une transaction **boursière**,* une vente ou un achat en Bourse.

■ **débourser** v. SENS 1 *J'ai déboursé cent dollars* (= dépenser).

■ **débours** n.m. SENS 1 *Voilà un achat qui n'entraîne pas un gros **débours*** (= dépense).

■ **rembourser** v. SENS 1 *On m'a remboursé le billet que je n'avais pas utilisé,* on m'a rendu l'argent que j'avais donné pour le payer. *Je vais **rembourser** mon prêt,* rendre l'argent que j'ai emprunté à la banque.

■ **remboursement** n.m. SENS 1 *Le remboursement du prêt se fera en douze mois.*

boursouflé, e adj. *Jean a le visage **boursouflé*** (= enflé, gonflé).

■ **boursouflure** n.f. *Elle a des **boursouflures** sous les yeux,* des parties enflées.

bousculer v. 1. *En courant, tu as **bousculé** le vase de fleurs,* tu l'as heurté violemment. 2. *Cet enfant est sensible, il ne faut pas le **bousculer**,* lui parler rudement. 3. *J'ai été **bousculé** ces jours-ci,* j'ai eu trop de travail.

■ **bousculade** n.f. SENS 1 *Une brève **bousculade** a eu lieu entre les policiers et les manifestants,* ils se sont heurtés.

C'était la **bousculade** *à l'entrée du cinéma,* tout le monde se poussait.

bouse n.f. *Le chemin est plein de* **bouses**
de vache, d'excréments.

bousiller v. Fam. *Si tu laisses tomber ton
stylo, tu risques de* **bousiller** *la plume*
(= endommager, abîmer).

boussole n.f. *Les marins se dirigent avec
une* **boussole,** *dont l'aiguille aimantée
indique le nord.*

bout n.m. **1.** *Attends-moi au* **bout** *de la
rue !,* à son extrémité (≠ milieu et dé-
but). **2.** *J'arrive au* **bout** *de mon travail,*
à la fin. **3.** *Un* **bout** *de pain,* c'est un
morceau de pain, *un* **bout** *de bois,* c'est
un morceau de bois. **4.** *Elle est à* **bout,**
elle est excédée. **5.** Fam. *On ne gagne
pas beaucoup, on a du mal à* **joindre les
deux bouts,** à assurer toutes les dépenses nécessaires. **6.** *Au* **bout** *de deux
jours, je suis parti,* après deux jours.
R. → *boue.*

boutade n.f. *Ne vous fâchez pas : ce que
je vous dis est une* **boutade,** *ce n'est pas
sérieux (= plaisanterie).

boute-en-train n.m.inv. *Jacqueline est
un* **boute-en-train,** *elle met de la gaieté
partout où elle est.*

bouteille n.f. **1.** *On a mis le vin en* **bouteilles,** *dans des récipients de verre ayant
un goulot.* **2.** *Nous avons bu une* **bouteille** *de bière,* le contenu de la bouteille.
3. *Achète une* **bouteille** *de gaz,* du gaz
dans un récipient métallique.

bouteur n.m. *Le* **bouteur** *nivelle le terrain,* un gros engin monté sur des chenilles et qui porte une pelle à l'avant.

boutique n.f. *La* **boutique** *du fleuriste,*
c'est son magasin.
■ **arrière-boutique** n.f. *L'épicière est allée dans son* **arrière-boutique,** *la pièce
qui est derrière sa boutique.*

bouton n.m. **1.** *Les fleurs sont en*
bouton, *elles ne sont pas ouvertes.*

2. *Jacques a un* **bouton** *sur le nez,*
une petite enflure. **3.** *Mon manteau est
fermé par quatre* **boutons** *dorés.* **4.** *Je
tourne les* **boutons** *du poste de radio
pour le régler.*   296
79
■ **boutonner** v. SENS 3 *Boutonne* ton
manteau !, ferme-le.
■ **boutonneux, euse** adj. SENS 2 *Un visage* **boutonneux** *est plein de boutons.*
■ **boutonnière** n.f. SENS 3 *Le tailleur a fait
les* **boutonnières** *de ma veste,* les fentes
dans lesquelles passent les boutons.
■ **déboutonner** v. SENS 3 *J'ai* **débou-
tonné** *ma veste* (= ouvrir).

bouton-d'or n.m. *Les* **boutons-d'or** *sont
des plantes à fleurs jaunes.*   363

bouture n.f. *Mes* **boutures** *de géranium
ont pris,* les pousses mises en terre pour
qu'elles prennent racine.

bouvreuil n.m. *Le* **bouvreuil** *s'est posé
sur la branche,* un petit oiseau.

bovin → *bœuf.*

box n.m. **1.** *Elle a ramené l'étalon dans son*
box (= stalle). **2.** *Le* **box** *des accusés* est
la partie de la salle du tribunal où se tient
l'accusé pendant le procès.
R. Noter le pluriel : des **boxes.** → **boxe.**

boxe n.f. *Sur le ring, se déroule un match
de* **boxe,** *un sport de combat où les deux
adversaires se battent avec des gants
aux poings.*
■ **boxer** v. *Tu* **boxes** *dans la catégorie
poids lourd.*
■ **boxeur, euse** n. *Après le combat, les
deux* **boxeurs** *se serrent la main.*
R. *Boxe* se prononce [bɔks] comme *box.*

boxer n.m. *Un* **boxer** *est un chien voisin
du bouledogue.*
R. On prononce [bɔksɛr].

boxeur → *boxe.*

boyau n.m. **1.** *Le charcutier fait de la
saucisse avec les* **boyaux** *du cochon,* les
intestins. **2.** *La cycliste a crevé un*

512

*de ses **boyaux** pendant la course,* un pneu de vélo. **3.** *La pression d'eau n'est pas très forte dans le **boyau d'arrosage*** (= tuyau d'arrosage).

boycotter v. *Boycotter un commerçant,* c'est refuser d'acheter chez lui.

220

bracelet n.m. *Elle a un **bracelet** en or,* un anneau autour du poignet.

braconner v. *Braconner,* c'est chasser ou pêcher sans en avoir le droit.
■ **braconnage** n.m. *Le **braconnage** est puni par la loi.*
■ **braconnier, ère** n. *Le garde-chasse arrête le **braconnier,*** celui qui braconne.

brader v. *Elle a **bradé** ses livres,* elle les a vendus à bas prix (= liquider).
■ **braderie** n.f. *Les commerçants organisent deux jours de **braderie.***

braguette n.f. *La **braguette** de son pantalon est mal fermée,* la fente verticale sur le devant.

804

braies n.f.pl. *Les Gaulois portaient des **braies,*** des sortes de pantalons.

braille n.m. *Denise apprend le **braille,*** un alphabet en relief destiné aux aveugles.

brailler v. Fam. *Mon petit frère **braille** tout le temps,* il pleure, crie fort.
■ **braillard, e** adj. et n. *Un enfant **braillard** crie beaucoup.*

braire v. *L'âne **brait,*** il pousse son cri.
■ **braiment** n.m. *On entend les **braiments** de l'âne.*
R. → Conj. n° 79.

braise n.f. *On grille la viande sur la **braise,*** sur des charbons brûlant sans flamme.
■ **braisé, e** adj. *Du bœuf **braisé** a été cuit doucement.*

bramer v. *Le cerf et le daim **brament,*** ils poussent leur cri.

brancard n.m. **1.** *On transporte un blessé étendu sur un **brancard,*** une sorte de lit de toile tendue entre deux morceaux de bois* (= civière). **2.** *On attelle le cheval entre les **brancards** de la charrette,* entre les deux pièces de bois qui la prolongent.
■ **brancardier, ère** n. SENS 1 *Les deux **brancardiers** mettent la civière dans l'ambulance.*

branche n.f. **1.** *Les **branches** des arbres portent les feuilles, les fleurs et les fruits.* **2.** *Ici, l'autoroute se divise en deux **branches** correspondant à deux directions différentes.* **3.** *Il appartient à la **branche** aînée de la famille,* la partie de la famille qui descend du fils aîné. **4.** *J'ai entendu cela **à travers les branches,*** par ouï-dire.
■ **branchages** n.m.pl. SENS 1 *On a brûlé un tas de **branchages,*** de branches coupées.
■ **embranchement** n.m. SENS 2 *À l'embranchement des deux routes, tu tournes à droite* (= croisement, carrefour).

brancher v. **1.** *Brancher un appareil électrique,* c'est le raccorder sur l'installation électrique pour le faire fonctionner. **2.** Fam. *Vite, **branche-toi !,*** décide-toi.
■ **branchement** n.m. *Faire le branchement d'une canalisation d'eau,* c'est la raccorder à une autre canalisation.
■ **débrancher** v. *Débranche le fer à repasser !,* enlève sa prise de courant de la prise murale.

branchies n.f.pl. *Les poissons respirent avec leurs **branchies.***

brandebourg n.m. *Certains uniformes anciens avaient des **brandebourgs,*** des galons d'ornement horizontaux.

brandir v. *Les enfants **brandissent** des drapeaux,* ils les agitent en l'air.

branler v. *La table **branle,*** elle n'est pas stable.
■ **branlant, e** adj. *Une dent **branlante** est une dent qui bouge.*

■ **branle** n.m. *Pour chercher ce document, elle* **a mis en branle** *tous les employés du bureau, elle les a obligés à courir de tous côtés.* **2.** *Le train* **se met en branle,** il démarre.

■ **branle-bas** n.m.inv. *La veille du départ en vacances, la maison est en* **branle-bas,** il y règne une grande agitation.

braquer v. **1.** *Elle* **braque** *ses jumelles sur nous,* elle les dirige vers nous pour nous regarder. **2.** **Braque** *à droite !,* dirige les roues du véhicule vers la droite pour tourner. **3.** *Elle* **est braquée** *contre ce projet,* elle s'y oppose résolument.

■ **braquage** n.m. SENS 2 *Cette voiture a un faible rayon de* **braquage,** elle tourne en décrivant un cercle assez petit.

braquet n.m. *Les cyclistes mettent le grand* **braquet** *dans le sprint,* ils mettent le dérailleur sur la vitesse rapide, qui fait faire le plus de chemin en un tour de pédalier.

bras n.m. **1.** *La monitrice tient le débutant par le* **bras.** **2.** *Il tapait* **à tour de bras, à bras raccourcis,** avec violence. **3.** *Le policier saisit la manifestante* **à bras-le-corps,** par le milieu du corps. **4.** *On a besoin de* **bras,** d'aides, de travailleurs. **5.** *Un* **bras** *du fauteuil est cassé,* un accoudoir. **6.** *On a traversé le* **bras** *de mer en planche à voile,* une partie de mer serrée entre deux terres.

■ **brassée** n.f. SENS 1 *Marie a ramassé une* **brassée** *de foin,* autant que ses deux bras peuvent en tenir.

■ **brassard** n.m. SENS 1 *Les membres du service d'ordre portent un* **brassard,** un morceau de tissu entourant le bras.

■ **avant-bras** n.m. SENS 1 *L'* **avant-bras** est la partie qui va du poignet au coude.

brasero n.m. *Les terrassiers se réchauffent autour d'un* **brasero,** un récipient percé de trous et contenant de la braise.

R. On prononce [brazero].

brasier n.m. *La maison n'était plus qu'un immense* **brasier,** elle était entièrement en feu.

brassard → *bras.*

brasse n.f. **1.** *J'ai appris à nager la* **brasse,** une nage à plat sur le ventre. **2.** *Nous sommes à dix* **brasses** *du rivage,* à une distance du rivage qu'on peut parcourir en dix mouvements de brasse.

brassée → *bras.*

brasser v. **1.** *Brasser le linge dans l'eau de lessive,* c'est le remuer. **2.** *Brasser la bière,* c'est préparer le mélange de malt et d'eau pour la fabriquer. **3.** *Cette industrielle* **brasse** *beaucoup d'argent,* il lui passe beaucoup d'argent entre les mains. **4.** *Sophie* **brasse** *les cartes,* elle les mélange (= battre).

■ **brassage** n.m. SENS 1 *Certaines régions ont connu de grands* **brassages** *de populations* (= mélange, fusion).

■ **brasseur, euse** n. SENS 2 *Le* **brasseur** fabrique de la bière.

■ **brasserie** n.f. **1.** SENS 2 *La bière est fabriquée dans des* **brasseries.** **2.** *Allons déjeuner dans une* **brasserie,** dans une sorte de restaurant.

brassière n.f. *Une* **brassière** *est un vêtement à manches pour les bébés.*

brave adj. et n. **1.** *C'est un* **brave** *homme,* il est bon, honnête, serviable. **2.** *C'est une personne* **brave** (= courageux ; ≠ lâche).

■ **bravement** adv. SENS 2 *Elle défend* **bravement** *son petit frère* (= courageusement).

■ **braver** v. SENS 2 *Braver un danger,* c'est l'affronter sans peur. *Braver quelqu'un,* c'est s'opposer hardiment à lui (= défier, provoquer).

■ **bravoure** n.f. SENS 2 *Nos troupes ont fait preuve de* **bravoure,** elles se sont montrées braves (= courage).

■ **bravade** n.f. SENS 2 *Par* **bravade**, *je m'approchai du précipice*, pour paraître brave.

bravo n.m. et interj. *Des* **bravos** *montent de la salle*, *les spectateurs enthousiastes crient « bravo ! ».* **Bravo**, *Cléa, tu as gagné !*

bravoure → **brave**.

361 **brebis** n.f. *Les agneaux accompagnent la* **brebis**, *la femelle du mouton.*

brèche n.f. *Les ouvriers font une* **brèche** *dans le mur*, *ils démolissent une partie du mur* (= ouverture, trou).
■ **ébrécher** v. *L'assiette* **est ébréchée**, *il y a une petite cassure sur le bord.*

bréchet n.m. *Les oiseaux ont sur la poitrine un os appelé le* **bréchet**.

bredouille adj. *Le pêcheur est rentré* **bredouille**, *il n'a rien pêché.*

bredouiller v. *L'acteur, saisi par le trac, s'est mis à* **bredouiller**, *à parler d'une façon incompréhensible* (= bafouiller).
■ **bredouillement** n.m. *La récitation du poème s'acheva en* **bredouillement** (= bafouillage).

bref, brève adj. *Faites-nous un* **bref** *exposé des faits* (= court). *Une réponse* **brève** *est demandée.*
■ **bref** adv. *Il y avait des pommes, des poires, des pêches, des oranges,* **bref** *toutes sortes de fruits, en un mot.*
■ **brièvement** adv. *Répondez* **brièvement**, *en peu de mots* (≠ longuement).
■ **brièveté** n.f. *Excusez la* **brièveté** *de notre visite* (≠ longueur, durée).

breloque n.f. *Tu portes un bracelet plein de* **breloques**, *de petits bijoux qui y sont pendus.*

bretelle n.f. **1.** *La* **bretelle** *d'un fusil est une courroie qui sert à le porter.* **2.** (au plur.) *Son pantalon tient avec des* **bretelles**, *des bandes passant sur les épaules.* **3.** *On entre sur l'autoroute par une* **bretelle**, *par un tronçon de raccordement.*

bretteux, euse n. et adj. Fam. *Charles est un* **bretteux**, *quelqu'un qui ne sait pas ce qu'il veut.*

breuvage n.m. *Un* **breuvage** *est une boisson au goût bizarre et ayant une vertu spéciale.*

brevet n.m. **1.** *Lise a passé un* **brevet** *de pilotage, un examen.* **2.** *Un* **brevet** *d'invention est un papier officiel garantissant que personne n'a le droit de copier une invention.*
■ **breveter** v. SENS 2 *Breveter une invention, c'est la protéger par un brevet.*

bréviaire n.m. *Le prêtre lisait son* **bréviaire**, *un livre contenant des prières à lire chaque jour.*

bribe n.f. *On ne saisit que des* **bribes** *de conversation, des petits bouts* (= fragment).

bric-à-brac n.m.inv. *Le brocanteur a étalé son* **bric-à-brac**, *un ensemble d'objets de toutes sortes.*

de bric et de broc adv. Fam. *Elle a constitué sa collection avec des objets rassemblés* **de bric et de broc**, *de tous côtés, au hasard.*

bricoler v. **1.** *Ma mère adore* **bricoler**, *faire des petits travaux manuels chez nous.* **2.** *Bricoler un appareil*, *c'est le transformer ou le réparer soi-même.*
■ **bricolage** n.m. SENS 1 *Le* **bricolage** *est un passe-temps agréable.*
■ **bricole** n.f. Fam. *C'est une* **bricole**, *une chose sans importance ou sans valeur* (= babiole, bagatelle).
■ **bricoleur, euse** n. et adj. SENS 1 *Être* **bricoleur**, *c'est aimer bricoler.*

bride n.f. 1. *La cavalière retient son cheval en tirant sur la* **bride**, la courroie attachée au mors. 2. *La* **bride** *d'un torchon est le petit anneau de tissu qui sert à l'accrocher.*

■ **brider** v. 1. SENS 1 *Brider un cheval,* c'est lui mettre sa bride. 2. *Ce vêtement me* **bride**, il me serre.

■ **bridé, e** adj. *Les Asiatiques ont les yeux* **bridés**, leurs paupières sont étirées sur les côtés.

■ **débridé, e** adj. *Cette romancière fait preuve d'une imagination* **débridée**, sans contrainte.

bridge n.m. 1. *Les Durand et les Dupont font un* **bridge**, une sorte de jeu de cartes.

■ **bridger** v. *Chez nos amis, on* **bridge** *chaque samedi,* on joue au bridge.

■ **bridgeur, euse** n. *Les* **bridgeurs** *n'ont pas fini leur partie.*

brie n.m. *Le* **brie** *est un fromage à pâte molle.*

brièvement, brièveté → *bref.*

brigade n.f. *Une* **brigade** *de police est un groupe de policiers.*

■ **brigadier** n.m. *Dans l'armée, le* **brigadier** *général est supérieur au colonel.*

brigand n.m. *Autrefois, les* **brigands** *attaquaient les voyageurs* (= bandit).

■ **brigandage** n.m. *Ils furent emprisonnés pour* **brigandage**.

briguer v. *Briguer un emploi,* c'est chercher à l'obtenir (= solliciter).

briller v. 1. *Le ciel est clair, le soleil* **brille**, il émet une lumière éclatante. 2. *Ce meuble* **brille** *comme un miroir,* sa surface lisse réfléchit la lumière. 3. *Tu as* **brillé** *à ton examen,* tu as réussi remarquablement.

■ **brillant, e** adj. SENS 1 ET 2 *La peinture de la salle de bains est* **brillante** (≠ mat, terne). SENS 3 *Alice a fait un exposé* **brillant** (= remarquable).

■ **brillant** n.m. SENS 2 *Je porte un* **brillant** *au doigt,* un diamant.

■ **brillamment** adv. SENS 3 *Alice a réussi* **brillamment**.

brimer v. *Autrefois, dans cette école, les anciens élèves* **brimaient** *les nouveaux,* ils leur faisaient subir des épreuves pour éprouver leur caractère (= persécuter).

■ **brimade** n.f. *On a eu à subir les* **brimades** *d'un chef,* les vexations inutiles et injustes (= tracasserie).

brin n.m. 1. *Un* **brin** *d'herbe, de muguet est une tige fine et allongée.* 2. *Une ficelle est formée de plusieurs* **brins** (= filament). 3. *Je prendrais bien un* **brin** *de café,* un tout petit peu.

■ **brindille** n.f. SENS 1 *On allume le feu avec des* **brindilles**, de toutes petites branches.

bringue n.f. Très fam. *Une grande* **bringue** *est une femme de haute taille, peu élégante.*

bringuebaler ou **brinquebaler** v. *Le matériel* **bringuebale** *dans la camionnette,* il va et vient un peu dans tous les sens.

brio n.m. *La soliste joue avec* **brio**, elle joue brillamment (= virtuosité).

brioche n.f. *La boulangère fait des* **brioches**, des pâtisseries légères en forme de boule surmontée d'une autre boule plus petite.

220

brique n.f. *Le maçon construit une cloison avec des* **briques**, des matériaux de terre cuite rouge.

150

■ **briqueterie** n.f. *Les briques sont fabriquées dans des* **briqueteries**.

briquer v. *Le parquet est bien* **briqué**, il est nettoyé, on l'a frotté vigoureusement (= astiquer).

briquet n.m. *J'allume ma cigarette avec mon* **briquet**, un appareil qui produit une flamme.

briqueterie → *brique.*

briquette n.f. *Maya a acheté des bri-quettes de charbon pour le barbecue,* une matière combustible pour la cuisson des aliments.

bris, brisant → *briser.*

brise n.f. *Une brise agréable souffle de la mer,* un vent léger.

R. Ne pas confondre la *brise* et la *bise.*

briser v. **1.** *Le choc a brisé le vase,* il l'a cassé. **2.** *Son accident au bras a brisé sa carrière de pianiste,* sa carrière a été interrompue définitivement. **3.** *Les va-gues se brisent sur les rochers,* leur sommet se recourbe puis s'écroule (= déferler).

■ **brisé, e** adj. *Une ligne brisée forme des zigzags* (≠ droite ou courbe).

■ **bris** n.m. SENS 1 *Il y a eu bris de vitrines,* des vitrines ont été brisées.

725 ■ **brisant** n.m. SENS 3 *Près de cette côte, il y a des brisants,* des rochers sur les-quels les vagues se brisent.

■ **brise-fer** n. inv. *Pablo et Julien sont de vrais brise-fer,* ils cassent tout.

584, 764 ■ **brise-glace** n.m.inv. SENS 1 *Les brise-glace ouvrent un chemin aux bateaux dans la banquise.*

726 ■ **brise-lames** n.m.inv. SENS 3 *Le port est protégé des vagues par un brise-lames,* une digue de protection.

364 ■ **brise-mottes** n.m.inv. SENS 1 Le *brise-mottes* est un rouleau qui écrase les mottes de terre.

bristol n.m. *Les cartes de visite sont en bristol,* en papier fort et lisse.

broc n.m. *Un broc est un récipient muni d'un bec évasé et d'une anse.*

R. On prononce [bro].

brocanteur, euse n. *J'ai vendu ces vieux meubles à un brocanteur,* à un commerçant qui achète et vend des ob-jets d'occasion.

224 ■ **brocante** n.f. *Nous allons à la foire à la brocante,* où les brocanteurs vendent leurs objets.

broche n. f. **1.** *Une broche orne le col de sa veste,* un petit bijou qu'on épingle sur un vêtement. **2.** *Ce poulet est cuit à la broche,* on l'a traversé d'une tige de fer et fait tourner près du feu. **3.** *Passe-moi de la broche,* du fil de fer.

■ **brochette** n.f. SENS 2 *On a mangé des brochettes,* des petits morceaux de viande rôtis sur une tige de fer appelée aussi *brochette.*

■ **embrocher** v. SENS 2 *Embrocher un poulet,* c'est le traverser d'une broche.

brocher v. *Brocher un livre,* c'est en as-sembler les feuilles par des fils et les coller dans une couverture légère (≠ relier).

■ **brochure** n.f. *Lisez cette brochure,* ce petit livre broché.

brochet n.m. Le *brochet* est un poisson d'eau douce très vorace.

brochette → *broche.*

brochure → *brocher.*

brocoli n.m. *Mange ton brocoli,* un lé-gume vert à longue tige.

brodequin n.m. *Les militaires portent des brodequins,* des grosses chaussures montantes.

broder v. **1.** *Un mouchoir brodé* est orné de motifs exécutés avec une aiguille et du fil. **2.** *Luc a brodé autour de cette histoire,* il y a jouté des épisodes qui n'existaient pas (= inventer).

■ **broderie** n.f. SENS 1 *Jean et Marie font de la broderie,* ils brodent.

bronche n.f. *L'air est amené aux pou-mons par les bronches,* deux gros conduits qui partent du fond de la bouche.

■ **bronchite** n.f. *Jean tousse, il a une bronchite,* une maladie des bronches.

broncher v. *Personne n'a osé broncher devant elle,* manifester un désaccord, s'agiter. *Tous ont obéi sans broncher,* sans protester.

bronze n.m. *Une statue de* **bronze** *est d'un métal brun fait d'un alliage de cuivre et d'étain.*

bronzer v. *Mon visage est bronzé par le soleil* (= brunir, hâler).
■ **bronzage** n.m. *Quel magnifique bronzage ! Tu rentres de vacances ?* (= hâle).

brosse n.f. **1.** *Les brosses à dents, à cheveux, à habits sont faites de poils montés sur un support.* **2.** Fam. *Mathias a pris une brosse,* il s'est saoulé.
■ **brosser** v. **1.** *Brosser ses chaussures,* c'est les nettoyer avec une brosse. **2.** *Brosser un tableau de la situation politique,* c'est la décrire.

brou n.m. *Ce meuble est teinté au* **brou de noix,** avec un liquide brun qu'on retire de l'enveloppe verte de la noix.

broue n.f. Fam. *Cette bière fait beaucoup de* **broue,** de mousse, d'écume.

brouette n.f. *Le jardinier transporte de la terre dans sa* **brouette,** un petit chariot à une roue que l'on pousse devant soi.

brouhaha n.m. *On entend de loin le* **brouhaha** *des conversations,* le bruit confus des voix.

brouillard n.m. *Un* **brouillard** *épais recouvre toute la région,* des gouttelettes d'eau en suspension dans l'air qui empêchent de voir (= brume).

brouiller v. **1.** *Le temps se brouille,* des nuages apparaissent (= se gâter). **2.** *Ma vue se brouille,* je vois trouble. **3.** *Les deux amies se sont brouillées,* elles se sont fâchées (≠ se réconcilier). **4.** *Ginette aime les œufs brouillés,* dont le blanc et le jaune mélangés sont constamment remués à la cuisson.
■ **brouille** n.f. SENS 3 *Leur brouille n'a pas duré* (= dispute).

brouillon n.m. **1.** *Voici le brouillon de ma lettre,* le premier texte destiné à être corrigé et recopié. **2.** *Un cahier de brouil-*

lon est un cahier qui sert à écrire avant de recopier proprement.
■ **brouillon, onne** adj. et n. *Elle est* **brouillonne,** elle est désordonnée.

broussaille n.f. **1.** *Le jardin est envahi de* **broussailles,** de touffes de plantes épineuses. **2.** *Des cheveux* **en broussaille** sont mal peignés.
■ **broussailleux, euse** adj. SENS 2 *Une barbe* **broussailleuse** *est épaisse et en désordre.*
■ **débroussailler** v. SENS 1 *On a débroussaillé le talus à la serpe.*

brousse n.f. *Dans les zones tropicales sèches, la forêt est remplacée par la* **brousse,** une étendue couverte de buissons épars et de petis arbres.

brouter v. *Les vaches* **broutent** *l'herbe,* elles l'arrachent avec leur langue et leurs dents pour la manger.

broutille n.f. *Il y a quelques erreurs dans ce rapport, mais ce sont des* **broutilles,** de menus détails sans importance.

broyer v. **1.** *Broyer des pierres,* c'est les écraser pour les réduire en petits morceaux. **2.** *Broyer du noir,* c'est être triste.
■ **broyeur** n.m. SENS 1 *Un* **broyeur** *est un appareil ménager qui broie les déchets.*

bru n. f. *Elle téléphone à sa* **bru,** la femme de son fils (= belle-fille).

brugnon n.m. *Un* **brugnon** *est une pêche à peau lisse.*

bruine n.f. *Il tombe de la* **bruine,** une pluie fine.
■ **bruiner** v. *Il* **bruine,** la bruine tombe.

bruissement n.m. *Le* **bruissement** *des feuilles est le bruit léger qu'elles font quand le vent les agite.*
■ **bruire** v. *On entend le vent* **bruire** *dans les branches,* faire un bruit léger.
R. On n'emploie que l'infinitif de ce verbe et l'imparfait : *il bruissait.*

603

bruit n.m. **1.** *J'entends le bruit d'un avion* (= son). **2.** *Qui a fait courir ce bruit ?,* cette nouvelle peu sûre (= rumeur).
■ **bruitage** n.m. SENS 1 *Réaliser le bruitage d'une émission de radio,* c'est produire artificiellement les bruits qui accompagnent l'action.
■ **bruyant, e** adj. SENS 1 *Nos voisins sont bruyants,* ils font du bruit.
■ **bruyamment** adv. SENS 1 *Il rit bruyamment,* très fort.
■ **ébruiter** v. SENS 2 *N'ébruitez pas la nouvelle,* ne la faites pas connaître (= répandre, divulguer).

brûlant, brûlé → *brûler.*

à brûle-pourpoint adv. *On m'a interrogé à brûle-pourpoint,* de façon inattendue et brusque.

brûler v. **1.** *La voisine brûle des herbes sèches,* elle en fait un feu. **2.** *La forêt brûle* (= flamber). **3.** *Un invité a brûlé la nappe avec une cigarette,* il y a fait un trou. **4.** *Je me suis brûlé le doigt,* j'ai senti une vive douleur au contact d'une flamme ou d'un objet très chaud. **5.** *Ces projecteurs brûlent beaucoup d'électricité,* ils en consomment. **6.** *La voiture a brûlé le feu rouge,* elle ne s'est pas arrêtée. **7.** *Elle brûle d'envie de vous le dire,* elle est impatiente.
■ **brûlant, e** adj. SENS 4 *Une soupe brûlante* est très chaude.
■ **brûlé** n.m. SENS 1, 2 ET 3 *On sent une odeur de brûlé,* de quelque chose qui brûle ou qui a brûlé.
■ **brûleur** n.m. SENS 2 *Les brûleurs d'une cuisinière à gaz* sont les pièces percées de petits trous où le gaz brûle.
■ **brûlot** n.m. SENS 4 *Le brûlot est un moustique dont la piqûre provoque une sensation de brûlure.
■ **brûlure** n.f. SENS 3 ET 4 *J'ai une brûlure à la main,* je me suis brûlé la main et j'en porte la marque.

brume n.f. *Le navire est dans la brume* (= brouillard).

■ **brumeux, euse** adj. *Le temps est brumeux,* il y a de la brume.

brun, e adj. et n. *Mario a les cheveux bruns* (= foncé, noir). *C'est un brun* (≠ blond).
■ **brunante** n.f. *On a rendez-vous à la brunante,* à la tombée de la nuit.
■ **brunâtre** adj. *Il y a des taches brunâtres sur le mur,* d'un brun sale.
■ **brunir** v. *Son visage a bruni au soleil,* il a pris une couleur brune (= bronzer, hâler).
■ **brunissement** n.m. *Cette crème accélère le brunissement de la peau* (= bronzage).

brunch n.m. *Le brunch est un repas qui combine le repas du matin et celui du midi.
R. Noter le pluriel : *des brunches.*

brusque adj. **1.** *Cet homme a des manières un peu brusques,* il a un caractère vif (= rude, brutal ; ≠ doux). **2.** *Elle fit un mouvement brusque,* soudain et vif. *Il s'est produit un changement brusque de température* (= subit, brutal).
■ **brusquement** adv. SENS 2 *Le train s'arrêta brusquement* (= subitement, brutalement).
■ **brusquer** v. SENS 1 *Ne me brusque pas !,* ne me traite pas durement (= malmener, bousculer). SENS 2 *Elle a brusqué son départ,* elle est partie plus tôt que prévu (= précipiter, hâter).
■ **brusquerie** n.f. SENS 1 *Traiter quelqu'un avec brusquerie,* c'est le traiter durement.

brut, e adj. **1.** *Une matière brute,* comme le *pétrole brut,* le *sucre brut,* n'a pas encore subi de transformations (≠ raffiné). **2.** *Le poids brut d'un paquet,* c'est la masse de la marchandise et de l'emballage (≠ net).

brutal, e, aux adj. **1.** *Il est brutal avec les animaux,* il ne maîtrise pas ses mouvements de colère et ses gestes brusques (= dur, violent). **2.** *Un événement* **brutal** est inattendu et provoque une forte émotion (= brusque).

■ **brutalement** adv. SENS 1 *Il a fermé la porte* **brutalement** (= violemment). SENS 2 *Elle s'est retrouvée* **brutalement** *dans la misère* (= brusquement, subitement).

■ **brutaliser** v. SENS 1 *Brutaliser un animal,* c'est le maltraiter.

■ **brutalité** n.f. SENS 1 *On s'est plaint des* **brutalités** *des policiers* (= violence).

■ **brute** n.f. SENS 1 *Tu es une* **brute** *!,* tu es violent, brutal.

bruyamment, bruyant → *bruit.*

bruyère n.f. **1.** *Les landes bretonnes sont couvertes de* **bruyères,** de plantes à petites fleurs violettes ou roses. **2.** *Une pipe de* **bruyère** est taillée dans la racine de certaines bruyères.

buanderie n.f. *Une* **buanderie** est un endroit où l'on met son linge pour le faire laver. C'est aussi un local où l'on lave soi-même son linge.

buccal → *bouche.*

bûche n.f. **1.** *Une* **bûche** *flambe dans la cheminée,* un gros morceau de bois. **2.** *Le jour de Noël, nous avons mangé une* **bûche,** un gâteau en forme de bûche.

■ **bûcher** n.m. SENS 1 *Le* **bûcher** *de Jeanne d'Arc* est la pile de bois sur laquelle elle a été brûlée.

■ **bûcheron, onne** n. SENS 1 *Le* **bûcheron** *abat les arbres.*

bûcher v. Fam. *Pierre et Aline* **bûchent** *beaucoup pour préparer leur examen,* ils travaillent.

■ **bûcheur, euse** adj. et. n. Fam. *Pierre et Aline sont des* **bûcheurs.**

bucolique adj. *Une poésie* **bucolique** évoque la vie agréable à la campagne.

budget n.m. *Le* **budget** *de la famille* est l'ensemble de ses dépenses par rapport à ses recettes.

■ **budgétaire** adj. *Le gouvernement a décidé de faire des économies* **budgétaires,** qui concernent le budget.

■ **budgéter** v. *Budgéter,* c'est établir un budget.

buée n.f. *Il y a de la* **buée** *sur les vitres,* une couche de fines gouttelettes d'eau s'est déposée sur les vitres froides.

buffet n.m. **1.** *Un* **buffet** *de salle à manger* est un meuble où on range la vaisselle. **2.** *Les invités se pressent autour du* **buffet,** des tables où sont disposés les mets et les boissons. **3.** *J'ai déjeuné au* **buffet** *de la gare* (= restaurant). | 79 ... 508

buffle n.m. *Le* **buffle** est une sorte de bœuf vivant surtout en Asie et en Afrique. | 581

buis n.m. *Les allées du jardin ont des bordures de* **buis,** un arbrisseau qui ne perd jamais ses feuilles.

buisson n.m. *Les enfants se sont cachés derrière un* **buisson,** une touffe d'arbustes (= fourré, bosquet).

buissonnière adj. *Jean* **a fait l'école buissonnière,** il est allé se promener au lieu d'aller en classe.

bulbe n.m. *Lorsqu'on met en terre un* **bulbe** *de tulipe,* il se forme une fleur (= oignon).

bulle n.f. *Quand on verse de l'eau gazeuse dans un verre, il se forme des* **bulles,** des petites boules remplies de gaz qui montent à la surface.

bulletin n.m. **1.** *Le jour des élections, les gens déposent leur* **bulletin** *de vote dans l'urne,* un papier sur lequel est inscrit le nom du candidat choisi. **2.** *La* radio diffuse le **bulletin** de la météorologie, les informations périodiques sur le temps. **3.** *As-tu de bonnes notes sur ton **bulletin** ?,* le papier que tu rapportes de l'école pour informer tes parents.

bungalow n.m. *Nous avons loué un **bungalow** dans un camp de vacances,* une habitation très simple ne comprenant qu'un rez-de-chaussée.
R. On prononce [bε̃galo].

292 | **bureau** n.m. **1.** *Je m'installe à mon bureau,* devant ma table à écrire. **2.** *La directrice est dans son **bureau**,* dans la pièce où se trouve son bureau. **3.** *Allez
768 | au **bureau** de poste,* dans le lieu où sont installés les services de la poste.
293 | **4.** *C'est une employée de **bureau**,* elle travaille dans un service administratif. **5.** *En France, un **bureau** de tabac* est une boutique où l'on vend du tabac (= tabagie). **6.** *On a élu le **bureau** de l'assemblée,* les personnes qui vont la diriger.
■ **buraliste** n. SENS 5 *En France, on peut acheter des timbres à la **buraliste**,* la personne qui tient un bureau de tabac.

burette n.f. **1.** *Pour graisser ma machine à coudre, j'utilise une **burette**,* une petite boîte pour l'huile de graissage. **2.** *L'eau et le vin utilisés pour la messe sont dans des **burettes**,* des petites fioles.

150, | **burin** n.m. *Le **burin** est un ciseau d'acier
291 | pour entailler ou couper la pierre ou les métaux.
■ **buriner** v. *Le vent et la mer ont buriné le visage du marin,* ils l'ont marqué de profondes rides.

burlesque adj. *Il m'est arrivé une aventure **burlesque**,* à la fois extravagante et comique.

577 | **burnous** n.m. *Bébé est enveloppé dans son **burnous**,* une grande cape de laine à capuchon, comme en portent les Arabes.

buse n.f. *La **buse** est un oiseau de proie.*

busqué, e adj. *Un nez **busqué** est un nez courbe.*

buste n.m. **1.** *Le **buste** est la partie du corps qui va de la tête à la taille* (= tronc, torse). **2.** *Au musée, j'ai vu un **buste** de Jules César,* une sculpture représentant sa tête et une partie de sa poitrine.

but n.m. **1.** *Paris est le **but** de notre voyage,* le point que nous voulons atteindre (= objectif). **2.** *Son **but** est de te faire peur,* il essaie de te faire peur (= intention, dessein). **3.** *Le ballon est entré dans les **buts**,* dans le cadre où il doit pénétrer pour que l'équipe marque un point. **4.** *Notre équipe a marqué un **but**,* un point.
■ **buteur** n.m. SENS 4 *Notre équipe a un bon **buteur**,* un joueur habile à marquer des buts.

butane n.m. *Cette cuisinière fonctionne au **butane**,* un gaz vendu en grosses bouteilles de métal.

de but en blanc adv. *De but en blanc, il a décidé de partir,* soudain, sans l'avoir laissé prévoir.

buter v. **1.** *J'ai buté contre une pierre,* je l'ai heurtée (= trébucher). **2.** *Buter sur une difficulté,* c'est ne pas savoir la résoudre. **3.** *Tu te butes souvent,* tu t'entêtes (= s'obstiner).
■ **buté, e** adj. SENS 3. *Tu m'as regardé d'un air **buté** sans rien dire* (= fermé, obstiné).
■ **butoir** n.m. SENS 1 *Le train s'arrête au ras du **butoir**,* de l'obstacle placé à l'extrémité de la voie ferrée.

buteur → **but**.

butin n.m. *Les voleurs ont caché leur butin,* ce qu'ils ont emporté.

■ **butiner** v. *L'abeille butine,* elle récolte le pollen des fleurs.

butoir → *buter.*

butte n.f. **1.** *Sur cette butte, on découvre tout le village,* sur cette élévation de terrain (= monticule, colline). **2.** *Être en butte aux moqueries,* c'est y être exposé.

buvable, buvard, buveur → *boire.*

C

c', ça → *ce.*

çà adv. *Les habits sont dispersés çà et là,* n'importe où, en désordre.

cabale n.f. *Monter une cabale contre quelqu'un,* c'est organiser en secret un complot contre lui.

cabalistique adj. *Des signes cabalistiques* sont mystérieux, difficiles à comprendre (= secret).

765 **caban** n.m. **1.** *Un caban est une longue veste,* comme en portent les matelots. **2.** *Un caban est un paletot de sport court,* à poches à rabat.

cabane n.f. **1.** *On range les outils dans une cabane au fond du jardin,* une petite maison (= cabanon). *Jeanne construit une cabane dans la forêt,* une petite maison de bois. **2.** *Au printemps, on vient*
583 *déguster de la tire à la cabane à sucre,* un petit bâtiment situé dans une érablière où l'on fabrique le sucre et le sirop d'érable.

367 ▪ **cabanon** n.m. SENS 1 *La tondeuse à gazon est dans le cabanon* (= remise, cabane).

cabaret n.m. *On va ce soir dans un cabaret pour voir un spectacle de chants et de danses.*

222 **cabas** n.m. *Je fais mon marché avec un cabas,* un grand sac à provisions.

764 **cabestan** n.m. *Un cabestan sert à tirer de lourdes charges* (= treuil).

cabillaud n.m. *Un cabillaud est une morue fraîche.*

cabine n.f. **1.** *Dans la rue, on peut téléphoner d'une cabine (téléphonique).* **2.** *Sur la plage, on se déshabille dans une cabine.* **3.** *À bord d'un navire, les voyageurs dorment dans leur cabine.* **4.** *Dans un avion, les passagers ne peuvent pas aller dans la cabine de pilotage. Six personnes maximum sont admises dans la cabine de l'ascenseur.*

cabinet n.m. **1.** *On se lave dans le cabinet de toilette,* la pièce qui contient un lavabo et parfois un bidet. **2.** (au plur.) *Est-ce que je peux aller aux cabinets ?* (= toilettes). **3.** *Les médecins, les dentistes, les avocats reçoivent leurs clients dans leur cabinet,* le local, la pièce où ils travaillent. **4.** *Le cabinet s'est réuni toute la matinée,* le Conseil des ministres.

câble n.m. **1.** *Le bateau est attaché au quai par des câbles d'acier* (= cordage). **2.** *Des câbles sous-marins servent aux liaisons téléphoniques entre l'Europe et l'Amérique.* **3.** *Es-tu abonné au câble ?,* à la câblodistribution.

▪ **câbler** v. **1.** SENS 2 *La technicienne a câblé le poste,* elle a établi les liaisons électriques nécessaires. **2.** *Le radio a câblé un message,* il l'a transmis. **3.** SENS 3 *Notre quartier vient d'être câblé,* on y a installé la câblodistribution.

▪ **câblodistribution** n.f. SENS 3 *La câblodistribution* est la diffusion de programmes de télévision par câbles spéciaux à des abonnés.

caboche n.f. Fam. *Tu as dû recevoir un coup sur la caboche !* (= tête).

■ **cabochard, e** adj. et n. Fam. *Pierre est un garçon très cabochard* (= entêté ; ≠ docile).

cabosser v. *Elle a cabossé sa voiture contre un arbre, elle l'a abîmée.*

cabot n.m. Fam. *Ce sale cabot est encore en train d'aboyer* (= chien).

cabotage n.m. *Quand un navire de commerce fait du cabotage, il ne s'éloigne pas beaucoup des côtes* (≠ navigation au long cours).

■ **caboteur** n.m. *Un caboteur est un bateau qui fait du cabotage.*

cabotin, e n. et adj. *Un cabotin est un acteur médiocre qui fait l'important. À quatre ans, Marie était très cabotine, elle cherchait à se faire remarquer en faisant des manières* (= comédien).

■ **cabotinage** n.m. *Ton cabotinage m'agace* (≠ simplicité, naturel).

se cabrer v. 1. *Le cheval s'est cabré devant la barrière, il s'est dressé sur ses pattes de derrière.* 2. *Si tu lui poses des questions indiscrètes, il risque de se cabrer* (= se braquer).

cabri n.m. *La chèvre est suivie de ses cabris, ses petits* (= chevreau).

cabriole n.f. *Les enfants font des cabrioles sur la plage, ils sautent, se roulent par terre* (= galipette).

cabriolet n.m. *Un cabriolet est une automobile décapotable.*

caca n.m. Fam. *Bébé a fait caca dans son pot, il a fait ses besoins.*

cacahouète ou **cacahuète** n.f. *Jean s'est acheté un paquet de cacahouètes grillées, de graines d'arachide.*

cacao n.m. 1. *Le cacao est une graine qui sert à fabriquer le chocolat.* 2. *J'ai bu ce matin une tasse de cacao* (= chocolat).

■ **cacaoyer** n.m. *Le cacaoyer est l'arbre qui produit le cacao.*

cacaoui n.m. *Le cacaoui est un petit canard sauvage.*

cacatoès n.m. *Un cacatoès est un perroquet.*

cachalot n.m. *Un cachalot pèse plusieurs tonnes, une sorte de baleine.*

cache-cache → *cacher.*

cachemire n.m. *Tu portes une belle écharpe en cachemire, en tissu de poil de chèvre du Cachemire.*

cache-nez n.m.inv. *Il fait froid, prends ton cache-nez !* (= écharpe).

cacher v. 1. *Tu as caché mon stylo ?, tu l'as mis dans un endroit secret* (= dissimuler). *La souris s'est cachée derrière l'armoire.* 2. *Ce mur nous cache la mer, il nous empêche de la voir* (= masquer). 3. *Essayons de cacher notre inquiétude, de ne pas la montrer* (≠ exprimer, avouer).

■ **cache-cache** n.m.inv. SENS 1 *Les enfants ont passé l'après-midi à jouer à cache-cache, à essayer de retrouver celui qui se cache.*

■ **cachette** n.f. SENS 1 *Il a mis son argent dans une cachette, un endroit secret. Julie et Pierre jouent à la cachette, à cache-cache.* SENS 3 *Il agit en cachette, secrètement* (≠ ouvertement).

■ **cachottier, ère** adj. et n. SENS 3 *Marie est très cachottière, elle ne dit pas ce qu'elle pense.*

■ **cachotterie** n.f. SENS 3 *Marie n'avait rien dit : elle nous fait des cachotteries.*

cachet n.m. 1. *Cette lettre porte le cachet de la poste, la date et le lieu de départ imprimés sur l'enveloppe.* 2. *L'argent que touchent les acteurs et les actrices s'appelle un cachet.* 3. *Un cachet d'aspirine est un médicament* (= comprimé). 4. *Cette petite église a du cachet, un caractère original qui retient l'attention.*

cacheter v. *Il faut cacheter une lettre avant de la mettre à la poste, il faut la fermer en la collant.*

■ **décacheter** v. *Peux-tu me décacheter cette lettre ?* (= ouvrir).

R. → Conj. n° 8.

cachette → *cacher.*

cachot n.m. *On met les prisonniers au cachot,* dans une cellule obscure et étroite.

cachotterie, cachottier → *cacher.*

cachou n.m. Les *cachous* sont des petites pastilles parfumées.

cacophonie n.f. *Cette cacophonie nous casse les oreilles,* ce mélange désagréable de sons (= tintamarre).

577 **cactus** n.m. *Les cactus poussent dans les pays chauds,* des plantes grasses à piquants.

c.-à-d. → *c'est-à-dire.*

cadastre n.m. *On peut consulter le cadastre à l'hôtel de ville,* le registre qui contient le plan des propriétés.
■ **cadastral, e, aux** adj. *On révise périodiquement le plan cadastral.*

cadavre n.m. *On a retiré plusieurs cadavres de la voiture accidentée* (= mort).
■ **cadavérique** adj. *Il a un teint cadavérique,* aussi pâle que celui d'un mort.

cadeau n.m. *As-tu reçu beaucoup de cadeaux ?,* des objets que l'on offre à quelqu'un pour lui faire plaisir. *Pour mon anniversaire, on m'a fait cadeau d'une montre,* on me l'a offerte (= présent).

cadenas n.m. Un *cadenas* est un mécanisme servant à fermer une porte qui n'a pas de serrure, à attacher une chaîne, etc.
■ **cadenasser** v. *Il a cadenassé son vélomoteur,* il l'a attaché avec un cadenas.

cadence n.f. 1. *Accélérez la cadence !,* agissez plus rapidement (= rythme). 2. *Les soldats marchent en cadence* (= régulièrement).
■ **cadencé, e** adj. SENS 2 *Marchez au pas cadencé !,* en posant tous le pied ensemble.

cadet, ette 1. adj. et n. *Jean est le cadet de la famille,* le plus jeune des enfants (= benjamin ; ≠ aîné). 2. n. *Ma cousine Jeanne est ma cadette de deux ans,* elle a deux ans de moins que moi.

cadran n.m. 1. *Le cadran d'une horloge,* c'est la surface sur laquelle se déplacent les aiguilles. *Faire le tour du cadran,* c'est dormir douze heures d'affilée. 2. *Un cadran solaire* indique l'heure grâce à une tige dont l'ombre tourne avec le soleil.

cadre n.m. 1. *Le cadre de ce tableau est en bois doré* (= bordure, encadrement). 2. *Cela n'entre pas dans le cadre de mon travail,* cela n'a pas de rapport avec lui (= limites). 3. *Mme Durand fait partie des cadres de son entreprise,* de ceux qui ont des fonctions de direction (≠ employé). 4. *Le cadre d'une bicyclette,* c'est l'ensemble des tubes qui en constituent l'armature.
■ **cadrer** v. 1. SENS 2 *Ton récit ne cadre pas avec ce que je sais* (= concorder). 2. *Cadrer une photo,* c'est présenter l'appareil de façon que le sujet soit bien dans le champ.
■ **cadreur, euse** n. *Dans une prise de vues, le cadreur manie la caméra* (= caméraman).
■ **encadrer** v. SENS 1 *Encadrer un tableau,* c'est le mettre dans un cadre. SENS 3 *Les officiers encadrent les soldats* (= commander).
■ **encadrement** n.m. SENS 1 *L'encadrement d'une photo,* c'est son cadre. SENS 3 *L'encadrement d'un régiment,* c'est l'ensemble des officiers.

caduc, caduque adj. 1. *Le chêne a des feuilles caduques,* qui tombent chaque année. 2. *Ce système est aujourd'hui caduc,* il n'est plus utilisé.

cafard n.m. 1. *Il y a des cafards dans la cuisine,* des petits insectes (= blatte, coquerelle). 2. *Marie a le cafard,* elle est triste.
■ **cafardeux, euse** adj. SENS 2 *Marie est cafardeuse* (= triste, mélancolique).
■ **cafarder** v. Fam. *Il m'a cafardé* (= dénoncer).

café n.m. 1. *M. Durand a acheté un paquet de café,* de graines grillées que l'on moud pour faire une boisson appelée elle aussi *café : J'ai bu une tasse de café.*

2. *Nous sommes entrées dans un café,* dans un lieu où l'on peut consommer des boissons diverses.

■ **caféier** n.m. SENS 1 *Le caféier* est l'arbre qui produit le café.

■ **cafétéria** n.f. SENS 2 *Les étudiants mangent à la cafétéria,* un restaurant où l'on se sert soi-même.

■ **cafetière** n.f. SENS 1 Une *cafetière* est un appareil pour faire le café (boisson).

cafouiller v. Fam. **1.** *Le moteur cafouille,* il fonctionne irrégulièrement. **2.** *Il a cafouillé dans ses calculs* (= s'emmêler, se tromper).

■ **cafouillage** n.m. Fam. SENS 2 *Il y a eu du cafouillage dans les calculs* (= désordre, pagaille).

cage n.f. **1.** *Les lions vont et viennent dans leur cage,* l'endroit garni de barreaux où ils sont enfermés. **2.** *La cage de l'escalier* est l'espace où il est disposé.

cageot n.m. *On transporte les fruits et les légumes dans des cageots,* de petites caisses.

cagibi n.m. *Les outils de jardin sont dans un cagibi,* un petit local (= remise, débarras).

cagnotte n.f. **1.** *Marie a mis de l'argent dans une cagnotte* (= tirelire). **2.** *les étudiants ont fait une cagnotte pour payer le bal de fin d'année,* ils ont mis de l'argent en commun.

cagoule n.f. **1.** *Les gangsters portaient une cagoule,* un capuchon cachant toute la tête sauf les yeux. **2.** *Il fait froid, mets ta cagoule !* (= passe-montagne).

cahier n.m. *Commence par écrire ton devoir sur ton cahier de brouillon.*
R. *Cahier* se prononce [kaje] comme *cailler.*

cahin-caha adv. *La voiture avance cahin-caha,* péniblement, irrégulièrement.

cahot n.m. *J'ai été réveillé par les cahots de la voiture* (= secousse).

■ **cahoter** v. *La voiture cahote sur le chemin.*

■ **cahotant, e** adj. *Cette vieille voiture est cahotante.*

■ **cahoteux, euse** adj. *Ce chemin est cahoteux* (= cahotant).
R. *Cahot* se prononce [kao] comme *chaos.*

cahute n.f. *Ils habitent dans une cahute en planches,* une sorte de cabane.

caille n.f. *Émilie a tué une caille à la chasse,* un petit oiseau.

cailler v. *Le lait a caillé (s'est caillé),* il est devenu presque solide.

■ **caillot** n.m. *Un caillot de sang,* c'est du sang solidifié.

caillou n.m. *Jacques s'amuse à lancer des cailloux dans l'eau,* de petites pierres.

■ **caillouteux, euse** adj. *Le chemin est caillouteux,* parsemé de cailloux.

caïman n.m. *L'antilope a été dévorée par des caïmans* (= crocodile). | 434

caisse n.f. **1.** *Nous avons mis les livres dans des caisses,* dans de grandes boîtes en bois (= coffre). **2.** *L'épicier compte le contenu de sa caisse,* du tiroir où il met l'argent qu'il reçoit. **3.** *Mme Durand est passée à la caisse,* au bureau où se font les paiements (= guichet). **4.** *Jean joue de la grosse caisse,* une sorte de tambour. | 223 221 439

■ **caissette** n.f. ou **caisson** n.m. SENS 1 *Une caissette (un caisson)* est une petite caisse. | 223

■ **caissier, ère** n. SENS 2 ET 3 *La caissière d'un magasin reçoit l'argent.*

■ **encaisser** v. SENS 2 ET 3 *Le boulanger encaisse le prix du pain,* il met l'argent dans sa caisse (= toucher).

cajoler v. *La guenon cajole son petit,* elle est très affectueuse avec lui.

cajou n.m. *J'aime les noix de cajou,* un fruit dont l'amande est comestible.

calamité n.f. *La guerre est une **calamité**, un grand malheur* (= fléau, catastrophe).

505 **calandre** n.f. *La **calandre** d'une voiture est la partie métallique ajourée devant le radiateur.*

calcaire adj. et n.m. *La craie est une roche **calcaire** : c'est du **calcaire**. Une eau **calcaire** contient du **calcaire** dissous.*

calciner v. *Le rôti **a été calciné**, complètement brûlé* (= carboniser).

calcium n.m. *Le **calcium** est un constituant essentiel de nos os.*
■ **décalcifier** v. *Cette malade **est décalcifiée**, ses os manquent de calcium.*
R. *Calcium* se prononce [kalsjɔm].

calcul n.m. **1.** *2+2=4, voilà un **calcul** simple* (= opération). *Marie est bonne en **calcul*** (= arithmétique). **2.** *Faire un mauvais **calcul**, c'est faire une mauvaise prévision.*
■ **calculer** v. **SENS 1** *Peux-tu **calculer** la surface de ce carré ?*, la déterminer par un calcul. **SENS 2** *La députée **calcule** toujours ses paroles*, elle les mesure, les arrange d'avance.
293 ■ **calculateur** n.m. ou **calculatrice** n.f. **SENS 1** *Une **calculatrice** est une machine qui fait automatiquement des calculs.*
■ **calculette** n.f. *Laurence a toujours sa **calculette** sur elle*, une calculatrice de poche.
■ **incalculable** adj. **SENS 1** *Le nombre des étoiles est **incalculable**.* **SENS 2** *Cette décision est d'une portée **incalculable*** (= imprévisible).

cale n.f. **1.** *La table est branlante : mets une **cale** sous un pied*, un objet qui l'empêche de bouger. **2.** *On met les*
726 *marchandises dans la **cale** du navire*, dans l'espace qui est sous le pont. **3.** *Le*
727 *bateau est en **cale** sèche*, dans un bassin sans eau où on peut le réparer.

■ **caler** v. **1.** **SENS 1** *Cale la voiture avec une pierre !* (= immobiliser). **2.** *Le moteur a calé*, il s'est arrêté.
■ **cale-pied** n.m. **SENS 1** *Le coureur cycliste resserre ses **cale-pieds***, les attaches qui fixent ses pieds aux pédales.

calé, e adj. **1.** Fam. *Marie est **calée** en histoire*, elle est savante (= fort). **2.** Fam. *Ce problème est très **calé*** (= difficile).

calèche n.f. *Les enfants ont fait un tour de **calèche***, une voiture à quatre roues tirée par un cheval.

caleçon n.m. *Mon grand frère porte des **caleçons** à fleurs*, un sous-vêtement court ou long qui part de la taille.

calembour n.m. *En sortant de la chambre du malade, j'ai fait un **calembour** en disant : « Je viens de voir une personne alitée »*, un jeu de mots [*personnalité*].

calendrier n.m. **1.** *Si tu ne sais pas la date, regarde sur le **calendrier**.* **2.** *Félix a établi un **calendrier** de travail*, un programme à suivre.

cale-pied → **cale**.

calepin n.m. *On écrit ses rendez-vous sur son **calepin***, un petit carnet.

caler → **cale**.

calfeutrer v. *On a **calfeutré** la porte*, on a bouché les fentes pour empêcher l'air de passer.

calibre n.m. **1.** *Le **calibre** de ce revolver est de 8 millimètres*, le diamètre intérieur du canon. **2.** *Ces oranges sont du même **calibre***, de la même grosseur.

calice n.m. **1.** *Le prêtre verse le vin de messe dans le **calice***, une sorte de vase. **2.** *Le **calice** d'une fleur*, c'est son enveloppe extérieure qui s'épanouit au moment de la floraison.

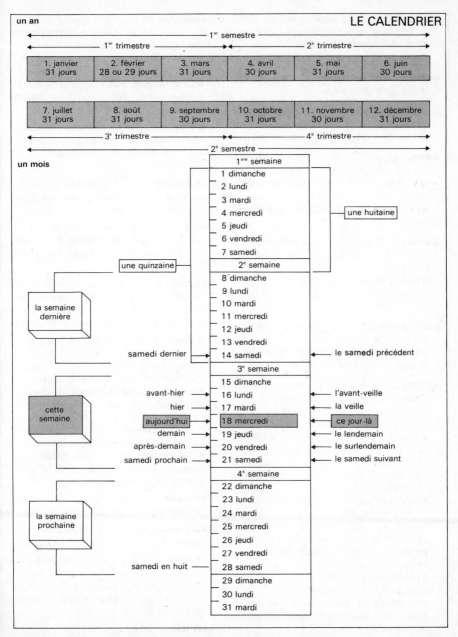

un an

LE CALENDRIER

1ᵉʳ semestre

1ᵉʳ trimestre | 2ᵉ trimestre

1. janvier 31 jours	2. février 28 ou 29 jours	3. mars 31 jours	4. avril 30 jours	5. mai 31 jours	6. juin 30 jours

7. juillet 31 jours	8. août 31 jours	9. septembre 30 jours	10. octobre 31 jours	11. novembre 30 jours	12. décembre 31 jours

3ᵉ trimestre | 4ᵉ trimestre

2ᵉ semestre

un mois

1ᵉʳᵉ semaine
1 dimanche
2 lundi
3 mardi
4 mercredi
5 jeudi
6 vendredi
7 samedi

une huitaine

2ᵉ semaine
8 dimanche
9 lundi
10 mardi
11 mercredi
12 jeudi
13 vendredi
14 samedi

une quinzaine

la semaine dernière

samedi dernier → 14 samedi ← le **samedi** précédent

3ᵉ semaine
15 dimanche
avant-hier → 16 lundi ← l'avant-veille
hier → 17 mardi ← la veille
aujourd'hui → 18 mercredi ← ce jour-là
demain → 19 jeudi ← le lendemain
après-demain → 20 vendredi ← le surlendemain
samedi prochain → 21 samedi ← le samedi suivant

cette semaine

4ᵉ semaine
22 dimanche
23 lundi
24 mardi
25 mercredi
26 jeudi
27 vendredi
samedi en huit — 28 samedi
29 dimanche
30 lundi
31 mardi

la semaine prochaine

calicot n.m. **1.** Le *calicot* est un tissu. **2.** *Les manifestants portaient des cali-cots,* des banderoles avec des inscriptions.

calife n.m. Un *calife* était, chez les musulmans, une sorte de roi.

à califourchon adv. *Katia est assise à califourchon sur une branche,* une jambe de chaque côté (= à cheval).

câlin, e1. adj. *Ce chat est très câlin,* il aime les caresses. **2.** n.m. *Viens me faire un câlin,* te blottir tendrement contre moi.
■ **câliner** v. *Jérémie câline son lapin* (= cajoler).

calleux, euse adj. *Ce vieux pêcheur a les mains calleuses,* rugueuses (≠ lisse).
■ **callosité** n.f. *La vieille paysanne a des callosités aux mains,* des endroits où la peau est dure.

calligraphie n.f. La *calligraphie* est une écriture très appliquée.
■ **calligraphier** v. *Marie a calligraphié le titre de son rapport.*

calme adj. **1.** *Nous habitons dans une rue calme* (= tranquille ; ≠ animé). **2.** *Nos voisins sont des gens calmes* (= paisible ; ≠ nerveux, agité, excité).
■ **calme** n.m. SENS 1 *J'aime le calme de la forêt* (≠ bruit). *Je m'ennuie, c'est le calme plat,* il ne se passe rien. SENS 2 *Je t'ai répondu avec beaucoup de calme* (≠ nervosité, agitation).
■ **calmement** adv. SENS 2 *Tu parles toujours calmement.*
■ **calmer** v. SENS 1 ET 2 *Ce médicament calme la douleur* (= apaiser ; ≠ exciter). *Calmez-vous et nous pourrons discuter* (≠ s'énerver).
■ **calmant** n.m. SENS 2 *Si tu as mal à la tête, prends un calmant.*
■ **accalmie** n.f. SENS 1 *Après une accalmie, la tempête a repris,* après un calme momentané.

calomnie n.f. *Ne crois pas ce qu'on dit sur moi, ce sont des calomnies,* des accusations mensongères.
■ **calomnier** v. *On me calomnie en prétendant que j'ai triché.* (= dénigrer).
■ **calomnieux, euse** adj. *J'ai dû me défendre contre des accusations calomnieuses.*

calorie n.f. *Les aliments nous fournissent des calories,* des éléments qui apportent à notre corps de la chaleur et de l'énergie.

calorifère n.m. Un *calorifère* est un appareil de chauffage fonctionnant à eau chaude ou à air chaud.

calot n.m. **1.** *Certains soldats portent un calot,* une sorte de coiffure. **2.** *J'ai touché sa bille avec mon calot,* une grosse bille.

calotte n.f. **1.** *Les prêtres portaient une calotte sur la tête,* un petit bonnet rond. **2.** *Le pôle Sud est recouvert d'une calotte glaciaire,* d'une masse de glace.

calque n.m. *Marie a fait un calque du plan de la maison,* un dessin copié directement sur le modèle grâce à du papier transparent appelé **papier-calque.**
■ **calquer** ou **décalquer** v. **1.** *Pierre a décalqué le dessin d'un oiseau,* il l'a recopié grâce à du papier-calque. **2.** *Amélie calque sa conduite sur celle de David,* elle l'imite (= copier).
■ **décalcomanie** n.f. *Les décalcomanies permettent d'appliquer sur des objets de jolies images en couleurs.*

calumet n.m. *Les Amérindiens fumaient le calumet,* une longue pipe.

calvados n.m. Le *calvados* est de l'eau-de-vie de cidre. (On dit aussi **calva**.)

calvaire n.m. **1.** *Il y a un calvaire à l'entrée du village,* un ensemble de statues rappelant les souffrances du Christ. **2.** *Sa maladie a été un long calvaire,* une longue souffrance.

calvitie → *chauve.*

camarade n. *Yasmina a invité ses camarades de classe* (= ami, copain).

■ **camaraderie** n.f. *Il y a beaucoup de camaraderie entre Judith et Rachid,* ils s'entendent bien (= amitié).

cambouis n.m. *Tu as fait une tache de cambouis,* de graisse noire.

cambrer v. *Cambrez le corps !,* redressez-le jusqu'à le courber en arrière.

cambrioler v. *Des voleurs ont cambriolé l'appartement* (= dévaliser).

■ **cambriolage** n.m. *On a été victime d'un cambriolage,* d'un vol dans la maison.

■ **cambrioleur, euse** n. *La police a arrêté les cambrioleurs.*

caméléon n.m. *Les caméléons peuvent changer de couleur,* des petits reptiles d'Afrique.

camélia n.m. *Les camélias sont des arbustes qui donnent de belles fleurs.*

camelot n. **1.** *On aime écouter les camelots,* les marchands qui vendent des objets sur le trottoir. **2.** *Annie est camelot,* elle apporte le journal à ses abonnés.

camelote n.f. Fam. *Ce stylo ne marche plus, c'est de la camelote,* il est de mauvaise qualité.

camembert n.m. *Le camembert est un fromage rond à pâte molle.*

caméra n.f. **1.** *Caroline a acheté une caméra pour filmer sa famille,* un appareil de cinéma. **2.** *Sur le plateau de télévision, il y a trois caméras,* des appareils qui servent à filmer pour la télévision.

■ **cameraman** n. SENS 2 *Pierre est caméraman à Radio-Canada,* il fait fonctionner la caméra (= cadreur).

camion n.m. *Il y avait beaucoup de camions sur la route* (= poids lourd).

■ **camionnette** n.f. *Une camionnette est un petit camion.*

■ **camionneur, euse** n. *Au restaurant de l'autoroute, j'ai rencontré des camionneurs,* des conducteurs de camions (= routier).

camisole n.f. **1.** *On lui a mis la camisole de force,* une chemise à longues manches qui se nouent par-derrière. **2.** *Cet enfant porte une camisole,* un sous-vêtement qui couvre le haut du corps.

camomille n.f. *Marie boit une tisane de camomille,* faite avec les fleurs de cette plante.

camoufler v. *Les perdrix se camouflent sous des branchages* (= cacher, dissimuler).

camouflet n.m. *Son échec aux élections a été pour lui un camouflet,* une humiliation publique (= affront, vexation).

camp n.m. **1.** *Les soldats ont installé un camp,* des tentes, des baraques. **2.** *Il y a un beau camp de vacances au nord de Trois-Rivières,* un lieu aménagé en pleine nature offrant aux enfants et aux adultes des activités organisées. **3.** *Mes enfants sont partis au camp de jour,* un lieu de récréation où l'on passe la journée. **4.** *La classe est divisée en deux camps,* en deux partis opposés (= clan).

■ **camper** v. **1.** SENS 1 ET 2 *Nous avons campé au bord de la mer,* nous avons fait du camping. **2.** *Paul s'est campé devant la porte,* il s'y est installé avec assurance.

■ **campement** n.m. SENS 1 *Il y a un campement de nomades à l'entrée du village* (= camp).

■ **campeur, euse** n. SENS 2 *Des campeuses ont mis leur tente près de la rivière.*

■ **camping** n.m. SENS 2 *Pendant les vacances nous avons fait du camping,* dormi sous la tente. *Nous étions dans un terrain de camping au bord de la mer,* un terrain réservé aux campeurs.

R. *Camp se prononce* [kɑ̃] *comme* quand.

campagne n.f. **1.** *La campagne est jolie au printemps,* les champs, les prés, les bois (≠ ville). **2.** *Napoléon a fait de nombreuses campagnes,* des expéditions militaires. **3.** *La campagne électorale a commencé,* l'ensemble des opérations par lesquelles les candidats et les

38

361 à
368

candidates aux élections font connaître leur programme. *Arlette **a fait campagne** pour son député,* elle a mis toutes ses forces à son service pour qu'il soit élu.

■**campagnard, e 1.** adj. SENS 1 *Tu as meublé ta maison en style **campagnard*** (= rustique). **2.** n. Les ***campagnards*** sont les gens de la campagne.

campanile n.m. Un *campanile* est un petit clocher au-dessus d'un édifice.

651 **campanule** n.f. Les *campanules* sont des fleurs mauves, blanches, roses en forme de clochettes.

campement, camper, campeur, camping → *camp.*

canadianisme n.m. Un *canadianisme* est une locution ou une façon de s'exprimer propre au français parlé au Canada.

canadienne n.f. *Il fait très froid, prends ta **canadienne** !,* un manteau de longueur trois-quarts doublé de fourrure.

canaille n.f. *Cette personne est une **canaille**,* elle est malhonnête.

218, 801 **canal** n.m. **1.** *Le **canal** de Panama relie l'Atlantique au Pacifique,* une voie d'eau navigable créée par l'homme. **2.** *Des **canaux** d'irrigation servent à amener de l'eau aux cultures.*

■**canaliser** v. **1.** SENS 1 *On a canalisé la rivière,* on l'a rendue navigable. **2.** *Le service d'ordre **canalise** la foule vers la sortie,* il la dirige en rassemblant les personnes.

■**canalisation** n.f. SENS 1 *La canalisation du Saint-Laurent est terminée.* SENS 2

75, 151 *La **canalisation** est bouchée,* le tuyau dans lequel coule un liquide.

77 **canapé** n.m. **1.** *Assieds-toi sur ce **canapé** !,* ce fauteuil à plusieurs places. **2.** *C'est l'heure de l'apéritif, préparons des **canapés**,* des petites tranches de pain, grillées ou non, garnies de fromage ou d'autres mets.

362 **canard** n.m. **1.** *Les **canards** domestiques volent moins bien que les **canards** sauvages.* **2.** *Un **canard** est une bouilloire.*

■**cane** n.f. SENS 1 *La **cane** est la femelle du canard.*

■**caneton** n.m. SENS 1 *Le **caneton** est le petit du canard.*

R. *Cane* se prononce [kan] comme *canne.*

canarder v. Fam. *L'ennemi nous **a canardés**,* il nous a tiré dessus.

canari n.m. *Le **canari** chante dans sa cage,* un petit oiseau jaune (= serin).

cancan n.m. *N'écoute pas ces **cancans** !,* ces bavardages malveillants (= commérages).

cancer n.m. *Cette personne est morte d'un **cancer** du foie* (= tumeur).

■**cancéreux, euse** adj. et n. *Elle était **cancéreuse**,* elle avait un cancer.

■**cancérigène** adj. *Le tabac est **cancérigène**,* il peut provoquer le cancer.

cancre n.m. Fam. *Tu ne travailles pas en classe, tu es un **cancre**,* un très mauvais élève.

candélabre n.m. Un *candélabre* est un grand chandelier où on peut mettre plusieurs bougies.

candeur n.f. *Tu nous as regardés avec **candeur**,* un air naïf et innocent.

■**candide** adj. *Tu as un regard **candide**,* plein de candeur.

candi adj.m.inv. Le *sucre candi* est du sucre raffiné et cristallisé.

candidat, e n. *M. Durand est candidat aux élections,* il se présente. *Marie est candidate au baccalauréat.*

■**candidature** n.f. *Marion a posé sa candidature à un emploi.*

candide → *candeur.*

cane, caneton → *canard.*

canette ou **cannette** n.f. **1.** *Tu as encore cassé le fil de la **canette**,* du petit cylindre autour duquel est enroulé le fil à l'intérieur de la machine à coudre. **2.** *Au café, j'ai bu une **canette** de bière,* un contenant en métal.

canevas n.m. **1.** *On fait de la tapisserie sur un* ***canevas,*** *une toile spéciale.* **2.** *Le* ***canevas*** *d'un roman,* c'est son plan.

caniche n.m. *Un* ***caniche*** *est un chien à poil frisé.*

canicule n.f. *On se rappelle la* ***canicule*** *de l'été dernier,* la forte chaleur.
■ **caniculaire** adj. *Il fait une chaleur* ***caniculaire*** (= torride).

canif n.m. *Voilà un* ***canif*** *pour tailler tes crayons,* un petit couteau.

canin, e adj. *La race* ***canine,*** c'est la race des chiens.

canine n.f. *Le chat a des* ***canines*** *très pointues,* les dents qui se trouvent entre les incisives et les molaires.

caniveau n.m. *J'ai glissé dans le* ***caniveau,*** la rigole qui coule au bord du trottoir.

canne n.f. **1.** *Mon grand-père marche avec une* ***canne,*** un bâton pour s'appuyer. **2.** *La* ***canne à sucre*** *est une plante tropicale qui ressemble au bambou.* **3.** *Une* ***canne à pêche*** *est un bâton flexible au bout duquel on fixe une ligne* (= gaule).
R. → *cane.*

canné, e adj. *Un siège* ***canné*** *est fait de rotin tressé.*
■ **cannage** n.m. *Le* ***cannage*** *de la chaise est défoncé.*

canneberge n.f. *La* ***canneberge*** *est l'autre nom de l'atoca.*

cannelé → *cannelure.*

cannelle n.f. **1.** *On se sert de la* ***cannelle*** *pour parfumer certains gâteaux,* une poudre faite avec l'écorce aromatique d'un arbre. **2.** *La* ***cannelle*** *du tonneau est mal fermée,* le robinet de bois.

cannelure n.f. *Les* ***cannelures*** *d'une colonne sont des rainures verticales et parallèles.*
■ **cannelé, e** adj. *Ce temple a des colonnes* ***cannelées*** (≠ lisse).

cannette → *canette.*

cannibale n. *La victime avait été mangée par des* ***cannibales,*** *des gens qui mangeaient de la chair humaine* (= anthropophage).

canoë n.m. *Pierre et Julie ont descendu la rivière en* ***canoë,*** une embarcation légère, utilisée en compétition.

1. canon n.m. **1.** *Les* ***canons*** *ont bombardé les positions ennemies,* les pièces d'artillerie. **2.** *Le* ***canon*** *d'une arme à feu,* c'est le tube cylindrique par où sort la balle ou l'obus.
■ **canonner** v. SENS 1 *Le bateau a* ***canonné*** *le port* (= bombarder).
■ **canonnade** n.f. SENS 1 *À dix kilomètres, on entendait la* ***canonnade,*** les coups de canon.

2. canon n.m. *Les enfants chantent « Frère Jacques » en* ***canon*** *à quatre voix,* ils entonnent l'air successivement avec un décalage qui produit un effet harmonieux.

cañon ou **canyon** n.m. *Un* ***cañon*** *est une vallée très profonde aux versants abrupts.*
R. On prononce [kanjɔn].

canoniser v. *L'Église a* ***canonisé*** *Jeanne d'Arc en 1920,* elle a déclaré que c'était une sainte.
■ **canonisation** n.f. *La* ***canonisation*** *d'un saint est décidée à Rome.*

canonnade, canonner → *canon.*

canot n.m. *J'aime aller en* ***canot,*** *une embarcation étroite que l'on manœuvre avec une pagaie simple. Jean a fait du* ***canot*** *pendant ses vacances,* il s'est promené en canot.
■ **canoter** v. *Nous avons* ***canoté*** *sur le lac,* nous nous sommes promenés en canot.
■ **canotage** n.m. *Nous avons fait du* ***canotage*** *sur le lac.*
■ **canoteur, euse** n. *Il y a beaucoup de* ***canoteuses*** *sur la rivière.*
■ **canotable** adj. *Au printemps, la rivière est* ***canotable,*** on peut y canoter.

803, 765

762, 763

583

726, 727

721

cantal n.m. Le *cantal* est un fromage de la région d'Auvergne en France.

cantate n.f. Une *cantate* est un morceau de musique chantée.

cantatrice n.f. Une *cantatrice* est une chanteuse d'opéra.

cantine n.f. *Marie déjeune tous les jours à la cantine du collège,* la cafétéria, l'endroit réservé aux repas.

cantique n.m. *À l'église, on chante des cantiques,* des chants religieux.

canton n.m. Au Canada, un *canton* était un territoire d'une superficie de 10 milles sur 10 milles environ.

cantonade n.f. *Parler à la cantonade,* c'est parler fort et pour toute l'assistance.

cantonner v. 1. *Les soldats ont été cantonnés dans l'école,* on les y a installés provisoirement. 2. *Nous nous sommes cantonnés dans un prudent silence,* nous y sommes restés (= se tenir).
■ **cantonnement** n.m. SENS 1 *L'école a servi de cantonnement aux soldats.*

cantonnier, ère n. *Le métier du cantonnier est d'entretenir les routes.*

caoutchouc n.m. *Les pneus de la voiture sont en caoutchouc,* en une matière résistante et élastique.
■ **caoutchouté, e** adj. *Un tissu caoutchouté* est enduit de caoutchouc.
R. Le *c* final de *caoutchouc* ne se prononce pas : [kautʃu].

cap n.m. 1. *Le bateau est passé au large d'un cap,* d'une pointe de terre. 2. *Le bateau a mis le cap sur l'Amérique,* il se dirige vers l'Amérique.
R. *Cap* se prononce [kap] comme *cape*.

capable adj. 1. *Tu es capable de faire ce problème,* tu peux le faire (= apte à). 2. *Tu es une personne capable* (= compétent).
■ **capacité** n.f. 1. SENS 2 *Vous avez de grandes capacités,* des aptitudes, des ressources. 2. *La capacité de cette bouteille est de 1 litre* (= contenance).

■ **incapable** 1. SENS 1 adj. *Marie est incapable de mentir* (≠ capable). 2. SENS 2 n. et adj. *Cet homme est un incapable* (= bon à rien).
■ **incapacité** n.f. SENS 1 *On est dans l'incapacité de travailler* (= impossibilité). SENS 2 *Tu as montré ton incapacité* (= incompétence).

cape n.f. 1. Une *cape* est une sorte de manteau sans manches. 2. *Rire sous cape,* c'est rire en cachette. 3. *Elle lit un roman de cape et d'épée,* un roman d'aventures dans lequel les personnages se battent à l'épée.
R. → *cap.*

capeline n.f. *À ce mariage, les femmes portaient des capelines,* des chapeaux à grands bords souples.

capharnaüm n.m. *Cette boutique de brocanteur est un vrai capharnaüm,* un lieu plein d'objets en désordre.
R. On prononce [kafarnaɔm].

capillaire adj. 1. *Une lotion capillaire* est destinée au soin des cheveux. 2. *Les vaisseaux capillaires* sont des vaisseaux sanguins fins comme des cheveux.

capillarité n.f. *L'eau monte dans une éponge par capillarité,* en s'infiltrant dans les interstices.

capilotade n.f. Fam. *Après la grêle, les salades étaient en capilotade,* hachées, écrasées.

capitaine n. 1. *Le lieutenant a été promu capitaine,* un grade d'officier. 2. *Le capitaine du bateau a donné l'ordre de lever l'ancre,* celui qui commande. 3. *Je suis la capitaine de l'équipe de soccer,* la chef de l'équipe.

1. capital, e, aux adj. 1. *Elle a parlé d'un problème capital* (= essentiel ; ≠ secondaire, accessoire). 2. *L'assassin fut condamné à la peine capitale,* à mort.

2. capital n.m. *Mme Truong a placé des capitaux dans une entreprise,* de l'argent qui lui rapporte des intérêts. *Ginette a un* *capital intéressant,* de l'argent, des biens.

■ **capitalisme** n.m. Le *capitalisme* est un système économique dans lequel les capitaux, les usines appartiennent à des particuliers et non à l'État (≠ socialisme ou communisme).

■ **capitaliste** adj. et n. *Les États-Unis sont un pays capitaliste. Mme Roy est une capitaliste.*

capitale n.f. 1. *Paris est la capitale de la France,* le siège du Parlement. 2. *Écrivez votre nom en capitales,* en lettres majuscules.

capitalisme, capitaliste → *capital 2.*

capiteux, euse adj. *Un vin capiteux* monte à la tête et entraîne facilement l'ivresse.

capitonner v. *On a capitonné le fauteuil du salon* (= rembourrer).

capituler v. *Les soldats ont dû capituler,* cesser de résister (= se rendre).

■ **capitulation** n.f. *On a annoncé la capitulation de l'ennemi.*

caporal, e n. *Un caporal* est un gradé.

capot n.m. *Soulève le capot de la voiture,* je voudrais regarder le moteur.

capote n.f. 1. *La capote d'un soldat,* c'est son manteau d'uniforme. 2. *Certaines voitures ont une capote,* une toiture pliante.

■ **décapotable** adj. et n.f. SENS 2 *Elle a acheté une voiture décapotable,* munie d'une capote que l'on peut relever.

capoter v. 1. *La voiture a capoté dans un virage,* elle s'est retournée. 2. Fam. *Quand je l'ai vue, j'ai capoté,* j'étais tout excitée.

câpre n.m. *Les câpres* sont des graines employées comme condiment.

caprice n.m. *Tu veux toujours qu'on cède à tes caprices,* tes exigences, tes fantaisies.

■ **capricieux, euse** adj. *Tu es une personne capricieuse.*

capsule n.f. 1. *La bouteille est bouchée avec une capsule,* une sorte de bouchon. 2. *Les astronautes sont restés dans la capsule spatiale,* la partie habitable de la fusée.

■ **décapsuler** v. SENS 1 *Voilà un instrument pour décapsuler la bouteille,* c'est un **décapsuleur.**

capter v. 1. *Capter une émission de radio,* c'est la recevoir. 2. *Capter une source,* c'est recueillir ses eaux. 3. *Capter l'attention de quelqu'un,* c'est la retenir.

captif, ive n. et adj. est un équivalent ancien de *prisonnier.*

■ **captivité** n.f. *Elle a passé cinq ans en captivité,* comme prisonnière de guerre.

captiver v. *Suzy est captivée par son livre,* elle est très intéressée.

■ **captivant, e** adj. *J'ai vu un film captivant* (= passionnant).

captivité → *captif.*

capturer v. *Les chasseurs ont capturé un lion,* ils l'ont pris vivant.

■ **capture** n.f. *Les chasseurs ont ramené leur capture* (= prise). *La capture d'un dangereux malfaiteur* (= arrestation).

capuchon n.m. 1. *Le capuchon d'un manteau,* c'est la partie qui peut se rabattre sur la tête. 2. *Où est le capuchon de mon stylo ?,* la partie qui protège la plume.

■ **capuche** n.f. est un équivalent de *capuchon* au sens 1.

36

292

capucine n.f. *Les capucines* sont des plantes à fleurs orangées.

80

caqueter v. *Les poules caquettent dans le poulailler,* elles font entendre des séries de petits cris.

■ **caquet** n.m. 1. *Le caquet* est le cri de la poule quand elle va pondre ou quand elle a pondu. 2. Fam. *Il faisait l'important, mais je lui ai rabaissé son caquet,* je l'ai rendu plus modeste en le vexant. 3. Fam. *Paul a raté son examen, il a le caquet bas,* il est déprimé.

R. → Conj. n° 8.

1. car conj. *Elle ne viendra pas, car elle est malade* (= parce que).

506 | **2. car** n.m. *Nous avons fait une excursion en car* (= autocar).

436 | **carabine** n.f. *Savez-vous tirer à la carabine ?,* un fusil léger.

carabiné, e adj. Fam. *J'ai eu un rhume carabiné,* très fort.

caracoler v. *Le cheval s'est mis à caracoler,* à faire des petits sauts.

290, 806 | **caractère** n.m. **1.** *Écrivez votre nom en gros caractères,* en lettres d'imprimerie. **2.** *Le caractère d'une personne,* c'est sa manière de se comporter (= tempérament). *Que tu as mauvais caractère !,* tu te fâches facilement. **3.** *Ce cheval a du caractère,* il est énergique. **4.** *Cette maladie a les caractères d'une grippe,* elle en présente les signes distinctifs (= apparence).

■ **caractériser** v. SENS 4 *La grippe est caractérisée par une forte fièvre,* la fièvre en est un signe distinctif.

■ **caractéristique** adj. et n. f. SENS 4 *Les courbatures sont un signe caractéristique de la grippe* (= particulier, distinctif). *Quelles sont les caractéristiques de cette voiture ?* (= particularité).

carafe n.f. *Apporte une carafe d'eau sur la table !,* une sorte de bouteille.

carambolage n.m. *Il y a eu un carambolage sur l'autoroute,* un accident dans lequel plusieurs voitures se sont heurtées.

caramel n.m. **1.** *Benoît met du caramel sur sa crème glacée,* du sucre fondu au feu jusqu'à ce qu'il prenne une couleur brune. **2.** *Fatima mange un caramel,* un bonbon fait avec du caramel (sens 1).

■ **caraméliser** v. *Faire caraméliser du sucre,* c'est le transformer en caramel.

carapace n.f. *Les tortues ont le corps recouvert d'une carapace,* une enveloppe dure qui les protège.

512, 577, 802 | **caravane** n.f. **1.** *Une caravane de voitures a traversé le Sahara,* des voitures voyageant ensemble. **2.** *Ils passent leurs vacances en caravane,* dans une roulotte tirée par une automobile.

■ **caravanier, ère** n. *Il y a beaucoup de caravaniers sur le terrain de camping,* des personnes possédant des caravanes.

caravelle n.f. *Le bateau de Christophe Colomb était une caravelle.*

carbone n.m. **1.** *Le charbon est constitué par du carbone.* **2.** *Un (papier) carbone permet d'obtenir le double d'un texte tapé à la machine.*

■ **carbonique** adj. SENS 1 *Si on fait brûler un corps, il se dégage du gaz carbonique.*

■ **carboniser** v. SENS 1 *Le rôti a été carbonisé,* il a été brûlé complètement, réduit à l'état de charbon.

carburant n.m. *Le moteur des automobiles fonctionne grâce à du carburant,* de l'essence ou du gazole.

■ **carburateur** n.m. *Le carburateur est bouché,* l'appareil qui envoie dans le moteur de l'essence vaporisée.

carcajou n.m. Le *carcajou* est un mammifère carnivore (= glouton).

carcasse n.f. **1.** *On a mangé tout le poulet, il ne reste que la carcasse,* les os du corps. **2.** *La carcasse d'une voiture,* c'est son armature.

carcéral, e, aux adj. *La vie carcérale,* c'est la vie en prison.

cardiaque 1. adj. *Les muscles cardiaques,* ce sont les muscles du cœur. **2.** adj. et n. *Jocelyne est cardiaque,* elle a une maladie de cœur.

■ **cardiologue** n. *J'ai consulté un cardiologue,* un spécialiste des maladies du cœur.

cardigan n.m. Un *cardigan* est un lainage à manches longues se fermant sur le devant.

1. cardinal, e, aux adj. **1.** *1, 20, 100 sont des nombres cardinaux* (≠ ordinal). **2.** *Le nord, le sud, l'est et l'ouest sont les quatre points cardinaux.*

2. cardinal n.m. *Le pape est élu par les cardinaux,* des prélats d'un rang élevé.

cardiologue → *cardiaque.*

carême n.m. *Certains catholiques jeûnent pendant le* **carême**, *la période de 40 jours qui précède Pâques.*
■ **mi-carême** n.f. *Le jeudi de la* **mi-carême**, *les enfants se sont déguisés.*

carence n.f. *Maria souffre d'une* **carence** *de vitamines* (= insuffisance).

caresse n.f. *Jean m'a fait une* **caresse** *sur la joue,* il me l'a touchée gentiment.
■ **caresser** v. *Les chats aiment qu'on les* **caresse**.

cargaison n.f. *Le navire transporte une* **cargaison** *de charbon* (= chargement).

cargo n.m. *Un* **cargo** *est un navire qui ne transporte que des marchandises.*

cari → *curry.*

caribou n.m. 1. *Les* **caribous** *vivent dans les régions nordiques* (= renne). 2. *Un verre de* **caribou** *nous réchauffera,* une boisson faite d'alcool naturel et de vin.

caricature n.f. *Marie a fait une* **caricature** *de son professeur,* un dessin ressemblant mais comique.

carie n.f. *La dentiste m'a soigné une* **carie**, *une maladie d'une dent.*
■ **carié, e** adj. *J'ai plusieurs dents* **cariées**, *gâtées.*

carillon n.m. *Le* **carillon** *sonne 8 heures,* une horloge qui fait entendre un air pour marquer les heures.
■ **carillonner** v. *Les cloches de l'église* **carillonnent** (= sonner).

carlingue n.f. *La* **carlingue** *d'un avion,* c'est la partie où se trouvent le pilote et les passagers.

carmin n.m. *Le* **carmin** *est un rouge très vif.*

carnage n.m. *La bataille s'est terminée par un* **carnage** (= massacre).

carnassier → *carnivore.*

carnassière n.f. ou **carnier** n.m. *Le chasseur rapporte deux perdrix dans sa* **carnassière**, *un sac spécial pour mettre le gibier* (= gibecière).

carnaval n.m. *Les fêtes du* **carnaval** *se sont terminées hier,* des réjouissances populaires avec défilés, chars, etc.
R. Noter le pluriel : *des* **carnavals**.

carnet n.m. 1. *Je note mes rendez-vous sur un* **carnet**, *un petit cahier de poche* (= calepin). 2. *J'ai acheté un* **carnet** *de billets de métro,* un ensemble de billets réunis. | 295

carnier → *carnassière.*

carnivore adj. et n. *L'homme, le tigre, le chat sont (des)* **carnivores**, *ils mangent de la viande.*
■ **carnassier, ère** adj. et n.m. *Le tigre et le chat sont (des)* **carnassiers**, *ils se nourrissent de la chair d'autres animaux.*

carotide n.f. *Un éclat de verre lui a coupé la* **carotide**, *l'artère du cou.*

carotte n.f. *Comme hors-d'œuvre, nous avons mangé des* **carottes** *râpées,* des racines comestibles rouge-orangé. | 367

carpe n.f. 1. *La* **carpe** *est un poisson d'eau douce.* 2. *Pierre est* **muet comme une carpe**, *il ne dit pas un mot.* | 721

carpette n.f. *Essuie-toi les pieds sur la* **carpette** *!,* le petit tapis.

carquois n.m. *L'archer a tiré une flèche de son* **carquois**, *son étui.* | 147

carre n.f. *Les* **carres** *d'un ski* sont les baguettes d'acier qui bordent sa semelle.

carré n.m. 1. *Calculez la surface de ce* **carré**, *cette figure qui a quatre côtés égaux et quatre angles droits.* 2. *4 est le* **carré** *de 2* (2×2), *9 est le* **carré** *de 3* (3×3). 3. *M. et Mme Vandamme cultivent leur* **carré** *de choux,* une surface plantée (en choux). 4. *J'aime les* **carrés** *aux dates,* des petits gâteaux fourrés aux dattes. 5. *Il l'a rencontré au* **carré** *Saint-Louis,* une place publique en forme de carré (sens 1). | 385
■ **carré, e** adj. SENS 1 *La salle à manger est* **carrée**, *elle a la forme d'un carré.* SENS 2

290
871 *Cette salle est un carré de 2 mètres sur 2, elle mesure 4 **mètres carrés**.*

carreau n.m. **1.** *Il y a un **carreau** cassé, téléphone au vitrier* (= vitre). **2.** *Le sol de la salle de bains est en **carreaux** de faïence,* des petites dalles. **3.** *Zoé a une jupe à **carreaux**,* à petits dessins carrés.
801 **4.** *Le **carreau** de la mine,* c'est le terrain où sont groupées toutes les installations de la mine, à la surface. **5.** *Je joue l'as de*
436 ***carreau**,* une des couleurs aux cartes.
■ **carreauté, e** adj. SENS 3 *Je porte une chemise **carreautée**,* à carreaux.
■ **carreler** v. SENS 2 *Nous avons fait carreler la cuisine,* recouvrir le sol ou les murs de carreaux.
78 ■ **carrelage** n.m. SENS 2 *J'ai lavé le carrelage,* les carreaux du sol ou des murs.
■ **carreleur, euse** n. SENS 2 *La carreleuse pose les carrelages.*
R. *Carreler* → conj. n° 6.

217 **carrefour** n.m. *Il y a un feu rouge au carrefour* (= croisement).

carrelage, carreler → carreau.

carrément adv. *Dis-moi **carrément** ce que tu penses* (= nettement).

se carrer v. *Le directeur **se carre** dans un large fauteuil,* il s'y installe bien à l'aise (= s'enfoncer, se caler).

carrière n.f. **1.** *Dans une **carrière**, on extrait des pierres, du sable.* **2.** *Suzy ne sait pas quelle **carrière** elle choisira* (= profession).
■ **carrier** n.m. SENS 1 *Un **carrier** travaille dans une carrière.*

363
652 **carriole** n.f. **1.** *L'âne tire la **carriole**,* une petite charrette. **2.** *Une **carriole** est un grand traîneau pour le transport des personnes.*

carrossable adj. *Arrête ! le chemin n'est plus **carrossable**,* la voiture ne peut pas y passer.

802 **carrosse** n.m. **1.** *Autrefois, les reines roulaient en **carrosse**,* dans de luxeuses voitures à cheval. **2.** *Un **carrosse** est une voiture d'enfant.*

carrosserie n.f. *Il a abîmé la **carrosserie** dans un accident,* la partie extérieure de la voiture.
■ **carrossier, ère** n. *Le **carrossier** a redressé l'aile de la voiture.*

carrure n.f. *Cette skieuse a une **carrure** d'athlète,* elle a le dos large et les épaules musclées.

carry → curry.

cartable n.m. *As-tu mis tes livres et tes cahiers dans ton **cartable** ?* (= serviette, sacoche).

carte n.f. **1.** *Hier nous avons joué aux cartes. L'as est la **carte** la plus forte.* **2.** *Montrez-moi une **carte d'identité**,* un document prouvant qui on est. **3.** *La **carte** de France ressemble à un hexagone,* sa représentation géographique. **4.** *L'agent d'assurance a laissé sa **carte de visite**,* un petit carton portant son nom et son adresse. **5.** *Pendant les vacances, écris-nous une **carte postale**,* un rectangle de carton illustré sur une face. **6.** *Au restaurant, on peut prendre le menu ou manger **à la carte**,* en choisissant les plats que l'on veut (et non pas ceux qui sont imposés sur le menu).
■ **cartographie** n.f. SENS 3 *La **cartographie** est l'art de dessiner des cartes de géographie.*
■ **cartomancienne** n.f. SENS 1 *Une **cartomancienne** est une femme qui prétend lire l'avenir grâce à un jeu de cartes.*
■ **porte-cartes** n.m.inv. SENS 2 *Dans son **porte-cartes**, on a sa carte d'identité, son permis de conduire, etc.*

cartilage n.m. *L'oreille est faite de **cartilage**,* d'une sorte d'os assez mou.
■ **cartilagineux, euse** adj. *La raie est un poisson **cartilagineux**,* elle n'a pas d'arêtes mais des cartilages.

cartographie, cartomancienne → carte.

carton n.m. **1.** *La couverture de ce livre est en **carton**,* en une sorte de papier très épais. **2.** *Elle range sa collection de* timbres dans un **carton** à chaussures (= boîte).

■ **cartonnage** n.m. SENS 1 L'appareil est expédié dans un **cartonnage** robuste, un emballage en carton.

■ **cartonné, e** adj. SENS 1 Les livres **cartonnés** sont plus solides, les livres reliés en carton.

cartouche n.f. **1.** Les chasseurs n'avaient plus de **cartouches** (= munition, balle). **2.** Amina s'est acheté un stylo à **cartouche**, où l'encre est contenue dans un petit réservoir en plastique. **3.** J'ai acheté une **cartouche** de cigarettes, un emballage groupant des paquets de cigarettes.

■ **cartouchière** n.f. SENS 1 Elle a sorti deux cartouches de sa **cartouchière**, de la ceinture où elle les range.

cas n.m. **1.** Il a neigé en mai : c'est un **cas** assez rare, cela arrive rarement (= événement, circonstance). **2.** Ne faire aucun **cas** de quelque chose, c'est ne lui accorder aucune importance. **3.** Je ne sais pas qui a fait ça, **en tout cas**, ce n'est pas moi (= de toute façon). **4.** **En cas de** malheur, prévenez-moi, si un malheur arrive. **5.** **Au cas où** vous passeriez par ici, venez me voir (= si).

casanier, ère adj. Ma chienne est très **casanière**, elle aime rester à la maison.

casaque n.f. Le jockey a une **casaque** rouge (= veste).

cascade n.f. **1.** Le torrent fait une **cascade** de 10 mètres, il tombe de cette hauteur (= chute d'eau). **2.** Il s'est produit des incidents **en cascade**, en série.

cascadeur, euse n. Pour cette scène dangereuse, l'acteur principal du film a été remplacé par un **cascadeur**, un acrobate professionnel.

case n.f. **1.** Ces villageois africains vivent dans des **cases** (= hutte). **2.** Un échiquier a 64 **cases**, petits carrés. **3.** Ce tiroir est divisé en trois **cases** (= compartiment).

■ **casier** n.m. **1.** SENS 3 Un meuble divisé en cases est un **casier**. Dans un **casier** à bouteilles, chaque bouteille occupe une case. **2.** Le **casier judiciaire** est la liste des condamnations en justice prononcées contre quelqu'un.

casemate n.f. Les tirs de mitrailleuse venaient d'une **casemate**, un ouvrage fortifié au ras du sol.

caser v. Fam. Je ne pourrai pas **caser** tous ces livres dans ma bibliothèque (= placer, mettre).

caserne n.f. Les soldats vont à la **caserne**, au bâtiment où ils logent.

casier → case.

casino n.m. Ils ont perdu leur fortune au **casino** de Monaco, dans un établissement où l'on joue de l'argent.

casoar n.m. Le **casoar** est un grand oiseau d'Australie dont la tête est surmontée d'une sorte de casque osseux.

casque n.m. **1.** Les soldats et les pompiers portent un **casque**, une coiffure rigide qui protège la tête. **2.** Fam. Il **en a plein le casque**, il en a assez.

■ **casqué, e** adj. La motocycliste est **casquée**.

casquette n.f. Luce porte une **casquette**, une coiffure plate à visière.

casser v. **1.** J'ai **cassé** une assiette, je l'ai réduite en morceaux (= briser). Jean s'est **cassé** la jambe au ski (= fracturer). **2.** **Casser** un jugement, c'est le déclarer nul. **3.** Fam. Viens-tu **casser la croûte** avec moi ?, manger.

■ **cassant, e** adj. SENS 1 Attention ! cette branche est **cassante**, elle casserait facilement.

■ **cassation** n.f. SENS 3 On attend la **cassation** du jugement. La **Cour de cassation** est le tribunal qui peut casser des jugements.

■ **casse** n.f. SENS 1 Il y a eu de la **casse**, des choses cassées.

■ **casse-cou** n. et adj.inv. SENS 1 Zoé est une **casse-cou** (= imprudent).

■ **casse-croûte** n.m.inv. **1.** *Pour le pique-nique, j'ai apporté un* **casse-croûte,** *un repas léger.* **2.** *J'ai faim, je vais au* **casse-croûte,** *un petit restaurant où l'on sert des repas légers.*

■ **casse-noix** n.m.inv. SENS 1 *Ne casse pas les noix avec tes dents, prends un* **casse-noix.**

■ **casse-pieds** adj. et n.inv. Fam. *Qu'il est* **casse-pieds !,** insupportable.

■ **casse-tête** n.m.inv. **1.** *Un* **casse-tête** *est un puzzle.* **2.** *Ce problème de maths est un vrai* **casse-tête,** *il est très difficile.*

■ **cassure** n.f. SENS 1 *On voit sur ce vase la marque d'une* **cassure,** *d'un endroit cassé.*

■ **incassable** adj. SENS 1 *Ces lunettes sont en plastique* **incassable,** *très solide.*

78 | **casserole** n.f. *Veux-tu mettre une* **casserole** *d'eau sur le feu ?*

808 | **cassette** n.f. **1.** *Une* **cassette** *est un étui contenant une bande magnétique sur laquelle on peut enregistrer de la musique, des films ou écouter de la musique, regarder des films déjà enregistrés.* **2.** *Autrefois, on mettait ses bijoux dans une* **cassette,** *un petit coffre.*

367 | **1. cassis** n.m. *Le* **cassis** *est une sorte de groseille noire dont on fait une liqueur.*
R. On prononce [kasis].

2. cassis n.m. *Ralentis, le panneau annonce un* **cassis,** *une rigole en travers de la route.*
R. On prononce [kasi].

cassonade n.f. *La* **cassonade** *est du sucre roux.*

cassot n.m. *Achète un* **cassot** *de fraises,* des fraises dans un petit emballage carré.

cassoulet n.m. *Nous avons mangé un* **cassoulet,** *un ragoût de haricots et de viande.*

cassure → *casser.*

439 | **castagnettes** n.f.pl. *Les* **castagnettes** *sont deux plaquettes de bois qu'on entrechoque en mesure, en particulier pour accompagner certaines danses.*

caste n.f. *Ces gens forment une* **caste** *privilégiée,* un groupe qui se juge supérieur aux autres.

castor n.m. *Le* **castor** *est un petit animal à fourrure, à la queue large et plate, qui vit au bord des rivières.*

cataclysme n.m. *Le tremblement de terre a provoqué un* **cataclysme,** *une catastrophe naturelle.*

catacombes n.f.pl. *Les premiers chrétiens enterraient leurs morts dans des* **catacombes,** *des souterrains.*

catafalque n.m. *Le cercueil était posé sur un* **catafalque,** *un support pour les cérémonies funéraires.*

catalogne n.f. *La* **catalogne** *est une étoffe tissée avec des bandes de tissu de diverses couleurs. C'est aussi un tapis fait avec cette étoffe.*

catalogue n.m. *On a reçu le* **catalogue** *des grands magasins,* la liste des articles qu'ils vendent.

catamaran n.m. *Le* **catamaran** *file sur l'eau,* un voilier à deux coques.

cataplasme n.m. *Autrefois, on soignait souvent les bronchites avec des* **cataplasmes,** *des bouillies spéciales mises dans du linge et appliquées sur la peau.*

catapulte n.f. *Une* **catapulte** *était une machine de guerre pour lancer des projectiles (pierres, boulets, etc.).*

cataracte n.f. *Les* **cataractes** *du Niagara ont 47 mètres de hauteur* (= chute d'eau).

catastrophe n.f. **1.** *Cinquante personnes sont mortes dans la* **catastrophe,** *un grave accident* (= désastre). **2.** *Je suis venue* **en catastrophe,** *très rapidement.*

■ **catastrophé, e** adj. SENS 1 Fam. *Pourquoi me regardes-tu de cet air* **catastrophé ?** (= atterré, consterné).

■ **catastrophique** adj. SENS 1 *L'incendie a été* **catastrophique** (= désastreux).

catch n.m. *Le* **catch** *est une sorte de lutte.*

catéchisme n.m. *Tu vas au caté-chisme ?,* à l'instruction religieuse.
■ **catéchèse** n.f. La *catéchèse* est l'enseignement de la religion chrétienne.

catégorie n.f. *La flûte fait partie de la catégorie des instruments à vent* (= classe, groupe, ensemble).

catégorique adj. *Il m'a donné une réponse catégorique,* sans réplique (= net ; ≠ équivoque, confus, évasif).
■ **catégoriquement** adv. *On a refusé catégoriquement.*

caténaire n.f. *Une caténaire est un câ-*ble électrique suspendu pour fournir du courant aux trains.

cathédrale n.f. *Les touristes ont visité la cathédrale,* une grande et belle église.

catholique n. et adj. *Les catholiques vont à la messe le dimanche. Le pape est le chef de l'Église catholique.*
■ **catholicisme** n.m. Le *catholicisme,* c'est la religion catholique.

en catimini adv. *Marie s'est approchée de Jean en catimini,* sans se faire remarquer, en cachette.

catin n.f. 1. Fam. *Montre-moi ta nouvelle catin,* une poupée. 2. *J'ai une catin autour du doigt,* un pansement.
■ **catiner** v. 1. SENS 1 *Il aime catiner,* jouer à la poupée. 2. *Carole aime se faire catiner,* cajoler.

catogan n.m. *Elle a les cheveux attachés sur la nuque par un catogan,* un gros nœud.

cauchemar n.m. *Cette nuit, j'ai fait un cauchemar,* un rêve pénible.

cause n.f. 1. *Le travail est la cause de sa réussite* (= motif, raison ; ≠ conséquence, effet, résultat). 2. *Je suis arrivé en retard à cause du brouillard,* parce qu'il y en avait (= en raison de). 3. *La défense des faibles est une noble cause,* une chose à laquelle on peut se dévouer. 4. *Pierrette a obtenu gain de cause,* ce qu'elle demandait.

■ **causer** v. *C'est une imprudente qui a causé l'accident,* qui en est la cause (= provoquer).

1. **causer** v. *Pierre est en train de causer avec Marie* (= parler).
■ **causerie** n.f. *Une causerie est une conversation familière ou un exposé.*
■ **causette** n.f. Fam. *Pierre et Marie font la causette,* ils bavardent.
■ **causeur, euse** n. *Aline est une brillante causeuse,* elle a le don de causer agréablement devant un auditoire.

2. **causer** → *cause.*

causeuse n.f. *Une causeuse est un petit canapé pour deux personnes.*

caustique adj. 1. *Un produit caustique* ronge la peau. 2. *Une remarque caustique* est blessante, mordante.

cauteleux, euse adj. *Cette personne a des manières cauteleuses* (= hypocrite).

caution n.f. *Natacha a versé une caution au propriétaire de son logement,* une somme d'argent pour garantir qu'elle paiera son loyer.
■ **cautionner** v. *Je ne peux pas cautionner ce projet,* lui donner mon appui.

cavalcade n.f. *Une cavalcade,* c'est la course bruyante de personnes ou d'animaux.

1. **cavalier, ère** n. 1. *La cavalière a lancé son cheval au galop,* une personne qui va à cheval. 2. *Il s'est incliné devant sa cavalière,* la femme avec qui il danse.
■ **cavalerie** n.f. SENS 1 *La cavalerie était formée des troupes à cheval.*

2. **cavalier, ère** adj. *Vous m'avez regardé d'un air cavalier,* un peu insolent.
■ **cavalièrement** adv. *Tu m'as répondu bien cavalièrement* (≠ respectueusement).

cave n.f. *Qui veut descendre chercher du vin à la cave ?,* la pièce qui est sous le sol de la maison.

caveau n.m. Dans un cimetière, un *caveau* est une construction qui sert de sépulture.

caverne n.f. 1. *L'ours est entré dans une caverne pour se mettre à l'abri*, un creux dans le rocher (= grotte). 2. *Les hommes des cavernes* vivaient au temps de la préhistoire.

caverneux, euse adj. *Mon père a une voix caverneuse*, grave et sourde.

caviar n.m. *Au restaurant russe, on peut manger du caviar*, des œufs d'esturgeon.

cavité n.f. *La mer a creusé des cavités dans la falaise*, des trous.

ce, cet, cette, ces adj. démonstratifs, servent à montrer quelqu'un ou quelque chose : *Ce livre, cet animal, cette femme, ces enfants.* Ils peuvent être accompagnés de -*ci* et de -*là* : *Ce livre-ci est plus proche que ce livre-là.*
■ **ce, c', ceci, cela, ça, celui, celle(s), ceux** pron. démonstratifs servent à montrer : *C'est bien. Ce (ceci, cela) n'est pas bien. Ça va ? Je n'ai pas de livre, je prends celui de Pierre. Celui-ci est plus près que celui-là.*
R. Ne pas confondre *ce* et *se* [sə]. *Cet* et *cette* se prononcent [sɛt] comme *sept*. *Ces* se pronoce [se] comme *ses* et *c'est*. *Celle* se prononce [sɛl] comme *sel* et *selle*.

cécité n.f. *Ce pauvre homme est frappé de cécité*, il est aveugle.

céder v. 1. *On lui a cédé la place* (= laisser). 2. *Paule a cédé à sa sœur*, elle a fait ce qu'elle voulait. 3. *Tu étais trop lourde, et la branche a cédé*, elle n'a pas résisté (= casser).
■ **cession** n.f. SENS 1 *Certains héritiers ont accepté une cession de leurs droits* (= abandon).

cédille n.f. *On met une cédille sous un c (ç) devant a, u, o pour indiquer le son* [s] : *façade, gerçure, leçon.*

cèdre n.m. 1. *Le cèdre est un grand arbre aux branches qui s'étalent horizontale-*
ment. 2. Au Canada, c'est le nom donné au thuya.

cégep n.m. *Marc et Claire entrent au cégep cette année*, un établissement public d'enseignement collégial ou professionnel qui suit le niveau secondaire.
■ **cégépien, enne** n. *Claire est une une cégépienne*, elle est élève au cégep.

ceinture n.f. 1. *Resserre ta ceinture, ton pantalon tombe. C'est la fête au village, sortons nos ceintures fléchées*, des ceintures traditionnelles à motifs en forme de flèches. 2. *On avait de l'eau jusqu'à la ceinture* (= taille). 3. *En voiture, il faut attacher sa ceinture de sécurité*, une bande de tissu qui maintient le passager sur son siège.
■ **ceinturer** v. SENS 2 *Elle a ceinturé la voleuse*, elle l'a saisie par la taille.
■ **ceinturon** n.m. SENS 1 *Un ceinturon est une grosse ceinture.*

cela → ce.

célébration → célébrer.

célèbre adj. *Victor Hugo et George Sand sont des écrivains célèbres*, très connus.
■ **célébrité** n.f. *Cet artiste jouit d'une grande célébrité* (= renom).

célébrer v. 1. *On a célébré l'anniversaire de la victoire*, on l'a fêté par une cérémonie. 2. *Le prêtre célèbre la messe*, il la dit, il est le **célébrant**.
■ **célébration** n.f. SENS 1 ET 2 *Nous avons assisté à la célébration d'un mariage.*

célébrité → célèbre.

céleri n.m. *Nous avons mangé à midi une salade de céleri*, un légume.

célérité n.f. est un équivalent rare de *rapidité, vitesse.*

céleste → ciel.

célibataire adj. et n. *M. Dubois est célibataire*, il n'est pas marié.
■ **célibat** n.m. *Le mariage met fin au célibat*, à la situation de célibataire.

celle → ce.

cellier n.m. *On conserve les provisions dans le cellier,* un local frais.
R. *Cellier se prononce* [sɛlje] *comme sellier.*

cellule n.f. **1.** *Le prisonnier a été enfermé dans une cellule,* une petite pièce. **2.** *Les gâteaux de cire des abeilles sont divisés en cellules,* en petites cavités. **3.** *La matière vivante est formée de cellules,* d'éléments très petits.
■**cellulite** n.f. SENS 3 *Mme Durand a de la cellulite,* des cellules de graisse sous la peau.
■**cellulose** n.f. SENS 3 *Les cellules des végétaux forment la cellulose.*

celui → *ce.*

cendre n.f. *La cendre,* c'est ce qui reste d'un corps qu'on a fait brûler.
■**cendrier** n.m. *Éteins ta cigarette dans le cendrier,* le récipient destiné aux cendres et aux mégots.

censé, e adj. *Nul n'est censé ignorer la loi,* on suppose que nul ne l'ignore.
R. *Censé se prononce* [sãse] *comme sensé.*

censeur n.m. *Les censeurs sont des gens chargés par certains gouvernements d'examiner les livres, les films, etc.*
■**censure** n.f. *Le livre est passé devant la commission de censure.*
■**censurer** v. *Ce film a été censuré,* il a été interdit.

cent adj. *1877, c'était cent ans avant 1977. 10 × 10 = 100.*
■**centaine** n.f. **1.** *Dans 821, 8 est le chiffre des centaines.* **2.** *J'ai une centaine de billes dans mon sac,* environ cent billes.
■**centenaire** **1.** adj. et n. *Jean a un grand-père centenaire,* qui a cent ans ou plus. **2.** n.m. *On a fêté le centenaire de notre école,* le centième anniversaire.
■**centi-,** placé devant une unité, la divise par 100 : *centigramme, centilitre, centimètre.*
■**centième** adj. et n. *10 est le centième partie (le centième) de 1 000.*
■**centuple** n.m. *1 000 est le centuple de 10.*

■**centupler** v. *Elle a centuplé sa fortune,* elle l'a multipliée par 100.
■**bicentenaire** n.m. *1989 est l'année du bicentenaire de la Révolution française de 1789,* du 200ᵉ anniversaire. (Pour le 300ᵉ anniversaire, on dit le **tricentenaire**.)
■**pourcentage** n.m. *Voilà 100 élèves dont 40 sont blonds : le pourcentage de blonds est de 40 pour cent* (40 %).
R. *Cent se prononce* [sã] *comme sans, sang,* [je] *sens et* [il] *sent (de sentir). Cent reste invariable s'il est suivi d'un autre nombre (deux cent dix), mais prend un* s *s'il ne l'est pas (deux cents œufs* [døsãzø]*).*

centigramme, centilitre, centimètre → *gramme, litre, mètre.*

centre n.m. **1.** *Qui se place au centre du cercle ?,* au milieu. **2.** *Chicago est un centre industriel,* une ville importante. **3.** *Le centre est un parti politique entre la gauche et la droite.* **4.** *Le centre d'intérêt de la discussion a été le chômage,* le point essentiel. **5.** *Samedi, on est allés regarder les boutiques du centre commercial,* un endroit où sont regroupés de nombreux commerces. | 221
■**central, e, aux** adj. SENS 1 *Le Massif central se trouve au centre de la France.* | 808, 35
■**central** n.m. *Le central téléphonique permet l'acheminement des appels vers leurs destinataires.*
■**centrale** n.f. SENS 1 *Une centrale électrique produit du courant et l'envoie dans toutes les directions.* | 801
■**centraliser** v. SENS 2 *On a centralisé l'Administration,* on l'a groupée dans un grand centre.
■**centrer** v. SENS 4 *La discussion a été centrée sur le chômage,* elle s'est fixée sur ce point.
■**centriste** adj. SENS 3 *Une politique centriste n'est ni de gauche ni de droite.*
■**décentraliser** v. SENS 2 *Il faut décentraliser l'industrie,* ne pas la laisser seulement dans les grands centres.
■**excentrique** adj. **1.** SENS 1 *Nous habitons un quartier excentrique,* loin du

centre. **2.** *Tu es une personne **excentrique**, tu ne fais rien comme tout le monde* (= *original*).

centuple, centupler → *cent*.

578 **cep** n.m. *Un **cep** est un pied de vigne.*
R. *Cep* se prononce [sɛp] comme *cèpe*.

656 **cèpe** n.m. *Le **cèpe** est un champignon comestible* (= *bolet*).
R. → *cep*.

cependant conj. marque une opposition plus forte que *mais* (= *pourtant, toutefois*).

CEQ n.f. *Ces enseignants sont affiliés à la **CEQ**,* à la Centrale de l'Enseignement du Québec.

437 **céramique** n.f. *Les potiers font de la **céramique**, des poteries, des terres cuites, des faïences.*

cerceau n.m. *Les enfants font rouler leur **cerceau** dans le jardin,* un cercle servant à jouer.

385 **cercle** n.m. **1.** *Tracez un **cercle** avec votre compas* (= *rond*). *On place des **cercles**
579 métalliques autour des tonneaux.* **2.** *On s'est inscrit à un **cercle** d'échecs,* un lieu où se réunissent des joueurs d'échecs.
■ **circulaire** adj. SENS 1 *Une piste circulaire a la forme d'un cercle.*
■ **encercler** v. SENS 1 *Les soldats **ont été encerclés** par l'ennemi,* entourés de toutes parts (= *cerner*).
■ **encerclement** n.m. SENS 1 *Les soldats n'ont pas pu éviter l'**encerclement**.*

cercueil n.m. *Le **cercueil** a été descendu dans la tombe,* la caisse renfermant le cadavre.

364 **céréale** n.f. *Le blé, l'avoine, l'orge, le maïs, le riz sont des **céréales**.*

cérébral → *cerveau*.

cérémonie n.f. **1.** *La **cérémonie** du mariage aura lieu samedi,* l'acte solennel. **2.** *On m'a reçu avec **cérémonie**,* avec une politesse excessive.
■ **cérémonial** n.m. SENS 1 ET 2 *L'accueil d'un souverain étranger se fait selon un*

cérémonial précis, un ensemble de règles, de cérémonies.
■ **cérémonieux, euse** adj. SENS 2 *Elle est cérémonieuse, même avec ses amis,* trop polie (= *solennel* ; ≠ *naturel, simple*).
R. Noter le pluriel : des *cérémonials*.

cerf n.m. *Les chasseurs ont tué un **cerf**,* un grand animal sauvage, qui a des cornes ramifiées appelées *bois*.
R. *Cerf* se prononce [sɛr] comme *serre* et *sert* (de *servir*).

cerfeuil n.m. *Mets du **cerfeuil** dans la salade,* une plante aromatique.

cerf-volant n.m. *Les enfants s'amusent à faire voler leur **cerf-volant**.*
R. Le *f* ne se prononce pas : [sɛrvɔlã]. Au pluriel : des *cerfs-volants*.

cerise n.f. *Nous cueillerons les **cerises** en juin,* des fruits généralement rouges.
■ **cerisier** n.m. *La voisine a des **cerisiers** dans son verger.*

cerne n.m. *Katia doit être fatiguée, elle a des **cernes** autour des yeux,* des cercles bleuâtres.
■ **cerné, e** adj. *Elle a les yeux **cernés**.*

cerner v. *Les gangsters **étaient cernés** par la police* (= *encercler*).

certain, e adj. **1.** *Ils menaient par 5 à 0 : la victoire était **certaine*** (= *sûr, assuré* ; ≠ *douteux*). **2.** *Brigitte est **certaine** de ce qu'elle dit* (= *sûr, convaincu*). **3.** adj. indéfini *Connaissez-vous un **certain** Dupont ?,* quelqu'un nommé Dupont. *Il a montré un **certain** courage,* du courage.
■ **certains** pron.indéfini SENS 1 *Certains pensent que tu as raison,* quelques-uns.
■ **certainement** adv. SENS 1 *Il viendra certainement* (= *sûrement, assurément*).
■ **certes** adv. SENS 1 sert à renforcer ce qu'on dit : *Tu viendras ? — Certes !* (= *bien sûr, assurément*). *La situation est **certes** délicate.*
■ **certifier** v. SENS 1 *Il m'a certifié qu'il viendrait,* il me l'a affirmé d'une manière certaine.

■ **certificat** n.m. SENS 1 Un *certificat* est un document officiel qui certifie quelque chose.

■ **certitude** n.f. SENS 1 *C'est probable, mais ce n'est pas une certitude,* une chose certaine. SENS 2 *J'ai la certitude qu'elle viendra,* j'en suis certain.

■ **incertain, e** adj. SENS 1 *Le résultat est incertain* (= douteux). SENS 2 *Elle est incertaine* (= hésitant).

■ **incertitude** n.f. SENS 1 ET 2 *L'incertitude du résultat m'inquiète.*

cerveau n.m. *Le cerveau est logé dans le crâne,* l'organe de la pensée.

■ **cervelet** n.m. Le *cervelet* est un petit organe à l'arrière du cerveau.

■ **cervelle** n.f. **1.** *On a mangé de la cervelle de mouton,* le cerveau de cet animal. **2.** *Tu es une tête sans cervelle,* un(e) écervelé(e).

■ **cérébral, e, aux** adj. *L'activité cérébrale,* c'est l'activité du cerveau.

■ **écervelé, e** adj. et n. *Cette personne est (une) écervelée,* elle ne réfléchit pas (= étourdi).

cervical, e, aux adj. *Les vertèbres cervicales* sont celles du cou.

cervidés n.m.pl. *Le cerf et le caribou sont des cervidés,* des mammifères ruminants qui portent des bois.

ces → *ce.*

cesser v. *On n'a pas cessé de travailler depuis ce matin* (= arrêter).

■ **cessation** n.f. *Les pourparlers ont abouti à la cessation des combats* (= arrêt, fin).

■ **cesse** n.f. *Pourquoi ris-tu sans cesse ?* (= continuellement).

■ **cessez-le-feu** n.m.inv. Le *cessez-le-feu,* c'est l'arrêt des combats.

■ **incessant, e** adj. *Nous faisons des efforts incessants pour réussir,* qui n'arrêtent pas (= continuel).

cession → *céder.*

c'est-à-dire adv. sert à expliquer ce qu'on vient de dire.
R. *C'est-à-dire* s'abrège en *c.-à-d.*

cet → *ce.*

cétacé n.m. *La baleine, le cachalot, le dauphin sont des cétacés.* 584

cette, ceux → *ce.*

chacal n.m. *Les chacals se nourrissent de cadavres,* des sortes de chiens sauvages d'Asie et d'Afrique. 581

chacun → *chaque.*

chafouin, e adj. *C'est un petit bonhomme au visage chafouin,* ratatiné et sournois.

chagrin n.m. *Tu es triste, tu as du chagrin ?* (= peine, tristesse ; ≠ joie).

■ **chagriner** v. *Cette nouvelle m'a beaucoup chagriné* (= peiner).

chahuter v. *Les élèves ont chahuté leur professeur,* ils ont fait du bruit en classe.

■ **chahut** n.m. *Quel chahut dans cette classe !* (= vacarme).

■ **chahuteur, euse** adj. et n. *Les (élèves) chahuteurs ont été punis.*

chaîne n.f. **1.** *Le chien est attaché avec une chaîne,* une suite d'anneaux métalliques entrelacés. *La chaîne du vélo relie le pédalier au pignon.* **2.** *Dans cette usine, on travaille à la chaîne,* selon une suite d'opérations dont chacun fait toujours la même. **3.** *Les Pyrénées sont une chaîne de montagnes,* une suite de montagnes. **4.** *Au Québec, il y a plusieurs chaînes de télévision.* **5.** *On s'est acheté une chaîne haute-fidélité,* un ensemble constitué par un tourne-disque, une radio, un magnétophone, un amplificateur et des enceintes. **6.** *La chaîne de trottoir* est la bordure qui sépare le trottoir de la rue. 75 512 290 652 806 76

■ **chaînon** n.m. SENS 1 *Une chaîne est faite d'un ensemble de chaînons* (= maillon).

■ **enchaîner** v. **1.** SENS 1 *On a enchaîné le chien,* on l'a attaché avec une chaîne. **2.** *Les événements s'enchaînent logiquement* (= se suivre).

■**enchaînement** n.m. *Il y a eu un enchaînement de circonstances* (= suite, succession).
R. *Chaîne* se prononce [ʃɛn] comme *chêne.*

chair n.f. **1.** *La chair du poulet est blanche,* la viande, les muscles. **2.** *Les pêches ont une chair parfumée,* la partie tendre sous la peau. **3.** *Dans le langage religieux, la chair,* c'est le corps par opposition à l'âme. **4.** *J'avais vu son portrait dans les journaux, mais là je l'ai vu en chair et en os,* en personne. **5.** *Cette personne est bien en chair,* elle est grassouillette. **6.** *Brrr ! Il fait froid, j'ai la chair de poule !,* les poils de la peau qui se hérissent.
■**charnel, elle** adj. SENS 3 *L'amour charnel s'oppose à l'amour spirituel.*
■**charnu, e** adj. SENS 2 *La poire est un fruit charnu,* qui a beaucoup de chair.
■**décharné, e** adj. SENS 1 *Cette malade a les doigts décharnés,* sans chair, très maigres.
R. *Chair* se prononce [ʃɛr] comme *chaire, cher* et *chère.*

chaire n.f. *Le curé a fait un sermon du haut de la chaire,* une sorte de tribune.
R. → *chair.*

chaise n.f. *Prends une chaise et assieds-toi !* (= siège). *J'aime me reposer sur une chaise longue,* un siège sur lequel on peut s'allonger et poser ses jambes.

chaland n.m. **1.** *Un chaland est une petite péniche.* **2.** *Autrefois, on appelait chaland le client d'un magasin.*

châle n.m. *Mets un châle sur tes épaules,* une grande pièce d'étoffe.

chalet n.m. *Nous allons passer les vacances à notre chalet,* une petite maison de campagne.

chaleur, chaleureusement, chaleureux → *chaud.*

challenge n.m. *Un challenge est une compétition sportive qui met en jeu un titre de champion.*

■**challenger** n.m. *Un challenger est une équipe ou un athlète qui cherche à obtenir un titre de champion.*
R. On prononce [ʃalɛndʒœr].

chaloupe n.f. **1.** *Les chaloupes de sauvetage d'un navire sont de grands canots que l'on tient prêts en cas de naufrage.* **2.** *Où sont les rames de la chaloupe ?* une petite barque.

chalumeau n.m. *Saurais-tu faire une soudure au chalumeau ?,* avec un appareil à flamme très chaude.

chalut n.m. *Les pêcheurs ont jeté leur chalut,* une sorte de grand filet.
■**chalutier** n.m. *Un chalutier est un bateau de pêche.*

se chamailler v. *Vous n'allez pas vous chamailler pour si peu !* (= se disputer, se quereller).

chamarrer v. *Le général avait un costume chamarré de décorations,* orné abondamment.

chambarder v. Fam. *On ne va pas chambarder tout le programme pour un détail* (= bouleverser).
■**chambardement** n.m. Fam. *Les guerres provoquent de grands chambardements,* de grands bouleversements.

chambouler v. Fam. *Tous mes projets sont chamboulés avec cette pluie,* démolis, bouleversés.

chambranle n.m. *Le chambranle d'une porte,* c'est l'encadrement fixe où elle vient se loger.

chambre n.f. **1.** *Pierre est monté dans sa chambre se mettre au lit.* **2.** *Les élections à la Chambre des députés vont bientôt avoir lieu* (= Assemblée nationale). **3.** *L'accusée est passée devant la chambre d'accusation* (= tribunal). **4.** *La chambre à air de mon vélo est dégonflée,* le tube rempli d'air à l'intérieur du pneu. **5.** *Une chambre forte est une pièce qui contient les coffres-forts d'une banque.*

76
723
650

■**chambrée** n.f. SENS 1 Une *chambrée* est une chambre où couchent des soldats.

■**chambreur, euse** n. *Nicole a un chambreur,* une personne à qui elle loue une chambre meublée.

chameau n.m. *Au zoo, on a vu des chameaux,* un animal du désert à deux bosses.

■**chamelier** n.m. *Dans le désert, le chamelier conduit la caravane des chameaux.*

chamois n.m. 1. *Tu es agile comme un chamois,* un animal de la montagne. 2. *Après l'avoir lavée, on essuie la voiture avec une peau de chamois,* une peau d'animal spécialement traitée.

champ n.m. 1. *La paysanne est en train de labourer son champ* (= terrain cultivé). 2. (au plur.) *Nous sommes allés nous promener dans les champs,* la campagne. 3. *Un champ de bataille, un champ de courses, un champ de foire* sont de vastes espaces de terrain. 4. *Cette entreprise a élargi son champ d'action,* le domaine où elle agit. 5. *Marc me dérange à tout bout de champ,* à tout moment, très souvent.

■**champêtre** adj. SENS 2 *J'aime la vie champêtre,* à la campagne (= rural, rustique).

R. *Champ* se prononce [ʃɑ̃] comme *chant*.

champagne n.m. *On a débouché une bouteille de champagne,* d'un vin blanc pétillant très apprécié.

champêtre → *champ.*

champignon n.m. *En automne on ramasse des champignons, mais attention aux champignons vénéneux !*

champion, onne adj. et n. *Céline est championne du Canada en patinage,* elle est la meilleure.

■**championnat** n.m. *Céline a gagné le championnat* (= compétition).

champlure → *chantepleure.*

chance n.f. 1. *Marie a de la chance, elle a encore gagné,* elle est favorisée par le hasard (= veine). 2. *Il y a peu de chances qu'il vienne demain,* cela est peu probable (= probabilité).

■**chanceux, euse** adj. SENS 1 *Tu as été plus chanceux que moi,* tu as eu plus de chance.

■**malchance** n.f. SENS 1 *Vous avez eu un accident, quelle malchance !* (= malheur, déveine).

■**malchanceux, euse** adj. SENS 1 *Ce joueur malchanceux a perdu beaucoup d'argent.*

chanceler v. *Luce a reçu un coup et a chancelé,* elle a failli tomber.

chandail n.m. *Maria a mis trois chandails, tellement elle avait froid,* des tricots de laine (= pull-over). 36

chandelle n.f. 1. *Autrefois on s'éclairait avec des chandelles,* des bougies. 2. *L'avion a fait une chandelle,* une figure d'acrobatie qui consiste à monter très vite à la verticale. 766

■**chandelier** n.m. SENS 1 *On a décoré la table avec deux beaux chandeliers,* des grands bougeoirs à pied. 149

changer v. 1. *Le temps va changer,* devenir différent. 2. *Cette nouvelle coiffure la change,* la rend différente. 3. *Marie a changé de robe,* elle en a mis une autre. 4. *Marie a changé de place avec moi,* nous avons échangé nos places. 5. *À la banque, on a changé des francs en dollars,* on a donné une certaine monnaie et reçu une monnaie différente.

■**change** n.m. SENS 5 *Un bureau de change* est un endroit où l'on change de l'argent. SENS 4 *Perdre au change,* c'est faire un échange désavantageux.

■**changement** n.m. SENS 1 *Il va y avoir un changement de temps.* SENS 3 *Le levier de changement de vitesse d'une voiture permet de passer la vitesse supérieure ou inférieure.* 505

■**échanger** v. SENS 4 *On a échangé des*

507

timbres contre des billes, on a donné des timbres et reçu des billes (= troquer).

■ **échange** n.m. SENS 4 *Pierre et Luce ont fait un échange de timbres.*

■ **échangeur** n.m. SENS 3 *Les voitures peuvent passer d'une autoroute à l'autre grâce à l'échangeur,* un carrefour à plusieurs niveaux.

■ **inchangé, e** adj. SENS 1 *La situation reste inchangée,* sans changement.

■ **interchangeable** adj. SENS 4 *J'ai deux paires de lunettes interchangeables,* je peux utiliser aussi bien l'une que l'autre.

■ **rechange** n.m. SENS 3 *La voiture a une roue de rechange,* qui permet d'en changer en cas de crevaison.

chanson n.f. *Je connais l'air et les paroles de cette chanson.*

■ **chansonnette** n.f. *Une chansonnette* est une petite chanson.

■ **chansonnier, ère** n. *Un chansonnier* chante des chansons satiriques.

chant n.m. *Marie apprend le chant,* l'art de chanter. *J'aime écouter le chant des oiseaux,* les oiseaux chanter.

■ **chanter** v. 1. *Marie nous a chanté une très jolie chanson.* 2. Fam. *Venez si ça vous chante,* si vous en avez envie.

■ **chantant, e** adj. *Les gens du Midi ont un accent chantant* (= musical).

■ **chanteur, euse** n. et adj. *J'ai entendu cette chanteuse à la radio. Quel est cet oiseau chanteur ?*

■ **chantonner** v. *Il chantonne en travaillant,* il chante à mi-voix (= fredonner).

chantage n.m. *Annie Durand a été victime d'un chantage,* quelqu'un l'a forcée à verser de l'argent en la menaçant d'un scandale.

■ **chanter** v. *Quelqu'un a fait chanter Annie Durand.*

■ **chanteur** n.m. *Un maître chanteur* est une personne qui fait du chantage.

chantant → *chant.*

chantepleure ou **champlure** n.f. *Ferme bien la chantepleure,* le robinet muni d'une clé tournante.

chanter, chanteur → *chant* et *chantage.*

chantier n.m. 1. *Le chantier est interdit au public,* l'endroit où des ouvriers travaillent à la construction de quelque chose. 2. *Mettre en chantier un travail,* c'est le commencer.

chantonner → *chant.*

chantre n.m. Le *chantre* est celui qui chante à l'Église.

chanvre n.m. *Les fibres du chanvre servent à fabriquer des cordes,* une plante.

chaos n.m. *Le chaos règne dans le pays,* un grand désordre.

■ **chaotique** adj. *Quel entassement chaotique de livres !* (= confus).

R. *Chaos* se prononce [kao] comme *cahot.*

chaparder v. Fam. *Quelqu'un a chapardé mon stylo* (= voler, chiper).

chapeau n.m. 1. *Il a gardé son chapeau sur la tête* (= coiffure). 2. *Le chapeau de ce cèpe est brun,* la partie supérieure du champignon. 3. Fam. *Parler à travers son chapeau,* c'est dire des choses à tort et à travers.

■ **chapelier, ère** n. SENS 1 *Un chapelier* est un fabricant ou un marchand de chapeaux d'hommes.

chapelain → *chapelle.*

chapelet n.m. *Elle récitait ses prières en faisant glisser entre ses doigts les grains d'un chapelet,* un objet de piété.

chapelier → *chapeau.*

chapelle n.f. *Une chapelle* est une petite église, ou bien, dans une grande église, un coin pourvu d'un petit autel.

■ **chapelain** n.m. *Autrefois, il y avait des chapelains dans certains châteaux,* des prêtres attachés à la chapelle de ces châteaux.

chapelure n.f. *La chapelure* est formée de miettes de pain sec.

chapiteau n.m. 1. *La partie supérieure d'une colonne s'appelle un chapiteau.*

→ p. 153

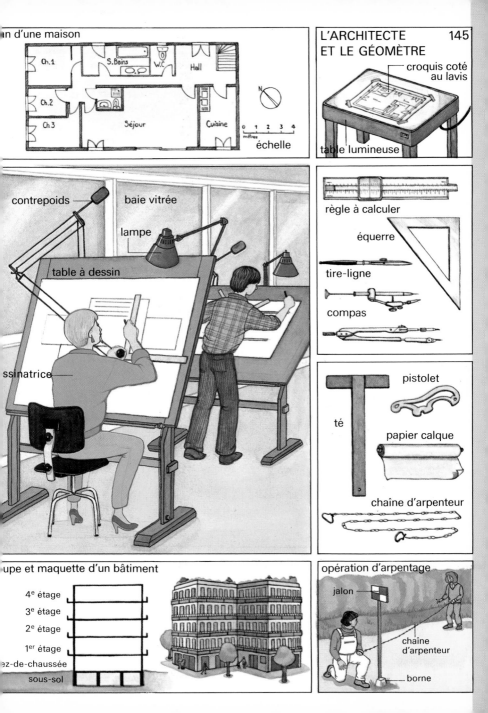

Plan d'une maison

Ch.1 — S.Bains — W.C — Hall

Ch.2

Ch 3 — Séjour — Cuisine

N

0 1 2 3 4
mètres

échelle

croquis coté
au lavis

table lumineuse

contrepoids — baie vitrée

lampe

table à dessin

dessinatrice

règle à calculer

équerre

tire-ligne

compas

té

pistolet

papier calque

chaîne d'arpenteur

Coupe et maquette d'un bâtiment

4ᵉ étage
3ᵉ étage
2ᵉ étage
1ᵉʳ étage
rez-de-chaussée
sous-sol

opération d'arpentage

jalon

chaîne
d'arpenteur

borne

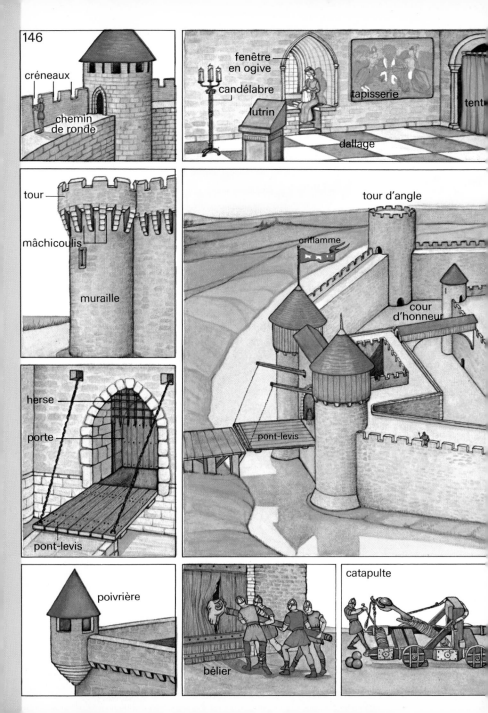

146

créneaux

chemin
de ronde

fenêtre
en ogive

candélabre

lutrin

tapisserie

tent

dallage

tour

mâchicoulis

muraille

tour d'angle

oriflamme

cour
d'honneur

pont-levis

herse

porte

pont-levis

poivrière

bélier

catapulte

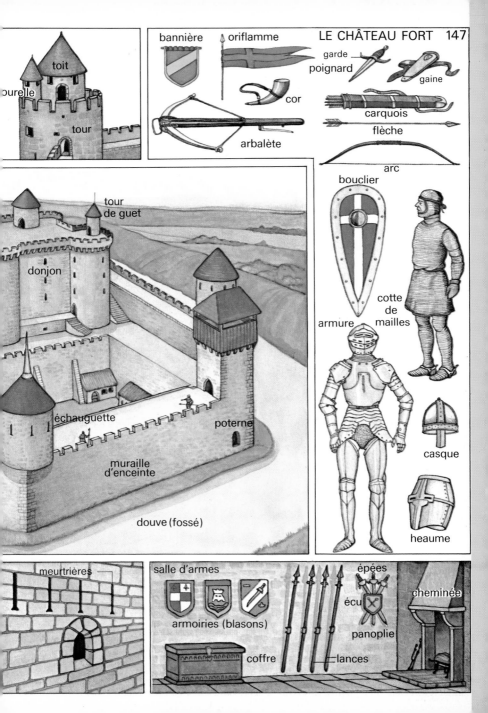

toit

tourelle

tour

bannière

oriflamme

garde

poignard

gaine

cor

arbalète

carquois

flèche

arc

bouclier

tour de guet

donjon

cotte de mailles

armure

échauguette

poterne

casque

muraille d'enceinte

douve (fossé)

heaume

meurtrières

salle d'armes

épées

écu

cheminée

armoiries (blasons)

panoplie

coffre

lances

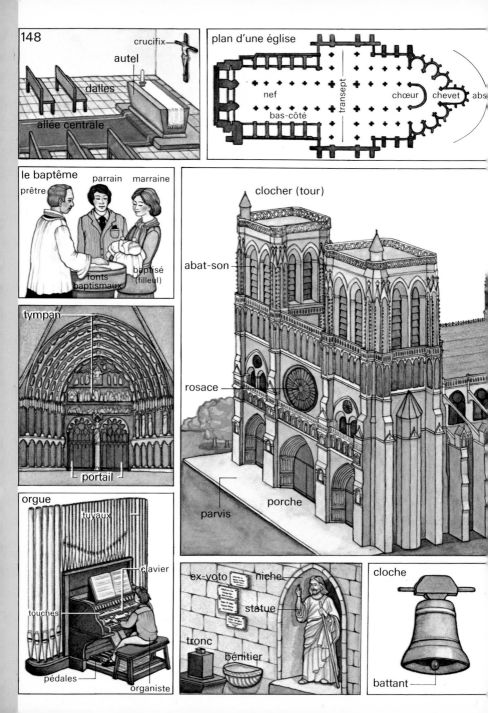

148

crucifix

autel

dalles

allée centrale

plan d'une église

nef
bas-côté
transept
chœur
chevet
abs

le baptême

prêtre
parrain
marraine
fonts baptismaux
baptisé (filleul)

tympan

portail

clocher (tour)

abat-son

rosace

parvis

porche

orgue

tuyaux
clavier
touches
pédales
organiste

ex-voto
niche
statue
tronc
bénitier

cloche

battant

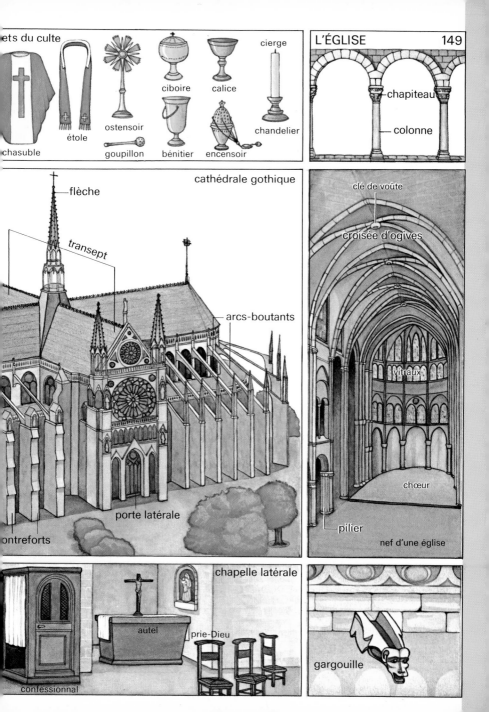

ets du culte

chasuble

étole

ostensoir

goupillon

ciboire

bénitier

calice

encensoir

cierge

chandelier

chapiteau

colonne

cathédrale gothique

flèche

transept

arcs-boutants

porte latérale

ontreforts

clé de voûte

croisée d'ogives

vitraux

chœur

pilier

nef d'une église

chapelle latérale

autel

prie-Dieu

confessionnal

gargouille

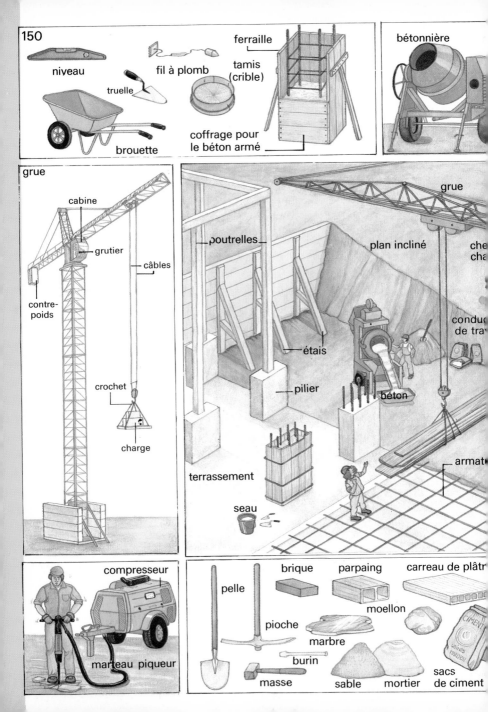

150

niveau

truelle

fil à plomb

ferraille

tamis (crible)

brouette

coffrage pour le béton armé

bétonnière

grue

cabine

grutier

câbles

contre-poids

crochet

charge

poutrelles

plan incliné

grue

che cha

étais

pilier

béton

condu de tra

terrassement

seau

armat

compresseur

marteau piqueur

pelle

pioche

burin

masse

brique

parpaing

carreau de plât

moellon

marbre

sable

mortier

sacs de ciment

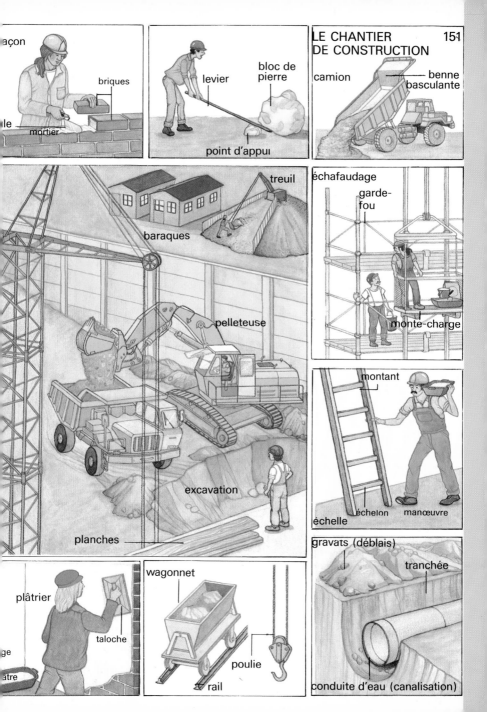

açon

briques

le

mortier

levier

bloc de pierre

point d'appui

camion

benne basculante

treuil

baraques

pelleteuse

excavation

planches

échafaudage

garde-fou

monte-charge

montant

échelon

manœuvre

échelle

gravats (déblais)

tranchée

conduite d'eau (canalisation)

plâtrier

taloche

ge

âtre

wagonnet

poulie

rail

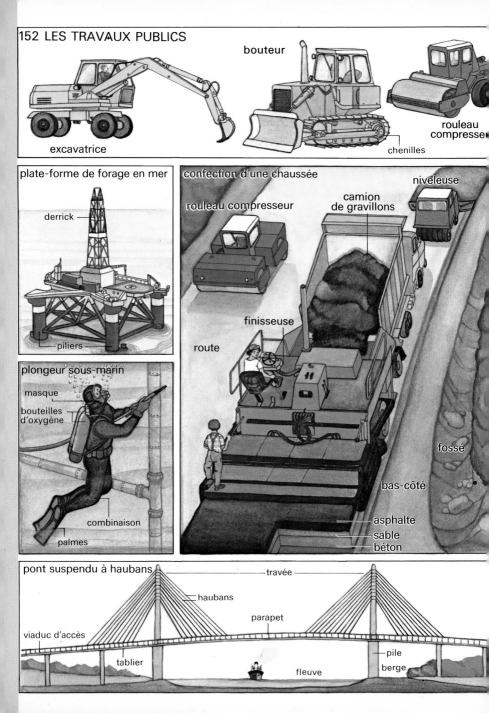

152 LES TRAVAUX PUBLICS

bouteur

rouleau compresseur

excavatrice

chenilles

plate-forme de forage en mer

derrick

piliers

plongeur sous-marin

masque

bouteilles d'oxygène

combinaison

palmes

confection d'une chaussée

niveleuse

rouleau compresseur

camion de gravillons

finisseuse

route

fossé

bas-côté

asphalte

sable

béton

pont suspendu à haubans

travée

haubans

parapet

viaduc d'accès

tablier

pile

berge

fleuve

2. *Le chapiteau d'un cirque* est la tente sous laquelle a lieu le spectacle.

chapitre n.m. *Ce livre contient quinze chapitres* (= partie).

chapitrer v. *Chapitrer quelqu'un,* c'est le réprimander.

chapon n.m. Un *chapon* est un poulet bien gras.

chaque adj. indéfini indique que quelque chose ou quelqu'un est considéré séparément : *chaque objet, chaque personne* (= tout).
■ **chacun, e** pron. indéfini *Chacun des enfants a eu un cadeau,* chaque enfant, tous les enfants.

char n.m. **1.** *Les Romains aimaient les courses de chars,* de voitures à deux roues tirées par des chevaux. **2.** *Un char (d'assaut)* est un engin de guerre qui roule sur des chenilles. **3.** *Les chars du carnaval défilent,* les voitures décorées.
■ **chariot** n.m. Un *chariot* est une petite voiture à quatre roues pour transporter des colis.
■ **charrette** n.f. Une *charrette* est une voiture légère tirée par un cheval.
■ **charretier, ère** n. *Le charretier conduit sa charrette.*
■ **charrier** v. **1.** *La paysanne charrie du fumier dans une remorque* (= transporter). **2.** Fam. *Elle aurait pu me prévenir, elle charrie !,* elle exagère.
R. *Chariot* n'a qu'un *r, charrette* en a deux.

charabia n.m. Fam. *Je ne comprends rien à ton charabia,* à ton langage obscur (= jargon).

charade n.f. « *Mon premier miaule, mon second est devant le port, mon tout est une devinette* », as-tu trouvé la solution de cette *charade ?*

charançon n.m. Les *charançons* sont des insectes qui rongent les grains, les fruits à l'aide d'une sorte de trompe.

charbon n.m. *Pour le chauffage, le charbon est souvent remplacé par le mazout*

ou l'électricité (= houille). *J'ai acheté du charbon de bois pour le barbecue,* un produit combustible noir obtenu à partir du bois calciné.
■ **charbonnier, ère** n. Un *charbonnier* est un marchand de charbon.

charcutier, ère n. *Va chez la charcutière acheter du jambon et du saucisson.* | 222
■ **charcuterie** n.f. **1.** La *charcuterie* est la boutique du charcutier et de la charcutière. **2.** *Nous avons mangé de la charcuterie,* des aliments à base de viande de porc.

chardon n.m. Un *chardon* est une plante à feuilles piquantes. | 651

chardonneret n.m. Le *chardonneret* est un petit oiseau chanteur.

charge n.f. **1.** *L'âne porte une lourde charge sur son dos* (= fardeau, poids). **2.** *Mme Durand a de grosses charges familiales,* des obligations coûteuses. **3.** *Pierre s'est bien acquitté de sa charge,* de ce qu'il devait faire (= fonction). *Je prends en charge ce travail,* je m'en occupe. **4.** *Il y a de lourdes charges contre l'accusée* (= accusation). **5.** *La bataille s'est terminée par une charge de cavalerie,* une attaque violente. **6.** *Chaque cartouche a une charge de poudre et une charge de plomb.* | 150
■ **charger** v. SENS 1 *La voiture est trop chargée,* le poids de sa charge est trop lourd. *Aide-moi à charger la voiture,* à y mettre des charges. SENS 3 *Jean m'a chargé d'acheter ce livre,* il m'a dit de le faire. *Ne vous inquiétez pas, je me charge de tout* (= s'occuper). SENS 5 *La police a chargé les manifestants* (= attaquer). SENS 6 *Attention, ce pistolet est chargé,* il contient une charge, on peut tirer une balle.
■ **chargement** n.m. SENS 1 *Il faut faire le chargement de la voiture,* la charger.
■ **chargeur** n.m. SENS 6 Un *chargeur* contient plusieurs cartouches. | 763

■**décharge** n.f. SENS 1 *Une décharge publique* est un endroit où l'on décharge des ordures (= dépotoir). SENS 4 *Un témoin à décharge* est venu innocenter l'accusé. SENS 6 *La caissière a reçu une décharge de plomb,* un coup tiré avec une arme à feu. *En branchant la lampe, Serge a reçu une décharge,* un choc électrique.

■**décharger** v. SENS 1 *On a déchargé le bateau* (≠ charger). SENS 3 *On m'a déchargé de ce travail,* on m'en a enlevé la charge. SENS 6 *Décharger un revolver,* c'est en enlever la charge, ou bien lâcher la charge en tirant.

■**déchargement** n.m. SENS 1 *Commençons le déchargement du camion,* à le décharger.

■**recharger** v. SENS 1 ET 6 *Recharger une voiture, un fusil,* c'est les charger de nouveau.

■**recharge** n.f. SENS 6 *Achète-moi une recharge de briquet,* de quoi l'approvisionner de nouveau.

■**surcharger** v. SENS 1 *Ce camion est surchargé,* trop chargé. SENS 3 *Je suis surchargé de travail* (= accabler).

■**surcharge** n.f. SENS 1 ET 3 *L'accident est dû à la surcharge du camion. Ce nouveau règlement nous impose une surcharge de travail* (= supplément, surcroît).

chariot → char.

charité n.f. 1. *La charité,* c'est l'amour pour les autres. 2. *Un mendiant m'a demandé la charité,* une aumône.

■**charitable** adj. SENS 1 *Marie est très charitable,* elle est bonne, compatissante.

charivari n.m. *Un charivari,* ce sont des bruits forts et désagréables.

charlatan n.m. *Elle a été trompée par un charlatan,* un homme prétendant avoir des recettes miraculeuses (= escroc).

1. charme n.m. *Cette peinture est pleine de charme,* elle est séduisante, elle est agréable à regarder.

■**charmant, e** adj. *Mme Dubois est une femme charmante,* très aimable.

■**charmer** v. *Le film d'hier soir nous a charmés* (= plaire).

■**charmeur, euse** adj. *Tu as un sourire charmeur.*

2. charme n.m. Le *charme* est une sorte d'arbre.

■**charmille** n.f. *Une charmille* est une allée bordée de charmes.

charnel → chair.

charnière n.f. *Les portes de la voiture sont attachées à la carrosserie par des charnières,* des parties mobiles (= gond).

charnu → chair.

charogne n.f. *Cette charogne répand une odeur infecte,* le cadavre d'un animal en train de pourrir.

charpente n.f. La *charpente* est l'ensemble des pièces de bois soutenant un toit.

■**charpentier, ère** n. Un *charpentier* fabrique et pose des charpentes.

charpie n.f. *Le chien a mis la couverture en charpie,* il l'a déchirée en petits morceaux, déchiquetée.

charretier, charrette, charrier → char.

charrue n.f. 1. *On laboure avec une charrue tirée par un tracteur.* 2. *Après une tempête de neige, la charrue passe pour dégager les routes* (= chasse-neige).

charte n.f. *La Charte de la langue française a consacré le statut du français au Québec,* un document officiel.

charter n.m. *Un charter* est un avion à tarif réduit.
R. On prononce [ʃartɛr].

chas n.m. *Le chas d'une aiguille,* c'est le trou par où passe le fil.
R. → chat.

châsse n.f. *Une châsse* est un coffret contenant des reliques d'un saint.

chasser v. 1. *Je vais chasser tous les dimanches,* essayer de tuer du gibier. 2. *Aline chasse les papillons,* elle les poursuit pour s'en emparer. 3. *Cet employé malhonnête a été chassé de son poste* (= renvoyer).
■ **chasse** n.f. 1. SENS 1 *Pierre accompagne sa mère à la chasse. À la chasse à courre,* on poursuit le gibier à cheval avec l'aide de chiens. SENS 2 *Les policiers ont donné la chasse aux gangsters,* ils les ont pourchassés. 2. *Une chasse d'eau sert à évacuer les excréments de la cuvette des toilettes.*
■ **chasseur, euse** 1. n. SENS 1 *Les chasseurs ont rapporté beaucoup de gibier.* 2. n.m. *Un chasseur est un avion de guerre léger et rapide. Le chasseur,* c'est aussi le pilote de l'avion.
■ **chasse-neige** n.m.inv. 1. *Un chasse-neige sert à pousser la neige sur les côtés de la route.* 2. *Au cours de ski, on apprend le chasse-neige,* une façon de freiner, de tourner ou de s'arrêter.
■ **pourchasser** v. SENS 2 *La police pourchasse les voleurs* (= poursuivre).

châssis n.m. 1. *Le châssis de la voiture a été tordu dans l'accident,* l'armature rigide qui supporte la carrosserie. 2. *Le châssis d'une porte, d'une fenêtre,* c'est le cadre qui la maintient. 3. *La jardinière a mis les radis sous un châssis,* une sorte de serre.

chaste adj. *Une personne chaste s'abstient des plaisirs sexuels.*
■ **chasteté** n.f. *Les prêtres catholiques font vœu de chasteté.*

chasuble n.f. *La chasuble d'un prêtre,* c'est le manteau qu'il met pour dire la messe.

chat n.m., **chatte** n.f. 1. *Le chat miaule devant la porte. La chatte attend des petits.* 2. *Il n'y a pas un chat ici,* il n'y a personne.
■ **chaton** n.m. 1. SENS 1 *Un chaton* est un petit chat. 2. *Au printemps, les saules ont des chatons,* des bourgeons doux comme une queue de chat.
R. *Chat* se prononce [ʃa] comme *chas.*

châtaigne n.f. *Nous avons mangé des châtaignes grillées* (= marron).
■ **châtaignier** n.m. *Les châtaigniers sont de beaux et grands arbres.*
■ **châtaigneraie** n.f. *Une châtaigneraie est un lieu planté de châtaigniers.*

châtain, e adj. *Marie a les cheveux châtains,* brun clair.

château n.m. 1. *Il y a un château fort sur la colline,* une fortification du Moyen Âge. 2. *Nous sommes allés visiter le château de Versailles* (= palais). 3. *Le château d'eau se trouve à l'entrée du village,* le réservoir qui alimente le village.
■ **châtelain, e** n. SENS 1 *Les paysans saluaient le châtelain et la châtelaine,* les maîtres du château.

châtier v. est un équivalent rare de *punir.*
■ **châtiment** n.m. *Tu as reçu le châtiment de tes fautes* (= punition).

chatoiement → *chatoyer.*

chaton → *chat.*

chatouiller v. *Jean chatouille sa sœur,* il la fait rire en la touchant à certains endroits sensibles.
■ **chatouillement** ou **chatouillis** n.m. *Je sens des chatouillements sous la plante des pieds.*
■ **chatouilleux, euse** adj. *Marie est très chatouilleuse,* très sensible quand on la chatouille.

chatoyer v. *Les diamants chatoient au soleil,* ils brillent d'éclats variés (= scintiller, étinceler).
■ **chatoiement** n.m. *Nous étions éblouis par le chatoiement des lustres.*

châtrer v. *Le bœuf est un taureau châtré,* privé de ses organes sexuels.

655
655
655
147
218, 801

chatterton n.m. *On isole le fil électrique avec du **chatterton**, un ruban de toile adhésive.*
R. On prononce [ʃatɛrtɔn].

chaud, e adj. **1.** *Attention ! l'eau est **chaude**, presque brûlante (≠ tiède, froid, glacé). Il gèle : mets des vêtements **chauds**,* qui conservent bien la chaleur du corps. **2.** *La dispute a été **chaude**,* vive, ardente. **3.** *Tu as trop bu, tu es **chaud*** (= ivre).
■ **chaud** adv. SENS 1 *Il fait très **chaud** en août. J'ai trop **chaud**.*
■ **chaud** n.m. SENS 1 *J'aime rester **au chaud** dans mon lit.*
■ **chaleur** n.f. SENS 1 *En août, la **chaleur** était étouffante,* la température élevée. SENS 2 *On m'a approuvé avec **chaleur*** (= ardeur, empressement).
■ **chaleureux, euse** adj. SENS 2 *Nous avons reçu un accueil **chaleureux** (≠ froid).*
■ **chaleureusement** adv. SENS 2 *Ils m'ont reçu **chaleureusement** (≠ froidement).*
■ **chaudement** adv. SENS 1 *Il neige, habille-toi **chaudement**.* SENS 2 *On l'a **chaudement** applaudi* (= vivement, chaleureusement).
■ **chaudière** n.f. SENS 1 *Nous nous chauffons avec une **chaudière** à mazout,* un appareil qui produit de la chaleur.
■ **chaudron** n.m. *Un **chaudron** est un grand récipient qui sert à faire chauffer de l'eau.*
■ **chauffer** v. SENS 1 *On **chauffe** la maison au gaz,* on la rend chaude. *L'eau **chauffe** sur le feu,* elle devient chaude (≠ refroidir). *Le chat **se chauffe** au soleil.*
■ **chauffage** n.m. SENS 1 *Il fait froid, mets le **chauffage** en marche,* l'appareil pour chauffer la maison. *Il n'y a pas beaucoup de **chauffage** ici,* de chaleur.
■ **chauffe-eau** n.m.inv. SENS 1 *Un **chauffe-eau** sert à produire de l'eau chaude.*
■ **chaufferette** n.f. *Il fait froid dans la voiture, veux-tu mettre la **chaufferette** en marche,* l'appareil qui réchauffe la voiture.
■ **chaufferie** n.f. SENS 1 *La chaudière est installée dans la **chaufferie**.*
■ **échauffer** v. SENS 1 *Cette course m'a **échauffé**,* elle m'a donné chaud.
■ **échauffement** n.m. SENS 1 *On commence le cours de gymnastique par des mouvements d'**échauffement**.*
■ **réchauffer** v. SENS 1 *Veux-tu **réchauffer** le café ?,* le chauffer de nouveau.
■ **réchauffement** n.m. SENS 1 *Il y a eu un **réchauffement** de la température.*
■ **réchaud** n.m. SENS 1 *Un **réchaud** est un petit fourneau portatif.*
■ **surchauffer** v. SENS 1 *Cette maison est **surchauffée**,* trop chauffée.
R. *Chaud* se prononce [ʃo] comme *chaux.*

chauffeur, euse n. *Nathalie est **chauffeuse** de taxi,* son métier est de conduire un taxi.
■ **chauffard** n.m. *Un **chauffard** est un mauvais conducteur.*

chaume n.m. *Après la moisson, il ne reste que les **chaumes** dans les champs* (= paille).
■ **chaumière** n.f. *Une **chaumière** est une petite maison couverte de chaume.*

chaussée n.f. *Attention, la **chaussée** est glissante,* la partie de la route où l'on roule.

chausser v. **1.** *Marie est en train de **se chausser**,* de mettre ses chaussures. **2.** *Marie a de grands pieds, elle **chausse** du 10,* c'est la taille de ses chaussures. **3.** *Amélie **chausse** ses skis,* elle les fixe à ses pieds.
■ **chausse-pied** n.m. SENS 1 *On peut se servir d'un **chausse-pied** pour mettre ses chaussures,* une sorte de lame courbe.
■ **chausses** n.f.pl. *Autrefois, les hommes portaient des **chausses**,* des bas en tissu.

801, 75

■ **chaussette** n.f. *Tu auras chaud aux pieds si tu mets des chaussettes de laine.*

■ **chausson** n.m. **1.** SENS 1 *À la maison, je reste souvent en chaussons* (= pantoufle). **2.** *Un chausson aux pommes,* c'est une pâtisserie renfermant de la compote de pommes.

■ **chaussure** n.f. SENS 1 *Les souliers, les sandales, les bottes sont différentes sortes de chaussures.*

■ **déchausser** v. SENS 1 *Déchausse-toi avant d'entrer,* enlève tes chaussures.
R. Noter le pluriel : des *chausse-pieds.*

chauve adj. *À trente ans, M. Durand était déjà chauve,* il n'avait plus de cheveux.

■ **calvitie** n.f. *La calvitie de M. Durand a été précoce.*
R. *Calvitie* se prononce [kalvisi].

chauve-souris n.f. Une *chauve-souris* est une petite bête nocturne possédant un corps de souris et de grandes ailes sans plumes.
R. Noter le pluriel : des *chauves-souris.*

chauvin, e adj. et n. *Les gens chauvins ont une admiration exagérée et partiale pour leur pays, leur ville, leur quartier, etc.*

■ **chauvinisme** n.m. Le *chauvinisme* est l'attitude des gens chauvins.

chaux n.f. La *chaux* est une matière minérale blanche utilisée dans la construction.
R. → *chaud.*

chavirer v. **1.** *Le bateau a chaviré : Cléa est tombée à l'eau* (= se retourner). **2.** *Ce spectacle était horrible : j'en suis tout chaviré* (= bouleversé).

cheddar n.m. Le *cheddar* est un fromage à pâte dure.

chef n. Un *chef* est une personne qui commande, c'est un ou une responsable, un patron ou une patronne : *une chef d'État, une chef d'entreprise, un chef de service.*

■ **cheftaine** n.f. Une *cheftaine* est responsable d'un groupe de jeunes guides, de louveteaux, etc.

chef-d'œuvre n.m. *Ce tableau est un chef-d'œuvre,* une chose admirable, remarquable.
R. Noter la prononciation [ʃɛdœvr] et le pluriel : des *chefs-d'œuvre.*

chef-lieu n.m. En France, le *chef-lieu* est la ville principale d'un département ou d'un canton.
R. Noter le pluriel : des *chefs-lieux.*

cheftaine → *chef.*

cheikh n.m. Un *cheikh* est un chef d'une tribu arabe.

chemin n.m. **1.** *Un chemin traverse la forêt,* une petite route. **2.** *La ligne droite est le plus court chemin d'un point à un autre* (= parcours, trajet). **3.** *Le chemin de fer est le moyen de transport utilisant la voie ferrée* (= train). **4.** *Quand tu veux quelque chose, tu n'y vas pas par quatre chemins pour le demander !,* tu vas droit au but.

■ **cheminer** v. SENS 1 se dit parfois pour *marcher.*

■ **chemineau** n.m. SENS 1 On appelait *chemineaux* des mendiants qui erraient sur les chemins.

■ **cheminot** n. SENS 3 Un *cheminot* est un employé des chemins de fer.

■ **acheminer** v. SENS 2 *La poste achemine le courrier,* elle le conduit vers son lieu de destination. *Nous nous acheminons vers la maison,* nous y allons.
R. Ne pas confondre *cheminot* et *chemineau* [ʃəmino].

cheminée n.f. **1.** *Nous avons fait du feu dans la cheminée* (= foyer). **2.** *Du clocher on voit toutes les cheminées du village,* la partie extérieure des conduits de fumée.

cheminer, cheminot → *chemin.*

chemise n.f. **1.** *Sous sa veste, il porte une chemise et une cravate.* **2.** *Marie*

36

292

a mis sa **chemise de nuit,** une sorte de robe qu'on met pour dormir. **3.** *Les papiers sont rangés dans une* **chemise** *jaune,* une feuille repliée de papier fort ou de carton (= dossier).

■ **chemisette** n.f. SENS 1 Une *chemisette* est une chemise à manches courtes.

■ **chemisier** n.m. SENS 1 Un *chemisier* est une chemise de femme (= corsage).

chenal n.m. *Les* **chenaux** *du port se sont ensablés,* les passages permettant la navigation.

chenapan n.m. *Espèce de* **chenapan,** *arrête de voler des cerises!* (= vaurien, voyou).

654 **chêne** n.m. *Près du village, il y a une forêt de* **chênes.**
R. → *chaîne.*

224 **chenet** n.m. Les *chenets* sont des barres métalliques qui supportent le bois dans une cheminée.

chenil → *chien.*

294,
366

152,
762

chenille n.f. **1.** *Cette* **chenille** *deviendra un beau papillon* (= larve). **2.** *Les chars d'assaut roulent sur des* **chenilles,** des bandes métalliques articulées.

cheptel n.m. *Le* **cheptel** *de la ferme se compose de quarante vaches, vingt porcs et cinq chevaux,* l'ensemble des bestiaux.

chèque n.m. *Je n'ai pas d'argent sur moi, je vais vous signer un* **chèque,** un écrit ordonnant à ma banque de vous payer.

■ **chéquier** n.m. *Katherina a sorti son* **chéquier** *pour payer ses achats,* son carnet de chèques.

cher, chère adj. **1.** *Aline est mon amie la plus* **chère,** celle que j'aime le plus. **2.** *Bonjour,* **cher** *monsieur* est une formule de politesse. **3.** *Ce costume est trop* **cher** *pour moi,* il coûte trop d'argent (≠ bon marché).

■ **cher** adv. **1.** SENS 3 *Cette voiture coûte* **cher. 2.** *Diane m'a fait du mal, elle va me le payer* **cher,** je me vengerai.

■ **chérant, e** adj. SENS 3 *Ce commerçant est* **chérant,** il vend cher.

■ **chérir** v. SENS 1 *Pierre* **chérit** *ses parents,* il les aime beaucoup.

■ **cherté** n.f. SENS 3 *On se plaint de la* **cherté** *de la vie,* qu'elle est trop chère (= coût).

R. *Cher, chère* se prononcent [ʃɛr] comme *chair* et *chaire.*

chercher v. *Je* **cherche** *partout mon stylo,* j'essaie de le trouver. *Je* **cherche** *à comprendre, mais je n'y arrive pas* (= essayer de, s'efforcer de).

■ **chercheur, euse** n. **1.** Un *chercheur* est une personne dont le métier est de faire des recherches scientifiques. **2.** *Ce roman raconte une histoire de* **chercheurs d'or.**

■ **rechercher** v. *Cette aventurière* **est recherchée** *par la police,* elle est cherchée avec soin.

■ **recherche** n.f. **1.** *Je suis* **à la recherche de** *mon stylo,* je le cherche avec soin. **2.** *Je fais des* **recherches** *en physique,* des travaux pour trouver quelque chose de nouveau. **3.** *Jack s'habille avec* **recherche,** avec beaucoup de soin (≠ simplicité).

chère n.f. *On a l'habitude de* **faire bonne chère,** de bien manger.
R. Ne pas confondre *chère, chair* et *chaire.*

chérir, cherté → *cher.*

chérubin n.m. *La maman veille sur son* **chérubin,** son petit enfant mignon.

chétif, ive adj. *À dix ans, Marie était* **chétive** (= maigre, faible ; ≠ robuste).

cheval n.m. **1.** *Dimanche nous avons vu une course de* **chevaux.** *Aline sait* **monter à cheval, faire du cheval,** de l'équitation. **2.** *Ne t'assieds pas* **à cheval sur** *la chaise,* une jambe d'un côté, une jambe de l'autre (= à califourchon). **3.** *Ma mère est* **à cheval sur les principes,** elle tient beaucoup à ce qu'on respecte les bons usages.

■ **chevalin, e** adj. SENS 1 *La race chevaline,* c'est la race des chevaux.

■ **chevaucher** v. SENS 1 *Les voyageurs chevauchèrent longtemps,* ils firent un long voyage à cheval. SENS 2 *Les tuiles du toit se chevauchent,* elles se recouvrent en partie l'une l'autre.

■ **chevauchée** n.f. SENS 1 Une *chevauchée* est une longue promenade à cheval.

■ **chevauchement** n.m. SENS 2 *Le chevauchement des tuiles rondes est important. Il y a un chevauchement d'horaire entre ces deux séances.*

■ **cheval-vapeur** n.m. SENS 3 *La puissance des autos se mesure en chevaux-vapeur.* (On écrit souvent *CV.*)

chevalerie n.f. Au Moyen Âge, la *chevalerie* était un ordre propre à la noblesse qui imposait à ses membres des obligations morales et religieuses (loyauté, bravoure, fidélité, etc.)

■ **chevalier** n.m. Les *chevaliers* étaient des seigneurs qui juraient de défendre les faibles et les opprimés.

■ **chevaleresque** adj. *Sa conduite a été très chevaleresque,* noble, généreuse.

chevalet n.m. *Pour peindre, elle s'est mise devant son chevalet,* le tréteau qui soutient sa toile.

chevalier → *chevalerie.*

chevalin, cheval-vapeur, chevauchée, chevauchement, chevaucher → *cheval.*

chevelu, chevelure → *cheveu.*

chevet n.m. 1. *Le chevet d'un lit,* c'est la partie où l'on pose la tête. *Marie est malade, je reste à son chevet,* auprès de son lit, auprès d'elle. 2. *Le chevet d'une église,* c'est la partie qui est derrière le chœur.

cheveu n.m. *Pierre a de beaux cheveux blonds qui bouclent sur les oreilles.*

■ **chevelu, e** adj. *Pierre est très chevelu,* il a beaucoup de cheveux.

■ **chevelure** n.f. *Sonia peigne sa chevelure,* l'ensemble de ses cheveux.

■ **échevelé, e** adj. *Sonia a couru, elle est tout échevelée,* ses cheveux sont en désordre.

cheville n.f. 1. *Les pieds de la table sont fixés par des chevilles,* de petites tiges de bois. 2. *Je me suis cassé la cheville,* l'articulation entre le pied et la jambe. | 33

■ **chevillé, e** adj. 1. SENS 1 *Ce buffet ancien est chevillé,* assemblé par des chevilles. 2. *Cet homme a survécu à ses blessures ; il a l'âme chevillée au corps,* il est très résistant (= avoir la vie dure).

chèvre n.f. *Ce fromage est fait avec du lait de chèvre,* un animal domestique. | 361, 650

■ **chevreau** n.m. Le *chevreau* est le petit de la chèvre (= cabri). | 361

■ **chevrotant, e** adj. *Cette personne a une voix chevrotante,* tremblotante comme le bêlement d'une chèvre.

chèvrefeuille n.m. Le *chèvrefeuille* est une plante grimpante qui a des fleurs parfumées. | 73

chevreuil n.m. Un *chevreuil* est un animal sauvage de la famille du cerf et qui est un gibier recherché.

chevron n.m. 1. *Les lattes et les tuiles du toit reposent sur des chevrons.* 2. Un *chevron* est un signe en forme de ∧. | 74

chevronné, e adj. *Un conducteur chevronné* a une longue expérience de la conduite.

chevrotant → *chèvre.*

chez prép. indique un lieu : *Je suis chez moi,* dans ma maison. *Il y a chez toi une grande bonté,* dans ton caractère.

chic adj.inv. en genre *Fam.* 1. *Marie a une robe très chic* (= élégant). 2. *Pierre est un garçon très chic* (= aimable, sympathique).

■**chic 1.** n.m. SENS 1 *Pierre a beaucoup de chic dans son costume neuf* (= élégance). **2.** interj. SENS 2 *Chic! nous partons en vacances,* nous sommes contents.
R. *Chic* se prononce [ʃik] comme *chique.*

chicane n.f. **1.** *Les policiers ont établi des chicanes sur la route,* des barrages. **2.** Une *chicane* est une dispute portant sur des détails.
■**chicaner** v. SENS 2 *Elle m'a chicané sur mon retard,* elle m'a cherché querelle.

1. chiche adj. **1.** *Les invités n'ont pas été chiches de compliments,* ils ne les ont pas ménagés, ils en ont fait beaucoup (≠ avare). **2.** *À midi, on a mangé des pois chiches,* des gros pois gris.
■**chichement** adv. SENS 1 *Nos voisins vivent très chichement,* en dépensant le moins possible.

2. chiche! interj. Fam. exprime le défi : *Chiche que je saute!*

366

chicorée n.f. **1.** La *chicorée* est une sorte de salade. **2.** La *chicorée* est une boisson ressemblant au café.

75,
364,
584

chien n.m., **chienne** n.f. **1.** *M. Durand est allé chasser avec son chien. La chienne aboie quand on approche de ses petits.* **2.** *Pierre et Luce se regardent en chiens de faïence,* ils se regardent avec hostilité.
■**chiot** n.m. SENS 1 *Un chiot est un jeune chien.*
■**chenil** n.m. SENS 1 *Dans un chenil, on élève ou on dresse des chiens.*

chiendent n.m. *Le chiendent* est une mauvaise herbe.

chiffon n.m. *Essuie les meubles avec un chiffon,* un morceau de tissu sans valeur.
■**chiffe** n.f. *Ce pantin est mou comme une chiffe,* un vieux chiffon. *Quelle*

chiffe molle!, quelle personne sans énergie!
■**chiffonner** v. *Marie a chiffonné ses habits* (= froisser).
■**chiffonnier, ère** n. **1.** *Le chiffonnier récupère, pour les revendre, les papiers et les chiffons.* **2.** *Ils se disputent comme des chiffonniers,* avec acharnement.

chiffre n.m. **1.** *1, 5 sont des chiffres arabes, I, V des chiffres romains,* des signes représentant les nombres. **2.** *Ses dépenses atteignent un chiffre élevé* (= montant, valeur). **3.** *Le chiffre d'un message secret,* c'est le code qui permet de le comprendre.
■**chiffrer** v. SENS 2 *Votre dépense se chiffre à 100 $* (= atteindre, se monter à). SENS 3 *L'espionne a envoyé un message chiffré,* noté à l'aide d'un code secret.
■**déchiffrer** v. SENS 3 *Champollion a déchiffré l'écriture égyptienne,* il a réussi à en comprendre les signes.
■**indéchiffrable** adj. SENS 3 *Son écriture est indéchiffrable.*

chignole n.f. Une *chignole* est un outil servant à percer des trous.

chignon n.m. *Mme Ferreira a un chignon,* ses cheveux sont noués derrière la tête.

chimère n.f. *Ce projet est une chimère,* une idée irréalisable.
■**chimérique** adj. *Tu as présenté un projet chimérique* (= fou).

chimie n.f. La *chimie* est la science des corps naturels, de la matière.
■**chimique** adj. *L'analyse chimique de l'eau montre qu'elle est formée d'oxygène et d'hydrogène.*
■**chimiste** n. *Esther est chimiste,* c'est son métier.

chimpanzé n.m. Le *chimpanzé* est un grand singe d'Afrique.

chinois, e adj. et n. Fam. *Tu es trop chinois : ne t'occupe pas de ces détails* (= tatillon, pointilleux).
■**chinoiserie** n.f. Fam. *Je ne m'attarde pas à ces chinoiseries sans intérêt* (= vétille).

chiot → *chien.*

chiper v. Fam. *Marie m'a chipé mon stylo* (= prendre, voler).

chipie n.f. Fam. *Tu es une chipie,* tu es désagréable, prétentieuse.

chipoter v. Fam. *Je ne vais pas chipoter pour une si petite somme* (= discuter, ergoter).
■**chipoteur, euse** n. et adj. Fam. *On perd son temps avec ce chipoteur.*

chique → *chiquer.*

chiquenaude n.f. *D'une chiquenaude, il a relevé sa casquette,* d'un léger coup de doigt (= pichenette).

chiquer v. *Le tabac à chiquer est un tabac spécial destiné à être mâché.*
■**chique** n.f. *Le vieux matelot mâchait une chique,* un morceau de tabac.
R. → *chic.*

chiromancien, enne n. *Une chiromancienne lui a lu les lignes de la main et lui a prédit beaucoup de bonheur* (= diseuse de bonne aventure).
R. On prononce [kirɔmɑ̃sjɛ̃].

chirurgie n.f. *La chirurgie est la partie de la médecine qui s'occupe des opérations.*
■**chirurgical, e, aux** adj. *J'ai subi une opération chirurgicale.*
■**chirurgien, enne** n. *Le chirurgien m'a opéré de l'appendicite.*

chlorophylle n.f. *La couleur verte des végétaux est due à la chlorophylle qu'ils contiennent,* une substance.
R. On prononce [klɔrɔfil].

choc n.m 1. *Le vase a reçu un choc et s'est cassé* (= coup). 2. *Quand j'ai vu l'accident, ça m'a fait un choc,* une grosse émotion.
■**choquer** v. SENS 1 *Les deux voitures se sont choquées violemment* (= heurter). SENS 2 *J'ai été très choqué par son attitude* (= scandaliser).
■**choquant, e** adj. SENS 2 *Il m'a dit des paroles choquantes,* blessantes.
■**entrechoquer** v. SENS 1 *Ils ont entrechoqué leurs verres,* ils les ont choqués l'un contre l'autre.

chocolat n.m. 1. *Le chocolat est un mélange de cacao et de sucre.* 2. *Veux-tu une tasse de chocolat ?* (= cacao). 221

chœur n.m. 1. *Plusieurs personnes qui chantent ensemble forment un chœur.* 2. *Ils ont répondu tous en chœur,* ensemble. 3. *Nous nous promenons dans le chœur de l'église,* la partie où se trouve l'autel. 4. *Un enfant de chœur assiste le prêtre pendant la messe.* 148
■**choral, e, als** ou **aux** adj. SENS 1 *Le chant choral est celui qui est pratiqué par un chœur.*
■**chorale** n.f. SENS 1 *La chorale du cégep répète un chant,* un groupe de chanteurs. 294
■**chorus** n.m. SENS 2 *Tout le monde a fait chorus,* a exprimé à haute voix le même avis.
■**choriste** n. SENS 1 *Notre chorale comprend cinquante choristes* (= chanteur).
R. *Chœur* se prononce [kœr] comme *cœur. Choral, chorale, chorus, choriste* se prononcent [kɔral, kɔrys, kɔrist].

choir → *chute.*

choisir v. *Marie a choisi une robe verte,* elle l'a prise de préférence à d'autres.
■**choix** n.m. *Je n'approuve pas ton choix,* ce que tu as choisi. *Il y a un grand choix de cravates,* un ensemble où l'on peut choisir. *Je n'ai pas eu le choix,* la possibilité de choisir.

choléra n.m. Le *choléra* est une maladie grave et contagieuse.
R. On prononce [kɔlera].

chômer v. *Les ouvriers chôment à cause de la crise économique,* ils manquent de travail.
■ **chômage** n.m. *La mère de Pierre est au chômage,* elle a perdu son travail.
■ **chômeur, euse** n. *Le nombre des chômeurs a augmenté.*

224 | **chope** n.f. *On a bu une chope de bière,* un grand verre.

chopine n.f. La *chopine* est une ancienne mesure de capacité pour les liquides contenant environ un demi-litre.

choquant, choquer → *choc.*

choral, chorale → *chœur.*

chorégraphie n.f. La *chorégraphie* est l'art de composer des danses et des ballets.
R. On prononce [kɔregrafi].

choriste, chorus → *chœur.*

chose n.f. **1.** *Quelle est cette chose qui traîne par terre ?,* cet objet (= machin, truc). **2.** *Il m'est arrivé une chose bizarre,* un événement.
R. *Chose* est un mot vague qui peut remplacer d'autres noms concrets (sens 1) ou abstraits (sens 2).

367 | **chou** n.m. **1.** *J'aime beaucoup la soupe*
221 | *aux choux,* des légumes. **2.** *Un chou à la crème* est une patisserie soufflée remplie de crème.
■ **choucroute** n.f. SENS 1 *La choucroute* est un plat composé de chou fermenté et de charcuterie.
367 | ■ **chou-fleur** n.m. SENS 1 Le *chou-fleur* est une variété de chou.
R. Noter le pluriel : des *choux-fleurs.*

chouchou, oute n. Fam. *Sonia est la chouchoute de la gardienne,* l'enfant qu'elle préfère.
■ **chouchouter** v. Fam. *Ses grands-pa-*

rents *le chouchoutent trop* (= gâter, dorloter, choyer).

choucroute → *chou.*

1. chouette n.f. La *chouette* est un oiseau rapace nocturne.

2. chouette interj. Fam. *Chouette ! il fait beau !,* je suis content.

chou-fleur → *chou.*

choyer v. *Aline est choyée par ses grands-parents,* ils l'entourent de soins affectueux (= dorloter).

chrétien, enne n. et adj. *Les catholiques et les protestants sont des chrétiens,* leur religion est celle de Jésus-Christ. *L'ère chrétienne commence à la naissance du Christ.*
■ **chrétienté** n.f. La *chrétienté* est l'ensemble des chrétiens.
■ **christianisme** n.m. Le *christianisme* est la religion chrétienne.

chrome n.m. Le *chrome* est un métal dur et brillant.
■ **chromé, e** adj. *Les pare-chocs de la voiture sont chromés,* recouverts de chrome.

1. chronique n.f. *Maria lit la chronique sportive de son journal,* les articles sur le sport.
■ **chroniqueur, euse** n. *Le chroniqueur théâtral d'un journal écrit des articles sur le théâtre.*

2. chronique adj. *Une maladie chronique est une maladie qui dure longtemps sans guérir* (≠ aigu).

chronologie n.f. *Je vais vous rappeler la chronologie des événements,* l'ordre dans lequel ils se sont produits.
■ **chronologique** adj. *1700, 1800, 1900 : ces trois dates sont dans l'ordre chronologique.*

chronomètre n.m. Un *chronomètre* est une montre d'une grande précision.

■**chronométrer** v. *On a chronométré les coureurs,* on a mesuré le temps qu'ils ont mis.

chrysalide n.f. *Une chrysalide est une chenille qui s'est enfermée dans un cocon avant de devenir papillon.*

chrysanthème n.m. *On a mis sur la tombe un bouquet de chrysanthèmes,* des fleurs d'automne.

chuchoter v. *Marie m'a chuchoté quelques mots à l'oreille* (= murmurer).
■**chuchotement** n.m. *On entend des chuchotements dans le fond de la classe,* des bruits de voix assourdis.

chut ! interj. sert à demander le silence : *Chut ! elle dort.*

chute n.f. **1.** *Il a fait une chute de trois mètres,* il est tombé. **2.** *Il y a eu des chutes de neige en montagne,* de la neige est tombée. **3.** *1793 est la date de la chute de la royauté en France* (= renversement). **4.** *Une cascade, une cataracte sont des chutes d'eau.*
■**chuter** v. *La cote de popularité du président a brusquement chuté,* elle est tombée.
■**choir** v. se disait pour *tomber.*

ci adv. sert à indiquer quelque chose de proche (≠ là), mais ne s'emploie qu'avec un trait d'union, après les démonstratifs *(celui-ci)* ou avant quelques adverbes *(ci-contre, ci-dessus, ci-dessous)* et quelques formules *(ci-joint, ci-gît).* [→ ces mots.]

cible n.f. *Elle a placé sa flèche au centre de la cible,* du but qu'elle visait.

ciboire n.m. *Un ciboire est une coupe où l'on conserve les hosties consacrées.*

ciboule, ciboulette n.f. *La ciboule et la ciboulette sont des plantes à goût d'oignon* (= fines herbes).

cicatrice n.f. *Depuis son opération, il lui reste une cicatrice,* une marque sur la peau.

■**cicatriser** v. *La blessure a cicatrisé,* elle a guéri et il ne reste qu'une cicatrice.
■**cicatrisation** n.f. *La cicatrisation de la plaie a été rapide.*

cidre n.m. *Le cidre est fait de jus de pomme fermenté.*

ciel n.m. **1.** *Il fait beau, le ciel est bleu.* **2.** *C'est le ciel qui l'envoie,* la Providence. **3.** *Son âme est allée au ciel,* vers Dieu (≠ enfer).
■**céleste** adj. SENS 1 *J'aime regarder la voûte céleste,* le ciel. SENS 2 *La puissance céleste,* c'est la puissance divine.
R. Au sens 1, le pluriel est *ciels* ou *cieux ;* au sens 2, il est toujours *cieux.* | 721

cierge n.m. *Un cierge brûle devant l'autel,* une grande bougie. | 149

cigale n.f. *La cigale est un petit insecte au cri perçant.*

cigare n.m. *M. Durand fume un gros cigare,* des feuilles de tabac roulées.
■**cigarette** n.f. *C'est une cigarette mal éteinte qui a provoqué l'incendie,* du tabac haché enveloppé dans du papier pour être fumé.

ci-gît → *gésir.*

cigogne n.f. *Il n'y a plus beaucoup de cigognes en Alsace,* de grands oiseaux au long bec. | 435

ciguë n.f. *La ciguë est une plante vénéneuse qui ressemble un peu au persil.*

cil n.m. *Les cils sont les poils au bord des paupières.* | 33

cime n.f. *Regarde l'oiseau sur la cime de l'arbre,* sur le sommet.

ciment n.m. *Le maçon fait tenir les briques avec du ciment,* une pâte faite d'argile et de chaux, qui durcit en séchant. | 150
■**cimenter** v. *On a cimenté le sol de la grange,* on l'a recouvert de ciment.

■ **cimenterie** n.f. Une *cimenterie* est une fabrique de ciment.

219 **cimetière** n.m. *L'enterrement s'est terminé au cimetière.*

440 **cinéma** n.m. 1. *Le cinéma a été inventé par les frères Lumière,* l'art de réaliser des
218 films. 2. *Un nouveau cinéma s'est ouvert dans la rue,* une salle où l'on projette des films.
■ **cinéaste** n. SENS 1 Un *cinéaste* est un réalisateur de films.
■ **ciné-club** n.m. SENS 2 *Au ciné-club, on a projeté un vieux film muet,* un club qui s'intéresse à l'histoire du cinéma.
■ **ciné-parc** n.m. *Ce soir nous irons au ciné-parc,* un cinéma en plein air où l'on regarde le film dans sa voiture.
■ **cinéphile** n. SENS 1 Les *cinéphiles* sont les amateurs de cinéma.
R. Noter les pluriels : des *ciné-clubs,* des *ciné-parcs.*

cinglé, e adj. et n. Fam. *Ce garçon est cinglé !,* fou.

1. cingler v. *Le voilier cingle vers le large,* il navigue dans cette direction.

2. cingler v. *Aïe ! Tu m'as cinglé les jambes avec ta ceinture,* tu me les as frappées d'un coup vif (= fouetter).
■ **cinglant, e** adj. *Une réplique cinglante* est très vive, blessante.

563 **cinq** adj. *La main a cinq doigts. 3 + 2 = 5.*
563 ■ **cinquième** adj. et n. *2 est la cinquième partie (le* cinquième*) de 10. Il est arrivé cinquième.*

563 **cinquante** adj. *Cinquante est la moitié de cent.*
■ **cinquantaine** n.f. 1. *Il y avait une cinquantaine de personnes,* environ cinquante. 2. *Mme Durand approche de la cinquantaine,* de cinquante ans.
■ **cinquantenaire** n.m. *On a célébré le cinquantenaire de la mort de cette auteure,* le cinquantième anniversaire.

■ **cinquantième** adj. et n. *Le cinquantième de 100 est 2. Elle est arrivée (la) cinquantième.*

cinquième → *cinq.*

cintre n.m. *Suspends ta veste sur un cintre !,* un objet courbe muni d'un crochet.

cirage → *cire.*

circoncision n.f. La *circoncision* est un rite des religions juive et musulmane qui consiste à sectionner le morceau de peau qui recouvre l'extrémité du sexe du garçon.

circonférence n.f. *La circonférence d'un cercle* est sa limite extérieure, son périmètre.

circonflexe adj. *Le « a » de « pâte »* porte un *accent circonflexe.*

circonscrire v. *Il faut circonscrire le domaine des recherches,* en fixer les limites (= délimiter).

circonscription n.f. *Monsieur Lévesque se présente dans la circonscription électorale de Taillon,* une division territoriale où l'on élit un député.

circonspect, e adj. *Tu es une personne très circonspecte* (= prudent).
■ **circonspection** n.f. *Il faut prendre la décision avec circonspection.*

circonstance n.f. *En raison des circonstances, la séance n'aura pas lieu,* en raison des faits qui se sont produits (= situation).
■ **circonstancié, e** adj. *Un compte-rendu circonstancié* expose les détails (= détaillé, précis).
■ **circonstanciel, elle** adj. *Un complément circonstanciel* indique les circonstances (temps, lieu, manière, etc.) d'une action.

circonvenir v. *Tu as cherché à me circonvenir par tes compliments,* à m'amener habilement à ton point de vue.

circuit n.m. **1.** *Nous avons fait un circuit en autocar,* un parcours qui nous a ramenés à notre point de départ. **2.** *Le circuit du Mont-Tremblant est très populaire,* une piste où ont lieu des courses automobiles. **3.** *Un circuit électrique,* c'est l'ensemble des fils où passe le courant.

■ **court-circuit** n.m. SENS 3 *Il peut se produire un court-circuit quand deux fils électriques se touchent.*

R. Noter le pluriel : des *courts-circuits.*

1. circulaire → *cercle.*

2. circulaire n.f. Une *circulaire* est une même lettre adressée à plusieurs personnes pour les informer de quelque chose.

circuler v. **1.** *Les piétons circulent dans les rues* (= se déplacer). *Le sang circule à travers le corps.* **2.** *Il y a une rumeur qui circule,* qui se propage.

■ **circulation** n.f. SENS 1 *La circulation des voitures a beaucoup augmenté.*

■ **circulatoire** adj. SENS 1 *L'appareil circulatoire,* ce sont les veines et les artères.

cire n.f. *La cire, produite par les abeilles, sert à fabriquer la cire à parquet, le cirage, etc.*

■ **cirage** n.m. Le *cirage* sert à entretenir les objets de cuir.

■ **cirer** v. **1.** *On a ciré le parquet,* on l'a enduit de cire. **2.** *As-tu ciré tes chaussures ?,* y as-tu mis du cirage ?

■ **ciré** n.m. Un *ciré* est un vêtement enduit d'une cire qui le rend imperméable.

■ **cireuse** n.f. Une *cireuse* est un appareil pour cirer les parquets.

■ **cireux, euse** adj. *Tu as le teint cireux,* jaune comme de la cire.

R. *Cire* se prononce [sir] comme *sire.*

cirque n.m. *Au cirque, nous avons vu des clowns, des acrobates.*

ciseau n.m. **1.** Un *ciseau* est une lame d'acier servant à tailler le bois, le métal ou la pierre. **2.** (au plur.) *Voilà des ciseaux pour découper du papier,* un instrument formé de deux lames.

■ **cisailles** n.f. SENS 2 Les *cisailles* sont de gros ciseaux servant à couper le carton, le métal, les pousses des plantes.

■ **cisailler** v. SENS 2 *Les fils de fer ont été cisaillés* (= couper).

■ **ciseler** v. SENS 1 *Ciseler un métal,* c'est le sculpter à l'aide d'un ciseau.

citadelle n.f. *Autrefois, certaines villes, comme Québec, étaient protégées par une citadelle* (= forteresse).

citadin → *cité.*

citation → *citer.*

cité n.f. **1.** *Une grande ville s'appelle une cité.* **2.** *Dans l'Antiquité, une cité était un État.* **3.** *J'habite dans une cité ouvrière,* un groupe d'immeubles de logement.

■ **citadin, e** n. SENS 1 Un *citadin* est un habitant des villes.

citer v. **1.** *On m'a cité une phrase de Victor Hugo,* on me l'a rapportée avec précision. **2.** *Le juge a cité de nombreux témoins,* il leur a ordonné de se présenter devant le tribunal.

■ **citation** n.f. SENS 1 *J'ai mis dans mon devoir une citation de Molière,* une phrase citée. SENS 2 *J'ai reçu une citation à comparaître en justice* (= convocation).

citerne n.f. Une *citerne* est un grand réservoir destiné à contenir des liquides (de l'eau, du mazout, etc.).

citoyen, enne n. *Marie est citoyenne française,* elle est née en France.

■ **citoyenneté** n.f. *J'ai la citoyenneté canadienne,* la qualité de citoyen du Canada.

■ **concitoyen, enne** n. *Aline est ma concitoyenne,* elle est citoyenne du même pays que moi (= compatriote).

citron n.m. Le *citron* est un fruit jaune à goût acide.

■ **citronnade** n.f. Une *citronnade* est faite de jus de citron, de sucre et d'eau.

■ **citronnier** n.m. Le *citronnier* est un arbre des pays chauds.

578

citrouille n.f. *Nous avons mangé une soupe à la citrouille,* un gros légume à chair jaune.

civet n.m. *Tu as fait un civet de lièvre ?,* un lièvre cuit au vin.

37 **civière** n.f. *On a transporté le blessé sur une civière* (= brancard).

civil, e adj. 1. *Les droits civils,* ce sont les droits des citoyens. *Une guerre civile* est une guerre entre les citoyens d'un pays. 2. *Le mariage civil a lieu au palais de justice* (≠ religieux).
■ **civil** n.m. *La religieuse s'était habillée en civil,* comme tout le monde (≠ en uniforme).

civilisation n.f. *Une civilisation,* c'est la manière de vivre des gens d'une société, ainsi que l'ensemble des progrès scientifiques, techniques, culturels de cette société.
■ **civiliser** v. *Les Romains ont été civilisés par les Grecs,* ceux-ci leur ont apporté leur civilisation.

civique adj. *Les devoirs civiques* sont les devoirs du citoyen envers l'État.

clafoutis n.m. *Un clafoutis est un gâteau dont la pâte contient des fruits (cerises, prunes etc.).*

claie n.f. *On a mis les fromages à sécher sur une claie,* une sorte de grillage en osier ou en métal.

clair, e adj. 1. *Mon bureau est très clair* (= lumineux ; ≠ sombre). 2. *En été, je porte des costumes clairs* (≠ foncé). 3. *L'eau de cette source est très claire* (= limpide, transparent ; ≠ trouble). 4. *Cette phrase est claire,* facile à comprendre (≠ obscur).
■ **clair** adv. SENS 1 *Il fait clair,* il y a de la lumière (≠ sombre). *Est-ce que tu vois clair la nuit ?,* est-ce que tu vois bien.
■ **clair** n.m. SENS 1 *Le clair de lune* est la lumière de la Lune. SENS 4 *On va tirer cette affaire au clair,* essayer de la comprendre.

■ **clairement** adv. SENS 4 *Expliquez-vous plus clairement.*
■ **claire-voie** n.f. SENS 1 *Un volet à claire-voie* laisse passer la lumière par les fentes.
■ **clarifier** v. SENS 4 *Cela va clarifier la situation* (= éclaircir).
■ **clarté** n.f. SENS 1 *La lampe répand sa clarté* (= lumière). SENS 4 *Il m'a tout expliqué avec clarté* (= netteté ; ≠ confusion).
■ **éclaircir** v. SENS 1 *Le ciel s'est éclairci,* il est devenu plus lumineux (≠ assombrir). SENS 4 *Nous allons éclaircir ce problème,* le rendre plus compréhensible.
■ **éclaircie** n.f. SENS 1 *Une éclaircie est le moment où le ciel s'éclaircit et où la pluie cesse.*
■ **éclaircissement** n.m. SENS 4 *Je ne comprends pas, je te demande des éclaircissements* (= explication).
■ **éclairer** v. SENS 1 *Cette lampe n'éclaire pas bien,* elle donne peu de lumière. SENS 4 *Maintenant, tout s'éclaire,* devient clair.
■ **éclairage** n.m. SENS 1 *Il faudrait revoir l'éclairage de cette pièce,* la façon dont elle est éclairée.
R. → *clerc.*

clairière n.f. *Dans une forêt, une clairière* est un endroit sans arbres.

clairon n.m. *Les soldats sont réveillés par le son du clairon.*

claironner v. *Ne lui confie pas de secret, il risque de le claironner partout* (= proclamer).

clairsemé, e adj. *M. Durand a les cheveux clairsemés,* peu abondants (≠ touffu, dense, dru).

clairvoyant, e adj. *Mme Dupont est une femme clairvoyante,* prudente et intelligente.

clamer v. *L'accusée clamait son innocence,* elle la disait avec force (= proclamer, crier).

■**clameur** n.f. *Une **clameur** vient de la rue,* de grands cris.

clan n.m. *La **classe** est divisée en deux **clans**,* en deux groupes opposés.

clandestin, e adj. *On a trouvé dans le bateau un passager **clandestin**,* qui avait embarqué illégalement. ■**clandestinement** adv. *Elle a passé la frontière **clandestinement*** (= en cachette). ■**clandestinité** n.f. *Pendant la guerre, les résistants étaient dans la **clandestinité**,* ils se cachaient.

clapier n.m. *Un **clapier** est une cabane à lapins.*

clapoter v. *On entend l'eau **clapoter** contre la barque,* produire de petits claquements. ■**clapotis** ou **clapotement** n.m. *Écoute le **clapotis** des vagues !,* le bruit qu'elles font en bougeant.

claque n.f. **1.** *Pierre a reçu une paire de **claques*** (= gifle). **2.** *J'ai perdu une **claque** dans la neige,* une chaussure en caoutchouc souple que l'on porte pardessus les souliers, en hiver ou lorsqu'il pleut.

claquer v. **1.** *Il y a un volet qui **claque**,* qui fait un bruit sec. **2.** *Ne **claque** pas la porte en partant,* ne la referme pas brutalement. **3.** *La cycliste **s'est claqué** un muscle,* elle l'a déchiré en faisant un mouvement trop violent. ■**claquage** n.m. SENS 3 *L'athlète s'est fait un **claquage**.* ■**claquement** n.m. SENS 1 *J'entends un **claquement** de portières,* un bruit. ■**claquettes** n.f.pl. SENS 1 *Isabelle fait des **claquettes**,* elle danse en faisant claquer au sol les talons et les pointes de ses chaussures.

clarifier → *clair.*

clarinette n.f. *On apprend à jouer de la **clarinette**,* d'un instrument de musique à vent.

clarté → *clair.*

classe n.f. **1.** *La société est divisée en **classes**,* en catégories de personnes ayant des intérêts communs. **2.** *Nous voyageons en première **classe**,* dans des compartiments de première catégorie. **3.** *Je vais **en classe**,* à l'école. **4.** *En quelle **classe** es-tu ? — en 6ᵉ,* en quelle année d'étude. *Toute la **classe** sera punie,* tous les élèves de la classe. **5.** *Les élèves ont décoré la **classe**,* la salle de leur école. **6.** *Le professeur **fait la classe**,* il enseigne (= faire cours). ■**interclasse** n.m. ou n.f. SENS 6 *Pendant l'**interclasse**, les professeurs échangent quelques mots,* l'intervalle qui sépare deux cours.

classer v. **1.** *Veux-tu m'aider à **classer** mes timbres ?,* à les mettre en ordre (= ranger). **2.** *Jean **s'est classé** premier en français,* il a obtenu le premier rang. ■**classement** n.m. SENS 1 *J'ai fait le **classement** de mes livres.* SENS 2 *Cléa a obtenu un bon **classement**.* ■**classeur** n.m. SENS 1 *Un **classeur** sert à ranger des papiers.* ■**déclasser** v. SENS 1 *Qui a **déclassé** mes papiers ?* (= déranger). ■**reclasser** v. SENS 1 *Il faut **reclasser** les livres.* ■**reclassement** n.m. SENS 1 *J'ai passé la journée au **reclassement** de ma bibliothèque.*

classique adj. **1.** *Racine est un écrivain **classique**,* un de ceux que l'on considère souvent comme des modèles, parce qu'ils ont, à une époque (en France, au XVIIᵉ s.), atteint une certaine perfection. **2.** *Il m'a donné tous les arguments **classiques**,* habituels. ■**classicisme** n.m. SENS 1 *Le **classicisme** est la période de l'histoire des arts et de la littérature française qui se situe au moment du règne de Louis XIV.* SENS 2 *Vous remarquerez le **classicisme** de ses arguments.*

claudication n.f. *Depuis son accident, elle garde une légère **claudication**,* elle boite un peu.

292

clause n.f. *j'ai fait ajouter une* **clause** *au contrat,* une disposition particulière.

439   **clavecin** n.m. *Le* **clavecin** *est un instrument de musique ancien à cordes.*

40   **clavicule** n.f. *La* **clavicule** *est un os long qui va du cou à l'épaule.*

808, 293, 148   **clavier** n.m. *Le* **clavier** *d'un piano, d'un clavecin, d'une machine à écrire,* c'est l'ensemble de ses touches.

74   **clef** ou **clé** n.f. **1.** *Je ne peux pas ouvrir, j'ai perdu la* **clef** *de la porte d'entrée. Anne* **a** *mis les médicaments* **sous clé***,* dans un endroit fermé à clé. **2.** *Une* **clef** *à molette, une* **clef** *anglaise servent à desserrer les écrous.* **3.** *On a trouvé la* **clef** *du mystère,* l'explication.
■ **porte-clefs** n.m.inv. SENS 1 *Toutes mes clefs sont attachées à mon* **porte-clefs***.*

505, 289

73   **clématite** n.f. *Le mur est couvert de* **clématite***,* une plante grimpante à fleurs bleues, roses, rouges, etc.

clément, e **1.** adj. *Le jury s'est montré* **clément** *envers l'accusé* (= indulgent ; ≠ sévère). **2.** *L'hiver sera* **clément** *cette année,* doux.
■ **clémence** n.f. *Le jury a fait preuve d'une grande* **clémence***.*

clémentine n.f. *La* **clémentine** *est une sorte de mandarine.*

clerc n.m. *Ma cousine est* **clerc de notaire***,* elle est employée chez un notaire.
R. *Clerc* se prononce [klɛr] comme *clair.*

clergé n.m. *Les prêtres, les évêques, les moines forment le* **clergé***.*
■ **cléricalisme** n.m. *Le* **cléricalisme** *est* la tendance reprochée au clergé à soutenir une politique conservatrice.
■ **anticlérical, e, aux** adj. *Une campagne* **anticléricale** *s'oppose à* l'influence du clergé dans les affaires publiques.

cliché n.m. **1.** *J'ai fait de beaux* **clichés** *pendant les vacances* (= photo).

2. *Son discours était plein de* **clichés***,* d'expressions banales.

client, e n. *La boutique était pleine de* **clients***,* de personnes venues pour acheter.
■ **clientèle** n.f. *Ce médecin a une nombreuse* **clientèle***,* beaucoup de gens viennent le voir.

cligner v. *Le soleil me fait* **cligner** *les yeux,* les fermer et les ouvrir rapidement.
■ **clin d'œil** n.m. **1.** *Marie m'a fait un* **clin d'œil***,* un signe rapide. **2.** *On a fait cela en un* **clin d'œil***,* très vite.
■ **clignoter** v. *Le feu orange* **clignote** *au carrefour,* il s'allume et s'éteint.
■ **clignotant** n.m. *Le* **clignotant** *d'une voiture est un signal qui clignote quand on change de direction.*
R. Noter le pluriel : des *clins d'œil*

climat n.m. *La Norvège a un* **climat** *froid et humide,* il y fait froid et il pleut souvent.
■ **climatique** adj. *Il y a ici de bonnes conditions* **climatiques***,* le climat est agréable.
■ **climatiser** v. *Climatiser une salle,* c'est faire que la température y soit agréable.
■ **climatisation** n.f. *L'appareil de* **climatisation** *est en panne.*
■ **climatiseur** n.m. *Le* **climatiseur** *est en panne,* l'appareil qui climatise.
■ **acclimater** v. *Acclimater un animal,* c'est l'habituer à un nouveau climat.
■ **acclimatation** n.f. *Au jardin d'acclimatation,* on peut voir des animaux du monde entier, une sorte de jardin zoologique.

clin d'œil → *cligner.*

clinique n.f. *Elle a été opérée dans une* **clinique** *privée,* un petit hôpital.

clinquant, e adj. *Des bijoux* **clinquants** *sont brillants mais sans valeur.*

clip n.m. *Linda ferme son corsage avec un* **clip***,* une agrafe ou une broche munie d'une pince.

clique n.f. **1.** *Une **clique** militaire,* c'est l'ensemble des clairons et des tambours (= fanfare). **2.** *L'oratrice a accusé une **clique** de politiciens,* une bande de gens peu recommandables.

cliquetis n.m. *On entend le **cliquetis** d'une machine à écrire,* une suite de bruits secs.

clivage n.m. *Un **clivage** s'est produit entre deux tendances du parti,* une séparation.

cloaque n.m. *Après la pluie, la rue était un **cloaque**,* un lieu boueux.

clochard, e n. *Un **clochard** est une personne misérable qui n'a pas de domicile et couche dans la rue.

cloche n.f. **1.** *D'ici on entend sonner les **cloches** de l'église.* **2.** *On met les melons sous une **cloche** pour les protéger du froid,* un abri en verre. **3.** Fam. *Sophie va se faire sonner les **cloches*** (= réprimander, gronder).
  ■ **clocher** n.m. SENS 1 *Les **cloches** sont en haut du **clocher**.*
  ■ **clochette** n.f. SENS 1 *Une **clochette** est une petite cloche.*

à cloche-pied adv. *Marcher à **cloche-pied**,* c'est avancer en sautant sur un pied.

clocher, clochette → *cloche.*

cloison n.f. *Les pièces de l'appartement sont séparées par des **cloisons**,* des murs intérieurs.
  ■ **cloisonner** v. *En **cloisonnant** le salon, on peut faire deux pièces.*

cloître n.m. *Un **cloître** est une galerie couverte qui entoure la cour d'un couvent.
  ■ **cloîtré, e** adj. *Depuis plusieurs semaines, il vit **cloîtré** chez lui* (= enfermé).

clopin-clopant adv. Fam. **1.** *Un rescapé s'avançait **clopin-clopant**,* en boitant plus ou moins. **2.** *Les affaires vont clo-*

pin-clopant, tant bien que mal (= couci-couça).

cloporte n.m. *Un **cloporte** est un petit animal gris vivant dans les lieux humides, sous les pierres, etc.

cloque n.f. *Elle s'est brûlée et elle a une **cloque** à la main* (= ampoule).

clôture n.f. **1.** *Le champ est entouré d'une **clôture**,* de quelque chose qui le ferme (mur, palissade, haie). **2.** *On est arrivé après la **clôture** du débat* (= fin). | 435, 368
  ■ **clore** v. se dit parfois pour *fermer* ou *terminer.*
  ■ **clôturer** v. SENS 1 *Martin a **clôturé** son champ,* il l'a entouré d'une clôture. SENS 2 *On a **clôturé** la séance à 8 heures* (= terminer).
  ■ **enclore** v. SENS 1 *Le paysan a **enclos** son champ,* il l'a entouré d'une clôture.
  ■ **enclos** ou **clos** n.m. SENS 1 *Les vaches sont dans l'**enclos**,* le terrain enclos.
  R. *Clore, enclore* → conj. n° 81.

clou n.m. **1.** *Elle a planté un **clou** dans le mur pour accrocher un tableau* (= pointe). **2.** *Pierre a un **clou** au cou* (= furoncle). **3.** *Les lions ont été le **clou du spectacle**,* le moment le plus réussi. | 368, 289
  ■ **clouer** v. SENS 1 *On a **cloué** une pancarte au mur,* on l'a fixée avec des clous.
  ■ **clouté, e** adj. SENS 1 *Les piétons doivent traverser au **passage clouté**,* à l'endroit de la rue qui autrefois, en France, était délimité par de gros clous et aujourd'hui par des bandes blanches. *En hiver j'équipe ma voiture de pneus **cloutés**.*
  ■ **déclouer** v. SENS 1 *Pour ouvrir cette caisse, il faut la **déclouer**,* enlever les clous.

clown n. *Au cirque, Pierre aime beaucoup les **clowns**,* les artistes qui font rire. | 433
  ■ **clownerie** n.f. *Tout le monde rit de ses **clowneries**,* de ses manières de clown.
  R. *Clown* se prononce [klun].

club n.m. *Inscris-toi à un **club** sportif* (= association).
  R. On prononce [klœb].

co-, au début d'un mot, indique une association : *cohabiter avec quelqu'un,* c'est habiter dans le même logement, une *coédition* est une édition faite en commun, etc.

coaguler v. *Le sang se coagule à l'air libre* (= figer, se solidifier).
■ **coagulation** n.f. *Ce médicament empêche la coagulation du sang.*

coalition n.f. *Le gouvernement a été vaincu par la coalition de ses adversaires* (= alliance, réunion).
■ **coaliser** v. *Tout le monde s'est coalisé contre moi* (= liguer, unir).

coasser v. *Les grenouilles coassent,* elles poussent leur cri.
■ **coassement** n.m. *Le coassement est le cri de la grenouille.*
R. Ne pas confondre *coasser* et *croasser.*

cobaye n.m. *Le cobaye est un petit animal qui sert souvent à des expériences scientifiques* (= cochon d'Inde).

435 **cobra** n.m. *Le cobra est un grand serpent très venimeux.*

cocagne n.f. **1.** *J'ai réussi à décrocher un ballon en montant au mât de cocagne,* un mât glissant en haut duquel sont suspendus des objets. **2.** *Le pays de cocagne est un pays imaginaire où l'on a tout ce qu'on veut.*

766 **cocarde** n.f. *J'ai une cocarde à la boutonnière,* un insigne rond aux couleurs officielles.

cocasse adj. *J'ai fait un rêve cocasse* (= très drôle, bizarre).
■ **cocasserie** n.f. *Le rapprochement de certains mots crée des cocasseries,* des situations drôles.

366 **coccinelle** n.f. *Les coccinelles sont de petits insectes généralement rouge et noir* (= bête à bon Dieu).

coccyx n.m. *Aline s'est cassé le coccyx en tombant sur le derrière,* la partie terminale de la colonne vertébrale.
R. On prononce [kɔksis].

coche → *cocher* 2.

1. cocher v. *Elle a coché mon nom sur la liste,* elle l'a marqué d'un trait.

2. cocher, ère n. *Les cochers conduisaient les voitures à cheval.*
■ **coche** n.m. **1.** *Un coche était une grande diligence.* **2.** *Autrefois, le coche d'eau servait au transport des voyageurs et des marchandises.*
■ **cochère** adj.f. *Une porte cochère est assez grande pour laisser passer une voiture.*

cochon n.m. **1.** *Cette paysanne élève des cochons* (= porc). **2.** *Le cochon d'Inde est le nom usuel du cobaye.* **3.** n. (au fém. cochonne). *Tu as fait des taches partout, tu es un cochon !* (= malpropre). **4.** *Pablo m'a joué un tour de cochon,* un mauvais tour.
■ **cochonnerie** n.f. **1.** SENS 3 *Tu as fait des cochonneries sur ton cahier* (= saleté). **2.** *Ce papier, c'est de la cochonnerie : il se déchire tout le temps,* c'est de la mauvaise qualité.

cochonnet n.m. *À la pétanque, il faut envoyer sa boule le plus près possible du cochonnet,* une petite boule qui sert de but.

cocker n.m. *Les cockers sont des chiens aux oreilles pendantes.*

cockpit n.m. *Le cockpit est la cabine où se tient le pilote d'un avion, le barreur d'un bateau.*
R. On prononce [kɔkpit].

cocktail ou **coquetel** n.m. **1.** *Un cocktail est une boisson obtenue en mélangeant des alcools, des sirops, etc.* **2.** *Je vous invite à un cocktail,* une réception où l'on offre à boire et à manger.

coco → *cocotier.*

cocon n.m. *Les chenilles des vers à soie s'entourent d'un cocon,* d'une enveloppe de fils de soie.

cocorico ou **coquerico** n.m. *Le coq pousse des cocoricos,* des cris.

cocotier n.m. Les *cocotiers* sont de grands palmiers des régions chaudes.
■ **coco** n.m. La *noix de coco* est le fruit du cocotier.

cocotte n.f. **1.** *On s'amuse à faire des cocottes en papier,* à plier du papier en forme de poule. **2.** *Le cuisinier a fait un ragoût dans une cocotte,* une petite marmite.

code n.m. **1.** Un *code* est un recueil de lois : *le Code civil, le Code de la sécurité routière.* **2.** *J'ai écrit un message en code,* en langage secret. **3.** *De nuit, quand on croise une autre voiture, il faut se mettre en code* (= feux de croisement ; ≠ phares). **4.** *Le code postal est l'ensemble de chiffres et de lettres qui suit le nom de la ville quand on écrit une adresse.*
■ **codé, e** adj. SENS 2 *Un message codé* est rédigé selon un code (= secret).
■ **codifier** v. SENS 1 *On a codifié d'anciens usages,* on les a établis comme règles (= réglementer).
■ **décoder** v. SENS 2 *Décoder un message,* c'est en déchiffrer le code secret.

coefficient n.m. *J'ai eu 12/20 en maths ; avec le coefficient 3, cela fait 36/60,* le chiffre par lequel on multiplie la note.

coéquipier → *équipe.*

cœur n.m. **1.** *Le cœur envoie le sang dans tout notre corps.* **2.** *J'habite au cœur de la ville* (= centre). **3.** *Pierre a mal au cœur,* il a des nausées. **4.** *Marie a le cœur sensible,* elle est facilement émue. **5.** *Luce a bon cœur,* elle est généreuse. **6.** *J'ai fait cela de bon cœur,* avec plaisir, volontiers. **7.** *Tu sais ta leçon par cœur ?,* tu peux la réciter de mémoire. **8.** *Qui a joué la dame de cœur ?,* une des couleurs aux cartes.
■ **à contrecœur** adv. SENS 6 *Il est parti à contrecœur,* malgré lui.
■ **écœurer** v. SENS 3 *Cette odeur m'écœure,* elle me fait mal au cœur (= dégoûter).

■ **écœurant, e** adj. SENS 3 *Cette odeur est écœurante.*
■ **écœurement** n.m. SENS 3 *On éprouve de l'écœurement en voyant une telle ingratitude* (= dégoût).
R. → *chœur.*

coexistence, coexister → *exister*

coffre n.m. **1.** *Nancy range ses jouets dans un coffre,* une grande caisse. **2.** *Les valises sont dans le coffre, on peut partir,* un espace à l'avant ou à l'arrière d'une voiture pour mettre les bagages.
■ **coffre-fort** n.m. *Les coffres-forts de la banque ont été dévalisés,* les armoires en métal où l'on enferme de l'argent et des objets précieux.
■ **coffret** n.m. *Je mets mes bijoux dans un coffret* (= boîte).

cognac n.m. Le *cognac* est une eau-de-vie fabriquée en Charente.

cognée n.f. Une *cognée* est une hache de bûcheron.

cogner v. **1.** *Il cogne de toutes ses forces contre la porte* (= frapper). *Je me suis cognée à la table,* je me suis donné un coup. **2.** Fam. *Lucie cogne des clous sur sa chaise,* elle commence à s'endormir.

cohabiter → *habiter.*

cohérent, e adj. *Son raisonnement est très cohérent,* tous ses éléments se tiennent bien entre eux (= logique).
■ **cohérence** n.f. *Son raisonnement a beaucoup de cohérence.*
■ **cohésion** n.f. *Le succès est dû à la bonne cohésion de l'équipe* (= unité, solidarité).
■ **incohérent, e** adj. *La blessée prononçait des paroles incohérentes,* sans lien entre elles.
■ **incohérence** n.f. *Ses paroles ont l'incohérence d'un discours d'ivrogne.*

cohorte n.f. *J'ai vu passer une cohorte de gamins,* un grand nombre (= troupe).

cohue n.f. *Il y avait la cohue dans le*

77,
147

505

292

655

métro, beaucoup de gens qui se poussent, qui se pressent (= bousculade).

coi, coite adj. *Pierre se tient coi, Marie se tient coite,* ils restent complètement silencieux et immobiles, par prudence ou par perplexité.

coiffer v. 1. *Pierre est coiffé d'un drôle de chapeau,* il l'a sur la tête. 2. *Marie se coiffe devant la glace,* elle arrange ses cheveux (= se peigner).
■ **coiffe** n.f. SENS 1 *Certaines paysannes bretonnes portent encore des coiffes,* des sortes de bonnets.
■ **coiffeur, euse** n. SENS 2 *Aline est allée chez le coiffeur se faire couper les cheveux. Mme Lopez a pris rendez-vous chez sa coiffeuse.*
■ **coiffeuse** n.f. SENS 2 Une *coiffeuse* est une table avec un miroir devant laquelle les femmes se coiffent, se maquillent.
■ **coiffure** n.f. SENS 1 *Les chapeaux, les bérets, les casquettes sont des coiffures.* SENS 2 *Tu as changé ta coiffure ?,* la manière d'arranger tes cheveux.
■ **décoiffer** v. SENS 2 *Le vent l'a décoiffé* (= dépeigner).
■ **recoiffer** v. SENS 2 *Recoiffe-toi avant de sortir.*

coin n.m. 1. *On a mis la table dans un coin de la pièce,* dans l'angle formé par deux murs. 2. *On s'est retrouvé au coin d'une rue,* au croisement de deux rues. 3. *Nous avons passé nos vacances dans un coin tranquille* (= endroit). 4. *Le bûcheron met un coin dans le bois pour mieux le fendre,* un morceau de métal ou de bois très dur.
■ **encoignure** n.f. SENS 1 Une *encoignure* est un coin étroit formé par deux murs. *Nous avons acheté une encoignure chez l'antiquaire,* une armoire conçue pour être placée dans un coin.
■ **recoin** n.m. SENS 3 *Le chat s'est réfugié dans un recoin,* un coin caché.
R. → *coing.*

coincer v. *La porte est coincée, on ne peut plus l'ouvrir* (= bloquer).

coïncider v. *Son arrivée a coïncidé avec mon départ,* elle a eu lieu au même moment (= concorder).
■ **coïncidence** n.f. *Vous ici ! quelle coïncidence !,* quelle rencontre de circonstances (= hasard).

coing n.m. Le *coing* est un fruit jaune ressemblant à une poire.
R. *Coing* se prononce [kwɛ̃], comme coin.

col n.m. 1. *Col* était autrefois synonyme de *cou.* 2. *Le col de ta chemise est sale,* la partie qui entoure le cou. 3. *Un col* est un passage qui permet de franchir une montagne.
■ **cou** n.m. SENS 1 *Mets cette écharpe autour de ton cou.*
■ **collet** n.m. SENS 1 Un *collet* est un nœud coulant pour capturer les lapins ou les lièvres dans les étranglant. *Les policiers ont mis la main au collet du malfaiteur,* ils l'ont arrêté.
■ **collier** n.m. SENS 1 Un *collier de perles* est un bijou qui se met autour du cou. *Ce chien perdu n'a pas de collier,* de courroie autour du cou.
■ **décolleté, e** adj. SENS 1 *Mme Durand porte une robe décolletée,* qui découvre le cou et les épaules.
■ **encolure** n.f. SENS 1 *Il caressait l'encolure de son cheval,* la région du cou. SENS 2 *L'encolure de cette chemise est trop petite pour moi,* la largeur du col.
■ **torticolis** n.m. SENS 1 *Je souffre d'un torticolis,* d'une douleur au cou.
R. → *colle* et *coudre.*

coléoptère n.m. *Le hanneton est un coléoptère,* un insecte qui a des ailes dures (élytres) par-dessus ses ailes légères.

colère n.f. *Quand on se met en colère, on devient tout rouge et on crie* (= fureur).
■ **coléreux, euse** adj. *Ce singe est très coléreux,* il se met souvent en colère (= irritable, irascible).

colibri n.m. Un *colibri* est un tout petit oiseau d'Amérique (= oiseau-mouche).

colimaçon n.m. **1.** *On appelait autrefois un escargot un colimaçon.* **2.** *Un escalier en colimaçon* monte en tournant (= en spirale).

colin n.m. Le *colin* est un poisson de mer (= lieu).

colin-maillard n.m. *Les enfants jouent à colin-maillard,* l'un d'eux, les yeux bandés, essaie d'en attraper un autre et de dire qui il est.

colique n.f. *Annie a la colique,* elle a mal au ventre (= diarrhée).

colis n.m. *Le facteur a apporté un colis* (= paquet).

collaborer v. *Elle a collaboré avec un ami pour écrire ce livre,* ils ont travaillé ensemble.
■ **collaboration** n.f. *Je vous remercie de votre collaboration* (= participation, aide).
■ **collaborateur, trice** n. *Ce journal a de nombreux collaborateurs et collaboratrices,* des personnes qui y travaillent.

collage, collant → *colle.*

collation n.f. *À 4 heures, les enfants prennent une légère collation,* ils font un petit repas.

colle n.f. **1.** La *colle* est une matière gluante qui permet de faire adhérer entre eux des objets. **2.** Fam. *Tu m'as posé une colle,* une question difficile. **3.** Fam. *Pascal a eu une heure de colle* (= retenue).
■ **coller** v. SENS 1 *Des affiches sont collées* sur les murs, fixées avec de la colle. SENS 2 Fam. *On s'est fait coller à l'examen,* on a échoué.
■ **collage** n.m. SENS 1 *À l'école maternelle, on fait des collages,* on colle des images.
■ **collant, e** adj. **1.** SENS 1 *J'ai réparé mon stylo avec du papier collant.* **2.** *Max a un chandail collant,* qui lui moule le corps (= serré).
■ **collant** n.m. Un *collant* est un sous-vêtement qui réunit en une seule pièce un slip et des bas.
■ **colleur, euse** n.m. SENS 1 *Le colleur d'affiches est tombé de son échelle.*
■ **autocollant, e** adj. et n.m. SENS 1 *On doit placer une vignette autocollante sur le pare-brise,* enduite d'un produit qui colle sans être mouillé.
■ **décoller** v. **1.** SENS 1 *Le timbre s'est décollé,* il s'est détaché. **2.** *Cette personne a les oreilles décollées,* qui s'écartent de la tête.
■ **décollement** n.m. SENS 1 *Une entreprise spécialisée procède au décollement des affiches sur les murs.*
■ **encoller** SENS 1 *Encoller du papier,* c'est l'enduire de colle.
■ **incollable** adj. SENS 2 Fam. *Ce candidat est incollable,* il peut répondre à n'importe quelle question.
■ **recoller** v. SENS 1 *On a recollé les morceaux de l'assiette.*
R. *Colle se* prononce [kɔl] comme *col.*

collecte n.f. *On a fait une collecte pour les aveugles,* on a recueilli de l'argent pour eux.
■ **collecter** v. *On a collecté une somme importante pour les sinistrés* (= recueillir).

collectif, ive adj. *Ce livre est le résultat d'un travail collectif,* fait par un groupe (≠ individuel).
■ **collectivement** adv. *Nous avons agi collectivement* (= ensemble).
■ **collectivisme** n.m. Le *collectivisme,* c'est la mise en commun des propriétés individuelles.
■ **collectivité** n.f. *Une collectivité* est un groupe de personnes qui ont des intérêts communs.

collection n.f. *Pierre fait collection de timbres,* il les recherche pour les réunir et les classer.

■**collectionner** v. *Marie collectionne les papillons,* elle en fait collection.

■**collectionneur, euse** n. *Katherina est collectionneuse de tableaux.*

collectivement, collectivisme, collectivité → *collectif.*

collège n.m. *Pierre est élève d'un collège,* un établissement scolaire qui fait suite à l'école secondaire et précède l'université.

■**collégial, e, aux** adj. *Pierre désire continuer ses études collégiales.*

■**collégien, enne** n. *Pierre est un collégien.*

collègue n. *Mme Durand et M. Dupont sont des collègues,* ils travaillent dans la même entreprise, il exercent le même métier.

coller, colleur → *colle.*

collet, collier → *col.*

collimateur n.m. *Le collimateur d'une arme à feu* est le dispositif qui permet de viser.

colline n.f. *Nous sommes montés sur la colline pour voir le paysage* (= hauteur).

collision n.f. *Il y a eu une collision sur l'autoroute,* un choc entre des voitures (= accident).

colloque n.m. *Un colloque* est une réunion de spécialistes qui discutent d'un sujet.

colmater v. *On a colmaté la fuite d'eau* (= boucher).

colombe n.f. *Une colombe* est un pigeon blanc.

■**colombier** n.m. *Cette ferme possède un colombier,* un bâtiment pour les pigeons (= pigeonnier).

colon → *colonie.*

colonel, elle n. *Le colonel commande un régiment.*

colonie n.f. **1.** *Autrefois, la Nouvelle-France était une colonie,* un territoire contrôlé par la France. **2.** *Louise est partie en colonie de vacances,* avec un groupe d'enfants et des moniteurs (= camp de vacances).

■**colon** n.m. SENS 1 *Les colons français sont arrivés en Amérique dès le début du XVIIᵉ s.*

■**colonial, e, aux** adj. SENS 1 *Le thé, le chocolat étaient appelés « produits coloniaux »,* ils venaient des colonies.

■**colonialisme** n.m. SENS 1 *Le colonialisme* était un système favorable aux pays européens, aux métropoles.

■**coloniser** v. SENS 1 *Le Canada a été colonisé par la France puis par l'Angleterre,* peuplé et développé.

■**colonisation** n.f. SENS 1 *La colonisation des États-Unis a duré près de deux siècles.*

■**décoloniser** v. SENS 1 *L'Afrique est aujourd'hui décolonisée,* les divers pays africains ont acquis leur indépendance.

■**décolonisation** n.f. SENS 1 *La décolonisation est générale aujourd'hui.*

colonne n.f. **1.** *Les temples grecs sont soutenus par des colonnes,* des supports verticaux. **2.** *Une colonne de soldats a traversé la ville,* des soldats disposés les uns derrière les autres. **3.** *Les pages des journaux sont partagées en colonnes,* en parties disposées verticalement.

■**colonnade** n.f. SENS 1 *Une colonnade* est une rangée de colonnes.

colorant, coloration, colorer, coloriage, colorier, coloris → *couleur.*

colosse n.m *Cet athlète est un colosse,* il est très grand et très fort.

■**colossal, e, aux** adj. *Il est d'une force colossale* (= énorme).

■**colossalement** adv. *Mme Richard est colossalement riche* (= immensément).

colporter v. **1.** *Autrefois, les marchands ambulants colportaient leurs produits de porte en porte pour les vendre* (= trans-

365

763, 394

porter). **2.** *Colporter une nouvelle,* c'est la répandre.

■ **colporteur, euse** n. SENS 1 Un *colporteur* était un marchand ambulant. SENS 2 *Enfin un* **colporteur** *de bonnes nouvelles !*

colt n.m. Un *colt* est un pistolet automatique américain.

colza n.m. *Le* **colza** *a des fleurs jaunes ; on en tire de l'huile.*

coma n.m. *La malade est tombée dans le* **coma,** *elle a perdu connaissance.*

combattre v. **1.** *Les soldats* **ont combattu** *avec courage* (= se battre). **2.** *Les pompiers* **combattent** *l'incendie,* ils luttent contre lui.

■ **combat** n.m. SENS 1 *Le* **combat** *a été bref mais acharné* (= lutte, bataille). *Luc n'aime pas les* **combats** *de boxe* (= match).

■ **combattant, e** n. SENS 1 *On a séparé les* **combattants,** ceux qui se battaient. *Plusieurs* **anciens combattants** *vivent dans cette résidence,* des personnes qui ont fait la guerre.

■ **combatif, ive** adj. *Alicia est une fille* **combative,** *elle aime la lutte.*
R. → Conj. n° 56. *Combatif* n'a qu'un *t, combattre* en a 2.

combien adv. sert à interroger au sujet d'une quantité, d'un nombre, d'un prix : *Combien sont-ils ? Combien ça coûte ?*

combinaison n.f. **1.** *Tu as trouvé une* **combinaison** *astucieuse pour réussir* (= moyen, arrangement). **2.** *La motocycliste a une* **combinaison** *de cuir,* un vêtement qui lui couvre tout le corps.

■ **combiner** v. **1.** SENS 1 *C'est toi qui as* **combiné** *ce mauvais coup ?* (= arranger, préparer). **2.** *Yves et Sylvie* **ont combiné** *leurs efforts* (= unir).

■ **combine** n.f. Fam. SENS 1 *J'ai une* **combine** *pour réussir à tous les coups,* un moyen ingénieux.

■ **combinard, e** adj. et n. Fam. SENS 1 *Pierre se débrouillera toujours, c'est un*

combinard, quelqu'un qui emploie des combines plus ou moins louches.

combiné n.m. *Passe-moi le* **combiné** *téléphonique,* la partie du téléphone qui permet à la fois d'écouter et de parler. `293`

comble n.m. **1.** *Ce qu'on vient de dire, c'est le* **comble** *de la bêtise,* c'est très bête. **2.** (au plur.) *J'habite dans les* **combles,** dans un logement situé sous le toit (= grenier). `74`

■ **comble** adj. SENS 1 *La salle est* **comble,** très pleine.

■ **combler** v. SENS 1 **1.** *On a* **comblé** *le trou,* on l'a rempli entièrement (= boucher). **2.** *Ces résultats m'ont* **comblé,** ils m'ont entièrement satisfait.

combustible adj. et n.m. *Le bois est* **combustible,** *c'est un bon* **combustible,** il brûle bien. `801`

■ **combustion** n.f. *La* **combustion** *des corps produit de la fumée et de la cendre.*

■ **incombustible** adj. *Cette matière est* **incombustible,** elle ne peut pas brûler.

comédie n.f. **1.** *On est allé au théâtre voir une* **comédie,** une pièce drôle. **2.** Fam. *Carole dit qu'elle est malade, à mon avis c'est de la* **comédie,** elle fait semblant, elle feint d'être malade. **3.** *Une* **comédie musicale** est un film ou une pièce accompagnés de musique, de chant et de danses.

■ **comédien, enne** SENS 1 n. Un *comédien* est un acteur de théâtre, de cinéma ou de télévision. SENS 2 n. et adj. *Il est très* **comédien,** *mais il s'est trahi !,* il fait semblant (= hypocrite). `440`

■ **comique** adj. et n. SENS 1 *Nous avons vu un film* **comique** (= drôle ; ≠ tragique). *Un* **comique** est un artiste spécialisé dans les rôles comiques.

comestible adj. *Ce champignon est* **comestible,** il est bon à manger. `656`

comète n.f. *Une* **comète** est un astre formant une traînée lumineuse.

comique → *comédie.*

comité n.m. *L'association sportive a élu son comité,* les gens qui prennent les décisions.

commander v. **1.** *Un général commande une armée,* il en est le chef. **2.** *On m'a commandé de sortir* (= ordonner). **3.** *J'ai commandé un livre au libraire,* je lui ai demandé de me le fournir. **4.** *Cette manette commande tout l'éclairage,* elle le fait fonctionner.
■**commandant, e** n. SENS 1 *Un commandant commande un bataillon. Le commandant de bord commande à bord de l'avion.*
■**commande** n.f. SENS 3 *La bouchère a livré les commandes,* les marchandises demandées. SENS 4 *Appuie sur la commande de démarrage* (= mécanisme).
■**commandement** n.m. SENS 1 ET 2 *Je n'obéirai pas à ce commandement* (= ordre).
■**décommander** v. SENS 3 *Nous avons décommandé le repas,* nous en avons annulé la commande. *Marie s'est décommandée,* elle ne pourra venir.
■**télécommande** n.f. SENS 4 *On peut changer de programme de télévision en appuyant sur la télécommande,* un dispositif de commande à distance.
■**télécommander** v. SENS 4 *Pierre télécommande son train électrique,* il le commande à distance (= téléguider).

commanditer v. *Qui commandite ce journal ?,* qui fournit l'argent ?

commando n.m. *Un commando de parachutistes s'est emparé du fort,* un petit groupe (de soldats) spécialement entraîné.

comme conj. et adv. indique la comparaison : *Tu parles comme tu écris* (= de même que) ; la manière : *Comme on dit* (= ainsi que) ; la cause : *Comme elle ne vient pas, je m'en vais* (= puisque) ; la qualité : *Je travaille comme manœuvre* (= en tant que) ; l'exclamation : *Comme c'est beau !* (= que).

commémorer v. *On a commémoré la victoire,* on en a rappelé le souvenir par une cérémonie.
■**commémoratif, ive** adj. *Un monument commémoratif a été construit sur la place.*
■**commémoration** n.f. *Des cérémonies ont marqué la commémoration de la victoire.*

commencer v. *J'ai commencé mon travail,* j'en ai fait le début (≠ achever). *L'année commence le 1er janvier* (= débuter ; ≠ finir). *Il commence à neiger,* il se met à neiger.
■**commencement** n.m. *C'est le commencement du printemps* (= début ; ≠ fin).
■**recommencer** v. *La classe recommence à 2 heures* (= reprendre).

comment adv. sert à interroger sur la manière : *Comment as-tu fait ?*

commenter v. *Aline commente tout ce que je dis,* elle fait des remarques.
■**commentaire** n.m. *Cet événement se passe de commentaires* (= remarque, explication).
■**commentateur, trice** n. *Cette phrase du discours a été remarquée par tous les commentateurs,* les personnes qui commentent les nouvelles, les événements de l'actualité, du sport, etc.

commérage → commère.

commerce n.m. **1.** *Alicia fait du commerce,* elle achète et vend des marchandises. **2.** *Mme Dupont a acheté un petit commerce* (= boutique).
■**commerçant, e** SENS 1 n. *Il y a beaucoup de commerçants dans cette rue.* SENS 2 adj. *C'est un quartier très commerçant,* où il y a beaucoup de commerces.
■**commercial, e, aux** adj. SENS 1 *Il dirige une entreprise commerciale.*
■**commercialiser** v. SENS 1 *Cette voiture n'est pas encore commercialisée,* elle n'est pas encore en vente dans le commerce.

commère n.f. Une *commère* est une femme curieuse et bavarde.

■ **commérages** n.m.pl. *Ne croyez pas cela, ce sont des commérages* (= bavardages, ragots, racontars).

commettre v. *Tu as commis une grosse erreur,* tu l'as faite.

R. → Conj. n° 57.

commis, e n. **1.** *Mon cousin est commis de bureau,* petit employé. **2.** *Un commis voyageur* va chez les clients proposer les marchandises (on dit plutôt aujourd'hui un *représentant*).

commisération n.f. *Maria regardait les blessés d'un air de commisération* (= pitié, compassion).

commissaire n. **1.** *Le commissaire (d'école) est élu pour administrer les écoles d'un secteur.* **2.** *Le commissaire-priseur dirige la vente aux enchères* (= encanteur).

commission n.f. **1.** *On m'a chargé d'une commission pour vous,* de vous transmettre quelque chose (un objet ou une nouvelle). **2.** *On part faire les commissions* (= achat, course). **3.** *Le gouvernement a désigné une commission d'enquête,* des gens chargés d'enquêter sur une question. **4.** *Elle touche une commission sur les ventes,* une somme d'argent proportionnelle au prix. **5.** *Une commission scolaire est chargée d'administrer un ensemble d'écoles.*

■ **commissionnaire** n. SENS 1 *Un commissionnaire a apporté un colis.*

commissure n.f. *La commissure des lèvres,* c'est l'endroit où elles se rejoignent, le coin de la bouche.

1. commode n.f. *Ton linge est dans le tiroir de la commode,* une sorte de meuble à tiroirs.

2. commode adj. **1.** *Ce problème n'est pas commode* (= facile). **2.** *Voilà un outil très commode,* bien adapté (=

pratique). **3.** *Le directeur n'est pas commode,* il est sévère.

■ **commodité** n.f. SENS 2 *Cet appartement a toutes les commodités,* il est bien adapté, confortable.

■ **commodément** adv. SENS 2 *Asseyez-vous commodément* (= confortablement).

■ **incommode** ou **malcommode** adj. SENS 2 *Cet escalier est vraiment malcommode !*

■ **incommoder** v. SENS 2 *Je suis incommodé par la chaleur* (= gêner).

■ **incommodité** n.f. SENS 2 *Cette maison est d'une grande incommodité* (≠ confort).

commotion n.f. *L'annonce de l'accident lui a causé une commotion,* une grosse émotion (= choc).

■ **commotionner** v. *Elle a été commotionnée par l'annonce de l'accident.*

commun, e adj. **1.** *L'intérêt commun,* c'est celui de tout le monde (= collectif ; ≠ particulier). **2.** *Les deux chambres ont une salle de bains commune* (≠ particulier). **3.** *Elles ont mis leurs affaires en commun,* à la disposition de tous. *Annie utilise les transports en commun,* le métro, l'autobus, etc. **4.** *Tu as fait preuve d'un courage peu commun* (= habituel, courant). **5.** *Vous avez des manières communes* (= vulgaire). **6.** *Les noms communs* ne prennent pas de majuscule (≠ nom propre).

■ **communauté** n.f. SENS 1 *Tu as agi pour le bien de la communauté,* de tout le monde (= collectivité).

■ **communautaire** adj. SENS 3 *Ils mènent une vie communautaire,* en commun.

■ **communément** adv. SENS 4 *C'est une idée communément admise* (= couramment, habituellement).

commune n.f. **1.** *En France, une commune est dirigée par le maire et le conseil municipal.* **2.** *Ils habitent la commune,* le quartier où jadis les gens de la ville étaient autorisés à faire paître leurs animaux.

■**communal, e, aux** adj. *Les élections* **communales** *viennent d'avoir lieu en France* (= municipal).

communément → *commun.*

communicatif, communication → *communiquer.*

communion n.f. **1.** *Nous sommes en* **communion** *d'idées,* nous nous entendons très bien. **2.** *La* **communion** *est un sacrement de l'Église catholique* (= eucharistie).

■**communier** v. SENS 2 *Tu* **communies** *tous les dimanches ?*

■**communiant, e** n. SENS 2 *Les* **communiants** *reçoivent l'hostie avec ferveur.*

■**excommunier** v. SENS 1 *Certains rois furent* **excommuniés** *par le pape,* rejetés de l'Église catholique.

■**excommunication** n.f. SENS 1 *Il a été frappé d'***excommunication,** excommunié.

communiquer v. **1.** *On m'a communiqué vos projets,* on me les a fait connaître (= transmettre). *Je dois* **communiquer** *avec mon avocat,* lui parler, échanger des informations avec lui. **2.** *Cette chambre* **communique** *avec la salle de bains,* elle est reliée par un passage. **3.** *Le rire* **se communique** *facilement,* il se passe de l'un à l'autre (= se transmettre, se propager).

■**communiqué** n.m. SENS 1 *La presse a publié le* **communiqué** *du gouvernement,* l'avis au public.

■**communication** n.f. **1.** SENS 1 *J'ai une* **communication** *à vous faire,* un message à vous transmettre. SENS 2 *Une route est une voie de* **communication,** de passage. **2.** *J'étais au téléphone mais on a coupé la* **communication,** la transmission de la conversation.

■**communicatif, ive** adj. **1.** SENS 1 *Alice est peu* **communicative,** elle parle peu. **2.** SENS 3 *Le rire est* **communicatif** (= contagieux).

communisme n.m. *Le* **communisme** *est un système politique et économique* qui supprime la propriété privée au profit de la propriété collective.

■**communiste** adj. et n. *Les pays communistes ont voté contre cette résolution. Les* **communistes** *sont opposés au capitalisme.*

compact, e 1. adj. *Dans le métro, la foule était* **compacte,** serrée, dense. **2.** n.f. *Benoît s'est acheté une* **compacte,** une petite voiture.

compagnie n.f. **1.** *Jean aime la* **compagnie** *de Yasmina,* il aime être avec elle (= présence). *Pierre est parti* **en compagnie** *de son amie* (= avec). **2.** *Elle travaille dans une* **compagnie** *d'assurances* (= société). **3.** *Une* **compagnie** *est une troupe commandée par un capitaine.*

■**compagnon** n.m. SENS 1 *Elle est allée en vacances avec ses* **compagnons** *de travail,* ceux qui travaillent avec elle (= camarade, collègue).

■**compagne** n.f. SENS 1 *Marie joue avec ses* **compagnes** (= amie).

comparable, comparaison → *comparer.*

comparaître v. *L'accusé* **a comparu** *devant le juge,* il a dû se présenter.

■**comparution** n.f. *L'avocate a demandé la* **comparution** *d'un nouveau témoin.*

R. → Conj. n° 64.

comparer v. *Comparer des choses ou des êtres,* c'est examiner leurs ressemblances et leurs différences. *On* **compare** *parfois la vie à un voyage,* on dit qu'elle lui ressemble.

■**comparaison** n.f. *La* **comparaison** *de ces deux restaurants est favorable au premier.*

■**comparable** adj. *Ces deux métiers ne sont pas* **comparables,** ils sont très différents. *Ces enfants sont d'une intelligence* **comparable,** équivalente.

■**comparatif, ive 1.** adj. *Entre ces deux produits, on a fait une étude* **comparative** *de qualité,* en les comparant.

2. n.m. « *Meilleur* » *est le* **comparatif** *de supériorité de* « *bon* ».

■ **incomparable** adj. *Ce produit est d'une qualité* **incomparable** (= inégalable).

■ **incomparablement** adv. *Cette région est* **incomparablement** *plus belle en automne qu'au printemps* (= infiniment).

comparse n. *L'accusée principale et ses* **comparses** *ont été condamnés,* ceux qui avaient joué un rôle secondaire auprès d'elle.

compartiment n.m. **1.** *Ce meuble est divisé en* **compartiments,** en parties séparées (= case). **2.** *Il y avait six personnes dans le* **compartiment,** une partie d'un wagon.

comparution → *comparaître.*

compas n.m. **1.** *Tracez un cercle avec votre* **compas. 2.** *Les marins, les pilotes utilisent un* **compas** *pour se diriger,* une sorte de boussole.

compassé, e adj. *Le maître d'hôtel nous a reçus d'un air* **compassé,** d'un air exagérément digne (= guindé, affecté).

compassion n.f. *Elle m'a regardé avec* **compassion** (= pitié).

■ **compatir** v. *Je* **compatis** *à votre douleur,* je la partage, je souffre avec vous.

compatible adj. *Ces deux projets ne sont pas* **compatibles,** ils ne peuvent exister ensemble, s'accorder.

■ **incompatible** adj. *Ils ont des idées* **incompatibles,** qui ne peuvent s'accorder (= contraire).

compatir → *compassion.*

compatriote → *patrie.*

compenser v. *Compenser un inconvénient,* c'est l'équilibrer par un avantage.

■ **compensation** n.f. *J'ai reçu un cadeau en* **compensation** *de mes peines* (= dédommagement).

compère n.m. *Le prestidigitateur a fait un signe à son* **compère** (= complice).

compétent, e adj. *Mme Durand est très* **compétente** *sur cette question, elle est capable de s'en occuper.*

■ **compétence** n.f. *Ce travail n'est pas de ma* **compétence,** je suis incapable de le faire (= domaine).

■ **incompétence** n.f. *Il a été renvoyé de son travail pour* **incompétence** (= incapacité).

■ **incompétent, e** adj. *Elle est* **incompétente** *en musique, elle n'y connaît rien.*

compétition n.f. *Nous avons assisté à une* **compétition** *sportive, à une épreuve, un match. Nous sommes* **en compétition** *pour obtenir le contrat,* en concurrence.

■ **compétitif, ive** adj. *Ce commerçant a des prix* **compétitifs,** qui supportent la concurrence.

complainte n.f. *Une* **complainte** *est un chant triste.*

se complaire v. *Pierre semble* **se complaire** *dans son ignorance,* y trouver du plaisir (= se plaire).

complaisant, e adj. *Marie est une fille* **complaisante,** elle cherche à faire plaisir (= serviable).

■ **complaisance** n.f. *Auriez-vous la* **complaisance** *de m'ouvrir la porte ?* (= amabilité).

1. complet, ète adj. **1.** *Ce jeu de cartes n'est pas* **complet,** il manque des cartes (= entier). **2.** *Ils ont abouti à un succès* **complet** (= total). **3.** *L'autobus est* **complet,** il n'y a plus de place (= plein).

■ **complètement** adv. SENS 1 ET 2 *Tu es* **complètement** *fou !* (= totalement).

■ **compléter** v. SENS 1 ET 2 *Aline veut* **compléter** *sa collection,* la rendre complète.

■ **complément** n.m. SENS 1 ET 2 *Il faut maintenant payer le* **complément,** la somme pour compléter le prix. *Les*

compléments complètent le sens de la phrase.
■ **complémentaire** adj. SENS 1 ET 2 *J'aurais besoin de quelques renseignements complémentaires,* pour compléter mon information.
■ **incomplet, ète** adj. SENS 1 ET 2 *Votre devoir est incomplet* (≠ complet).
■ **incomplètement** adv. SENS 1 ET 2 *Vous avez répondu incomplètement à ma question.*

36 **2. complet** n.m. Un *complet* est un costume d'homme dont la veste et le pantalon sont du même tissu.

1. complexe n.m. **1.** *Robert a des complexes,* il est timide, manque de confiance en lui. **2.** *On a construit un complexe immobilier près de chez moi,* un ensemble d'immeubles reliés les uns aux autres.

2. complexe → *compliqué.*

complexité, complication → *compliqué.*

complice n. et adj. *Le voleur a dénoncé ses complices,* ceux qui ont agi avec lui.
■ **complicité** n.f. *Elle a été arrêtée pour complicité de meurtre,* pour y avoir participé avec d'autres.

compliment n.m. *La directrice a fait des compliments à Paul,* elle lui a dit que c'était bien (= félicitations, éloges, louanges).

compliqué, e adj. *Cette histoire est très compliquée,* difficile à comprendre (≠ simple).
■ **compliquer** v. *Ne complique pas mon travail,* ne le rends pas plus difficile. *L'affaire se complique,* elle devient compliquée (= s'embrouiller).
■ **complication** n.f. *Je n'aime pas les complications,* les choses compliquées.
■ **complexe** adj. *Ce problème est complexe* (= compliqué ; ≠ simple).
■ **complexité** n.f. *Le problème est d'une grande complexité* (= difficulté).

complot n.m. *On a découvert un complot contre la reine,* des manœuvres secrètes pour la renverser (= conspiration).
■ **comploter** v. *Qu'est-ce que vous avez comploté ensemble ?,* préparé secrètement.
■ **comploteur, euse** n. *Les comploteurs ont été démasqués* (= conspirateur).

comporter v. **1.** *Ce logement comporte trois pièces,* il se compose de trois pièces (= comprendre). **2.** *Pierre s'est mal comporté* (= se conduire).
■ **comportement** n.m. SENS 2 *Tu as eu un comportement bizarre* (= conduite).

composer v. **1.** *Qui a composé ce joli bouquet ?,* l'a fait en assemblant des fleurs. **2.** *Un quatuor est composé de quatre instruments,* il en est formé. **3.** *Beethoven a composé neuf symphonies* (= écrire). **4.** *Composer un numéro de téléphone,* c'est le former en appuyant sur les touches du clavier.
■ **compositeur, trice** n. SENS 3 *Mozart est un grand compositeur* (= musicien).
■ **composition** n.f. **1.** SENS 1 ET 2 *Quelle est la composition de cette sauce ?,* de quels éléments est-elle formée ? **2.** *Demain nous avons une composition de géographie,* un examen écrit.
■ **décomposer** v. **1.** SENS 1 ET 2 *Décomposer quelque chose,* c'est séparer les parties qui le forment. **2.** *La viande se décompose à la chaleur,* elle pourrit.
■ **décomposition** n.f. *Le cadavre était en décomposition,* en train de pourrir.

composite adj. *Une foule composite* est faite de gens très divers (= disparate, hétéroclite).

composter v. *N'oublie pas de composter ton billet avant de monter dans le train,* d'y faire mettre un cachet par l'appareil appelé **composteur** (= tamponner).

compote n.f. *On a mangé une compote de pommes,* des pommes cuites avec du sucre.
■ **compotier** n.m. *Un compotier est un plat à fruits.*

comprendre v. **1.** *Je n'ai pas compris ses explications,* leur sens m'échappe (= saisir). **2.** *J'ai des amis qui me comprennent,* qui acceptent ce que je fais. **3.** *Ce livre comprend trois parties* (= être formé, se composer de, comporter). **4.** *Les taxes sont comprises dans le prix* (= être inclus).
■ **compréhensible** adj. SENS 1 *Parlez d'une manière compréhensible,* pour qu'on vous comprenne.
■ **compréhensif, ive** adj. SENS 2 *Sa mère est compréhensive,* elle comprend les motifs de ses actes.
■ **compréhension** n.f. SENS 1 *Ce livre est d'une compréhension difficile,* il est difficile à comprendre. SENS 2 *Ma tante m'a parlé avec compréhension* (= bienveillance).
■ **incompréhensible** adj. SENS 1 *Elle dit des choses incompréhensibles,* impossibles à comprendre.
■ **incompréhension** n.f. SENS 2 *Leur dispute est due à une incompréhension.*
■ **incompris, e** adj. SENS 1 *Ce devoir est mauvais : l'énoncé est incompris.* SENS 2 *Certains peintres se plaignent d'être incompris,* de ne pas être appréciés à leur valeur (= méconnu).
R. → Conj. n° 54.

compresse n.f. *On a mis une compresse sur sa blessure,* une sorte de pansement.

comprimer v. *On peut comprimer les gaz mais non les liquides,* diminuer leur volume.
■ **comprimé** n.m. *Tu as pris un comprimé d'aspirine ?,* un médicament fait de poudre comprimée.
■ **compression** n.f. *Il y a eu une compression de personnel,* une diminution du nombre des employés.

■ **compressible** adj. *Les gaz sont compressibles.*
■ **incompressible** adj. *Nos dépenses sont incompressibles,* on ne peut pas les réduire.

compromettre v. *Il s'est compromis dans une affaire malhonnête* (= se déshonorer).
■ **compromission** n.f. *Mme Bois est une personne droite, qui n'accepte aucune compromission.*
R. → Conj. n° 57.

compromis n.m. *Les adversaires ont accepté un compromis* (=arrangement, accord, transaction).

compter v. **1.** *Marie sait compter,* énumérer les chiffres. *Elle compte son argent,* elle calcule combien elle en a. **2.** *En comptant les taxes, la réparation coûte plus de cent dollars,* en les faisant entrer dans le calcul (= inclure). **3.** *Je compte arriver demain,* j'en ai l'intention. **4.** *Vous pouvez compter sur moi,* me faire confiance. **5.** *Ce qu'on a fait ne compte pas,* n'a pas d'importance. **6.** *Benoît a compté deux buts au hockey* (= marquer).
■ **compte** n.m. **1.** SENS 1 *La marchande fait ses comptes,* elle calcule ses recettes et ses dépenses. SENS 6 *Le compte est de trois à deux pour notre équipe.* **2.** *Nous avons un compte en banque,* une provision d'argent à la banque. **3.** *On ne s'est rendu compte de rien* (= s'apercevoir). **4.** *Je n'ai pas de comptes à vous rendre,* d'explications à vous donner. **5.** *En fin de compte* (ou *tout compte fait*) *j'irai passer Noël chez mes grands-parents* (= finalement).
■ **comptant** adv. *Payer comptant,* c'est payer tout de suite (≠ à crédit).
■ **comptable** n. SENS 1 *Le métier de comptable consiste à tenir une comptabilité.*
■ **comptabilité** n.f. SENS 1 *La comptabilité d'un commerçant,* c'est l'ensemble de ses comptes.

■ **compte-gouttes** n.m.inv. SENS 1 *Un compte-gouttes sert à mesurer la dose d'un médicament.*

39

■ **compte-rendu** ou **compte rendu** n.m. *Tu me feras un compte-rendu de ton voyage* (= récit).

506, 505

■ **compteur** n.m. SENS 1 Un *compteur* est un appareil qui sert à mesurer quelque chose. SENS 6 *Benoît est un bon compteur au hockey,* il marque beaucoup de points (= marqueur).

■ **décompter** v. SENS 2 *Dans la note d'hôtel, on nous a décompté nos deux jours d'absence,* on les a retranchés (= déduire, défalquer).

■ **décompte** n.m. 1. SENS 1 *On nous a fait un décompte* (= déduction). 2. *La facture fait un décompte minutieux de tous les travaux effectués* (= détail, relevé). R. *Compter se prononce* [kɔ̃te] *comme comté et conter. Compte se prononce* [kɔ̃t] *comme comte et conte. Comptant se prononce* [kɔ̃tɑ̃] *comme content.* Noter le pluriel : des *comptes* (-) *rendus.*

220

comptoir n.m. 1. *Le comptoir d'un café,* c'est une table haute et étroite où l'on sert des consommations. 2. *La libraire étale les livres sur le comptoir,* une table ou un meuble. 3. *Dépose la vaisselle sur le comptoir de cuisine,* une surface de travail.

78

comte n.m., **comtesse** n.f. Les *comtes* étaient des nobles inférieurs aux ducs.

■ **comté** n.m. 1. Un *comté* était un territoire possédé par un comte. 2. Au Canada, un *comté* est une circonscription électorale.

318

■ **vicomte** n.m., **vicomtesse** n.f. Le *vicomte* était un noble inférieur au comte. R. → *compte.*

concasser v. *Concasser des cailloux,* c'est les réduire en petits morceaux (= broyer).

concave adj. *Un miroir concave* est creux (≠ convexe).

■ **concavité** n.f. *Une mare s'est formée dans une concavité du sol* (= creux).

concentrer v. 1. *Beaucoup de gens sont concentrés dans les villes* (= rassembler). 2. *Elle se concentre sur son problème,* elle y réfléchit profondément.

■ **concentration** n.f. SENS 1 *Dans un camp de concentration,* on rassemble des prisonniers dans des conditions affreuses. SENS 2 *Ce travail demande beaucoup de concentration* (= attention).

■ **concentré, e** 1. adj. *Du lait concentré* est débarrassé d'une partie de son eau. 2. n.m. *Le concentré de tomate* est de l'extrait de tomate.

■ **se déconcentrer** v. SENS 2 *Elle a perdu le match de tennis parce qu'elle s'est déconcentrée,* elle a relâché sa volonté et son attention.

concentrique adj. *Deux cercles sont concentriques quand ils ont le même centre.*

conception → *concevoir.*

concerner v. *Ce que vous dites ne me concerne pas,* ne s'applique pas à moi (= intéresser).

concert n.m. 1. *Les musiciens ont donné un concert,* une séance de musique. 2. *Ils ont agi de concert,* en s'étant mis d'accord (= ensemble).

■ **se concerter** v. SENS 2 *Les deux amies se sont concertées,* elles se sont mises d'accord.

■ **concertiste** n. SENS 1 *Mme Gomez est concertiste,* elle joue en concert.

■ **concerto** n.m. SENS 1 Un *concerto* est une œuvre musicale où alternent un ou deux instruments et l'orchestre.

concession n.f. *Pour arriver à un accord, ils se sont fait des concessions,* ils ont abandonné certaines exigences.

concevoir v. *Tu as conçu un projet magnifique,* tu l'as formé dans ton esprit (= imaginer).
■ **conception** n.f. *Tu as une drôle de conception du mariage !* (= idée, vue).
■ **inconcevable** adj. *Voilà une idée inconcevable* (= inimaginable).
■ **préconçu, e** adj. *Tu as des idées préconçues,* des préjugés.
R. → Conj. n° 34.

concierge n. *La personne qui garde un immeuble est un(e) concierge.*

concile n.m. *Un concile est une assemblée d'évêques présidée par le pape.*

conciliabule n.m. *Les deux hommes ont tenu un conciliabule,* ils ont parlé en secret.

concilier v. *On ne peut pas concilier des théories aussi opposées,* les mettre en accord.
■ **conciliable** adj. *Ces deux théories sont difficilement conciliables.*
■ **conciliant, e** adj. *La patronne ne vous refusera pas ça : elle est très conciliante* (= accommodant, tolérant).
■ **conciliation** n.f. *On a cherché tous les moyens de conciliation* (= arrangement).
■ **inconciliable** adj. *Ces deux idées sont inconciliables* (= opposé).
■ **réconcilier** v. *Aline et Jean se sont réconciliés,* ils se sont remis d'accord (≠ fâcher).
■ **réconciliation** n.f. *La réconciliation des deux adversaires a été difficile à obtenir.*

concis, e adj. *Cléa a un style concis,* elle s'exprime en peu de mots.

concitoyen → citoyen.

conclave n.m. *Le conclave est l'assemblée de cardinaux qui élit le pape.*

conclure v. **1.** *Les deux pays ont conclu la paix,* ils l'ont décidée (= signer). **2.** *Il faut conclure votre discours,* le

terminer. **3.** *Comme tu n'as rien dit, on peut en conclure que tu étais d'accord,* on peut aboutir à ce jugement (= déduire).
■ **concluant, e** adj. SENS 3 *Le résultat de l'expérience n'est pas concluant,* il ne permet pas de juger qu'elle a réussi (= probant, convaincant).
■ **conclusion** n.f. SENS 1 *On est parvenu à la conclusion d'un accord.* SENS 2 *La conclusion de ce devoir est mal écrite* (= fin ; ≠ introduction).
R. → Conj. n° 68.

concombre n.m. *J'ai mangé une salade de concombres,* un légume. | 367

concorde n.f. *La concorde ne règne pas entre eux,* la bonne entente (= accord, entente, harmonie).
■ **concorder** v. *Leurs idées ne concordent pas,* elles ne sont pas en accord.
■ **discorde** n.f. *Qui est venu apporter la discorde ?* (= désaccord, dispute).
■ **discordant, e** adj. *On entend des voix discordantes,* qui ne s'accordent pas.

concours n.m. **1.** *Pierre a été reçu premier au concours,* à une épreuve où les candidats sont classés. **2.** *Elle a réussi avec le concours de son frère* (= aide, appui).
■ **concourir** v. SENS 1 *Aline avait concouru pour être admise au Conservatoire,* elle avait été candidate. SENS 2 *De nombreuses personnes ont concouru au succès de la fête,* elles ont apporté leur aide.

concret, ète adj. *« Table » est un nom concret,* il désigne une chose qu'on peut toucher, voir, etc. (≠ abstrait).
■ **concrètement** adv. *Voilà de beaux principes, mais, concrètement, que proposez-vous ?* (= pratiquement).
■ **se concrétiser** v. *Nos espoirs ne se sont pas concrétisés,* ils ne se sont pas réalisés.

concurrent, e n. et adj. *Elle a battu tous ses concurrents*, ceux qui participaient à la même épreuve (= rival). *Si vous ne respectez pas les délais, je m'adresse à une entreprise concurrente*, qui fournit les mêmes services.
■ **concurremment** adv. *Comment pouvez-vous mener concurremment ces deux affaires ?* (= simultanément, de front).
■ **concurrence** n.f. *Il y a entre eux une vive concurrence* (= rivalité).

condamner v. 1. *L'accusé a été condamné à la prison*, il a été jugé et soumis à cette peine (≠ acquitter). 2. *Il faut condamner ces actes barbares* (= désapprouver). 3. *On a condamné cette porte*, on l'a bouchée.
■ **condamnable** adj. SENS 2 *Son attitude est condamnable* (= blâmable).
■ **condamnation** n. f. SENS 1 *Le tribunal a prononcé une lourde condamnation* (= peine).
■ **condamné, e** n. SENS 1 *Le condamné sera libéré sous peu.*

condenser v. *Condenser un corps*, c'est le réduire à un plus petit volume.
■ **condensation** n.f. *La buée est produite par la condensation de la vapeur d'eau.*

condescendre v. *Allez-vous enfin condescendre à m'écouter ?* (= consentir).
■ **condescendant, e** adj. *On m'a répondu d'un ton condescendant* (= supérieur, hautain).

condiment n.m. *Le sel, le poivre sont des condiments*, ils donnent du goût à la nourriture (= assaisonnement).

condisciple n.m. *Un condisciple* est un compagnon d'études.

condition n.f. 1. *Nous sommes dans de bonnes conditions de travail*, des circonstances nous permettant de travailler. *Ces joueurs de hockey sont en bonne condition physique*, en bonne forme. 2. *Quelles sont vos conditions ?* (= exigence). 3. *Vous partirez à condition d'avoir fini*, si vous avez fini. 4. *Ses parents étaient d'une condition modeste*, d'une situation sociale.
■ **conditionnel** n.m. SENS 3 *Le conditionnel* est un mode du verbe qu'on emploie souvent quand l'action dépend d'une condition.
■ **conditionner** v. SENS 3 *C'est le beau temps qui conditionne le succès de la fête*, qui en est la condition (= déterminer).
■ **inconditionnel, elle** adj. SENS 2 *Ils lui ont donné leur appui inconditionnel*, sans condition.
■ **inconditionnellement** adv. SENS 2 *Je refuse de m'engager inconditionnellement dans cette voie* (= sans réserve).

conditionné adj.m. *Les chambres de cet hôtel ont l'air conditionné*, de l'air maintenu automatiquement à une certaine température.

conditionnel, conditionner → condition.

condoléances n.f.pl. *Elle m'a présenté ses condoléances*, à la mort de mon oncle, elle m'a dit qu'elle prenait part à ma douleur.

condor n.m. *Le condor* est une sorte de vautour d'Amérique du Sud.

conduire v. 1. *Mme Durand conduit son fils à la gare*, elle l'y accompagne (= emmener). 2. *Cette route conduit à la plage* (= mener). 3. *Mme Dupont conduit bien*, elle sait bien diriger les voitures (= piloter). 4. *Pierre s'est mal conduit à l'école*, il a mal agi (= se tenir, se comporter).
■ **conducteur, trice** n. SENS 3 *Il est interdit de parler à la conductrice de l'autobus.*
■ **conduite** n.f. 1. SENS 3 *Pierre prend des leçons de conduite*, il apprend à

conduire. SENS 4 *Sa bonne **conduite** a été récompensée* (= tenue, comportement). **2.** *Une **conduite** d'eau a éclaté* (= canalisation).

■ **conduit** n.m. *Un **conduit** est un tuyau où circule un liquide, un gaz.*

■ **inconduite** n.f. SENS 4 *Son **inconduite** a fait scandale,* sa mauvaise conduite (= immoralité).

■ **reconduire** v. **1.** SENS 1 *Tu me reconduis jusqu'à la porte ?* (= raccompagner). **2.** *On a **reconduit** le budget précédent,* on l'a renouvelé sans modification.

R. → Conj. n° 70.

cône n.m. *Un **cône** est un corps de sommet pointu et de base circulaire.*

■ **conique** adj. *Les pommes de pin ont une forme **conique*** (= pointu).

confection n.f. **1.** *La **confection** de ce gâteau est difficile* (= fabrication). **2.** *M. Durand travaille dans la **confection**,* l'industrie du vêtement.

confédéral, confédération → fédération.

conférence n.f. *Mme Blouin a fait une **conférence** sur ses voyages,* elle les a racontés (= discours, causerie, exposé). *Une **conférence de presse** est un exposé fait par une personnalité devant des journalistes.*

■ **conférencier, ère** n. *N'interrompez pas la **conférencière** !,* celle qui fait la conférence.

conférer v. *La Légion d'honneur a été conférée à Mme Dumont,* elle lui a été décernée, donnée.

confesser v. **1.** *Je **confesse** que j'ai tort,* je le reconnais (= avouer). **2.** *Se **confesser**,* c'est avouer ses péchés à un prêtre.

■ **confession** n.f. SENS 1 *M. Durand est de **confession** catholique,* c'est sa religion. SENS 2 *La **confession** fait partie du sacrement de pénitence,* l'aveu de ses péchés.

■ **confessionnal** n.m. SENS 2 *Un **confessionnal** est une sorte de cabine dans laquelle on se confesse.*

■ **confessionnel, elle** adj. SENS 1 *Un enseignement **confessionnel** est donné dans des établissements privés selon une religion déterminée.*

■ **confesseur** n.m. SENS 2 *J'ai avoué mes fautes à mon **confesseur**,* le prêtre auquel je me confesse.

confetti n.m. *Au carnaval, on lance des **confettis**,* de toutes petites rondelles de papier.

confiance n.f. *J'ai **confiance** en toi,* je sais que tu ne me tromperas pas (≠ méfiance). *Tu dois **avoir confiance en toi**,* être sûr de toi, avoir de l'assurance.

■ **confiant, e** adj. *Pierre est un garçon **confiant**,* il fait confiance aux autres.

confier v. **1.** *Karin m'a **confié** une lettre pour toi,* elle me l'a donnée pour que je te la remette. **2.** *Pierre s'est **confié** à moi,* il m'a fait des confidences.

■ **confidence** n.f. SENS 2 *Faire des **confidences** à quelqu'un,* c'est lui dire des choses secrètes et intimes.

■ **confident, e** n. SENS 2 *Sarah est la **confidente** de Jeanne,* son amie intime.

■ **confidentiel, elle** adj. SENS 2 *Ce rapport est strictement **confidentiel*** (= secret).

configuration n.f. est un équivalent savant de *forme*.

confiné, e adj. *On respire ici un air **confiné*** (= vicié).

se confiner v. *M. Dupont est un solitaire qui **se confine** chez lui,* qui s'y enferme habituellement.

confins n.m.pl. *Ce village se trouve aux **confins** de la Gaspésie,* aux limites.

confire v. *On **confit** les fruits en les imprégnant de sucre.*

■ **confiserie** n.f. *Dans une **confiserie**, on trouve des bonbons, des chocolats,* des fruits *confits*. *Aimes-tu les* **confiseries** *?* (= sucreries).

■ **confiseur, euse** n. *Ce* **confiseur** *fait de très bons chocolats.*

■ **confiture** n.f. *Veux-tu de la* **confiture** *sur ton pain ?,* des fruits cuits avec du sucre.

R. → Conj. n° 72.

confirmation n.f. 1. *Luce m'a donné la* **confirmation** *de cette nouvelle,* elle m'a affirmé qu'elle était exacte. 2. *La* **confirmation** est un sacrement de l'Église catholique.

■ **confirmer** v. SENS 1 *Peux-tu me* **confirmer** *que tu viendras ?,* me l'assurer, de nouveau (= certifier).

confiscation → *confisquer.*

confiserie, confiseur → *confire.*

confisquer v. *La monitrice lui* **a confisqué** *sa balle,* elle la lui a prise comme punition.

■ **confiscation** n.f. *L'accusé a été condamné à la* **confiscation** *de ses biens,* on les lui retire.

confiture → *confire.*

conflit n.m. Un *conflit* est une opposition d'intérêts entre des personnes ou des pays.

confluent n.m. *Tadoussac est au* **confluent** *du Saguenay et du Saint-Laurent,* à l'endroit où ces deux cours d'eau se rencontrent.

confondre v. 1. *Tu* **confonds** *les noms de ces deux personnes,* tu les prends l'une pour l'autre (= mélanger). 2. *Elle était* **confondue** *d'avoir fait cette erreur,* très troublée.

■ **confus, e** adj. SENS 1 *Tu as donné des explications* **confuses** (= embrouillé ; ≠ clair, précis). SENS 2 *Pierre était* **confus** *d'avoir fait une erreur* (= honteux).

■ **confusément** adv. SENS 1 *On devine*

confusément *les maisons dans le brouillard* (= vaguement ; ≠ nettement).

■ **confusion** n.f. SENS 1 *J'ai dû faire une* **confusion** *de dates* (= erreur). SENS 2 *Je suis rouge de* **confusion** (= honte).

R. → Conj. n° 51.

conforme adj. *Ma décision est* **conforme** *au règlement,* elle est en accord avec lui.

■ **se conformer** v. *On s'est* **conformé** *à l'avis de nos chefs* (= se soumettre).

■ **conformément** adv. *On a agi* **conformément** *à la loi* (≠ contrairement).

■ **conformiste** adj. et n. *Que tu es* **conformiste** *!,* tu te conformes à l'avis général (≠ original).

■ **conformité** n.f. *Ses actes sont en* **conformité** *avec ses idées,* en accord.

confort n.m. *Notre appartement a tout le* **confort,** tout ce qui rend la vie agréable.

■ **confortable** adj. *Ce fauteuil est très* **confortable,** on y est très bien.

■ **confortablement** adv. *On s'est installé* **confortablement** (= à l'aise).

■ **inconfortable** adj. *Cette maison est* **inconfortable** (= malcommode).

confrère n.m. *Le médecin a rencontré des* **confrères,** d'autres médecins. (Au féminin, on dit **consœur**).

■ **confrérie** n.f. *Une* **confrérie** *regroupe des gens ayant les mêmes activités.*

confronter v. *On* **a confronté** *les témoins de l'accident,* on les a mis en présence pour vérifier leurs déclarations.

■ **confrontation** n.f. *La* **confrontation** *de leurs idées est intéressante* (= comparaison).

confus, confusément, confusion → *confondre.*

congé n.m. 1. *Mme Durand est en* **congé,** elle ne travaille pas (= vacances). 2. *On*

721

a pris congé de nos amis, on leur a dit au revoir. **3.** *Donner son congé à quelqu'un,* c'est le renvoyer.
■ **congédier** v. SENS 3 *Plusieurs employés ont été congédiés,* on les a mis dehors (= renvoyer).

congélateur, congeler → *geler.*

congénital, e, aux adj. *Jean a une maladie congénitale,* il l'avait en naissant.

congère n.f. *Une congère est un amas de neige entassée par le vent* (= banc de neige).

congestion n.f. *M. Dupont est mort d'une congestion cérébrale,* d'un afflux de sang dans le cerveau.
■ **congestionner** v. *La chaleur lui congestionne le visage,* le rend rouge.

congratuler v. se dit quelquefois pour *féliciter.*
■ **congratulations** n.f.pl. *Ces dames ont échangé de longues congratulations* (= félicitations).

congre n.m. *Un congre est un poisson ressemblant à un gros serpent.*

congrégation n.f. *Une congrégation est une association de prêtres, de religieux ou de religieuses.*

congrès n.m. **1.** *Mme Drouin a assisté à un congrès de savants,* une réunion de savants pour parler de leur science. **2.** *Aux États-Unis, le Congrès approuve le budget.*
■ **congressiste** n. SENS 1 *Les congressistes ont applaudi l'oratrice,* les participants au congrès.

conifère n.m. *Le pin, le sapin, le cyprès sont des conifères.*

conique → *cône.*

conjecture n.f. *Je me perds en conjectures,* en suppositions.

■ **conjecturer** v. *On peut difficilement conjecturer la suite des événements* (= prévoir, imaginer).
R. Ne pas confondre *conjecture* et *conjoncture.*

conjoint, e n. est un équivalent d'*époux.*
■ **conjugal, e, aux** adj. *L'amour conjugal,* c'est l'amour qu'ont les époux l'un pour l'autre.

conjonction n.f. *« Car », « ou » sont des conjonctions de coordination ; « si », « puisque » sont des conjonctions de subordination,* des mots grammaticaux.

conjoncture n.f. *La conjoncture économique est peu favorable* (= situation).
R. → *conjecture.*

conjugal → *conjoint.*

conjuguer v. **1.** *Peux-tu conjuguer le verbe « aimer » ?,* en réciter les formes. **2.** *Aline et Jean ont conjugué leurs efforts,* ils les ont mis ensemble (= unir).
■ **conjugaison** n.f. SENS 1 *La conjugaison du verbe « aller » est irrégulière.*

conjuration n.f. *Une conjuration est un complot, une conspiration.*
■ **conjuré, e** n. *La police a arrêté les conjurés* (= conspirateur).

conjurer v. **1.** *Je te conjure de venir,* je t'en prie très vivement (= supplier). **2.** *On a prononcé une formule magique pour conjurer le mauvais sort* (= écarter).

connaître v. **1.** *Connais-tu ce mot ?,* l'as-tu déjà rencontré ? en sais-tu le sens (≠ ignorer). **2.** *Connais-tu Edmonton ?,* y es-tu allé ? **3.** *Je connais les Durand,* j'ai des relations avec eux. **4.** *Ce film connaît un grand succès* (= avoir). **5.** *Saïd s'y connaît en mécanique,* il est compétent (= s'y entendre).
■ **connaissance** n.f. **1.** SENS 1 ET 5 *Cléa a une bonne connaissance de l'anglais,*

elle le connaît bien. *J'ai signé en* **connaissance de cause,** en sachant ce que je faisais. SENS 3 *M. Durand est une ancienne* **connaissance** (= relation). *Hier j'ai fait* **connaissance** *avec Anne, je l'ai rencontrée pour la première fois.* **2.** *Pierre* **a perdu connaissance,** *il s'est évanoui.*

■ **connaisseur, euse** n. SENS 5 *Je suis* **connaisseur** *en vins,* je les connais bien, je sais les apprécier.

■ **connu, e** adj. SENS 3 *Cette artiste est très* **connue** (= célèbre).

■ **inconnu, e** adj. et n. SENS 1, 2 ET 5 *Ce mot m'est* **inconnu,** je ne le connais pas. SENS 3 *Une* **inconnue** *m'a abordé dans la rue,* une femme que je ne connais pas.

R. → Conj. n° 64.

connecter v. *Le poste de téléphone* **est connecté** *au standard par un circuit électrique,* il est relié.

■ **connexion** n.f. *La* **connexion** *entre les deux appareils a été effectuée,* le branchement.

connivence n.f. *Aline et Cléa sont de* **connivence,** elles s'entendent secrètement.

conquérir v. *Les Européens* **avaient conquis** *la majeure partie des Amériques,* ils s'en étaient emparés (= soumettre, coloniser).

■ **conquérant, e** n. *Les Européens furent de grands* **conquérants.**

■ **conquête** n.f. *La France n'a pas conservé toutes ses* **conquêtes,** ce qu'elle avait conquis.

■ **reconquérir** v. *Cette région a été perdue, puis* **reconquise.**

■ **reconquête** n.f. *L'opposition lutte pour la* **reconquête** *du pouvoir.*

R. → Conj. n° 21.

consacrer v. **1.** *Consacrer* *quelqu'un ou quelque chose,* c'est lui donner un caractère sacré, religieux. **2.** *J'ai consacré ma vie à la science* (= employer).

■ **consécration** n.f. SENS 1 *La* **consécration** *de l'église a été suivie d'une fête.*

conscience n.f. **1.** *Pierre n'a pas la* **conscience** *tranquille,* il a le sentiment d'avoir fait le mal. *En conscience, je ne peux pas le condamner* (= honnêtement). **2.** *Amina travaille avec* **conscience,** *en s'appliquant le plus possible.* **3.** *Le choc lui a fait perdre* **conscience,** *il s'est évanoui* (= connaissance). *Je n'avais pas* **conscience** *de ta présence,* je ne m'en apercevais pas.

■ **consciencieux, euse** adj. SENS 2 *Amina est une élève* **consciencieuse,** appliquée.

■ **consciencieusement** adv. SENS 2 *Elle travaille* **consciencieusement** (= sérieusement).

■ **conscient, e** adj. SENS 3 *La gérante est* **consciente** *de ses responsabilités,* elle les connaît, elle s'en rend compte.

■ **consciemment** adv. SENS 3 *Elle a fait cela* **consciemment.**

■ **inconscience** n.f. SENS 3 *Conduire aussi vite, c'est de l'* **inconscience** *!,* c'est agir sans réflexion (= folie).

■ **inconscient, e** adj. SENS 3 *Le malade était* **inconscient,** sans connaissance, évanoui.

■ **inconsciemment** adv. SENS 3 *Tu as fait ce geste* **inconsciemment,** sans t'en apercevoir.

conscrit n.m. *Un* **conscrit** *est un jeune homme qui part au service militaire.*

consécration → consacrer.

consécutif, ive adj. **1.** *Il a plu pendant trois jours* **consécutifs** (= de suite). **2.** *La cicatrice est* **consécutive** *à un accident,* elle en est la conséquence.

conseil n.m. **1.** *Cléa m'a donné un bon* **conseil** (= avis). **2.** *Un* **conseil** *est une assemblée de personnes qui donnent leur avis, qui délibèrent.*

■ **conseiller** v. SENS 1 *Je te* **conseille** *de patienter* (= recommander, suggérer).

■**conseiller, ère** n. SENS 1 *Ma sœur est ma conseillère,* elle me donne des conseils. SENS 2 *Michèle est conseillère municipale,* elle fait partie du conseil municipal.

■**déconseiller** v. SENS 1 *Jean m'a déconseillé de partir,* il m'a conseillé de ne pas partir.

consentir v. *Maria consent à venir,* elle veut bien venir (= accepter ; ≠ refuser).

■**consentement** n.m. *Il ne veut pas partir sans le consentement de ses parents* (= accord, approbation).
R. → Conj. n° 19.

conséquent, e 1. adj. *M. Durand est une personne conséquente,* il agit avec logique. 2. adv. *Tu es malade, par conséquent tu n'iras pas en classe* (= donc).

■**conséquence** n.f. SENS 2 *L'orage a eu de graves conséquences* (= suite, résultat ; ≠ cause).

■**inconséquent, e** adj. SENS 1 *Cléa a eu une conduite inconséquente,* elle a agi à la légère (= incohérent).

■**inconséquence** n.f. SENS 1 *Il a agi avec inconséquence* (= légèreté).

conservateur, conservation → *conserver.*

conservatoire n.m. *Dans un conservatoire, on apprend la musique, la danse ou le théâtre.*

conserver v. 1. *Il a conservé l'espoir de réussir* (= garder ; ≠ perdre). 2. *On conserve les aliments au réfrigérateur,* on les garde en bon état.

■**conservateur, trice** 1. n. SENS 2 *La conservatrice d'un musée est responsable des collections.* 2. adj. et n. *M. Durand a des opinions conservatrices,* de droite (= réactionnaire). *Un conservateur* est partisan de maintenir l'ordre existant.

■**conservation** n.f. SENS 2 *Le froid permet la conservation des aliments.*

■**conserve** n.f. SENS 2 *Ils se nourissent de conserves,* d'aliments conservés dans des boîtes métalliques ou dans des bocaux. *On a ouvert une boîte de conserve.*

considérable adj. *J'ai fait des dépenses considérables,* importantes.

■**considérablement** adv. *Mes dépenses ont considérablement augmenté ce mois-ci* (= notablement).

considérer v. 1. *Hélène me considérait avec attention* (= examiner, regarder). 2. *Je considère Hélène comme ma meilleure amie,* je la juge ainsi.

■**considération** n.f. SENS 1 *Son avis a été pris en considération,* il a été examiné attentivement. SENS 2 *Il jouit de la considération de ses supérieurs,* il est bien jugé par eux (= estime).

■**déconsidérer** v. SENS 2 *Par ses injures, il s'est déconsidéré,* il a perdu l'estime des gens.

■**reconsidérer** v. SENS 1 *La question devra être reconsidérée,* examinée de nouveau dans un esprit différent.

consigne n.f. 1. *Dans les gares, on peut laisser ses bagages à la consigne,* un endroit où on les garde. 2. *Les élèves doivent respecter les consignes de sécurité,* ce qu'on leur dit de faire pour leur sécurité (= instructions).

■**consigner** v. 1. *Il a consigné les faits dans son rapport* (= noter, écrire). 2. *Cette bouteille est consignée,* elle sera remboursée quand on la rendra vide.

consistant, e adj. *Cette pâte est très consistante,* elle est presque solide (= ferme).

■**consistance** n.f. *La boue a une consistance molle.*

■**inconsistant, e** adj. *Ta sauce est inconsistante,* trop liquide. *Son programme est inconsistant,* il ne contient à peu près rien.

508

consister v. **1.** *Son travail consiste à relier les livres,* c'est le but de son travail (= avoir pour objet de). **2.** *Son appartement consiste en deux pièces et une cuisine* (= être composé de).

consœur → confrère.

console n.f. **1.** Une *console* est une table à pieds recourbés, appuyée contre un mur. **2.** *Les résultats sont affichés sur la console de l'ordinateur,* l'élément qui possède un écran.

808

consoler v. *Jean pleurait, et son père l'a consolé,* il a essayé de le calmer.
■ **consolation** n.f. *Il lui a dit quelques mots de consolation,* pour le consoler (= apaisement, réconfort).
■ **consolateur, trice** adj. *Il m'a dit des paroles consolatrices,* réconfortantes.
■ **inconsolable** adj. *Depuis la mort de sa tante, elle est inconsolable.*

consolider → solide.

consommer v. *Les Asiatiques consomment beaucoup de riz,* ils l'utilisent comme aliment. *Cette voiture consomme trop d'essence.*
■ **consommation** n.f. **1.** *La consommation de viande a augmenté.* **2.** *Il a pris une consommation dans un café* (= boisson).
■ **consommateur, trice** n. **1.** *Il faut satisfaire les besoins des consommateurs* (= acheteur). **2.** *Il y avait cinq consommatrices dans le café,* des personnes en train de boire.

consonne n.f. *Le mot « parti » contient trois consonnes (« p », « r », « t ») et deux voyelles.*

conspirer v. *Vous avez conspiré contre l'État,* vous avez fait des projets secrets pour le renverser (= comploter).
■ **conspiration** n.f. *La police a découvert une conspiration* (= complot).
■ **conspirateur, trice** n. *Les conspiratrices ont été arrêtées.*

conspuer v. *La foule a conspué l'orateur* (= injurier ; ≠ applaudir).

constance n.f. **1.** *Ce mouvement se répète avec constance,* sans changer (= régularité). **2.** *Karine travaille avec constance* (= persévérance).
■ **constant, e** adj. SENS 1 *Dans cette pièce, la chaleur est constante,* elle ne varie pas. *Nous avons de constantes difficultés financières* (= continuel, perpétuel).
■ **constamment** adv. SENS 1 *Jean est constamment fatigué* (= sans arrêt, continuellement).
■ **inconstance** n.f. SENS 2 *Elle se plaint de l'inconstance de ses amies* (= infidélité).
■ **inconstant, e** adj. SENS 2 *M. Durand est un mari inconstant* (= infidèle).

constater v. *J'ai constaté une erreur dans ton calcul,* j'ai vu qu'il y en avait une (= remarquer).
■ **constatation** n.f. *Il m'a communiqué ses constatations,* le compte-rendu de ce qu'il a constaté (= observation).
■ **constat** n.m. *Après l'accident, on a établi un constat,* un acte constatant les faits.

constellation n.f. *La Grande Ourse est une constellation,* un groupe d'étoiles.
■ **constellé, e** adj. *Une page constellée de taches* est pleine de taches éparpillées.

consterner v. *Après son échec à l'examen, elle était consternée,* très triste (= affliger).
■ **consternation** n.f. *Après la défaite, la consternation était générale* (= désolation).

constiper v. *Pierre est constipé,* il n'a pas envie d'aller aux toilettes.
■ **constipation** n.f. *Elle prend un médicament contre la constipation* (≠ diarrhée).

constitution n.f. **1.** *La constitution d'un pays* est l'ensemble des lois qui définissent son régime politique. **2.** *Ruth a une solide **constitution**,* elle est forte, bien bâtie (= tempérament). **3.** *La **constitution** de notre association a eu lieu en mars* (= formation).

■ **constituer** v. SENS 3 *Le Premier ministre a **constitué** le gouvernement* (= former, organiser). SENS 2 *Ruth **est** bien **constituée**,* bien bâtie.

■ **constituant, e** adj. et n. SENS 1 *Une assemblée **constituante** est chargée d'établir la constitution d'un pays.* SENS 3 *L'oxygène et l'azote sont les **constituants** de l'air,* les éléments qui le forment.

■ **constitutionnel, elle** adj. SENS 1 *En France, le Conseil **constitutionnel** veille au respect de la Constitution. Cette mesure n'est pas **constitutionnelle**,* elle n'est pas autorisée par la constitution.

■ **reconstituer** v. SENS 3 *L'association s'est **reconstituée*** (= reformer).

■ **reconstitution** n.f. SENS 3 *Le juge a ordonné la **reconstitution** du crime,* de le simuler à nouveau pour en déterminer les circonstances exactes.

construire v. **1.** *Mme Lalande a fait **construire** une maison* (= bâtir ; ≠ démolir). **2.** *Ta phrase n'est pas correctement **construite**,* les mots ne sont pas dans le bon ordre.

■ **constructeur, trice** n. SENS 1 *Un **constructeur** d'automobiles* est une entreprise qui crée des modèles et fabrique des automobiles.

■ **construction** n.f. SENS 1 *La **construction** du pont est finie. Il y a de nouvelles **constructions** dans la rue* (= bâtiment). SENS 2 *La **construction** de ta phrase est incorrecte,* la place des mots.

■ **reconstruire** v. SENS 1 *Après la guerre, il a fallu **reconstruire*** (= rebâtir).

■ **reconstruction** n.f. SENS 1 *La **reconstruction** du quartier a duré cinq ans.* **R.** → Conj. n° 70.

consul n. **1.** *Les **consuls** gouvernaient la Rome antique.* **2.** *Un **consul** représente son pays dans un pays étranger.*

■ **consulat** n.m. SENS 1 *À Rome, le **consulat** durait un an,* la charge de consul. SENS 2 *Il est allé au **consulat** de Grèce,* au bureau du consul.

consulter v. **1.** *Lise ne m'a pas **consulté** avant de partir,* elle ne m'a pas demandé mon avis. **2.** *Si tu ne sais pas le sens d'un mot, **consulte** le dictionnaire !,* regarde dedans pour te renseigner.

■ **consultatif, ive** adj. SENS 1 *Certains délégués au comité n'ont qu'une voix **consultative**,* ils peuvent donner leur avis mais ne prennent pas part aux votes (≠ délibératif).

■ **consultation** n.f. SENS 1 *Le médecin donne des **consultations** le matin,* il reçoit les malades et les examine.

consumer v. *La cigarette **se consume** dans le cendrier,* elle brûle et disparaît.

contact n.m. **1.** *Le **contact** du fourneau est brûlant,* le fait de le toucher. **2.** *Elle a mis le **contact** et a démarré,* elle a établi le circuit électrique. **3.** *Je resterai en **contact** avec vous* (= relation, rapport). *Prenez **contact** avec votre banque* (= contacter).

■ **contacter** v. SENS 3 ***Contacter** quelqu'un,* c'est entrer en relations avec lui (= toucher).

contagieux, euse adj. *La rougeole, la tuberculose sont des maladies **contagieuses**,* elles s'attrapent facilement quand on est auprès des malades.

■ **contagion** n.f. *Pour éviter la **contagion**,* il ne faut pas s'approcher du malade.

contaminer v. *La source **est contaminée** par les déchets de l'usine,* capable de donner des maladies (= infecter, souiller, polluer).

■ **contamination** n.f. *C'est l'usine qui est responsable de la **contamination** de la source* (= pollution).

conte n.m. *Perrault a écrit de nombreux* **contes,** *des récits d'aventures merveilleuses.*

■**conter** v. *se dit pour* **raconter.**

■**conteur, euse** n. *Tante Adèle est une excellente* **conteuse,** *elle raconte bien.*

■**raconter** v. *Judith m'a* **raconté** *son voyage,* elle m'en a fait le récit.

■**racontar** n.m. *N'écoutez pas ces* **racontars** (= bavardage, ragot, commérage).

R. → *compte.*

contempler v. *Elle* **contemplait** *le paysage avec admiration* (= regarder).

■**contemplation** n.f. *Elle était en* **contemplation** *devant le paysage.*

contemporain, e adj. et n. *La Fontaine et Molière étaient* **contemporains,** *ils vivaient à la même époque. Je n'aime pas beaucoup la peinture* **contemporaine** (= moderne).

contenir v. **1.** *Cette bouteille* **contient** *1 litre,* on peut y mettre 1 litre. **2.** *Cette bouteille* **contient** *du vin,* il y a du vin dedans. **3.** *Il n'a pas pu se* **contenir,** retenir ses sentiments (= se dominer).

■**contenance** n.f. SENS 1 *La* **contenance** *de cette bouteille est de 1 litre* (= capacité). SENS 3 *La* **contenance** *d'une personne,* c'est la manière dont elle se tient. *Perdre* **contenance,** c'est se troubler, être embarrassé.

■**contenant** n.m. SENS 1 *Cette bouteille est un* **contenant,** *un objet qui contient quelque chose.*

■**contenu** n.m. SENS 2 *Le* **contenu** *de cette bouteille est du vin,* ce qui est à l'intérieur.

■**décontenancer** v. SENS 3 *Sa réponse m'a* **décontenancé,** *elle m'a beaucoup surpris* (= déconcerter).

R. *Contenir* → conj. n° 22.

content, e adj. *Mme Proulx est* **contente** *de sa voiture* (= satisfait). *Je suis très* **content** *de vous avoir rencontrée* (= heureux).

■**contenter** v. *Elle se* **contente** *de peu* (= satisfaire).

■**contentement** n.m. *Son* **contentement** *était visible* (= satisfaction, joie).

■**mécontent, e** adj. *Marie est* **mécontente** *de partir* (= fâché).

■**mécontenter** v. *Ses paroles ont* **mécontenté** *tout le monde* (= déplaire).

■**mécontentement** n.m. *J'ai de nombreux sujets de* **mécontentement** (= contrariété).

R. → *comptant.*

contenu → *contenir.*

conter → *conte.*

contester v. *Pierre* **conteste** *ce que je dis,* il refuse de l'admettre (= discuter ; ≠ approuver).

■**contestation** n.f. *Tout le monde a accepté sans* **contestation,** *sans discuter* (= opposition).

■**contestable** adj. *Ce qu'il dit est* **contestable** (= discutable, douteux).

■**contestataire** n. et adj. *Le directeur a discuté avec les* **contestataires,** *ceux qui exprimaient leur désaccord.*

■**sans conteste** adv. *C'est* **sans conteste,** *la meilleure solution* (= incontestablement, sans contredit).

■**incontestable** adj. *C'est un fait* **incontestable** (= indiscutable, certain).

■**incontestablement** adv. *La montagne est* **incontestablement** *plus pittoresque que la plaine* (= indubitablement, indiscutablement).

conteur → *conte.*

contexte n.m. *Un mot peut avoir des sens bien différents selon son* **contexte,** *l'ensemble des mots avec lesquels il forme une phrase* (= environnement).

contigu, ë adj. *La cuisine et la salle à manger sont* **contiguës,** *elles se touchent* (= voisin).

continent n.m. *L'Europe, l'Asie, l'Amérique, l'Afrique, l'Australie et l'Antarctique sont les six* **continents.**

■**continental, e, aux** adj. *Le climat continental est le climat de l'intérieur des continents.*

contingent n.m. *En France, les jeunes gens qui partent chaque année au service militaire forment le contingent.*

continuer v. *Pierre a continué à parler pendant deux heures, il ne s'est pas arrêté. Cette route continue jusqu'à Québec* (= se prolonger).

■**continu, e** adj. *Elle travaille de façon continue, sans s'interrompre.*

■**continuel, elle** adj. *Pierre a de continuelles disputes avec sa sœur* (= perpétuel, incessant).

■**continuellement** adv. *Luce plaisante continuellement* (= sans arrêt).

■**continuité** n.f. *Sa réussite est due à la continuité de ses efforts,* au fait qu'ils n'ont pas cessé.

■**discontinuer** v. *Les ennemis attaquaient sans discontinuer* (= s'arrêter).

■**discontinu, e** adj. *Une ligne formée de parties séparées est discontinue* (≠ continu).

contorsion n.f. *Les contorsions du clown faisaient rire tout le monde,* ses mouvements acrobatiques.

■**se contorsionner** v. *Le clown se contorsionnait bizarrement,* il tordait son corps dans tous les sens.

contour n.m. *Le contour du tapis est plus foncé que son centre,* la ligne qui l'entoure (= bord, bordure).

■**contourner** v. *La rivière contourne la ville,* elle passe autour.

contraception n.f. *La contraception,* c'est l'ensemble des moyens pour empêcher une grossesse.

contracter v. 1. *Claude contracte ses muscles,* elle les raidit, les raccourcit (≠ relâcher). 2. *Mme Racicot a contracté une assurance contre le vol,* elle s'est engagée par contrat (= prendre). 3. *Marie a contracté la rougeole* (= attraper).

■**contraction** n.f. SENS 1 *J'ai des contractions dans les jambes,* des muscles qui se contractent.

■**contrat** n.m. SENS 2 *M. Durand et Mme Dion ont signé un contrat,* un accord qui leur impose des obligations.

■**décontracter** v. SENS 1 *Les muscles de son visage se sont décontractés* (= détendre, relâcher).

contractuel, elle n. *Marie est contractuelle au gouvernement,* elle y travaille sur la base d'un contrat.

contradiction, contradictoire → *contredire.*

contraindre v. *Elle m'a contraint à venir* (= obliger, forcer).

■**contraignant, e** adj. *J'ai un horaire très contraignant,* qui m'impose des obligations étroites (= astreignant).

■**contrainte** n.f. *Il est parti sous la contrainte,* on l'y a forcé.

R. → Conj. n° 55.

contraire adj. *Ce qu'il a fait est contraire au règlement,* en opposition avec lui.

■**contraire** n.m. 1. *« Beau » et « laid » sont des contraires,* des mots de sens opposés. 2. *Au contraire indique une opposition : Il ne pleuvait pas, au contraire il faisait beau.*

■**contrairement** adv. *Elle a agi contrairement à mes ordres,* de manière opposée (≠ conformément).

contralto n.m. *Cette chanteuse a une voix de contralto,* la plus grave des voix de femme. *Mme Ferreira est un contralto,* elle a cette voix.

contrarier v. *Pierre ne cesse de me contrarier* (= mécontenter, fâcher).

■**contrariété** n.f. *Elle a éprouvé une grosse contrariété* (≠ satisfaction).

contraste n.m. *Il y a un fort contraste entre ces couleurs* (= opposition ; ≠ ressemblance).

■**contraster** v. *Son calme contrastait avec mon impatience* (= s'opposer).

contrat → *contracter.*

contravention n.f. *M. Durand a eu une contravention pour stationnement interdit* (= amende).

contre 1. prép. indique : l'opposition : *Il est contre le changement* (≠ pour) ; le contact : *Il s'est serré contre moi ;* l'échange : *Elle m'a donné des billes contre des timbres.* 2. adv. *Par contre,* indique une opposition entre deux phrases. 3. Employé comme préfixe, *contre-* forme de nombreux mots composés exprimant une opposition.

contre-amiral, e n. *Un contre-amiral* est d'un grade inférieur à un amiral.

contre-attaque, contre-attaquer → *attaquer.*

contrebalancer v. *Ces inconvénients sont contrebalancés par de nombreux avantages* (= compenser).

contrebande n.f. La *contrebande* consiste à faire passer des marchandises d'un pays dans un autre sans payer les droits de douane.
■ **contrebandier, ère** n. *Des contrebandières ont été arrêtées par les douaniers.*

en contrebas adv. *La maison est en contrebas de la colline* (= en dessous).

439 **contrebasse** n.f. *Ariane joue de la contrebasse,* une sorte de gros violon.

contrecarrer v. *Jean a contrecarré mes plans,* il s'y est opposé (≠ favoriser).

à contrecœur → *cœur.*

contrecoup n.m. *L'usine a subi les contrecoups de la crise,* ses conséquences, ses effets.

contredire v. 1. *Jean me contredit sans arrêt,* il dit le contraire de ce que je dis. 2. *Ces deux phrases se contredisent,* elles sont incompatibles.
■ **contradicteur, trice** n. SENS 1 *Je répondrai sans peine à mes contradicteurs.*

■ **contradiction** n.f. SENS 1 *Jean a l'esprit de contradiction,* il contredit les autres. SENS 2 *Il y a des contradictions dans son raisonnement,* des idées qui se contredisent.
■ **contradictoire** adj. SENS 2 *Elle subit des influences contradictoires* (= opposé).
■ **sans contredit** adv. *Ce film est sans contredit le meilleur de l'année* (= sans conteste, indiscutablement).
R. → Conj. n° 72, sauf le participe passé *(contredit).*

contrée n.f. s'emploie parfois comme équivalent de *région.*

contrefaire v. *L'escroc avait contrefait des signatures,* il les avait imitées frauduleusement.
■ **contrefaçon** n.f. *La contrefaçon des billets de banque est punie par la loi* (= imitation).
R. → Conj. n° 76.

contrefort n.m. *Les contreforts de la terrasse sont lézardés,* les murs qui la soutiennent.

contre-indication, contre-indiqué → *indiqué.*

contre-jour → *jour.*

contremaître, contremaîtresse n. *Une équipe d'ouvriers est dirigée par un contremaître.*
R. La forme *une contremaître* est acceptable.

contremander v. *Sylvie a contremandé son rendez-vous* (= annuler).

contre-offensive → *offensif.*

contrepartie n.f. *Linda m'a fait un cadeau en contrepartie de mon aide* (= en échange).

contre-performance → *performance.*

contre-pied n.m. *Odette a pris le contre-pied de ce que j'ai dit,* elle a dit exactement le contraire.

contre-plaqué n.m. Le *contre-plaqué* est un bois formé de minces plaques collées.

contrepoids → *poids*.

contrepoison → *poison*.

contre-proposition → *proposer*.

contrer v. *L'armée a contré l'attaque ennemie,* elle s'est opposée à son action.

contresens → *sens*.

contretemps n.m. Un *contretemps* est un événement fâcheux qui vient s'opposer à une action.

contribution n.f. **1.** *Sa contribution a été très précieuse* (= participation). **2.** (au plur.) *On paie chaque année ses contributions directes* (= impôts). ■ **contribuer** v. SENS 1 *Carmen a contribué à la réussite de notre projet,* elle y a aidé (= collaborer). ■ **contribuable** n. SENS 2 Un *contribuable* est une personne qui paie des impôts.

contrition n.f. *Le pardon des péchés suppose la contrition,* le regret d'avoir péché.

contrôler v. **1.** *La police contrôlait les papiers des passants* (= vérifier). **2.** *Désormais nos troupes contrôlent la situation,* en ont la maîtrise. ■ **contrôle** n.m. *Il y a un contrôle sévère à l'entrée de la salle* (= surveillance). ■ **contrôleur, euse** n. SENS 1 *Le contrôleur est venu poinçonner les billets,* l'employé chargé du contrôle. ■ **incontrôlable** adj. *On ne peut pas se fier à des rumeurs incontrôlables.* ■ **incontrôlé, e** adj. *Des pillages ont été commis par des éléments incontrôlés,* des gens échappant à l'autorité.

contrordre → *ordre*.

controverse n.f. *Une controverse a opposé les deux savants* (= discussion, débat).

contumace n.f. *Elle a été condamnée par contumace,* elle n'était pas présente au tribunal.

contusion n.f. *Sylvie est tombée de l'arbre mais n'a eu que quelques contusions* (= meurtrissure).

convaincre v. *Les paroles de Maria m'ont convaincu,* j'ai reconnu qu'elle avait raison (= persuader). ■ **convaincant, e** adj. *Cet argument est convaincant* (= probant, décisif). ■ **conviction** n.f. *J'ai la conviction qu'elle viendra* (= certitude). **R.** → Conj. n° 85. On distingue dans l'orthographe *convaincant* (adj.) et *convainquant* (participe).

convalescence n.f. *Le médecin lui a donné quinze jours de convalescence,* de repos après sa maladie. ■ **convalescent, e** adj et n. *Pierre est encore convalescent,* il est guéri mais encore faible.

convenir v. **1.** *Nous avons convenu de nous rencontrer,* nous nous sommes mis d'accord pour le faire (= décider). **2.** *Il ne veut pas convenir de son erreur,* la reconnaître. **3.** *Ta proposition me convient* (= plaire). **4.** *Il convient de partir tout de suite* (= il faut). ■ **convenable** adj. SENS 4 *Ce que tu dis n'est pas convenable,* comme il faut (= correct). ■ **convenablement** adv. SENS 4 *Elle est habillée convenablement* (= correctement). ■ **convenance** n.f. SENS 3 *J'ai trouvé cette maison à ma convenance,* à mon goût. SENS 4 (au plur.) *Cela est contraire aux convenances,* à ce qu'il faut faire. ■ **convention** n.f. SENS 1 *Les deux partis ont signé une convention* (= accord). SENS 4 *Il faut respecter les conventions,* ce qu'il est convenu de faire en société. ■ **inconvenant, e** adj. SENS 4 *Il a dit des mots inconvenants,* contraires aux convenances. ■ **inconvenance** n.f. SENS 4 *On lui a reproché son inconvenance* (= impolitesse). **R.** → Conj. n° 22.

converger v. *Leurs opinions conver-gent,* elles aboutissent au même résultat (= se rencontrer).
■ **convergent, e** adj. *Deux lignes con-vergentes se rencontrent.*
■ **diverger** v. *Les deux routes divergent ici,* elles s'éloignent l'une de l'autre.
■ **divergent, e** adj. *Ils ont des opinions divergentes* (= éloigné ; ≠ semblable).
■ **divergence** n.f. *Nous nous entendons bien, malgré nos divergences d'opi-nions* (= opposition).

conversation n.f. *Pierre et Brigitte ont eu une longue conversation,* ils ont parlé ensemble (= entretien).
■ **converser** v. est un équivalent rare de *causer, s'entretenir.*

convertir v. **1.** *Jean s'est converti au christianisme,* il est devenu chrétien. **2.** *Elle a converti ses dollars en monnaie étrangère* (= changer).
■ **conversion** n.f. SENS 1 *Sa conversion au catholicisme date d'un an.*

convexe adj. *Un miroir convexe* est bombé (≠ concave).

conviction → *convaincre.*

convier v. *On nous a conviés à un ma-riage* (= inviter).
■ **convive** n. *Il y avait dix convives à ce repas,* dix personnes invitées.

convocation → *convoquer.*

convoi n.m. *Un convoi* est un ensemble de véhicules qui voyagent ensemble.
■ **convoyer** v. *Convoyer des navires,* c'est les accompagner pour les protéger.
■ **convoyeur, euse** n. *Des gangsters ont attaqué des convoyeurs de fonds,* des personnes chargées de protéger les sommes transportées.

convoiter v. *Convoiter le bien d'autrui,* c'est le désirer vivement.
■ **convoitise** n.f. *Ses yeux brillent de convoitise* (= avidité).

convoquer v. *La directrice a convoqué Paul dans son bureau,* elle l'a fait venir.
■ **convocation** n.f. *J'ai reçu une convo-cation à l'examen,* une lettre me disant d'y aller.

convoyer, convoyeur → *convoi.*

convulsion n.f. *Le malade est agité de convulsions,* de mouvements violents et involontaires.
■ **convulsif, ive** adj. *Pierre a eu un geste convulsif.*

coopérer v. *Marie et Josefa ont coopéré pour cet exposé,* elles y ont travaillé ensemble (= collaborer).
■ **coopération** n.f. *Elle m'a offert sa coo-pération* (= aide).
■ **coopératif, ive** adj. *Anne s'est mon-trée coopérative,* prête à aider.
■ **coopérative** n.f. *Une coopérative* est une association de gens qui se réunis-sent pour acheter ou vendre.

coordonnées n.f.pl. *Laissez-moi vos coordonnées,* indiquez-moi où l'on peut vous joindre.

coordonner v. *Ils ont coordonné leurs efforts,* ils les ont mis ensemble, ils les ont combinés pour réussir.
■ **coordination** n.f. **1.** *« Et » est une conjonction de coordination,* servant à unir. **2.** *Cette enfant a une mauvaise coordination de ses mouvements,* ses mouvements sont désordonnés.

copain n.m., **copine** n.f. Fam. *Jean et ses copains, Marie et ses copines sont allés au cinéma* (= ami, camarade).

copeau n.m. *Le rabot détache des co-peaux de la planche,* de petits morceaux de bois.

copie n.f. **1.** *Ce tableau est une copie,* une reproduction d'un autre tableau (= imitation ; ≠ original). **2.** *Le profes-seur corrige les copies des élèves* (= devoir). **3.** *Sarah a acheté des copies,* des feuilles de papier.
■ **copier** v. SENS 1 *Jean a copié dix pages de musique,* il les a reproduites exacte-

ment. *Anne **copie** sur son voisin,* elle écrit la même chose que lui.

■ **copieur, euse** 1. n.m. SENS1 *Un **copieur** est un appareil à reproduire des textes.* 2. adj. et n. SENS 1 *Paul est un **copieur**,* il fait une chose défendue en écrivant ce qu'il lit sur la feuille de son voisin, sur un livre.

■ **polycopie** n.f. SENS 1 *La **polycopie** permet de reproduire un texte en beaucoup d'exemplaires.*

■ **polycopier** v. SENS 1 *Le professeur a fait **polycopier** le texte du devoir.*

■ **recopier** v. SENS 1 *Sylvie **a recopié** son devoir,* elle l'a copié au propre.

copieux, euse adj. *Nous avons fait un repas **copieux*** (= abondant ; ≠ maigre).

■ **copieusement** adv. *Nous avons été **copieusement** arrosés par l'averse* (= abondamment).

copilote → *pilote.*

copine → *copain.*

coproduction → *produire.*

copropriétaire, copropriété → *propriété.*

coq n.m. *Ce matin j'ai entendu le chant du **coq**,* du mâle de la poule.
R. → *coque.*

coq-à-l'âne n.m. inv. *Pierre **passe** toujours **du coq-à-l'âne**,* il saute d'un sujet à l'autre.

coque n.f. 1. *Nous avons mangé des œufs **à la coque**,* cuits dans leur coquille. 2. *La **coque** d'un navire ou d'un avion,* c'est sa partie extérieure. 3. *Au bord de la mer, nous avons trouvé des **coques**,* des coquillages qui vivent dans le sable.

■ **coquetier** n.m. SENS 1 *Un **coquetier** sert à manger les œufs à la coque.*

■ **coquille** n.f. SENS 1 *Les œufs, les noix, les escargots, les coquillages ont une **coquille**,* une enveloppe dure.

■ **coquillage** n.m. SENS 1 *Les huîtres, les moules sont des **coquillages**.*
R. *Coque se prononce* [kɔk] *comme coq.*

coquelicot n.m. *Le **coquelicot** est une fleur des champs rouge.* 363

coqueluche n.f. *Pierre tousse, il a la **coqueluche**,* une maladie.

coquerelle n.f. Fam. *La cuisine est infestée de **coquerelles*** (= blatte, cafard).

coquerico → *cocorico.*

coqueron n.m. *Carmen habite dans un **coqueron**,* un très petit logement.

coquet, ette adj. *Marie est très **coquette**,* elle cherche à plaire par son élégance.

■ **coquetterie** n.f. *Marie s'habille avec **coquetterie**.*

coquetel → *cocktail.*

coquetier, coquillage, coquille → *coque.*

coquillette n.f. *À midi, nous avons mangé des **coquillettes**,* une variété de pâtes.

coquin, e adj. et n. 1. *Marie est très **coquine*** (= taquin, espiègle). 2. *Ne l'écoutez pas, c'est un **coquin**,* un homme malhonnête.

■ **coquinerie** n.f. SENS 1 *Marie aime bien faire des **coquineries**,* des espiègleries.

cor n.m. 1. *Le **cor** est un instrument de musique à vent.* 2. *Pierre souffre d'un **cor** au pied* (= durillon). 438, 147
R. → *corps.*

corail n.m. 1. *Les **coraux** sont des animaux à squelette calcaire vivant dans les mers chaudes.* 2. *Marie a un bracelet en **corail**,* fait d'une pierre rouge qui est le squelette du corail (au sens 1). 724

coranique adj. *La loi **coranique** est celle qui est contenue dans le Coran,* le livre saint des musulmans.

corbeau n.m. *Le **corbeau** est un grand oiseau noir.*

corbeille n.f. *Ils ont apporté une **corbeille** de fleurs,* un grand panier. 293

corbillard n.m. Le *corbillard* est la voiture servant à transporter les morts au cimetière.

649, **corde** n.f. **1.** *Mme Proulx attache les*
295, *bagages avec une **corde**, une grosse*
73 *ficelle. Le linge sèche sur la **corde à***
linge. **2.** *La guitare et le violon sont des*
438 *instruments à **cordes**,* le son y est produit par la vibration d'un fil.

802 ■ **cordage** n.m. SENS 1 *Le bateau est relié au quai par des **cordages** d'acier,* de grosses cordes (= câble).

366 ■ **cordeau** n.m. SENS 1 *Le jardinier aligne ses semis avec un **cordeau**,* une petite corde ou une ficelle.

649 ■ **cordée** n.f. SENS 1 Une *cordée* est un groupe d'alpinistes reliés les uns aux autres par une corde.

■ **cordelette** n.f. SENS 1 *On a fermé le colis avec une **cordelette**,* une corde fine.

■ **cordon** n.m. **1.** SENS 1 *Pierre ferme le rideau en tirant sur le **cordon**,* une petite corde. **2.** *Un **cordon** de soldats barrait la route* (= rangée).

■ **encorder** v. SENS 1 *Les alpinistes s'encordent avant de partir,* ils forment une cordée.

cordial, e, aux adj. *Nous avons reçu chez eux un accueil **cordial**,* sympathique, chaleureux.

■ **cordialement** adv. *Elle m'a parlé cordialement.*

■ **cordialité** n.f. *Ce sont des gens d'une grande **cordialité*** (≠ froideur).

cordon → *corde.*

cordon-bleu n. *Julien est un excellent cordon-bleu,* un très bon cuisinier.
R. Noter le pluriel : des *cordons-bleus*

cordonnier, ère n. *Agnès a apporté ses chaussures chez le **cordonnier** pour les faire ressemeler.*

coriace adj. *Cette viande est **coriace**,* très dure.

722 **cormoran** n.m. Le *cormoran* est un oiseau de mer.

cornac n.m. *En Inde, le **cornac** soigne et conduit les éléphants.*

corne n.f. **1.** *Les chèvres, les bœufs ont des **cornes** sur la tête.* **2.** *Pierre s'est acheté un peigne en **corne**,* fait avec la matière qui forme les cornes (au sens 1) et les sabots de certains animaux.

■ **cornu, e** adj. SENS 1 *Elle a dessiné un diable **cornu**,* avec des cornes sur la tête.

■ **racornir** v. SENS 2 *Le cuir de mes chaussures s'est **racorni**,* il est devenu dur comme de la corne.

cornée n.f. La *cornée* est la partie transparente du globe de l'œil.

corneille n.f. La *corneille* est un oiseau noir voisin du corbeau.

cornemuse n.f. *Ils dansent au son de la **cornemuse**,* un instrument de musique formé d'une poche de cuir sur laquelle sont fixés des tuyaux

1. corner v. *L'automobiliste **a corné*** (= klaxonner).

2. corner n.m. *Au soccer, il y a **corner** quand un joueur envoie le ballon derrière sa ligne de but.*
R. On prononce [kɔrnɛr].

cornet n.m. **1.** *Louise joue du **cornet à** pistons,* une sorte de trompette. **2.** *Jean a acheté un **cornet** de dragées,* des bonbons enveloppés dans du papier roulé en cône. **3.** *Aïcha mange un **cornet** de crème glacée,* un cône en pâte qui ressemble à de la gaufrette. **4.** *Avant de lancer les dés, on les agite dans le **cornet**,* un gobelet en cuir.

corniche n.f. **1.** *La **corniche** d'un bâtiment,* c'est la partie en surplomb située au sommet. **2.** *Pour aller au chalet, on a pris la **route de la corniche**,* une route aménagée au flanc de la montagne.

cornichon n.m. Les *cornichons* sont des petits concombres qu'on fait tremper longtemps dans du vinaigre.

cornu → *corne.*

cornue n.f. *La chimiste fait chauffer un liquide dans une **cornue**, une sorte de récipient.*

corolle n.f. *Les pétales d'une fleur forment sa **corolle**.*

coroner n. *L'enquète du **coroner** sera bientôt rendue publique,* un officier de justice qui analyse les circonstances qui entourent un décès.

corps n.m. **1.** *La tête, le tronc, les bras et les jambes forment le **corps**.* **2.** *Une étoile est un **corps** céleste,* un objet matériel. **3.** *Le bois est un **corps** solide, l'eau est un **corps** liquide, l'air est un **corps** gazeux.* **4.** *Le **corps** médical est l'ensemble des médecins, le **corps** électoral,* l'ensemble des électeurs. **5.** *Dans quel **corps** de troupes a-t-il fait son service militaire ?* (= unité, régiment).
■ **corps à corps** n.m. *L'attaque s'est achevée par de furieux **corps à corps**,* des combats où l'on frappe directement l'adversaire.
■ **corporation** n.f. SENS 4 *Une **corporation** est un ensemble de gens du même métier.*
■ **corporatif, ive** adj. SENS 4 *Les commerçants défendent leurs intérêts **corporatifs**,* ceux de leur métier.
■ **corporel, elle** adj. SENS 1 *Les punitions **corporelles** sont interdites,* celles qui frappent le corps.
■ **corpulent, e** adj. SENS 1 *Mme Chabot est une femme **corpulente**,* elle a un gros corps (≠ maigre).
■ **corpulence** n.f. SENS 1 *Pierre et Paul ont la même **corpulence**,* la même grosseur de corps.
■ **corpuscule** n.m. SENS 2 *Un **corpuscule** est un très petit corps.*
■ **incorporer** v. SENS 2 ET 3 *Il faut incorporer les œufs à la farine,* les mélanger pour qu'ils ne fassent plus qu'un seul corps. SENS 5 *Incorporer des soldats,* c'est les faire entrer dans un corps de troupes.

■ **incorporation** n.f. SENS 5 *Les futurs soldats passent une visite médicale avant leur **incorporation**.*
R. *Corps* se prononce [kɔr] comme *cor*.

correct, correctement, correcteur, correctif, correction, correctionnelle → *corriger*.

correspondre v. **1.** *Ce qu'il a dit **correspond** à la vérité,* y est conforme (≠ s'opposer). **2.** *Ces deux chambres **correspondent**,* on va directement de l'une à l'autre (= communiquer). **3.** *Ils ont **correspondu** pendant dix ans,* échangé des lettres (= s'écrire).
■ **correspondance** n.f. SENS 1 *Leurs idées sont en **correspondance*** (= accord). SENS 2 *Ce train assure la **correspondance** entre les deux villes,* le moyen d'aller de l'une à l'autre (= communication). *En montant dans l'autobus, demande une **correspondance**,* un billet qui permet de changer d'autobus ou de métro sans payer de nouveau. SENS 3 *Claudia reçoit une grosse **correspondance**,* beaucoup de lettres.
■ **correspondant, e** n. SENS 3 *Marie a une **correspondante** anglaise,* une amie avec laquelle elle échange des lettres.
R. → Conj. n° 51.

corrida n.f. *En Espagne, les **corridas** sont appréciées,* des spectacles de combat entre un homme et un taureau.

corridor n.m. *Un **corridor** est un couloir,* un passage.

corriger v. **1.** *Le professeur **corrige** les devoirs,* il relève les fautes. *Lise **corrige** les fautes de son devoir,* elle les supprime. **2.** *Ce chien a été brutalement **corrigé** par son maître,* il a été battu.
■ **corrigé** n.m. SENS 1 *Le professeur nous a donné le **corrigé** de la dictée,* le texte exact, le modèle.
■ **correct, e** adj. SENS 1 *Ce que tu as dit n'est pas **correct**,* tu as fait une faute (= juste ; ≠ inexact). *Yves n'est pas*

*très **correct** avec moi,* il n'est pas poli, respectueux.

■**correctement** adv. SENS 1 *Paulette écrit **correctement**.*

■**correcteur, trice** n. SENS 1 *Les **correctrices** recherchent et suppriment les fautes dans un texte.*

■**correctif, ive** 1. adj. SENS 1 *La gymnastique **corrective** vise à corriger les défauts corporels.* 2. n.m. *Il faut apporter un **correctif** à ces déclarations* (= nuance, rectificatif).

■**correction** n.f. SENS 1 *Le professeur a fini la **correction** des devoirs,* il a fini de les corriger. *Il a marqué les **corrections** à l'encre rouge,* les fautes corrigées. *Luce s'exprime avec **correction**,* sans fautes. SENS 2 *Le chien a reçu une **correction**,* des coups (= râclée).

■**correctionnelle** n.f. En France, la ***correctionnelle*** est un tribunal.

■**incorrect, e** adj. SENS 1 *Cette phrase est **incorrecte**,* elle contient des fautes. *Line a été **incorrecte*** (= malpoli).

■**incorrection** n.f. SENS 1 *Il y a plusieurs **incorrections** dans ce devoir* (= faute).

■**incorrigible** adj. SENS 1 *Anne est **incorrigible**,* elle ne corrige pas ses défauts.

corrompre v. ***Corrompre** quelqu'un,* c'est le faire agir malhonnêtement en échange d'argent, de cadeaux.

■**corruption** n.f. *La **corruption** de fonctionnaire est un délit.*

■**incorruptible** adj. *Mme Dupont est une femme **incorruptible**,* très honnête. **R.** → Conj. n° 53.

corrosif, ive adj. *Cet acide est très **corrosif**,* il ronge les métaux, les tissus, etc.

corsage n.m. *Un **corsage** est un vêtement de femme couvrant le buste* (= chemisier).

corsaire n.m. *Les **corsaires** attaquaient les navires marchands des pays ennemis du leur.*

corser v. *L'affaire **se corse**,* elle devient plus compliquée.

■**corsé, e** adj. *Une sauce **corsée** est une sauce d'un goût assez fort.*

corset n.m. *Un **corset** est un sous-vêtement rigide qui maintient le buste et le ventre.*

cortège n.m. *Un **cortège** est une suite de personnes qui marchent ensemble dans la rue.*

corvée n.f. 1. *Ce travail est une **corvée**,* il est pénible ou désagréable, mais il doit être fait. 2. *La **corvée** était autrefois un travail que les paysans devaient faire pour les seigneurs.*

cosaque n.m. *Les **cosaques** étaient des cavaliers de l'armée russe.*

cosmétique n.m. et adj. *Les **cosmétiques** sont des produits de beauté pour la peau, les cheveux.*

cosmique, cosmonaute → *cosmos.*

cosmopolite adj. *Paris est une ville **cosmopolite**,* on y rencontre beaucoup d'étrangers.

cosmos n.m. *La fusée est partie pour le **cosmos**,* l'espace situé au-delà de l'atmosphère terrestre.

■**cosmique** adj. *La navigation **cosmique** est devenue possible* (= spatial, interplanétaire).

■**cosmonaute** n. *Il y avait deux **cosmonautes** dans le vaisseau spatial,* deux personnes transportées par ce vaisseau (= astronaute).

cosse n.f. *Les graines des haricots et des pois sont enveloppées dans une **cosse**.*

■**écosser** v. *Marie **écosse** des petits pois,* elle sépare les cosses et les graines (= éplucher).

cossu, e adj. *Il habite une maison **cossue*** (= riche).

costaud adj. Fam. *Pierre est **costaud*** (= fort).

costume n.m. **1.** *Jean a mis un costume de cow-boy,* il s'est habillé comme un cow-boy (= habit). **2.** *M. Durand s'est acheté un costume,* une veste et un pantalon assortis.
■ **costumé, e** adj. SENS 1 *Un bal costumé* est un bal où tout le monde est déguisé.

cote n.f. **1.** La *cote* de quelqu'un ou de quelque chose, c'est l'estimation de sa valeur. **2.** *Recopie ce dessin en respectant les cotes,* les dimensions qui sont indiquées.
■ **coté, e** adj. SENS 1 *Ce vin est très coté,* il a une grande valeur (= estimé). SENS 2 *Sur un croquis coté,* les dimensions de chaque partie sont indiquées.
R. *Cote* se prononce [kɔt] comme *cotte.*

côte n.f. **1.** *Jeanne s'est cassé une côte,* un des os de la poitrine. **2.** *Elle était essoufflée en arrivant au haut de la côte* (= pente, montée). **3.** *Cette route longe la côte,* le bord de la mer (= rivage). **4.** *Paul et Ahmed marchent côte à côte,* l'un à côté de l'autre.
■ **coteau** n.m. SENS 2 *Un coteau* est le versant d'une colline.
■ **côtelette** n.f. SENS 1 *J'ai mangé une côtelette d'agneau,* un morceau de viande de la région des côtes.
■ **côtier, ère** adj. SENS 3 *La navigation côtière* se fait près des côtes.
■ **entrecôte** n.f. SENS 1 *Une entrecôte* est un morceau de viande de bœuf dans la région des côtes.

côté n.m. **1.** *Jean a une douleur au côté droit,* dans la partie droite de la poitrine. **2.** *Le côté gauche de la voiture est abîmé* (= partie). **3.** *Écris sur l'autre côté de la feuille* (= face). **4.** *Un triangle a trois côtés, un carré a quatre côtés,* trois, quatre lignes qui les constituent. **5.** *Andrée a de bons et de mauvais côtés,* de bons et de mauvais aspects de son caractère. **6.** *Elle est partie de ce côté,* dans cette direction. **7.** *Anne est assise à côté de moi* (= près de). **8.** *J'ai*

mis ces biscuits de côté pour toi, en réserve.
■ **côtoyer** v. SENS 7 *Son métier lui fait côtoyer beaucoup de gens* (= fréquenter, rencontrer).
■ **bas-côté** n.m. SENS 2 *La voiture est arrêtée sur le bas-côté,* la partie unie qui longe la route (= accotement). 152, 506

coteau, côtelette, côtier → *côte.*

cotiser v. *Ils se sont cotisés pour m'acheter un cadeau,* chacun a versé de l'argent pour cela.
■ **cotisation** n.f. *J'ai versé ma cotisation à l'association sportive,* l'argent pour en faire partie.

coton n.m. **1.** *Helena a une chemise en coton,* d'une étoffe faite avec des fils provenant d'une plante des pays chauds (**cotonnier**). **2.** *Il a mis un coton sur sa blessure,* un morceau d'ouate. 583 79
■ **cotonnade** n.f. SENS 1 *Une cotonnade* est un tissu de coton.

côtoyer → *côté.*

cotte n.f. *Les soldats du Moyen Âge portaient une cotte de mailles,* un vêtement de fils d'acier (= haubert). 147
R. → *cote.*

cou → *col.*

couard, e adj. se disait autrefois pour *peureux.*

coucher v. **1.** *Marie se couche tous les soirs à 9 heures,* elle va au lit pour dormir (≠ lever). *Nous avons couché sous la tente* (= dormir). **2.** *Le soleil va se coucher,* disparaître à l'horizon (≠ se lever). **3.** *Coucher un objet,* c'est l'étendre sur une surface horizontale (≠ dresser).
■ **coucher** n.m. SENS 1 *Vite, c'est l'heure du coucher,* d'aller dormir. SENS 2 *Il y a eu un beau coucher de soleil* (≠ lever).
■ **couchage** n.m. SENS 1 *Un sac de couchage* est un sac garni de duvet, dans lequel on peut coucher.

■ **couchant** n.m. SENS 2 Le *couchant* est la direction où le soleil se couche (= ouest ; ≠ levant).

■ **couche** n.f. 1 SENS 1 *Couche* se disait autrefois pour *lit*. SENS 3 *On a mis deux* **couches** *de peinture sur le mur*, de la peinture étendue régulièrement (= épaisseur). 2. *Le bébé a sali sa* **couche**, le linge qui entoure ses fesses.

■ **couchette** n.f. SENS 1 *Une* **couchette** est une petit lit dans un train, un bateau.

■ **découcher** v. SENS 1 *Pierre a découché la nuit dernière*, il n'a pas dormi chez lui.

■ **recoucher** v. SENS 1 *Recouche-toi, il est 5 heures du matin*, retourne au lit.

couci-couça adv. Fam. *Mon grand-père va* **couci-couça**, ni bien ni mal (= passablement).

coucou n.m. 1. *Le* **coucou** *est un oiseau qui doit son nom à son cri :* [kuku]. 2. *Un* **coucou** *est une pendule qui sonne en faisant* [kuku]. 3. *Marie a cueilli des* **coucous**, des fleurs jaunes qui apparaissent au printemps.

coude n.m. 1. *Jean s'est cogné le* **coude**, l'articulation du bras. 2. *La rivière fait un* **coude**, un angle aigu comme un coude replié. 3. *Les sauveteurs travaillaient* **coude à coude**, ensemble, dans un mouvement de solidarité.

■ **coudé, e** adj. SENS 2 *Un tuyau* **coudé** forme un angle.

■ **coudée** n.f. 1. SENS 1 *La* **coudée** *est une ancienne mesure d'environ 50 centimètres (du coude au bout des doigts)*. 2. *Je veux bien assurer la direction, à condition d'avoir les* **coudées** *franches*, de pouvoir agir en toute liberté.

■ **coudoyer** v. SENS 3 *Ici, on* **coudoie** *beaucoup d'étrangers*, on est mêlé à eux (= côtoyer).

■ **s'accouder** v. SENS 1 *Marie* **s'accoude** *à la fenêtre*, elle s'y appuie sur les coudes.

cou-de-pied n.m. *Ces chaussures dégagent bien le* **cou-de-pied**, la partie supérieure du pied, vers la jambe.

R. Noter le pluriel : des *cous-de-pieds*. Ne pas confondre avec un *coup de pied*.

coudre v. *Tu* **as cousu** *toi-même cette chemise*, tu l'as assemblée avec du fil et une aiguille.

■ **couture** n.f. 1. *Anne apprend la* **couture**, à coudre. 2. *Il a fait une* **couture** *à son pantalon*, une suite de points cousus. 3. *Sylvie s'est fait* **battre** *au tennis* **à plate couture**, elle a subi une défaite sévère.

■ **couturier, ère** n. *Un* **couturier** *crée et fabrique des vêtements de luxe*.

■ **couturière** n.f. *Une* **couturière** *fait de la couture*.

■ **découdre** v. *Mon ourlet* **est décousu**, le fil s'est défait.

■ **recoudre** v. *Peux-tu me* **recoudre** *ce bouton qui s'est décousu ?*

R. → Conj. n° 59. [*Je*] **couds**, [*il*] **coud** se prononcent [ku] comme *cou*, *coup* et *coût*.

coudrier n.m. est un autre nom du *noisetier*.

couenne n.f. *Andréa n'aime pas la* **couenne**, la peau du jambon.

R. On prononce [kwan].

couette n.f. 1. *Aïcha a des* **couettes**, des mèches de cheveux de chaque côté des oreilles. 2. *Une* **couette** *est un édredon dans une housse*.

couffin n.m. *On transporte le bébé dans un* **couffin**, un grand panier souple en paille.

couler v. 1. *Pierre s'est coupé, son sang* **coule**, il se répand au-dehors (= s'écouler). *La Seine* **coule** *à travers Paris*, ses eaux s'y déplacent. 2. *Le maçon a* **coulé** *du ciment*, il l'a versé à l'état liquide ou pâteux. 3. *Un sous-marin a* **coulé** *le bateau*, il l'a envoyé au fond. *Le bateau a* **coulé**, il est descendu au fond de l'eau (= sombrer). **4.** *Le chat s'est coulé derrière l'escalier* (= se glisser).

■ **coulant, e** adj. SENS 4 Un *nœud coulant* est un nœud formant une boucle, dans lequel une ficelle peut glisser.

■ **coulée** n.f. SENS 1 *Une coulée de lave,* c'est de la lave liquide qui coule hors du volcan.

couleur n.f. **1.** *Violet, indigo, bleu, vert, jaune, orange, rouge, voilà les 7 couleurs de l'arc-en-ciel. Nous avons vu un film en couleurs* (≠ en noir et blanc). **2.** *Le cœur, le carreau, le pique et le trèfle sont les quatre couleurs aux cartes.* **3.** *Pierre a repris des couleurs,* il a meilleure mine. **4.** *Sophie pense gagner le gros lot, elle rêve en couleurs,* elle se fait des illusions.

■ **colorer** v. SENS 1 *Les cerises commencent à se colorer,* à prendre leur couleur rouge (= se teinter).

■ **colorant** n.m. SENS 1 *Les colorants servent à colorer les tissus, les liquides, etc.*

■ **coloration** n.f. *Le rôti commence à prendre une belle coloration dans le four* (= couleur, teinte).

■ **colorier** v. SENS 1 *Céline a colorié ses dessins avec ses crayons de couleur.*

■ **coloriage** n.m. SENS 1 *Xavier a un cahier de coloriages, il aime faire du coloriage,* colorier des dessins.

■ **coloris** n.m. SENS 1 *J'aime le coloris de ta chemise,* la jolie couleur.

■ **décolorer** v. SENS 1 *Le soleil a décoloré les rideaux,* il leur a fait perdre leur couleur.

■ **incolore** adj. SENS 1 *L'eau est incolore,* sans couleur (≠ teinté).

■ **multicolore** adj. SENS 1 *Ève a une chemise multicolore,* de plusieurs couleurs.

■ **tricolore** adj. SENS 1 *Le drapeau français est tricolore,* il a les trois couleurs bleu, blanc, rouge.

couleuvre n.f. La *couleuvre* est un serpent inoffensif.

coulisse n.f. **1.** *Le placard a des portes à coulisse,* qui glissent sur une rainure. **2.** *Les acteurs sont répartis dans les coulisses,* dans la partie du théâtre que la salle ne voit pas (≠ scène). **3.** *Il y a des coulisses sur le mur,* des traces laissées par un liquide. | 291, 439 440

■ **coulisser** v. SENS 1 *Ce tiroir coulisse bien* (= glisser).

couloir n.m. **1.** *Toutes les portes donnent sur le couloir qui traverse l'appartement. Il y a des voyageurs debout dans le couloir du train.* **2.** *Le taxi a pris le couloir d'autobus,* la partie de la chaussée réservée aux véhicules de transport collectif. **3.** *Un couloir d'avalanche* est un ravin dans une montagne par où passe une avalanche. | 38, 77, 508 510 507 652

coup n.m. **1.** *Donner des coups de marteau,* c'est frapper avec un marteau. **2.** *Donner un coup de brosse,* c'est brosser, *un coup de balai,* c'est balayer, *un coup de sifflet,* c'est siffler. **3.** Un *coup de feu* est le bruit d'une arme à feu, *un coup de soleil,* une brûlure causée par le soleil, *un coup de vent,* un souffle brusque du vent. **4.** *Tu as reçu un coup de téléphone* (ou, fam., un *coup de fil*), un appel téléphonique. **5.** *Je réussis à tous les coups,* chaque fois que j'agis (= fois). **6.** *Tu prépares un mauvais coup,* une mauvaise action. **7.** Un *coup d'État* est une action pour renverser le gouvernement. **8.** *Quand j'ai appris la nouvelle, ça m'a fait un coup,* une émotion. **9.** *Il m'a jeté un coup d'œil furieux,* un regard rapide. **10.** Fam. *Viens nous donner un coup de main,* nous aider. **11.** *L'ennemi a tenté un coup de main,* une attaque rapide par surprise. **12.** *Tout à coup (tout d'un coup) il s'est mis en colère* (= soudain, brusquement).

R. → *coudre.*

coupable adj. et n. *Pierre est coupable de négligence,* il a commis une faute (≠ innocent). *Le coupable a avoué.*

■ **culpabilité** n.f. *L'enquête a établi la **culpabilité** de l'accusée* (≠ innocence).

1. coupe → *couper.*

2. coupe n.f. **1.** *On a cassé une **coupe** de champagne,* un verre large et peu profond. **2.** *Une **coupe** est une compétition sportive récompensée par la remise d'un objet au vainqueur.*

221, 224

coupé n.m. *Un **coupé** est une voiture de type sportif à deux portes.*

couper v. **1.** *Ce rasoir **coupe** bien,* il a une lame tranchante. **2.** *Julie a **coupé** du pain,* elle l'a séparé en tranches. **3.** *Jean s'est **coupé** avec des ciseaux,* il s'est fait une entaille, une coupure. **4.** *L'eau a été **coupée** pendant deux heures* (= interrompre). **5.** *Nous avons **coupé** par la forêt,* pris un chemin plus court. **6.** *Ces deux routes **se coupent** après le village* (= se rejoindre, se croiser). **7.** *Je ne bois que du vin **coupé** d'eau,* du vin avec de l'eau (= additionné, mêlé). **8.** ***Couper les cartes,*** c'est séparer en deux un paquet de cartes à jouer. ***Couper une carte,*** c'est jeter un atout sur cette carte.

■ **coupe** n.f. **1.** SENS 2 *Mary a une nouvelle **coupe** de cheveux,* elle les a fait couper. **2.** *La **coupe** d'un objet,* c'est un dessin qui en représente l'intérieur comme s'il était coupé par le milieu.

145

■ **coupe-gorge** n.m.inv. *Cette ruelle est un **coupe-gorge,*** un endroit où on risque de se faire attaquer.

292

■ **coupe-papier** n.m.inv. SENS 1 *Prends un **coupe-papier** pour ouvrir l'enveloppe !*

296

■ **coupon** n.m. SENS 2 *Un **coupon** de tissu est ce qui reste d'une pièce de tissu qu'on a coupée.*

■ **coupure** n.f. **1.** SENS 3 *Jean s'est fait une **coupure** au doigt,* il s'est coupé (= entaille). SENS 4 *Il y a eu une **coupure** de courant* (= interruption). **2.** *J'ai*

payé *en **coupures** de vingt dollars,* en billets.

■ **découper** v. **1.** SENS 2 *Mme Durand a **découpé** le rôti,* elle l'a coupé en morceaux. **2.** *Le clocher **se découpe** sur le ciel,* il apparaît bien détaché.

■ **découpage** n.m. SENS 2 *Marie aime les **découpages,*** les images à découper.

■ **entrecouper** v. SENS 4 *Son discours était **entrecoupé** par les applaudissements* (= interrompre).

■ **recouper** v. SENS 2 *Peux-tu me **recouper** un morceau de pain ?,* m'en couper un autre. SENS 6 *Ce que tu me dis **recoupe** ce que je sais déjà* (= rejoindre, coïncider avec).

■ **recoupement** n.m. SENS 6 *Par **recoupements,*** on a pu savoir la vérité, en vérifiant si les faits coïncidaient.

couperosé, e adj. *M. Durand a un visage **couperosé,*** d'une coloration anormalement rouge (= rougeaud, violacé).

couple n.m. **1.** *L'union d'un homme et d'une femme est un **couple.*** **2.** *Élise élève un **couple** de souris blanches,* un mâle et une femelle.

■ **s'accoupler** v. SENS 2 *Les animaux **s'accouplent** pour se reproduire,* le mâle et la femelle s'unissent.

couplet n.m. *Cette chanson a dix **couplets,*** dix parties séparées par un refrain (= strophe).

coupole n.f. *On aperçoit d'ici la **coupole** de l'Oratoire,* le toit en forme de demi-sphère.

coupon, coupure → *couper.*

cour n.f. **1.** *Les enfants jouent dans la **cour** de l'école.* **2.** *Ce procès a été jugé par la **cour** d'appel* (= tribunal). **3.** *La **cour** des rois de France se trouvait à Versailles,* leur résidence, leur gouvernement, les nobles qui recherchaient des faveurs. **4.** *Ce jeune homme **fait la cour** à Marie,* il cherche à lui plaire.

■ **courtisan** n.m. SENS 3 *Les courtisans* étaient des nobles qui vivaient à la cour des rois.

■ **courtiser** v. SENS 4 *Qui courtises-tu présentement ?,* à qui fais-tu la cour ? **R.** → *courir.*

courage n.m. **1.** *Il faut du courage pour faire de l'alpinisme,* ne pas avoir peur du danger (= bravoure ; ≠ lâcheté). **2.** *Josée travaille avec courage* (= ardeur ; ≠ indolence, mollesse).

■ **courageux, euse** adj. SENS 1*Elle a été courageuse, pour sauter,* elle n'a pas eu peur (= brave). SENS 2*Josée est une fille courageuse* (= énergique ; ≠ paresseux).

■ **courageusement** adv. *Elle travaille courageusement* (= résolument).

■ **décourager** v. SENS 2 *Jean est découragé par les difficultés* (= démoraliser).

■ **découragement** n.m. SENS 2 *Anne a renoncé par découragement* (≠ énergie).

■ **encourager** v. SENS 2 *Pierre m'a encouragé à continuer ce travail* (= exhorter).

■ **encouragement** n.m. SENS 2 *Je vous remercie de vos encouragements,* de votre soutien.

courant, e adj. **1.** *Cette automobile est un modèle courant* (= ordinaire ; ≠ rare). **2.** *Notre maison de campagne n'a pas l'eau courante,* l'eau qui arrive aux robinets par les tuyaux.

■ **courant** n.m. **1.** SENS 2 *Il y a beaucoup de courant dans cette rivière,* le mouvement de l'eau y est très rapide. **2.** *Il y a eu une coupure de courant,* l'électricité a été coupée. **3.** *Claude arrivera dans le courant de la semaine* (= au cours de).

■ **au courant** adv. *Je ne suis pas au courant de cette affaire,* je ne suis pas renseigné, informé.

■ **couramment** adv. **1.** SENS 1 *Cela arrive*

couramment (= habituellement, fréquemment ; ≠ rarement). **2.** *Elle parle l'anglais couramment* (= facilement, bien). ,

■ **contre-courant (à)** adv. *Nager à contre-courant,* c'est nager en sens inverse du courant d'une rivière.

courbature n.f. *J'ai des courbatures dans le dos,* des douleurs musculaires.

■ **courbaturé, e** adj. *J'ai fait trop d'efforts, je suis tout courbaturé,* plein de courbatures (= endolori).

courbe adj. *Claude a tracé des lignes courbes sur son cahier,* plus ou moins arrondies (≠ droit).

■ **courbe** n.f. *La route fait une courbe,* elle cesse d'être droite. 385

■ **courber** v. *Le vent courbe les roseaux,* il les fait plier (= incliner). *Sabine s'est courbée pour ramasser son crayon,* elle s'est inclinée en avant.

■ **courbette** n.f. *Faire des courbettes,* c'est se courber devant quelqu'un, par respect.

■ **courbure** n.f. *La courbure d'un objet* est sa partie courbe.

■ **recourber** v. *Elle s'appuie sur un bâton recourbé,* courbé à son extrémité.

coureur → *courir.*

courge n.f. *Une courge est une sorte de citrouille.*

■ **courgette** n.f. *Nous avons mangé des courgettes farcies,* de petites courges vertes.

courir v. **1.** *Pierre s'est mis à courir pour rattraper ses amis,* à aller vite. **2.** *Deux cents cyclistes ont couru au vélodrome,* ont participé à la course. **3.** *Mme Durand a couru les magasins,* elle est allée de l'un à l'autre pour faire ses courses. **4.** *Le bruit court que des élections vont avoir lieu,* on le dit. **5.** *Courir un danger,* c'est y être exposé ; *courir sa chance,* c'est la tenter.

512

■**coureur, euse** n. **1.** SENS 2 *Dix coureurs ont pris le départ du 100 mètres.* **2.** Un *coureur des bois* est un trappeur.

35, 512

■**course** n.f. SENS 1 *Il est parti au pas de course,* en courant. SENS 2 *Qui a gagné la course ?,* la compétition sportive (à pied, à cheval, à vélo, en auto). SENS 3 *Mme Durand est allée faire des courses* (= achats, commissions, magasinage).

■**coursier, ère** n. SENS 3 *Un coursier m'a apporté le paquet à domicile,* un employé d'une entreprise chargé des courses.

■**accourir** v. SENS 1 *Les gens accouraient vers le lieu de l'accident,* venaient en courant.
R. → Conj. n° 29. [*je*] *cours,* [*il*] *court* se prononcent [kur] comme *cour, court* et *cours.*

435

courlis n.m. Le *courlis* est un oiseau du groupe des échassiers.

couronne n.f. **1.** Une *couronne* est un objet circulaire (fait de métal, de fleurs, de feuilles) que l'on met sur la tête en signe de distinction. **2.** Une *couronne mortuaire* est un grand cercle de fleurs qu'on apporte à un enterrement.

■**couronner** v. **1.** SENS 1 *Les rois de France étaient couronnés,* ils recevaient une couronne, signe de leur dignité. **2.** *Ce livre a été couronné* par le jury, il a reçu un prix.

■**couronnement** n.m. SENS 1 *Ce tableau représente le couronnement du roi.*

courrier n.m. **1.** *Le facteur a apporté le courrier,* les lettres, les paquets, les journaux. **2.** Un *courrier* était un homme qui portait des lettres, des messages.

649

courroie n.f. *On a attaché la valise avec des courroies de cuir* (= lanière, bande).

courroux n.m. se disait autrefois pour *colère.*

■**courroucer** v. se disait pour *mettre en colère.*

cours n.m. **1.** *Le cours d'un fleuve,* c'est le trajet qu'il suit, ainsi que l'écoulement de ses eaux. **2.** *Un fleuve, une rivière, un ruisseau sont des cours d'eau.* **3.** *Le professeur fait un cours de français,* il l'enseigne (= leçon). **4.** *Le cours du blé a monté,* son prix actuel. **5.** *Je n'ai pas suivi le cours des événements,* comment ils se sont déroulés. **6.** *Au cours de l'année passée, Hélène est allée en Allemagne* (= pendant).
R. → *courir.*

course, coursier → *courir.*

1. court, e adj. **1.** *Pierre a les cheveux courts,* leur longueur est faible (≠ long). **2.** *En hiver les jours sont courts* (= bref ; ≠ long).

■**court** adv. **1.** SENS 1 *Ses cheveux sont coupés court.* **2.** *Je suis à court d'argent,* je n'en ai pas assez.

■**écourter** v. SENS 2 *Judy a dû écourter son voyage,* le rendre plus court (= abréger ; ≠ prolonger).

■**raccourcir** v. SENS 1 *Marie a raccourci sa robe,* elle l'a rendue plus courte (≠ allonger). SENS 2 *Les jours raccourcissent,* ils deviennent plus courts (≠ rallonger).

■**raccourci** n.m. SENS 1 *Nous avons pris un raccourci,* un chemin plus court.
R. → *courir.*

2. court n.m. *On joue au tennis sur le court n° 2,* le terrain.

court-bouillon → *bouillon.*

court-circuit → *circuit.*

courtisan, courtiser → *cour.*

courtois, e adj. *M. Durand est un homme courtois,* aimable et poli (≠ grossier).

■**courtoisie** n.f. *Elle m'a répondu avec courtoisie.*

■**discourtois, e** adj. *Elle a refusé mon invitation : c'est un procédé* **discourtois** (= inélégant, grossier, mal élevé).

couscous n.m. *Le* **couscous** *est un plat arabe fait de semoule de blé et de viande.*

cousin n.m., **cousine** n.f. *Pierre est mon* **cousin,** *Marie est ma* **cousine,** *ce sont les enfants de mon oncle et de ma tante.*

coussin n.m. *Les* **coussins** *de la voiture sont rembourrés et confortables.*

coût → *coûter.*

couteau n.m. 1. *On coupe sa viande avec un* **couteau.** 2. *À marée basse, on peut ramasser des* **couteaux** *dans le sable,* des coquillages en forme de manche de couteau.
■**coutelas** n.m. SENS 1 *La bouchère aiguise son* **coutelas,** un grand couteau.
■**coutelier, ère** n. SENS 1 *Le* **coutelier** *fabrique et vend des couteaux.*
■**coutellerie** n.f. SENS 1 *Une* **coutellerie** est la boutique d'un coutelier.

coûter v. 1. *Combien* **coûte** *ce livre ?,* quel est son prix ? *Il* **coûte** *dix dollars* (= valoir). 2. *Ce travail m'a* **coûté** *bien des efforts,* il a été une cause d'efforts (= valoir). 3. *Pierre veut partir* **coûte** *que* **coûte,** à tout prix (= absolument). 4. *Son imprudence lui a* **coûté** *la vie,* a causé sa mort.
■**coût** n.m. SENS 1 *Le* **coût** *de la vie a encore augmenté,* le prix des choses.
■**coûteux, euse** adj. SENS 1 *Ils ont passé des vacances* **coûteuses,** occasionnant des dépenses élevées (= cher, onéreux).
R. → *coudre.*

coutume n.f. *Chaque peuple a ses* **coutumes,** ses manières de vivre, d'agir (= usage, habitude).
■**coutumier, ère** adj. 1. *Chaque matin, elle fait sa promenade* **coutumière,** habituelle. 2. *Pierre est encore en retard : il est* **coutumier** *du fait,* c'est son habitude.
■**accoutumer** v. *Je ne suis pas* **accoutumé** *à ta nouvelle coiffure* (= habituer).
■**accoutumance** n.f. *L'* **accoutumance** *à l'alcool est dangereux,* le fait que l'organisme s'y habitue.
■**inaccoutumé, e** adj. *Elle est arrivée à une heure* **inaccoutumée** (= inhabituel, anormal ; ≠ habituel).

couture, couturier, couturière → *coudre.*

couvée → *couver.*

couvent n.m. *Les moines et les religieuses vivent en communauté dans des* **couvents** (= monastère).

couver v. 1. *La poule* **couve** *ses œufs,* elle reste dessus jusqu'à ce qu'ils éclosent. 2. *Le feu* **couve** *sous la cendre,* il n'est pas éteint. 3. *Paule* **couve** *une grippe,* elle est sur le point de l'avoir. 4. *Cet enfant* **est** *trop* **couvé** *par sa famille* (= choyer, protéger).
■**couvée** n.f. SENS 1 *Ces poussins sont de la même* **couvée,** ils ont été couvés en même temps.
■**couveuse** n.f. SENS 1 *Une* **couveuse** est un appareil où l'on fait éclore des œufs.

couvrir v. 1. *Les ouvriers* **ont couvert** *la maison,* ils ont mis le toit dessus. 2. *Veux-tu* **couvrir** *la casserole ?,* mettre le couvercle dessus. 3. *Pierre a* **couvert** *ses cahiers,* il leur a mis une couverture. 4. *En table* **est couverte,** *de livres,* il y en a beaucoup dessus. 5. *Mme Hermieux est* **couverte** *de dettes,* elle en a beaucoup. 6. *Le ciel* **se couvre,** il est caché par de nombreux nuages. 7. *Il fait froid,* **couvre-toi** *bien,* habille-toi de manière à avoir chaud. 8. *L'armée* **couvre** *les frontières* (= protéger). 9. *M. Durand a* **couvert** *ses employés,* il les a défendus. 10. *Le coureur a* **couvert** *la distance en deux heures,* il l'a parcourue.

■ **couvre-lit** n.m. SENS 1 Un *couvre-lit* est une pièce d'étoffe légère qui recouvre les couvertures d'un lit.

78 ■ **couvercle** n.m. SENS 2 *Où est le couvercle de la boîte ?*, l'objet destiné à la couvrir.

■ **couvert** n.m. 1. SENS 1 *Ils se sont mis à couvert*, dans un endroit couvert. 2. *Le couteau, la cuillère et la fourchette sont des couverts. Veux-tu mettre le couvert ?*, préparer la table pour le repas.

221 ■ **couverture** n.f. SENS 3 *La couverture de ce livre est déchirée*, ce qui le recouvre.

77 SENS 7 *Il fait froid, on a mis deux couvertures de laine sur le lit.*

■ **couvreur, euse** n. SENS 1 *Le couvreur est un ouvrier qui fait et répare les toitures.*

■ **découvrir** v. 1. SENS 1 ET 2 *Découvrir quelque chose*, c'est en ôter le couvercle ou la couverture. SENS 6 *Le ciel se découvre*, les nuages s'en vont. SENS 7 *Il fait froid, ne te découvre pas*, n'enlève pas tes habits. 2. *Christophe Colomb a découvert l'Amérique*, il a été le premier à en révéler l'existence.

■ **découverte** n.f. *Cette savante a fait une grande découverte scientifique*, elle a découvert (au sens 2) quelque chose.

■ **recouvrir** V. SENS 1, 2 ET 3 *Il faut recouvrir cette casserole*, remettre le couvercle dessus. SENS 4 *Le sol est recouvert de feuilles mortes*, entièrement couvert.

R. → Conj. n° 16. Noter le pluriel : des *couvre-lits*.

583, 802 **cow-boy** n.m. *On a vu un film de cow-boys*, racontant les aventures des gardiens de troupeaux de bovins du Far West.

R. On prononce [kɔbɔj].

coyote n.m. *Le coyote est une sorte de loup d'Amérique.*

722 **crabe** n.m. *Odette aime les pinces de crabe avec de la mayonnaise*, un petit animal du bord de la mer.

crac → *craquer.*

cracher v. 1. *Il est défendu de cracher par terre*, de projeter des crachats. 2. *Émilie a craché (ou recraché) une prune trop acide*, elle l'a rejetée de sa bouche.

■ **crachat** n.m. SENS 1 Un *crachat*, c'est de la salive rejetée en une fois par la bouche.

■ **crachoir** n.m. SENS 1 *Le dentiste m'a demandé de cracher dans le crachoir*, une petite cuvette.

crachin n.m. *Le crachin est une pluie très fine.*

crack n.m. Fam. *Colette est un crack en mathématiques*, elle est très forte.

craie n.f. *La craie est une roche blanche et tendre dont on fait des bâtonnets pour écrire au tableau.*

craindre v. *Je crains un accident*, j'en ai peur.

■ **crainte** n.f. *N'ayez aucune crainte, ce n'est pas dangereux.*

■ **craintif, ive** adj. *Line est une fille craintive* (= peureux ; ≠ audacieux).

■ **craintivement** adv. *Il m'a regardé craintivement.*

R. → Conj. n° 55.

cramoisi, e adj. *Sabine a honte, elle a le visage cramoisi*, très rouge.

crampe n.f. *Une crampe est une contraction douloureuse d'un muscle.*

crampon n.m. *Les joueurs de football ont des chaussures à crampons*, munies de pièces qui s'accrochent au sol et les empêchent de glisser.

■ **cramponner** v. *Fatima se cramponne à mon bras*, elle s'y accroche.

cran n.m. 1. *Les crans d'une ceinture sont les trous qui servent d'arrêt pour la serrer ou la desserrer.* 2. *Le cran d'arrêt d'une arme est une encoche qui sert à maintenir fixe une pièce mobile.* 3. Fam. *Pierre a du cran*, du courage, de l'audace.

crâne n.m. *M. Dupont a le crâne chauve* (= tête).

■ **crânien, enne** adj. *Le cerveau est contenu dans la boîte crânienne.*

crâner v. Fam. *Arrête de crâner,* de prendre des airs supérieurs.
■ **crâneur, euse** adj. et n. *Marie est crâneuse,* elle est prétentieuse.

crânien → *crâne.*

crapaud n.m. *Un crapaud ressemble à une grosse grenouille.*

crapule n.f. *Cet homme est une crapule,* il est très malhonnête.
■ **crapuleux, euse** adj. *Un crime crapuleux* est commis pour voler.

se craqueler v. *L'émail commence à se craqueler* (= se fendiller).
R. → Conj. n° 6.

craquer v. 1. *Lucie a craqué son pantalon,* elle l'a déchiré. 2. *Le parquet craque,* il produit un bruit sec. 3. *La branche a craqué,* elle s'est cassée avec un bruit sec.
■ **crac !** interj. indique un bruit sec.
■ **craquement** n.m. SENS 2 ET 3 *On entend le craquement d'une poutre.*

crasse n.f. 1. *Claude a les mains couvertes de crasse,* d'une couche de saleté. 2. Fam. *Élise m'a fait une crasse,* elle m'a joué un mauvais tour.
■ **crasseux, euse** adj. SENS 1 *Ta chemise est crasseuse,* très sale.
■ **décrasser** v. SENS 1 *On a décrassé la cheminée* (= nettoyer).
■ **encrasser** v. SENS 1 *Le moteur s'est encrassé,* des saletés s'y sont accumulées.

cratère n.m. *Le cratère d'un volcan* est l'ouverture évasée par où sortent les laves.

cravache n.f. *Une cravache* est une baguette avec laquelle les cavaliers stimulent leur cheval.

cravate n.f. *Une cravate* est une bande d'étoffe que les hommes nouent autour du col de leur chemise.

crawl n.m. *Claire nage bien le crawl,* une nage rapide.
R. On prononce [krol].

crayon n.m. *Jean écrit au crayon sur son cahier de brouillon.*
■ **crayonner** v. *Ne crayonne pas sur le mur !,* ne fais pas des traits de crayon.

292, 808

créancier, ère n. *Mme Lepine est ma créancière,* je lui dois de l'argent (≠ débiteur).

créateur, création, créature → *créer.*

crécelle n.f. *Mme Dupont a une voix de crécelle,* aiguë et désagréable comme le bruit de ce jouet qu'on fait tourner et dont une lame flexible vient frapper les crans de l'axe.

crèche n.f. *Une crèche représente la naissance de Jésus-Christ dans une étable.*

crédible → *croire.*

crédit n.m. 1. *M. Lopez a acheté sa maison à crédit,* il a obtenu un délai pour la payer. 2. *Il a épuisé ses crédits,* l'argent mis à sa dispostion. 3. *Il a un grand crédit auprès du directeur* (= influence).
■ **créditer** v. SENS 2 *Cette somme a été créditée à votre compte,* elle vous a été attribuée (≠ débiter). SENS 3 *On crédite la nouvelle ambassadrice de beaucoup d'habileté,* on lui attribue cette qualité.

crédule, crédulité → *croire.*

créer v. *Les Tanguay ont créé une usine de chaussures,* ils ont fait qu'elle existe (= fonder, réaliser).
■ **créateur, trice** n. *Qui est le créateur de cette œuvre ?* (= auteur).
■ **créatif, ive** adj. *Ce metteur en scène a fait preuve d'un esprit créatif* (= imaginatif, inventif).

■**création** n.f. *La Bible raconte la création du monde par Dieu.*

■**créature** n.f. *Les explorateurs ont marché trois jours sans rencontrer une créature humaine,* un être humain.

■**recréer** v. *Ce film recrée le climat des années de guerre,* il le fait revivre. (= reconstituer).

224 **crémaillère** n.f. 1. *Une crémaillère est une tige de métal qui servait à suspendre une marmite dans une cheminée.* 2. *Les Durand ont pendu la crémaillère,* ils ont fait une fête pour leur installation dans un nouveau logement.

crématoire adj. *Un four crématoire sert à brûler les corps des morts.*

368 **crème** n.f. 1. *La crème est tirée du lait et sert à faire le beurre et le fromage.* 2. *Pierre aime bien la crème glacée,* une crème congelée parfumée. 3. *Mme Durand a acheté une crème de beauté,* un produit pour les soins de la peau.

■**crémeux, euse** adj. SENS 1 *Ce lait est bien crémeux,* il contient beaucoup de crème.

■**crémerie** n.f. SENS 1 *La crémerie est la boutique du crémier.*

222 ■**crémier, ère** n. SENS 1 *La crémière vend du lait, de la crème, des œufs.*

368 ■**écrémer** v. SENS 1 *Pour ne pas grossir, maman boit du lait écrémé,* dont on a retiré la crème.

368 ■**écrémeuse** n.f. SENS 1 *L'écrémeuse sert à écrémer le lait.*

146 **créneau** n.m. 1. *Les murs des châteaux forts avaient des créneaux,* des échancrures rectangulaires. 2. *Mme Lebeau a fait un créneau,* elle a garé sa voiture entre deux autres voitures.

créole 1. n. *Dans les colonies des Antilles, un créole était un Européen né dans le pays* (≠ indigène). 2. n.m. *Les créoles sont des langues parlées aux Antilles.*

1. crêpe n.f. *Une crêpe est une galette très mince faite à la poêle.*

■**crêperie** n.f. *Nous avons mangé dans une crêperie,* un restaurant qui fait des crêpes.

2. crêpe n.m. 1. *Le crêpe est un tissu léger d'aspect ondulé.* 2. *Pour ne pas glisser, j'ai mis mes chaussures à semelles de crêpe,* en caoutchouc.

crépi n.m. *Le mur de la maison est recouvert d'un crépi,* une couche de plâtre ou de ciment.

crépiter v. *Le feu crépite dans la cheminée,* il fait des petits bruits secs.

crépu, e adj. *Seydou a les cheveux crépus,* frisés en toutes petites vagues.

crépuscule n.m. *Le crépuscule est le moment où le soleil se couche et où la lumière baisse* (≠ aube).

crescendo adv. *La rumeur va crescendo,* en augmentant.
R. On prononce [kreʃɛ̃do] ou [kreʃɛndo].

cresson n.m. *Le cresson est une sorte de salade qui pousse dans l'eau.*
R. On prononce [kresɔ̃] ou [krəsɔ̃].

crête n.f. 1. *Le coq redresse fièrement sa crête,* le morceau de chair rouge qui est au sommet de sa tête. 2. *Le soleil disparaît derrière la crête de la montagne,* le sommet.

crétin, e n. Fam. *Quelle crétine, cette fille !* (= idiot, imbécile).

cretons n.m.pl. *Les cretons sont des sortes de pâtés fait avec du porc haché.*

creuser → creux.

creuset n.m. *Un creuset est un récipient servant à fondre les métaux.*

creux, euse adj. 1. *Cette boule est creuse,* vide à l'intérieur (≠ plein). 2. *On sert le potage dans des assiettes creuses,* très concaves (≠ plat). 3. *Il n'a dit que des paroles creuses,* sans intérêt.

■ **creux** n.m. SENS 1 *Il y a un creux dans le rocher* (= trou ; ≠ bosse). SENS 2 *Le creux de la main,* c'est la partie enfoncée de la paume.

■ **creuser** v. 1. SENS 1 *Le chien creuse le sol pour cacher son os,* il y fait un trou. 2. *On s'est creusé la tête pour trouver une solution,* on a beaucoup réfléchi.

crevaison, crevant → *crever.*

crevasse n.f. *L'alpiniste est tombé dans une crevasse,* une fente profonde dans le glacier. *Les murs de cette maison sont couverts de crevasses,* de fentes (= fissure, lézarde).

crever v. 1. *Josée a crevé son ballon contre une pierre pointue,* elle y a fait un trou (= percer, déchirer). *Le pneu a crevé,* il a été percé. 2. Fam. *Cette longue marche nous a crevés,* nous a épuisés. 3. Fam. *Ma plante a crevé,* elle est morte. 4. Fam. *Crever de faim,* c'est avoir très faim.

■ **crevant, e** adj. SENS 2 Fam. *Ce travail est crevant* (= très fatigant).

■ **crevaison** n.f. SENS 1 *La crevaison d'un pneu nous a retardés.*

■ **increvable** adj. SENS 1 *Un pneu increvable* est conçu pour résister aux crevaisons. SENS 2 Fam. *Cette femme est increvable,* elle a une résistance extraordinaire à la fatigue.

crevette n.f. *À la mer, les enfants pêchent des crevettes avec un filet.*

cri n.m. 1. *J'ai entendu un grand cri,* un éclat de voix très fort. 2. *L'aboiement est le cri du chien, le miaulement est le cri du chat.* 3. *Voici un chapeau dernier cri,* à la dernière mode.

■ **criant, e** adj. *Il y a là une injustice criante,* qui fait protester (= choquant).

■ **criard, e** adj. SENS 1 *Sa voix criarde fait mal aux oreilles.*

■ **crier** v. SENS 1 ET 2 *Veux-tu arrêter de crier ?,* de pousser des cris (= hurler).

Il m'a crié des injures, il les a dites très fort.

crible n.m. 1. *Un crible* est un récipient percé de trous et servant à trier les grains, le sable. 2. *Les déclarations du témoin ont été passées au crible,* examinées avec grand soin. | 150

■ **cribler** v. 1. SENS 1 *La couverture est criblée de trous,* il y en a beaucoup. 2. *Paul est criblé de dettes,* il en beaucoup (= accabler).

cric n.m. *Un cric* est un appareil qui sert à soulever de lourdes charges. | 506, 505

R. *Cric* se prononce [krik] comme *crique* ou parfois [kri] comme *cri.*

crier → *cri.*

crime n.m. 1. *L'accusé a commis un crime,* il a tué quelqu'un (= meurtre). 2. *Je suis en retard, ce n'est pas un crime,* une faute grave.

■ **criminel, elle** n. et adj. SENS 1 *La police a arrêté la criminelle* (= assassin). *On pense qu'il s'agit d'un incendie criminel.*

■ **criminalité** n.f. SENS 1 *On a observé une diminution de la criminalité,* du nombre de crimes commis dans une certaine période.

crin n.m. *Le crin,* ce sont les longs poils qui forment la queue et la crinière du cheval.

■ **crinière** n.f. *Les chevaux, les lions ont une crinière,* des crins sur le cou. | 368

crinoline n.f. *Les crinolines reviennent à la mode,* des jupons très larges. | 804

crique n.f. *Le bateau s'est arrêté dans une crique,* une petite baie. | 725

R. → *cric.*

criquet n.m. *Le criquet* est un genre de sauterelle. | 577

crise n.f. 1. *Anaïs a une crise de foie,* elle a très mal au foie. 2. *La crise économique s'est aggravée,* les difficultés de l'économie.

■ **critique** adj. SENS 2 *Pierre est dans une situation critique* (= difficile, grave).

crisper v. 1. *Paul crispe les poings,* il les serre fortement (= contracter). 2. *Sa paresse me crispe* (= irriter, énerver, impatienter).
■ **crispation** n.f. SENS 1 *La crispation de son visage exprimait sa douleur.*

crisser v. *Le gravier crisse sous ses pas,* il fait un bruit grinçant.

650, 653 **cristal** n.m. 1. *Certaines roches sont formées de cristaux,* d'éléments aux formes géométriques. *Regarde les cristaux de neige.* 2. Le *cristal* est un verre très transparent qui rend un son clair quand on le choque.
■ **cristallerie** n.f. SENS 2 Une *cristallerie* est une fabrique d'objets en cristal.
■ **cristallin, e** adj. SENS 1 *Le granite est une roche cristalline,* formée de cristaux. SENS 2 *Marie a une voix cristalline,* pure.
■ **cristallin** n.m. Le *cristallin* est une partie transparente de l'œil.
■ **cristalliser** v. SENS 1 *Le sucre cristallisé* est formé de petits cristaux.
■ **cristallisation** n.f. SENS 1 *Le quartz est produit par la cristallisation de la silice,* par sa transformation en cristaux.

critère n.m. *Sa conduite sera un critère de sa sincérité,* ce qui permettra de la juger (= preuve).

critérium n.m. *Un critérium cycliste* est une épreuve sportive.
R. On prononce [kriterjɔm].

1. critique → *crise.*

2. critique n.f. 1. La *critique* est l'art de juger les œuvres littéraires ou artistiques. 2. *On m'a fait de sévères critiques sur ma conduite* (= reproche ; ≠ louange).
■ **critique** n. SENS 1 *M. Dubois est un critique de cinéma,* il écrit des articles jugeant les films.
■ **critiquer** v. SENS 2 *L'opposition a critiqué le gouvernement* (= blâmer ; ≠ approuver).

croasser v. *Les corbeaux croassent,* ils poussent leur cri.
■ **croassement** n.m. Le *croassement* est le cri du corbeau.
R. Ne pas confondre *croasser* et *coasser.*

croc n.m. *Le chien montre ses crocs,* ses dents pointues.
R. Le *c* final ne se prononce pas : [kro].

croc-en-jambe ou **croche-pied** n.m. *Myriam m'a fait un croche-pied,* elle a accroché une de mes jambes pour me faire tomber (= jambette).
R. *Croc-en-jambe* se prononce [krɔkɑ̃ʒɑ̃b]. Attention au pluriel : des *crocs-en-jambe,* des *croche-pieds.*

1. croche n.f. Une *croche* est une note de musique qui dure peu.

2. croche adj. 1. *Ton chapeau est tout croche de travers.* 2. *Ce vendeur est croche,* malhonnête.

crochet n.m. 1. Un *crochet* est une pièce de métal pointue et recourbée servant à suspendre, à accrocher quelque chose. 2. *Marie fait de la dentelle au crochet,* avec une aiguille recourbée. 3. *Nous avons fait un crochet pour venir vous voir* (= détour). 4. *On a mis un mot entre crochets,* des sortes de parenthèses : [...]. 5. *Clara vit au crochet de ses parents,* à leur charge.
■ **crocheter** v. SENS 1 *Crocheter une serrure,* c'est l'ouvrir avec un crochet.
■ **crochu, e** adj. SENS 1 *Les aigles ont le bec crochu* (= recourbé).

crocodile n.m. 1. Le *crocodile* est un reptile vivant dans les fleuves des pays chauds. 2. *Des larmes de crocodile* sont des larmes hypocrites.

crocus n.m. *Les crocus fleurissent au printemps.*

croire v. 1. *Anne m'a cru,* elle a pensé que je disais la vérité. *Il a cru à mes paroles,* il a pensé qu'elles étaient vraies. 2. *Je crois que Gisèle est partie,*

je le pense, mais ce n'est pas sûr.
3. *Marie croit en Dieu,* elle pense qu'il
existe. **4.** *Jean se croit beau,* il pense
qu'il l'est.

■ **croyable** adj. SENS 1 *Cette histoire
n'est pas croyable,* on ne peut y croire.

■ **croyant, e** adj. et n. SENS 3 *Marie est
croyante,* elle croit en Dieu.

■ **croyance** n.f. SENS 3 *Il faut respecter
les croyances des autres* (= conviction).

■ **crédible** adj. SENS 1 *Son récit est peu
crédible,* il est difficile de le croire (=
digne de foi, vraisemblable).

■ **crédule** adj. SENS 1 *Pierre est crédule,*
il croit tout ce qu'on lui dit (= naïf).

■ **crédulité** n.f. SENS 1 *On s'est moqué de
sa crédulité* (= naïveté).

■ **incrédule** adj. SENS 1 *Elle m'a regardé
d'un air incrédule,* sans me croire.

■ **incroyable** adj. SENS 1 *Ce que tu me
racontes est incroyable* (= invraisemblable).

■ **incroyablement** adv. SENS 1 *Cette
affaire est incroyablement compliquée*
(= extraordinairement).

■ **incroyant, e** n. SENS 3 *Un incroyant ne
croit pas en Dieu* (= athée).
R. → Conj. n° 74. Attention : *je crois qu'il
vient* (indicatif), mais *je ne crois pas qu'il
vienne* (subjonctif). [*Je*] *crois,* [*il*] *croit* se
prononcent [krwa] comme [*je*] *croîs,* [*il*] *croît*
(de *croître*) et comme *croix.* → aussi *cru* 1.

croisade n.f. Au Moyen Âge, les *croi-
sades* furent des expéditions guerrières
menées en Palestine par des chrétiens
(les *croisés*) contre les musulmans.

croiser v. **1.** *Il a croisé les mains sur sa
poitrine,* il les a mises l'une sur l'autre.
2. *J'ai croisé Lise dans l'escalier* (=
rencontrer). **3.** *Ce chemin croise la
grande route dans deux kilomètres*
(= couper, rencontrer). **4.** *Le bateau
croise au large des côtes de Bretagne*
(= naviguer).

■ **croisée** n.f. **1.** SENS 1 La *croisée des
chemins,* c'est l'endroit où ils se croisent
(= croisement, carrefour). **2.** Une *croisée* est une sorte de fenêtre.

■ **croisement** n.m. SENS 3 *Il y a eu un
accident au croisement,* à l'endroit où
les deux routes se croisent (= carrefour). SENS 2 *Deux voitures qui se croisent
la nuit doivent se mettre en feux de
croisement* (= code).

■ **croiseur** n.m. SENS 4 Un *croiseur* est un
navire de guerre.

■ **croisière** n.f. SENS 4 *Les Durand ont fait
une croisière aux Antilles,* un voyage par
bateau.

■ **entrecroiser** v. SENS 1 *Les fils de ce
tissu sont entrecroisés,* ils sont croisés
dans tous les sens.

croissance, croissant → *croître.*

croissant n.m. **1.** *Un croissant de
lune brille dans le ciel,* la lune, dont
une petite partie seulement est visible.
2. *Nadia mange deux croissants à son
petit déjeuner,* des petits gâteaux recourbés.

croître v. *Son insolence ne cesse de croître* (= augmenter, grandir). *Cette enfant
croît de jour en jour* (= pousser,
grandir).

■ **croissance** n.f. *L'économie est en
pleine croissance* (= développement).

■ **croissant, e** adj. *Nous observons le
spectacle avec une curiosité croissante,*
grandissante.

■ **accroître** v. *Mme Marion a accru sa
fortune,* elle l'a augmentée.

■ **accroissement** n.m. *Il y a un accroissement du nombre des naissances* (=
progression).

■ **décroître** v. *Les jours commencent à
décroître à la fin juin* (= diminuer).

■ **décroissance** n.f. *On observe une décroissance de l'épidémie* (= diminution,
déclin).
R. → Conj. n° 66. → *croire* et *cru* 1.

croix n.f. **1.** *Luce fait des croix sur son
cahier,* des figures faites de deux lignes

506

220

qui se coupent, le plus souvent à angle droit. **2.** *Jésus-Christ est mort sur la* **croix**, *sur un poteau ayant une traverse horizontale.* **3.** *M. Durand a reçu la* **croix** *de guerre,* une décoration en forme de croix.
R. → *croire.*

croque-monsieur n.m.inv. *Un* **croque-monsieur** *est un sandwich chaud au jambon et au fromage.*

croque-mort n.m. Fam. *Les* **croque-morts** *transportent le cercueil,* les employés des pompes funèbres.

croquer v. **1.** *Pierre* **croque** *des bonbons,* il les mange en les broyant avec ses dents. **2.** *Ce biscuit* **croque** *sous la dent,* il fait un bruit sec (= craquer).

croquet n.m. *Le* **croquet** *est un jeu où l'on frappe une boule avec un long maillet.*

croquette n.f. *Une* **croquette** *est une boulette de viande, de poisson qu'on fait frire.*

croquis n.m. *Paul a fait un* **croquis** *du paysage,* un dessin rapide.

cross n.m. *Diane a gagné le* **cross**, *une course à pied à travers la campagne.*
R. → *crosse.*

crosse n.f. **1.** *La* **crosse** *d'une arme à feu est la partie opposée au canon.* **2.** *La* **crosse** *d'un évêque est un long bâton recourbé.* **3.** *Paul joue à la* **crosse**, un sport opposant deux équipes de 10 ou 12 joueurs, qui se pratique avec une balle et un bâton terminé par un panier.
R. *Crosse se prononce [krɔs] comme* **cross**.

crotale n.m. *Le* **crotale** *est un serpent très venimeux, appelé aussi* **serpent à sonnettes**.

crotte n.f. **1.** *Le chien a fait une* **crotte** *devant la porte* (= excrément, saleté). **2.** *Elisa aime les* **crottes de chocolat** (= bonbon au chocolat).

■ **crotter** v. SENS 1 *Ton pantalon est tout* **crotté**, couvert de boue.

■ **crottin** n.m. SENS 1 *Le* **crottin** *est l'excrément du cheval.*

■ **décrotter** v. SENS 1 *Décrotte-toi les pieds avant d'entrer !* (= essuyer, nettoyer).

crouler v. *Saïd* **croule** *sous le poids de son sac,* il est très lourdement chargé (= être accablé).

croupe n.f. **1.** *Cléa est assise sur la* **croupe** *du cheval,* sur l'arrière de son corps. **2.** *Nous sommes montés sur une* **croupe**, sur une colline arrondie.

■ **croupion** n.m. SENS 1 *Le* **croupion** *est la partie arrière du corps des oiseaux.*

croupir v. **1.** *L'eau de cette mare est en train de* **croupir**, elle reste sans bouger et devient mauvaise. **2.** *Cette famille* **croupit** *dans la misère,* elle y reste sans pouvoir en sortir.

croustiller v. *La croûte de ce pain* **croustille**, elle craque sous la dent.

■ **croustillant, e** adj. *Ces petits gâteaux sont* **croustillants**.

croustilles n.f.pl. *Xavier mange des* **croustilles**, des rondelles de pommes de terre frites.

croûte n.f. **1.** *La* **croûte** *de ce pain est toute dorée,* la partie extérieure qui est dure (≠ mie). *Ne mange pas la* **croûte** *du fromage.* **2.** *Johanne a des* **croûtes** *sur la figure,* des plaques sèches recouvrant des plaies. **3.** Fam. *Ce peintre ne fait que des* **croûtes**, des tableaux sans valeur.

■ **croûton** n.m. SENS 1 *Un* **croûton** *est un morceau de pain contenant surtout de la croûte.*

croyable, croyance, croyant → *croire.*

1. cru, e adj. **1.** *Hélène aime la viande* **crue** (≠ cuit). **2.** *Il a répondu en termes très* **crus** (= grossier, leste).

■**crudités** n.f.pl. SENS 1 *Au hors-d'œuvre, il y avait des* **crudités,** *des légumes crus.*
R. *Cru se prononce* [kry] *comme cru (de croire), comme crû (de croître) et comme crue.*

2. cru n.m. *Ce vin est un grand* **cru,** *il vient d'un terroir renommé.*
R. → *cru* 1.

cruauté → *cruel.*

cruche n.f. **1.** *Mets une* **cruche** *d'eau sur la table !,* un récipient ayant un bec et une anse. **2.** Fam. *Tu es une vraie* **cruche,** *une sotte.*

crucial, e, aux adj. *Un problème* **crucial** *est essentiel, capital. Le moment* **crucial** *est le moment décisif.*

crucifier v. *Jésus-Christ a été* **crucifié,** *il a été attaché et est mort sur une croix.*
■**crucifix** n.m. *Un* **crucifix** *est un objet de piété représentant le supplice de Jésus-Christ sur la croix.*

crudités → *cru* 1.

crue n.f. *La rivière est en* **crue,** *ses eaux sont très hautes.*
■**décrue** n.f. *La rivière a amorcé sa* **décrue,** *l'eau a commencé à baisser.*
R. → *cru* 1.

cruel, elle adj. *Pierre est* **cruel** *avec les animaux,* il aime les faire souffrir.
■**cruellement** adv. *On l'a traité* **cruellement** (= méchamment).
■**cruauté** n.f. *Cette femme est d'une grande* **cruauté** (= férocité).

crustacés n.m.pl. *Les crabes, les crevettes, les homards, les langoustes sont des* **crustacés.**

crypte n.f. *Il y a une* **crypte** *sous cette église,* une partie souterraine.

CNS n.f. La *CSN* est la confédération des syndicats nationaux.

cube n.m. **1.** *Calculez le volume de ce* **cube,** *de ce corps dont les six faces* sont des carrés. **2.** *8 est le* **cube** *de 2* (2 × 2 × 2), *27 est le* **cube** *de 3* (3 × 3 × 3).
■**cubique** adj. SENS 1 *Cette chambre est* **cubique,** *elle a la forme d'un cube.*

cubitus n.m. Le *cubitus* est un des deux os de l'avant-bras. | 40

cueillir v. **1.** *Marie a* **cueilli** *des fleurs* (= ramasser). *Je vais au jardin* **cueillir** *des fraises* (= récolter). **2.** Fam. *Les voleurs se sont fait* **cueillir** *par la police* (= arrêter).
■**cueillette** n.f. SENS 1 *Les paysans font la* **cueillette** *des pommes* (= récolte). | 578
R. → Conj. n° 24.

cuillère ou **cuiller** n.f. *On mange de la soupe, mets des* **cuillères** *sur la table.* | 78
■**cuillerée** n.f. *Donne-moi une* **cuillerée** *de sauce,* le contenu d'une cuillère.

cuir n.m. **1.** *Line a une veste de* **cuir,** faite avec la peau d'un animal. **2.** *Pierre a une blessure au* **cuir chevelu,** à la peau du crâne. | 761
R. → *cuire.*

cuirasse n.f. **1.** *Les guerriers grecs portaient une* **cuirasse,** *une armure leur couvrant la poitrine.* **2.** *Les navires de guerre et les chars d'assaut sont recouverts d'une* **cuirasse** *métallique* (= blindage). | 440
■**cuirassé** n.m. SENS 2 *Un* **cuirassé** *est un navire de guerre blindé.*
■**cuirassier** n.m. SENS 1 *Les* **cuirassiers** *étaient des soldats à cheval portant une cuirasse.*

cuire v. **1.** *On* **cuit** *(on fait* **cuire***) un gâteau en le mettant au four. La soupe* **cuit** *sur la cuisinière.* **2.** *Le dos me* **cuit** (= brûler). **3.** *Si vous le contrariez, il pourrait* **vous en cuire;** *vous pourriez en éprouver des désagréments.*
■**cuisant, e** adj. SENS 2 *Je souffre d'une blessure* **cuisante.** *Elle a subi un* **cuisant** *échec* (= douloureux).
■**cuisson** n.f. SENS 1 *La* **cuisson** *du rôti est presque terminée.*

■ **cuit, e** adj. SENS 1 *J'aime la viande bien cuite* (≠ cru).
R. → Conj. n° 70. *Cuire se prononce* [kɥir] *comme cuir.*

79 | **cuisine** n.f. **1.** *Les Dupont mangent dans la cuisine,* dans la pièce où l'on prépare les repas. **2.** *Tu fais bien la cuisine,* tu sais préparer les aliments.
■ **cuisiner** v. SENS 2 *Je cuisine bien,* je fais bien la cuisine.

36 | ■ **cuisinier, ère 1.** n. SENS 2 *Nous sommes de bons cuisiniers,* nous faisons bien la cuisine. **2.** n.f. *Nous venons d'acheter une cuisinière électrique,* un appareil servant à faire la cuisine.
■ **culinaire** adj. SENS 2 *L'art culinaire,* c'est l'art de bien faire la cuisine.

33, 368 | **cuisse** n.f. *Nous avions de l'eau jusqu'aux cuisses,* au-dessus du genou.

cuisson, cuit → *cuire.*

cuivre n.m. *Le fil électrique est en cuivre,* en un métal rougeâtre.

cul n.m. **1.** *Il est resté le cul sur sa chaise,* le derrière. **2.** *Le cul d'une bouteille,* c'est le fond.
R. On prononce [ky]. Ce mot est grossier au sens 1.

culbute n.f. *Les enfants font des culbutes sur le lit,* ils se roulent la tête en bas.
■ **culbuter** v. *Elle a été culbutée par une auto* (= renverser).

cul-de-sac n.m. *On est sorti du cul-de-sac en marche arrière,* de la voie sans issue (= impasse).
R. On prononce [kydsak]. Noter le pluriel : des *culs-de-sac.*

culinaire → *cuisine.*

culminant, e adj. *Le mont Everest est le point culminant de l'Himālaya,* le plus haut sommet.

culot n.m. Fam. *Tu as du culot de me dire ça* (= effronterie, toupet).

■ **culotté, e** adj. Fam. *Il faut être culotté pour oser faire ça !* (= effronté, impudent).

culotte n.f. **1.** *Martine porte des culottes,* un vêtement qui va de la taille aux genoux enveloppant chaque jambe séparément. *Tintin porte une culotte de golf.* **2.** *Marie s'est acheté une culotte,* un sous-vêtement qui couvre le bas du tronc.

culpabilité → *coupable.*

culte n.m. **1.** *Le culte des saints,* c'est l'hommage religieux qui leur est rendu. **2.** *Le culte catholique, le culte protestant,* c'est la religion catholique, la religion protestante. **3.** *J'ai le culte de la vérité,* j'y suis très attaché (= amour).

cultiver v. **1.** *Les paysans cultivent la terre,* ils la travaillent pour faire pousser les plantes. **2.** *Ce paysan cultive du blé,* il le fait pousser. **3.** *Judith lit beaucoup pour se cultiver,* pour enrichir son esprit et acquérir des connaissances.
■ **cultivable** adj. SENS 1 *Cette terre n'est pas cultivable,* rien ne peut y pousser.
■ **cultivateur, trice** n. SENS 1 ET 2 *Les Chaput sont de riches cultivateurs* (= agriculteur, paysan).
■ **culture** n.f. **1.** SENS 1 ET 2 *Les Chaput font la culture du blé,* ils le cultivent. *Il y a de riches cultures dans cette région,* des terres cultivées. SENS 3 *C'est une femme d'une grande culture,* elle a beaucoup de connaissances en littérature, en art, etc. *La culture d'une société,* c'est la civilisation. **2.** *Anna fait de la culture physique tous les matins,* des exercices pour fortifier son corps (= gymnastique).
■ **culturel, elle** adj. SENS 3 *Quelles sont vos activités culturelles ?* qui vous permettent de vous cultiver.
■ **inculte** adj. SENS 1 *Cette terre est inculte,* elle n'est pas cultivée. SENS 3 *Pierre ne lit jamais, il est inculte* (= ignorant).

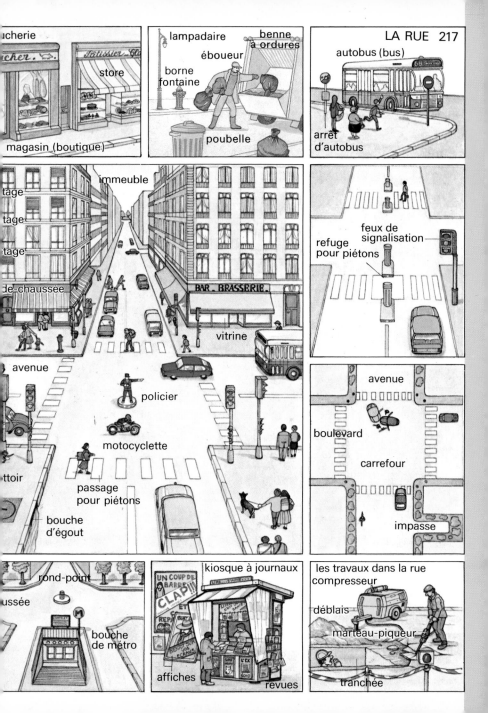

ucherie

lampadaire

benne à ordures

éboueur

LA RUE 217

store

borne fontaine

autobus (bus)

poubelle

arrêt d'autobus

magasin (boutique)

immeuble

tage

tage

tage

feux de signalisation

refuge pour piétons

de-chaussée

BAR. BRASSERIE.

vitrine

avenue

policier

avenue

boulevard

motocyclette

carrefour

ttoir

passage pour piétons

impasse

bouche d'égout

rond-point

kiosque à journaux

les travaux dans la rue

compresseur

ussée

déblais

bouche de métro

marteau-piqueur

affiches

revues

tranchée

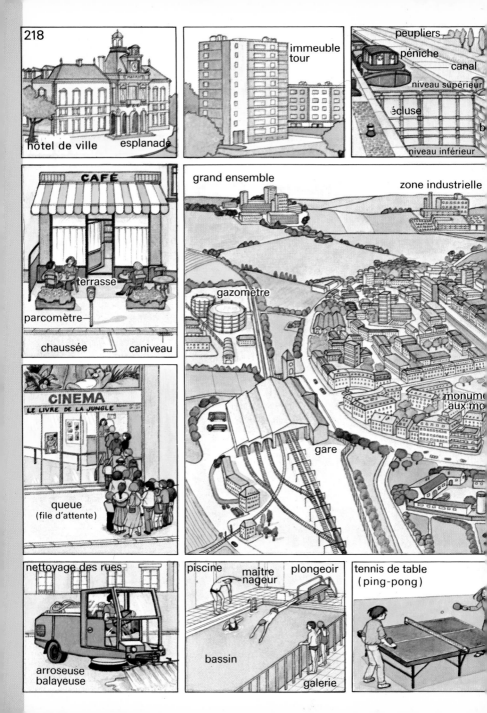

218

hôtel de ville — esplanade

immeuble tour

peupliers
péniche
canal
niveau supérieur
écluse
b
niveau inférieur

CAFÉ
terrasse
parcomètre
chaussée — caniveau

grand ensemble
zone industrielle
gazomètre
monume
aux mo
gare

CINEMA
LE LIVRE DE LA JUNGLE
queue
(file d'attente)

nettoyage des rues
arroseuse
balayeuse

piscine
maître nageur
plongeoir
bassin
galerie

tennis de table
(ping-pong)

re commercial
enseigne
haut-parleurs

BONFAR

aéro-club

pompe
à essence
supermarché

chariot

stationnement

hangars

manche à air
piste

hâteau
d'eau
hameau

usine

cimetière

avion de
tourisme

église
boulevard
circulaire

jardin public

kiosque à musique

stade
banc
public

canal

faubourg
bassin

sports urbains

ensemble résidentiel
maisons individuelles

amway

rail

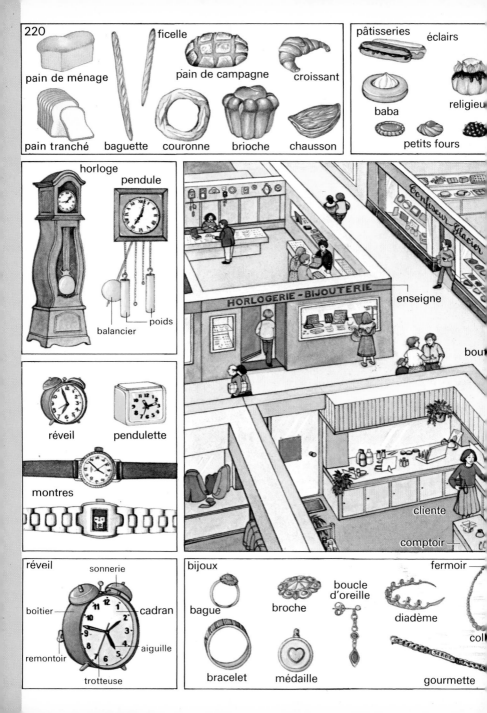

220

pain de ménage

ficelle

pain de campagne

croissant

pain tranché

baguette

couronne

brioche

chausson

pâtisseries

éclairs

baba

religieu

petits fours

horloge

pendule

balancier

poids

réveil

pendulette

montres

HORLOGERIE - BIJOUTERIE

enseigne

bou

cliente

comptoir

réveil

sonnerie

boîtier

cadran

remontoir

aiguille

trotteuse

bijoux

fermoir

bague

broche

boucle
d'oreille

diadème

col

bracelet

médaille

gourmette

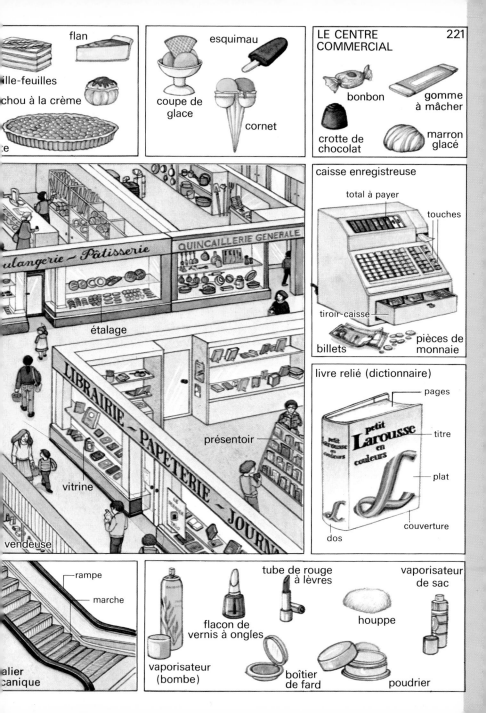

flan

lle-feuilles

chou à la crème

e

esquimau

coupe de glace

cornet

bonbon

gomme à mâcher

crotte de chocolat

marron glacé

caisse enregistreuse

total à payer

touches

tiroir-caisse

billets

pièces de monnaie

livre relié (dictionnaire)

pages

titre

plat

couverture

dos

petit **Larousse** *en* **couleurs**

BOULANGERIE - Pâtisserie

QUINCAILLERIE GENERALE

étalage

LIBRAIRIE - PAPETERIE - JOURN

présentoir

vitrine

vendeuse

rampe

marche

alier canique

tube de rouge à lèvres

vaporisateur de sac

flacon de vernis à ongles

houppe

vaporisateur (bombe)

boîtier de fard

poudrier

222

boucher
carcasses
rôtis
étal

charcutier
jambon saucissons saucisses
abats pâtes
client

balance électrique

fruits et légumes

marché couvert (halles)
poissonnerie
fourgon
LÉGUMES
place du marché
bâche
clients
marchands de fruits et légumes

panier
poussette
cabas
sac

fromager-crémier
œufs
fromages
motte de beurre
fromages frais

volailler
lapin
volaille
gibier

emballages

caissette

ballages

ot

sac
en fibres

emballage en plastique

cornet en papier

FRAGILE

caisse

étiquettes

camelot

parasol

cravates

foulards

objets de pacotille

badauds

rchands
bulants

banc
public

marchand
de crème glacée

grille

fontaine

éventaires

camion frigorifique

marchande
de produits ménagers

balais

plumeaux

brosses

lessives

savons

nce

plateau fléau poids

marchand de tissus (mercier)

rouleaux de tissus

pièces
d'étoffe

carte
de boutons

tréteau

chutes

224 LA BROCANTE

tabatière

coupe en argent

chope

fleuret

bahut

rouet

fuseau

quenouille

miroir

lustre

trophée de cha[sse]

sanglier

paravent

fauteuil

dolman

épaulette

brandebourg

bottines

oiseau empaillé

épée

éventail

cage

fourreau

lorgnon

parapluie

bougeoir

verre

mèche

ombrelle

lampe à pétrole

soufflet

crémaillère

pelle à feu

bassinoire

anse

poêle à charbon

buste en plâtre

marmite

pincettes

chenets

cumuler v. *Mme Ste-Marie cumule plusieurs fonctions,* elle les exerce en même temps.

cunéiforme adj. *L'écriture cunéiforme* était une écriture en forme de clous des Assyriens, des Mèdes, des Perses.

cupide adj. *M. Dupont est un homme cupide,* il est avide d'argent.
■ **cupidité** n.f. *Il se conduit avec cupidité* (= rapacité).

curare n.m. Le *curare* est un poison dont certains Indiens d'Amérique du Sud enduisaient leurs flèches.

1. cure → *curé.*

2. cure n.f. **1.** *Mme Durand a fait une cure dans une station thermale,* elle y a suivi un traitement médical. **2.** *Je t'ai donné des conseils, mais tu n'en as cure,* tu ne t'en soucies pas.
■ **curable** adj. SENS 1 *Mathieu a une maladie curable,* que l'on peut guérir.
■ **curiste** n. SENS 1 *Un curiste* est une personne qui fait une cure dans une station thermale.
■ **incurable** adj. SENS 1 *Il est atteint d'une maladie incurable,* qu'on ne peut pas guérir.

curé n.m. *Le curé a célébré la messe,* le prêtre catholique qui a la charge d'une paroisse.
■ **cure** n.f. *La cure* est la maison du curé (= presbytère).

curer v. *Jean se cure les ongles,* il les nettoie.
■ **cure-dents** n.m.inv. *Un cure-dents* est une petite tige pour se curer les dents.

curieux, euse adj. **1.** *Anne est très curieuse,* elle veut savoir ce qui ne la regarde pas (= indiscret). **2.** *Je serais curieux de savoir où elle est partie,* je voudrais le savoir. **3.** *Il m'est arrivé une curieuse aventure* (= bizarre, étonnant).
■ **curieux** n.m. SENS 1 ET 2 *L'accident* attire *des curieux,* des gens venus regarder.
■ **curieusement** adv. SENS 3 *Ce bibelot est curieusement décoré* (= bizarrement).
■ **curiosité** n.f. SENS 1 ET 2 *Anne a été punie de sa curiosité* (= indiscrétion). SENS 3 *Ce monument est une curiosité,* une chose intéressante, étonnante.

curiste → *cure 2.*

curry n.m. *Du riz au curry* est préparé avec un assaisonnement de plusieurs épices.

cutané, e adj. *Cette personne a une affection cutanée,* une maladie de la peau.

cuve n.f. **1.** *Une cuve* est un grand récipient dans lequel on fait fermenter le raisin. **2.** *La cuve à mazout est presque vide* (= réservoir).
■ **cuvée** n.f. SENS 1 *Une cuvée* est la quantité de vin contenue dans une cuve.

cuvette n.f. **1.** *Annie a mis de l'eau dans une cuvette pour laver son linge,* un récipient peu profond. **2.** *Une cuvette* est une dépression géographique.

cyclamen n.m. Le *cyclamen* est une plante à belles fleurs.

cycle n.m. **1.** *Le cycle des saisons dure un an,* elles se succèdent pendant un an, puis cela recommence. **2.** *Un marchand de cycles vend des bicyclettes, des vélomoteurs, des motos.*
■ **cyclique** adj. SENS 1 *Une crise économique est cyclique quand elle se reproduit périodiquement.*
■ **cyclable** adj. SENS 2 *Une piste cyclable* est une voie réservée aux cyclistes.
■ **cyclisme** n.m. SENS 2 *Le cyclisme est un sport très populaire,* le sport de la bicyclette.
■ **cycliste** adj. et n. SENS 2 *Allons au vélodrome voir une course cycliste,* de bicyclettes. *Une cycliste a été renversée par une auto,* une personne à bicyclette.

75

651

512

■**cyclo-cross** n.m.inv. SENS 2 *Nous avons vu une course de* **cyclo-cross,** de bicyclettes en terrain difficile.

■**cyclomoteur** n.m. SENS 2 *Mon frère va au cégep avec son* **cyclomoteur** (= vélomoteur).

512 ■**bicyclette** n.f. SENS 2 *Hélène pédale sur sa* **bicyclette** (= vélo).

cyclone n.m. *Cette région a été ravagée par un* **cyclone,** une tempête très violente (= ouragan).

■**anticyclone** n.m. *Un* **anticyclone** *nous amène du beau temps,* une zone de hautes pressions atmosphériques.

cygne n.m. *Des* **cygnes** *nagent dans le bassin du jardin public,* de grands oiseaux blancs au cou très flexible.

R. *Cygne* se prononce [siɲ] comme *signe.*

385 **cylindre** n.m. **1.** *Un* **cylindre** *est un corps qui a la forme d'un rouleau.* **2.** *Les* **cylin-**
505 **dres** *sont des organes du moteur d'une* voiture dans lesquels glissent les pistons.

■**cylindrique** adj. SENS 1 *Cette boîte a une forme* **cylindrique.**

■**cylindrée** n.f. SENS 2 *La* **cylindrée** *d'une voiture* c'est le volume de ses cylindres.

cymbale n.f. Les **cymbales** sont deux disques de métal qu'on fait résonner en les frappant l'un contre l'autre.

cynique adj. *M. Durand est un homme* **cynique,** il cherche à choquer les autres.

■**cynisme** n.m. *Son* **cynisme** *nous a indignés,* son caractère cynique.

cyprès n.m. *Le cimetière est entouré d'une rangée de* **cyprès,** des arbres terminés en pointe.

cyprin n.m. est un autre nom pour *poisson rouge.*

cytise n.m. Un *cytise* est un arbuste qui a des fleurs jaunes en grappes.

dactylo n. *Jean et Marie sont **dactylos**, leur métier est de taper des textes à la machine.*
■ **dactylographie** n.f. *Jacqueline a appris la **dactylographie**, à taper à la machine.*
■ **dactylographier** v. *Il faut deux heures pour **dactylographier** toutes ces lettres* (= taper).

dada n.m. Fam. *M. Durand nous a encore parlé de soccer, c'est son **dada**, le sujet qu'il préfère* (= marotte).

dadais n.m. *Comment s'appelle ce grand **dadais** ?, ce jeune homme à l'air sot* (= nigaud).

dague n.f. *Une **dague** est une sorte de poignard.*

dahlia n.m. *Mme Dupont a acheté un bouquet de **dahlias**, des fleurs.*

daigner v. *Il n'a pas **daigné** nous dire bonjour, il n'a pas voulu le faire, par dédain.*

daim n.m. *J'ai une veste en **daim**, faite avec la peau de cet animal.*

dais n.m. *Un **dais** est une tenture placée au-dessus d'un autel, d'un trône, etc.*

dalle n.f. *Le sol du musée est fait de **dalles**, de plaques de pierre.*
■ **dallage** n.m. *Le **dallage** du musée est en marbre, les dalles.*
■ **daller** v. *On a fait **daller** le hall.*

damassé, e adj. *Les rideaux du salon sont **damassés**, leur tissage forme des motifs décoratifs.*

dame n.f. **1.** *Comment s'appelle cette **dame** ?, cette femme.* **2.** *Anne a joué la **dame** de pique, une carte représentant une reine.* **3.** *Jean et Aïcha font une partie de **dames**, un jeu.* **4.** interj. insiste sur ce qu'on veut dire : *Tu es content ? — **Dame** oui !*   436
■ **damer** v. **1.** SENS 3 *Elle m'a **damé** le pion, elle m'a surpassé.* **2.** *La piste de ski **est** bien **damée**, la neige est bien tassée.*
■ **damier** n.m. SENS 3 *On joue aux dames sur un **damier**, un tableau carré divisé en cent cases noires et blanches.*   436
■ **madame** n.f. SENS 1 *La mère de Jean s'appelle **madame** Dupont (Mme Dupont). Bonjour **mesdames** !*

damner v. *Les chrétiens croient que les méchants **seront damnés**, condamnés aux peines de l'enfer.*
■ **damnation** n.f. *Les chrétiens croient à la **damnation*** (= enfer).
R. On prononce [dane], [danasjɔ̃].

se dandiner v. *Les canards avancent en **se dandinant**, en balançant le corps.*

danger n.m. *Le brouillard fait courir un grand **danger** aux automobilistes* (= risque, péril).
■ **dangereux, euse** adj. *Les routes verglacées sont **dangereuses*** (= périlleux ; ≠ sûr).

■ **dangereusement** adv. *Il est dangereusement blessé* (= gravement).

danois n.m. *Deux danois sont en liberté dans le parc,* de très grands chiens, originaires du Danemark.

dans prép. indique le lieu : *On est entré dans la maison* (= à l'intérieur) ; le temps : *Il viendra dans huit jours,* huit jours après aujourd'hui (= d'ici) ; l'évaluation : *Ce livre coûte dans les trois dollars* (= environ).
■ **dedans 1.** adv. *Mon manteau est dans l'armoire ? Oui, je l'ai mis dedans* (≠ dehors). **2.** n.m. *On a repeint le dedans de la maison* (= intérieur ; ≠ extérieur).
R. *Dans* se prononce [dã] comme *dent.*

danser v. *Pierre ne sait pas danser la valse,* faire les pas de cette danse dans le rythme de la musique.
■ **danse** n.f. *Jean apprend des danses folkloriques.* *La danse carrée* est une danse folklorique dont les pas sont décidés par un meneur.
■ **danseur, euse** n. **1.** *Marie est bonne danseuse.* **2.** *La cycliste monte la côte en danseuse,* elle pédale debout.
R. → *dense.*

577

dard n.m. *Les abeilles, les guêpes, les scorpions ont un dard,* un organe qui leur sert à piquer (= aiguillon).

darder v. *Il a dardé sur moi un regard méchant* (= lancer).

dare-dare adv. Fam. *Déjà 8 heures ! Il faut partir dare-dare,* très vite, en se dépêchant.

dartre n.f. *Certaines maladies provoquent des dartres,* des plaques rouges sur la peau.

date n.f. *Sa lettre porte la date du lundi 19 septembre 1988. Je la connais de longue date,* depuis longtemps.
■ **dater** v. **1.** *N'oublie pas de dater ta lettre !,* d'indiquer le jour, le mois, l'an-

née. **2.** *Cette église date du Moyen Âge,* elle a été construite à cette époque (= remonter à).
■ **antidater, postdater** v. *Nous sommes le 15 mai : si je date la lettre du 14, je l'andidate, si je la date du 16, je la postdate.*
R. → *datte.*

datte n.f. *Myriam aime beaucoup les dattes,* un fruit des pays chauds.
■ **dattier** n.m. *Les dattiers sont des sortes de palmiers.*
R. *Datte* se prononce [dat] comme *date* et [je] *date* (de *dater*).

daube n.f. *Du bœuf en daube* est cuit dans un récipient couvert.

dauphin n.m. **1.** *On dit que les dauphins sont très intelligents,* de grands animaux marins. **2.** *Le Dauphin* était le fils aîné du roi de France.

daurade ou **dorade** n.f. *Nous avons pêché des daurades,* des poissons à reflets dorés.

davantage adv. *J'en veux davantage,* plus. *Je ne resterai pas davantage,* plus longtemps.

1. de prép. joue un rôle grammatical très important et a des sens variés : *Il vient de Paris* (origine) ; *Le livre de Pierre* (appartenance) ; *Je meurs de faim* (cause) ; *Un tas de sable* (matière) ; *Frapper du poing* (moyen) ; etc.
R. Devant une voyelle ou un « h » aspiré, *de* devient *d'* : *Le livre d'Annie. De* devient *du* devant *le* : *Elle souffre du foie ;* et *des* devant *les* : *Je viens des États-Unis.*

2. de, du, de la, des articles s'emploient devant les noms de choses qu'on ne peut pas compter : *Veux-tu du vin ou de la bière ?*

dé- au début d'un mot indique l'inverse ou la cessation, la suppression de quelque chose : *boucher/déboucher ; emballer/ déballer.*

dé n.m. **1.** *Marie et Jean jouent aux* **dés**, *avec des petits cubes marqués de points.* **2.** *Tu couds avec un* **dé** *?,* un petit étui pour protéger ton doigt qui pousse l'aiguille.

déambuler v. *Des touristes* **déambulent** *dans la ville,* ils se promènent de divers côtés.

débâcle n.f. **1.** *La retraite des soldats s'est transformée en* **débâcle**, en fuite désordonnée (= déroute). **2.** *Au printemps, c'est la* **débâcle** *des fleuves et des rivières,* la glace se brise et est emportée par le courant.

déballage, déballer → *emballer.*

débandade n.f. *Quand l'ennemi a attaqué, ce fut la* **débandade**, tout le monde s'est enfui.

débaptiser → *baptiser.*

débarbouiller, débarbouillette → *barbouiller.*

débarcadère, débarquement, débarquer → *embarquer.*

débarras, débarrasser → *embarrasser.*

débarrer → *barrer.*

débardeur, euse n. *Un* **débardeur** *est un employé qui charge ou décharge les bateaux* (= docker).

débattre v. **1.** *La vendeuse et l'acheteur ont* **débattu** *du prix de la maison* (= discuter). **2.** *Quand on l'a attrapé, il s'est* **débattu**, il a lutté pour se dégager. ■**débat** n.m. SENS 1 *Sur quoi porte le* **débat** *?* (= discussion). **R.** → Conj. n° 56.

débauche n.f. *Lorsque l'on vit dans la* **débauche**, on se conduit mal (= vice). ■**débauché, e** n. et adj. *M. Duval est un* **débauché**.

débaucher → *embaucher.*

débile adj. et n. **1.** *C'est un enfant* **débile**, en mauvaise santé (= faible). **2.** *Un*

débile *(mental)* est une personne dont l'intelligence ne s'est pas développée. ■**débilitant, e** adj. SENS 1 *Ce climat est* **débilitant**, il affaiblit, amollit.

débiner v. Fam. *Louise ne peut venir, je suis* **débiné**, contrarié.

1. débit n.m. **1.** *Le* **débit** *du Rhône est plus important que celui de la Seine,* la quantité d'eau qui s'écoule. **2.** *Judith parle avec un* **débit** *rapide,* la vitesse de sa parole. **3.** *Un* **débit** *de tabac est un magasin où l'on vend du tabac.* ■**débiter** v. SENS 1 *Ce robinet* **débite** *dix litres en une minute,* laisse s'écouler. SENS 2 *Judith* **débite** *sa poésie d'une voix monotone,* elle la dit.

2. débit n.m. *On inscrit au* **débit** *d'un compte les sommes payées ou à payer.* ■**débiter** v. *La banque a* **débité** *mon compte de dix dollars,* elle les a enlevés de mon compte (≠ créditer). ■**débiteur, trice** n. *J'ai prêté de l'argent à Marie, elle est ma* **débitrice**, elle me doit de l'argent (≠ créancier).

déblatérer v. Fam. *Il n'a pas arrêté de* **déblatérer** *contre tout le monde,* de dire du mal de tout le monde.

déblayer v. *Après l'avalanche, on a* **déblayé** *la route,* on a enlevé les matériaux qui l'obstruaient. ■**déblais** n.m.pl. *Un camion est venu charger les* **déblais**, la terre, les débris. ■**remblayer** v. *Remblayer* *un fossé,* c'est le boucher avec de la terre, des matériaux. ■**remblai** n.m. *On a fait un* **remblai** *pour poser la voie ferrée,* on a surélevé le terrain en apportant de la terre.

217, 151

déblocage, débloquer → *bloquer.*

débobiner → *bobine.*

déboires n.m.pl. *M. Dupont se plaint de ses* **déboires** (= déceptions, ennuis ; ≠ satisfactions, succès).

déboisement, déboiser → *bois.*

déboîtement, déboîter → *emboîter.*

débonnaire adj. *M. Dubois est un homme débonnaire,* il est doux et bienveillant (≠ sévère).

débordement, déborder → *bord.*

débosseler → *bosse.*

débouché, déboucher→*boucher* 1.

débouler v. Fam. *Karim a déboulé l'escalier,* il est descendu très vite.

débours, débourser → *bourse.*

debout adv. 1. *Quand la présidente est entrée, tout le monde s'est mis debout,* s'est levé (≠ assis et couché). 2. *Cette explication ne tient pas debout,* elle n'est pas logique, acceptable.

débouter v. *Le tribunal a débouté les accusateurs,* il a rejeté leurs accusations.

déboutonner → *bouton.*

débraillé, e adj. *Tu ne peux pas sortir dans cette tenue débraillée,* avec ces vêtements en désordre.

débrancher → *brancher.*

débrayage, débrayer → *embrayer.*

débridé → *bride.*

débris n.m.pl. *Ramasse les débris de la bouteille,* les morceaux cassés.

débrouiller v. 1. *La police a réussi à débrouiller le mystère* (= démêler, éclaircir, élucider). 2. *Jean s'est débrouillé pour arriver le premier,* il a agi habilement (= s'arranger).
■ **débrouillard, e** adj. et n. SENS 2 *Line est débrouillarde* (= adroit, habile, astucieux).
■ **débrouillardise** n.f. SENS 2 *Jean compte sur sa débrouillardise pour se tirer d'affaire* (= ingéniosité, astuce).
■ **embrouiller** v. SENS 1 *J'ai embrouillé les fils de mon tricot* (= emmêler).

débroussailler → *broussaille.*

débuter v. 1. *L'année débute le 1ᵉʳ janvier* (= commencer ; ≠ finir). 2. *Quand il a débuté, son salaire n'était pas gros,* quand il a commencé à travailler.
■ **début** n.m. SENS 1 *Le début de ce livre n'est pas intéressant* (= commencement ; ≠ fin).
■ **débutant, e** n. SENS 2 *Elle fait beaucoup d'erreurs, c'est une débutante* (= novice).

D.E.C. n.m. *Sophie a obtenu son D.E.C.,* son Diplôme d'Études Collégiales.

déca-, placé devant un nom d'unité, la multiplie par 10 *(décamètre).*

deçà adv. *Nous sommes restés en deçà de la rivière,* de ce côté-ci, nous n'avons pas traversé (≠ au-delà).

décacheter → *cacheter.*

décadence n.f. *On dit que nous sommes dans un siècle de décadence,* où tout va de plus en plus mal.

décaféiné, e adj. *Dans le café décaféiné,* on a enlevé les substances excitantes qui sont dans le café normal.

décagramme → *gramme.*

décalcifier → *calcium.*

décalcomanie → *calque.*

décaler v. *Le début du travail a été décalé d'une demi-heure* (= déplacer).
■ **décalage** n.m. *Il y a un décalage d'une heure entre Paris et Athènes,* on change d'heure (= écart, différence).

décalitre → *litre.*

décalquer → *calque.*

décamètre → *mètre.*

décamper v. *Les bandits ont décampé avant l'arrivée de la police,* ils se sont enfuis en vitesse.

décanter v. *Pour décanter un liquide, on laisse les impuretés se déposer au fond du récipient.*
■ **décantation** n.f. *La décantation de ce liquide est très lente.*

décaper v. *On a décapé le parquet,* on l'a frotté, gratté pour enlever la cire, le vernis, etc.

décapiter v. *Louis XVI a été décapité,* on lui a coupé la tête.

décapotable → *capote.*

décapsuler, décapsuleur → *capsule.*

se décarcasser v. Fam. *Je me suis décarcassé pour trouver une solution,* je me suis donné beaucoup de peine.

décathlon n.m. Le *décathlon* est une épreuve d'athlétisme comportant dix compétitions.

décéder → *décès.*

déceler v. *On n'a pas réussi à déceler la cause de l'incendie* (= découvrir, trouver).
■ **décelable** adj. *La fissure est difficilement décelable.*
R. → Conj. n° 5.

décembre n.m. *Le 25 décembre, c'est Noël.*

décent, e adj. *Ta tenue n'est pas décente,* elle choque les convenances, la pudeur (= convenable ; ≠ incorrect).
■ **décence** n.f. *Cette affiche est contraire à la décence,* elle est inconvenante.
■ **décemment** adv. *Habille-toi décemment pour sortir.*
■ **indécent, e** adj. *Votre conversation est indécente,* inconvenante.
■ **indécence** n.f. *Il y a de l'indécence à étaler ce luxe devant des gens si malheureux.*

décentraliser → *centre.*

déception → *décevoir.*

décerner v. *On lui a décerné le premier prix* (= accorder).

décès n.m. *On ne connaît pas les causes de son décès* (= mort).

■ **décéder** v. *Cette personne est décédée depuis deux ans* (= mourir).

décevoir v. *Cléa m'a déçu quand elle n'a pas tenu sa promesse,* elle n'a pas fait ce que j'espérais.
■ **décevant, e** adj. *Ce livre est décevant.*
■ **déception** n.f. *Son échec lui a causé une grande déception* (= désillusion ; ≠ satisfaction).
R. → Conj. n° 34.

déchaîner v. *Cette remarque insolente a déchaîné sa colère,* elle l'a fait éclater avec violence.
■ **déchaînement** n.m. *Cet attentat a provoqué un déchaînement de violence.*

déchanter v. *On comptait sur lui, mais il a fallu déchanter,* cesser d'espérer.

décharge, déchargement, décharger → *charge.*

décharné → *chair.*

déchausser → *chausser.*

déchéance → *déchoir.*

déchet n.m. *Va jeter tous ces déchets à la poubelle !,* ces morceaux sans valeur (= reste, ordure).

déchiffrer → *chiffre.*

déchiqueter v. *Le chien a déchiqueté un coussin,* il l'a déchiré en petits morceaux.
R. → Conj. n° 8.

déchirer v. 1. *Qui a déchiré les pages de ce livre ?,* mis en morceaux. 2. *La nouvelle de sa mort m'a déchiré le cœur,* elle m'a causé une vive douleur.
■ **déchirant, e** adj. SENS 2 *La blessée poussait des cris déchirants* (= douloureux).
■ **déchirement** n.m. SENS 2 *Ce spectacle m'a causé un véritable déchirement,* une grande peine.

■ **déchirure** n.f. SENS 1 *Marie a fait une déchirure à sa robe,* elle a déchiré le tissu (= accroc).

déchoir v. *Nous avions l'impression de déchoir en acceptant ce travail modeste* (= s'abaisser).
■ **déchéance** n.f. *L'alcoolisme entraîne une déchéance physique et morale* (= abaissement, dégradation).
R. → Conj. n° 49.

déci-, placé devant un nom d'unité, la divise par 10 *(décimètre).*

décidément adv. *Il a encore eu un accident ? Décidément, il n'a pas de chance !,* cela se confirme (= vraiment).

décider v. 1. *Nous avons décidé de partir demain,* nous avons pris cette résolution (= choisir, résoudre ; ≠ hésiter). 2. *Elle hésitait, mais je l'ai décidée à finir ce travail* (= convaincre, pousser).
■ **décidé, e** adj. SENS 1 *Jean est un garçon décidé, il n'hésite pas avant d'agir* (= hardi ; ≠ indécis).
■ **décisif, ive** adj. SENS 1 *Le moment décisif est venu,* où il faut choisir (= déterminant).
■ **décision** n.f. SENS 1 *Quelle décision as-tu prise ?,* qu'as-tu décidé ? (= résolution, choix). *Il a montré beaucoup de décision* (= fermeté ; ≠ hésitation).
■ **indécis, e** adj. SENS 1 *Pierre ne sait pas quoi faire, il reste indécis* (= hésitant).
■ **indécision** n.f. SENS 1 *Tes paroles ont mis fin à mon indécision* (= hésitation).

décigramme → *gramme.*

décilitre → *litre.*

décimal, e, aux adj. *Dans le système décimal, chaque unité vaut dix fois l'unité inférieure.*
■ **décimale** n.f. *4,75 est un nombre à deux décimales,* à deux chiffres après la virgule.

décimer v. *La guerre a décimé la population de ce village,* elle a fait beaucoup de morts.

décimètre → *mètre.*

décisif, décision → *décider.*

déclamer v. *Cette actrice déclame trop,* elle parle avec trop de solennité.
■ **déclamatoire** adj. *Il parle d'un ton déclamatoire* (= pompeux).

déclarer v. 1. *Marie a déclaré qu'elle partait demain,* elle nous l'a fait savoir (= annoncer). 2. *Tous les ans, on déclare ses revenus au percepteur,* on les fait connaître officiellement. 3. *Une épidémie de grippe s'est déclarée,* elle a commencé (= éclater).
■ **déclarable** adj. SENS 2 *Cette indemnité n'est pas déclarable,* il n'y a pas lieu de la déclarer comme revenu.
■ **déclaration** n.f. SENS 1 *As-tu entendu les déclarations du ministre ?,* ce qu'il a dit. SENS 2 *Jacqueline a fait sa déclaration de revenus* (ou *déclaration d'impôts*).

déclasser → *classer.*

déclencher v. *Son discours a déclenché les protestations des auditeurs* (= causer, provoquer). *Anne a déclenché l'alarme,* elle l'a mise en marche.
■ **déclenchement** n.m. *Cet attentat marque le déclenchement de la lutte armée* (= début).

déclic n.m. 1. *Pour ouvrir la boîte, appuie sur le déclic* (= mécanisme). 2. *La porte s'est fermée avec un déclic,* un petit bruit sec.

décliner v. 1. *Le jour décline, il approche de sa fin.* 2. *Martine a décliné mon invitation* (= refuser). 3. *En latin, les noms se déclinent,* ils prennent des terminaisons différentes selon leur fonction grammaticale.
■ **déclin** n.m. SENS 1 *Le soleil est dans son déclin,* il baisse. *C'est le déclin de sa célébrité* (= baisse, chute).

■**déclinaison** n.f. SENS 3 La *déclinaison* d'un nom, en latin, c'est la manière de le décliner.

déclivité n.f. *Après le virage, il y a une forte déclivité* (= pente).

déclouer → *clou.*

décocher v. *Décocher une flèche,* c'est la lancer.

décoder → *code.*

décoiffer → *coiffer.*

décollage n.m. *Il est interdit de fumer pendant le décollage,* pendant que l'avion quitte le sol.
■**décoller** v. *L'avion décolle à 10 heures* (= s'envoler ; ≠ atterrir).

décoller → *coller* et *décollage.*

décolleté → *col.*

décoloniser → *colonie.*

décolorer → *couleur.*

décombres n.m.pl. *Après l'incendie, on a recherché les blessés dans les décombres* (= ruines).

décommander → *commander.*

décomposer, décomposition → *composer.*

se **déconcentrer** → *concentrer.*

déconcerter v. *Sa réponse nous a déconcertés,* elle nous a beaucoup surpris (= dérouter, embarrasser).
■**déconcertant, e** adj. *Elle est d'une insouciance déconcertante* (= incompréhensible).

déconfit, e adj. *Jean était tout déconfit d'avoir perdu,* très déçu (≠ triomphant).
■**déconfiture** n.f. *Notre équipe a perdu 10 à 0 : quelle déconfiture !* (= échec).

décongeler → *geler.*

déconseiller → *conseil.*

déconsidérer → *considérer.*

décontenancer → *contenir.*

décontracter → *contracter.*

déconvenue n.f. *Malgré sa déconvenue,* elle a gardé le sourire (= déception).

décorer v. **1.** *Pour Noël, on a décoré la salle à manger,* on y a mis des objets pour l'embellir (= orner). **2.** *M. Dupont est décoré de la Légion d'honneur,* il a reçu cette distinction honorifique.
■**décor** n.m. **1.** SENS 1 *Au deuxième acte de la pièce, les décors changent,* les accessoires qui représentent le lieu de l'action. **2.** *La moto est allée dans le décor,* elle a quitté la route accidentellement. 440
■**décorateur, trice** n. SENS 1 *Le métier de décoratrice consiste à décorer les appartements ou à faire des décors de théâtre.*
■**décoratif, ive** adj. SENS 1 *Ce lustre est très décoratif,* il fait un bel effet.
■**décoration** n.f. SENS 1 *Que faut-il acheter pour la décoration de la salle ?* (= ornement). SENS 2 *La Légion d'honneur, la croix de guerre sont des décorations.* 763

décortiquer v. *Décortiquer des noix, des noisettes,* c'est extraire de la coquille la partie qui se mange.

décorum n.m. *La cérémonie a eu lieu avec un certain décorum* (= éclat, solennité).
R. On prononce [dekɔrɔm].

découcher → *coucher.*

découdre → *coudre.*

découler v. *Son échec découle d'un manque de travail,* il en est la conséquence (= provenir, résulter).

découpage, découper → *couper.*

découplé, e adj. *Yannick est un garçon bien découplé,* bien bâti, vigoureux.

découragement, décourager → courage.

découverte, découvrir → couvrir.

décrasser → crasse.

décret n.m. *Un décret a changé les programmes scolaires,* une décision du gouvernement.
■ **décréter** v. *J'ai décrété que je partirais demain* (= décider).

décrier v. *C'est à tort que tu décries cette voiture,* que tu en dis du mal.

décrire v. 1. *Peux-tu me décrire ta maison ?,* me dire comment elle est (= dépeindre). 2. *Le soleil décrit une courbe dans le ciel,* il la suit (= tracer).
■ **description** n.f. SENS 1 *La police nous a demandé une description écrite de notre voiture volée.*
■ **indescriptible** adj. SENS 1 *Il y a ici un fouillis indescriptible,* impossible à décrire.
R. → Conj. n° 71.

décrocher, décrocheur → accrocher.

décroissance, décroître → croître.

décrotter → crotte.

décrue → crue.

déçu → décevoir.

décupler v. *Le prix du café a décuplé,* il a été multiplié par dix.

dédaigner v. *Il ne faut pas dédaigner ces gens, ils sont gentils* (= mépriser ; ≠ estimer).
■ **dédain** n.m. *Tu as répondu avec dédain* (= arrogance, mépris ; ≠ respect).
■ **dédaigneux, euse** adj. *Pourquoi prends-tu cet air dédaigneux ?* (= fier, hautain, méprisant).
■ **dédaigneusement** adv. *On a rejeté dédaigneusement ma proposition.*

dédale n.m. *Quel dédale de petites rues !* (= labyrinthe).

dedans → dans.

dédicacer v. *La poétesse m'a dédicacé son livre,* elle a écrit quelques mots pour moi sur la première page.
■ **dédicace** n.f. *L'écrivain a écrit une phrase de dédicace.*

dédier v. 1. *Ce romancier a dédié son premier livre à sa femme,* il a fait imprimer « À ma femme » sur la première page. 2. *Je dédie cette chanson à tous les enfants du monde,* je la leur destine (= offrir).

se dédire → dire.

dédommagement, dédommager → dommage.

dédoubler → doubler.

déduire v. 1. *Comme il n'a pas répondu à ma proposition, j'en déduis que cela ne l'intéressait pas* (= conclure). 2. *Quand on déduit 7 de 15, on trouve 8* (= soustraire).
■ **déductible** adj. SENS 2 *Certaines dépenses d'entretien sont déductibles des revenus à déclarer,* on peut les déduire.
■ **déduction** n.f. SENS 1 *Tes déductions ne sont pas justes* (= raisonnement, conclusion). SENS 2 *Il faut faire la déduction des acomptes déjà versés* (= soustraction).
R. → Conj. n° 70.

déesse → dieu.

défaillance n.f. *À la fin de l'étape, le coureur a eu une défaillance,* il n'avait plus de force.
■ **défaillir** v. *Il a défailli, quand on lui a annoncé la nouvelle,* il s'est évanoui.
■ **défaillant, e** adj. 1. *Ma mémoire est défaillante sur ce point,* je ne m'en souviens plus. 2. *Trois candidates sont défaillantes,* elles ne se sont pas présentées à l'examen.
R. *Défaillir* → conj. n° 30.

défaire → faire.

défaite n.f. *Le match s'est terminé par la* ***défaite*** *de notre équipe,* elle a perdu (≠ victoire).

■ **défaitisme** n.m. *Il faut lutter contre le* ***défaitisme,*** la tendance à croire qu'on va perdre.

■ **défaitiste** adj. et n. *Ne sois pas* ***défaitiste,*** *on a des chances de gagner !* (= pessimiste).

défalquer v. *Il faut* ***défalquer*** *de la somme à payer les acomptes déjà versés* (= soustraire, retirer, ôter).

défaut n.m. **1.** *La médisance est un vilain* ***défaut,*** c'est mal (≠ qualité). **2.** *Ce tissu a des* ***défauts,*** il est mal fait (= imperfection). **3.** *Les forces lui* ***ont fait défaut,*** lui ont manqué. **4.** *À* ***défaut de*** *vin, je boirai de la bière,* puisqu'il n'y a pas de vin (= faute de).

■ **défectueux, euse** adj. SENS 2 *Cet appareil est* ***défectueux,*** il a des défauts.

■ **défectuosité** n.f. SENS 2 *Cet appareil est vendu au rabais à cause d'une petite* ***défectuosité*** (= défaut, imperfection).

défaveur, défavorable, défavoriser → faveur.

défection n.f. *Il nous a promis son aide, puis il a fait* ***défection,*** il nous a abandonnés.

défectueux, défectuosité → défaut.

défendre v. **1.** *Quand Paul m'a attaqué, Jean m'a* ***défendu,*** il m'a aidé, protégé, secouru. **2.** *On lui* ***a défendu*** *de sortir* (= interdire ; ≠ autoriser, permettre).

■ **défendable** adj. SENS 1 *Votre interprétation est* ***défendable,*** on peut la soutenir.

■ **défense** n.f. **1.** SENS 1 *Line a pris ma* ***défense,*** elle a pris parti pour moi. SENS 2 ***Défense*** *de marcher sur les pelouses !,* il ne faut pas marcher (= interdiction). **2.** *Les* ***défenses*** *de l'éléphant peuvent*

atteindre 3 mètres de long, des sortes de dents.

■ **défenseur** n.m. SENS 1 *Les* ***défenseurs*** *ont repoussé les assaillants.*

■ **défensif, ive** adj. SENS 1 *Une arme* ***défensive*** *sert à se défendre* (≠ offensif).

■ **défensive** n.f. SENS 1 *L'ennemi est resté sur la* ***défensive*** (≠ offensive).

■ **autodéfense** n.f. SENS 1 *Une ligue d'***autodéfense*** prétend assurer la défense de ses membres sans recourir à la police.

■ **indéfendable** adj. SENS 1 *Sa façon d'agir est* ***indéfendable*** (= injustifiable, inadmissible).

R. → Conj. n° 50.

déférence n.f. *Il nous a reçus avec* ***déférence*** (= respect ; ≠ insolence).

déférer v. *La police a* ***déféré*** *le malfaiteur à la justice,* elle l'a remis aux juges (= traduire).

déferler v. *Les vagues* ***déferlent*** *sur la plage,* elles retombent en roulant avec force (= se briser).

■ **déferlant, e** adj. *Le voilier a été renversé par une vague* ***déferlante.***

défi, défiance → défier.

déficience n.f. *Il y a chez toi une* ***déficience*** *de la volonté* (= faiblesse, manque).

■ **déficient, e** adj. *Ses forces sont* ***déficientes,*** elles sont insuffisantes.

déficit n.m. *Cette commerçante a fait un* ***déficit*** *de 500 dollars,* cette somme lui manque, elle l'a perdue (≠ bénéfice).

■ **déficitaire** adj. *La récolte est* ***déficitaire,*** insuffisante (≠ excédentaire).

défier v. **1.** *On m'a* ***défié*** *de courir aussi vite que toi,* on m'a dit que j'en étais incapable. **2.** *Je* ***me défie*** *de Jacques,* je n'ai pas confiance en lui (= se méfier ; ≠ se fier).

■ **défi** n.m. SENS 1 *On m'a lancé un défi,* on m'a défié.

■ **défiance** n.f. SENS 2 *Les paroles de Caroline ont éveillé ma défiance* (= méfiance ; ≠ confiance).

défigurer → *figure.*

804 **défilé** n.m. **1.** *Nous avons assisté au défilé du 14-Juillet,* à la marche des soldats en rangs. **2.** *La rivière traverse la montagne par un défilé,* un passage étroit (= gorge).

■ **défiler** v. SENS 1 *Les manifestantes défilent sur les boulevards,* elles marchent en rangs. *Les candidats ont défilé toute la journée* (= se succéder).

définir v. *Pierre n'arrivait pas à définir ce qu'il ressentait,* à le dire avec précision (= expliquer).

■ **défini, e** adj. **1.** *Ce travail n'est pas bien défini* (= précis). **2.** *« Le »* est un article *défini.*

■ **définition** n.f. *« Poil qui pousse sur la tête de l'homme »* est la *définition* de *« cheveu »,* l'explication de son sens.

■ **indéfini, e** adj. **1.** *Nous partons pour un temps indéfini,* qu'on ne peut préciser. **2.** *« Un »* est un article *indéfini.*

■ **indéfiniment** adv. *Tu ne peux pas rester là indéfiniment,* un temps indéfini.

■ **indéfinissable** adj. *On éprouvait un malaise indéfinissable* (= vague, imprécis, confus).

définitif, ive adj. *Mon refus est définitif* (= irrévocable ; ≠ provisoire).

■ **en définitive** adv. *En définitive, tu as gagné* (= finalement).

■ **définitivement** adv. *Elle est partie définitivement,* pour toujours.

définition → *définir.*

déflagration n.f. *Tout le quartier a entendu la déflagration,* l'explosion violente.

défoncer v. *Les cambrioleurs ont défoncé la porte,* ils l'ont cassée en l'enfonçant.

déformation, déformer → *former* 1.

se défouler v. *Il ne pouvait plus se taire, il s'est défoulé en me racontant tout,* s'est soulagé, détendu.

■ **défoulement** n.m. *Cette promenade en forêt est un défoulement* (= détente).

défraîchi → *frais* 1.

défrayer → *frais* 2.

défrichement, défricher, défricheur → *friche.*

défriper → *fripé.*

défriser → *friser.*

défroisser → *froisser.*

défroque n.f. *Elle avait mis une vieille défroque pour se déguiser,* des vêtements usés.

défroqué → *froc.*

défunt, e adj. et n. se dit parfois pour *mort.*

dégager v. **1.** *On me serrait si fort que je n'arrivais plus à me dégager,* à me libérer. **2.** *Voulez-vous dégager le passage ?,* cesser de l'encombrer. **3.** *La voiture dégage une épaisse fumée,* elle laisse échapper. **4.** *Le ciel s'est dégagé,* les nuages sont partis. **5.** *Le gardien de but a dégagé,* il a envoyé le ballon au loin.

■ **dégagé, e** adj. *Elle m'a annoncé son échec d'un ton très dégagé,* naturel, aisé (≠ embarrassé).

■ **dégagement** n.m. SENS 2 *Le dégagement de la route a duré toute la journée.* SENS 5 *Le joueur a fait un long dégagement vers l'avant,* il a dégagé.

dégaine n.f. Fam. *Tu as une drôle de dégaine,* une façon de marcher, de tenir (= allure).

dégainer → *gaine.*

dégarnir → *garnir.*

dégât n.m. *L'incendie a fait des **dégâts** importants* (= destruction, dommage).

dégel, dégeler → *gel.*

se dégêner → *gêne.*

dégénérer v. *Sa grippe **a dégénéré** en bronchite,* elle s'est transformée en quelque chose de pire.

dégivrage, dégivrer, dégivreur → *givre.*

déglutir v. *Le malade a de la peine **à déglutir**,* à avaler les aliments, sa salive.

dégonfler → *gonfler.*

dégouliner v. *La pluie **dégouline** sur le mur,* elle coule dessus.
■ **dégoulinade** n.f. *Tu as fait des **dégoulinades** de peinture,* des traînées.

dégourdi, dégourdir → *gourd.*

dégoût n.m. *J'ai un véritable **dégoût** pour l'alcool,* je le déteste (= aversion, répugnance).
■ **dégoûtant, e** adj. *Va te laver les mains, elles sont **dégoûtantes** !,* très sales.
■ **dégoûter** v. *Cette viande est avariée, ça me **dégoûte*** (= écœurer).

dégrader v. **1.** *La pluie **a dégradé** la route* (= abîmer, détériorer). **2.** *Il **s'est dégradé** en mentant ainsi,* il a perdu sa dignité. **3.** ***Dégrader** un officier,* c'est lui retirer son grade. **4.** *Line a peint un paysage en **dégradant** les couleurs,* en les affaiblissant peu à peu.
■ **dégradant, e** adj. SENS 2 *On lui a fait jouer un rôle **dégradant*** (= honteux, avilissant).
■ **dégradation** n.f. SENS 1 *Ce monument a subi des **dégradations*** (= dégât). SENS 2 *Quelle **dégradation** pour lui* (= déchéance).
■ **dégradé** n.m. SENS 4 *Ce **dégradé** de couleurs est très joli.*

dégrafer → *agrafe.*

dégraisser → *graisse.*

degré n.m. **1.** *Sa maladie a atteint un **degré** alarmant* (= point, niveau). **2.** *L'eau bout à 100 **degrés**,* unités de mesure de la température. *Ce vin fait 12 **degrés**,* unités de mesure de la force de l'alcool.

dégressif, ive adj. *Si vous achetez plus de 100 kilos, vous aurez un tarif **dégressif**,* qui ira en diminuant.

dégringoler v. Fam. **1.** *Jean a* (ou *est*) ***dégringolé** du haut de l'échelle,* il est tombé. **2.** *J'ai **dégringolé** l'escalier,* je l'ai descendu très vite.
■ **dégringolade** n.f. Fam. *Quelle **dégringolade** quand la branche a cassé !* (= chute).

dégriser → *gris* 2.

dégrossir → *gros.*

déguenillé → *guenilles.*

déguerpir v. *Quand ils ont entendu du bruit, les bandits **ont déguerpi**,* ils se sont sauvés très vite (= détaler, filer).

déguiser v. *Pour l'Halloween, Cécile **s'est déguisée** en Bécassine,* elle a mis des vêtements qui la font ressembler à Bécassine (= se travestir).
■ **déguisement** n.m. *Tu as eu un **déguisement** de Zorro ?*

déguster v. *Je **déguste** lentement mon vin,* je le bois avec plaisir (= savourer).
■ **dégustation** n.f. *La marchande nous a offert une **dégustation** gratuite.*

déhanchement, se déhancher → *hanche.*

dehors **1.** adv. *Entrez, ne restez pas **dehors**,* à l'extérieur (≠ dedans). **2.** n.m.pl. *Sous des **dehors** sévères, M. Dupont est bienveillant* (= apparences).

déjà adv. 1. *Tu as déjà fini ?,* dès maintenant (≠ pas encore). 2. *Je t'ai déjà dit mon opinion* (= auparavant ; ≠ jamais).

déjeuner n.m. Le *déjeuner* est le premier repas du matin (en France c'est le repas de midi).
■ **déjeuner** v. *Pierre déjeune à 8 heures.*

déjouer v. *Jean a pu déjouer les plans de son adversaire,* les faire échouer.

delà adv. *Le village est au-delà de la rivière,* de l'autre côté, plus loin.
■ **au-delà** n.m. *Il espère le bonheur dans l'au-delà,* dans la vie future, après la mort.
■ **par-delà** prép. *Par-delà les siècles, nous évoquions les civilisations disparues,* en franchissant les siècles.

se délabrer v. *Sa maison se délabre, faute d'entretien,* elle s'abîme (= se dégrader).
■ **délabré, e** adj. *Ce vieux château est bien délabré,* en très mauvais état.
■ **délabrement** n.m. *L'alcoolisme entraîne un délabrement de la santé* (= dégradation).

délacer → *lacet.*

délai n.m. *Vous avez un délai de huit jours pour payer,* un temps, une durée pour le faire. *Venez me voir sans délai,* tout de suite.

délaisser v. *M. Durand a délaissé son travail et ses amis* (= abandonner, négliger).

délassement, délasser → *las.*

délavé, e adj. *Anne a un pantalon bleu délavé,* décoloré.

délayer v. *Jacques délaye la farine dans de l'eau pour faire la pâte,* il la mélange de façon bien régulière.

■ **délayage** n.m. 1. *Le délayage de la farine doit être fait soigneusement.* 2. *Son discours n'est qu'un long délayage,* il y a beaucoup de mots et peu d'idées.
R. → Conj. n° 4.

se délecter v. *Je me suis délecté en lisant ce livre,* j'ai éprouvé un grand plaisir (= se régaler).
■ **délectation** n.f. *Il écoute avec délectation sa musique préférée* (= ravissement).

déléguer v. *À ce congrès scientifique, M. Dubois était délégué par la France,* envoyé pour la représenter.
■ **délégué, e** n. *L'assemblée a élu des délégués,* des représentants.
■ **délégation** n.f. *Une délégation des employés a été reçue par le patron,* un groupe de délégués.

délester → *lest.*

délétère adj. *Un gaz délétère est* nuisible à la santé.

délibéré, e adj. *J'ai l'intention délibérée de ne pas me laisser faire,* l'intention bien arrêtée (= ferme).
■ **délibérément** adv. *Elle a délibérément laissé de côté cette question* (= intentionnellement, résolument).

délibérer v. *L'assemblée a délibéré deux heures avant de prendre une décision* (= discuter).
■ **délibération** n.f. *La délibération a été très animée* (= débat, discussion).

délicat, e adj. 1. *La violette a un parfum délicat,* agréable et fin (≠ violent). 2. *Marie est de santé délicate* (= fragile ; ≠ robuste). 3. *Nous abordons un problème délicat* (= difficile, embarrassant). 4. *Pierre est un garçon délicat,* il est poli, prévenant (≠ grossier).
■ **délicatement** adv. SENS 1 *Pose ce vase délicatement* (= doucement).

■ **délicatesse** n.f. SENS 4 *Alicia a beaucoup de* **délicatesse** (= gentillesse, tact).

délice n.m. *Ce gâteau, quel* **délice** *!* (= régal). *Quel* **délice** *d'écouter cette musique !* (= plaisir).
■ **délicieux, euse** adj. *Nous avons fait un repas* **délicieux,** très bon (= exquis ; ≠ infect). *Quelle femme* **délicieuse,** charmante.

délier → *lier.*

délimiter → *limite.*

délinquance, délinquant → *délit.*

délire n.m. 1. *Cléa a une forte fièvre accompagnée de* **délire,** elle a l'esprit dérangé. 2. *À la nouvelle de la victoire, ce fut du* **délire,** un enthousiasme très grand.
■ **délirer** v. SENS 1 *La malade* **délire.**
■ **délirant, e** adj. 1. SENS 2 *La foule manifeste une joie* **délirante** (= frénétique). 2. Fam. *Ce projet est* **délirant,** il est totalement déraisonnable.

délit n.m. 1. *Ce* **délit** *est puni de deux ans de prison,* cette faute contre la loi (= infraction). 2. *Le voleur a été pris en flagrant* **délit,** en train de voler.
■ **délinquant, e** n. *Cette jeune* **délinquante** *a été traduite devant le tribunal* (= coupable).
■ **délinquance** n.f. *Dans ce quartier la* **délinquance** *a diminué,* l'ensemble des délits commis.

délivrer v. 1. *Les prisonniers* **ont été délivrés,** remis en liberté (= libérer ; ≠ emprisonner). 2. *Si tu paies la facture, fais-toi* **délivrer** *un reçu* (= remettre).
■ **délivrance** n.f. SENS 1 *Après l'examen, Line a éprouvé un sentiment de* **délivrance** (= libération, soulagement).

déloger → *loger.*

déloyal, déloyauté → *loyal.*

delta n.m. *Le Mississipi se jette dans la mer par un* **delta,** une embouchure à plusieurs bras. | 725

deltaplane n.m. *Un* **deltaplane** *est un planeur très léger.* | 437

déluge n.m. 1. *Quand l'orage a éclaté, ce fut un vrai* **déluge,** une très forte pluie. 2. *Cette décision a provoqué un* **déluge** *de protestations,* une grande quantité (= avalanche).

déluré, e adj. *Pierre est un garçon* **déluré,** vif et adroit (≠ empoté).

démagogie n.f. *Il y a beaucoup de* **démagogie** *dans ce programme électoral,* de promesses faites seulement pour se rendre populaire.
■ **démagogique** adj. *Ce député fait souvent des promesses* **démagogiques,** destinées à flatter les gens.
■ **démagogue** n. *Cette députée est une* **démagogue,** elle fait des promesses abusives.

se démailler → *maille* 1.

demain adv. *Nous sommes lundi, je vous verrai* **demain** *mardi.* | 125
■ **après-demain** adv. *Les vacances commencent* **après-demain,** dans deux jours. | 125
■ **lendemain** n.m. *Nous nous sommes vus lundi et aussi* **le lendemain,** le jour d'après. | 125
■ **surlendemain** n.m. *On m'a dit de revenir* **le surlendemain,** deux jours après. | 125

démancher → *manche* 2.

demander v. 1. *Jean m'a demandé de lui prêter ce livre,* il m'a dit qu'il le souhaitait (= prier). 2. *Rachid m'a demandé si je venais au cinéma,* il a voulu savoir (≠ répondre). 3. *Je me demande ce que je vais faire,* je ne le sais pas. 4. *Ce travail m'a demandé deux heures,* j'ai eu besoin de deux heures pour le faire. 5. *Veux-tu manger du gâ-*

teau *? Je ne demande pas mieux,* j'accepte avec plaisir.

■ **demande** n.f. SENS 1 *Sa demande n'a pas été acceptée* (= prière, requête, réclamation).

■ **demandeur, euse** n. SENS 1 *Le nombre des demandeurs d'emploi a légèrement baissé.*

démanger v. *Le dos me démange,* j'ai envie de me gratter.

■ **démangeaison** n.f. *L'urticaire donne des démangeaisons.*

démanteler v. *Démanteler une forteresse,* c'est démolir ses remparts.

démantibuler v. Fam. *Qui a démantibulé cet appareil ?* (= casser).

démaquillant, démaquiller → *maquiller.*

démarcation n.f. *Une ligne de démarcation sépare deux régions.*

démarche n.f. 1. *Ma grand-mère a une démarche lente,* une manière de marcher (= allure). 2. *Pour se faire rembourser, Mme Durand a fait une démarche à l'hôtel de ville,* elle s'est adressée à cet endroit.

■ **démarchage** n.m. *Jacqueline fait du démarchage,* elle cherche à vendre une marchandise en visitant les gens chez eux (= porte-à-porte).

■ **démarcheur, euse** n. *Jacqueline est démarcheuse en encyclopédies.*

démarquer → *marquer.*

démarrer v. 1. *M. Durand n'arrive pas à faire démarrer le moteur,* à le faire fonctionner. 2. Fam. *Notre projet démarre,* il commence.

■ **démarrage** n.m. SENS 1 *La voiture a calé au démarrage,* au moment du départ.

■ **démarreur** n.m. SENS 1 *Le démarreur* d'une voiture est l'appareil servant à démarrer.

démasquer → *masque.*

démêlé, démêler → *mêler.*

démembrer v. *Cette propriété a été démembrée,* divisée en plusieurs parties (= morceler).

déménager v. 1. *J'ai déménagé, voilà ma nouvelle adresse,* j'ai changé de logement. 2. *Peux-tu m'aider à déménager ces meubles ?,* à les transporter ailleurs.

■ **déménagement** n.m. *Tous les meubles ont été mis dans le camion de déménagement.*

■ **déménageur, euse** n. *Les déménageurs ont vidé l'appartement.*

■ **emménager** v. *Nous avons emménagé dans un nouvel appartement,* nous y sommes entrés.

■ **emménagement** n.m. *Notre emménagement a eu lieu la semaine dernière.*

démence n.f est un équivalent savant de *folie.*

■ **dément, e** n. *Les déments sont hospitalisés dans les hôpitaux psychiatriques* (= fou).

■ **démentiel, elle** adj. *Ce projet est démentiel* (= déraisonnable, insensé).

se démener v. *Quand la police est venue l'arrêter, elle s'est démenée de toutes ses forces* (= s'agiter, se débattre).

dément, démentiel → *démence.*

démentir v. *La nouvelle de sa mort a été démentie,* déclarée fausse (≠ confirmer).

■ **démenti** n.m. *Les journaux ont publié un démenti,* une déclaration disant que c'est inexact (= désaveu).

R. → Conj. n° 19.

démériter v. *Cette fille garde toute ma sympathie : elle n'a jamais démérité,* elle ne s'est jamais mal conduite.

démesure, démesuré → *mesure.*

démettre v. 1. *Jean s'est démis l'épaule,* il s'est déplacé l'articulation. 2. *Le préfet a été démis de ses fonctions,* on les lui a retirées (= destituer, renvoyer).

■**démission** n.f. SENS 2 *La directrice a donné sa démission,* elle s'est démise de ses fonctions.

■**démissionnaire** adj. SENS 2 *La ministre est démissionnaire,* elle donne sa démission.

■**démissionner** v. SENS 2 *Il a démissionné pour raison de santé,* il a renoncé à ses fonctions. *Cette course est trop difficile, je démissionne,* j'abandonne. **R.** *Démettre* → conj. n° 57.

demeurer v. **1.** *Où demeurez-vous ?* (= habiter). **2.** *Il ne peut pas demeurer tranquille cinq minutes* (= rester).

■**demeure** n.f. **1.** SENS 1 *Ils habitent dans une vieille demeure,* une maison ancienne. SENS 2 *On s'est installé à demeure à la campagne,* on y reste. **2.** *On l'a mis en demeure de payer ses impôts,* on lui en a donné l'ordre.

demi, e 1. n. *Veux-tu une pomme ? — Non, une demie,* une moitié. **2.** n.m. *Il a bu un demi,* un verre de bière.

■**à demi** adv. *Adèle est à demi satisfaite,* à moitié (≠ complètement).

■**et demi** adj. *Luce est restée une journée et demie,* et la moitié d'une journée. **R.** Devant un nom, *demi-*(invariable) indique une moitié ou une plus petite quantité : *demi-cercle, demi-douzaine, demi-finale, demi-heure, demi-mal, demi-tarif.*

demi-finale → *fin 1.*

demi-frère → *frère.*

déminage, déminer → *mine 3.*

demi-pension, demi-pensionnaire → *pension.*

demi-saison → *saison.*

demi-sœur → *sœur.*

démission, démissionner → *démettre.*

demi-teinte → *teindre.*

demi-tour → *tour 2.*

démobilisation, démobiliser → *mobiliser.*

démocratie n.f. *Ce pays est une démocratie,* le peuple y exerce le pouvoir par l'intermédiaire de députés élus (≠ dictature).

■**démocrate** adj. et n. *M. Durand est démocrate,* il est pour la démocratie (≠ fasciste).

■**démocratique** adj. *Un régime démocratique est issu d'élections démocratiques* (≠ totalitaire).

■**démocratiser** v. *Démocratiser l'enseignement,* c'est l'ouvrir également à toutes les catégories sociales. **R.** *Démocratie* se prononce [demɔkrasi].

démoder → *mode 1.*

démographie n.f. *La démographie est l'étude des populations (naissances, décès, nombre de personnes, etc.).*

demoiselle n.f. **1.** *Sophie a quatorze ans, c'est déjà une demoiselle* (= jeune fille). **2.** *Sa tante est restée demoiselle,* elle ne s'est pas mariée (= célibataire).

■**mademoiselle** n.f. *On dit mademoiselle à une jeune fille ou à une femme non mariée. Mlle Dupont. Bonjour mesdemoiselles !*

démolir v. *On a démoli ces maisons pour construire une route,* on les a mises en pièces (= abattre, détruire ; ≠ bâtir).

■**démolisseur, euse** n. *Les démolisseurs ont utilisé des bouteurs.*

■**démolition** n.f. *On a commencé la démolition de ces vieux immeubles* (≠ construction).

démon n.m. *Ce gamin est insupportable, c'est un vrai démon* (= diable).

■**démoniaque** adj. *Il a réussi grâce à des ruses démoniaques,* dignes d'un démon (= diabolique).

démonstrateur, démonstratif, démonstration → *montrer.*

démontable, démontage, démonter → *monter.*

démontrer → *montrer.*

démoraliser → *moral.*

démordre v. *Jean dit qu'il a raison, et il n'en démord pas,* il ne veut pas reconnaître le contraire.
R. → Conj. n° 52.

démouler → *moule 2.*

démultiplier → *multiple.*

démunir → *munir.*

dénaturer → *nature.*

dénégation n.f. *Pierre faisait de grands gestes de dénégation,* il disait « non » par gestes.

déneiger → *neige.*

déniaiser → *niais.*

dénicher → *nid.*

dénier → *nier.*

denier n.m. Le *denier* est une monnaie ancienne de faible valeur.

dénigrer v. *Cléa dénigre ce que je fais,* elle en dit du mal (= déprécier ; ≠ vanter).
■ **dénigrement** n.m. *Paul agit par esprit de dénigrement* (= médisance).

déniveler, dénivellation → *niveau.*

dénombrement, dénombrer → *nombre.*

dénominateur n.m. **1.** *Dans la fraction 3/5, le nombre 5 est le dénominateur.* **2.** *Le dénominateur commun à ces deux auteurs est leur humour* (= trait commun).

dénommé, dénommer → *nom.*

dénoncer v. *La voleuse a dénoncé ses complices à la police,* elle les a fait connaître.
■ **dénonciation** n.f. *La police a reçu une lettre de dénonciation.*

dénoter v. *Ses paroles dénotent beaucoup de bon sens* (= montrer, témoigner de).

dénouement, dénouer → *nœud.*

dénoyauter → *noyau.*

denrée n.f. **1.** *Le pain, la viande, les légumes sont des denrées de consommation courante* (= aliment). **2.** *L'honnêteté est une denrée rare,* une chose précieuse, qu'on trouve rarement.

dense adj. **1.** *Dans le métro, la foule était très dense,* resserrée dans un petit espace (= nombreux, serré, compact ; ≠ rare). **2.** *Le plomb est plus dense que le fer,* à volume égal, il pèse plus lourd.
■ **densité** n.f. SENS 1 *La densité du brouillard empêche la circulation* (= épaisseur). SENS 2 *La densité de l'aluminium est plus faible que celle du fer* (= poids).
R. *Dense* se prononce [dãs] comme *danse.*

dent n.f. **1.** *On se lave les dents tous les matins et tous les soirs.* **2.** *Attention, ne te blesse pas avec les dents de la scie !,* les parties pointues. **3.** Fam. *Sophie a une dent contre moi,* elle m'en veut.
■ **dentaire** adj. SENS 1 *Les soins dentaires* sont les soins des dents.
■ **denté, e** adj. SENS 2 *La chaîne d'une bicyclette passe sur deux roues dentées,* qui ont des saillies de forme pointue.
■ **dentelé, e** adj. SENS 2 *La côte de Bretagne est dentelée,* elle présente des pointes et des creux (≠ rectiligne).
■ **dentier** n.m. SENS 1 *Mon grand-père porte un dentier,* de fausses dents.
■ **dentifrice** n.m. et adj. SENS 1 *Jean met du dentifrice sur sa brosse à dents,* une pâte pour nettoyer les dents. *J'aime cette pâte de dentifrice.*
■ **dentiste** n. SENS 1 *Quand on a mal aux dents, on va chez le dentiste.*
■ **dentition** n.f. SENS 1 *Marie a une belle dentition,* de belles dents.
■ **édenté, e** adj. SENS 1 *Une bouche édentée* est une bouche sans dents.
R. *Dent* se prononce [dã] comme *dans.*

dentelle n.f. *Maria a un corsage de dentelle,* d'un tissu léger.

■ **dentellière** n.f. *C'est la dentellière qui fabrique la dentelle.*

dentier, dentifrice, dentiste, dentition → *dent.*

dénuder → *nu.*

dénué, e adj. *Cet incident est dénué d'importance,* il n'en a pas.

dénuement n.m. *Cette famille vit dans le dénuement,* une grande pauvreté (= misère).

dénutrition → *nutrition.*

déodorant → *odeur.*

dépannage, dépanner, dépanneur, dépanneuse → *panne* 1.

dépaqueter → *paquet.*

dépareillé, e adj. *Line a des gants dépareillés,* ils ne sont pas pareils, ils ne forment pas une paire.

déparer → *parer.*

départ → *partir.*

départager v. *On a rejoué une partie pour départager les deux équipes,* pour désigner le vainqueur.

département n.m. *Nous sommes allés en vacances dans le département du Var,* une division administrative de la France.

se départir v. *M. Dupont a écouté ces reproches sans se départir de son calme,* sans perdre son calme.
R. → Conj. n° 26.

dépasser v. 1. *Ne dépasse pas le camion dans la côte,* ne passe pas devant (= doubler). 2. *Jacques dépasse Pierre de dix centimètres,* il est plus grand. 3. *Il a dépassé ses droits,* il est allé au-delà (= outrepasser). 4. *Ce problème me dépasse,* il est trop compliqué pour moi. *Ma mère est dépassée par les événements,* elle ne domine pas la situation.
■ **dépassement** n.m. SENS 1 *Attention, dépassement dangereux !*

dépayser v. *Quand John est arrivé en France, il a été très dépaysé,* mal à l'aise ou surpris à cause du changement.
■ **dépaysement** n.m. *John a ressenti un grand dépaysement.*

dépecer v. *La bouchère dépèce un bœuf,* elle le coupe en morceaux.

dépêche n.f. 1. *La nouvelle a été connue par une dépêche d'agence,* une information communiquée en urgence. 2. *Autrefois, on appelait parfois un télégramme une dépêche.*

dépêcher v. 1. *Dépêche-toi, nous sommes en retard !,* fais vite (= se presser ; ≠ traîner). 2. *Le gouvernement a dépêché des ambassadeurs à la conférence de la paix,* il les y a envoyés.

dépeigner → *peigne.*

dépeindre v. *On nous a dépeint la situation,* on nous l'a décrite, représentée.
R. → Conj. n° 55.

dépendre v. 1. *Autrefois, les pays d'Afrique du Nord dépendaient de la France,* ils étaient sous son autorité. 2. *La solution de ce problème ne dépend pas de moi,* je ne suis pas maître d'en décider. 3. *Viendras-tu demain ? — Ça dépend* (= peut-être). 4. *On a dépendu le lustre du salon* (= décrocher ; ≠ pendre).
■ **dépendance** n.f. 1. SENS 1 *Les colonies étaient sous la dépendance de la France* (= autorité, domination). 2. (au plur.) *Le château possède de vastes dépendances,* des bâtiments annexes.
■ **indépendance** n.f. SENS 1 *Les pays d'Afrique ont conquis leur indépendance* (= liberté, autonomie).
■ **indépendant, e** adj. 1. SENS 1 *Les pays indépendants sont représentés à l'O. N. U.* (= souverain). *Line est très indépendante,* elle aime être libre. SENS 2 *Cette décision est indépendante de ma volonté,* elle ne dépend pas de moi.

2. *Ces deux chambres sont **indépendantes,** elles ne communiquent pas.*
■ **indépendamment** adv. SENS 2 *Indépendamment de son prix, cette voiture est trop grande pour moi,* sans tenir compte de son prix.
■ **interdépendance** n.f. SENS 2 *Il y a une interdépendance entre ces grèves et la hausse des prix* (= relation).
■ **interdépendant, e** adj. SENS 2 *Ces deux problèmes sont **interdépendants,** ils sont liés.*
R. → Conj. n° 50.

dépens n.m.pl. *M. Dupont abuse de la bonne cuisine **aux dépens de** sa santé,* en nuisant à sa santé (= au détriment de).

dépenser v. **1.** *Les Durand **dépensent** 400 dollars par mois pour la nourriture,* ils déboursent cette somme. **2.** *Cette voiture **dépense** trop d'essence* (= consommer). **3.** *Kate aime **se dépenser,** faire des efforts, du sport.*
■ **dépense** n.f. **1.** SENS 1 *Il faudrait diminuer nos **dépenses*** (≠ gain, revenu). SENS 2 *Ce travail demande une grande **dépense** de temps* (= emploi, usage). **2.** *Les conserves sont dans la **dépense,** l'endroit où l'on range les provisions.*
■ **dépensier, ère** adj. SENS 1 *Marie est trop **dépensière,** elle dépense trop d'argent.*

déperdition → perdre.

dépérir v. *On n'a pas arrosé les fleurs, elles **ont dépéri,** elles se sont affaiblies, fanées* (≠ s'épanouir).
■ **dépérissement** n.m. *On observe un **dépérissement** de la prospérité de cette entreprise* (= déclin, baisse).

se dépêtrer → s'empêtrer.

dépeuplement, dépeupler → peuple.

dépister → piste.

dépit n.m. **1.** *L'échec de ses projets lui a causé du **dépit*** (= contrariété, décep-

tion). **2.** *On a réussi **en dépit des** difficultés* (= malgré).
■ **dépiter** v. SENS 1 *Elle a l'air un peu **dépitée*** (= déçu).

déplacé, déplacement, déplacer → place.

déplaire, déplaisant → plaire.

dépliant, déplier → plier.

déploiement → déployer.

déplorer v. *Je **déplore** d'être arrivé en retard,* je le regrette beaucoup (≠ se réjouir).
■ **déplorable** adj. *Elle a fait une erreur **déplorable*** (= regrettable).

déployer v. **1.** *M. Durand **déploie** son journal,* il le déplie et l'étale devant lui (= ouvrir). **2.** *Fernando **a déployé** une grande activité dans son travail* (= montrer).
■ **déploiement** n.m. SENS 1 ET 2 *Il y a des agents de police partout : c'est un **déploiement** de forces impressionnant* (= étalage).

se déplumer v. Fam. *À trente-cinq ans, Pierre commence à **se déplumer,** à perdre ses cheveux.*

dépolir → poli.

dépopulation → peuple.

déporter v. **1.** *Pendant la guerre, des millions d'hommes et de femmes **ont été déportés** par les Allemands,* envoyés dans des camps de concentration. **2.** *Le vent **a déporté** le bateau vers le nord,* il l'a fait dévier de sa direction.
■ **déportation** n.f. SENS 1 *Beaucoup de Juifs sont morts en **déportation.***

déposer v. **1.** *Anne **a déposé** sa valise dans l'entrée,* elle l'a posée dans l'entrée. **2.** *Caroline **a déposé** de l'argent à la banque,* elle l'a confié à la banque (= mettre). **3.** *La poussière **se dépose** sur les meubles,* elle forme une couche dessus. **4.** *Le témoin* ***a déposé*** *en faveur de l'accusé,* il a fait une déposition. **5.** ***Déposer*** *un roi,* c'est le destituer. **6.** *Est-ce que je peux te* ***déposer*** *quelque part ?,* t'y conduire et t'y laisser.

■ **dépositaire** n. SENS 2 *Je suis* ***dépositaire*** *d'un secret,* on me l'a confié.

■ **déposition** n.f. SENS 4 *La police a recueilli les* ***dépositions,*** les déclarations des témoins.

■ **dépôt** n.m. SENS 1 *Ce bâtiment est un* ***dépôt*** *de marchandises,* un lieu où on les dépose. SENS 2 *Les* ***dépôts*** *à la Caisse populaire ont augmenté,* l'argent déposé. SENS 3 *Il y a un* ***dépôt*** *au fond de la bouteille,* des matières qui se sont déposées.

déposséder → *posséder.*

dépotoir n.m. *Cette pièce sert de* ***dépotoir,*** on y met tout ce dont on veut se débarrasser.

dépouiller v. **1.** *La cuisinière* ***dépouille*** *un lapin,* elle lui enlève la peau. **2.** *Des voleurs l'***ont dépouillé,*** ils lui ont pris son argent, ses biens. **3.** *Hélène* ***dépouille*** *son courrier,* elle l'examine attentivement.

■ **dépouille** n.f. SENS 1 *La* ***dépouille*** *mortelle de quelqu'un,* c'est son cadavre. SENS 2 (au plur.) *Les* ***dépouilles*** *d'un vaincu,* c'est ce que le vainqueur lui a pris.

■ **dépouillement** n.m. SENS 3 *Le* ***dépouillement*** *des votes a commencé,* on les compte (= examen).

dépourvu → *pourvoir.*

dépoussiérer → *poussière.*

dépravé, e adj. *Ce truand est un homme* ***dépravé,*** sans moralité (= corrompu).

■ **dépravation** n.f. *Cette personne a sombré dans la* ***dépravation*** (= avilissement, débauche).

déprécier v. **1.** *La monnaie s'***est dépréciée,*** elle a perdu de la valeur (= se dévaluer). **2.** *On cherche à* ***dépré-*** *cier* *mon travail,* on en dit du mal (= discréditer ; ≠ vanter).

déprédation n.f. *Les troupes d'occupation ont commis des* ***déprédations,*** des vols, des dégâts.

dépression n.f. **1.** *M. Durand a eu une* ***dépression*** *nerveuse,* une maladie dans laquelle on perd toute énergie. **2.** *Le village est dans une* ***dépression,*** un creux du terrain (= cuvette).

■ **déprime** n.f. est un équivalent fam. de *dépression nerveuse.*

■ **déprimer** v. SENS 1 *Ses échecs l'***ont déprimé*** (= abattre, décourager).

depuis prép. ou conj. *Il fait beau* ***depuis*** *un mois,* il y a un mois que le beau temps dure. ***Depuis qu'****elle est partie, je suis triste.* | 835

député, e n. *Mme Roy est* ***députée*** *de Verchères à l'Assemblée Nationale,* les électeurs et les électrices du comté de Verchères l'ont élue pour les représenter au Parlement. | 318

déraciner → *racine.*

déraillement, dérailler, dérailleur → *rail.*

déraisonnable, déraisonner → *raison.*

dérangement, déranger → *ranger.*

déraper v. *La voiture* ***a dérapé*** *sur le verglas* (= glisser).

■ **dérapage** n.m. *L'accident est dû à un* ***dérapage.***

dératé, e n. *Jean court* ***comme un dé-*** *raté,* très vite.

dérégler → *régler.*

dérider → *ride.*

dérision n.f. *Il a eu un sourire de* ***dérision*** (= moquerie, raillerie). *Tu as tort de* ***tourner en dérision*** *des coutumes respectables* (= ridiculiser).

dérisoire adj. *Un prix* ***dérisoire*** est un prix ridiculement bas, insignifiant.

dériver v. 1. *Le bateau a dérivé à cause d'une panne de moteur,* il s'est écarté de sa route. 2. *« Théâtral » dérive de « théâtre »,* il en vient. 3. *Dériver une rivière,* c'est en changer le cours.

■ **dérivatif** n.m. *Va au cinéma, ce sera un dérivatif* (= distraction).

■ **dérivation** n.f. SENS 3 *On a construit un barrage pour la dérivation de la rivière.*

766, 726, 511

■ **dérive** n.f. SENS 1 Une *dérive* est un appareil placé sous un bateau ou à l'arrière d'un avion pour l'empêcher de dériver. *Le bateau s'en va à la dérive,* il n'est plus gouverné.

■ **dérivé** n.m. SENS 2 *« Théâtral » est un dérivé de « théâtre ».*

726

■ **dériveur** n.m. SENS 1 Un *dériveur* est un bateau à voiles muni d'une dérive.

dernier, ère 1. adj. et n. *Le 31 décembre est le dernier jour de l'année* (≠ premier). *Ce club s'est classé dernier au championnat,* il a été le plus mauvais. *Le dernier des ignorants sait cela,* le pire. 2. adj. *Marie est habillée à la dernière mode,* la plus récente (≠ prochain).

125

835

■ **dernièrement** adv. SENS 2 *Cet événement a eu lieu dernièrement* (= récemment).

■ **avant-dernier, ère** adj. et n. SENS 1 *Ce coureur est arrivé avant-dernier,* juste avant le dernier.

dérobé, e adj. *Un escalier dérobé* est un escalier caché, secret.

■ **à la dérobée** adv. *Je l'ai observé à la dérobée,* sans en avoir l'air, sans me faire remarquer (= en tapinois).

dérober v. 1. *Il a voulu se dérober à ses obligations,* ne pas les accomplir (= échapper, se soustraire). 2. *On l'accuse d'avoir dérobé des fruits* (= voler).

■ **dérobade** n.f. SENS 1 *Votre réponse n'est qu'une dérobade,* elle ne correspond pas vraiment à la question.

déroger v. *Elle n'a jamais dérogé à ses habitudes,* elle n'y a jamais manqué.

■ **dérogation** n.f. *C'est en principe interdit, mais j'ai obtenu une dérogation,* une autorisation spéciale de ne pas respecter le règlement.

dérouiller → rouille.

déroulement, dérouler → rouler.

déroutan → dérouter.

déroute n.f. *Les attaquants ont été mis en déroute,* ils ont fui en désordre.

dérouter v. *Les enquêteurs ont essayé de me dérouter avec des questions embarrassantes* (= déconcerter).

■ **déroutant, e** adj. *Ses brusques changements d'avis sont déroutants,* on comprend mal sa conduite.

derrick n.m. *Les derricks* sont des tours au-dessus des puits de pétrole.

derrière prép., adv. et n.m. 1. *Le jardin est derrière la maison,* en arrière de (≠ devant). 2. *Je monte devant, toi, monte derrière,* à l'arrière. 3. *Le derrière de la maison est ensoleillé.* Fam. *Jean est tombé sur le derrière* (= fesses).

des → de 1 et 2 et un.

dès prép. ou conj. *Je commencerai dès demain* (= à partir de). *Dès que tu pourras, viens me voir* (= aussitôt que).

désabrier → abrier.

désabusé, e adj. *Elle m'a regardé d'un air désabusé,* sans illusions.

désaccord → accorder.

désaffecté → affecter.

désagréable, désagréablement → agréable.

désagréger v. *La gelée désagrège les roches,* elle en sépare les parties et les détruit. *La foule se désagrège lentement* (= se désunir, se séparer).

désagrément → agréable.

désaltérer → *altérer.*

désamorcer → *amorce.*

désappointer v. *Line est très désappointée par son échec* (= décevoir).
■ **désappointement** n.m. *Elle essaie de cacher son désappointement* (= déception ; ≠ satisfaction).

désapprobateur, désapprobation, désapprouver → *approuver.*

désarçonner v. 1. *Le cheval a désarçonné sa cavalière,* il l'a jetée à terre. 2. *Ma question l'a désarçonné,* elle l'a surpris au point de l'empêcher de répondre (= déconcerter).

désargenté → *argent.*

désarmant → *arme.*

désarmement, désarmer → *arme* et *armer* 2.

désarroi n.m. *La mort de son père l'a jeté dans un grand désarroi,* il ne sait plus quoi faire (= détresse, angoisse).

désastre n.m. *Cette sécheresse est un désastre pour les paysans,* un grand malheur (= catastrophe).
■ **désastreux, euse** adj. *La récolte a été désastreuse,* très mauvaise.

désavantage, désavantager, désavantageux → *avantage.*

désavouer v. *La directrice a désavoué l'action de ses employés,* elle a dit qu'elle n'était pas d'accord avec eux (≠ approuver).
■ **désaveu** n.m. *La réponse du directeur est un désaveu de ses employés* (= désapprobation).

desceller → *sceller.*

descendre v. 1. *Pour descendre, vous pouvez prendre l'ascenseur,* pour aller en bas. *Marie est descendue par l'escalier* (≠ monter). *On a descendu l'escalier en courant,* on l'a parcouru de haut en bas. 2. *Peux-tu descendre la poubelle ?,* la

porter en bas. 3. *Le sentier descend vers la rivière,* il est en pente. 4. *La température est descendue au-dessous de zéro,* elle a baissé. 5. *Jacques dit qu'il descend de Jules Verne,* que Jules Verne était un de ses ancêtres. 6. *Je suis descendue chez des amis,* je loge chez eux. 7. Fam. *Le criminel s'est fait descendre* (= tuer).
■ **descendance** n.f. SENS 5 *Mes grands-parents ont une nombreuse descendance,* des enfants et des petits-enfants.
■ **descendant, e** 1. adj. SENS 4 *À marée descendante, on ira pêcher sur la plage,* quand la mer descendra (≠ montant). 2. n. SENS 5 *Les descendants se sont partagé l'héritage.*
■ **descente** n.f. 1. SENS 1 *L'avion a commencé sa descente,* à descendre. SENS 3 *Il y a une descente après le virage,* une route en pente. 2. *Une descente de lit* est un petit tapis placé le long d'un lit.
■ **redescendre** v. *Il faut redescendre ces bouteilles à la cave.*
R. → Conj. n° 50. *Descendre* se conjugue tantôt avec *être,* tantôt avec *avoir.*

description → *décrire.*

désemparé, e adj. *Depuis son échec à l'examen, elle est désemparée,* elle ne sait plus quoi faire.

sans désemparer adv. *Malgré la pluie, ils ont continué sans désemparer,* sans s'arrêter.

désenchanté, désenchantement → *enchanter.*

désennuyer → *ennuyer.*

déséquilibre, déséquilibré, déséquilibrer → *équilibre.*

désert, e adj. 1. *Les régions polaires sont désertes,* il n'y a pas d'habitants. 2. *Paris est désert au mois d'août,* ses habitants ne sont pas là.

77

577

■ **désert** n.m. SENS 1 *Le Sahara est le plus grand désert du monde,* une région aride faite de sable et de pierre.
■ **désertique** adj. SENS 1 *Le Sahara est une région désertique,* sans eau, ni végétation.

déserter v. *Des soldats ont déserté,* ils ont quitté l'armée sans permission.
■ **déserteur** n.m. *Les gendarmes recherchent les déserteurs,* les soldats qui ont déserté.
■ **désertion** n.f. *Ils ont été condamnés pour désertion.*

désertique → *désert.*

désescalade → *escalade.*

désespérément, désespérer, désespoir → *espérer.*

déshabiller → *habiller.*

déshabituer → *habitude.*

désherber → *herbe.*

déshérité, déshériter → *hériter.*

déshonneur, déshonorer → *honneur.*

déshydrater → *hydrater.*

désigner v. 1. *Cléa m'a désigné du doigt le gâteau qu'elle voulait* (= montrer, indiquer). 2. *Pierre a été désigné pour ce travail* (= choisir, nommer).
■ **désignation** n.f. SENS 2 *On annonce la désignation de Mme Truong comme directrice de l'entreprise* (= nomination).

désillusion, désillusionner → *illusion.*

désinfecter → *infecter.*

désintégrer v. *Les disputes ont fini par désintégrer l'équipe* (= détruire).
■ **désintégration** n.f. *La désintégration des atomes produit l'énergie atomique,* leur fragmentation.

désintéressé, désintéressement, désintéresser → *intérêt.*

désintoxication, désintoxiquer → *toxique.*

désinvolte adj. *On m'a répondu d'un ton désinvolte,* un peu insolent.
■ **désinvolture** n.f. *Elle a agi avec désinvolture* (= sans-gêne).

désirer v. 1. *M. Dupont désire te parler,* il en a envie (= vouloir, souhaiter). 2. *Ton devoir laisse à désirer,* il pourrait être mieux.
■ **désirable** adj. SENS 1 *Cet article présente toutes les qualités désirables* (= souhaitable, requis).
■ **désir** n.m. SENS 1 *Sa grand-mère satisfait tous ses désirs* (= souhait, vœu).
■ **désireux, euse** adj. SENS 1 *Cette dame est désireuse de vous voir,* elle le désire.
■ **indésirable** adj. et n. SENS 1 *Nos voisins étaient des gens indésirables,* on ne souhaitait pas les voir.

se désister v. *Cette candidate aux élections s'est désistée,* elle a déclaré qu'elle cessait d'être candidate.
■ **désistement** n.m. *Ce candidat a annoncé son désistement.*

désobéir, désobéissance, désobéissant → *obéir.*

désobligeant, désobliger → *obliger.*

désodorisant → *odeur.*

désœuvré, désœuvrement → *œuvre.*

désoler v. *Je suis désolée de t'annoncer la mort de M. Dupuis,* j'ai beaucoup de peine (= consterner ; ≠ se réjouir).
■ **désolant, e** adj. *Je regrette cet incident désolant* (= lamentable).
■ **désolation** n.f. *Cette nouvelle l'a plongé dans la désolation,* dans une grande peine.

se désolidariser → *solidaire.*

désopilant adj. *On m'a raconté une histoire désopilante,* très drôle.

désordonné, désordre → *ordre.*

désorganiser → *organisation.*

désorienter → *orienter.*

désormais adv. *Désormais on se lèvera une heure plus tôt,* à partir de maintenant (= à l'avenir, dorénavant).

désosser → *os.*

despote n.m. *Ce pays est gouverné par un despote,* un souverain injuste (= tyran).
■ **despotique** adj. *Ces patrons exerçaient une autorité despotique* (= tyrannique).
■ **despotisme** n.m. *Les gens se sont révoltés contre le despotisme* (= dictature).

desquels, desquelles → *lequel.*

dessaisir → *saisir.*

dessaler → *sel.*

dessèchement, dessécher → *sec.*

dessein n.m. *Dans quel dessein as-tu fait cela ?* (= but, intention).
R. *Dessein se prononce* [desɛ̃] *comme dessin.*

desseller → *selle.*

desserrer → *serrer.*

dessert n.m. *Comme dessert, il y avait une tarte,* comme plat à la fin du repas.

desserte, desservir → *servir.*

dessiner v. **1.** *Prenez un papier et un crayon et dessinez un cheval,* représentez-le. **2.** *La route dessine plusieurs virages* (= former).
■ **dessin** n.m. SENS 1 *Pierre a fait un dessin très ressemblant de la maison.*

Cléa aime les dessins animés, les films faits de dessins.
■ **dessinateur, trice** n. SENS 1 *Mme Martin est dessinatrice dans un journal pour enfants.*
R. → *dessein.*

dessouder → *souder.*

dessoûler → *soûl.*

dessous adv., prép. et n.m. **1.** *Ton livre n'est pas sur la table, regarde dessous,* sous elle (≠ dessus). *Soulève la pierre, la clef est en dessous.* **2.** *Le grenier est au-dessous du toit. Passe par-dessous la barrière.* **3.** *Le dessous de mes chaussures est usé,* la partie inférieure. *Jean a eu le dessous dans la bagarre,* il a perdu.

dessous-de-plat n.m.inv. *Un dessous-de-plat sert à poser les plats sur la table.*

dessus adv., prép. et n.m. **1.** *Ce meuble n'est pas solide, ne t'appuie pas dessus,* sur lui (≠ dessous). **2.** *Le commandant est au-dessus du capitaine,* supérieur à lui. *Saute par-dessus la table.* **3.** *La voisine du dessus est très gentille,* de l'étage supérieur. *Notre équipe a eu le dessus,* elle a gagné.

déstabiliser → *stable.*

destin n.m. ou **destinée** n.f. *Il se plaint d'avoir eu un destin malheureux* (= vie, existence, sort).

destiner v. **1.** *Seydou se destine au métier de médecin,* il a décidé qu'il fera cela dans la vie. **2.** *Cette lettre est destinée à Marie,* elle est pour elle (= réserver).
■ **destination** n.f. SENS 2 *Quelle est la destination de ce train ?,* l'endroit où il va.
■ **destinataire** n. SENS 2 *Écris lisiblement le nom du destinataire,* de la personne à qui est adressée ta lettre (≠ expéditeur).

145

78

768

destituer v. *Le directeur a été destitué, il a été chassé de son poste.*
■ **destitution** n.f. *Le gouvernement a décidé la destitution du préfet* (= révocation).

destruction → *détruire.*

désuet, ète adj. *« Choir » est un mot désuet, on ne l'emploie plus* (= vieilli).
■ **désuétude** n.f. *Cet usage est tombé en désuétude, on ne le suit plus.*

désunion, désunir → *unir.*

détachant → *tache.*

détachement → *attacher.*

détacher → *attacher* et *tache.*

détail n.m. **1.** *Connais-tu les détails de cette histoire ?,* les points précis de son déroulement. *On a examiné le tableau en détail.* **2.** *Cette commerçante ne vend pas au détail,* en petites quantités (≠ en gros).
■ **détaillant, e** n. SENS 2 *Cette épicière est une détaillante* (≠ grossiste).
■ **détailler** v. SENS 1 *Tu ne nous as pas fait un récit détaillé de tes vacances,* en donnant beaucoup de détails. SENS 2 *Un grossiste ne peut pas détailler la marchandise,* la vendre au détail.

détaler v. *Les lièvres détalent au moindre bruit,* ils s'enfuient à toute vitesse (= filer, déguerpir).

détartrer → *tartre.*

détaxer → *taxe.*

détecter v. *Détecter une fuite,* c'est la découvrir, la déceler par une recherche minutieuse.
■ **détection** n.f. *La détection des mines se fait au moyen d'appareils appelés détecteurs.*

détective n. *Une détective a retrouvé la trace du gangster,* une femme qui fait des enquêtes policières.

déteindre → *teindre.*

dételer → *atteler.*

détendre → *tendre* 2.

détenir v. *Cette sportive détient le record du monde de saut en hauteur* (= avoir).
■ **détention** n.f. *Il a été condamné pour détention d'armes prohibées,* parce qu'il avait ces armes.
R. → Conj. n° 22.

détente → *tendre.*

détention → *détenir* et *détenu.*

détenu, e n. *Les détenues peuvent recevoir des visites le samedi* (= prisonnier).
■ **détention** n.f. *Le tribunal l'a condamné à la détention perpétuelle* (= emprisonnement).

détergent n.m. *On utilise les détergents pour le lavage et le nettoyage,* une sorte de lessive.

détériorer v. *Qui a détérioré cet appareil ?* (= abîmer ; ≠ réparer).
■ **détérioration** n.f. *Le chômage crée une détérioration de la situation* (= aggravation).

déterminer v. **1.** *On n'a pas déterminé les causes de l'accident,* établi exactement (= préciser). **2.** *La pluie l'a déterminé à rester* (= décider, pousser). **3.** *Elle s'est enfin déterminée à agir,* elle s'est décidée, résolue.
■ **déterminant, e 1.** adj. SENS 2 *Il a joué dans cette affaire un rôle déterminant,* très important (= décisif). **2.** n.m. *Les articles, les adjectifs démonstratifs et possessifs sont des déterminants,* ils accompagnent le nom et dépendent de lui.
■ **détermination** n.f. SENS 2 *Jean a agi avec détermination* (= décision, résolution).
■ **autodétermination** n.f. SENS 2 ET 3 *L'autodétermination,* c'est le droit d'un peuple à décider de son sort, de son régime politique.

■ **indéterminé, e** adj. SENS 1 *La date de son départ est indéterminée,* pas encore précisée.

déterrer → *terre.*

détester v. *Je déteste les épinards,* je ne les aime pas du tout (≠ adorer).
■ **détestable** adj. *Ce vin est détestable,* très mauvais.

détonation n.f. *As-tu entendu la détonation ?,* le bruit d'explosion.
■ **détonateur** n.m. *Un détonateur est un dispositif qui provoque l'explosion d'une bombe, d'un obus.*

détourner v. 1. *On a détourné la circulation à cause d'un accident,* on a changé sa direction (= dévier). 2. *Pierre voulait me détourner de mon travail,* me faire faire autre chose (= éloigner ; ≠ pousser). 3. *Elle s'est détournée pour ne pas me saluer,* elle a regardé ailleurs. 4. *La caissière a été arrêtée pour avoir détourné des sommes importantes,* pour les avoir volées.
■ **détour** n.m. 1. SENS 1 *La route fait un détour,* elle ne va pas droit au but. 2. *Je lui ai dit sans détour ce que je pensais de lui,* franchement.
■ **détournement** n.m. SENS 4 *Le caissier a été arrêté pour détournement de fonds.*

détracteur, trice n. *Elle a riposté à tous ses détracteurs,* ceux qui la critiquaient.

détraquer v. *Ma montre est détraquée, il faut la faire réparer,* elle ne marche plus.

détremper → *tremper.*

détresse n.f. 1. *Elle m'a confié sa détresse,* qu'elle était malheureuse. 2. *L'avion est en détresse,* dans une situation dangereuse (= en danger).

détriment n.m. *Elle a fait une erreur au détriment de Paul,* à son désavantage.

détritus n.m.pl. *Défense de jeter des détritus à cet endroit* (= ordures).

détroit n.m. *Le détroit de Belle-Isle sépare Terre-Neuve du continent,* une partie de mer entre deux terres.   725

détromper → *tromper.*

détrôner → *trône.*

détrousser v. *Autrefois, les brigands détroussaient les voyageurs,* ils les attaquaient pour les voler.

détruire v. 1. *Un tremblement de terre a détruit la ville* (= ruiner, démolir ; ≠ construire). 2. *Ce produit détruit les insectes* (= tuer).
■ **destructeur, trice** adj. SENS 1 *Les bombes sont des engins destructeurs.*
■ **destruction** n.f. SENS 1 ET 2 *Les bombes ont causé de graves destructions* (= dégâts).
■ **indestructible** adj. SENS 1 *Ces remparts ont longtemps paru indestructibles. Notre amitié est indestructible* (= impérissable).
R. → Conj. n° 70.

dette n.f. *M. Dupont a des dettes,* il doit de l'argent.
■ **s'endetter** v. *Il s'est endetté pour acheter un appartement,* il a emprunté de l'argent.
■ **endettement** n.m. *Ton endettement est énorme : comment pourras-tu rembourser ?,* tes dettes.

deuil n.m. *Marie est en deuil,* elle a perdu quelqu'un de sa famille.
■ **endeuiller** v. *Cet accident a endeuillé notre village,* il l'a plongé dans la tristesse causée par la mort.

deux adj. *Nous avons deux yeux et deux oreilles. 1 + 1 = 2.*   563
■ **deuxième** adj. et n. *Jean est (le) deuxième en français. J'habite au deuxième (étage)* [= second].   563

deux-roues → *roue.*

dévaler v. *On a dévalé l'escalier,* on l'a descendu très vite.

dévaliser v. *Des inconnus ont dévalisé l'appartement,* ils ont volé ce qu'il y avait dedans.

dévaloriser, dévaluation, dévaluer → *valoir.*

devancer v. *Ce cheval a devancé tous les autres,* il est arrivé avant eux.
■ **devancier, ère** n. *Cette savante a bénéficié des recherches de ses devanciers,* de ceux qui l'avaient précédée (= prédécesseur).

devant prép., adv. et n.m. **1.** *Ne reste pas devant la porte* (= en face de ; ≠ derrière). *Tu viendras au-devant de moi,* à ma rencontre. **2.** *Pierre est devant,* plus loin en avant. **3.** *Le devant de ta chemise est taché.* **4.** *J'allais parler, mais France a pris les devants,* elle a parlé avant moi (= devancer).

devanture n.f. *La libraire a changé sa devanture,* le contenu de sa vitrine.

dévaster v. *Une tempête a dévasté cette région,* elle a causé de grands dégâts (= ravager).
■ **dévastateur, trice** adj. *La tempête a eu des effets dévastateurs.*
■ **dévastation** n.f. *L'incendie a causé la dévastation de l'usine* (= ruine, ravage).

déveine → *veine.*

développer v. **1.** *La gymnastique développe les muscles,* elle les rend plus forts. *Le tourisme se développe dans ce pays,* il devient plus important (= croître). **2.** *Pierre a développé ses arguments,* il les a exposés en détail. **3.** *La photographe développe les pellicules,* elle y fait apparaître l'image photographique.
■ **développement** n.m. SENS 1 *Ce pays a connu un grand développement écono-*

mique (= essor, croissance). SENS 2 *Il y a dans ce livre des développements ennuyeux,* de longs passages.
■ **sous-développé, e** adj. SENS 1 *Une région sous-développée* est celle dont le développement économique est insuffisant.

devenir v. *M. Dupont devient vieux,* il commence à l'être.
R. → Conj. n° 22.

dévergondé, e adj. *Une vie dévergondée* est une vie de débauche.

déverrouiller → *verrou.*

par-devers prép. *J'ai gardé ces documents par-devers moi,* en ma possession.

déverser v. **1.** *Déverser sa colère,* c'est la laisser aller sans retenue. **2.** *Cette rivière se déverse dans le Saint-Laurent* (= se jeter).

dévêtir → *vêtement.*

dévider v. *Le pêcheur dévide le fil de son moulinet,* il le déroule.
■ **dévidoir** n.m. *Le dévidoir* sert à dérouler du fil, un tuyau, un ruban, etc.

dévier v. *La circulation est déviée à cause d'un accident* (= détourner).
■ **déviation** n.f. *Les automobilistes doivent prendre la déviation,* la route déviée.

deviner v. *Comment as-tu deviné que je viendrais ?* (= trouver, découvrir).
■ **devin, devineresse** n. *J'ignore ce qui va se passer, je ne suis pas devineresse,* je ne prétends pas deviner l'avenir.
■ **devinette** n.f. *Marie m'a posé une devinette,* une question dont il faut deviner la réponse.
■ **divination** n.f. *La divination* est le pouvoir de connaître l'avenir, que les devins prétendent avoir.

devis n.m. *Avant de faire réparer ta voiture, demande un devis,* une estimation du prix des travaux.

dévisager v. *Pourquoi me dévisages-tu ainsi ?,* me regardes-tu avec insistance.

devise n.f. **1.** *Le mark allemand est une devise forte,* une monnaie étrangère. **2.** *« La liberté avant tout »,* telle est sa *devise* (= mot d'ordre, idéal).

deviser v. *Nous devisions paisiblement en marchant,* nous échangions des idées (= causer).

dévisser → *vis.*

dévoiler → *voile* 1.

devoir v. **1.** *Pierre me doit dix dollars,* il a cette somme à me payer. **2.** *Il est 8 heures, nous devons partir,* il faut que nous partions. **3.** *Elle doit être partie,* elle est probablement partie.
■ **devoir** n.m. **1.** SENS 2 *En lui portant secours, j'ai fait mon devoir,* ce que je devais faire. **2.** *As-tu fini tes devoirs ?,* tes exercices scolaires.
■ **dû** n.m. SENS 1 *Je n'ai pas eu mon dû,* ce qu'on me devait.
■ **indu, e** adj. SENS 2 *Elle est arrivée à une heure indue,* à laquelle elle n'aurait pas dû arriver.
■ **indûment** adv. SENS 2 *Tu as gardé indûment mon stylo* (= à tort).
■ **redevable** adj. SENS 1 *Line m'est redevable d'une somme importante,* elle me la doit.
■ **redevance** n.f. SENS 1 *Il faut payer la redevance pour la télévision par câble,* le coût d'utilisation.
R. → Conj. n° 35. → *doigt.*

dévolu, e adj. *C'est une grande responsabilité qui lui est dévolue,* qui lui est attribuée.

dévorer v. **1.** *Le chien a dévoré le reste de poulet,* il l'a mangé très vite. **2.** *Je suis dévorée par l'impatience,* tourmentée par ce sentiment. **3.** *Xavier dévore tous les livres qui lui tombent sous la main,* il les lit avec avidité.
■ **dévorant, e** adj. SENS 2 *J'étais poussé par une curiosité dévorante.*

dévot, e adj. et n. *Les Durand sont très dévots,* attachés à la religion (= pieux).
■ **dévotion** n.f. *Les Durand sont pleins de dévotion.*

se dévouer v. *M. Martin se dévoue toujours pour les autres,* il est très bon pour eux (= se sacrifier).
■ **dévoué, e** adj. *Il est agréable d'avoir des amis aussi dévoués,* toujours prêts à aider (= serviable, empressé).
■ **dévouement** n.m. *Quand j'étais malade, elle m'a soigné avec dévouement* (≠ égoïsme).

dextérité n.f. *Pour faire ce travail, il faut une grande dextérité* (= adresse, habileté).

diabète n.m. *M. Dupuis a du diabète, le sucre lui est interdit,* une maladie.
■ **diabétique** adj. et n. *M. Dupuis est diabétique.*

diable n.m. **1.** *Pour les chrétiens, le diable est l'esprit du mal et s'oppose à Dieu* (= démon). **2.** *Cette enfant est un vrai petit diable,* elle est espiègle, turbulente. **3.** *Ayez pitié de ce pauvre diable* (= malheureux). **4.** *Anne habite au diable,* très loin. *Paul est paresseux en diable,* très paresseux. **5.** *J'ai transporté cette lourde caisse à l'aide d'un diable,* un petit chariot à deux roues. **6.** *Diable !* interj. exprime la surprise.
■ **diablement** adv. SENS 4 Fam. *La route est diablement mauvaise* (= très).
■ **diablerie** n.f. SENS 2 *Ne recommence pas tes diableries !* (= espièglerie).
■ **diablotin** n.m. SENS 1 ET 2 *Un diablotin est un petit diable.*
■ **diabolique** adj. SENS 1 *La bombe atomique est une invention diabolique,* très mauvaise (= infernal, démoniaque).
■ **endiablé, e** adj. SENS 2 *Ils dansent sur un rythme endiablé,* très rapide.

diacre n.m. *Dans l'Église catholique, avant de recevoir la prêtrise, on est diacre.*

220 | **diadème** n.m. *La reine portait un dia-dème,* un cercle qui orne le sommet de la tête.

diagnostic n.m. *Quel est le diagnostic de la pédiatre ?,* quelle maladie a-t-elle trouvée ?
■ **diagnostiquer** v. *Elle a diagnostiqué une bronchite.*
R. Ici, *gn* ne se prononce pas [ɲ] comme dans agneau, mais [gn] : [djagnɔstik].

385 | **diagonale** n.f. *Les diagonales d'un carré se coupent en son centre,* les lignes qui joignent les sommets. *Le chien a traversé le chemin en diagonale,* en biais.

dialecte n.m. *Dans cette région, les paysans parlent un dialecte,* une langue particulière.

dialogue n.m. *M. Durand et Mme Dupont ont eu un long dialogue,* ils ont parlé tous les deux (= conversation).
■ **dialoguer** v. *J'ai longuement dialogué avec lui,* discuté.
■ **dialoguiste** n. Un *dialoguiste* est l'auteur des dialogues d'un film.

581 | **diamant** n.m. *Dominique a une bague avec un diamant,* une pierre précieuse très brillante.
■ **diamantaire** n. Une *diamantaire* est celle qui travaille ou qui vend des diamants.

385 | **diamètre** n.m. *Le diamètre d'un cercle* est une droite qui joint les bords en passant par le centre.
■ **diamétralement** adv. *Leurs opinions sont diamétralement opposées,* tout à fait.

438 | **diapason** n.m. *Un diapason* est un petit instrument qui donne la note *la* pour accorder les instruments de musique.

diaphane adj. *La porcelaine est diaphane,* elle laisse passer la lumière sans être transparente (= translucide).

diaphragme n.m. *Le diaphragme d'un appareil photo* est l'ouverture par où passe la lumière.

diaporama n.m. *La rénovation du quartier a fait l'objet d'un diaporama,* une présentation de diapositives.

diapositive n.f. *On nous a montré des diapositives en couleurs,* des photos qu'on projette sur un écran.

diarrhée n.f. *Marie a la diarrhée,* des selles liquides et fréquentes (= colique).

diatribe n.f. *Son discours est une violente diatribe contre le gouvernement,* une attaque, une critique très vive.

dictateur, trice n. *Dans ce pays, un dictateur a pris le pouvoir,* un homme qui gouverne seul de façon autoritaire.
■ **dictature** n.f. *Les démocrates se sont révoltés contre la dictature,* le pouvoir absolu.
■ **dictatorial, e, aux** adj. *Ce pays vit sous un régime dictatorial.*

dicter v. **1.** *Prenez un stylo, je vais vous dicter une poésie,* vous la lire pour que vous l'écriviez. **2.** *Le vainqueur a dicté ses conditions au vaincu* (= imposer).
■ **dictée** n.f. SENS 1 *Ta dictée est pleine de fautes d'orthographe.*

diction n.f. *On le comprend mal, sa diction n'est pas claire,* sa façon de prononcer les mots (= articulation, prononciation).

dictionnaire n.m. *Si tu ne sais pas le sens d'un mot, regarde dans ton dictionnaire.*

dicton n.m. *« Qui dort dîne »* est un *dicton* (= proverbe, sentence).

didactique adj. *Papa m'a acheté du matériel didactique,* relatif à l'enseignement.

dièse n.m. *Le dièse* élève une note de musique d'un demi-ton.

diesel n.m. *Un moteur Diesel* est un moteur qui fonctionne au gazole.

diète n.f. *La docteure l'a mis à la diète pour trois jours,* elle lui a ordonné de ne rien manger ou presque.

■**diététique** n.f. La *diététique* est l'étude de ce qu'il faut manger pour rester en bonne santé.

■**diététiste** n. *Pierre a consulté une diététiste,* une spécialiste de la diététique.

dieu n.m. *Croire en Dieu,* c'est croire en un être suprême, éternel et tout-puissant.

■**déesse** n.f. *Les anciens Grecs adoraient des dieux et des déesses* (= divinité).

■**divin, e** adj. 1. *Mme Dupont croit en la justice divine,* de Dieu. 2. *Ce gâteau est divin,* très bon (= merveilleux).

■**divinement** adv. *Marie chante divinement,* très bien.

■**divinité** n.f. *Jupiter était une divinité romaine,* un dieu.

diffamer v. *M. Dupont est accusé d'avoir diffamé M. Durand,* d'avoir répandu des calomnies sur lui.

■**diffamation** n.f. *La diffamation est punie par la loi.*

différer v. 1. *Nos opinions diffèrent beaucoup,* elles ne se ressemblent pas (= s'opposer ; ≠ se confondre). 2. *Line a dû différer son départ,* le remettre à plus tard (= retarder ; ≠ avancer).

■**en différé** adv. *La transmission de cette émission a eu lieu en différé,* après que l'émission ait eut lieu (≠ en direct).

■**différemment** adv. SENS 1 *Depuis notre conversation, je pense différemment* (= autrement).

■**différence** n.f. SENS 1 *Quelle est la différence d'âge entre Pierre et Cléa ?* (= écart). *Il y a beaucoup de différences entre ces deux régions* (= contraste ; ≠ ressemblance).

■**différencier** v. SENS 1 *Ces deux espèces se différencient par la forme des feuilles* (= distinguer).

■**différend** n.m. SENS 1 *Ils ont eu un différend à propos de politique,* une différence d'opinion (= désaccord).

■**différent, e** adj. 1. SENS 1 *Jeanne et Marie sont sœurs, mais elles sont très différentes* (≠ semblable, pareil). 2. (au

plur.) *M. Dubois a différentes occupations* (= plusieurs, divers).

R. Ne pas confondre *différent, différend* et *différant* (participe de *différer*) : [diferã].

difficile adj. 1. *Ce problème d'arithmétique est très difficile,* on a du mal à le faire (≠ facile). 2. *Léna a un caractère difficile* (= exigeant ; ≠ agréable).

■**difficilement** adv. SENS 1 *Nous avons trouvé difficilement notre chemin* (= péniblement).

■**difficulté** n.f. SENS 1 *Depuis son accident, elle marche avec difficulté* (≠ facilité). *M. Dupont a des difficultés financières* (= embarras, problème).

difforme adj. *Les bossus ont le corps difforme,* mal formé (≠ normal).

■**difformité** n.f. *Une bosse dans le dos est une difformité.*

diffus, e adj. *Une lumière diffuse* est répandue uniformément et plus ou moins voilée.

diffuser v. *Les journaux ont diffusé le discours du président,* ils l'ont répandu dans le public.

■**diffusion** n.f. *La diffusion de cette émission aura lieu demain* (= retransmission).

digérer v. 1. *Line a du mal à digérer le chocolat,* son appareil digestif le supporte mal (= assimiler). 2. *Je n'ai pas digérer cette façon d'agir,* je n'ai pas pu l'admettre (= supporter).

■**digeste** adj. SENS 1 *Les carottes cuites à l'eau sont très digestes,* elles se digèrent facilement.

■**digestif, ive** SENS 1 1. adj. *L'œsophage, l'estomac, l'intestin constituent l'appareil digestif.* 2. n.m. *Après le repas, M. Durand a pris un digestif,* une liqueur alcoolisée.

■**digestion** n.f. SENS 1 *La digestion des aliments dure plusieurs heures,* leur transformation par l'appareil digestif.

■**indigeste** adj. SENS 1 *Cet aliment est indigeste,* difficile à digérer.

■ **indigestion** n.f. *J'ai trop mangé et j'ai eu une* **indigestion,** *des troubles digestifs.*

digital, e, aux adj. *Les enquêteurs ont relevé des empreintes* **digitales,** *des empreintes des doigts.*

654 **digitale** n.f. *La* **digitale** *a des fleurs violettes et allongées.*

digne adj. **1.** *M. Durand parle d'un air* **digne** (= sérieux, respectable). **2.** *Anne est* **digne de** *passer dans la classe supérieure,* elle le mérite. **3.** *Cette attitude n'est pas* **digne de** *toi,* conforme à ton caractère.
■ **dignement** adv. SENS 1 *Elle gardait* **dignement** *le silence.*
■ **dignité** n.f. **1.** SENS 1 *Elle a gardé son calme et sa* **dignité,** son attitude fière. **2.** *Jacqueline a été élevée à la* **dignité** *d'ambassadrice,* à cette haute fonction.
■ **indigne** adj. SENS 1 *Ta conduite a été* **indigne** (= méprisable, déshonorant). SENS 2 *Jean s'est montré* **indigne de** *notre confiance.* SENS 3 *Mentir est* **indigne de** *toi.*
■ **indignement** adv. SENS 1 *Elle se plaint d'avoir été* **indignement** *traitée* (= sans égards, honteusement).

721 **digue** n.f. *Les vagues viennent se briser sur la* **digue,** la construction qui protège le port.
■ **endiguer** v. *Endiguer un fleuve,* c'est construire des digues pour l'empêcher de déborder.

dilapider v. *M. Martin* **a dilapidé** *sa fortune* (= gaspiller).
■ **dilapidation** n.f. *La* **dilapidation** *de son capital a été rapide.*

dilater v. *La chaleur* **dilate** *les gaz,* elle fait augmenter leur volume (≠ comprimer, contracter). *Ses narines* **se dilatent** (= s'agrandir).
■ **dilatation** n.f. *La chaleur provoque la* **dilatation** *des métaux.*

dilatoire adj. *Des manœuvres* **dilatoires** *cherchent à faire traîner les choses, à gagner du temps.*

dilettante n. *Pierre n'est pas un acharné au travail, c'est un* **dilettante** (= amateur, fantaisiste).

1. diligence n.f. *Autrefois, on voyageait dans des* **diligences,** des grandes voitures à cheval.

2. diligence n.f. **1.** *Je vous félicite pour votre* **diligence** (= zèle, empressement). **2.** *Il faut* **faire diligence,** se hâter.
■ **diligent, e** adj. est un équivalent rare de *empressé, zélé.*

diluer v. *Ce sirop ne se boit pas pur, il faut le* **diluer,** y ajouter de l'eau.

dimanche n.m. **Dimanche** *nous sommes allés nous promener.* Un **chauffeur du dimanche** est un conducteur inexpérimenté.
■ **endimanché, e** adj. *Avec ce costume, tu as l'air* **endimanché,** d'avoir mis des vêtements des grandes occasions.

dîme n.f. *On paie la* **dîme** *à la fabrique,* une sorte d'impôt.

dimension n.f. *Quelles sont les* **dimensions** *de cette salle ?,* la longueur, la largeur et la hauteur (= mesure).

diminuer v. *Il faut* **diminuer** *nos dépenses,* les rendre plus faibles (= réduire ; ≠ augmenter). *La température* **a diminué,** elle est plus faible (= baisser).
■ **diminution** n.f. *Il y a eu une* **diminution** *du nombre des accidents* (= abaissement, réduction).
■ **diminutif** n.m. *« Maisonnette » est un* **diminutif** *de « maison »,* un dérivé exprimant la petitesse.

dinde n.f. *À Noël nous avons mangé une* **dinde,** une grosse volaille.
■ **dindon** n.m. *Jean se rengorge comme un* **dindon,** le mâle de la dinde.

dîner n.m. *Le* **dîner** *est le repas de midi et parfois le repas du soir (en France, c'est le repas du soir).*

■ **dîner** v. *Nous dînons à midi.*
■ **dînette** n.f. **1.** *Les enfants jouent à la dînette,* ils font un petit repas pour jouer. **2.** *Pour Noël, j'ai eu une dînette,* des assiettes, des verres, des couverts pour jouer.

dinosaure n.m. *Les dinosaures étaient d'énormes animaux d'une espèce aujourd'hui disparue.*

diocèse n.m. *L'évêque a réuni les curés de son diocèse,* du territoire qu'il dirige.
■ **diocésain, e** adj. et n. *Les diocésains sont les catholiques d'un diocèse.*

diphtérie n.f. *Marie est vaccinée contre la diphtérie,* une maladie grave.

diplodocus n.m. *Les diplodocus étaient d'énormes reptiles de la famille des dinosaures.*

diplomate **1.** n. *Les diplomates représentent leur pays à l'étranger.* **2.** adj. *Luce n'est pas très diplomate,* habile dans la discussion.
■ **diplomatie** n.f. SENS 1 *Jacqueline est entrée dans la diplomatie,* elle est diplomate. SENS 2 *Il a fallu beaucoup de diplomatie pour régler cette affaire* (= tact).
■ **diplomatique** n.f. SENS 1 *Ces deux pays ont rompu leurs relations diplomatiques,* les relations entre États assurées par des diplomates.
R. *Diplomatie se prononce* [diplɔmasi].

diplôme n.m. *Pour obtenir ce poste, il faut un diplôme d'ingénieur,* avoir réussi l'examen d'ingénieur.
■ **diplômé, e** adj. et n. *Ginette est diplômée en physique.*

dire v. **1.** *On nous a dit que tu viendrais demain* (= annoncer, affirmer). **2.** *Je lui ai dit de ne pas faire de bruit* (= ordonner). **3.** *On dirait qu'il va pleuvoir,* il semble. **4.** *Ça ne me dit rien d'aller là-bas,* ça ne me tente pas.
■ **se dédire** v. SENS 1 *Tu m'as donné ta parole, tu ne peux pas te dédire,* revenir sur ce que tu as dit.

■ **redire** v. SENS 1 *Elle m'a redit qu'elle était d'accord* (= répéter).
■ **redite** n.f. SENS 1 *Ton devoir est plein de redites* (= répétition).
R. → Conj. n° 72, sauf au présent *(vous dites, vous redites)* et au participe *(dit, redit, dédit).*

direct, e adj. **1.** *Le chemin est direct pour aller au village,* il y va en ligne droite. **2.** *Aline est en contact direct avec moi,* sans intermédiaire (= immédiat). **3.** *Elle a été directe et m'a dit ce qu'elle pensait* (= franc).
■ **direct** n.m. *Ce concert sera retransmis en direct,* au moment où il a lieu (≠ en différé).
■ **directement** adv. SENS 1 *Je suis venue directement ici,* sans détour. SENS 2 *Adresse-toi directement à lui.*
■ **indirect, e** adj. SENS 1 *Elle est arrivée par un trajet indirect.* SENS 2 *Le complément indirect est rattaché au verbe par une préposition.*
■ **indirectement** adv. SENS 2 *J'ai appris la nouvelle indirectement par son voisin.*

diriger v. **1.** *Hélène dirige une importante entreprise,* elle en est la chef. **2.** *Il s'est dirigé vers la porte,* il a pris cette direction. **3.** *Léna a dirigé ses regards vers moi* (= tourner).
■ **directeur, trice** n. SENS 1 *Si vous n'êtes pas content, adressez-vous au directeur,* à celui qui dirige (= patron).
■ **direction** n.f. SENS 1 *La direction de l'usine est assurée par sa présidente.* SENS 2 *Dans quelle direction est-il parti ?,* vers où (= sens).
■ **directives** n.f.pl. SENS 1 *Le patron a donné des directives* (= ordres).
■ **directorial, e, aux** adj. SENS 1 *Vous trouverez la directrice dans le bureau directorial.*
■ **dirigeable** n.m. *Un dirigeable fait de la publicité au-dessus de la ville,* un ballon muni d'une hélice et d'un système de direction.
■ **dirigeant, e** n. SENS 1 *Les dirigeants du parti se sont réunis* (= chef).

803

discerner v. 1. *Avec ce brouillard, on* **discerne** *à peine les objets* (= distinguer). 2. *L'esprit critique permet de* **discerner** *le vrai du faux,* de juger ce qui est vrai.

■ **discernement** n.m. SENS 2 *Dans cette affaire, tu as manqué de* **discernement** (= jugement).

disciple n. *Cette philosophe a eu de nombreux* **disciples,** des gens qui suivaient sa doctrine.

■ **condisciple** n. *J'ai retrouvé une ancienne* **condisciple,** une camarade de classe.

discipline n.f. 1. *Les élèves doivent se soumettre à la* **discipline** *du collège,* au règlement destiné à faire régner l'ordre. 2. *La physique et la chimie sont des* **disciplines** *scientifiques,* des matières enseignées à l'école.

■ **discipliné, e** adj. SENS 1 *Ces élèves sont calmes et* **disciplinés** (= obéissant).

■ **indiscipline** n.f. SENS 1 *Pierre a été puni pour* **indiscipline,** pour avoir causé du désordre.

■ **indiscipliné, e** adj. SENS 1 *Pierre est* **indiscipliné** (= indocile).

discontinu, discontinuer → *continuer.*

disconvenir v. *Vous avez raison, je n'en* **disconviens** *pas,* je ne dis pas le contraire (= nier, contester).

discordant, discorde → *concorde.*

discothèque → *disque.*

discours n.m. *As-tu écouté le* **discours** *du président ?,* ce qu'il a dit en public (= exposé, conférence, allocution).

■ **discourir** v. *Au lieu de tant* **discourir,** *vous feriez mieux d'agir* (= causer, bavarder).

discréditer v. *Ce mensonge l'a* **discrédité,** on n'a plus confiance en lui.

■ **discrédit** n.m. *Une série d'accidents a jeté le* **discrédit** *sur cette marque,* elle lui a ôté la confiance du public.

discret, ète adj. 1. *Karim ne se mêle pas de mes affaires, il est* **discret,** il montre de la retenue (≠ curieux, sans gêne). 2. *Marie est assez* **discrète** *pour qu'on lui parle de cela,* elle sait garder un secret (≠ bavard). 3. *Jeanne porte une robe* **discrète,** qui n'attire pas l'attention (≠ voyant).

■ **discrètement** adv. SENS 1 ET 3 *Elle s'est* **discrètement** *retirée à l'écart,* pour ne pas gêner.

■ **discrétion** n.f. SENS 2 *Je vous demande à ce sujet une grande* **discrétion,** de ne rien répéter.

■ **indiscret, ète** adj. SENS 1 *Il a jeté un regard* **indiscret** *dans la maison* (= curieux).

■ **indiscrètement** adv. SENS 1 *Elle m'a interrogé* **indiscrètement.**

■ **indiscrétion** n.f. SENS 2 *Pierre craint les* **indiscrétions** (= bavardage).

discrimination n.f. 1. *Tout le monde est admis sans* **discrimination,** sans distinction. 2. *Il y a de la* **discrimination** *raciale dans cette ville,* une inégalité entre les personnes fondée sur leurs races.

disculper v. *L'accusée a essayé de se* **disculper,** de prouver son innocence.

discuter v. 1. *Ils* **ont discuté** *de la situation économique* (= parler). 2. *Quand je donne un ordre, je n'aime pas qu'on* **discute** (= protester, contester).

■ **discutable** adj. SENS 2 *Votre explication est très* **discutable** (= contestable).

■ **discussion** n.f. SENS 1 *Nous avons eu une longue* **discussion** (= entretien). SENS 2 *Avancez, et pas de* **discussion !** (= contestation).

■ **indiscutable** adj. SENS 2 *Sa victoire est* **indiscutable** (= évident, incontestable).

disette n.f. *En période de* **disette,** *on doit réduire sa consommation,* quand on manque du nécessaire (= pénurie).

disgracieux → *grâce.*

disjoindre → *joindre.*

disloquer v. *Le choc a disloqué la voiture,* il en a séparé les parties (= casser, démolir).

disparaître v. **1.** *Le soleil a disparu à l'horizon,* il a cessé d'être visible (≠ apparaître, se montrer). **2.** *Elle a disparu sans laisser d'adresse,* on ne sait pas où elle est. **3.** *Ma montre a disparu,* on me l'a volée ou je l'ai perdue. **4.** *Ces animaux préhistoriques ont disparu,* ils n'existent plus. *C'est un grand savant qui vient de disparaître* (= mourir).
■ **disparition** n.f. SENS 2 *Les journaux annoncent la disparition d'un enfant,* son absence inexplicable. SENS 4 *Ce médicament entraîne la disparition des maux de tête* (= fin).
■ **disparu, e** n. SENS 4. *On évoque le souvenir des disparus,* des morts.
R. → Conj. n° 64.

disparate adj. *Line porte des vêtements disparates,* qui ne vont pas ensemble (≠ harmonieux, assorti).

disparition → *disparaître.*

dispendieux, euse adj. *Vous avez des goûts dispendieux,* qui entraînent des dépenses (= coûteux).

dispensaire n.m. *Marie a été examinée par le médecin du dispensaire,* de cet établissement médical.

dispenser v. **1.** *Jean est dispensé de gymnastique,* il n'est pas obligé d'en faire (= exempter). **2.** *Le professeur nous a dispensé des encouragements* (= distribuer).
■ **dispense** n.f. SENS 1 *On lui a accordé une dispense,* une autorisation spéciale.
■ **indispensable** adj. SENS 1 *Je n'ai emporté que les objets indispensables* (= obligatoire, nécessaire).

disperser v. *Le vent a dispersé les feuilles mortes,* il les a répandues çà et là (= éparpiller ; ≠ concentrer). *Cet élève est dispersé,* il ne se concentre pas assez sur ce qu'il fait.
■ **dispersion** n.f. *Essaie d'éviter la dispersion de tes efforts !*

dispos, e adj. *Pierre est frais et dispos,* en forme.

disposer v. **1.** *On a disposé les chaises en rond,* on les a mises de cette manière (= arranger). **2.** *M. Tremblay est disposé à nous recevoir* (= décider). **3.** *On se dispose à partir,* on est sur le point de le faire (= se préparer). **4.** *Je ne dispose pas de cet argent,* je ne peux pas l'utiliser. **5.** *Anna est mal disposée à mon égard,* elle a des sentiments hostiles.
■ **disponible** adj. SENS 4 *Cette somme n'est pas disponible,* on ne peut pas l'utiliser.
■ **disponibilité** n.f. SENS 4 *Une fonctionnaire en disponibilité* est momentanément déchargée de ses fonctions.
■ **dispositif** n.m. SENS 1 *Ce dispositif permet de mettre en marche l'appareil,* ce mécanisme disposé pour cela (= machine).
■ **disposition** n.f. SENS 1 *La disposition des pièces de cet appartement est pratique* (= répartition). SENS 3 (au plur.) *Avant de venir, elle a pris des dispositions,* elle s'est préparée (= précautions). SENS 4 *J'ai peu de temps à ma disposition.* SENS 5 (au plur.) *Xavier est dans de mauvaises dispositions à notre égard,* ses intentions sont mauvaises.
■ **indisponible** adj. SENS 4 *Ce local est actuellement indisponible,* on ne peut pas l'utiliser.
■ **prédisposé, e** adj. SENS 3 *Les fumeurs sont particulièrement prédisposés à certaines maladies,* ils y sont exposés, sujets.

disproportionné → *proportion.*

disputer v. **1.** *Les deux équipes ont disputé un match,* elles l'ont joué pour le

gagner. **2.** *Arrêtez de* **vous disputer** *!* (= se quereller). **3.** Fam. *Jean s'est fait* **disputer** *pour avoir menti* (= gronder, réprimander, attraper).
■ **dispute** n.f. SENS 2 *Quel est le sujet de votre* **dispute** *?* (= querelle, bagarre).

disqualification, disqualifier → **qualifier.**

34 **disque** n.m. **1.** *L'athlète a lancé le* **dis-**
808 **que** *à 75 mètres,* un plateau circulaire. **2.** *Connais-tu le dernier* **disque** *de cette chanteuse ?,* un enregistrement gravé sur une plaque ronde. *Le* **disque** *est cassé,* la plaque ronde. Un **disque compact** est un disque de 12 cm de diamètre dont la lecture se fait par un appareil optique.
■ **disquaire** n. SENS 2 *Un* **disquaire** *est un marchand de disques.*
808 ■ **disquette** n.f. SENS 2 *Une* **disquette** *est un disque souple utilisé en informatique.*
76 ■ **discothèque** n.f. SENS 2 *Nancy a une belle* **discothèque,** *une collection de disques. Une* **discothèque** *est un lieu où l'on peut écouter des disques et danser.*

dissection → **disséquer.**

disséminer v. *Le général a disséminé ses troupes* (= éparpiller ; ≠ concentrer).

dissension n.f. *Des* **dissensions** *agitent le groupe,* de vives oppositions (= conflit, désaccord, dissentiment).

dissentiment n.m. est un équivalent de *désaccord.*

disséquer v. *Joseph a disséqué cet ouvrage,* il l'a analysé minutieusement.
■ **dissection** n.f. *En sciences naturelles, on fait des* **dissections,** *on découpe des animaux ou des plantes pour les étudier.*

dissidence n.f. *Des* **dissidences** *sont apparues dans ce parti* (= division, scission).
■ **dissident, e** n. et adj. *Les* **dissidents** *ont fondé un nouveau parti.*

dissimuler v. *Pierre cherchait à* **dissimuler** *ses larmes* (= cacher ; ≠ montrer).
■ **dissimulation** n.f. *Je lui reproche d'avoir agi avec* **dissimulation** (= hypocrisie ; ≠ franchise).

dissiper v. **1.** *Le brouillard s'est dissipé, il a disparu* (= se disperser). **2.** *Les élèves* **dissipées** *ont été punies* (= indiscipliné, turbulent). **3.** *M. Duval a dissipé sa fortune* (= gaspiller).
■ **dissipation** n.f. SENS 1 *Après* **dissipation** *des brouillards matinaux, le soleil brillera.* SENS 2 *Cette élève a été punie pour sa* **dissipation.**

dissociation, dissocier → **associer.**

dissoudre v. **1.** *Le sucre se dissout dans l'eau,* il fond et se mélange (= se désagréger). **2.** *Le président a dissous l'Assemblée,* il a mis fin à son existence.
■ **dissolution** n.f. SENS 2 *Un divorce est la* **dissolution** *d'un mariage* (= rupture).
■ **dissolvant** n.m. SENS 1 *Marie a cassé son flacon de* **dissolvant,** *un produit pour dissoudre le vernis à ongles.*
■ **indissoluble** adj. SENS 2 *Selon l'Église catholique, le mariage est* **indissoluble,** *on ne peut pas le rompre.*
■ **indissolublement** adv. SENS 2 *Ces deux questions sont* **indissolublement** *liées,* il est impossible de les séparer.
R. → Conj. n° 60.

dissuader v. *On l'a* **dissuadé** *de partir,* on l'a convaincu de ne pas le faire (≠ persuader).

dissymétrique → **symétrie.**

distance n.f. *Quelle est la* **distance** *entre Montréal et New York ? — Environ 850 kilomètres* (= éloignement).
■ **distancer** v. *Le coureur a distancé tous ses concurrents* (= devancer).
■ **distant, e** adj. *Ces deux villes sont* **distantes** *de 50 kilomètres* (= éloigné).

■ **équidistant, e** adj. *Ces deux villes sont équidistantes de Paris,* à égale distance.
R. On prononce [ekɥidistɑ̃].

distendre v. *Le ressort s'est distendu,* il a perdu de sa tension, il est relâché.

distiller v. *Le cognac s'obtient en distillant du vin,* en le faisant bouillir dans un appareil appelé **alambic**.
■ **distillation** n.f. *La distillation clandestine est interdite,* la fabrication d'alcool.
■ **distillerie** n.f. *Les distilleries sont sévèrement contrôlées par l'État,* les fabriques d'alcool.

distinguer v. **1.** *Avec ce brouillard, on distingue mal la côte* (= voir, discerner). **2.** *Cléa ne sait pas distinguer une panthère d'un jaguar* (= reconnaître). **3.** *M. Durand s'est distingué pendant la guerre,* il s'est fait remarquer (= s'illustrer).
■ **distingué, e** adj. SENS 3 *Marie est une femme distinguée,* bien élevée, élégante.
■ **distinct, e** adj. SENS 1 *Ce bruit est à peine distinct* (= perceptible). SENS 2 *Ces deux questions sont distinctes* (= différent).
■ **distinctement** adv. SENS 1 *Plus fort, je n'entends pas distinctement* (= clairement).
■ **distinctif, ive** adj. SENS 2 *Un signe distinctif sert à distinguer deux choses.*
■ **distinction** n.f. SENS 2 *Tout le monde a été puni sans distinction,* sans qu'on fasse de différence. SENS 3 *Mme Labrecque est pleine de distinction,* elle est distinguée. *Elle a obtenu des distinctions honorifiques,* des marques d'honneur.
■ **indistinct, e** adj. SENS 1 *Mes souvenirs à ce sujet sont indistincts* (= confus, incertain).
■ **indistinctement** adv. SENS 2 *Cette cui-*

sinière marche indistinctement au gaz ou à l'électricité (= indifféremment).

distraction n.f. **1.** *La lecture et le cinéma sont mes distractions préférées* (= passe-temps). **2.** *Je ne vous avais pas vu, excusez ma distraction* (= étourderie, inattention).
■ **distraire** v. SENS 1 *Si nous allions au cinéma pour nous distraire ?,* nous occuper agréablement.
■ **distrait, e** adj. SENS 2 *Jean est très distrait* (= étourdi, rêveur ; ≠ attentif).
R. *Distraire* → conj. n° 79.

distribuer v. *C'est à Julie de distribuer les cartes,* de les répartir entre les joueurs (= donner, partager).
■ **distributeur** n.m. *À la gare, il y a un distributeur de billets,* un appareil qui en distribue.
■ **distribution** n.f. *La distribution des prix avait lieu à la fin de l'année scolaire.*

district n.m. *Un district est une division territoriale de petite étendue.*

diurne adj. *Les travaux diurnes sont ceux qui se font le jour* (≠ nocturne).

divaguer v. *Qu'est-ce que tu racontes là ? Tu divagues !,* tu dis des bêtises (= dérailler).
■ **divagation** n.f. *Ne faites pas attention à ses divagations* (= extravagance, élucubration).

divan n.m. *Assieds-toi sur le divan,* une sorte de lit.

divergence, divergent, diverger
→ *converger.*

divers, e adj. *Nous avons parlé des sujets les plus divers* (= varié, différent ; ≠ semblable).
■ **diversifier** v. *Essayons de diversifier les jeux* (= varier).
■ **diversité** n.f. *Ils s'entendent bien malgré la diversité de leurs opinions* (= différence ; ≠ ressemblance).

437

diversion n.f. *Ils étaient prêts à se quereller ; pour faire diversion, j'ai parlé d'autre chose,* pour détourner l'attention.

divertir v. *Ce livre m'a beaucoup diverti, il m'a fait passer le temps agréablement* (= amuser, délasser, distraire).

■ **divertissement** n.m. *La pêche est mon divertissement favori* (= distraction, passe-temps).

divin → *dieu.*

divination → *deviner.*

divinement, divinité → *dieu.*

diviser v. 1. *On a divisé la tarte en quatre,* on a fait quatre parts (= partager). 2. *Si on divise 8 par 2, on obtient 4* (≠ multiplier). 3. *L'Assemblée s'est divisée sur cette question,* il y a eu des opinions différentes.

■ **divisible** adj. SENS 2 *Les nombres pairs sont divisibles par deux.*

■ **division** n.f. 1. SENS 1 *La division du travail permet de le faire plus vite* (= répartition). *Le centimètre et le décimètre sont des divisions du mètre,* des parties plus petites. SENS 2 *Dans la division 10 : 3, 10 est le* **dividende** *et 3 le* **diviseur.** SENS 3 *Cette question a introduit la division dans la famille* (= désaccord). 2. *Une division d'infanterie est composée de plusieurs régiments.* 3. *Cette équipe joue en deuxième division,* parmi un groupe d'équipes.

■ **indivisible** adj. SENS 1 *La République française est indivisible,* elle forme un tout qu'on ne peut partager.

■ **subdivision** n.f. SENS 1 *Il y a dix subdivisions dans ce chapitre* (= partie).

divorce n.m. *Tania a demandé le divorce,* la rupture de son mariage.

■ **divorcer** v. *M. et Mme Durand ont divorcé,* ils se sont séparés.

divulguer v. *Les journaux ont divulgué la nouvelle* (= révéler ; ≠ cacher).

dix adj. *Il y a dix décimètres dans un mètre.* *5 + 5 = 10.*

■ **dixième** adj. et n. *Le décimètre est la dixième partie du mètre. Je demeure au dixième étage.*

■ **dizaine** n.f. *Il y a une dizaine de personnes dans la salle,* environ dix.

do n.m. est la première note de la gamme. **R.** *Do* se prononce [do] comme *dos.*

docile adj. *Ce chien est très docile,* il obéit facilement (= discipliné).

■ **docilement** adv. *Le chien suit docilement Marie.*

■ **docilité** n.f. *Elle fait ce qu'on lui dit avec docilité.*

■ **indocile** adj. *Cette enfant a un caractère indocile* (= désobéissant).

dock n.m. 1. *Un dock est un bassin entouré de quais destiné au chargement ou au déchargement des navires.* 2. *Les docks d'un port sont les hangars où l'on stocke les marchandises.*

■ **docker** n.m. *Les dockers se sont mis en grève,* les ouvriers qui déchargent les bateaux.
R. *Docker* se prononce [dɔkɛr].

docteur, e n. 1. *J'ai de la fièvre, appelle la docteure !* (= médecin). *Bonjour docteur !* 2. *Mme Dubois est docteur en géographie,* elle peut enseigner à l'université.

■ **docte** adj. SENS 2 se disait pour *savant.*

■ **doctoral, e, aux** adj. SENS 2 *Il parle d'un ton doctoral,* comme s'il faisait un cours (= pédant).

■ **doctorat** n.m. SENS 2 *Le doctorat est un grade universitaire.*

doctrine n.f. *Quelle est la doctrine politique de ce parti ?,* les grandes idées qui guident son action.

■ **doctrinal, e, aux** adj. *Il y a une opposition doctrinale entre ces deux partis.*

■ **endoctriner** v. *Elle a essayé de nous endoctriner, de nous convertir à ses idées.*

document n.m. *Pour écrire son livre, l'auteur a consulté beaucoup de documents, des écrits qui l'ont renseigné.*

■ **documentaire** adj. et n.m. *Nous avons vu un (film) documentaire sur les fourmis, un film destiné à instruire.*

■ **documentaliste** n. *La documentaliste vous fournira les informations nécessaires, la personne chargée de classer et de conserver les documents.*

■ **documentation** n.f. *Les historiens rassemblent une documentation abondante, des documents.*

■ **documenter** v. *T'es-tu documenté sur ce sujet ?* (= se renseigner).

■ **porte-documents** n.m.inv. *Mets ces papiers dans ton porte-documents !* (= serviette).

dodeliner v. *Jacqueline dodeline de la tête, elle la balance doucement.*

dodu, e adj. *Ce poulet est bien dodu* (= gras).

dogme n.m. *Les dogmes d'une religion, c'est ce qu'il faut croire.*

■ **dogmatique** adj. *M. Durand est dogmatique, il affirme sans prouver.*

dogue n.m. *Les dogues sont de bons chiens de garde.*

doigt n.m. 1. *L'homme a cinq doigts à chaque main : le pouce, l'index, le majeur, l'annulaire et l'auriculaire.* 2. *Elle a été à deux doigts de se noyer,* très près.
R. *Doigt* se prononce [dwa] comme [*il*] *doit* (de *devoir*).

doigté n.m. *Pour réussir cette affaire, il faut du doigté* (= adresse, habileté).

dollar n.m. *Le dollar est la monnaie des États-Unis et du Canada. Cinq dollars* (5,00 $)

dolman n. m. *Un dolman était une veste militaire à brandebourgs.*

224

dolmen n.m. *Les dolmens ont été élevés par les hommes préhistoriques,* des grandes tables de pierre.
R. On prononce [dɔlmɛn].

domaine n.m. 1. *Ce banquier possède un grand domaine,* une propriété à la campagne. 2. *Le domaine public,* c'est tout ce qui appartient à l'État, à tout le monde. 3. *La chimie, ce n'est pas mon domaine,* la matière dont je m'occupe (= spécialité).

dôme n.m. *L'Oratoire Saint-Joseph est recouvert d'un dôme,* un toit en demi-sphère (= coupole).

domestique 1. adj. *M. Durand est très absorbé par ses soucis domestiques,* ceux de sa famille (= ménager). 2. adj. *Le chien est un animal domestique,* qui vit près de l'homme (≠ sauvage). 3. n. *Autrefois, les nobles avaient de nombreux domestiques,* des gens pour les servir.

■ **domestiquer** v. SENS 2 *Certains animaux ne peuvent pas être domestiqués* (= apprivoiser).

■ **domesticité** n.f. SENS 3 *Il y avait dans le château une nombreuse domesticité* (= personnel).

domicile n.m. *Elle s'est rendue à son domicile,* là où elle habite (= adresse).

■ **domicilier** v. *On est domicilié à Vancouver,* on y habite.

dominer v. 1. *Le coureur a dominé tous ses concurrents,* il a été le plus fort (= surpasser). 2. *Marie n'a pas pu dominer sa colère* (= contrôler, surmonter). 3. *Un château domine le village,* il est placé au-dessus (= surplomber).

4. *Dans ce tableau, le rouge domine,* c'est la couleur la plus importante (= l'emporter).

■ **dominateur, trice** adj. SENS 1 *Hélène parle d'un ton dominateur* (= autoritaire).

■ **domination** n.f. SENS 1 *Le Canada était sous la domination de l'Angleterre* (= autorité).

■ **prédominer** v. SENS 4 *Ce qui prédomine dans cette région, c'est l'élevage,* ce qui est le plus important (= dominer).

dominicain, e n. Les *dominicains* sont des religieux d'un ordre fondé par saint Dominique.

dominical, e, aux adj. *Le repos dominical* est le repos du dimanche.

436 **domino** n.m. *On joue aux dominos avec des rectangles marqués de points.*

dommage n.m. **1.** *Tu ne peux pas venir demain ? C'est dommage !* (= regrettable, fâcheux). **2.** *L'incendie a causé de graves dommages* (= dégât, perte).

■ **dédommager** v. SENS 2 *Après le cambriolage, l'assurance nous a dédommagés,* elle a versé de l'argent pour réparer les dégâts (= indemniser).

■ **dédommagement** n.m. SENS 2 *Vous avez droit à des dédommagements* (= indemnité).

■ **endommager** v. SENS 2 *La voiture a été endommagée dans l'accident* (= abîmer).

dompter v. *On n'arrive pas à dompter ce cheval,* à le soumettre en le dominant (= dresser, maîtriser).

433 ■ **dompteur, euse** n. *Au cirque, le dompteur a fait un numéro avec des lions et des tigres.*

■ **indomptable** adj. *Elle a réussi à venir à bout de ce cheval qu'on disait indomptable.*

R. Attention au *p* qui ne se prononce pas : [dɔ̃te, dɔ̃tœr, ɛ̃dɔ̃tabl].

don, donateur → *donner.*

donc conj. sert à conclure : *Le voilà, donc nous pouvons commencer ;* sert à renforcer un mot ou une phrase : *Où donc habitez-vous ?*

donjon n.m. *Les châteaux forts avaient un donjon,* une haute tour.

donner v. **1.** *Qui a donné ce cadeau à Marie ?* (= remettre, offrir ; ≠ recevoir et garder). **2.** *Ce pommier donne beaucoup de fruits* (= produire, fournir). **3.** *Donner l'ordre,* c'est ordonner, *donner une réponse,* c'est répondre, *donner des explications,* c'est expliquer, *donner soif,* c'est assoiffer. **4.** *La chambre donne sur la rue,* elle est du côté de la rue.

■ **don** n.m. **1.** SENS 1 *Par testament, M. Dupont a fait don de sa fortune à un orphelinat,* il l'a donnée. **2.** *Diana a des dons pour la musique,* elle est douée (= talent).

■ **donateur, trice** n. SENS 1 *Un donateur* est quelqu'un qui fait un don.

■ **donné, e** adj. **1.** *Il faut faire ce travail en un temps donné* (= déterminé, précisé). **2.** *Étant donné qu'il pleut, on ne sort pas,* à cause de la pluie.

■ **donneur, euse** n. SENS 1 *M. Dupont est donneur de sang,* il donne son sang.

■ **maldonne** n.f. SENS 1 *Il y a maldonne,* il y a une erreur dans la distribution des cartes.

R. → *dont.*

dont pron. relatif remplace un nom complément précédé de *de* : *C'est une femme dont je me souviens,* je me souviens d'elle.

R. *Dont* se prononce [dɔ̃] comme *don.*

doper v. *Le coureur est accusé de s'être dopé,* d'avoir pris des drogues pour être plus fort.

■ **dopage** n.m. *Le dopage est interdit par les règlements.*

dorade → *daurade.*

doré n.m. *Nous avons mangé un doré,* un poisson de rivière.

dorénavant adv. *Dorénavant, essaie d'arriver à l'heure,* à partir de maintenant (= désormais, à l'avenir).

dorer v. *Le ciel est doré au coucher du soleil,* de la couleur de l'or.
■ **dorure** n.f. *Dans ce château, il y a des dorures partout,* des ornements dorés.

dorloter v. *Jean est dorloté par sa mère* (= cajoler, choyer).

dormir v. 1. *Cette nuit, j'ai dormi huit heures,* je suis resté dans le sommeil (≠ veiller). 2. *Tu me racontes toujours des histoires à dormir debout,* des histoires invraisemblables.
■ **dormant, e** adj. SENS 1 *Une eau dormante* est immobile.
■ **dormeur, euse** n. SENS 1 *Attention à ne pas réveiller les dormeurs !,* ceux qui dorment.
■ **dortoir** n.m. SENS 1 *À la caserne, les soldats couchent dans des dortoirs,* des grandes salles contenant des lits.
■ **endormir** v. 1. SENS 1 *Pierre s'est endormi à 22 heures,* il a commencé à dormir (≠ se réveiller). 2. *Il nous endort avec ses discours* (= ennuyer).
■ **rendormir** v. SENS 1 *Bébé s'est rendormi,* il a recommencé à dormir.
R. → Conj. n° 18.

dorsal → *dos.*

dorure → *dorer.*

doryphore n.m. *Les doryphores nuisent aux pommes de terre,* des insectes ressemblant à de grosses coccinelles au dos rayé.

dos n.m. 1. *Julie a mal au dos ; elle s'est allongée sur le dos* (≠ ventre). 2. *Écris au dos de la page,* sur l'autre côté (= verso ; ≠ face). 3. *Yves a le dos large,* il peut encaisser les critiques. 4. *Léna se met tout le monde à dos,* elle s'en fait des ennemis.
■ **dorsal, e, aux** adj. SENS 1 *J'ai des douleurs dorsales,* au dos.

■ **dos-d'âne** n.m.inv. SENS 1 *Ce panneau annonce un dos-d'âne,* que la route fait une bosse.
■ **dossard** n.m. SENS 1 *Ce coureur porte le dossard numéro 10,* un carré de tissu sur son dos. 512
■ **dossier** n.m. 1 SENS 1 *Le dossier du fauteuil est rembourré,* la partie où on appuie le dos. 2. *L'avocate étudie le dossier de son client,* les documents qui le concernent. 76, 292
■ **adosser** v. SENS 1 *Jean s'est adossé au mur,* il y a appuyé le dos. 293
■ **endosser** v. 1. SENS 1 *Hélène a endossé son manteau,* elle l'a mis sur son dos. 2. *Je ne peux pas endosser cette responsabilité,* la prendre.
R. → do.

dose n.f. *À forte dose, ce médicament est mortel,* si on en prend d'un seul coup une forte quantité.
■ **doser** v. *Il faut soigneusement doser ce médicament,* mesurer la dose à prendre.
■ **dosage** n.m. *Il faut être très attentif au dosage de ce médicament.*

dossard → *dos.*

dossier → *dos.*

doter v. 1. *Sandra est dotée d'un solide bon sens,* elle l'a. 2. *Autrefois, les parents dotaient leurs filles,* ils leur fournissaient une dot.
■ **dot** n.f. SENS 2 *Les filles riches avaient une grosse dot,* de l'argent, des biens qu'elles apportaient en se mariant.
R. On prononce le *t* final : [dɔt].

douane n.f. 1. *En allant en Espagne, on s'est arrêté à la douane,* à un bureau de l'administration qui surveille les frontières. 2. *Si tu achètes trop de bouteilles de vin, tu devras payer la douane,* des taxes.
■ **douanier, ère** n. et adj. SENS 1 *Les douaniers ont fouillé nos valises,* les employés de la douane. SENS 2 *Les tarifs douaniers ont augmenté.*

doubler v. 1. *Il est interdit de **doubler** en haut d'une côte,* de dépasser une autre voiture. 2. *Depuis cinq ans, les prix **ont doublé**,* ils ont été multipliés par deux. 3. *Ce manteau **est doublé** en fourrure,* on lui a mis une doublure. 4. *Ce film américain **est doublé** en français,* les acteurs semblent parler français.

■ **doublage** n.m. SENS 4 *Le **doublage** de ce film est mauvais,* le son ne correspond pas au mouvement des lèvres des acteurs.

■ **double** adj. SENS 2 *Cette rue est à double sens* (≠ unique).

■ **double** n.m. SENS 2 *8 est le **double** de 4. As-tu un **double** de ce document ?,* un deuxième exemplaire (= copie). *On a joué au badminton en **double**,* deux équipes de deux joueurs.

■ **doublement** adv. SENS 2 *Je suis doublement contente,* pour deux raisons.

■ **doubleur, euse** n. SENS 2 *Il y a combien de **doubleurs** dans votre classe ?,* d'élèves qui redoublent.

■ **doublure** n.f. 1. SENS 3 *La **doublure** de cette veste est en soie,* le tissu intérieur. 2. *Cet acteur ne peut jouer aujourd'hui, sa **doublure** le remplacera,* l'acteur qui joue le rôle à sa place.

■ **dédoubler** v. SENS 2 *La classe **a été dédoublée**,* on a réparti les élèves dans deux nouvelles classes.

■ **redoubler** v. 1 SENS 2 *Pierre **a redoublé** (sa classe),* il l'a recommencée une nouvelle année. 2. *La pluie **redouble**,* elle devient encore plus forte. *Il faut **redoubler** d'efforts,* faire encore plus d'efforts. *On frappait à la porte **à coups redoublés**,* beaucoup et fort.

■ **redoublant, e** n. SENS 2 *Pierre est un **redoublant*** (= doubleur).

■ **redoublement** n.m. SENS 2 *Son **redoublement** lui a fait perdre un an.*

douceâtre, doucement, douceureux, douceur → *doux.*

douche n.f. *Tous les matins, je prends une **douche**,* je m'asperge d'eau pour me laver. *As-tu réparé la **douche** ?,* l'appareil qui projette de l'eau.

■ **doucher** v. *Anne est dans la salle de bains en train de **se doucher**.*

doué, e adj. 1. *Marie est **douée** pour les maths,* elle réussit bien dans cette matière (= fort). 2. *Linda est **douée** d'une excellente mémoire,* elle la possède.

douille n.f. 1. *La poudre d'une cartouche est contenue dans une **douille**. 2. Une ampoule électrique se fixe dans une **douille**,* une pièce pour la recevoir.

douillette adj. 1. *Pierre est trop **douillet**,* trop sensible à la douleur. 2. *Jean s'est couché dans son lit **douillet*** (= doux, confortable).

douillet, ette n.f. *Il dort bien au chaud dans sa **douillette*** (= couette).

douleur n.f. 1. *Je sens une **douleur** au cou,* j'ai mal. 2. *Il a eu la **douleur** de perdre son père,* il a souffert (= chagrin, peine ; ≠ bonheur).

■ **douloureux, euse** adj. SENS 1 *Ma jambe est **douloureuse**,* elle me fait mal (= sensible). SENS 2 *Elle m'a jeté un regard **douloureux**,* de chagrin (= triste).

■ **endolori, e** adj. SENS 1 *J'ai le bras endolori* (= douloureux).

■ **indolore** adj. SENS 1 *Cette piqûre est **indolore**,* elle ne fait pas mal.

douter v. 1. *Elle m'a promis de venir, mais je **doute** de sa parole,* je n'ai pas confiance (= se défier). 2. *Je **doute** qu'il fasse beau demain,* je n'en suis pas certain, je ne le crois pas. 3. *Je me **doute** qu'il est en colère,* je m'y attends (= soupçonner, deviner).

■ **doute** n.m. SENS 2 *J'ai des **doutes** sur son honnêteté,* je n'en suis pas certain (= soupçon). *Viendras-tu demain ? – Sans aucun **doute** !* (= certainement). *Il n'est pas venu, il a **sans doute** oublié* (= probablement, peut-être).

■ **douteux, euse** adj. SENS 2 *Le succès est **douteux*** (≠ sûr, certain).

■ **indubitable** adj. SENS 2 *Sa bonne foi est indubitable* (= certain).

■ **indubitablement** adv. SENS 2 *Il est indubitablement de bonne foi,* sans aucun doute.

douve n.f. Les *douves* d'un château, ce sont les fossés remplis d'eau qui l'entourent (= fossé).

doux, douce adj. **1.** *Que ton chandail est doux !,* agréable au toucher (≠ rêche, rugueux). **2.** *La saveur de ces fruits est douce,* elle est agréable (≠ amer, piquant, salé). **3.** *Il faut faire cuire cette sauce à feu doux* (= faible, modéré ; ≠ fort). **4.** *Mme Durand est douce avec les enfants* (= gentil, affectueux, tendre ; ≠ dur, sévère, brutal). **5.** *Il y a de l'eau douce dans ce lac* (≠ salé). **6.** *Jean est parti en douce,* sans qu'on s'en aperçoive.

■ **douceâtre** adj. SENS 2 *Cette orange est douceâtre,* trop douce (= fade).

■ **doucement** adv. SENS 3 *La voiture roule doucement à faible allure* (≠ vite). *Parle plus doucement* (≠ fort).

■ **doucereux, euse** adj. SENS 4 *On m'a répondu d'un ton doucereux,* trop doux, un peu sournois

■ **douceur** n.f. SENS 2 *Cette région est connue pour la douceur de son climat* (= agrément). (au plur.) *Jean m'a offert des douceurs,* des choses sucrées. SENS 3 *La voiture a démarré en douceur* (= doucement). SENS 3 *J'aime la douceur de Mme Durand* (= gentillesse, bonté).

■ **adoucir** v. SENS 3 *Le vent s'est adouci,* il est devenu moins fort. SENS 4 *Elle s'est adoucie pour me parler,* elle est devenue moins dure.

■ **adoucissant, e** adj. SENS 1 *Cette crème adoucissante soignera tes mains gercées.*

■ **adoucissement** n.m. SENS 3 *La radio annonce un adoucissement de la température.*

■ **radoucir** v. SENS 3 *Le temps s'est radouci.* SENS 4 *Il s'est mis en colère, puis il s'est radouci* (= calmer).

douze adj. *Il y a douze mois dans l'année.* | 563
$6 + 6 = 12.$

■ **douzième** adj. et n. *Décembre est le* | 563
douzième mois de l'année. Nous habitons un grand appartement situé au douzième (étage).

■ **douzaine** n.f. *Cléa a une douzaine* | 563
d'années, environ douze ans.

doyen, enne n. *Ce député est le doyen de l'Assemblée,* le député le plus âgé.

draconien, enne adj. *Votre règlement est draconien,* très sévère.

dragée n.f. *On offre des dragées lors de* | 39
la naissance d'un enfant, des bonbons faits d'amandes recouvertes de sucre.

dragon n.m. **1.** *On représente les dragons avec des ailes, des griffes et une queue pointue,* des animaux imaginaires. **2.** *Les dragons* étaient des soldats à cheval.

dragonne n.f. *Le bâton de ski se termine* | 653
par une dragonne, une courroie formant une boucle qu'on passe à son poignet.

draguer v. *Draguer une rivière,* c'est en- | 727
lever la boue et le sable accumulés au fond, en particulier avec une machine appelée **drague.**

■ **dragueur** n.m. *Il est capitaine d'un dragueur,* un bateau aménagé pour retirer les mines de l'eau.

drainer v. **1.** *Drainer un sol trop humide,* c'est en faire partir l'eau pour l'assainir. **2.** *Ce spectacle draine du monde* (= attirer).

■ **drainage** n.m. SENS 1 *Les canaux de drainage servent à évacuer l'eau des sols.*

drakkar n.m. Les *drakkars* étaient les | 802
bateaux des pirates vikings.

drame n.m. **1.** *Cet accident a été un drame affreux,* un événement violent, grave (= tragédie). **2.** *On a vu à la télé un drame de Victor Hugo,* une pièce de théâtre.

■ **dramatique** adj. SENS 1 *La situation de ces réfugiées est dramatique* (= angoissant, tragique ; ≠ comique). SENS 2 *Victor Hugo est un auteur dramatique,* il a écrit des pièces de théâtre.

■ **dramatiquement** adv. SENS 1 *Elle appelait dramatiquement au secours.*

■ **dramatiser** v. SENS 1 *Restons calmes, ne dramatisons pas,* n'exagérons pas la gravité de la situation.

■ **mélodrame** n.m. SENS 2 *Un mélodrame* est une pièce de théâtre qui cherche à émouvoir les spectateurs.

■ **mélodramatique** adj. SENS 2 *Elle a pris un ton mélodramatique pour me répondre,* pathétique mais un peu ridicule.

drap n.m. 1. *Les draps sont sales, il faut les changer,* les pièces de toile qui garnissent le lit. 2. *Te voilà dans de beaux draps !,* dans une situation embarrassante.

drapeau n.m. *Le drapeau français est bleu, blanc, rouge.*

draper v. *Elle s'est drapée dans son manteau,* elle s'est enveloppée dedans.

draperie n.f. *Des draperies ornent les murs de la salle des fêtes,* des étoffes formant des plis.

drave n.f. La *drave* c'est le transport du bois par flottage sur l'eau.

■ **draveur, euse** n. *Grand-père était draveur,* il faisait de la drave.

dresser v. 1. *Le chien a dressé les oreilles,* il les a mises droites, verticales (≠ baisser). 2. *Les campeuses ont dressé leurs tentes* (= monter, planter). 3. *Le professeur a dressé une liste des absents* (= établir). 4. *Ce chien est bien dressé,* on l'a habitué à obéir.

■ **dressage** n.m. SENS 4 *Le dressage des animaux féroces est le travail du dompteur.*

dribbler v. 1. *Le joueur de basket a dribblé son adversaire,* il est passé devant lui sans perdre la balle. 2. *Pierre dribble*

bien, il avance en faisant rebondir le ballon avec une seule main.

drisse n.f. *Hissez la voile avec la drisse !,* un cordage.

drogue n.f. 1. *M. Durand prend des drogues pour dormir* (= médicament). 2. *L'opium, la cocaïne sont des drogues,* des produits toxiques qui détruisent la volonté (= stupéfiant).

■ **droguer** v. SENS 2 *Les gens qui se droguent mettent en très grand danger leur état physique et mental.*

■ **drogué, e** n. SENS 2 *Les drogués sont toujours à la recherche de leur drogue* (= toxicomane).

droguiste n. *En France, les droguistes vendent des produits de toilette et d'entretien.*

1. droit n.m. 1. *Tu n'as pas le droit d'entrer ici, c'est privé* (= autorisation, permission). *Elle est dans son droit, elle est sûre de son bon droit,* elle est en règle, on ne peut rien lui reprocher. *Vous protestez à bon droit,* avec raison. 2. *Annie est étudiante en droit,* elle étudie les lois qui gouvernent la société. 3. *Pour importer ce produit, il faut payer des droits de douane,* donner de l'argent à l'État (= taxe).

2. droit, e adj. 1. *La ligne droite est le plus court chemin d'un point à un autre* (= direct ; ≠ courbe, arqué). 2. *Ce mur n'est pas droit,* il penche (= vertical). 3. *M. Dupont est un homme droit* (= honnête, juste, loyal ; ≠ faux, fourbe). 4. *Hélène écrit de la main droite* (≠ gauche). 5. *On trace un angle droit avec une équerre,* un angle qui n'est ni aigu, ni obtus.

■ **droit** adv. SENS 1 *Cet ivrogne ne marche pas droit,* en ligne droite. *Benoît doit être distrait, il est passé tout droit,* il est passé devant nous sans s'arrêter.

■ **droite** n.f. 1. SENS 1 *Tracez une droite sur votre cahier* (≠ courbe). SENS 4 *Il a parti vers la droite,* le côté droit (≠ gauche). **2.** *M. Dupont est de droite,* il a des opinions politiques conservatrices (≠ gauche).

■**droitement** adv. SENS 3 *Elle a toujours agi droitement avec moi* (= loyalement, honnêtement).

■**droitier, ère** adj. et n.SENS 4 *Pierre est droitier,* il écrit de la main droite (≠ gaucher).

■**droiture** n.f. SENS 3 *Jacqueline agit avec droiture* (= honnêteté, franchise, loyauté).

drôle adj. **1.** *On m'a raconté une histoire drôle* (= comique, amusant ; ≠ triste). **2.** *Il y a une drôle d'odeur dans la cuisine,* une odeur bizarre (= étrange ; ≠ normal). **3.** Fam. *Nancy a une drôle de veine,* beaucoup de veine.

■**drôlement** adv. SENS 2 *Elle m'a regardé drôlement* (= bizarrement). SENS 3 Fam. *Marie est drôlement grande* (= très).

■**drôlerie** n.f. SENS 1 *Il nous a fait rire avec ses drôleries* (= pitrerie).

dromadaire n.m. *Les Touaregs du Sahara se déplacent sur des dromadaires,* des chameaux à une bosse.

dru, e adj. *M. Dupont a une barbe drue* (= serré, épais).

drugstore n.m. *J'ai dîné de deux sandwichs dans un drugstore,* un établissement commercial comprenant un bar et des magasins divers.
R. On prononce [drœgstɔr].

druide n.m. *Les druides coupaient le gui,* les prêtres des Gaulois.

du → *de* 1 et 2.

dû → *devoir.*

duc n.m. **1.** Le titre de *duc* est le plus élevé dans la noblesse. **2.** Un *duc* était autrefois le souverain d'un duché.

■**ducal, e, aux** adj. SENS 1 ET 2 *Un palais ducal* est le palais d'un duc.

■**duché** n.m. SENS 2 *La Bretagne et la Normandie étaient des duchés,* des territoires autrefois gouvernés par des ducs.

■**duchesse** n.f. **1.** Une *duchesse* est l'épouse d'un duc. C'était aussi une femme qui possédait un duché. **2.** *Les duchesses du Carnaval viennent d'être choisies,* celles qui aspirent à devenir les reines du carnaval de Québec.

duel n.m. *Autrefois, les nobles se battaient en duel pour se venger d'une injure,* un contre un.

duffel-coat n.m. *Il fait froid, mets ton duffel-coat !,* un manteau.
R. On prononce [dœfœlkot].

dune n.f. *Près de cette plage, il y a des dunes,* des collines de sable. 577

dunette n.f. *La dunette d'un navire est la partie surélevée qui se trouve à l'arrière.* 727

duo n.m. *Jeanne et Marie ont chanté un duo,* une chanson à deux.

dupe adj. *Elle veut me tromper, mais je ne suis pas dupe,* je ne me laisse pas tromper.

■**duper** v. *Je ne me suis pas laissé duper* (= tromper).

■**duperie** n.f. *Elle s'est laissé prendre à cette duperie* (= escroquerie).

duplex n.m. **1.** *L'émission télévisée a lieu en duplex,* les personnes qui dialoguent ne sont pas au même endroit. **2.** *On habite dans un duplex,* une maison sur deux niveaux comprenant deux logements.

duplicata n.m. *Veuillez joindre au dossier un duplicata de la facture,* une reproduction (= double).

duplicité n.f. *Je me méfie de sa duplicité* (= fourberie, hypocrisie ; ≠ franchise).

duquel → *lequel.*

dur, e adj. **1.** *Cette viande est dure,* difficile à mâcher (= résistant ; ≠ tendre, mou). **2.** *Voilà un problème trop dur,* je ne sais pas le résoudre (= difficile ; ≠ facile, aisé). **3.** *M. Durand est un homme dur* (= sévère, insensible ;

≠ doux, bon). **4.** *Avoir la* **tête dure,** c'est être très têtu ou peu intelligent.

■ **dur** adv. *Claire travaille* **dur,** beaucoup.

■ **dur, e** n. *Yves est un* **dur,** *il n'a peur de rien.*

■ **dure** n.f. SENS 1 *Les campeurs ont couché sur la* **dure,** par terre.

■ **durcir** v. SENS 1 *Ce pain est vieux, il a* **durci** (≠ ramollir). SENS 3 *Sa voix s'est* **durcie,** elle est devenue plus sévère (≠ s'attendrir).

■ **durcissement** n.m. SENS 1 *Le* **durcissement** *de ce ciment est très rapide.*

■ **durement** adv. SENS 3 *Il m'a répondu* **durement,** sans bonté (≠ doucement, gentiment).

■ **dureté** n.f. SENS 1 *Ce bois a la* **dureté** *de la pierre* (= résistance). SENS 3 *La prisonnière a été traitée avec* **dureté** (= brutalité ; ≠ douceur).

■ **durillon** n.m. SENS 1 *Jean a un* **durillon** *à un orteil,* un endroit où la peau a durci (= cor).

■ **endurcir** v. SENS 3 *Les malheurs l'ont* **endurci,** rendu plus dur.

R. *Dur* se prononce [dyr] comme [*il*] *dure* (de *durer*).

durant 1. prép. *Cela s'est passé* **durant** *la nuit,* pendant sa durée. **2.** adv. *Elle a pleuré deux jours* **durant,** deux jours de suite.

durer v. *Le beau temps* **dure** *depuis huit jours,* il continue à faire beau (= se prolonger).

■ **durable** adj. *Cette douleur ne sera pas* **durable** (= long ; ≠ bref, court).

■ **durée** n.f. *Quelle est la* **durée** *de ce film ? — Deux heures,* combien dure-t-il ? (= longueur).

dureté, durillon → *dur.*

duvet n.m. **1.** *Cet oreiller est plein de* **duvet,** de petites plumes légères et chaudes. **2.** *Les campeuses couchent dans leur* **duvet,** un sac de couchage épais et chaud. **3.** *Les pêches sont recouvertes de* **duvet,** de petits poils doux.

■ **duveté, e** ou **duveteux, euse** adj. *Les pêches sont* **duvetées** *(ou* **duveteuses),** leur peau a un duvet.

dynamique adj. *Jean est un garçon* **dynamique** (= actif, énergique ; ≠ mou).

■ **dynamisme** n.m. *Katy est pleine de* **dynamisme** (= vitalité).

dynamite n.f. *Les soldats ont fait sauter le pont à la* **dynamite,** un explosif puissant.

■ **dynamiter** v. *Le pont a été* **dynamité,** détruit par un explosif.

dynamo n.f. *La* **dynamo** *de la voiture est en panne,* l'appareil qui fournit le courant électrique.

dynastie n.f. *Louis XIV appartenait à la* **dynastie** *des Bourbons,* à la famille de rois portant ce nom.

■ **dynastique** adj. *Des querelles* **dynastiques** *opposent les membres de la famille royale.*

dysenterie n.f. *Le choléra provoque la* **dysenterie,** une colique grave et douloureuse.

dyslexie n.f. *La* **dyslexie** *est un trouble de lecture.*

■ **dyslexique** adj. et n. *Cette enfant* **dyslexique** *a suivi des cours de rééducation efficaces.*

eau n.f. **1.** *L'eau pure est incolore, inodore et sans saveur. Comme il ne pouvait rien obtenir, il a mis de l'eau dans son vin,* il est devenu moins exigeant. *Ce plat me met l'eau à la bouche,* il est très appétissant. **2.** *L'eau de Javel sert à nettoyer, l'eau de Cologne sert à se parfumer.* **3.** (au plur.) Les *eaux territoriales* d'un pays, c'est la zone de mer qui borde les côtes de ce pays, par opposition aux **eaux internationales,** le reste des mers.
■ **eau-de-vie** n.f. SENS 2 *Dans cette région, on fabrique de l'eau-de-vie de prune,* de l'alcool de prune.
R. *Eau* se prononce [o] comme *au* et *aux* (articles), *haut, oh !, os* (au plur.). Noter le pluriel : *des eaux-de-vie.*

ébahir v. *La nouvelle de sa mort nous a ébahis,* beaucoup étonnés (= stupéfier).
■ **ébahissement** n.m. *Line écarquille les yeux d'ébahissement* (= stupéfaction).

s'ébattre v. *Les chatons s'ébattent sur le tapis,* ils courent, sautent et jouent.
■ **ébats** n.m.pl. *Les ébats des chatons sont amusants.*
R. → Conj. n° 56.

ébaucher v. *La romancière a ébauché le plan de son ouvrage,* elle lui a donné une première forme, pas encore définitive (≠ achever). *Le projet commence à s'ébaucher,* à prendre forme.
■ **ébauche** n.f. *Ce dessin n'est qu'une ébauche* (= esquisse).

ébène n.f. *Ce coffret à bijoux est en ébène,* un bois noir et très dur.

ébéniste n. M. *Dupuis est ébéniste,* il fabrique des meubles précieux.
■ **ébénisterie** n.f. *L'acajou, l'ébène, le citronnier sont des bois d'ébénisterie,* utilisés par l'ébéniste.

éberlué, e adj. *Émilie m'a regardé avec des yeux éberlués,* très étonnés.

éblouir v. **1.** *L'automobiliste a été ébloui par les phares de la voiture en face* (= aveugler). **2.** *Cette pianiste nous a éblouis,* remplis d'admiration.
■ **éblouissant, e** adj. SENS 1 *Ces phares blancs sont trop éblouissants.* SENS 2 *Ce pianiste a un jeu éblouissant* (= brillant).
■ **éblouissement** n.m. SENS 1 *Si on regarde le soleil en face, on a des éblouissements.*

éborgner → borgne.

éboueur → boue.

ébouillanter → bouillir.

s'ébouler v. *Ce vieux mur s'est éboulé* (= s'écrouler).
■ **éboulement** n.m. *La route a été coupée par un éboulement,* une chute de rochers, de terre.
■ **éboulis** n.m. *Le pied de la montagne est couvert d'éboulis,* de cailloux qui viennent d'en haut.

ébouriffer v. *Le vent m'a ébouriffé les cheveux,* il les a mis en désordre. **R.** Attention à l'orthographe : 1 *r* et 2 *f.*

ébranler v. **1.** *La procession s'est ébranlée,* elle s'est mise en marche (≠ s'arrêter). **2.** *L'explosion a ébranlé les murs,* elle les a fait trembler (= secouer). **3.** *Nos arguments ne l'ont pas ébranlé,* fait changer d'avis. ■ **ébranlement** n.m. SENS 1 *Dès l'ébranlement du train, elle s'est endormie* (= départ). SENS 2 *L'explosion a causé un ébranlement aux murs* (= secousse). ■ **inébranlable** adj. SENS 3 *J'ai en lui une confiance inébranlable* (= ferme ; ≠ fragile).

ébrécher → *brèche.*

ébriété n.f. *M. Dupont est en état d'ébriété,* il est soûl (= ivresse).

s'ébrouer v. *Le chien s'est ébroué en sortant de l'eau,* il a secoué son corps.

ébruiter → *bruit.*

ébullition → *bouillir.*

écaille n.f. **1.** *Les poissons ont le corps recouvert d'écailles,* de petites plaques dures. **2.** *Jean a des lunettes d'écaille,* en carapace de tortue. ■ **écailler** v. SENS 1 *Le poissonnier écaille un poisson,* il enlève les écailles. *La peinture s'est écaillée,* de petites plaques se sont détachées. ■ **écaillure** n.f. *Le plafond présente des écaillures,* des parties écaillées.

écale n.f. *Les arachides en écale* sont recouvertes de leur coquille. ■ **écaler** v. *J'écale les noisettes* (= décortiquer).

écarlate adj. *De honte, elle est devenue écarlate,* très rouge.

écarquiller v. *Pourquoi écarquilles-tu les yeux ?,* les ouvres-tu très grands.

écart n.m. **1.** *Ils habitent à l'écart de la route,* à une certaine distance. **2.** *Entre* ces deux articles, il y a un grand **écart** de prix (= différence). **3.** *Le cheval a fait un écart,* un mouvement brusque vers le côté. **4.** *La danseuse fait le grand écart,* ses jambes sont écartées de façon à toucher le sol sur toute leur longueur. ■ **écartement** n.m. SENS 1 *L'écartement des roues arrière de la voiture est de 1,40 mètre,* la distance qui les sépare. ■ **écarter** v. **1.** SENS 1 *Écartez les bras du corps !* (= séparer ; ≠ rapprocher). **2.** *Sa demande a été écartée* (= rejeter, éliminer).

écarteler v. **1.** *Autrefois, certains condamnés étaient écartelés,* leurs quatre membres étaient tirés en sens opposés jusqu'à l'arrachement. **2.** *Je suis écartelé entre ces deux désirs* (= tirailler). **R.** → Conj. n° 5.

ecchymose n.f. *Sa chute ne lui a causé que des ecchymoses,* des bleus. **R.** On prononce [ekimoz].

ecclésiastique n.m. *Les prêtres, les moines, les évêques sont des ecclésiastiques,* des membres du clergé.

écervelé → *cerveau.*

échafaud n.m. *Louis XVI est mort sur l'échafaud,* sur une estrade où on lui a coupé la tête.

échafaudage n.m. *Les maçons ont installé un échafaudage,* une construction provisoire. ■ **échafauder** v. *On a échafaudé des plans très compliqués* (= combiner).

échalas n.m. *Certaines vignes poussent sur des échalas* (= pieu).

échalote n.f. *Tu as mis des échalotes dans la salade ?,* une plante proche de l'oignon.

échancré, e adj. *Marie a un corsage échancré,* ouvert au col. ■ **échancrure** n.f. *L'échancrure d'un col* est son ouverture.

échange, échanger, échangeur
→ *changer.*

échantillon n.m. *Je voudrais un échantillon de ce tissu,* un petit morceau pour m'en faire une idée.

■ **échantillonnage** n.m. *Le sondage a été opéré sur un échantillonnage représentatif de la population,* sur un petit nombre de personnes.

échapper v. **1.** *Le chien s'est échappé, il faut le rattraper* (= s'enfuir, se sauver). **2.** *Jacqueline a échappé à la mort,* elle l'a évitée. *Jacqueline l'a échappé belle,* elle s'en est sortie de justesse. **3.** *La pile d'assiettes lui a échappé des mains,* il l'a lâchée (= glisser). **4.** *Son nom m'échappe,* je n'arrive pas à m'en souvenir. **5.** *L'eau s'échappe du tuyau,* elle se répand hors du tuyau.

■ **échappatoire** n.f. SENS 1 *On ne lui a laissé aucune échappatoire,* aucun moyen de se tirer d'embarras.

■ **échappée** n.f. SENS 1 *La cycliste a gagné l'étape après une longue échappée,* elle s'est échappée du peloton.

■ **échappement** n.m. SENS 5 *Les gaz du moteur sortent par le tuyau d'échappement.*

■ **réchapper** v. SENS 2 *Il a été bien malade, il a eu la chance d'en réchapper,* de guérir (= s'en tirer, s'en sortir).

écharde n.f. *Marie a une écharde dans le doigt,* un petit morceau de bois pointu.

écharpe n.f. **1.** *Il fait froid, mets ton écharpe autour du cou !,* une bande d'étoffe en laine ou en coton. **2.** *Pierre a le bras en écharpe,* soutenu par une bande de tissu qui passe derrière le cou.

écharper v. *La criminelle a failli se faire écharper par la foule* (= tuer).

échasse n.f. *Les échasses sont de longs bâtons servant à marcher en ayant les pieds au-dessus du sol.*

■ **échassier** n.m. *La cigogne, le héron sont des échassiers,* des oiseaux à longues pattes.

échauder v. **1.** *Le jet de vapeur l'a un peu échaudé,* lui a causé une vive chaleur (= brûler). **2.** *Ce magasin vend de la camelote : j'ai été échaudé mais on ne m'y reprendra pas ;* j'ai subi une mésaventure.

échauffement, échauffer →
chaud.

échauffourée n.f. *Il a eu le bras cassé dans une échauffourée* (= bagarre).

échauguette n.f. *Il y a des échauguettes aux angles des remparts,* des petites guérites de pierre pour le guet. | 147

échéance n.f. **1.** *On a payé avant l'échéance,* le moment où on était obligé de payer. **2.** *Anne fait des projets à longue échéance,* longtemps à l'avance.

■ **échéancier** n.m. SENS 1 *Le comptable nous a laissé l'échéancier,* le registre où sont inscrits les montants à payer ou à recevoir dans l'ordre de leur échéance. *L'entrepreneur a respecté l'échéancier,* les délais prévus.

échéant adj. *Le cas échéant, je viendrai* (= éventuellement).

échec n.m. **1.** *Jacques a subi un échec à l'examen,* il n'a pas réussi (≠ succès). **2.** (au plur.) *Line m'a battu aux échecs,* un jeu qui consiste à déplacer diverses pièces sur un plateau. | 436

■ **échiquier** n.m. SENS 2 *L'échiquier est formé de 64 cases noires et blanches,* le plateau pour jouer aux échecs. | 436

■ **échouer** v. **1.** SENS 1 *Son plan a échoué* (= rater ; ≠ réussir). **2.** *Le navire s'est échoué,* il a touché le fond par accident.

échelle n.f. **1.** *Pour monter sur le toit, il faut une échelle.* **2.** *Mme Dupont s'est élevée dans l'échelle sociale,* la succession de niveaux que constitue la société. **3.** *L'échelle de ce dessin est de 1/100,* | 649, 151, 77 | 145 ce qui est dessiné est 100 fois plus petit que l'objet réel. *Il a fraudé le fisc **sur une grande échelle**,* dans de grandes proportions. **4.** *Jean m'a **fait la courte échelle** pour sauter le mur,* il m'a fait grimper sur lui.

■ **échelon** n.m. SENS 1 *Attention, le deuxième **échelon** de l'échelle est cassé !* (= barreau). SENS 2 *Ce professeur est au dernier **échelon**,* au plus haut niveau de sa carrière.

■ **échelonner** v. SENS 2 *Ce paiement **est échelonné** sur un an,* réparti régulièrement sur cette durée.

écheveau n.m. *Marie a embrouillé son **écheveau** de laine,* un fil de laine replié beaucoup de fois.

échevelé → *cheveu.*

échevin, e n. *Mme Huang est **échevine** de la ville de Longueuil,* elle est conseillère municipale.

échine n.f. **1.** *J'ai acheté un rôti de porc dans l'**échine**,* prélevé dans le dos du porc. **2. *Courber l'échine, avoir l'échine souple**,* c'est se plier très facilement à la volonté des autres.

s'échiner v. Fam. *Je **me suis échinée** à porter ce tas de bois,* je me suis fatiguée, éreintée.

échiquier → *échec.*

écho n.m. **1.** *Il y a de l'**écho** dans cette salle,* le son est renvoyé par les murs. **2.** *On m'a donné quelques **échos** de la réunion,* on m'a dit ce qui s'y est passé (= nouvelle, information). *Je **me fais l'écho** de ce que j'ai entendu,* je le répète. **R.** *Écho* se prononce [eko] comme *écot.*

échoppe n.f. *Le cordonnier travaille dans son **échoppe**,* sa boutique.

échouer → *échec.*

éclabousser v. *En passant dans la flaque d'eau, la voiture nous **a éclaboussés**,* elle a projeté de l'eau sur nous.

■ **éclaboussure** n.f. *Attention aux **éclaboussures** !,* aux gouttes de liquide projeté.

éclair n.m. **1.** *L'**éclair** dans le ciel a été suivi d'un coup de tonnerre,* la lumière de l'orage (= foudre). **2.** *Ses yeux ont eu un **éclair** de joie,* un bref moment. **3.** *Marie aime les **éclairs** au chocolat,* des gâteaux allongés fourrés à la crème. *La serrure a été ouverte **en un éclair**,* très rapidement.

■ **éclair** adj. SENS 5 *Une guerre **éclair** dure très peu de temps.*

éclairage, éclaircie, éclaircir, éclaircissement, éclairer → *clair.*

éclaireur, euse n. **1.** *Le capitaine a envoyé des **éclaireurs** pour observer l'ennemi,* des soldats qui précèdent les autres. **2.** *Les **éclaireurs** sont les membres d'une organisation de scouts.*

éclater v. **1.** *Si tu souffles trop, tu vas faire **éclater** le ballon,* il va se briser violemment (= exploser). **2.** *Une guerre **a éclaté** en Orient,* elle a commencé brusquement. **3.** *Luce **a éclaté** de rire, Pierre **a éclaté** en sanglots,* ils se sont mis soudain à rire, à pleurer bruyamment.

■ **éclat** n.m. **1.** SENS 1 *Il a été blessé par des **éclats** de verre,* des morceaux de verre brisé. SENS 3 *J'ai entendu des **éclats** de voix,* des bruits violents. **2.** *L'**éclat** du soleil est aveuglant,* sa lumière très vive. **3.** *La cérémonie s'est déroulée avec **éclat** (= richesse, luxe).*

■ **éclatant, e** adj. *Ces couleurs sont **éclatantes**,* très vives (= violent ; ≠ terne).

■ **éclatement** n.m. SENS 1 *L'accident est dû à l'**éclatement** d'un pneu.*

éclipse n.f. **1.** *Une **éclipse** de Soleil est prévue pour demain,* le Soleil disparaîtra, caché par la Lune. **2.** *Il est revenu au pouvoir après une **éclipse**,* une période d'absence.

■**éclipser** v. **1.** SENS 2 *Par sa beauté, Marie éclipse ses rivales,* elle est si belle qu'on ne voit plus qu'elle. **2.** *Cléa s'est éclipsée,* elle est partie sans se faire remarquer.

éclopé, e n. *Les éclopés avaient du mal à suivre les autres,* ceux qui étaient légèrement blessés.

éclore v. **1.** *Les poussins éclosent au bout de vingt jours d'incubation,* ils sortent de l'œuf. **2.** *Les fleurs éclosent au printemps,* elles s'ouvrent, fleurissent.
■**éclosion** n.f. SENS 1 *L'éclosion des œufs aura lieu bientôt.* SENS 2 *Ces fleurs sont proches de l'éclosion.*
R. → Conj. n° 81.

écluse n.f. *Pour remonter le canal, on utilise des écluses,* des sortes de barrages où l'on peut changer la hauteur de l'eau.
■**éclusier, ère** n. *Un éclusier* est celui qui est chargé de manœuvrer une écluse.

écœurant, écœurement, écœurer → *cœur.*

école n.f. **1.** *Line va à l'école primaire,* en classe. **2.** *Rachid a changé d'école,* d'établissement d'enseignement.
■**écolier, ère** n. SENS 1 *Le soir, les écoliers et les écolières rentrent chez eux,* les jeunes élèves.
■**scolaire** adj. SENS 1 *L'année scolaire commence en septembre.* SENS 2 *Les bâtiments scolaires sont ceux de l'école.*
■**scolarité** n.f. SENS 1 *La scolarité est obligatoire de six à seize ans,* le fait d'aller à l'école.

écologie n.f. *L'écologie* est la défense du milieu naturel des êtres vivants.
■**écologique** adj. *Le mouvement écologique veut défendre notre environnement.*
■**écologiste** n. *Les écologistes veulent protéger la nature.*

écomusée → *musée.*

éconduire v. *Quand on l'a éconduite, elle a protesté,* quand on l'a renvoyée sans lui donner satisfaction.
R. → Conj. n° 70.

économie n.f. **1.** *En passant par ici, tu feras une économie de temps,* tu mettras moins longtemps (= gain ; ≠ perte). **2.** *Par économie, ils ne sont pas partis en vacances,* pour dépenser moins d'argent. *Mme Durand fait des économies,* elle met de l'argent de côté. **3.** *L'économie de ce pays connaît un grand développement,* la production et la consommation des produits.
■**économe** **1.** adj. SENS 2 *Mme Durand est économe,* elle dépense peu (≠ dépensier). **2.** n. *L'économe d'un hôpital* s'occupe des dépenses et des recettes.
■**économat** n.m. *Le livreur présente sa facture à l'économat,* au bureau de l'économe.
■**économique** adj. SENS 2 *Cette voiture est économique,* elle ne cause pas beaucoup de dépense (= avantageux ; ≠ coûteux). SENS 3 *Le développement économique du pays a été arrêté par la crise.*
■**économiser** v. SENS 1 *Économise tes forces !,* ne les gaspille pas. SENS 2 *J'ai économisé 100 dollars* (= épargner, mettre de côté ; ≠ dépenser).
■**économiste** n. SENS 3 *Les économistes prévoient un ralentissement de la hausse des prix,* les spécialistes de l'économie.

écoper v. **1.** *Écoper l'eau du fond d'une barque,* c'est vider l'eau avec une pelle appelée **écope**. **2.** Fam. *L'automobiliste a écopé d'une amende,* une amende lui a été infligée.

écorce n.f. **1.** *Le liège est l'écorce d'une sorte de chêne,* ce qui enveloppe le tronc et les branches. *Il faut enlever l'écorce de l'orange avant de la manger,* sa peau. **2.** *L'écorce terrestre* est la croûte qui recouvre la Terre.

655

■ **écorcer** v. SENS 1 *Il a écorcé une branche d'arbre avec son couteau,* il en a enlevé l'écorce.

écorcher v. 1. *Le cuisinier écorche un lapin,* il le dépouille de sa peau. 2. *Marie s'est écorché le genou en tombant* (= se blesser, s'égratigner). 3. *John écorche les mots français,* il les prononce mal.

■ **écorchure** n.f. SENS 2 *Il faut mettre un pansement sur cette écorchure* (= égratignure).

écornifler v. *Martin écornifle tout le temps,* il cherche à savoir ce qui se passe.

écossais, e adj. *Jeanne a une jupe écossaise,* à rayures croisées.

écosser → *cosse.*

écot n.m. *À la fin du repas, chacun a payé son écot,* sa part.

R. *Écot* se prononce [eko] comme *écho.*

écouler v. 1. *Une semaine s'est écoulée depuis notre départ* (= passer). 2. *L'eau s'écoule par ce trou* (= couler). 3. *L'épicière a écoulé toute sa marchandise* (= vendre).

■ **écoulement** n.m. SENS 2 *La gouttière est bouchée, l'écoulement ne se fait plus,* l'eau ne coule plus.

écourter → *court* 1.

1. écoute → *écouter.*

2. écoute n.f. *On oriente la voile avec l'écoute,* un cordage.

écouter v. 1. *Écoute ce que j'ai à te dire !,* fais attention, prête l'oreille. 2. *Pourquoi ne m'as-tu pas écouté ?,* n'as-tu pas obéi à mes conseils.

■ **écoute** n.f. SENS 1 *Allô ! ne quittez pas l'écoute ! Paul s'est acheté un casque d'écoute,* des écouteurs.

■ **écouteur** n.m. (au plur.) SENS 1 *Ta musique me dérange, mets tes écouteurs,* un dispositif qu'on applique sur ses oreilles et qui permet d'écouter individuellement la radio ou un autre appareil.

écoutille n.f. *Les écoutilles d'un navire sont des ouvertures sur le pont qui communiquent avec la cale.*

écrabouiller v. Fam. *Une limace a été écrabouillée par la voiture,* réduite en bouillie (= écraser).

écran n.m. 1. *Quand je vais au cinéma, je n'aime pas être loin de l'écran,* de la surface où apparaît l'image. *Le président est apparu au petit écran,* à la télévision. 2. *Les arbres nous font un écran contre le vent* (= obstacle, protection).

écraser v. 1. *On écrase le raisin pour faire le vin* (= presser, comprimer). 2. *Le chien s'est fait écraser par une voiture, il est mort* (= renverser, heurter). 3. *Je suis écrasé de travail,* j'en ai beaucoup (= surcharger). 4. *Notre équipe a été écrasée par 8 buts à 0* (= vaincre).

■ **écrasant, e** adj. SENS 3 *Il fait une chaleur écrasante,* très forte.

■ **écrasement** n.m. SENS 4 *Les journaux annoncent l'écrasement de l'armée ennemie,* sa destruction complète.

écrémer, écrémeuse → *crème.*

écrevisse n.f. *Line est rouge comme une écrevisse (cuite),* un petit animal d'eau douce.

s'écrier v. *« Ah ! Ah ! » s'écria-t-elle,* dit-elle très fort.

écrin n.m. *Un écrin à bijoux sert à ranger des bijoux* (= coffret).

écrire v. 1. *Prenez un stylo et écrivez la date sur votre cahier* (= marquer, noter, inscrire). 2. *As-tu écrit à ta grand-mère ?,* lui as-tu envoyé une lettre. 3. *J'ai écrit de nombreux poèmes,* je les ai faits, rédigés. 4. *Écrire de la musique,* c'est en représenter les sons au moyen de signes particuliers (= composer).

■ **écrit** n.m. SENS 1 *Anne a été reçue à l'écrit de son examen* (≠ oral). *Elle m'a donné ses instructions par écrit* (≠ oralement). SENS 3 *Connais-tu les écrits de ce poète ?* (= œuvre).

■ **écriteau** n.m. SENS 1 *Un écriteau signale une maison à vendre,* un panneau portant une inscription (= pancarte).

■ **écriture** n.f. SENS 1 *Cléa a une belle écriture,* elle trace bien ses lettres. *Les anciens Égyptiens avaient une écriture particulière,* une façon de noter les sons de leur langue par des signes.

■ **écrivain, e** n. SENS 3 *Victor Hugo est un grand écrivain* (= auteur).

■ **récrire** ou **réécrire** V. SENS 3 *L'auteur a réécrit une partie de son roman,* il y a apporté des modifications importantes.
R. → Conj. n° 71.

écrou n.m. *Resserrez cet écrou!,* une pièce qui se visse sur un boulon.

écrouer v. *Le malfaiteur a été écroué,* il a été mis en prison.

s'écrouler v. 1. *Un mur de la maison s'est écroulé,* il est tombé (= s'effondrer). 2. *Tous mes rêves se sont écroulés* (= s'effondrer).

■ **écroulement** n.m. *L'écroulement du pont est dû à un tremblement de terre* (= destruction, effondrement).

écru, e adj. *Marie a un pull en laine écrue* en laine naturelle, qui n'a subi aucune préparation.

écu n.m. 1. *L'écu est une ancienne monnaie.* 2. *Au Moyen Âge, les combattants avaient un écu* (= bouclier).

écueil n.m. 1. *Le bateau s'est brisé sur les écueils,* les rochers à fleur d'eau (= récif, brisant). 2. *Il y a un écueil à leur réconciliation* (= obstacle, difficulté).
R. Attention à l'orthographe : le *u* est avant le *e.*

écuelle n.f. *Le chien mange dans une écuelle,* un petit plat rond.

éculé, e adj. 1. *Tes souliers sont éculés,* très usés. 2. *Cette plaisanterie est éculée,* on l'a souvent faite (≠ original).

écumer v. 1. *Mme Durand écume le pot-au-feu,* elle enlève l'écume qui se forme à la surface. 2. *Autrefois, les pirates écumaient les mers,* ils pillaient. 3. *Le vaincu écumait de rage,* il était dans une rage extrême.

■ **écume** n.f. SENS 1 *Les vagues projettent de l'écume,* de la mousse. 723

■ **écumeur** n.m. SENS 2 *Les écumeurs des mers* étaient des pirates.

■ **écumoire** n.f. SENS 1 *Une écumoire est une sorte de passoire qui sert à écumer.* 78

écureuil n.m. *Rachid est agile comme un écureuil,* un petit animal roux. 656

écurie n.f. 1. *Les chevaux sont rentrés à l'écurie,* leur local. 2. *M. Tremblay est propriétaire d'une écurie de course,* d'un ensemble de chevaux de course. 363, 368

écusson n.m. *Les militaires portent un écusson sur la manche de leur uniforme,* un insigne. 763

écuyer, ère 1. n.m. *Au Moyen Âge, les chevaliers étaient suivis de leur écuyer,* un jeune homme à leur service. 2. n. *Marie est bonne écuyère,* elle monte bien à cheval. 433

eczéma n.m. *Marie a de l'eczéma sur le bras,* une maladie de peau.

edelweiss n.m. *On trouve des edelweiss sur les pentes des montagnes,* des fleurs blanches. 651

éden n.m. *Ce jardin est un éden,* un lieu très agréable (= paradis).
R. On prononce [edɛn].

édenté → dent.

édicter v. *Des règles sévères ont été édictées,* elles ont été décidées, décrétées.

édicule n.m. *Un kiosque est un édicule,* une petite construction.

édifier v. 1. *Cette église a été édifiée au Moyen Âge* (= construire). 2. *Elle veut nous édifier par sa conduite irrépro-*

chable, nous montrer l'exemple (≠ corrompre). **3.** *Je l'ai vu à l'œuvre, je* **suis édifié** *!* je n'ai plus d'illusions sur son compte.

■ **édifiant, e** adj. SENS 2 *Voilà un spectacle édifiant !* (= exemplaire ; ≠ scandaleux).

■ **édification** n.f. SENS 1 *L'édification de cette église remonte au* XVᵉ *siècle* (= construction). SENS 2 *Cet ouvrage visait à l'édification de la jeunesse.*

■ **édifice** n.m. SENS 1 *Cette ville contient de beaux édifices* (= bâtiment).

édit n.m. se disait autrefois pour *loi.*

éditer v. *La Librairie Larousse* **édite** *des dictionnaires,* elle les imprime et les vend (= publier).

■ **édition** n.f. *Dans quelle maison d'édition est publié ce livre ? Ce roman en est à sa troisième édition,* c'est la troisième fois qu'il est publié.

■ **éditeur, trice** n. *L'éditrice a accepté le manuscrit de M. Durand,* la directrice de la maison d'édition.

■ **inédit, e** adj. **1.** *Ses poèmes sont encore inédits,* ils ne sont pas encore édités. **2.** *Voilà un spectacle inédit,* très nouveau (= original).

■ **rééditer** v. *On a réédité ce roman,* on l'a de nouveau édité, car il était épuisé.

■ **réédition** n.f. *Le succès de ce livre est tel qu'une réédition s'impose d'urgence.*

éditorial n.m. *L'éditorial d'un journal* est un article important qui donne l'opinion du journal sur un sujet.

■ **éditorialiste** n. *L'éditorialiste* est la personne qui écrit l'éditorial.

édredon n.m. *En hiver, je dors bien au chaud sous mon édredon,* une sorte de couverture remplie de duvet.

éducation n.f. **1.** *Le ministère de l'Éducation s'occupe de ce qui concerne l'instruction et la formation des jeunes.* **2.** *M. Duval est un homme sans éducation,* il est mal élevé (= politesse ; ≠ grossièreté).

■ **éducateur, trice** n. SENS 1 *Cette revue est destinée aux éducateurs,* aux professeurs, aux instituteurs.

■ **éducatif, ive** adj. SENS 1 *Un jeu éducatif* instruit en même temps qu'il amuse (= pédagogique).

■ **éduquer** v. SENS 2 *Anne est mal éduquée* (= élever).

■ **rééduquer** v. SENS 1 *Après une longue maladie, il faut se rééduquer,* réapprendre certains mouvements.

■ **rééducation** n.f. SENS 1 *Depuis son accident, il suit des cours de rééducation.*

édulcorer v. *Édulcorer un texte,* c'est en atténuer les termes, le rendre moins mordant.

effacer v. **1.** *Voilà un chiffon pour effacer le tableau,* pour faire disparaître ce qui y est écrit. **2.** *Mes souvenirs de cette histoire se sont effacés,* j'ai oublié (= s'estomper). **3.** *Julie s'est effacée pour me laisser passer,* elle s'est mise de côté.

■ **efface** n.m. ou f. SENS 1 Fam. *Prête-moi ton efface,* ta gomme à effacer.

■ **effacé, e** adj. SENS 3 *Line est une fille effacée* (= discret, timide).

■ **effacement** n.m. SENS 2 ET 3 *L'effacement des souvenirs est progressif. Jean a vécu dans l'effacement.*

■ **ineffaçable** adj. SENS 2 *J'ai un souvenir ineffaçable de cette journée* (= inoubliable).

effarer v. *Cette nouvelle a effaré tout le monde,* a beaucoup surpris (= affoler, stupéfier).

■ **effarant, e** adj. *La charge de travail est effarante,* effrayante.

■ **effarement** n.m. *Pourquoi me regardes-tu avec effarement ?* (= stupeur).

effaroucher → *farouche.*

effectif 1. n.m. *L'effectif du collège est de 2 000 élèves,* le nombre des élèves. **2.** adj. *On m'a apporté une aide effective,* réelle, concrète.

■ **effectivement** adv. SENS 2 *Cela s'est passé effectivement ainsi* (= réellement).

effectuer v. *Hélène a effectué ce travail en trois heures* (= faire, exécuter, accomplir).

efféminé → *femme.*

effervescence n.f. *Un crime affreux a mis la ville en effervescence* (= agitation ; ≠ calme).
■ **effervescent, e** adj. 1. *Une foule effervescente* est agitée, tumultueuse. 2. *Un comprimé effervescent, plongé dans l'eau, fond en faisant des bulles.*

effet n.m. 1. *Quel est l'effet de ce médicament ? – Il fait passer le mal de tête* (= action, résultat). *Il a agi sous l'effet de la colère,* sous l'influence de. 2. *Tes paroles ont fait un mauvais effet sur l'assemblée* (= impression). 3. (au plur.) *Les soldats rangent leurs effets dans l'armoire* (= vêtements).
■ **en effet** adv. sert à expliquer : *Ève est absente ? – En effet, elle est malade.*

effeuiller → *feuille.*

efficace adj. *Ce médicament est efficace contre la grippe* (= actif).
■ **efficacement** adv. *Caroline a agi efficacement.*
■ **efficacité** n.f. *Elle travaille avec efficacité.*
■ **inefficace** adj. *Ce moyen est inefficace,* il n'aura aucun effet.
■ **inefficacité** n.f. *On lui a reproché son inefficacité.*

effigie n.f. *Cette monnaie ancienne porte l'effigie de Louis XIV* (= image, portrait).

effilé, effilocher → *fil.*

efflanqué, e adj. *Ce cheval est efflanqué,* très maigre.

effleurer → *fleur.*

effluve n.m. est un équivalent rare de *parfum, odeur.*

s'effondrer v. 1. *Ce vieux pont s'est effondré sous le poids du camion* (= s'écrouler, tomber). 2. *Il paraissait effondré par cette nouvelle* (= abattu, anéanti).
■ **effondrement** n.m. *L'effondrement du toit a blessé les occupants de la maison* (= chute).

effort n.m. *Le coureur a fait de gros efforts pour terminer l'étape,* il a employé toutes ses forces.
■ **s'efforcer** v. *Efforce-toi de ne pas te mettre en colère !* (= essayer, tâcher ; ≠ renoncer).

effraction n.f. *Un vol avec effraction a été commis,* les voleurs ont cassé la serrure ou la porte, la fenêtre, etc.

effrayant, effrayer → *frayeur.*

effréné, e adj. *Elle s'est lancée dans une course effrénée,* une course déchaînée, folle.

s'effriter v. *Cette roche s'effrite facilement,* elle tombe en miettes.
■ **effritement** n.m. *Le sable provient de l'effritement des roches* (= désagrégation).

effroi → *frayeur.*

effronté, e adj. et n. *Tais-toi, petite effrontée !* (= insolent, impoli).
■ **effrontément** adv. *Il nous a menti effrontément,* avec impudence, sans aucune honte.
■ **effronterie** n.f. *Aurez-vous l'effronterie de nier l'évidence ?* (= audace).

effroyable, effroyablement → *frayeur.*

effusion n.f. 1. *La bagarre s'est terminée sans effusion de sang,* sans que le sang soit répandu. 2. *Quelles effusions quand ils se sont retrouvés !,* comme ils se sont embrassés (≠ froideur).

égal, e, aux adj. 1. *Coupe le gâteau en parts égales !,* semblables entre elles (= identique ; ≠ différent). 2. *Mlle Buyssens a toujours une humeur égale,* elle ne change pas (= régulier). 3. *Ça m'est égal !* (= indifférent). 4. adj. et n. *La femme est l'égale de l'homme,* elle a les mêmes droits.

■ **également** adv. 1. SENS 1 *Le partage a été fait également* (≠ inégalement). 2. *Sarah vient et Jean également* (= aussi).

■ **égaler** v. SENS 1 *La recette égale la dépense,* elle est égale en quantité. *Ce record n'a jamais été égalé* (= atteindre).

■ **égaliser** v. SENS 1 *L'équipe adverse a égalisé,* a obtenu le même nombre de points. SENS 2 *On a égalisé le sol du jardin,* on l'a rendu régulier (= aplanir).

■ **égalisation** n.f. SENS 1 *Ce but a permis l'égalisation,* d'égaliser.

■ **égalité** n.f. SENS 1 *Les deux équipes sont à égalité.* SENS 4 *Liberté, égalité, fraternité !,* tous les hommes sont égaux devant la loi.

■ **égalitaire** adj. SENS 4 *Un régime égalitaire donne les mêmes droits à tous.*

■ **inégal, e, aux** adj. SENS 1 *Le partage a été inégal* (= injuste). SENS 2 *Jean travaille de manière inégale* (= variable).

■ **inégalable** adj. SENS 1 *Ce magasin a des produits d'une qualité inégalable* (= incomparable).

■ **inégalement** adv. SENS 1 *Linda et Paul sont inégalement attentifs.*

■ **inégalité** n.f. SENS 1 *L'inégalité des salaires est trop forte* (= différence). SENS 2 *La marche est difficile à cause des inégalités du terrain* (= irrégularité, accident).

égard n.m. 1. *Personne n'a été gentil à l'égard de Pierre* (= avec, envers). 2. (au plur.) *Elle nous a reçus avec des égards* (= politesse). 3. *Le jury a eu égard aux circonstances pour prononcer son jugement,* il en a tenu compte.

4. *Cette solution est la meilleure à tous égards,* à tous les points de vue.

égarer v. 1. *Nous nous sommes égarés dans la forêt* (= se perdre). 2. *Elle s'est laissée égarer par la colère* (= tromper, aveugler).

■ **égarement** n.m. SENS 2 *Dans ton égarement, tu ne sais plus ce que tu fais,* ton esprit est troublé (= affolement).

égayer → gai.

égide n.f. *L'exposition est organisée sous l'égide du gouvernement,* avec son aide et sous sa direction (= sous les auspices, sous le patronage de).

églantine n.f. *L'églantine* est une rose sauvage produite par l'**églantier.**

église n.f. 1. *Dans cette ville, il y a de belles églises,* des bâtiments servant au culte catholique. 2. *Le pape est le chef de l'Église catholique,* de l'ensemble des catholiques.

égocentrique adj. et n. *Paul est un égocentrique,* il a tendance à se croire le centre du monde.

égoïne n.f. *Une égoïne* (ou une *scie égoïne*) est une scie à lame large et à poignée.

égoïste adj. et n. *Quelle égoïste ! Elle ne pense qu'à elle* (≠ généreux).

■ **égoïsme** n.m. *Elle a refusé de nous aider par égoïsme.*

■ **égoïstement** adj. *Il a égoïstement pris pour lui la meilleure part.*

égorger → gorge.

s'égosiller → gosier.

égout n.m. *Les égouts* sont des canalisations servant à évacuer les eaux sales.

■ **égoutier, ère** n. *Les égoutiers entretiennent les égouts,* c'est leur métier.

■ **tout-à-l'égout** n.m.inv. *Cette maison n'a pas le tout-à-l'égout,* elle n'est pas reliée aux égouts.

égoutter, égouttoir → goutte.

s'égratigner v. *En passant dans les ronces, je me suis égratigné les jambes,* écorché légèrement (= érafler).
■ **égratignure** n.f. *Tu saignes ? – Ce n'est qu'une égratignure,* une petite blessure.

égrener → *grain.*

eh ! interj. sert à attirer l'attention : *Eh ! viens ici !*

éhonté → *honte.*

éjecter v. *La voiture a heurté un arbre, et la conductrice a été éjectée,* projetée au-dehors.
■ **éjectable** adj. *Le siège éjectable d'un avion* permet au pilote d'être éjecté en cas de catastrophe.

élaborer v. *Ils ont longuement élaboré leur plan,* ils l'ont préparé soigneusement (= combiner).
■ **élaboration** n.f. *L'élaboration du plan a été longue* (= préparation, réalisation).

élaguer v. 1. *On a élagué les arbres de l'avenue,* on a coupé les branches inutiles. 2. *Ton devoir est trop long, il faut l'élaguer,* le raccourcir.

1. élan n.m. 1. *Youssef a pris son élan pour sauter,* il a fait un mouvement rapide en avant. 2. *Elle a eu un élan de générosité* (= mouvement, impulsion).
■ **s'élancer** v. *Branda s'est élancée pour me rattraper* (= se précipiter).

2. élan n.m. *L'élan vit dans les pays froids,* un animal proche du cerf. *L'élan du Canada s'appelle orignal.*

élancé, e adj. *Marie a un corps élancé,* mince et allongé.

s'élancer → *élan* 1.

élargir, élargissement → *large.*

élastique 1. adj. *Le caoutchouc est un corps élastique,* qui peut se déformer et reprendre sa forme (= extensible ;

≠ rigide). 2. n.m. *Il a fermé la boîte avec un élastique,* une bande de caoutchouc.
■ **élasticité** n.f. *Ce caoutchouc a perdu son élasticité,* il n'est plus élastique.

électeur, élection, électoral, électorat → *élire.*

électricité n.f. *L'électricité permet de s'éclairer, de se chauffer, de faire fonctionner divers appareils.*
■ **électricien, enne** n. *L'électricien est venu réparer l'installation électrique.*
■ **électrifier** v. *Cette ligne de chemin de fer n'est pas encore électrifiée,* elle ne marche pas à l'électricité.
■ **électrique** adj. *Marc a une cuisinière électrique,* qui fonctionne à l'électricité.
■ **électriser** v. *L'oratrice a électrisé la foule,* elle l'a excitée.
■ **s'électrocuter** v. *Ne touche pas à ce fil, tu risques de t'électrocuter,* de mourir en recevant une décharge électrique.
■ **électroménager, ère** adj. *Les aspirateurs, les machines à laver, les ventilateurs sont des appareils électroménagers.*
■ **électrophone** n.m. *Un électrophone est un tourne-disque qui fonctionne à l'électricité.*

électron n.m. *Les électrons sont des particules qui constituent les atomes.*
■ **électronique** 1. adj. *Une calculatrice électronique utilise les propriétés des électrons.* 2. n.f. *Pierre est un ingénieur en électronique,* la science qui étudie les électrons et leurs applications.
■ **électronicien, enne** n. *Pierre est électronicien,* spécialiste en électronique.

élégant, e adj. 1. *Avec sa nouvelle robe, Marie est très élégante,* elle s'habille avec goût (= chic, distingué ; ≠ négligé). 2. *J'ai trouvé un moyen élégant de me débarrasser de toi* (= poli, courtois).
■ **élégance** n.f. SENS 1 ET 2 *Marie s'habille toujours avec élégance* (= goût).

290

79,
761,
801,
803

■**inélégant, e** adj. SENS 2 *Son refus brutal est un procédé inélégant* (= grossier).

élément n.m. **1.** *Ce meuble est vendu par éléments,* par morceaux que l'on doit assembler (= partie ; ≠ ensemble). **2.** *Carole est le meilleur élément de notre groupe de travail,* une personne du groupe. **3.** (au plur.) *Line n'a étudié que les premiers éléments des mathématiques,* les notions les plus simples (= principes). **4.** *Pierre est mal à l'aise, il n'est pas dans son élément,* dans un milieu qu'il connaît bien.

■**élémentaire** adj. SENS 3 *Une multiplication par 2 est une opération élémentaire,* très simple (≠ compliqué).

581 **éléphant** n.m. **1.** *Il y a des éléphants en Afrique et en Asie du Sud.* **2.** *As-tu déjà vu un éléphant de mer ?,* un phoque à trompe.

294 **élève** n. *Il y a un 35 élèves dans la classe,* enfants ou adolescents qui vont à l'école (= écolier, cégépien, collégien).

élever v. **1.** *On a élevé un mur au fond du jardin* (= dresser, construire ; ≠ abattre). **2.** *En été, la température s'élève* (= monter ; ≠ baisser). **3.** *Les recettes s'élèvent à 1 000 dollars,* elles atteignent cette somme (= se monter). **4.** *Le capitaine Dupont a été élevé au grade de commandant,* il est monté en grade. **5.** *Jean a été élevé à la campagne,* il y a passé sa jeunesse (= éduquer). **6.** *La fermière élève des poulets et des lapins,* elle les nourrit pour les manger ou les vendre.

■**élevage** n.m. SENS 6 *La Normandie est une région d'élevage,* on y élève des animaux.

■**élévation** n.f. SENS 2 *On note une élévation de la température* (= augmentation).

■**élevé, e** adj. SENS 2 *Les prix sont trop élevés* (= haut). SENS 5 *Marie est bien élevée, Paul est mal élevé,* Marie est polie, Paul est malpoli.

■**éleveur, euse** n. SENS 6 *Un éleveur de bétail* est un paysan qui fait de l'élevage.

■**surélever** v. SENS 1 *On a surélevé la maison,* on a augmenté sa hauteur (≠ abaisser).

éligible → **élire.**

élimé, e adj. *Ta veste est élimée au coude* (= usé).

éliminer v. **1.** *La moitié des concurrentes ont été éliminées,* laissées de côté (= écarter, rejeter ; ≠ admettre). **2.** *Comment éliminer tous ces produits toxiques ?* (= évacuer, rejeter).

■**élimination** n.f. SENS 1 ET 2 *La défaite de cette équipe entraîne son élimination de la Coupe du monde.*

■**éliminatoire** SENS 1 **1.** adj. *Une épreuve éliminatoire* sert à éliminer des candidats trop nombreux. **2.** n.f.pl. *Les éliminatoires commencent bientôt,* des épreuves sportives qui permettent de sélectionner les meilleurs candidats.

élire v. *M. Dupont a été élu député,* on l'a choisi par un vote.

■**électeur, trice** n. *Sophie a dix-huit ans, elle devient électrice,* elle peut voter.

■**élection** n.f. *Mme Huang s'est présentée aux élections municipales,* pour être élue conseillère municipale. *On lui a annoncé son élection,* qu'elle était élue.

■**électoral, e, aux** adj. *La campagne électorale a commencé,* en vue des élections.

■**électorat** n.m. *Il y a eu des abstentions dans l'électorat de la majorité,* dans l'ensemble de ses électeurs.

■**éligible** adj. *Pour être éligible, il faut être électeur,* pour pouvoir être élu.

■**élu, e** adj. et n. *Mme Landry fait-elle partie des élus ?,* de ceux qui ont été choisis par les électeurs.

■**inéligible** adj. *Sa condamnation pénale la rend inéligible,* on ne peut pas l'élire.

■**réélire** v. *Ce député n'a pas été réélu aux dernières élections.*
■**réélection** n.f. *La réélection de cette candidate paraît assurée.*
R. → Conj. n° 73.

élision n.f. *Dans « l'art », il y a eu élision du « e » de l'article,* le « e » est remplacé par une apostrophe (= suppression).

élite n.f. **1.** *Ces gens se considèrent comme l'élite de la nation,* les classes supérieures. **2.** *Jacques est un cavalier d'élite,* très bon.

élixir n.m. *Autrefois, les sorcières recherchaient l'élixir de longue vie,* un médicament magique.

elle, elles → *il.*

ellipse n.f. **1.** *Une ellipse est un cercle aplati.* **2.** *Quand on dit « J'habite un trois pièces » pour « un appartement de trois pièces », on fait une ellipse,* on n'exprime pas certains mots.
■**elliptique** adj. sens 1 *Le satellite est sur une orbite elliptique.* sens 2 *Cette phrase est elliptique,* certains mots ne sont pas exprimés.

élocution n.f. *Paul a des difficultés d'élocution,* il parle difficilement.

éloge n.m. *Le professeur a fait l'éloge de Myriam,* il en a dit du bien (= compliment, louange ; ≠ critique).
■**élogieux, euse** adj. *Elle a prononcé des paroles élogieuses* (= flatteur, laudatif ; ≠ défavorable).

éloigné, éloignement, éloigner → *loin.*

éloquent, e adj. *Ce député est un orateur éloquent,* il parle bien.
■**éloquence** n.f. *Son éloquence a convaincu l'assemblée.*
■**éloquemment** adv. *L'avocate a plaidé éloquemment,* avec éloquence.

élu → *élire.*

élucider v. *On n'a pas pu élucider ce mystère* (= éclaircir, expliquer).

élucubrations n.f.pl. *Je n'ai pas pris au sérieux ses élucubrations,* ses idées bizarres.

éluder v. *On ne peut pas éluder ce problème,* le laisser de côté.

élytre n.m. *Les élytres d'un hanneton sont les ailes dures qui recouvrent les ailes transparentes.*

émacié, e adj. *Mon grand-père a un visage émacié,* très maigre.

émail n.m. **1.** *Ces assiettes sont recouvertes d'émail,* d'un vernis dur et brillant. **2.** *L'émail des dents est une couche très dure qui les protège.* **3.** *Cet artisan fabrique de très beaux émaux,* des objets recouverts d'émail.
■**émailler** v. **1.** sens 1 *Ce fourneau est en fonte émaillée,* recouverte d'émail. **2.** *La réunion a été émaillée d'incidents,* il y en a eu plusieurs.

émanciper v. *Les anciennes colonies se sont émancipées* (= se libérer ; ≠ se soumettre).
■**émancipation** n.f. *Les femmes luttent pour leur émancipation,* pour ne plus être subordonnées aux hommes.

émaner v. *Dans une démocratie, le pouvoir émane du peuple,* il en vient.
■**émanation** n.f. **1.** *Le pouvoir est une émanation du peuple,* il vient de lui. **2.** *On sent des émanations de gaz,* du gaz provenant d'une fuite.

émarger → *marge.*

embâcle n.m. *La rivière est obstruée par l'embâcle,* un amas de glace ou de bois.

emballer v. **1.** *Avant le déménagement, on a emballé la vaisselle dans des caisses* (= envelopper, empaqueter). **2.** Fam. *Ce film m'a emballé,* il m'a beaucoup plu (= enthousiasmer). **3.** *Le cheval s'est emballé,* il est parti à toute vitesse (= s'emporter).
■**emballage** n.m. sens 1 *Pour l'emballage,* on se sert de caisses, de cartons, etc.

■ **emballement** n.m. SENS 2 Fam. *Ne cédons pas à notre* **emballement,** à notre enthousiasme irréfléchi.

■ **déballer** v. SENS 1 *Aide-moi à* **déballer** *les cadeaux !,* à les tirer de leur emballage.

■ **déballage** n.m. SENS 1 *C'est l'heure du* **déballage** *des cadeaux. Qu'est-ce que c'est que ce* **déballage** *?,* ces objets en désordre.

■ **remballer** v. SENS 1 *Les camelots ont* **remballé** *leur marchandise* (= ranger).

embarcadère, embarcation → *embarquer.*

embardée n.f. *La voiture a fait une* **embardée,** un dangereux changement de direction.

embargo n.m. *Le gouvernement a mis l'***embargo** *sur les livraisons d'armes dans ces pays,* il a interdit qu'on les exporte.

embarquer v. 1. *Pour aller en Angleterre, on peut* **embarquer** *à Calais,* monter dans un bateau ou dans un avion. 2. *Veux-tu* **embarquer** *dans la voiture ?,* y monter. 3. *On m'a* **embarqué** *dans une affaire invraisemblable,* (= entraîner).

■ **embarcadère** ou **débarcadère** n.m. SENS 1 *Les passagers se sont dirigés vers l'***embarcadère,** le quai d'embarquement (ou de débarquement).

■ **embarcation** n.f. SENS 1 *Les barques, les canots, etc., sont des* **embarcations,** des petits bateaux.

■ **embarquement** n.m. SENS 1 *À destination de New York,* **embarquement** *immédiat !*

■ **débarquer** v. 1. SENS 1 *Le navire a* **débarqué** *sa cargaison,* il l'a déposée à terre. 2. SENS 2 *Sophie s'est fait mal en* **débarquant** *de la voiture,* en sortant.

■ **débarquement** n.m. SENS 1 *Au* **débarquement,** *la douane a fouillé nos valises.*

■ **rembarquer** v. SENS 1 *Les passagers et les passagères ont* **rembarqué** *après une courte escale.*

embarrasser v. 1. *Enlève tes affaires qui* **embarrassent** *ma table !* (= encombrer, gêner). 2. *Cette question m'***embarrasse** *beaucoup, je ne sais pas quoi répondre* (= troubler, déconcerter).

■ **embarras** n.m. SENS 2 (au plur.) *Jacqueline a des* **embarras** *d'argent,* elle en manque (= difficultés). *Je ne pouvais cacher mon* **embarras** (= trouble, malaise). *Tu as l'***embarras** *du choix,* le choix est difficile.

■ **embarrassant, e** adj. SENS 1 *Ces bagages sont* **embarrassants.** SENS 2 *Votre question est* **embarrassante.**

■ **débarrasser** v. SENS 1 *Débarrasse la table !,* enlève ce qui est dessus. *Il s'est* **débarrassé** *de vieux livres sans valeur,* il les a jetés ou donnés.

■ **débarras** n.m. SENS 1 *Line s'en va, bon* **débarras !,** on est débarrassé d'elle. *Mets cette vieille chaise dans le* **débarras,** une petite pièce où l'on entasse des objets.

embarrer → *barrer.*

embaucher v. *Cette entreprise* **embauche** *des employés* (= engager, recruter ; ≠ licencier, renvoyer).

■ **embauche** n.f. *En ce moment, il n'y a pas d'***embauche,** de travail pour du personnel à recruter.

■ **débaucher** v. *L'usine a dû* **débaucher** *du personnel,* cesser de l'employer (= licencier, congédier ; ≠ embaucher).

embaumer v. 1. *Les fleurs* **embaument** *la pièce,* elles sentent très bon (= parfumer). 2. *Embaumer un cadavre,* c'est le remplir de produits pour le conserver.

embellir → *beau.*

embêter v. Fam. *N'***embête** *pas ta sœur !* (= agacer, ennuyer). *On s'***embête** *ici* (= s'ennuyer).

■ **embêtant, e** adj. Fam. *Jean est* **embêtant** (= ennuyeux).

■ **embêtement** n.m. Fam. *Cette affaire me cause bien des* **embêtements** (= ennui).

d'emblée adv. *Elle a accepté d'emblée ma proposition* (= tout de suite).

emblème n.m. *Le drapeau est l'emblème de la patrie,* c'est un objet qui représente une idée.

embobiner → *bobine.*

emboîter v. 1. *Ces tuyaux s'emboîtent l'un dans l'autre,* ils s'ajustent exactement. 2. *Quelqu'un m'a emboîté le pas,* s'est mis à marcher juste derrière moi.
■ **déboîter** v. SENS 1 *Il s'est déboîté l'os de l'épaule,* l'os est sorti de l'articulation (= luxer).
■ **déboîtement** n.m. SENS 1 *Un déboîtement d'épaule est très douloureux* (= luxation).

embolie n.f. *Notre voisine est morte subitement d'une embolie,* un caillot de sang a bouché une de ses artères.

embonpoint n.m. *C'est un gros mangeur, aussi il prend de l'embonpoint,* il grossit.
R. Attention à l'orthographe : un *n* avant le *p*.

embouché, e adj. *Jean est mal embouché aujourd'hui* (= impoli, grossier).

embouchure n.f. *L'embouchure de la Seine est près du Havre,* l'endroit où elle se jette dans la mer.

embourber → *bourbier.*

embourgeoiser → *bourgeois.*

embout n.m. *Mon parapluie a perdu son embout,* la garniture qui se place au bout.

embouteiller v. *L'autoroute est embouteillée à cause des travaux,* les voitures n'avancent plus.
■ **embouteillage** n.m. *Un accident a provoqué un embouteillage* (= encombrement, bouchon).

emboutir v. Fam. *Un camion a embouti l'arrière de la voiture,* il l'a enfoncé en le heurtant.

embranchement → *branche.*

embraser v. *Une allumette peut suffire à embraser une forêt* (= incendier, brûler).

embrasser v. 1. *Cléa a embrassé ses parents avant de partir,* elle leur a donné des baisers. 2. *De la montagne, on embrasse tous les alentours,* on les voit d'un seul regard. 3. *Embrasser un métier,* c'est le choisir.
■ **embrassade** n.f. SENS 1 *Ils se sont retrouvés avec des embrassades,* en s'embrassant.

embrasure n.f. *Entre ! ne reste pas dans l'embrasure de la porte !* (= ouverture).

embrayer v. *Après avoir changé de vitesse, il faut embrayer,* remettre le moteur en communication avec les roues.
■ **embrayage** n.m. *Cette voiture a un embrayage automatique,* il n'y a pas de pédale pour embrayer. 505
■ **débrayer** v. *Pour t'arrêter, freine et débraye !,* mets-toi au point mort !
■ **débrayage** n.m. *Appuie sur le débrayage* (ou *sur l'embrayage*) *!,* sur la pédale qui est à gauche de l'accélérateur. 505

embrigader v. *Je n'ai pas voulu me laisser embrigader dans le parti,* me laisser enrôler, en acceptant des contraintes.

embrocher → *broche.*

embrouiller → *débrouiller.*

embruns n.m.pl. *Sur le pont du bateau, on reçoit des embruns,* des gouttelettes apportées par le vent.

embryon n.m. *L'œuf contenait un embryon de poulet,* un poussin avant sa formation complète.
■ **embryonnaire** adj. *Ce projet est encore à l'état embryonnaire,* il est tout juste conçu, mais n'est pas encore au point.

embûches n.f.pl. se dit parfois pour *pièges, obstacles.*

embuscade n.f. *Les soldats sont tombés dans une **embuscade**,* l'ennemi s'était caché pour les attendre (= guet-apens).
■ **s'embusquer** v. *L'ennemi **s'était embusqué** derrière une maison* (= se cacher).

éméché, e adj. *M. Dupont a l'air **éméché**,* un peu ivre.

émeraude n.f. *Tu as des boucles d'oreilles d'**émeraudes**,* de pierres précieuses vertes.

émerger v. **1.** *À marée basse, ces rochers **émergent**,* ils apparaissent à la surface (≠ être immergé). **2.** *Sa vraie nature **émergeait** enfin* (= apparaître).

émeri **1.** adj.inv. *On ôte la rouille avec de la toile **émeri**,* un tissu recouvert de grains qui grattent. **2.** n.m. Fam. *Tu es bouchée à l'**émeri**,* tu ne comprends rien.

émérite adj. *M. Dubois est un professeur **émérite**,* très compétent (= éminent).

émerveillement, émerveiller → *merveille.*

émettre v. **1.** *Cette station de radio **émet** sur 317 mètres,* elle utilise cette longueur d'onde (= diffuser). **2.** *La lampe **émet** une faible lumière* (= produire, répandre). **3.** *Postes Canada a **émis** de nouveaux timbres,* les a mis en circulation.
■ **émetteur, trice** adj. et n.m. SENS 1 *Un (poste) **émetteur** sert à envoyer des messages radio* (≠ récepteur).
■ **émission** n.f. SENS 1 *L'**émission** sur les animaux était intéressante,* le programme de radio ou de télévision.
R. → Conj. n° 57. → *émir.*

émeute n.f. *Le gouvernement a été renversé par une **émeute**,* une révolte populaire.

■ **émeutier, ère** n. *La police s'oppose aux **émeutiers*** (= révolté).

émietter → *miette.*

émigrant, émigration, émigré, émigrer → *migration.*

éminence n.f. **1.** *Nous sommes montés sur une **éminence** pour voir le coucher du soleil* (= hauteur, butte, colline ; ≠ creux). **2.** *On dit « **éminence** » en s'adressant à un cardinal.*
■ **éminent, e** adj. SENS 1 *Elle occupe un poste **éminent**,* très important (= élevé).
■ **éminemment** adv. *Votre participation est **éminemment** souhaitable* (= extrêmement, hautement).

émir n.m. *L'**émir** du Koweït est le chef de cet État arabe.*
■ **émirat** n.m. *Le Koweït est un **émirat**.*
R. *Émir* se prononce [emir] comme [*ils*] *émirent* (de *émettre*).

émissaire n.m. *Le gouvernement a envoyé un **émissaire** à l'étranger,* quelqu'un chargé d'une mission.

émission → *émettre.*

emmagasiner → *magasin.*

emmailloter → *maillot.*

emmancher, emmanchure → *manche.*

emmêler → *mêler.*

emménager → *déménager.*

emmener v. *Mme Diallo **emmène** ses enfants à l'école* (= conduire).

emmitoufler v. *Line **s'est emmitouflée** dans son manteau,* elle s'est bien enveloppée dedans.

emmurer → *mur.*

émoi → *émouvoir.*

émoluments n.m.pl. *Ses émoluments ne lui permettent pas une telle dépense,* l'argent qu'il gagne (= appointements, salaire).

émonder v. *Émonder un arbre,* c'est le tailler (= élaguer).

émotif, émotion → émouvoir.

émoulu, e adj. *Cette jeune docteure est fraîche émoulue de l'université,* elle en est sortie récemment.

émousser v. **1.** *La pointe du couteau est émoussée,* elle n'est plus pointue (≠ aiguiser). **2.** *La douleur s'émousse avec le temps* (= s'affaiblir, s'atténuer).

émoustiller v. *Le vin nous a émoustillés,* il nous a rendus gais.

émouvoir v. *À l'enterrement de M. Dupont, tout le monde était ému* (= impressionner, toucher, bouleverser).
■ **émouvant, e** adj. *Cette cérémonie était émouvante.*
■ **émoi** n.m. *L'incendie a mis tout le quartier en émoi* (= agitation ; ≠ calme).
■ **émotif, ive** adj. *Marie est une fillette émotive* (= sensible, impressionnable ; ≠ froid).
■ **émotion** n.f. *Elle a eu une émotion en découvrant son appartement cambriolé* (= choc, coup).
R. → Conj. n° 36.

empailler → paille.

empaqueter → paquet.

s'emparer v. **1.** *Jacques s'est emparé du ballon,* il l'a pris vivement (= se saisir de). **2.** *La peur s'est emparée de Lucie* (= gagner, envahir).

s'empâter v. *M. Muller ne fait pas assez d'exercice, il commence à s'empâter,* à grossir.

empêcher v. **1.** *Ce bruit m'empêche de travailler,* ne me le permet pas (= interdire). *On a voulu m'empêcher de partir,* s'opposer à mon départ (= défendre ;

≠ permettre). **2.** *Elle n'a pu s'empêcher de me téléphoner,* se retenir de le faire.
■ **empêchement** n.m. SENS 1 *Je ne peux pas venir, j'ai un empêchement* (= obstacle, difficulté).

empereur → empire.

empeser v. *M. Durand a un col empesé,* durci avec de l'amidon.

empester v. *Ce tas d'ordures empeste les environs,* il répand une odeur infecte.

s'empêtrer v. *Tu t'es empêtré dans tes mensonges* (= s'embrouiller, s'embarrasser).
■ **se dépêtrer** v. *J'ai du mal à me dépêtrer de mes ennuis,* à me tirer d'embarras.

emphase n.f. *Jacqueline parle avec emphase,* d'un ton solennel (= grandiloquence).
■ **emphatique** adj. *Elle m'a répondu d'un ton emphatique* (= doctoral, prétentieux ; ≠ simple).

empierrer → pierre.

empiéter v. **1.** *En faisant sa clôture, le voisin a empiété sur notre terrain* (= déborder). **2.** *Vous empiétez sur mes droits,* vous faites des choses que moi seul j'ai le droit de faire.
■ **empiétement** n.m. SENS 1 ET 2 *Je proteste contre ces empiétements sur mon terrain, sur mes droits.*

s'empiffrer v. Fam. *Arrête de t'empiffrer de gâteaux !,* de manger goulûment (= se bourrer, se gaver).

empiler → pile.

empire n.m. **1.** *Napoléon avait constitué un vaste empire,* un ensemble de pays soumis à son autorité. **2.** *Il m'a giflé sous l'empire de la colère,* il était dominé par la colère (= influence, emprise). **3.** *Je ne vendrais pas cette bague pour un empire,* pour rien au monde.
■ **empereur** n.m. SENS 1 *Napoléon a été sacré empereur en 1804,* chef d'un empire.

■ **impératrice** n.f. SENS 1 Une *impératrice* est la souveraine d'un empire ou la femme d'un empereur.

■ **impérial, e, aux** adj. **1.** SENS 1 *La famille impériale* est la famille d'un empereur. **2.** *Le système impérial a précédé le système métrique,* un système de mesure utilisant le pied, la livre et la pinte.

■ **impérialiste** adj. SENS 1 *Un pays impérialiste* cherche à conquérir d'autres pays.

empirer → *pire.*

empirique adj. *Elle a trouvé la solution par des moyens empiriques,* en tâtonnant (≠ scientifique).

■ **empiriquement** adv. *Elle a trouvé empiriquement la solution.*

emplacement → *place.*

emplâtre n.m. *On a mis un emplâtre sur sa blessure,* une pommade.

emplette n.f. *M. Dupont est allé faire quelques emplettes* (= achat, commissions, courses).

emplir v. se dit parfois pour *remplir.*

emploi n.m. **1.** *Elle a fait un mauvais emploi de son argent,* elle l'a mal utilisé (= usage). **2.** *Quel est ton emploi du temps, aujourd'hui ?,* qu'est-ce que tu dois faire ? (= programme). **3.** *Jacqueline a perdu son emploi* (= travail, place).

■ **employer** v. SENS 1 *M. Da Silva emploie sa voiture pour aller travailler,* il s'en sert (= utiliser). SENS 2 *Nous nous emploierons à vous rendre service,* nous y consacrerons notre temps. SENS 3 *Cette usine emploie cent ouvrières,* elles y travaillent (= occuper).

■ **employé, e** n. SENS 3 *Mme Dubois est employée de banque,* c'est son métier.

■ **employeur, euse** n. SENS 3 *Son employeur l'a augmenté* (= patron).

empocher → *poche.*

empoignade, empoigner → *poignée.*

empoisonnement, empoisonner, empoisonneur → *poison.*

emporte-pièce n.m.inv. **1.** *À l'atelier, la tôle est découpée à l'emporte-pièce,* une machine. **2.** *Jean fait souvent des réponses à l'emporte-pièce,* sans nuances, brutales.

emporter v. **1.** *Les déménageurs ont emporté les meubles,* ils les ont pris et portés ailleurs (≠ apporter). **2.** *Jean l'a emporté sur Paul,* il a été victorieux. **3.** *Mme Durand s'est emportée contre son fils,* elle s'est mise en colère.

■ **emportement** n.m. SENS 3 *Mme Durand a parlé avec emportement* (= colère ; ≠ calme).

■ **remporter** v. SENS 1 *Remporte les livres que tu m'as prêtés* (= reprendre). SENS 2 *Nous avons remporté la victoire,* nous avons gagné.

empoté, e adj. et n. Fam. *Jean est (un) empoté* (= maladroit ; ≠ dégourdi).

empourprer → *pourpre.*

empreint, e adj. *Son visage est empreint d'une grande tristesse* (= marqué).

■ **empreinte** n.f. **1.** *Il y a des empreintes de pas sur la neige* (= trace, marque). **2.** *Chacun a des empreintes digitales différentes,* les lignes au bout des doigts.

R. → *emprunter.*

s'empresser v. *Paul s'est empressé de finir son travail,* il s'est dépêché de le faire (= se hâter).

■ **empressement** n.m. *Chacun m'a aidé avec empressement* (= ardeur, zèle, hâte).

emprise n.f. *Elle a failli tout casser sous l'emprise de la colère,* sous l'effet de la colère (= empire).

emprisonnement, emprisonner → *prison.*

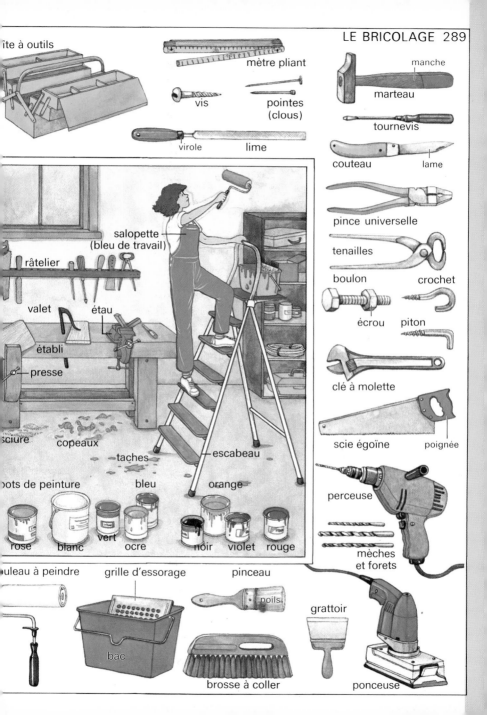

ite à outils

mètre pliant

vis

pointes
(clous)

virole

lime

manche

marteau

tournevis

couteau

lame

pince universelle

tenailles

boulon

crochet

écrou

piton

clé à molette

scie égoïne

poignée

salopette
(bleu de travail)

râtelier

valet

étau

établi

presse

sciure

copeaux

taches

escabeau

pots de peinture

bleu

orange

rose

blanc

vert

ocre

noir

violet

rouge

perceuse

mèches
et forets

uleau à peindre

grille d'essorage

pinceau

poils

grattoir

bac

brosse à coller

ponceuse

électricienne

pince

prise de courant interrupteur

fiche

olive

fil dénudé   gaine

tube protecteur métalliqu

collier

plombier

lunettes de soudeur

étincelles

soudure

chalumeau

bouteille de gaz

chaîne de montage (travail à la chaîne)

carrosserie

transporteur à rouleaux

pièces détaché

romain   italique

b   *b*

minuscules

B

majuscule

caractère en plomb

casse (réserve de caractères)

palette

imprimerie

rame de pap

machine à imprimer (presse)

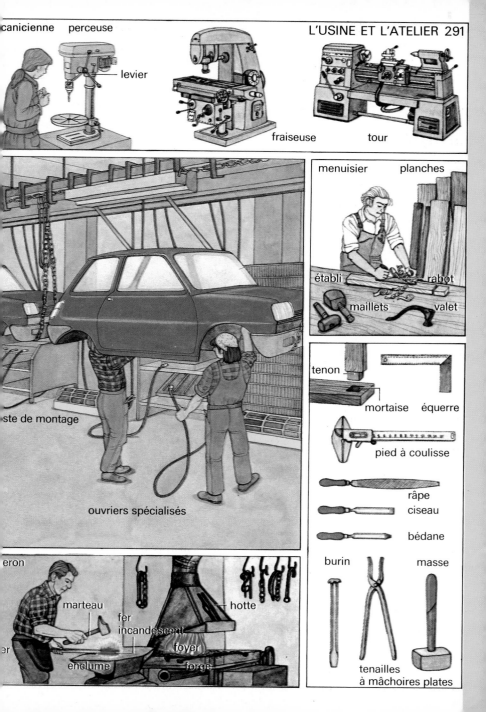

canicienne   perceuse

levier

fraiseuse   tour

menuisier   planches

établi   rabot

maillets   valet

poste de montage

ouvriers spécialisés

tenon

mortaise   équerre

pied à coulisse

râpe

ciseau

bédane

burin   masse

eron

marteau   hotte

fer incandescent

foyer

enclume   forge

tenailles
à mâchoires plates

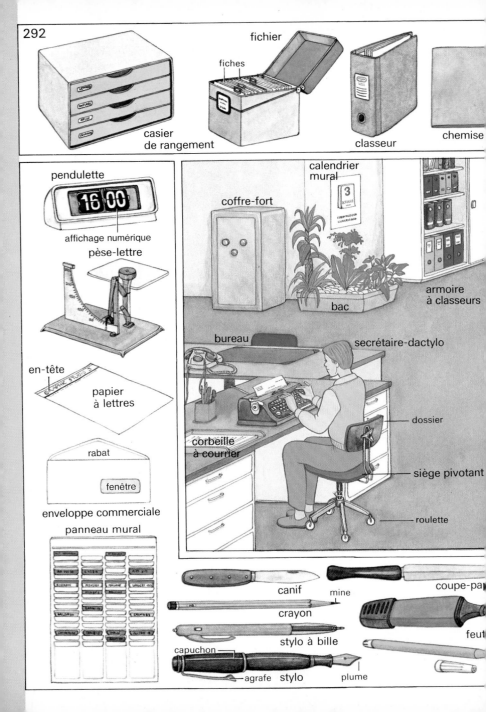

292

casier de rangement

fichier

fiches

classeur

chemise

pendulette

16 00

affichage numérique

pèse-lettre

en-tête

papier à lettres

rabat

fenêtre

enveloppe commerciale

panneau mural

calendrier mural

3

coffre-fort

bac

armoire à classeurs

bureau

secrétaire-dactylo

dossier

corbeille à courrier

siège pivotant

roulette

canif

mine

coupe-pa

crayon

stylo à bille

feut

capuchon

agrafe   stylo

plume

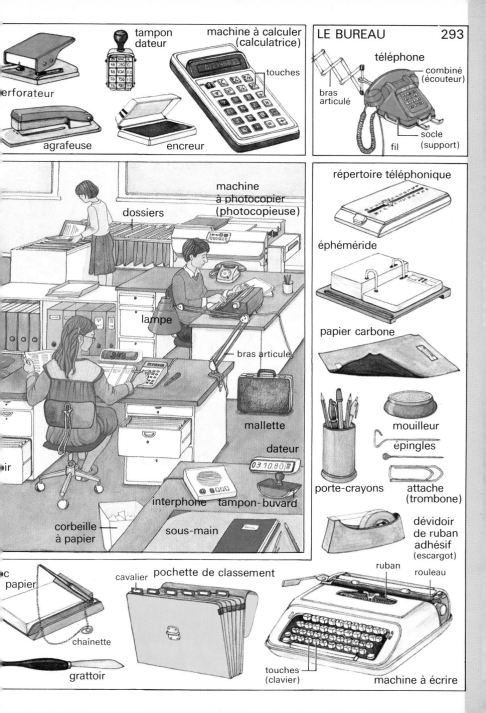

perforateur

tampon dateur

machine à calculer (calculatrice)

touches

agrafeuse

encreur

téléphone

combiné (écouteur)

bras articulé

socle (support)

fil

dossiers

machine à photocopier (photocopieuse)

répertoire téléphonique

éphéméride

lampe

papier carbone

bras articulé

mallette

dateur

mouilleur

épingles

porte-crayons

attache (trombone)

interphone

tampon-buvard

dévidoir de ruban adhésif (escargot)

corbeille à papier

sous-main

papier

cavalier

pochette de classement

ruban

rouleau

chaînette

grattoir

touches (clavier)

machine à écrire

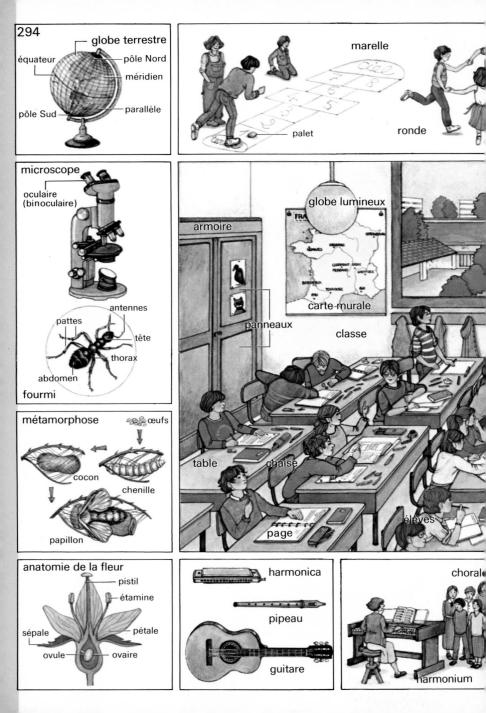

294

globe terrestre
- équateur
- pôle Nord
- méridien
- pôle Sud
- parallèle

marelle

palet

ronde

microscope
- oculaire (binoculaire)

fourmi
- pattes
- antennes
- tête
- thorax
- abdomen

métamorphose
- œufs
- cocon
- chenille
- papillon

armoire

globe lumineux

carte murale

panneaux

classe

préau

table

chaise

élèves

page

anatomie de la fleur
- pistil
- étamine
- sépale
- pétale
- ovule
- ovaire

harmonica

pipeau

guitare

chorale

harmonium

récréation

corde à sauter

billes

cartable

sac

trousse

gomme

punaises

taille-crayon

règle graduée

équerre

tableau

enseignant

urinoirs
cour de récréation
porte-manteaux (patères)

premier rang

allée

bureau

estrade

cahier

carnet

livre
(manuel scolaire)

feuille

pinceaux

godet

boîte à aquarelle

éponge
à effacer

morceaux de craie

296 LA COUTURE ET LE TRICOT

bobine de fil

dé à coudre

jours

broderie

points

plis

fronces

surjet

pièce

reprise

mètre à ruban

pelote d'épingles

agrafe

dentelle

boutons de nacre

fermeture à glissière

mannequin

patron

coupon de tissu

couturier

craie

machine à coudre

piqûre

canette

ciseaux

tissu

ourlet

épingles

canevas de tapisserie

écheveau

crochet

motif beige

aiguille

chas

pelote de laine

aiguille à tricoter

tricot

emprunter v. 1. *Luce m'a emprunté deux dollars,* je les lui ai prêtés. 2. *On est prié d'emprunter le passage souterrain,* de le prendre.

■ **emprunt** n.m. SENS 1 *On a dû faire un emprunt pour payer la voiture,* des dettes. SENS 2 *Cet écrivain écrit sous un nom d'emprunt,* ce n'est pas son vrai nom.

■ **emprunteur, euse** n. SENS 1 *L'emprunteur n'a pas pu rembourser ses dettes* (≠ prêteur).

R. Ne pas confondre *emprunt* et *empreint.*

émule n.m. *Son succès lui crée des émules,* des gens qui rivalisent avec lui.

■ **émulation** n.f. *Il y a de l'émulation entre Marie et Paul,* chacun cherche à faire mieux que l'autre.

en 1. prép. indique le lieu : *Je suis en France ;* le temps : *Nous sommes en décembre ;* l'état : *Il s'est mis en colère ;* la matière : *Une table en bois.* 2. adv. indique l'origine : *J'en viens,* je viens de là. 3. pron.pers. remplace un nom complément : *As-tu reçu des livres ? — Oui, j'en ai reçu.*

encablure n.f. *La barque était à une encablure du quai,* environ 200 m.

encadrement, encadrer → *cadre.*

encaissé, e adj. *À cet endroit, la route est encaissée,* resserrée entre des parois rocheuses.

encaisser → *caisse.*

encan n.m. *Il y a une vente à l'encan demain,* une vente aux enchères.

■ **encanteur, euse** n. *Sophie est encanteuse,* elle organise et dirige les encans (= commissaire-priseur).

encart n.m. *Il y a trop d'encarts publicitaires dans cette revue,* des feuilles volantes.

encastrer v. *On a encastré le compteur électrique dans le mur,* on l'a mis dans un creux du mur fait juste à sa taille.

encaustique n.f. *On fait briller le parquet avec de l'encaustique,* une sorte de cire.

■ **encaustiquer** v. *Le parquet brille, il a été encaustiqué.*

1. enceinte n.f. 1. *Cette ville est entourée d'une enceinte fortifiée,* d'une muraille qui en fait le tour. 2. *Une enceinte acoustique* est un élément d'une chaîne haute-fidélité contenant les haut-parleurs.

2. enceinte adj. *Mme Dupont est enceinte,* elle porte un bébé dans son ventre.

encens n.m. *Diana aime l'odeur de l'encens,* une sorte de résine qui répand un parfum en brûlant.

■ **encenser** v. 1. *Le prêtre encense l'autel,* il fait brûler de l'encens devant l'autel. 2. *Les critiques ont encensé l'auteur de ce livre,* ils l'ont couvert de louanges.

■ **encensoir** n.m. *On fait brûler de l'encens dans un encensoir,* un récipient.

encerclement, encercler → *cercle.*

enchaînement, enchaîner → *chaîne.*

enchanter v. 1. *On pensait autrefois que les magiciens enchantaient les gens* (= ensorceler, envoûter). 2. *Ce film m'a enchanté,* il m'a beaucoup plu (= ravir).

■ **enchantement** n.m. SENS 1 *L'orage s'est arrêté soudain comme par enchantement* (= magie). SENS 2 *Ce spectacle est un enchantement,* il est très beau.

■ **enchanteur, eresse** n. et adj. SENS 1 *Connais-tu l'histoire de l'enchanteur Merlin ?* (= magicien). SENS 2 *Marie a une voix enchanteresse,* merveilleuse.

■ **désenchanté, e** adj. SENS 2 *Chacun avait l'air assez désenchanté* (= déçu, désappointé, désabusé).

■ **désenchantement** n.m. *Son regard triste exprimait son désenchantement* (= désillusion).

147

149

enchâsser v. *Des émeraudes sont en-châssées dans le bracelet,* elles sont fixées dans l'épaisseur du métal (= sertir).

enchère n.f. *La maison a été vendue aux enchères,* on l'a vendue en public, au plus offrant (= à l'encan).

■ **enchérir** v. *Une deuxième acheteuse a enchéri sur la première,* elle a offert un prix plus élevé.

■ **surenchère** n.f. *M. Dupont a fait de la surenchère,* il a offert un prix plus élevé que quelqu'un d'autre.

■ **surenchérir** v. *Un troisième acheteur a surenchéri,* il a fait une surenchère.

enchevêtrer v. *Les idées s'enchevê-trent dans ma tête* (= se mélanger, s'embrouiller).

■ **enchevêtrement** n.m. *De la maison bombardée il ne restait qu'un enchevê-trement de poutres et de gravats.*

enclave n.f. *Son jardin est une enclave dans mon terrain,* un morceau contenu dans mon terrain.

enclencher v. *Enclencher un méca-nisme,* c'est le mettre en état de fonction-ner. *Enclencher une affaire,* c'est le met-tre en train.

enclin, e adj. *Je suis enclin à à te donner raison,* je penche vers cela (= porté à).

enclore, enclos → *clôture.*

enclume n.f. *Le forgeron pose le fer rouge sur son enclume pour le forger,* une masse de métal.

encoche n.f. *Lori taille des encoches sur un bâton avec son canif,* des petites entailles.

encoignure → *coin.*

encoller → *colle.*

encolure → *col.*

encombrer v. 1. *Le couloir est en-combré par des colis,* on ne peut pas passer (= embarrasser). 2. *L'autoroute*

est encombrée aux heures de pointe, il y a une affluence de voitures (= em-bouteiller).

■ **encombrement** n.m. SENS 2 *Un en-combrement a bloqué la circulation* (= embouteillage).

■ **sans encombre** adv. *Le voyage s'est terminé sans encombre,* sans ennui.

à l'encontre de prép. *Son projet va à l'encontre de mes habitudes* (= à l'op-posé de, contre).

encorder → *corde.*

encore adv. 1. *J'ai encore faim,* ma faim continue (= jusqu'à présent). 2. *J'ai encore perdu* (= de nouveau). 3. *Tu es têtu, mais elle est encore plus têtue que toi.*

encouragement, encourager → *courage.*

encourir v. *Line a encouru les reproches de son directeur,* elle s'y est exposée. R. → Conj. n° 29.

encrasser → *crasse.*

encre n.f. 1. *Prête-moi de l'encre pour remplir mon stylo !,* un liquide qui sert à écrire. 2. *Ce drame a fait couler beau-coup d'encre,* on a beaucoup écrit à ce sujet.

■ **encrier** n.m. SENS 1 *Qui a renversé l'en-crier sur le tapis ?,* un récipient contenant de l'encre.

■ **encreur** adj.m. SENS 1 *Un tampon en-creur est une petite plaque rembourrée imprégnée d'encre.*

R. *Encre se prononce* [ɑ̃kr] *comme* ancre.

encyclique n.f. *Une encyclique est une lettre adressée par le pape à tous les catholiques.*

encyclopédie n.f. *Aline a acheté une encyclopédie en 20 volumes,* un ou-vrage qui traite de tous les sujets.

■ **encyclopédique** adj. 1. *M. Durand a des connaissances encyclopédiques,* très étendues dans tous les domaines.

2. *J'ai reçu un dictionnaire encyclopédique,* un dictionnaire qui, en plus des mots de la langue, contient des noms propres et des développements sur certains sujets.

endettement, endetter → *dette.*

endeuiller → *deuil.*

endiablé → *diable.*

endiguer → *digue.*

endimanché → *dimanche.*

endive n.f. *Nous avons mangé une salade d'endives,* un légume aux feuilles blanches serrées.

endoctriner → *doctrine.*

endolori → *douleur.*

endommager → *dommage.*

endormir → *dormir.*

endosser → *dos.*

endroit n.m. **1.** *À quel endroit as-tu mis mon stylo ?* (= lieu, place, emplacement). **2.** *Remets tes chaussettes à l'endroit !, dans le bon sens* (≠ envers).

enduire v. *Pour bronzer, Marie s'est enduit la peau de crème* (= recouvrir).
■ **enduit** n.m. *Le mur est protégé de l'humidité par un enduit,* un produit (ciment, plâtre, etc.) appliqué dessus.
R. → Conj. n° 70.

endurance n.f. *Son endurance nous a étonnés,* sa capacité à résister à la fatigue (= résistance).
■ **endurant, e** adj. *Cette athlète est très endurante.*
■ **endurer** v. *Il a enduré beaucoup de malheurs,* il les a subis, supportés.

endurcir → *dur.*

énergie n.f. **1.** *Jean fait le ménage avec énergie,* en faisant des efforts (= force, vigueur ; ≠ mollesse, indolence). **2.** *Le charbon, le pétrole sont des sources d'énergie,* ils servent à faire fonctionner les machines.

■ **énergique** adj. SENS 1 *Mme Dupont est une femme énergique,* active, décidée.
■ **énergiquement** adv. SENS 1 *Tu as protesté énergiquement* (= fermement).

énergumène n.m. *Qui est cet énergumène ?,* cet individu bizarre.

énervement, énerver → *nerf.*

enfant n. **1.** *Jean et Marie sont encore des enfants,* ils ont moins de quatorze ans environ (≠ adolescent et adulte). **2.** *M. et Mme Durand ont trois enfants,* fils ou filles (≠ parents). **3.** *Elle m'a souri d'un air bon enfant* (= gentil).
■ **enfance** n.f. SENS 1 *Mélina a passé son enfance à Athènes,* les premières années de sa vie.
■ **enfantillage** n.m. SENS 1 *Tu as dépassé l'âge des enfantillages,* de te conduire comme un enfant (= niaiserie, puérilité).
■ **enfantin, e** adj. SENS 1 *Ce livre est un chef-d'œuvre de la littérature enfantine,* pour les enfants. **2.** *Ce problème est enfantin,* très facile (= élémentaire).
■ **infanticide** n.m. SENS 1 *Cet homme est accusé d'infanticide,* d'avoir tué un enfant.
■ **infantile** adj. SENS 1 *Les maladies infantiles sont celles des tout petits enfants. Jacques a un esprit infantile,* il se conduit comme s'il était encore un petit enfant (= enfantin, puéril).
■ **infantilisme** n.m. *Croire que ce chien comprend tes explications, c'est de l'infantilisme* (= puérilité).

enfarger v. **1.** *Didier a enfargé Lise,* il lui a fait un croc-en-jambe. **2.** *M. Paul s'enfarge toujours,* il se prend les pieds l'un dans l'autre en marchant.

enfer n.m. **1.** *Les chrétiens pensent que les méchants seront condamnés à l'enfer,* à souffrir éternellement (= damnation). **2.** *Depuis qu'elle est malade, sa vie est devenue un enfer* (= supplice).
■ **infernal, e, aux** adj. SENS 2 *Il fait une chaleur infernale* (= terrible, insupportable).

enfermer → *fermer.*

s'enferrer v. *Au lieu d'avouer son erreur, il **s'est enferré** dans ses mensonges,* il s'est embrouillé de plus en plus.

enfilade → *file.*

enfiler → *fil.*

enfin adv. *Jean est **enfin** arrivé,* à la fin, finalement.

enflammer → *flamme.*

enfler v. *Louise s'est fait une entorse, sa cheville **a enflé**,* elle a augmenté de volume (= grossir).
■ **enflure** n.f. *On lui a mis de la pommade, et l'**enflure** a diminué.*

enfoncer v. 1. *On **enfonce** les clous avec un marteau,* on les fait pénétrer (= planter). *On s'**enfonce** dans la neige molle,* on y pénètre. 2. *On avait perdu la clé, on **a enfoncé** la porte* (= briser, défoncer).

enfouir v. *Le chien **a enfoui** son os dans la terre,* il l'y a caché.

enfourcher v. *La cavalière **enfourche** son cheval,* elle monte dessus à califourchon.

enfourner → *four.*

enfreindre v. ***Enfreindre** un règlement, une loi,* c'est ne pas les respecter (= violer).
■ **infraction** n.f. *Dépasser dans un virage sans visibilité est une **infraction** au Code de la sécurité routière,* une faute contre le Code.
R. → Conj. n° 55.

s'enfuir → *fuir.*

enfumer → *fumer* 1.

engager v. 1. *Mme Huang **a engagé** une secrétaire,* elle l'a prise à son service (= embaucher). 2. *M. Martin **a engagé** sa voiture dans une impasse,* il l'y a fait entrer. 3. *Luce **s'est engagée** à faire ce*

travail, elle a promis de le faire. 4. *Henri **s'est engagé** dans l'armée,* il est devenu soldat. 5. *Elle m'**a engagé** à travailler,* elle m'a poussé à le faire. 6. *M. Dupont **a engagé** un procès contre son voisin,* il l'a commencé.

■ **engageant, e** adj. SENS 5 *Cette nourriture n'est pas **engageante**,* on n'en a pas envie.

■ **engagement** n.m. SENS 3 *Cléa n'a pas tenu ses **engagements*** (= promesse). SENS 4 *Lors de son **engagement**, Henri avait dix-huit ans,* quand il s'est engagé dans l'armée. SENS 6 *L'**engagement** marque le début d'un match.*

■ **se désengager** v. SENS 3 *J'ai promis de passer la journée là-bas, mais je vais tâcher de **me désengager**,* de me libérer de cette promesse.

■ **se rengager** v. SENS 4 *À la fin de son service militaire, Pierre **s'est rengagé** pour trois ans.*

engeance n.f. *Quelle sale **engeance** !,* ce sont des personnes désagréables.

engelure → *geler.*

engendrer v. *Ce paysage lugubre **engendre** la tristesse,* il la fait naître (= causer, provoquer).

engin n.m. *Les canons, les chars sont des **engins** de guerre, les hameçons, les filets sont des **engins** de pêche* (= appareil, instrument).

englober v. *Tout le monde **est englobé** dans cette affaire* (= réunir, concerner ; ≠ séparer).

engloutir v. 1. *Le chien **a englouti** toute la viande,* il l'a avalée voracement (= dévorer). 2. *Un navire **s'est englouti** au cours de la tempête,* il a coulé (= disparaître).
■ **engloutissement** n.m. *L'**engloutissement** du navire n'a duré que quelques minutes.*

englué → *glu.*

engoncer v. *Line est engoncée dans son manteau,* celui-ci lui monte jusqu'au menton.

engorger v. *Le tuyau de l'évier est engorgé,* il est bouché, obstrué.

s'engouer v. *Le public s'est engoué de cette chanson,* il l'a soudain beaucoup aimée (= s'enticher, se toquer).
■ **engouement** n.m. *Je ne comprends pas ton engouement pour cette actrice,* ton admiration exagérée.

engouffrer v. **1.** *Tu vas engouffrer tous ces gâteaux !,* les avaler rapidement (= engloutir). **2.** *Le vent s'engouffre par la fenêtre,* il pénètre brutalement dans la pièce.

engoulevent n.m. *L'engoulevent* est un oiseau passereau qui avale les insectes en plein vol.

engourdir, engourdissement → *gourd.*

engrais n.m. *L'utilisation des engrais permet d'avoir de meilleures récoltes,* de produits qui fertilisent le sol.

engraisser → *graisse.*

engrenage n.m. *Un engrenage sert à transmettre un mouvement d'une roue dentée à une autre.*

engueuler v. est un mot grossier signifiant *réprimander.*

enhardir → *hardi.*

énigme n.f. *On n'a pas réussi à résoudre cette énigme,* cette question incompréhensible (= mystère).
■ **énigmatique** adj. *Tu m'as répondu par une phrase énigmatique,* difficile à comprendre (= mystérieux ; ≠ clair).

enivrant, enivrer → *ivre.*

enjambée, enjamber → *jambe.*

enjeu → *jouer.*

enjoindre v. *Le directeur nous a enjoint de lui obéir* (= ordonner, commander).
R. → Conj. n° 55.

enjôler v. *Jean cherche à enjôler sa grand-mère,* à obtenir ce qu'il désire en la cajolant.
■ **enjôleur, euse** adj. et n. *Marie a un sourire enjôleur.*

enjoliver → *joli.*

enjoliveur n.m. *M. Durand astique les enjoliveurs de sa voiture,* les plaques rondes qui cachent le centre des roues.

enjoué, e adj. *Marie est une fillette enjouée* (= aimable, gai ; ≠ renfrogné).
■ **enjouement** n.m. *Marie taquine sa sœur avec enjouement* (= bonne humeur).

enlacer v. *Des amoureux qui s'enlacent* se serrent dans les bras l'un de l'autre.

enlaidir → *laid.*

enlever v. **1.** *Voulez-vous enlever votre manteau ?* (= ôter, retirer ; ≠ mettre). **2.** *Tu as une tache sur ton pantalon, il faudrait l'enlever* (= supprimer ; ≠ laisser). **3.** *Des gangsters ont enlevé un enfant* (= prendre ; ≠ rendre).
■ **enlèvement** n.m. SENS 1 *Le jeudi est le jour de l'enlèvement des ordures ménagères.* SENS 3 *Les auteurs de l'enlèvement ont demandé une rançon* (= rapt).

s'enliser v. **1.** *La voiture s'est enlisée dans la boue* (= s'enfoncer). **2.** *La discussion s'enlise,* elle devient confuse.
■ **enlisement** n.m. SENS 1 *On risque l'enlisement dans ces sables mouvants.* SENS 2 *La discussion est en plein enlisement.*

enluminure n.f. *Ce vieux manuscrit est orné d'enluminures,* de belles illustrations peintes à la main. 806

enneigement, enneigé → *neige.*

ennemi, e adj. et n. **1.** *Mme Couture et M. Dupont sont ennemis,* ils se détestent (≠ ami). **2.** *L'ennemi a attaqué nos troupes,* le pays contre lequel on est en guerre (≠ allié).

ennoblir → *noble.*

ennuyer v. 1. *Cela m'ennuie de partir demain,* cela me cause du souci (= contrarier). 2. *Quand je n'ai rien à faire, je m'ennuie,* je trouve le temps long (= s'embêter ; ≠ se distraire).
■ **ennui** n.m. SENS 1 *Monique a des ennuis d'argent* (= souci, tracas). SENS 2 *Ce livre est à mourir d'ennui,* il est ennuyeux.
■ **ennuyeux, euse** adj. SENS 1 *Tu n'as pas fini ton travail, c'est très ennuyeux* (= fâcheux). SENS 2 *La journée d'hier a été ennuyeuse,* on s'est ennuyé (≠ amusant).
■ **désennuyer** v. SENS 2 *Je regardais les vitrines pour me désennuyer,* pour me distraire.

énoncer v. *On lui a demandé d'énoncer ses accusations,* de les dire nettement (= formuler, exposer).
■ **énoncé** n.m. *Recopiez l'énoncé du problème,* le texte des questions.

enorgueillir → *orgueil.*

énorme adj. *M. Martin pèse 120 kilos, il est énorme,* très grand et très gros (= gigantesque ; ≠ minuscule). *Entre elle et moi il y a une différence énorme* (= immense, considérable).
■ **énormément** adv. *Je m'ennuie énormément,* vraiment beaucoup.
■ **énormité** n.f. *L'énormité de ce crime fait horreur,* la gravité exceptionnelle.

s'enquérir v. *Va t'enquérir de l'heure des trains !,* te renseigner.
R. → Conj. n° 21.

enquête n.f. 1. *L'enquête a abouti : le criminel est arrêté,* les recherches de la police. 2. *On a fait une enquête sur les intentions des électrices,* on a recherché des renseignements (= sondage).
■ **enquêter** v. *La police enquête,* elle fait une enquête.
■ **enquêteur, euse** n. *Les enquêteurs ont interrogé les témoins.*

enraciner → *racine.*

enragé, enrager → *rage.*

enrayer v. 1. *Le fusil s'est enrayé,* la balle n'est pas partie (= se bloquer). 2. *Le gouvernement veut enrayer la hausse des prix* (= arrêter, freiner).

enregistrer v. 1. *Jean a enregistré la voix de Marie avec son magnétophone,* il l'a fixée et il peut la reproduire. 2. *J'ai enregistré votre nom et votre adresse,* je les ai notés, relevés. 3. *Un acte officiel doit être enregistré pour être légal,* écrit sur un registre public. 4. *On a fait enregistrer les bagages,* on les a confiés à un préposé qui les a inscrits sur un registre.
■ **enregistrement** n.m. SENS 1 *Ce disque est l'enregistrement d'une symphonie.* SENS 3 *Où se trouve le bureau d'enregistrement ?,* où on inscrit des actes officiels sur un registre. SENS 4 *Il est recommandé d'arriver à l'aéroport une demi-heure avant l'enregistrement des bagages.*
■ **enregistreur, euse** adj. SENS 1. *Un magnétophone est un appareil enregistreur.*

s'enrhumer → *rhume.*

enrichir, enrichissement → *riche.*

enrober v. *Ces bonbons sont enrobés de chocolat,* ils en sont recouverts.

enrôler v. *Carole s'est enrôlée dans l'armée,* elle y est entrée (= s'engager).

enrouer v. *Pauline tousse, elle est enrouée,* sa voix n'est pas claire.
■ **enrouement** n.m. *Son enrouement est dû à la grippe.*

enrouler → *rouler.*

ensabler → *sable.*

ensanglanté → *sang.*

1. enseigne n.f. *Les cinémas ont des enseignes lumineuses,* des panneaux portant leur nom.

2. enseigne n.m. *Un enseigne de vaisseau* est un officier de marine.

enseigner v. 1. *Mme Scott enseigne les maths,* elle est professeure de maths. 2. *Cette aventure nous enseigne qu'il faut être prudent* (= indiquer, montrer, apprendre).
■ **enseignant, e** n. SENS 1 *Les instituteurs et les professeurs sont des enseignants.*
■ **enseignement** n.m. SENS 1 *M. Vandamme est dans l'enseignement,* il fait la classe. SENS 2 *Il faut tirer des enseignements de cette affaire* (= leçon).

ensemble adv. *Jean et Yasmina sont partis ensemble,* l'un avec l'autre, en même temps (≠ séparément). *Ton chandail et ta jupe vont bien ensemble,* ils sont bien assortis.
■ **ensemble** n.m. 1. *Un orchestre est un ensemble de musiciens,* un groupe (≠ élément). 2. *Luisa habite un grand ensemble,* dans un groupe d'immeubles. 3. *Je me suis acheté un bel ensemble,* une jupe et une veste assorties. 4. *Dans l'ensemble, nous nous entendons bien,* en général.

ensemencer → *semer.*

enserrer → *serrer.*

ensevelir v. *L'avalanche a enseveli plusieurs personnes,* elle les a fait disparaître (= recouvrir, engloutir).

ensiler → *silo.*

ensoleillé → *soleil.*

ensommeillé → *sommeil.*

ensorceler → *sort.*

ensuite adv. *Nous sommes allés au restaurant et ensuite au cinéma* (= puis, après ; ≠ d'abord).

s'ensuivre → *suivre.*

entaille n.f. *Anne s'est fait une entaille au pouce avec son couteau,* une coupure profonde.
■ **entailler** v. *Jean s'est entaillé le pouce.*

entamer v. 1. *Qui a entamé le gâteau ?,* qui a coupé le premier morceau ? 2. *J'ai* *entamé un travail long et difficile,* je l'ai commencé, entrepris.

entartrer → *tartre.*

entassement, entasser → *tas.*

entendre v. 1. *Mon grand-père n'entend presque plus,* il est presque sourd. 2. *As-tu entendu ce que je viens de dire ?* (= écouter). 3. *Paul et Marie s'entendent bien, ils ne se disputent jamais,* ils sont d'accord (≠ se détester). 4. *Mme Leblanc entend qu'on lui obéisse* (= vouloir). 5. *Jean n'entend rien aux maths* (= comprendre). *Veux-tu lui faire entendre raison ?,* comprendre ce qui est raisonnable.
■ **entendu, e** adj. SENS 3 *Rendez-vous demain ? — C'est entendu,* d'accord. *Tu crois que j'ai raison ? — Bien entendu* (= bien sûr, naturellement). SENS 5 *Elle a pris un air entendu pour me répondre,* l'air de celle qui a compris.
■ **entendement** n.m. SENS 5 *Ces explications dépassent son entendement,* sa capacité de comprendre (= intelligence).
■ **entente** n.f. SENS 3 *Il y a entre eux une entente parfaite* (= accord ; ≠ conflit, haine).
■ **mésentente** n.f. SENS 3 *Leur mésentente est due à leur mauvais caractère* (= brouille).
R. → Conj. n° 50.

enterrement, enterrer → *terre.*

en-tête n.m. *La facture est établie sur du papier à en-tête,* du papier qui porte en haut l'indication imprimée de l'expéditeur. | 292
R. Noter le pluriel : des *en-têtes.*

entêtement, entêter → *têtu.*

enthousiasme n.m. *Lori a accepté avec enthousiasme de venir avec nous en vacances,* elle était très joyeuse et très excitée.
■ **enthousiasmer** v. *Ce film nous a enthousiasmés,* il nous a beaucoup plu (= passionner).

■ **enthousiaste** adj. *Les spectateurs enthousiastes applaudissent* (= exalté).

s'enticher v. *Marie s'est entichée de ce chanteur, elle a pris soudain un attachement excessif pour lui* (= s'engouer).

entier, ère adj. 1. *Qui a entamé le fromage ? Il était entier* (= intact). 2. *Il est resté absent un mois entier,* tout un mois. 3. *J'ai en toi une entière confiance,* une confiance totale, complète (≠ partiel). 4. *Anne a un caractère entier* (= têtu, obstiné ; ≠ souple).
■ **entier** n.m. SENS 2 *J'ai mangé la tarte en entier,* complètement, totalement.
■ **entièrement** adv. SENS 3 *Je suis entièrement satisfaite* (= totalement, absolument).

entomologie n.f. *L'entomologie est la science qui étudie les insectes.*

entonner v. *Les assistants ont entonné l'hymne national, ils se sont mis à le chanter.*

entonnoir n.m. *On verse le vin dans les bouteilles avec un entonnoir.*

entorse n.f. *Pierre s'est fait une entorse,* il s'est foulé la cheville.

entortiller → *tortiller.*

entourer v. 1. *Un mur entoure le jardin,* il est disposé tout autour. 2. *Entoure le paquet avec de la ficelle !,* mets-la autour. 3. *Sur la photo, Cléa est entourée de ses amis,* ils sont auprès d'elle. 4. *Pendant les moments difficiles, elle est toujours très entourée,* ses amis, sa famille lui apportent du réconfort.
■ **entourage** n.m. SENS 3 *Je n'aime pas ton entourage,* les gens que tu fréquentes.

entournure n.f. Fam. *Depuis qu'il a grossi, M. Muller est gêné aux entournures dans sa veste,* elle lui serre les épaules.

entracte n.m. *À l'entracte, on a acheté des chocolats,* pendant l'interruption du spectacle.

entraide, entraider → *aider.*

entrailles n.f. pl. *Les fauves se disputent les entrailles de leur proie,* les boyaux, les intestins.

entrain n.m. *Marie travaille avec entrain* (= ardeur, enthousiasme).

entraîner v. 1. *L'avalanche a tout entraîné sur son passage* (= emmener, emporter). 2. *Jean m'a entraîné au cinéma,* il m'a décidé à aller avec lui. 3. *Le déménagement a entraîné de grosses dépenses* (= causer, provoquer). 4. *La championne s'entraîne en vue du match* (= se préparer, s'exercer).
■ **entraînant, e** adj. SENS 2 *La fanfare joue un air entraînant,* un air vif, qui incite à marcher.
■ **entraînement** n.m. SENS 4 *La nageuse a repris son entraînement.*
■ **entraîneur, euse** n. SENS 4 *Le boxeur est entré, suivi de son entraîneur,* de celui qui le conseille.

entraver v. *Des obstacles ont entravé la réussite de mon plan* (= gêner, empêcher).
■ **entrave** n.f. *L'automobiliste a eu une contravention pour entrave à la circulation,* parce qu'elle gênait la circulation.

entre prép. indique un intervalle de lieu : *Jean est assis entre nous deux ;* de temps : *Je viendrai entre midi et deux heures ;* dans un groupe de choses : *J'ai à choisir entre plusieurs solutions.*
R. *Entre-* se met devant certains mots pour indiquer une réciprocité *(entraide)* ou un intervalle *(entrecôte).*

entrebâiller v. *Line a entrebâillé la porte,* elle l'a ouverte un petit peu (= entrouvrir).
■ **entrebâillement** n.m. *J'ai passé la tête dans l'entrebâillement de la porte,* dans la petite ouverture.

entrechoquer → *choc.*

entrecôte → *côte.*

entrecouper → *couper.*

entrecroiser → *croiser.*

entrée → *entrer.*

entrefaites n.f.pl. *Sur ces entrefaites, il s'est mis à pleuvoir,* à ce moment-là.

entrefilet n.m. *Un entrefilet annonce la mort de M. Dupuis,* un court article de journal.

entrelacer v. *Le lierre s'entrelace dans le grillage,* il s'y mêle (= s'entremêler, s'entrecroiser).
■ **entrelacs** n.m. *Des entrelacs sont des ornements faits de lignes entrelacées.*
R. On ne prononce pas le *c* : [ɑ̃trəlɑ].

entrelarder v. *Le rôti est entrelardé,* on y a piqué des bandes de lard.

entremêler → *mêler.*

entremets n.m. *Les crèmes, les compotes, les glaces sont des entremets,* des desserts.

s'entremettre v. *J'ai essayé de m'entremettre pour les mettre d'accord,* d'établir un lien entre eux.
■ **entremise** n.f. *J'ai su cela par l'entremise de ma voisine,* par son intermédiaire, grâce à elle.
R. → Conj. n° 57.

entrepont → *pont.*

entreposer v. *On a entreposé des meubles dans le grenier,* on les y a mis momentanément.
■ **entrepôt** n.m. *Ce grand bâtiment est un entrepôt de marchandises,* un local où on les entrepose.

entreprise n.f. **1.** *On s'est lancé dans une entreprise difficile* (= action, affaire, travail). **2.** *Les employés de l'entreprise se sont mis en grève,* de l'usine ou de la maison de commerce.
■ **entreprenant, e** adj. **1.** SENS 1 *Lori est une fille entreprenante* (= actif ; ≠ hésitant). **2.** *Pierre est très entreprenant,* il est empressé auprès des femmes.
■ **entreprendre** v. SENS 1 *Mme Bennet a entrepris un travail difficile,* elle a commencé à le faire.

■ **entrepreneur, euse** n. SENS 2 *M. Sandoz est entrepreneur de peinture,* il dirige une entreprise de peinture.
R. *Entreprendre* → conj. n° 54.

entrer v. **1.** *Je suis entré dans un cinéma,* je suis allé à l'intérieur (= pénétrer ; ≠ sortir). **2.** *M. Durand est entré dans l'enseignement,* il est devenu professeur. **3.** *Quand elle a su cela, elle est entrée dans une grande colère,* elle s'est mise en colère.
■ **entrée** n.f. **1.** SENS 1 *Attends-moi à l'entrée de la maison !,* à l'endroit par où on entre (≠ sortie). *On lui a interdit l'entrée de la salle,* le droit d'entrer. SENS 2 *Anne a passé l'examen d'entrée au collège.* **2.** *Il y avait une entrée avant le rôti,* un plat au début du repas.
R. *Entrer* se conjugue avec l'auxiliaire *être.*

entresol n.m. *Dans certains immeubles, il y a un entresol,* un appartement situé entre le rez-de-chaussée et le 1er étage.

entre-temps adv. *Appelez-moi la semaine prochaine, entre-temps j'aurai fait le nécessaire* (= d'ici-là).

entretenir v. **1.** *M. Dupont entretient bien sa voiture,* il la maintient en bon état. **2.** *Avec son salaire, Mme Leblond a du mal à entretenir sa famille,* à la faire vivre (= nourrir). **3.** *La présidente s'est entretenue avec le Premier ministre,* ils ont parlé ensemble.
■ **entretien** n.m. SENS 1 *Toute une équipe d'ouvriers est chargée de l'entretien des routes et des ponts.* SENS 3 *M. Duval a demandé un entretien à la directrice,* à parler avec elle (= entrevue, conversation).
R. → Conj. n° 22.

entrevoir → *voir.*

entrevue n.f. *Les deux chefs d'État ont eu une entrevue,* ils se sont rencontrés pour discuter (= entretien).

entrouvrir → *ouvert.*

énumérer v. *Énumère les chiffres de 1 à 10 !*, dis-les l'un après l'autre (= citer).
■ **énumération** n.f. *Cette énumération est trop longue* (= liste).

envahir v. **1.** *En 1940, les Allemands ont envahi la France,* ils l'ont occupée par la force. **2.** *Le port est envahi par le sable,* entièrement rempli.
■ **envahissant, e** adj. SENS 2 *Ces herbes sont envahissantes,* elles se répandent partout.
■ **envahissement** n.m. SENS 2 *Dès le mois de juin, il se produit un envahissement de la côte par les vacanciers* (= invasion).
■ **envahisseur** n.m. SENS 1 *Les envahisseurs ont été repoussés.*
■ **invasion** n.f. SENS 1 *Les troupes n'ont pu résister à l'invasion,* à l'attaque massive des ennemis.

envaser → *vase* 2.

enveloppe n.f. *As-tu collé un timbre sur l'enveloppe ?,* sur la pochette qui contient ta lettre.

envelopper v. **1.** *Le colis était enveloppé dans du papier,* recouvert de papier pour le protéger (= entourer). **2.** *Elle s'enveloppait dans sa cape,* en entourait son corps (= s'emmitoufler).

envenimer v. **1.** *La blessure s'est envenimée,* elle s'est infectée. **2.** *La discussion s'est envenimée, et ils se sont disputés.*

envergure n.f. **1.** *M. Durand est un homme de grande envergure,* un homme important, très capable. **2.** *L'envergure d'un oiseau,* c'est la largeur de ses ailes déployées.

1. envers prép. *J'ai une dette envers elle,* à son égard (= vis-à-vis de).

2. envers n.m. *Tu as mis ton pantalon à l'envers,* du mauvais côté. *Écris sur l'envers de la feuille* (= dos, verso ; ≠ endroit, recto).

à l'envi adv. *Les journaux d'opposition critiquent à l'envi la politique gouvernementale,* chacun essaie de le faire plus que les autres (= à qui mieux mieux). **R.** Ne pas confondre avec *envie.*

envie n.f. **1.** *Si Laura dit du mal de toi, c'est par envie* (= jalousie). **2.** *J'ai envie de partir en vacances,* je le désire beaucoup.
■ **enviable** adj. SENS 2 *Son sort n'est pas enviable* (= souhaitable, tentant).
■ **envier** v. SENS 1 *Il m'envie mon beau pull-over,* il voudrait bien l'avoir.
■ **envieux, euse** adj. et n. SENS 1 *Paul est (un) envieux* (= jaloux).

environ adv. *Il y a environ cent personnes dans la salle* (= à peu près, autour de).
■ **environs** n.m. pl. *Yasmina habite dans les environs de Vancouver,* dans le voisinage, aux alentours. *Nous arriverons à Toronto aux environs de midi,* vers midi.
■ **environner** v. *Elle est environnée de gens désagréables,* ils sont autour d'elle (= entourer).
■ **environnement** n.m. *Le ministère de l'Environnement est chargé de s'occuper des conditions du bien-être dans la vie quotidienne.*

envisager v. **1.** *Nous envisageons de partir,* nous en avons l'intention (= projeter). **2.** *Il faut envisager la suite,* y penser, s'en soucier.
■ **envisageable** adj. *Une autre solution est envisageable.*

envoi → *envoyer.*

envol, envolée, s'envoler → *vol* 1.

envoûter v. **1.** *On pensait que les sorciers envoûtaient les gens,* les dominaient par la magie. **2.** *Elle semblait envoûtée par la musique* (= charmer, captiver).
■ **envoûtement** n.m. SENS 1 *Tu prétends avoir été victime d'un envoûtement ?* SENS 2 *Nous étions sous l'envoûtement de cette musique* (= charme).

292,
768

envoyer v. 1. *Sa mère l'a envoyé chercher du pain*, elle lui a dit d'y aller. 2. *Tu as envoyé une lettre à ma grand-mère ?*, tu l'as fait partir par la poste (= expédier ; ≠ recevoir). 3. *Arrête d'envoyer des cailloux !* (= jeter, lancer).

■ **envoi** n.m. SENS 2 *As-tu reçu mon envoi ?*, la lettre ou le colis que je t'ai envoyé. SENS 3 *Qui donnera le coup d'envoi du match ?*, le coup de pied d'engagement.

■ **envoyé, e** n. SENS 1 *Un envoyé spécial* est un journaliste que son journal envoie à l'étranger.

■ **envoyeur, euse** n. SENS 2 *Cette lettre a été retournée à l'envoyeur* (= expéditeur).

éolienne n.f. Une *éolienne* est une machine qui, grâce à une hélice ou à une roue à pales tournant sous l'action du vent, peut faire marcher une dynamo ou une pompe à eau.

épagneul n.m. *Les épagneuls sont de bons chiens de chasse.*

épais, aisse adj. 1. *Ce livre est épais* (= gros ; ≠ mince). 2. *Cette planche est épaisse de 5 centimètres* (≠ long et large). 3. *La sauce est trop épaisse*, elle a une consistance trop ferme (= pâteux ; ≠ fluide, liquide). 4. *Le brouillard est épais, on n'y voit rien* (= abondant, dense ; ≠ léger).

■ **épaisseur** n.f. SENS 1 ET 2 *Ce mur a une épaisseur de 50 centimètres* (≠ longueur et largeur). SENS 3 ET 4 *L'épaisseur du brouillard a encore augmenté* (≠ légèreté).

■ **épaissir** v. SENS 1 *Julie a épaissi depuis quelques années*, elle a grossi. SENS 3 ET 4 *Pour épaissir la sauce, ajoute un peu de farine !*

s'épancher v. *Lucie a besoin de s'épancher*, de parler avec une personne de confiance.

■ **épanchement** n.m. *J'ai été le témoin de ses épanchements* (= confidence).

s'épanouir v. 1. *Cette fleur s'épanouit au mois de mai* (= s'ouvrir). 2. *De joie, son visage s'est épanoui*, elle a souri (= rayonner, s'éclairer). 3. *Pour s'épanouir, un enfant a besoin d'amour* (= se développer).

■ **épanouissement** n.m. SENS 3 *L'épanouissement d'une civilisation*, c'est son apogée, son développement complet.

épargner v. 1. *Dans l'accident d'avion, personne n'a été épargné*, tout le monde a été tué (= sauver, protéger). 2. *Ils épargnent de l'argent pour s'acheter une maison*, ils le mettent de côté (= économiser ; ≠ dépenser, gaspiller). 3. *Tu m'as épargné une corvée*, je l'ai évitée grâce à toi.

■ **épargnant, e** n. SENS 2 *De nombreux épargnants déposent leurs économies dans des banques.*

■ **épargne** n.f. SENS 2 *Ils mettent leurs économies à la Caisse d'épargne.*

éparpiller v. *Le vent a éparpillé les feuilles mortes* (= disperser ; ≠ rassembler, grouper).

■ **éparpillement** n.m. *L'éparpillement des efforts les rend peu efficaces* (= dispersion ; ≠ concentration).

épars, e adj. *Les enquêteurs examinent les débris épars de l'avion* (= dispersé, éparpillé).

épatant, e adj. Fam. *Marie est une fille épatante*, très bien (= sympathique, formidable).

épaté, e adj. *Tu as le nez épaté* (= aplati).

épater v. Fam. *Aline cherche à nous épater*, elle veut qu'on l'admire (= impressionner, surprendre, éblouir).

épaulard n.m. Un *épaulard* est une sorte de dauphin très vorace.

épaule n.f. 1. *Le maçon porte un sac sur ses épaules.* 2. *Nous avons mangé une épaule d'agneau*, le haut de la patte de devant. 3. Fam. *Yves n'a pas la tête sur les épaules en ce moment*, il ne sait pas ce qu'il fait.

33

■**épauler** v. 1. SENS 1 *La chasseuse* ***épaule*** *son fusil pour tirer,* elle l'appuie contre son épaule. 2. *Jean nous* ***a*** *bien* ***épaulés*** (= aider).

■**épaulette** n.f. SENS 1 *Les vestes militaires portent des* ***épaulettes,*** *des bandes de tissu se boutonnant sur l'épaule. Ma veste a des* ***épaulettes,*** *des sortes de petits coussins d'ouate ou de mousse qui rembourrent les épaules.*

épave n.f. 1. *Des* ***épaves*** *se sont échouées sur la plage,* des objets rejetés par la mer (= débris). 2. *On a retrouvé l'****épave*** *du navire,* le navire échoué après un naufrage.

épée n.f. *Autrefois, on se battait à l'****épée,*** une arme faite d'une longue lame pointue et d'une poignée.

épeler v. *Peux-tu* ***épeler*** *ce mot ?,* en dire les lettres l'une après l'autre.
R. → Conj. n° 6.

éperdu, e adj. *Anne était* ***éperdue*** *de reconnaissance,* très émue (≠ calme).
■**éperdument** adv. *Il était* ***éperdument*** *inquiet* (= follement).

éperon n.m. 1. *Les cavalières portent des* ***éperons*** *à leurs talons,* des pièces de métal. 2. *Les galères portaient un* ***éperon*** *pour éventrer la coque de l'adversaire,* une poutre fixée dans la coque à l'avant (= rostre).
■**éperonner** v. SENS 1 *Elle* ***éperonne*** *son cheval pour le faire aller plus vite,* elle le pique avec les éperons. SENS 2 *Le cuirassé* ***a*** ***éperonné*** *le navire,* il l'a heurté de la proue.

épervier n.m. 1. *L'****épervier*** *a saisi un moineau dans ses serres,* un oiseau. 2. *Un* ***épervier*** *est un grand filet de pêche.*

épeurant → peur.

éphémère adj. *Ce livre n'a connu qu'un succès* ***éphémère,*** très court (= passager ; ≠ durable).

éphéméride n.f. *Une* ***éphéméride*** *est un calendrier dont on retire chaque jour un feuillet.*

épi n.m. *Jean mange un* ***épi*** *de maïs,* le bout de la tige portant les grains.

épice n.f. *Le poivre, le piment, le clou de girofle sont des* ***épices,*** *des produits qui donnent plus de goût aux aliments.*
■**épicé, e** adj. *Cette sauce est trop* ***épicée*** (= piquant, poivré ; ≠ fade).

épicéa n.m. *Les* ***épicéas*** *restent verts toute l'année,* des arbres proches du sapin (= épinette).

épicerie n.f. 1. *Dans une* ***épicerie,*** *on achète des produits alimentaires variés.* 2. *Viens-tu* ***faire l'épicerie*** *avec moi ?,* faire les courses.
■**épicier, ère** n. *Va chez l'****épicier*** *chercher de l'huile et du sucre.*

épidémie n.f. *Cet hiver, il y a eu une* ***épidémie*** *de grippe,* beaucoup de gens ont eu cette maladie.
■**épidémique** adj. *La peste et le choléra sont des maladies* ***épidémiques,*** *elles se propagent par épidémies* (= contagieux).

épiderme n.m. *L'égratignure n'a atteint que l'****épiderme,*** *la partie superficielle de la peau. Les bébés ont l'****épiderme*** *sensible* (= peau).

épier v. *Je n'aime pas qu'on* ***épie*** *ce que je fais* (= surveiller, espionner).

épieu n.m. *Autrefois, on chassait avec un* ***épieu,*** *un gros bâton terminé par une pointe de fer.*

épigramme n.f. *Une* ***épigramme*** *est un petit poème satirique ou une courte phrase ironique.*

épigraphe n.f. *Une* ***épigraphe*** *est une pensée inscrite en tête d'un livre.*

épilatoire → épiler.

épilepsie n.f. *Cette personne a des crises d'****épilepsie,*** *une grave maladie nerveuse.*
■**épileptique** adj. et n. *M. Masson est (un)* ***épileptique.***

épiler v. *Une pince à épiler sert à arracher les poils.*
■ **épilatoire** adj. *Une pâte épilatoire sert à ôter les poils.*

épilogue n.m. *Quel est l'épilogue de cette histoire ?* (= fin, conclusion).

épiloguer v. *Inutile d'épiloguer sur cette affaire !*, d'en parler longuement.

épinards n.m.pl. *Je n'aime pas les épinards,* un légume dont on mange les feuilles cuites.

épine n.f. **1.** *La rose a des épines,* des piquants. **2.** *Je sens une douleur à l'épine dorsale,* la colonne vertébrale.
■ **épinette** n.f. est un équivalent de *épicéa.*
■ **épineux, euse** adj. **1.** SENS 1 *Les ronces sont des plantes épineuses,* à épines. **2.** *Ce problème est épineux* (= difficile, délicat).
■ **épinière** adj.f. SENS 2 *La moelle épinière est contenue dans la colonne vertébrale.*

épingle n.f. **1.** *La couturière s'est piquée avec une épingle,* une fine tige d'acier. **2.** *Je prends des épingles à linge pour faire tenir mon linge sur la corde* (= pince à linge). **3.** *Une épingle à couches* ou *épingle de nourrice* est une épingle munie d'un fermoir. **4.** *Brigitte est toujours tirée à quatre épingles,* elle a une toilette très soignée.
■ **épingler** v. SENS 1 *Jean a épinglé des cartes postales au mur,* il les a fixées avec des épingles.

épinière → *épine.*

épique → *épopée.*

épiscopal, épiscopat → *évêque.*

épisode n.m. *Racontez-nous un épisode de votre vie,* un moment particulier (= passage, circonstance).
■ **épisodique** adj. *Ma présence ici est épisodique,* elle n'a lieu que de temps en temps (≠ habituel, régulier).
■ **épisodiquement** adv. *Je la rencontre épisodiquement,* de temps en temps.

épistolaire adj. *Des relations épistolaires se font par des lettres.*

épitaphe n.f. *On a gravé une épitaphe sur son tombeau* (= inscription).

épithète **1.** adj. et n.f. *Dans l'expression « un travail facile », l'adjectif « facile » est épithète du nom « travail »,* il lui est relié directement, sans l'intermédiaire d'un verbe. **2.** n.f. *Il m'a adressé toutes sortes d'épithètes injurieuses* (= mot, nom).

épître n.f. *Une épître est une longue lettre.*

éploré → *pleurer.*

éplucher v. *Jacques épluche des pommes de terre,* il enlève la peau (= peler).
■ **épluchage** n.m. *Aujourd'hui, tu es de corvée d'épluchage.*
■ **épluchette** n.f. *L'épluchette de blé d'Inde est la fête au cours de laquelle on épluche en groupe des épis de maïs.*
■ **épluchure** n.f. *Jette ces épluchures à la poubelle !*, ces morceaux de peau.

éponge n.f. **1.** *Il essuie la table avec une éponge,* un objet qui absorbe l'eau. **2.** *Tu as mal travaillé mais je passe l'éponge,* j'oublie pour cette fois.
■ **éponger** v. SENS 1 *Elle s'est épongé la figure avec son mouchoir* (= essuyer).

épopée n.f. *« L'Iliade » et « l'Odyssée » sont des épopées,* de longs poèmes racontant des aventures héroïques.
■ **épique** adj. *Il m'est arrivé une aventure épique* (= extraordinaire).

époque n.f. *À quelle époque a vécu Louis-Joseph Papineau ? — Au XIXᵉ siècle* (= moment, temps, période).

s'époumoner → *poumon.*

épouser v. **1.** *Jacques a épousé Anita,* il s'est marié avec elle. **2.** *Ce fauteuil épouse la forme du corps,* il y est adapté exactement.
■ **époux, épouse** n. SENS 1 *Jacques est l'époux d'Anita* (= mari). *Anita est l'épouse de Jacques* (= femme).

épousseter → *poussière.*

époustoufler v. Fam. *Sa réponse m'a époustouflé,* elle m'a beaucoup surpris.

épouvante n.f. *Bianca poussait des hurlements d'épouvante,* dus à une peur très grande.

■ **épouvantable** adj. *L'accident était un spectacle épouvantable* (= terrifiant, effroyable, horrible).

■ **épouvantablement** adv. *Tout cela est épouvantablement compliqué* (= horriblement, extrêmement).

■ **épouvantail** n.m. *Un épouvantail sert à éloigner les oiseaux des cultures.*

■ **épouvanter** v. *Antoine est épouvanté par les histoires de fantômes* (= terroriser).

époux → *épouser.*

s'éprendre v. *Jacques s'est épris de Geneviève et il l'a épousée,* il s'est mis à l'aimer.
R. → Conj. n° 54.

épreuve n.f. **1.** *Jean a échoué à l'épreuve de français* (= examen). **2.** *Myriam a remporté l'épreuve de natation* (= compétition). **3.** *Mme Scott a connu bien des épreuves dans sa vie* (= malheur, souffrance). **4.** *Elle a montré un courage à toute épreuve,* capable de résister à tout. **5.** *On l'a mise à l'épreuve,* on a essayé sa résistance.

■ **éprouver** v. **1.** SENS 3 *Sa mort m'a beaucoup éprouvé* (= peiner). **2.** *J'éprouve une grande amitié pour Jacques,* j'ai ce sentiment (= ressentir).

■ **éprouvant, e** adj. SENS 3 *Ce voyage dans le désert a été très éprouvant* (= pénible).

■ **éprouvé, e** adj. SENS 5 *On utilise un matériel éprouvé,* dont la qualité est reconnue.

éprouvette n.f. *La chimiste fait ses expériences dans des éprouvettes,* des tubes de verre.

épuiser v. **1.** *Jean est épuisé par cette longue marche,* très fatigué (= exté-nuer). **2.** *Ce livre est épuisé,* tous les exemplaires ont été vendus.

■ **épuisant, e** adj. SENS 1 *Ce travail continuel est épuisant* (= exténuant, éreintant).

■ **épuisement** n.m. SENS 1 *Line est dans un état d'épuisement total.* SENS 2 *La vente continue jusqu'à l'épuisement des marchandises.*

■ **inépuisable** adj. *Tu es d'une générosité inépuisable* (= inlassable).

épuisette n.f. *Hélène prend le poisson dans son épuisette,* un petit filet muni d'un manche.

épuration, épurer → *pur.*

équarrir v. *Équarrir un tronc d'arbre,* c'est lui donner un aspect à peu près carré.

équateur n.m. *Le bateau a franchi l'équateur,* le cercle qui, sur les mappemondes, est à égale distance des pôles.

■ **équatorial, e, aux** adj. *Il fait très chaud dans les régions équatoriales.*
R. *Équateur* se prononce [ekwatœr].

équerre n.f. *On se sert d'une équerre pour tracer des angles droits. Les murs ne sont pas d'équerre,* à angle droit.

équestre → *équitation.*

équi-, placé devant un mot, indique l'égalité.
R. On prononce tantôt [ekɥi...] : *équidistant ;* tantôt [eki...] : *équivaloir.*

équidistant → *distance.*

équilatéral → *latéral.*

équilibre n.m. **1.** *Ahmed a glissé et il a perdu l'équilibre,* la position verticale. **2.** *Les deux plateaux de la balance sont en équilibre,* ils portent le même poids. **3.** *Il faut rétablir l'équilibre entre ces deux concurrentes,* un rapport juste.

■ **équilibrer** v. SENS 2 *Les deux poids s'équilibrent* (= se compenser).

■ **équilibré, e** adj. *Pierre est un garçon* **équilibré** (= sage ; ≠ instable).

■ **équilibriste** n. SENS 1 *Les* **équilibristes** *peuvent marcher sur une corde sans tomber.*

■ **déséquilibre** n.m. SENS 1 *Un léger* **déséquilibre** *fait pencher le bateau.*

■ **déséquilibré, e** adj. et n. *Henri est (un)* **déséquilibré** (= fou, malade mental).

■ **déséquilibrer** v. SENS 1 *Ne me pousse pas, tu vas me* **déséquilibrer** *!*

équille n.f. *Une* **équille** *est un poisson long et mince qui s'enfouit dans le sable* (= lançon).

équinoxe n.m. *Au moment des* **équinoxes**, *le jour et la nuit sont égaux,* le 21 mars et le 23 septembre.

équipage n.m. *L'* **équipage** *du bateau obéit au commandant,* le personnel qui assure la manœuvre.

équipe n.f. *Jean fait partie d'une* **équipe** *de football,* d'un groupe de joueurs.

■ **équipier, ère** ou **coéquipier, ère** n. *Il a passé la balle à sa* **coéquipière,** à une joueuse de son équipe.

équipée n.f. *Elle m'a raconté son* **équipée** (= aventure).

équiper v. *Cette voiture* **est équipée** *des derniers perfectionnements* (= pourvoir). *Louise vient de* **s'équiper** *pour le squash,* elle s'est pourvue de tout ce qu'il fallait pour jouer.

■ **équipement** n.m. *Luce a acheté un* **équipement** *de ski,* ce qu'il faut pour faire du ski.

équipier → *équipe.*

équitable → *équité.*

équitation n.f. *Marie fait de l'* **équitation**, elle monte à cheval.

■ **équestre** adj. *Une statue* **équestre** *représente un personnage à cheval.*

équité n.f. *Elle a jugé avec* **équité** (= justice, impartialité).

■ **équitable** adj. *Ce partage est* **équitable** (= juste ; ≠ partial).

■ **équitablement** adv. *Les frais d'entretien sont* **équitablement** *répartis entre les usagers,* selon la justice.

équivaloir v. *Le prix de cette voiture* **équivaut** *à dix mois de mon salaire,* il a une valeur égale (= égaler, représenter).

■ **équivalent, e** 1. adj. *Ces deux terrains ont une surface* **équivalente**, égale. 2. n.m. *« Épouvantable » est un* **équivalent** *de « effroyable »,* il a à peu près le même sens (= synonyme). *Son silence est l'* **équivalent** *d'un refus,* cela revient au même.

■ **équivalence** n.f. *Il y a* **équivalence** *de surface entre ces deux terrains.*

R. → Conj. n° 40.

équivoque 1. adj. *Ta phrase est* **équivoque,** elle peut avoir plusieurs sens. 2. n.f. *J'ai dit sans* **équivoque** *que j'étais de ton avis* (= ambiguïté).

érable n.m. *L'* **érable** *est un arbre qui fournit une sève sucrée. Sur mes crêpes, je verse du sirop d'* **érable,** fait à partir de la sève de l'érable.

■ **érablière** n.f. *Une* **érablière** *est une plantation d'érables à sucre.*

érafler v. *Marie* **s'est éraflé** *les bras dans les ronces* (= égratigner).

■ **éraflure** n.f. *Marie a des* **éraflures** *aux mains.*

éraillé, e adj. *Un ivrogne chantait d'une voix* **éraillée** (= rauque).

ère n.f. *Nous sommes au vingtième siècle de l'* **ère** *chrétienne* (= époque). *En géologie, on distingue quatre époques successives : l'* **ère** *primaire, l'* **ère** *secondaire, l'* **ère** *tertiaire et l'* **ère** *quaternaire.*

érection → *ériger.*

éreinter v. 1. *Elle* **s'est éreintée** *à finir ce travail,* beaucoup fatiguée. 2. *Les journa-*

583

listes **ont éreinté** son livre, ils l'ont critiqué durement.
- ■**éreintant, e** adj. SENS 1 Ce travail est **éreintant** (= épuisant, exténuant).
- ■**éreintement** n.m. SENS 2 L'article du journal est un **éreintement** de son livre, une critique très sévère.

ergot n.m. **1.** Un **ergot** est un ongle que certains animaux (coq, chien, etc.) ont derrière la patte. **2.** Pierre **s'est dressé sur ses ergots** pour protester, il a pris une attitude menaçante.

ergoter v. Arrête d'**ergoter** !, de discuter sur des détails.

ériger v. **1.** On a **érigé** un monument devant l'hôtel de ville, on l'a mis en place (= dresser). **2.** Elle **s'érige** en arbitre, elle se donne ce rôle (= se poser).
- ■**érection** n.f. SENS 1 On a procédé à l'**érection** du monument.
- **R.** → Conj. n° 2.

ermite n.m. Cette personne vit comme un **ermite**, comme un moine qui s'est retiré dans un endroit désert.
- ■**ermitage** n.m. Les ermites vivaient dans des **ermitages**, dans des endroits déserts.

érosion n.f. Le vent, la mer, les rivières provoquent l'**érosion**, l'usure de la surface de la Terre.

érotique adj. Un livre **érotique** provoque des émotions sexuelles.

errata → erreur.

errer v. Nous **avons erré** toute la journée dans la campagne, nous avons marché sans but.
- ■**errant, e** adj. Les chiens **errants** sont emmenés à la fourrière (= vagabond).

erreur n.f. 5 + 2 = 8 ? Il y a une **erreur** dans ce calcul, on s'est trompé (= faute).
- ■**erroné, e** adj. Ton calcul est **erroné** (= faux ; ≠ juste).

■**errata** n.m.inv. Un **errata** est une liste des erreurs à corriger dans un livre.

érudit, e adj. et n. M. Dupuis est très **érudit** sur le règne de Catherine II, il sait beaucoup de choses sur ce sujet (= savant).
- ■**érudition** n.f. Elle a publié un ouvrage d'**érudition** (= science).

éruption n.f. **1.** L'**éruption** du volcan a fait beaucoup de morts, l'explosion et le jaillissement de la lave. **2.** Tu as une **éruption** de boutons sur la figure, des boutons qui sont apparus soudain.
- ■**éruptif, ive** adj. Les roches **éruptives** proviennent d'éruptions volcaniques.
- **R.** Ne pas confondre éruption et irruption.

esbroufe n.f. Fam. Tu fais de l'**esbroufe**, tu te vantes.

escabeau n.m. Monte sur un **escabeau** pour décrocher les rideaux !, un petit banc ou une petite échelle.

escadre n.f. Une **escadre** a jeté l'ancre dans le port, un groupe de navires de guerre.
- ■**escadrille** n.f. Une **escadrille** a bombardé la ville, un groupe d'avions de guerre.
- ■**escadron** n.m. Un **escadron** est commandé par un capitaine, un groupe de soldats.

escalade n.f. **1.** Les alpinistes ont fait l'**escalade** de la montagne, ils ont grimpé dessus. **2.** Les dernières manifestations marquent une **escalade** de la violence, une augmentation soudaine.
- ■**escalader** v. SENS 1 Jeanne **a escaladé** le mur du jardin (= franchir, gravir).
- ■**désescalade** n.f. SENS 2 Les discussions ont abouti à une **désescalade**, une diminution de la tension (= apaisement).

escale n.f. Le navire fera **escale** dans le port de Québec, il s'y arrêtera un certain temps.

escalier n.m. *Vous pouvez monter au 1er étage par l'escalier ou par l'ascenseur. Ève a pris l'escalier roulant* (ou *escalier mécanique*) *pour sortir dans la rue.*

escalope n.f. *Nous avons mangé une escalope de veau,* une mince tranche de viande.

escamoter v. *La prestidigitatrice a escamoté un lapin,* elle l'a fait disparaître.
■**escamotable** adj. *Le train d'atterrissage des avions est escamotable,* il se replie.

escampette n.f. Fam. *Pierre a pris la poudre d'escampette,* il s'est enfui très vite.

escapade n.f. *Elle nous a raconté son escapade,* sa sortie pour se distraire.

escarcelle n.f. Autrefois, une *escarcelle* était une bourse suspendue à la ceinture.

escargot n.m. *Tu es lente comme un escargot,* un mollusque à coquille.

escarmouche n.f. *Quelques soldats ont été tués dans une escarmouche,* un combat de faible importance.

escarpé, e adj. *Le sentier est très escarpé,* il monte très rapidement (= raide, abrupt, à pic).
■**escarpement** n.m. *Le château est sur un escarpement rocheux.*

escarpin n.m. *Des escarpins sont des chaussures élégantes.*

escient n.m. *Elle a agi à bon escient,* comme il le fallait.

s'esclaffer v. *Quand j'ai répondu, il s'est esclaffé,* il a éclaté de rire.

esclandre n.m. *M. Durand a fait un esclandre,* il s'est mis à protester violemment (= scandale).

esclave n. 1. *Autrefois, les Noirs américains étaient des esclaves,* ils apparte-

naient à d'autres hommes. 2. *Cette personne est l'esclave de ses habitudes,* elle est dominée par elles (= prisonnier).
■**esclavage** n.m. SENS 1 *Les Romains réduisaient les vaincus en esclavage.*

escogriffe n.m. *Comment s'appelle ce grand escogriffe ?,* cet homme.grand et mal bâti.

escompte n.m. *Le vendeur m'a fait un escompte de 5 %,* il a diminué le prix, parce que je payais immédiatement.

escompter v. *Line escompte un succès à l'examen,* elle compte là-dessus (= espérer).

escorte n.f. *On l'a emmené en prison sous bonne escorte,* des policiers l'accompagnaient (= garde).
■**escorter** v. *La présidente est escortée par des motards,* ils la précèdent et la suivent pour la protéger.
■**escorteur** n.m. *Le convoi maritime est accompagné par des escorteurs,* des navires de protection.

escouade n.f. *Une escouade de policiers s'est lancée à la poursuite des gangsters,* une petite troupe.

escrime n.f. *Anne apprend l'escrime,* un sport qui consiste à se battre au fleuret, à l'épée ou au sabre.

s'escrimer v. *L'accusé s'escrime à prouver son innocence,* il s'y applique en faisant de gros efforts (= s'évertuer).

escroc n.m. *Un escroc lui a vendu des faux tableaux,* un homme malhonnête.
■**escroquer** v. *Elle s'est fait escroquer ses économies* (= voler).
■**escroquerie** n.f. *Cet individu a été arrêté pour escroquerie.*

espace n.m. 1. *La fusée a placé un satellite dans l'espace,* hors de l'atmosphère. 2. *Cet appartement est trop petit, on manque d'espace* (= place, volume). 3. *Il y a un espace de 8 Mètres entre* *chaque arbre* (= distance). **4.** *En l'espace d'une heure, elle avait fini son travail* (= durée).

■**espacer** v. SENS 3 *Espace davantage tes mots !* (= séparer). SENS 4 *Ses visites se sont espacées,* elle vient moins souvent.

■**espacement** n.m. SENS 3 *Augmente l'espacement entre les mots !* (= espace, intervalle).

■**spacieux, euse** adj. SENS 2 *Cette chambre est spacieuse* (= large, vaste ; ≠ exigu).

■**spatial, e, aux** adj. SENS 1 *Le vaisseau spatial est revenu sur la Terre.*

espadon n.m. *Les espadons peuvent dépasser 4 mètres de long,* des poissons dont la tête est prolongée par un os long et pointu.

espadrille n.f. *L'été, je mets des espadrilles,* des chaussures de toile.

espagnolette n.f. *L'espagnolette de la fenêtre est bloquée,* la poignée pour l'ouvrir et la fermer.

espalier n.m. *Dans cette région, on cultive la vigne en espalier,* en rangée devant un mur.

espèce n.f. **1.** *L'espèce humaine est l'ensemble de tous les hommes* (≠ individu). **2.** *Je n'aime pas les gens de son espèce,* qui lui ressemblent (= genre, catégorie). *Cléa porte une espèce de chapeau* (= genre, sorte). **3.** (au plur.) *Mme Hassan a payé en espèces,* avec de l'argent (= en liquide ; ≠ par chèque).

espérer v. *J'espère que tu seras reçu à ton examen,* je le prévois et je le souhaite.

■**espérance** n.f. *Elle a gardé l'espérance de réussir,* elle l'espère.

■**espoir** n.m. **1.** *On a perdu l'espoir de les retrouver,* on n'espère plus. **2.** *Cette skieuse est un des espoirs du ski canadien,* on prévoit qu'elle sera une championne.

■**désespérer** v. **1.** *Il désespère de réussir un jour,* il n'espère plus. **2.** *Depuis la*

mort de son ami, il est désespéré, son chagrin est très grand.

■**désespérément** adv. *Nos troupes luttaient désespérément contre un ennemi supérieur en nombre,* avec acharnement (= farouchement).

■**désespoir** n.m. **1.** *Ne t'abandonne pas au désespoir* (= chagrin, désolation). **2.** *Il a fait cela en désespoir de cause,* faute de pouvoir recourir à un autre moyen.

■**inespéré, e** adj. *Linda a remporté un succès inespéré* (= inattendu).

espiègle adj. *Marie est très espiègle,* elle aime faire des farces, mais sans méchanceté.

■**espièglerie** n.f. *Ne te fâche pas pour cette espièglerie.*

espion, onne n. *Ce roman raconte l'histoire d'une espionne,* d'une femme qui recherche les secrets d'un pays pour le compte d'un autre.

■**espionner** v. *Arrête de m'espionner !* (= surveiller, guetter).

■**espionnage** n.m. *On a arrêté le chef d'un réseau d'espionnage.*

■**contre-espionnage** n.m. Les *services de contre-espionnage* s'opposent à l'action des espions.

R. Noter le pluriel : des *contre-espionnages.*

esplanade n.f. *Nous avons traversé l'esplanade du château,* la grande place qui se trouve devant ce bâtiment.

espoir → **espérer.**

esprit n.m. **1.** *Qu'est-ce que tu as dans l'esprit ?,* à quoi penses-tu ? (= tête). **2.** *Dans quel état d'esprit est-il venu ?,* à quoi pensait-il ? **3.** *Luce a l'esprit vif* (= intelligence). **4.** *Avoir l'esprit d'entreprise,* c'est être entreprenant, *avoir l'esprit d'équipe,* c'est être solidaire de son équipe, *avoir mauvais esprit,* c'est être malveillant. **5.** *Cléa est pleine d'esprit,* elle est pleine d'humour, d'ingéniosité. **6.** *Je ne suis pas un pur esprit,* un être sans corps comme Dieu, les anges, les fantômes.

■**spiritisme** n.m. SENS 6 *M. Dupont croit au spiritisme,* il croit qu'on peut parler aux esprits.

■**spirituel, elle** adj. SENS 1 *La vie spirituelle* est la vie de l'esprit (≠ corporel, matériel, temporel). SENS 5 *Catherine est très spirituelle* (= amusant, brillant).

esquif n.m. *Ils se sont embarqués sur un frêle esquif,* un petit bateau.

esquimau 1. n. *Autrefois, on appelait les Inuit des Esquimaux,* les habitants des régions arctiques de l'Amérique et du Groenland. 2. n.m. *En France, à l'entracte, on vend des esquimaux,* une marque de glaces enrobées de chocolat.

esquinter v. Fam. *Qui a esquinté mon stylo ?* (= abîmer).

esquisser v. 1. *Jean a esquissé mon portrait,* il l'a dessiné à grands traits (= ébaucher). 2. *Marie a esquissé un sourire,* elle l'a commencé (= amorcer).
■**esquisse** n.f. SENS 1 *Ce dessin n'est qu'une esquisse,* il n'est pas définitif.

esquiver v. 1. *Le boxeur a esquivé le coup,* il l'a évité adroitement. 2. *Cléa a cherché à s'esquiver,* à s'en aller sans se faire remarquer.

essai → essayer.

essaim n.m. *Les abeilles se groupent en essaim pour fonder une nouvelle ruche,* en très grand nombre.
■**essaimer** v. 1. SENS 1 *Les abeilles essaiment au printemps,* elles forment des essaims. 2. *Cette entreprise a essaimé à l'étranger,* elle a créé des succursales.

essayer v. 1. *As-tu essayé ce nouveau stylo ?,* t'en es-tu servi pour voir s'il convenait ? *Jean essaye des bottes,* il les met pour voir si elles lui vont. 2. *Essaye de ne pas arriver en retard !,* fais des efforts pour cela (= tâcher, tenter).
■**essai** n.m. SENS 1 *J'ai fait l'essai d'une nouvelle lessive,* je l'ai essayée. SENS 2 *Elle a réussi au troisième essai* (= tentative).
■**essayage** n.m. SENS 1 *Avant de finir la robe, un essayage sera nécessaire,* il faudra l'essayer.
R. → Conj. n° 4.

essence n.f. 1. *Donnez-moi 20 litres d'essence !,* de carburant pour ma voiture. 2. *Je ne connais pas cette essence d'arbres* (= sorte, espèce). 3. *L'essence de lavande sent très bon,* l'extrait concentré de cette plante.

219, 505, 506

essentiel, elle adj. et n.m. *Voilà le passage essentiel de ce livre,* le plus important (= fondamental, capital ; ≠ secondaire, accessoire). *Tu as oublié l'essentiel* (= principal ; ≠ détail).
■**essentiellement** adv. 1. *La côte du Maine est une région essentiellement touristique* (= principalement). 2. *Je tiens essentiellement à être informé* (= absolument).

essieu n.m. *Un essieu du camion s'est cassé dans l'accident,* la barre qui relie les roues.

essor n.m. *L'essor de l'automobile date du début du siècle* (= développement).

essorer v. *Cette machine essore automatiquement le linge,* elle en fait sortir l'eau qui l'imprègne.
■**essorage** n.m. *L'essorage permet au linge de sécher plus vite.*

essoufflement, essouffler → souffle.

essuyer v. 1. *Marie essuie la table après le repas,* elle la frotte pour enlever les saletés et les liquides qui sont dessus. *Essuie-toi les mains avec cette serviette* (= sécher). 2. *J'ai essuyé un échec* (= subir).
■**essuie-glace** n.m. SENS 1 *Il pleut, mets les essuie-glaces,* l'appareil qui essuie le pare-brise.

505

■ **essuie-mains** n.m.inv. SENS 1 *L'essuie-mains est sale, il faut le changer.*

■ **essuie-tout** n.m.inv. *Donne-moi de l'essuie-tout pour essuyer la table,* du papier absorbant que l'on jette après usage.

728 | **est** n.m. et adj.inv. *Le soleil se lève à l'est* (≠ *ouest*).
R. Ne pas confondre *est* [ɛst] et *est* [e] (du verbe *être*).

estafette n.f. *Une estafette était un militaire chargé de porter un message.*

estafilade n.f. *M. Durand s'est fait une estafilade en se rasant,* une longue coupure (= *balafre*).

estaminet n.m. *Un estaminet est un petit débit de boissons* (= *bistrot*).

estampe n.f. *Cette estampe représente un paysage* (= *image, gravure*).

estampille n.f. *Ce bijou en or porte une estampille,* une marque d'authenticité (= *poinçon, cachet*).

■ **estampillé, e** adj. *Son collier est estampillé.*

est-ce que adv. sert à interroger : *Est-ce que tu viens ?*

esthétique adj. *Ce gros tuyau n'est pas très esthétique* (= *beau, joli, décoratif*).

■ **esthétiquement** adv. *Ces fleurs sont disposées esthétiquement dans le vase,* avec art.

■ **esthéticien, enne** n. *Marc est esthéticien,* spécialiste des soins de beauté.

■ **inesthétique** adj. *Ce poteau électrique devant la façade du musée est inesthétique* (= *laid*).

estimer v. **1.** *J'estime beaucoup Caroline,* j'ai une bonne opinion d'elle (= *apprécier ; ≠ mépriser*). **2.** *Cette voiture d'occasion est estimée à 3 000 dollars,* on pense qu'elle vaut ce prix. **3.** *J'estime que tu as tort* (= *croire, penser, trouver*). *Yves s'estime chanceux,* considérer qu'il a de la chance.

■ **estime** n.f. SENS 1 *J'ai une grande estime pour Norma* (= *respect*).

■ **estimable** adj. SENS 1 *Jean est un garçon estimable* (= *honorable, recommandable*).

■ **estimation** n.f. SENS 2 *Une experte a fait l'estimation de ce tableau,* elle en a dit le prix.

■ **inestimable** adj. SENS 2 *Cette œuvre est inestimable,* très précieuse (= *inappréciable*).

■ **mésestimer** v. SENS 1 *Cette personne a été longtemps mésestimée,* on n'a pas reconnu son mérite (= *méconnaître*).

■ **sous-estimer** v. SENS 2 *Il ne faut pas sous-estimer les difficultés,* croire qu'elles sont peu importantes.

■ **surestimer** v. SENS 2 *Tu as tendance à te surestimer,* à te croire plus fort que tu n'es.

estival, estivant → été.

estomac n.m. **1.** *Ne mange pas trop, tu vas avoir mal à l'estomac.* **2.** Fam. *Benoît a toujours l'estomac dans les talons,* il a toujours faim.

estomaquer v. Fam. *J'ai été estomaquée par son audace,* très étonnée (= *souffler, suffoquer*).

estomper v. *Sa silhouette s'estompe dans le lointain,* elle devient floue (≠ se détacher).

estrade n.f. *Le bureau du professeur est sur une estrade,* sur un plancher surélevé.

estragon n.m. *Marie met de l'estragon dans la salade,* une plante aromatique.

estropier v. **1.** *Elle s'est estropiée en tombant d'un arbre,* elle s'est cassé un membre. **2.** *Elle lisait en estropiant les mots,* en les prononçant mal.

estuaire n.m. *La Nouvelle-Orléans est sur l'estuaire du Mississipi,* à l'embouchure élargie de ce fleuve.

esturgeon n.m. *Un esturgeon peut peser plus de 200 kilos,* un poisson.

et conj. sert à relier les mots et les groupes de mots.

étable n.f. *Les vaches sont rentrées à l'étable,* le bâtiment qui leur est destiné.

établi n.m. *Le menuisier travaille sur son établi,* une sorte de table.

établir v. 1. *Les Dupont se sont établis à Calgary,* ils y habitent (= s'installer). 2. *L'accusé cherche à établir son innocence,* à la faire apparaître (= prouver). 3. *Les deux pays ont établi des relations,* ils les ont fait commencer. 4. *As-tu établi la liste de nos dépenses ?* (= faire, dresser).
■ **établissement** n.m. 1. SENS 1 *Depuis leur établissement à Toronto, on ne les voit plus* (= installation). SENS 4 *La comptable se charge de l'établissement des feuilles de paie.* 2. *Une usine est un établissement industriel, un collège est un établissement scolaire.*

étage n.m. 1. *Nous habitons au premier étage,* au-dessus du rez-de-chaussée. 2. *Il y a cinq étages dans ce placard,* cinq niveaux superposés.
■ **étager** v. SENS 2 *Les maisons sont étagées sur la pente de la colline* (= échelonner).
■ **étagère** n.f. SENS 2 *La confiture est sur l'étagère du haut. On a acheté une étagère pour ranger les livres,* un meuble formé de planches superposées.

étai → *étayer.*

étain n.m. *Autrefois, la vaisselle était en étain,* un métal très malléable.
■ **étamer** v. *On étame l'intérieur des casseroles de cuivre,* on le recouvre d'une couche d'étain.

étaler v. 1. *La poissonnière étale sa marchandise,* elle dispose les poissons sur une table. 2. *Jean étale du beurre sur son pain* (= étendre). 3. *Marie s'est étalée par terre,* elle est tombée à plat. 4. *Les paiements s'étalent sur un an,* ils sont répartis sur cette période.
■ **étal** n.m. SENS 1 *Le boucher découpe la viande sur son étal,* une sorte de table.
■ **étalage** n.m. 1. SENS 1 *Katia regarde l'étalage du marchand de jouets,* les objets étalés dans la vitrine. 2. *Elle fait étalage de ses connaissances,* elle les fait paraître de façon trop voyante.
■ **étalement** n.m. SENS 4 *L'étalement des vacances permet aux gens de ne pas partir tous en même temps.*
R. Noter le pluriel : *des étals.*

1. étalon n.m. *Mme Chang possède un étalon pur-sang,* un cheval mâle apte à la reproduction.

2. étalon n.m. *Le dollar sert d'étalon monétaire,* de valeur retenue comme point de référence par rapport aux autres monnaies.

étamer → *étain.*

étamine n.f. *Les étamines d'une fleur sont les petites tiges qui portent le pollen.*

étampe n.f. Fam. *À l'aide d'une étampe, elle appose son adresse sur l'enveloppe* (= tampon).

étamper v. Fam. *Ce boxeur a étampé son adversaire,* il l'a frappé très durement au point de laisser des marques.

étanche adj. *Ce récipient n'est pas étanche,* il laisse passer l'eau.
■ **étanchéité** n.f. *On a vérifié l'étanchéité du réservoir.*

étang n.m. *Nous avons fait du canot sur l'étang,* un petit lac.
R. *Étang* se prononce [etɑ̃] comme *étant* (de *être*) et [*il*] *étend* (de *étendre*).

étape n.f. 1. *La dixième étape a été remportée par Dupin,* la course de la journée. 2. *Ce travail a été fait en plusieurs étapes* (= période).

état n.m. 1. *Le tapis est en mauvais état,* il est usé, abîmé. *Son état de santé est bon,* il est en bonne santé. 2. *L'O.N.U. rassemble les États du monde* (= gouvernement, pays, nation). *Les militaires ont fait un coup d'État,* ils ont renversé le gouvernement. *Un homme d'État participe à un gouvernement.* 3. *Il faut faire un état de nos dépenses* (= liste, inventaire).

294

512

318

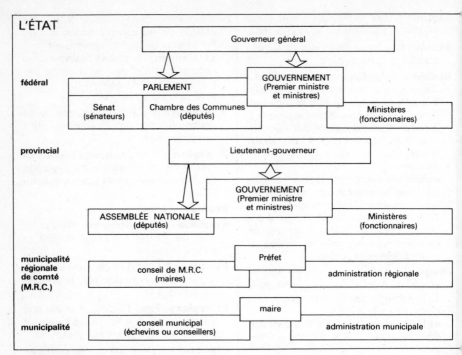

L'ÉTAT

état-major n.m. *Le général a réuni son état-major,* les officiers qui le conseillent.

289 **étau** n.m. *Dans un étau on serre l'objet qu'on veut travailler.*

étayer v. *On a dû étayer le mur,* le soutenir par des poutres, appelées des *étais* (= renforcer).

150

etc. adv. *Dans le jardin, il y a des roses, des iris, des tulipes, etc.,* et encore d'autres fleurs.
R. On prononce [ɛtsetera].

125 **été** n.m. *Il a fait très chaud cet été. Bientôt, ce sera l'été des Indiens,* une période au mois d'octobre où il fait beau et chaud.
■ **estival, e, aux** adj. *Il fait une température estivale,* comme en été.
■ **estivant, e** n. *Il y a beaucoup d'estivants dans ce petit port* (= vacancier).
R. Ne pas confondre *été* et *été* (du verbe *être*).

éteindre v. **1.** *Le feu s'est éteint,* il a cessé de brûler. **2.** *Éteins le poste de radio !,* cesse de le faire fonctionner (≠ allumer).
■ **extinction** n.f. **1.** SENS 2 *L'extinction des lumières aura lieu à 10 heures* (≠ allumage). **2.** *J'ai une extinction de voix,* je ne peux plus parler. **3.** *Le beluga est une espèce en voie d'extinction,* (= disparition).
■ **extincteur** n.m. SENS 1 *En cas d'incendie, décrochez l'extincteur !*
R. → Conj. n° 55.

étendard n.m. se disait pour *drapeau.*

étendre v. **1.** *Jean s'est étendu pour dormir,* il s'est couché, allongé. **2.** *On a étendu des couvertures par terre* (= déplier, étaler). **3.** *La plaine s'étend sur des kilomètres,* elle n'est pas limitée (= se déployer). **4.** *Ce sirop se boit étendu*

d'eau, on y ajoute de l'eau (= diluer).
5. *Laura a étendu ses connaissances en géographie* (= augmenter, développer ; ≠ limiter).
■ **étendu, e** adj. SENS 3 *Ce lac est peu étendu* (= grand, vaste ; ≠ limité).
■ **étendue** n.f. **1.** SENS 3 *Quelle est l'étendue de ce pays ?* (= surface, superficie). *Un lac est une étendue d'eau.* **2.** *On ne connaît pas encore l'étendue de la catastrophe* (= importance).
■ **extension** n.f. SENS 3 ET 5 *On signale une extension de la grève,* que la grève s'étend (= développement).
R. → Conj. n° 50. → *étang.*

éternel, elle adj. **1.** *Les chrétiens croient à une vie éternelle,* qui n'aura pas de fin. *Regarde ces neiges éternelles !,* qui ne fondent jamais. **2.** *Tu m'as juré une reconnaissance éternelle,* très longue.
■ **éternellement** adv. SENS 2 *Jean est éternellement fatigué* (= toujours).
■ **éterniser** v. SENS 2 *On ne va pas s'éterniser ici !,* rester longtemps.
■ **éternité** n.f. SENS 2 *Je t'ai attendu une éternité,* très longtemps.

éternuer v. *Souvent, quand on a un rhume, on éternue,* on fait un bruit brusque à la suite d'une sorte de chatouillement du nez.
■ **éternuement** n.m. *« Atchoum » est le bruit de l'éternuement.*

éther n.m. *L'éther sert à désinfecter les plaies,* un liquide.
R. On prononce [etɛr].

ethnie n.f. *Les ethnies africaines sont nombreuses* (= peuple).
■ **ethnique** adj. *« Français », « allemand », « russe » sont des noms et adjectifs ethniques,* de peuple, de nation.
■ **ethnologie** n.f. *L'ethnologue étudie l'ethnologie,* la science des peuples.

étiage n.m. *L'étiage d'un cours d'eau,* c'est son niveau le plus bas en période sèche.

étincelle n.f. *Quand on remue le feu, il se produit des étincelles,* des projections de minuscules braises.
■ **étinceler** v. *La neige étincelle au soleil* (= briller, scintiller).
■ **étincelant, e** adj. *La table était couverte d'une cristallerie étincelante.*

s'étioler v. *Les plantes s'étiolent dans ce jardin sans soleil,* elles dépérissent.

étiquette n.f. **1.** *Le prix du manteau est marqué sur l'étiquette,* un petit carton. **2.** *À la cour des rois, il fallait respecter l'étiquette,* des règles précises (= cérémonial).
■ **étiqueter** v. SENS 1 *Dans ce magasin, les produits sont étiquetés,* ils ont une étiquette (= marquer).
R. *Étiqueter* → conj. n° 8.

étirer v. **1.** *On étire le fil de fer en tirant dessus* (= allonger). **2.** *Le chien s'étire quand il se réveille,* il allonge ses membres.

étoffe n.f. **1.** *En quelle étoffe est ce manteau ? — En coton* (= tissu). **2.** *Cette athlète a de l'étoffe,* de grandes capacités.
■ **étoffer** v. SENS 2 *Il faut étoffer ce devoir,* l'allonger pour l'améliorer.

étoile n.f. **1.** *La nuit est claire, on voit les étoiles dans le ciel* (= astre). **2.** *Céline croit à son étoile,* qu'elle a de la chance. **3.** *Le drapeau américain porte 50 étoiles,* des dessins réguliers à plusieurs pointes. **4.** *Pierre aime beaucoup cette étoile de cinéma* (= vedette, star). **5.** *Sur cette plage, on trouve des étoiles de mer,* des petits animaux en forme d'étoile à cinq branches.
■ **étoilé, e** adj. SENS 1 *Le ciel est étoilé.*

étole n.f. *Le prêtre porte l'étole autour du cou,* une large bande d'étoffe.

étonner v. *Je suis très étonnée d'apprendre cette nouvelle* (= surprendre, ébahir).

290

223, 579

223

724

149

■ **étonnant, e** adj. *Cet immeuble est d'une hauteur **étonnante*** (= étrange, inattendu, effarant).

■ **étonnamment** adv. *Elle reste **étonnamment** alerte pour son âge.*

■ **étonnement** n.m. *D'**étonnement**, Aline écarquille les yeux* (= stupeur).

étouffer v. **1.** *On **étouffe** dans cette pièce,* on est gêné pour respirer. *Elle a avalé de travers et **s'étouffe**,* elle ne peut plus respirer. **2.** *Le tapis **étouffe** le bruit de nos pas* (= atténuer).

■ **étouffant, e** adj. SENS 1 *Ce climat est **étouffant*** (= suffocant).

■ **à l'étouffée** adv. *On a servi des pommes de terre cuites **à l'étouffée**,* à la vapeur, dans un récipient bien clos (= à l'étuvée).

■ **étouffement** n.m. SENS 1 *Il est mort d'**étouffement**,* il ne pouvait plus respirer.

étourdi, e adj. et n. *Jeanne est une (fillette) **étourdie**,* elle agit sans réfléchir (= distrait ; ≠ attentif, réfléchi).

■ **étourdiment** adv. *Jeanne a répondu **étourdiment**.*

■ **étourderie** n.f. *Tu as fait une faute d'**étourderie*** (= inattention, distraction ; ≠ réflexion).

étourdir v. **1.** *Le choc m'**a étourdie**,* je me suis à moitié évanouie. **2.** *Ce bruit nous **étourdit**,* il nous casse les oreilles (= fatiguer, abrutir).

■ **étourdissant, e** adj. SENS 2 *Le chien poussait des cris **étourdissants*** (= assourdissant).

■ **étourdissement** n.m. SENS 1 *Jean a eu un **étourdissement*** (= vertige).

étourneau n.m. **1.** *Les **étourneaux** volent souvent en bandes,* des oiseaux. **2.** *Tu as déjà oublié l'adresse ? quel **étourneau** !* (= étourdi).

étrange adj. *J'ai entendu un bruit **étrange*** (= bizarre, étonnant, surprenant ; ≠ habituel, normal).

■ **étrangement** adv. *Il est **étrangement** habillé* (= curieusement, drôlement).

■ **étrangeté** n.f. *J'ai été surprise par l'**étrangeté** de son attitude* (= bizarrerie).

étranger, ère adj. **1.** *Véronica connaît deux langues **étrangères**,* des langues d'autres pays que le sien. **2.** *Je suis **étranger** à cette affaire,* je n'y ai pas participé.

■ **étranger, ère** SENS 1 **1.** n. *Beaucoup d'**étrangers** viennent à Vancouver en vacances,* des gens d'un autre pays. **2.** n.m. *Nous sommes partis à l'**étranger**,* dans un pays étranger.

étrangeté → *étrange.*

étrangler v. **1.** *La victime **a été étranglée**,* on lui a serré le cou. **2.** *Jean **s'étrangle** à force de rire,* il perd la respiration (= s'étouffer).

■ **étranglement** n.m. **1.** SENS 1 *La victime est morte par **étranglement**.* **2.** *Il y a un **étranglement** dans la rue,* une partie resserrée.

étrave n.f. *L'**étrave** est la pièce qui termine la coque d'un navire à l'avant.*

être v. **1.** *Pierre **est** enjoué, Marie **est** disciplinée.* **2.** *Nous **sommes** à Moncton.* **3.** *Ce livre **est** à moi,* il m'appartient. **4.** *La table **est en** bois,* faite de bois. **5.** *La maison **est** à vendre,* doit être vendue. **6.** *C'**est** toi qui as tort,* tu as tort. **7.** *Je pense, donc je **suis**,* j'existe.

■ **être** n.m. SENS 7 *Nous sommes des **êtres humains**,* des hommes, des femmes. *Il ne faut pas faire souffrir les **êtres vivants*** (= créature).

R. → Conj. p. 8. *Être* sert à former le passif *(je **suis** aimé)* et pour quelques verbes les temps composés de l'actif *(je **suis** parti).*

étreindre v. *Ma mère m'**a étreint**,* elle m'a serré fortement dans ses bras.

■ **étreinte** n.f. *Le serpent ne desserrait pas son* ***étreinte*** (= prise).
R. → Conj. n° 55.

étrenner v. *Luce* ***étrenne*** *ses chaussures neuves, elle s'en sert pour la première fois.*

étrennes n.f.pl. *Le 1ᵉʳ janvier, j'ai reçu des* ***étrennes*** *de ma marraine, un cadeau ou une somme d'argent. Mme Lavoie a donné des* ***étrennes*** *au facteur, une somme d'argent comme cadeau de fin d'année.*

étrier n.m. *Le cavalier s'est dressé sur ses* ***étriers.***

étrille n.f. **1.** *On panse les chevaux avec une* ***étrille,*** *un instrument qui gratte le poil.* **2.** *Une* ***étrille*** *est un petit crabe.*

étriqué, e adj. *Maryse porte une veste* ***étriquée,*** *trop étroite* (≠ ample).

étroit, e adj. **1.** *La route est* ***étroite*** (≠ large). **2.** *Tu as des idées* ***étroites,*** bornées (≠ tolérant). **3.** *Ils sont en* ***étroites*** *relations, il sont très liés.*
■ **à l'étroit** adv. SENS 1 *Anne se sent* ***à l'étroit*** *dans son costume* (≠ au large).
■ **étroitement** adv. SENS 3 *Ces deux questions sont* ***étroitement*** *liées, elles sont inséparables.*
■ **étroitesse** n.f. SENS 1 *L'* ***étroitesse*** *de la rue provoque des embouteillages.* SENS 2 *Quelle* ***étroitesse*** *d'esprit !.*
■ **rétrécir** v. SENS 1 *Le pantalon* ***a rétréci*** *au lavage,* il est devenu plus étroit (≠ s'élargir).
■ **rétrécissement** n.m. SENS 1 *Les travaux ont entraîné un* ***rétrécissement*** *de la rue.*

étude n.f. **1.** *L'* ***étude*** *des maths l'intéresse beaucoup,* le travail qu'il faut faire pour les apprendre. **2.** (au plur.) *Jacques a fini ses* ***études,*** il a cessé d'aller à l'école ou à l'université. **3.** *Mme Truong a écrit une* ***étude*** *sur les fourmis* (= livre, ouvrage).

4. *L'* ***étude*** *d'un notaire est* l'endroit où il travaille. **5.** *Clara est dans la* ***salle d'étude,*** une pièce dans laquelle les élèves font leur travail.
■ **étudier** v. SENS 1 ET 2 *Maria* ***étudie*** *le piano* (= apprendre). *Il faut* ***étudier*** *cette affaire,* y travailler.
■ **étudiant, e** n. SENS 2 *Caroline est* ***étudiante*** *en sciences,* elle fait des études à l'université.
■ **studieux, euse** adj. SENS 1 *Maria est* ***studieuse,*** elle étudie bien (= appliqué ; ≠ paresseux).

étui n.m. *Remets les jumelles dans leur* ***étui** !,* la boîte faite spécialement pour les contenir.

étuve n.f. *Dans cette chambre, on transpire comme dans une* ***étuve,*** une pièce surchauffée.
■ **à l'étuvée** adv. *Ces légumes sont cuits à l'* ***étuvée*** (= à l'étouffée).

étymologie n.f. *L'* ***étymologie*** *du mot « étude » est le mot latin « studium »* (= origine).
■ **étymologique** adj. *Un dictionnaire* ***étymologique*** *indique l'origine des mots.*
■ **étymologiquement** adv. *« Vertu » signifie* ***étymologiquement*** *« force ».*

eucalyptus n.m. *L'* ***eucalyptus*** *est un arbre des régions chaudes, dont les feuilles sentent très bon.*

eucharistie n.f. *L'* ***eucharistie*** *est un sacrement par lequel, selon l'Église catholique, Jésus-Christ devient présent dans le pain et le vin* (= communion).

euh ! → *heu !*

euphémisme n.m. *Quand on dit « il n'est pas génial » pour signifier « c'est un imbécile », on fait un* ***euphémisme,*** une atténuation de l'expression.

euphorie n.f. *Katy est en pleine* ***euphorie,*** elle est très contente, elle se sent bien (≠ angoisse).
■ **euphorique** adj. *Il a un air* ***euphorique.***

eux pron.pers. est le pluriel de *lui* : *Je vais avec eux.*

s'évacher v. Fam. *As-tu fini de t'évacher !,* de t'asseoir de travers.

évacuer v. *La police a fait évacuer la salle,* sortir les gens qui s'y trouvaient.
■ **évacuation** n.f. **1.** *Les pompiers se sont chargés de l'évacuation des blessés,* de les transporter ailleurs. **2.** *Le tuyau d'évacuation des eaux est bouché,* d'écoulement.

s'évader v. *La prisonnière a réussi à s'évader,* à s'échapper de sa prison (= s'enfuir).
■ **évasion** n.f. *Il a été rattrapé après son évasion* (= fuite).

évaluer v. *Cette maison est évaluée (à) 70 000 dollars,* c'est à peu près sa valeur.
■ **évaluation** n.f. *Tu t'es trompée dans ton évaluation* (= estimation).
■ **sous-évaluer** v. *Ils ont sous-évalué tes capacités,* ils les ont évaluées trop bas.
■ **surévaluer** v. *Cette maison est surévaluée,* évaluée trop haut.

évangile n.m. *Les quatre Évangiles sont des textes contenant l'enseignement de Jésus-Christ ;* cet enseignement est appelé lui aussi *Évangile.*
■ **évangélique** adj. *La doctrine évangélique* est la doctrine de l'Évangile.
■ **évangéliser** v. *Évangéliser des gens,* c'est leur prêcher l'Évangile.
■ **évangéliste** n.m. *Saint Luc est l'un des quatre évangélistes,* l'auteur d'un Évangile.

s'évanouir v. **1.** *Elle était si faible qu'elle s'est évanouie,* elle ne se rend pas compte de ce qui se passe autour d'elle (= perdre connaissance ; ≠ revenir à soi). **2.** *Ses espoirs se sont évanouis,* elle n'espère plus (= disparaître).
■ **évanouissement** n.m. SENS 1 *Son évanouissement a duré dix minutes.*

évaporation, évaporer → *vapeur.*

évasé, e adj. *Ce coquillage est évasé,* largement ouvert.

évasif, ive adj. *Sa réponse a été évasive* (= imprécis, vague ; ≠ net, clair).
■ **évasivement** adv. *Je ne suis pas plus renseignée car il m'a répondu évasivement.*

évasion → *s'évader.*

évêché → *évêque.*

éveiller v. **1.** *Elle s'est éveillée brusquement* (= se réveiller ; ≠ s'endormir). **2.** *Sa réponse a éveillé les soupçons* (= causer, provoquer ; ≠ apaiser).
■ **éveil** n.m. **1.** SENS 1 *Le chien en aboyant a donné l'éveil,* il nous a alertés (= alarme). **2.** *Sa curiosité est perpétuellement en éveil,* attentive.
■ **éveillé, e** adj. *Pierre est un garçon éveillé,* dont l'esprit est en éveil (= vif, dégourdi ; ≠ mou).

événement n.m. *Connais-tu la suite des événements ?,* ce qui s'est passé ensuite (= fait).

éventail → *éventer.*

éventaire n.m. *Il y a un éventaire devant la librairie,* une table portant des marchandises.

éventer v. **1.** *Isabelle s'évente avec son journal,* elle l'agite pour se donner de l'air. **2.** *Le vin s'est éventé,* il a perdu son goût à l'air.
■ **éventail** n.m. SENS 1 *Cet éventail de plumes est très joli,* cet instrument pour s'éventer.

éventrer v. *Le matelas a été éventré par un coup de couteau* (= déchirer, crever).

éventuel, elle adj. *Elle m'a parlé de son départ éventuel* (= possible ; ≠ certain, inévitable).
■ **éventuellement** adv. *Je vous préviendrai éventuellement,* s'il y a lieu (≠ de toute façon).
■ **éventualité** n.f. *On a examiné toutes les éventualités,* tout ce qui pourrait arriver.

évêque n.m. Un *évêque* est un prêtre qui dirige un diocèse.

■ **évêché** n.m. L'*évêché* est la résidence de l'évêque.

■ **épiscopal, e, aux** adj. *Une bénédiction* **épiscopale** *est celle que donne un évêque.*

■ **épiscopat** n.m. L'*épiscopat français s'est réuni,* l'ensemble des évêques.

■ **archevêque** n.m. *Un* **archevêque** *est supérieur à un évêque.*

■ **archevêché** n.m. *Il y a au Canada dix-sept* **archevêchés.**

s'évertuer v. *Jeanne* **s'est évertuée** *en vain à me convaincre* (= essayer, s'efforcer).

éviction → *évincer.*

évident, e adj. *Elle a apporté une preuve* **évidente** *de son innocence* (= certain, incontestable ; ≠ douteux).

■ **évidence** n.f. *Tu as raison, c'est une* **évidence** (= certitude ; ≠ doute). *Il faut te rendre à l'évidence,* admettre les faits. *J'ai mis les fleurs* **en évidence** *sur la table,* bien en vue.

■ **évidemment** adv. *Tu acceptes ? —* **Évidemment !** (= bien sûr).

évider v. **Évider** *un tronc d'arbre,* c'est le creuser.

évier n.m. L'*évier* est plein de vaisselle sale.

évincer v. *Elle se plaint d'avoir été* **évincée,** d'avoir été écartée.

■ **éviction** n.f. *Il se plaint de son* **éviction** (= élimination).

éviter v. **1.** *La conductrice n'a pas pu* **éviter** *l'accident,* empêcher qu'il se produise (= échapper à). **2.** **Évite** *de fumer !,* ne fume pas ! **3.** *Il m'a* **évité** *des ennuis,* je n'en ai pas eu grâce à lui (= épargner).

■ **inévitable** adj. SENS 1 *Avec ce verglas, l'accident était* **inévitable** (= fatal).

■ **inévitablement** adv. SENS 1 *Si tu ne pars pas tout de suite, tu seras* **inévitablement** *en retard* (= fatalement).

évocateur, évocation → *évoquer.*

évoluer v. *La mode* **évolue** *sans cesse,* elle change, se transforme.

■ **évolutif, ive** adj. *Une situation* **évolutive** *est en cours de changement.*

■ **évolution** n.f. L'*évolution de sa maladie est inquiétante* (= développement, progrès).

évoquer v. *Elle a* **évoqué** *son enfance,* elle en a parlé (= rappeler).

■ **évocateur, trice** adj. *Un livre* **évocateur** *permet de bien se représenter une situation.*

■ **évocation** n.f. L'*oratrice a commencé par une* **évocation** *de la dernière guerre,* par le rappel de ces événements.

ex-, placé devant un nom de personne, indique ce qu'elle a été : un *ex-ministre* n'est plus ministre.

exacerber v. **Exacerber** *un sentiment,* c'est le porter à un degré très élevé (= aviver).

exact, e adj. **1.** *Quelles sont les dimensions* **exactes** *de cette chambre ?* (= vrai, juste, précis). **2.** *Luisa est toujours* **exacte** *à ses rendez-vous,* elle arrive à l'heure (= ponctuel).

■ **exactement** adv. SENS 1 *Il est* **exactement** *7 heures* (= juste, précisément).

■ **exactitude** n.f. SENS 1 *Il faut vérifier l'exactitude de ses réponses.* SENS 2 *Ton* **exactitude** *est exemplaire,* ta ponctualité.

■ **inexact, e** adj. SENS 1 *Tu as donné des renseignements* **inexacts** (= faux).

■ **inexactitude** n.f. SENS 1 *J'ai relevé des* **inexactitudes** *dans ton devoir* (= faute, erreur). SENS 2 *Ton* **inexactitude** *te fera perdre ton emploi,* tes retards (≠ ponctualité).

R. *Exact* se prononce [εgza] ou [εgzakt].

exaction n.f. *La population a souffert des* **exactions** *des troupes d'occupation,* des actes de violence, des abus.

ex aequo adv. *Ils sont arrivés* ***ex aequo,*** à égalité.
R. On prononce [εgzeko].

exagérer v. 1. *Tu* ***exagères*** *l'importance de cette affaire,* tu lui donnes trop d'importance (≠ atténuer). 2. *Tu es encore en retard, tu* ***exagères****!,* tu dépasses la limite (= abuser).
■ **exagération** n.f. SENS 1 *Il y a de l'***exagération** *dans ses paroles.*
■ **exagérément** adv. SENS 1 *Ses reproches sont* ***exagérément*** *sévères* (= beaucoup trop).

s'exalter v. *Elle* ***s'exalte,*** *quand elle parle de cinéma* (= s'exciter, s'enthousiasmer ; ≠ se calmer).
■ **exaltation** n.f. *On a essayé de calmer son* ***exaltation*** (= surexcitation).

examen n.m. 1. *Rachid a passé l'***examen** *d'entrée au collège* une épreuve pour voir s'il était capable. 2. *Les enquêteurs ont fait un* ***examen*** *des lieux,* ils les ont regardés attentivement.
■ **examiner** v. SENS 2 *J'ai passé la journée à* ***examiner*** *ces papiers* (= regarder, étudier). *Le médecin m'a* ***examiné,*** il m'a ausculté.
■ **examinateur, trice** n. SENS 1 *L'***examinateur** *a interrogé les candidats.*

exaspérer v. *Mes reproches l'***ont exaspérée,** *ils l'ont beaucoup énervée* (= irriter).
■ **exaspération** n.f. *Elle ne pouvait cacher son* ***exaspération*** (= colère, fureur).

exaucer v. *Tous mes désirs* ***sont exaucés*** (= satisfaire, combler).
R. *Exaucer* se prononce [εgzose] comme *exhausser.*

151 **excavation** n.f. *La bombe a creusé une* ***excavation,*** un trou dans le sol.
152, 581 ■ **excavatrice** n.f. *Une* ***excavatrice*** *est un engin qui creuse et déplace de la terre,* des matériaux.

excéder v. 1. *Le prix de cette voiture* ***excède*** *10 000 dollars* (= dépasser).

2. *Gina* ***est excédée*** *par mes reproches* (= exaspérer, irriter).
■ **excédent** n.m. SENS 1 *Il y a un* ***excédent*** *de blé,* il y en a trop.
■ **excédentaire** adj. SENS 1 *La production de blé* ***a été excédentaire*** *cette année.*

excellent, e adj. *Ce vin est* ***excellent,*** très bon (= supérieur ; ≠ détestable).
■ **exceller** v. *Aline* ***excelle*** *au ping-pong,* elle y est très forte.
■ **excellence** n.f. 1. *Katy a eu le prix d'***excellence,** le premier prix. 2. *On dit* « ***Excellence*** » *à une ambassadrice ou à un évêque.*

excentrique → *centre.*

excepter v. *Si l'on* ***excepte*** *quelques incidents mineurs, tout s'est bien passé,* si on les met à part (= ôter, retrancher).
■ **excepté** prép. *Tout le monde était là,* ***excepté*** *nous* (= sauf, à part).
■ **exception** n.f. *Tout le monde a pu rentrer sans* ***exception*** (= restriction). *Un aussi beau temps est une* ***exception*** *en cette saison,* ce n'est pas normal (≠ règle).
■ **exceptionnel, elle** adj. *Tu as une chance* ***exceptionnelle,*** très rare (= remarquable ; ≠ courant).
■ **exceptionnellement** adv. *Le travail finira* ***exceptionnellement*** *à 5 heures.*

excès n.m. 1. *Nous avons eu une amende pour* ***excès*** *de vitesse,* pour avoir dépassé la vitesse permise. 2. (au plur.) *Il faut éviter les* ***excès,*** de trop boire et de trop manger.
■ **excessif, ive** adj. SENS 1 *Ces prix sont* ***excessifs,*** trop élevés (= énorme ; ≠ normal).

exciter v. 1. *Son succès* ***a excité*** *la jalousie,* il en est la cause (= provoquer, entraîner). 2. *Ne t'***excite** *pas, garde ton calme !* (= s'énerver ; ≠ se calmer).
■ **excitant, e** adj. et n.m. SENS 2 *Si on en boit trop, le café est (un)* ***excitant.***

■**excitation** n.f. SENS 2 *On a essayé de calmer son* **excitation.**

■**surexciter** v. SENS 2 *Cet enfant est* **surexcité,** très excité.

■**surexcitation** n.f. SENS 2 *Gina est dans un état de* **surexcitation,** de grande agitation.

s'exclamer v. *« Enfin ! »* **s'est-il** **exclamé** (= s'écrier).

■**exclamatif, ive** adj. *Une phrase* **exclamative** *finit par un point d'exclamation.*

■**exclamation** n.f. *« Que c'est beau ! »* *est une* **exclamation.**

exclure v. **1.** *Tu* **as été exclue** *du collège ?,* mise à la porte (= renvoyer). **2.** *Il* **a exclu** *la possibilité de venir demain,* il l'a écartée, éliminée.

■**exclusif, ive** adj. SENS 2 *La vente du vin est un droit* **exclusif** *de l'État,* personne d'autre n'a ce droit (= spécial, réservé).

■**exclusivement** adv. SENS 2 *Cet orchestre joue* **exclusivement** *de la musique ancienne* (= uniquement).

■**exclusion** n.f. SENS 1 *Tu risques l'* **exclusion** (= renvoi). SENS 2 *Le magasin est ouvert tous les jours,* **à l'exclusion** *du dimanche après-midi* (= sauf).

■**exclusivité** n.f. SENS 2 *Ce film passe en* **exclusivité,** *dans certains cinémas seulement. Cette firme a l'* **exclusivité** *des ventes,* elle est seule à pouvoir vendre.

R. → Conj. n° 68.

excommunication, excommunier → *communier.*

excrément n.m. *Après la digestion, notre corps rejette des* **excréments,** *des matières solides qui sont les restes des aliments.*

excroissance n.f. *Une verrue est une petite* **excroissance** *sur la peau* (= protubérance, proéminence).

excursion n.f. *Nous avons fait une* **excursion** *dans la forêt,* une longue promenade.

excuser v. *Céline nous a demandé de l'* **excuser** (= pardonner ; ≠ accuser, condamner). *Étant absent, il n'a pu* **s'excuser,** demander pardon.

■**excuse** n.f. *Elle est venue présenter ses* **excuses** (= explication, raison, regret).

■**inexcusable** adj. *Sa faute est* **inexcusable** (= impardonnable).

exécrer v. *Nancy* **exècre** *les huîtres,* elle les déteste.

■**exécrable** adj. *Ce vin est* **exécrable,** très mauvais (= détestable).

exécuter v. **1.** *Il a fallu un an pour* **exécuter** *ce travail* (= faire, réaliser accomplir). **2.** *Le condamné à mort* **a été exécuté** (= tuer). **3.** *L'orchestre a* **exécuté** *une symphonie* (= jouer). **4.** *Il n'a pas voulu* **s'exécuter,** faire ce qu'il devait faire.

■**exécutant, e** n. SENS 1 *Il n'est qu'un simple* **exécutant,** il travaille sous les ordres de quelqu'un. SENS 3 *Cet orchestre compte cinquante* **exécutants** (= musicien).

■**exécutif, ive** adj. SENS 1 *Le gouvernement est chargé du pouvoir* **exécutif,** il fait appliquer les lois (≠ législatif).

■**exécution** n.f. SENS 1 *À qui est confiée l'* **exécution** *de ce travail ?* SENS 2 *Un peloton d'* **exécution** *a fusillé l'espionne,* un groupe de soldats chargés de l'exécuter.

exégèse n.f. *L'* **exégèse** *d'un texte,* c'est son explication.

exemple n.m. **1.** *Sa conduite peut servir d'* **exemple,** on peut l'imiter (= modèle, règle). **2.** *On m'a cité plusieurs* **exemples** *de sa générosité,* des faits qui la prouvent. **3.** *J'aime les fruits,* **par exemple** *les pêches,* entre autres fruits.

■**exemplaire 1.** adj. SENS 1 *Tu as montré un courage* **exemplaire** (= parfait).
2. n.m. *Je possède deux* **exemplaires** *de ce livre,* j'ai deux fois le même.

exempt, e adj. *Qui est* **exempt** *d'impôts ?,* qui n'en paie pas.
■**exempter** v. *On a* **exempté** *Jacques de la leçon de piano,* on lui a permis de ne pas y assister comme les autres (= dispenser).
■**exemption** n.f. *Pauline bénéficie d'une* **exemption** *d'impôts* (= exonération, dispense).
R. On prononce [ɛgzɑ̃, ɛgzɑ̃te] mais [ɛgzɑ̃psjɔ̃].

exercer v. **1.** *Marie* **s'exerce** *tous les jours à jouer du piano,* elle l'apprend en faisant des exercices (= s'entraîner). **2.** *Sophie* **exerce** *des fonctions importantes,* elle les a.
■**exercice** n.m. **1.** SENS 1 *As-tu fait tes* **exercices** *de calcul ?* (= devoir). SENS 2 *L'* **exercice** *de son métier lui prend beaucoup de temps* (= pratique). **2.** *Tu devrais faire un peu d'* **exercice,** de la gymnastique ou du sport.

exergue n.m. *Tu as mis en* **exergue** *une citation de Nelligan,* tu as mis cette citation en tête de ton ouvrage.

exhaler v. *Ce produit* **exhale** *une odeur bizarre* (= répandre, dégager).
■**exhalaison** n.f. *On sent les exhalaisons des* **égouts** (= odeur).

exhausser v. *On a* **exhaussé** *la maison d'un étage,* on a augmenté sa hauteur (≠ hausser, surélever).
R. *Exhausser* se prononce [œgzose] comme *exaucer.*

exhaustif, ive adj. *Une liste* **exhaustive** ne laisse rien de côté (= complet).

exhiber v. *On m'a demandé d'* **exhiber** *mes papiers* (= montrer).
■**exhibition** n.f. *Faire une* **exhibition,** c'est se donner en spectacle, attirer l'attention sur soi.

exhorter v. *Michèle m'a* **exhortée** *à la prudence,* elle m'a recommandé d'être prudente (= inciter, inviter).
■**exhortation** n.f. *Malgré mes* **exhortations,** *elle est partie se baigner* (= conseil, recommandation).

exhumer → *inhumer.*

exiger v. **1.** *Il a* **exigé** *que nous venions demain,* il l'a réclamé avec force (= ordonner). **2.** *Ce travail* **exige** *beaucoup d'application,* il en faut beaucoup (= demander, nécessiter).
■**exigeant, e** adj. SENS 1 *Ce professeur est très* **exigeant** (= sévère).
■**exigence** n.f. SENS 1 *Tes* **exigences** *sont exagérées* (= demande, volonté).
■**exigible** adj. SENS 1 *Une dette* **exigible** *à telle date* doit être versée à la date prévue.

exigu, ë adj. *Cette chambre est* **exiguë,** trop petite (≠ vaste).
■**exiguïté** n.f. *L'* **exiguïté** *de la salle ne permet d'inviter que quelques personnes.*

exiler v. *À l'occasion des troubles de 1837-38, beaucoup de patriotes* **s'exilèrent,** ils quittèrent leur pays (= s'expatrier).
■**exil** n.m. *Après dix ans d'* **exil,** *elle est revenue dans sa patrie.*

exister v. **1.** *Il y a cent ans, nous n'* **existions** *pas* (= vivre). **2.** *Il* **existe** *une seule route pour aller dans ce village* (= il y a).
■**existant, e** adj. SENS 2 *Il faut tenir compte de la situation* **existante,** présente.
■**existence** n.f. SENS 1 *Elle a eu des malheurs dans son* **existence** (= vie). *Elle m'a rappelé l'* **existence** *de ce document,* qu'il avait une réalité, se trouvait quelque part.
■**coexister** v. SENS 2 *Plusieurs tendances* **coexistent** *dans ce parti,* elles s'y trouvent en même temps.

■ **coexistence** n.f. SENS 2 *Ce parti admet la coexistence de plusieurs tendances.*
■ **inexistant, e** adj. SENS 2 *Les preuves contre elle sont inexistantes,* il n'y en a pas.
■ **préexister** v. SENS 2 *Ces bâtiments préexistaient à la construction de votre maison,* ils existaient avant.

exode n.m. *L'avance de l'ennemi a provoqué l'exode des populations* (= fuite).

exonérer v. *Bianca est exonérée d'impôts,* elle est dispensée d'en payer.
■ **exonération** n.f. *M. Durand bénéficie d'une exonération d'impôts* (= exemption).

exorbitant, e adj. *Ce prix est exorbitant* (= excessif, abusif).

exorbité → *orbite.*

exotique adj. *Les kiwis, les mangues sont des fruits exotiques,* qui viennent de pays lointains.
■ **exotisme** n.m. *Des cocotiers mettent une note d'exotisme dans le tableau* (= dépaysement, couleur locale).

expansif, ive adj. *Mme Ferreira est une femme expansive,* elle dit ce qu'elle pense, ce qu'elle ressent (= ouvert ; ≠ timide).

expansion n.f. *Cette industrie est en pleine expansion,* elle se développe (= essor).

expatrier → *patrie.*

expectative n.f. *Étant mal informés, nous restons dans l'expectative,* nous attendons prudemment.

expectorer v. *La malade tousse, mais n'expectore pas,* elle ne crache pas de mucosités.

expédient n.m. *Elle cherche un expédient pour se tirer d'affaire,* un moyen habile.

expédier v. **1.** *J'ai expédié le paquet par la poste* (= envoyer, adresser). **2.** *Line a expédié son travail en une heure,* elle l'a fait très vite (= bâcler).
■ **expéditeur, trice** n. SENS 1 *Le nom de l'expéditeur doit être indiqué au dos de la lettre* (≠ destinataire).
■ **expéditif, ive** adj. SENS 2 *Tu es une personne expéditive,* tu travailles vite.
■ **expédition** n.f. **1.** SENS 1 *Ce service est chargé de l'expédition des colis* (= envoi). **2.** *Une expédition scientifique est partie pour le pôle Nord,* un groupe de savants.
■ **expéditionnaire** adj. *Un corps expéditionnaire,* ce sont des troupes envoyées en opérations militaires hors du sol national.

expérience n.f. **1.** *Jacqueline a fait une expérience de chimie,* un essai pour étudier quelque chose. **2.** *Marthe a de l'expérience,* elle connaît bien les gens et les choses.
■ **expérimental, e, aux** adj. SENS 1 *La méthode expérimentale est fondée sur l'expérience.*
■ **expérimenté, e** adj. SENS 2 *Mme Scott est une avocate expérimentée* (= habile ; ≠ débutant).
■ **expérimenter** v. SENS 1 *On a expérimenté ce médicament avant de le mettre en vente* (= essayer).
■ **inexpérience** n.f. SENS 2 *L'accident est dû à l'inexpérience du conducteur,* il était débutant.
■ **inexpérimenté, e** adj. SENS 2 *Ce jeune pompier est encore inexpérimenté.*

expert, e n. *Elle a fait évaluer ses tableaux par un expert,* une personne qui sait le prix des tableaux (= spécialiste).
■ **expertise** n.f. *Ils ont fait faire une expertise de leurs tableaux,* une étude par un expert. *Son expertise est grande,* ses compétences d'expert.
■ **expertiser** v. *On a fait expertiser ce bijou,* on l'a fait examiner par un expert.

expier v. *Expier une faute,* c'est subir la peine qu'elle entraîne.

768

expirer v. **1.** *Expirez lentement par le nez !* (= souffler ; ≠ inspirer). **2.** *Le délai expire à la fin de la semaine* (= finir). **3.** *Son grand-père est sur le point d'expirer* (= mourir).

■ **expiration** n.f. SENS 1 *Contractez vos muscles pendant l'expiration.* SENS 2 *À l'expiration de son mandat, elle s'est représentée* (= fin, terme ; ≠ continuation).

explétif, ive adj. *Dans la phrase : « je crains qu'il ne soit trop tard », « ne » est explétif,* il n'a pas de sens propre.

explicable, explicatif, explication → *expliquer.*

explicite adj. *Ce texte est très explicite,* il dit tout très clairement.

■ **explicitement** adv. *Les conditions sont indiquées explicitement dans le contrat,* en toutes lettres (≠ implicitement).

expliquer v. **1.** *Le professeur nous explique comment fonctionne un moteur,* il nous le fait comprendre. *Ses mauvaises notes expliquent son humeur,* elles en sont la cause, la raison. **2.** *Je ne comprends pas ton attitude, viens t'expliquer,* faire comprendre tes raisons par une discussion.

■ **explicable** adj. SENS 1 *Cet incident est facilement explicable.*

■ **explicatif, ive** adj. SENS 1 *Une notice explicative est fournie avec l'appareil,* elle en explique le fonctionnement.

■ **explication** n.f. SENS 1 *Elle m'a demandé l'explication de mon retard* (= cause, raison, motif). SENS 2 *Xavier vient d'avoir une explication avec Kevin,* (= discussion).

■ **inexplicable** adj. SENS 1 *Les raisons de l'accident sont inexplicables* (= incompréhensible).

■ **inexpliqué, e** adj. SENS 1 *Le mobile du crime reste inexpliqué.*

exploit n.m. *Cette nageuse a accompli un exploit,* une action remarquable (= performance).

exploiter v. **1.** *Cette mine est exploitée depuis deux ans,* on en tire du minerai. **2.** *Katy n'a pas su exploiter son avantage,* en tirer parti (= profiter de). **3.** *Ces pauvres gens sont exploités,* quelqu'un les fait travailler à son profit.

■ **exploitant, e** n. SENS 1 *Les exploitants (agricoles) ont été touchés par la sécheresse,* ceux qui exploitent une terre (= paysan).

■ **exploitation** n.f. SENS 1 *La forêt a été mise en exploitation,* on l'exploite. *Mme Steven possède une exploitation agricole,* une terre qu'elle exploite. SENS 3 *Le personnel proteste contre l'exploitation,* les abus.

■ **exploiteur, euse** n. SENS 3 *À bas les exploiteurs !* (= profiteur).

explorer v. *Des savants ont exploré cette région inconnue,* ils l'ont parcourue pour l'étudier.

■ **explorateur, trice** n. *Louis Jolliet et le Père Jacques Marquette furent de grands explorateurs.*

■ **exploration** n.f. *L'exploration de la Lune vient à peine de commencer* (= découverte).

■ **inexploré, e** adj. *Il reste peu de régions inexplorées sur la Terre* (= inconnu).

exploser v. *La chaudière a explosé,* elle a éclaté violemment.

■ **explosif, ive 1.** n.m. *La poudre, le plastic, la dynamite sont des explosifs.* **2.** adj. *La situation dans ce pays est explosive,* elle est instable, dangereuse.

■ **explosion** n.f. **1.** *L'explosion de la bombe a fait plusieurs morts* (= éclatement, déflagration). **2.** *La nouvelle a été accueillie par une explosion de joie* (= débordement).

exportateur, exportation, exporter → *importer* 2.

exposer v. **1.** *Jean m'a exposé ses projets* (= expliquer, décrire). **2.** *On a*

exposé ses tableaux, on les a montrés au public. **3.** *La maison **est exposée** au sud,* elle est tournée vers cette direction. **4.** *Jean **s'est exposé** à de graves dangers* (= courir, risquer).
■ **exposant, e** n. SENS 2 *Parmi les exposants du Salon, il y a des peintres célèbres,* parmi ceux qui exposent.
■ **exposé** n.m. SENS 1 *Elle nous a fait un exposé sur le pôle Nord,* elle nous en a parlé (= cours).
■ **exposition** n.f. SENS 2 *Nous avons visité l'exposition de peinture.* SENS 3 *La maison a une bonne exposition* (= orientation).

exprès, esse 1. adj. *Interdiction expresse de fumer dans cette pièce !* (= absolu, formel). **2.** adj. inv. *Pierre m'a envoyé une lettre exprès,* qui va plus vite que les lettres ordinaires. **3.** adv. *Lori est en retard, mais elle ne l'a pas fait exprès* (= intentionnellement, volontairement).
■ **express** adj. et n.m. SENS 2 *Un (train) express va plus vite que les autres trains* (≠ omnibus).
■ **expressément** adv. SENS 1 *Elle m'a demandé expressément de venir,* elle a insisté (= absolument).
R. *Exprès* se prononce [ɛksprɛs] aux sens 1 et 2 et [ɛksprɛ] au sens 3.

exprimer v. **1.** *Son visage exprime une grande joie,* il la laisse voir (= manifester). **2.** *John commence à s'exprimer en français* (= parler). **3.** *On fait une orangeade en exprimant le jus d'une orange,* en pressant l'orange.
■ **expressif, ive** adj. SENS 1 *Marie a un visage expressif,* qui exprime ses sentiments (≠ figé).
■ **expression** n.f. SENS 1 *Pourquoi as-tu cette expression de surprise ?* (= air). SENS 2 *Tu emploies des expressions grossières,* tu parles grossièrement (= mot, locution).
■ **inexpressif, ive** adj. SENS 1 *Jules a des yeux inexpressifs,* sans expression.

■ **inexprimable** adj. SENS 2 *J'éprouve une joie inexprimable,* difficile à dire.

exproprier → *propriété.*

expulser v. *La police a expulsé les perturbateurs,* elle les a mis dehors (= chasser).
■ **expulsion** n.f. *Un décret d'expulsion l'a chassé du pays.*

exquis, e adj. *Ce repas est exquis,* très bon.

exsangue → *sang.*

extase n.f. *Caroline est en extase devant la vitrine du marchand de jouets,* elle la regarde avec une grande admiration (= ravissement).
■ **s'extasier** v. *On s'est extasié devant la beauté du paysage* (= s'enthousiasmer).

extensible adj. *Ce vêtement est en tissu extensible,* qui peut s'allonger (= élastique).

extension → *étendre.*

exténuer v. *Cette longue marche m'a exténué,* beaucoup fatigué.
■ **exténuant, e** adj. *J'ai fait un travail exténuant* (= épuisant, éreintant).

extérieur, extérieurement → *intérieur.*

exterminer v. *On a acheté un produit pour exterminer les fourmis,* pour les tuer toutes.
■ **extermination** n.f. *Les nazis avaient créé des camps d'extermination,* pour tuer des populations entières.

externe 1. adj. *Il a un bouton sur la partie externe du nez,* la partie extérieure (≠ interne). **2.** adj. et n. *Les (élèves) externes rentrent chez eux tous les soirs* (≠ interne).
■ **externat** n.m. SENS 2 *Un externat est un établissement qui ne reçoit que des élèves externes* (≠ internat).

extincteur, extinction → *éteindre.*

extirper v. *On a eu bien du mal à lui* ***extirper*** *une réponse* (= arracher).

extorquer v. *On voulait lui* ***extorquer*** *de l'argent,* l'obtenir malhonnêtement.

1. extra adj. inv. *Ces fruits sont* ***extra,*** *très bons.*

2. extra n.m.inv. *Denis s'est payé un petit* ***extra,*** *quelque chose qui sort de l'ordinaire et qui est agréable.*
R. Placé devant un mot, *extra-* indique ce qui est à l'extérieur ou ce qui est à un degré élevé.

extraction → *extraire.*

extradition n.f. *Le gouvernement a procédé à l'* ***extradition*** *du criminel,* il l'a livré aux autorités de son pays qui le réclamaient.

extraire v. **1.** *Dans cette mine, on* ***extrait*** *du charbon,* on le tire de la terre. **2.** *On* ***extrait*** *l'alcool du vin,* on le fait avec le vin. **3.** *La dentiste m'a* ***extrait*** *une dent* (= arracher).
■ **extraction** n.f. SENS 3 *L'* ***extraction*** *de ma dent malade m'a fait beaucoup souffrir.*
■ **extrait** n.m. **1.** SENS 2 *Un* ***extrait*** *de lavande* est un liquide obtenu à partir de la lavande. **2.** *J'ai lu quelques* ***extraits*** *de ce roman* (= passage). **3.** *Pouvez-vous me remettre votre* ***extrait de naissance ?*** une copie de votre acte de naissance.
R. → Conj. n° 79.

extraordinaire, extraordinairement → *ordinaire.*

extraterrestre → *terre.*

extravagant, e adj. *Tu as des idées* ***extravagantes*** (= bizarre, grotesque; ≠ sage).
■ **extravagance** n.f. *Je n'ai pas écouté ses* ***extravagances,*** *ses paroles bizarres.*

extrême adj. **1.** *Elle a montré un désir* ***extrême*** *de nous voir,* très grand (= intense ; ≠ faible). **2.** *M. Dupuis est partisan des solutions* ***extrêmes,*** radicales, excessives (≠ modéré). **3.** *Demain, c'est l'* ***extrême*** *limite pour payer vos impôts,* la dernière limite (= ultime).
■ **extrême** n.m. SENS 2 *Elle passe toujours d'un* ***extrême*** *à l'autre,* d'un excès à l'excès opposé.
■ **extrêmement** adv. SENS 1 *M. Duval est* ***extrêmement*** *riche* (= très, immensément).
■ **extrémiste** adj. et n. SENS 2 *M. Dupuis est un* ***extrémiste*** (≠ modéré).
■ **extrémité** n.f. SENS 3 *Le phare est à l'* ***extrémité*** *du cap* (= bout).

extrême-onction n.f. *On reçoit l'* ***extrême-onction*** *quand on risque de mourir,* un sacrement.
R. Noter le pluriel : des *extrêmes-onctions.*

exubérant, e adj. *Tu as une imagination* ***exubérante,*** *très riche* (= débordant).

exulter v. *Quand elle a su la nouvelle, elle a* ***exulté,*** *elle a été très contente.*

ex-voto n.m.inv. *Dans une église, les* ***ex-voto*** *sont des plaques portant des inscriptions de remerciement.*

f

fa n.m. Le *fa* est la quatrième note de la gamme.

fable n.f. *La Fontaine a écrit des **fables**, des poésies qui comportent une morale* (= apologue).
■ **fabuliste** n. *La Fontaine est un fabuliste.*

fabriquer v. *Dans cette usine, on **fabrique** des meubles, on les exécute* (= faire).
■ **fabrique** n.f. **1.** *Papa a été élu au conseil de la **fabrique**,* l'organisme responsable de l'administration de la paroisse. **2.** *Une **fabrique** de meubles* (= usine).
■ **fabricant, e** n. *Il est **fabricant** de parapluies.*
■ **fabrication** n.f. *Il y a un défaut de **fabrication** dans ces verres.*
■ **préfabriqué, e** adj. *Les maisons **préfabriquées** sont faites d'éléments fabriqués d'avance.*
R. On distingue, dans l'orthographe, *fabricant* (n.m.) et *fabriquant* (participe).

fabuleux, euse adj. *Elle a une fortune **fabuleuse*** (= énorme).
■ **fabuleusement** adv. *Cette vedette est **fabuleusement** riche* (= extrêmement, prodigieusement).

fabuliste → fable.

façade n.f. **1.** *On a ravalé la **façade** de l'immeuble,* la partie où se trouve l'entrée principale. **2.** *Elle est très inquiète, malgré son calme **de façade**,* son calme apparent.

face n.f. **1.** *Quels sont les muscles de la **face** ?* (= visage, figure). **2.** *Un dé est un cube à six **faces**,* six surfaces planes. **3.** *Cette photo a été prise **de face**,* le sujet photographié est vu de devant (≠ de dos, de côté, de profil). **4.** *Il y a un arbre **en face de** la maison,* devant. *Ces deux maisons sont **face à face**,* l'une en face de l'autre. **5.** *Il a fallu **faire face** aux difficultés,* les accepter, y répondre (= affronter). **6.** *Si on découvre la vérité, elle va **perdre la face**,* se ridiculiser, être humiliée.
■ **facial, e, aux** adj. SENS 1 *Voici un cas de paralysie **faciale**,* de la face.
■ **facette** n.f. SENS 2 *Les **facettes** d'un diamant sont ses petites surfaces planes.*
■ **faciès** n.m. SENS 1 *Cette personne a un **faciès** repoussant,* un visage à l'aspect très marqué.

facétie n.f. *On lui a fait une **facétie*** (= farce, blague).
■ **facétieux, euse** adj. *Seydou est **facétieux**, il aime faire des farces* (= farceur).
R. On prononce [fasesi, fasesjø].

facette → face.

fâché, e adj. *Je suis vraiment **fâchée** des ennuis qui vous arrivent,* j'en suis désolée, contrariée.
■ **fâcheux, euse** adj. *C'est **fâcheux** que tu ne puisses pas venir,* je le regrette (= ennuyeux, regrettable).

se fâcher v. **1.** *Attention, je vais **me fâcher** !,* me mettre en colère. **2.** *Catherine **s'est fâchée** (ou **est fâchée**) avec*

Pierre, ils ne sont plus amis (= brouiller ; ≠ réconcilier).

fâcheux → *fâché.*

facial, faciès → *face.*

facile adj. 1. *Cette question est facile,* on y répond sans difficulté (= simple ; ≠ difficile). *Voilà un travail facile* (= aisé). 2. *Tu n'as pas un caractère facile,* accommodant (= souple).
■ **facilement** adv. SENS 1 *Ce livre se lit facilement* (= aisément).
■ **facilité** n.f. SENS 1 *Tu as répondu à la question avec facilité* (≠ difficulté). (au plur.) *On a obtenu des facilités de paiement,* des conditions plus faciles (= délai).
■ **faciliter** v. SENS 1 *En m'aidant, tu m'as facilité les choses,* tu me les as rendues plus faciles.

1. façon n.f. 1. *Paul a une curieuse façon de s'habiller* (= manière). 2. (au plur.) *Je n'aime pas ses façons,* sa manière d'agir. 3. *La directrice m'a reçu chez elle sans façon,* en toute simplicité. 4. *J'ai agi de façon (à ce) que chacun soit content,* pour que.

2. façon n.f. *J'ai fait faire un costume : comme j'avais le tissu, je n'ai eu que la façon à payer,* le travail de l'artisan (= main d'œuvre).
■ **façonner** v. *La potière façonne un vase,* elle lui donne sa forme.
■ **malfaçon** n.f. *Cet artisan a été accusé de malfaçon,* d'un défaut dans l'ouvrage exécuté.

fac-similé n.m. *Ce document est un fac-similé d'une affiche célèbre,* une reproduction exacte.
R. Noter le pluriel : *des fac-similés.*

1. facteur, trice n. *La factrice distribue le courrier,* l'employée de la poste.

2. facteur n.m. *Le courage est un facteur de succès,* un élément qui a un rôle. 2. *Chacun des termes d'une multiplication est un facteur.*

factice adj. *Sa gaieté est factice,* elle est fausse, forcée (≠ naturel, vrai).

1. faction n.f. *Être de faction (en faction),* c'est monter la garde.

2. faction n.f. *Plusieurs factions se disputaient le pouvoir,* plusieurs groupes luttant contre l'autorité.
■ **factieux, euse** n. et adj. *Le gouvernement a résisté aux factieux* (= insurgé, rebelle, révolté).

factotum n.m. *Un factotum est un employé chargé de toutes sortes de petits travaux d'entretien.*
R. On prononce [faktɔtɔm].

facture n.f. *Quand avons-nous reçu cette facture ?,* cette note à payer.
■ **facturer** v. *On ne vous a pas facturé le déplacement,* on ne l'a pas porté sur la facture (= compter).

facultatif, ive adj. *Le latin est une matière facultative,* il n'est pas obligatoire.

faculté n.f. 1. *Les animaux n'ont pas la faculté de parler,* la possibilité. 2. *Certains vieillards ne jouissent plus de toutes leurs facultés,* ils n'ont plus toute leur raison. 3. *J'ai étudié à la faculté des lettres de l'Université de Montréal.*

fade adj. *Cet aliment est fade,* il manque de goût (≠ épicé, salé).
■ **fadeur** n.f. *Je n'aime pas ce plat à cause de sa fadeur.*
■ **s'affadir** v. *Ces fruits sont trop mûrs, ils se sont affadis,* ils ont perdu leur goût.

fagot n.m. *Mets un fagot dans la cheminée,* un faisceau de branches minces.

fagoté, e adj. Fam. *Elle est vraiment mal fagotée,* mal habillée.

faible adj. 1. *Paule va mieux, mais elle est encore faible,* elle n'a pas retrouvé ses forces (≠ robuste). 2. *Jean est faible en orthographe* (= médiocre ; ≠ fort,

doué, bon). **3.** *Tu es trop* **faible** *avec tes enfants,* tu leur cèdes trop facilement. **4.** *J'entends un bruit* **faible** (= petit, léger ; ≠ fort).
■ **faible** n.m. SENS 3 *Il a un* **faible** *pour son dernier fils,* une préférence.
■ **faiblement** adv. SENS 4 *La lampe éclaire* **faiblement**.
■ **faiblesse** n.f. SENS 1 *La* **faiblesse** *de la malade s'aggrave.* SENS 3 *C'est par* **faiblesse** *que tu cèdes à tous ses caprices.*
■ **faiblir** v. SENS 4 *Le bruit* **faiblit,** il est de moins en moins fort (= s'affaiblir, diminuer ; ≠ grossir).
■ **affaiblir** v. SENS 1 *La fièvre l'a* **affaibli,** elle l'a rendu plus faible. SENS 4 *Sa vue s'est* **affaiblie** (= diminuer, baisser).
■ **affaiblissement** n.m. SENS 1 *Le malade est dans un grave état d'***affaiblissement**.

faïence n.f. *Un plat en* **faïence** *est en terre cuite recouverte d'émail.*
R. On prononce [fajɑ̃s].

faignant → *fainéant*.

faille n.f. **1.** *Il y a une* **faille** *dans ton raisonnement,* quelque chose qui n'est pas cohérent. **2.** En géologie, on appelle **faille** une cassure dans une couche de terrain.

faillir v. **1.** *J'ai* **failli** *tomber,* un peu plus, je tombais (= manquer). **2.** *Cette personne* **a failli à** *sa promesse,* elle ne l'a pas tenue.
R. → Conj. n° 30.

faillite n.f. *Cette société a fait* **faillite,** elle ne peut plus payer ses dettes et continuer à vendre.

faim n.f. *J'ai* **faim,** je ressens le besoin de manger.
■ **affamé, e** adj. *Je suis* **affamée,** j'ai très faim.
R. *Faim* se prononce [fɛ̃] comme *fin* et *feint* (de *feindre*).

faine ou **faîne** n.f. La *faine* est le fruit du hêtre.

fainéant ou, fam., **faignant, feignant, e** adj. et n. *S'il était moins* **fainéant,** *il nous aurait donné un coup de main* (= paresseux ; ≠ travailleur).
■ **fainéantise** n.f. *Son échec est dû à sa* **fainéantise** (= paresse).

faire v. **1.** *La boulangère* **fait** *le pain,* elle le fabrique. **2.** *Jean* **fait** *son lit tous les matins,* il le remet en ordre, en état. **3.** *Vous* **faites** *du tennis ?,* vous pratiquez ce sport ? **4.** *Comment* **as-tu fait** *pour nous trouver ?,* comment t'y es-tu pris ? *Tu* **as bien fait** *de venir,* tu as bien agi. **5.** *Je ne sais pas* **faire** *ce problème,* le résoudre. **6.** *Deux et deux* **font** *quatre,* égalent quatre. **7.** *Il va* **faire** *froid cette nuit,* la température va être froide. *Il* **fait** *nuit,* la nuit est tombée. **8.** *Elle* **fait** *plus vieille que son âge,* elle a l'air (= paraître). **9.** *Il* **s'est fait** *renverser par une voiture,* il a été renversé. **10.** *Je ne peux pas* **me faire** *à cette idée,* m'y habituer. **11.** *Il* **s'est fait** *prêtre,* il est devenu prêtre. *Il* **se fait** *tard,* il commence à être tard. **12.** *Ne t'en* **fais** *pas, tout ira bien,* ne sois pas inquiet. **13.** *Elle nous* **a fait part** *de son intention de partir à l'étranger,* elle nous l'a annoncée.
■ **fait, e** adj. SENS 1 *Ce film est bien* **fait,** réalisé, exécuté. *Cette fille est bien* **faite** (= bâti).
■ **faire-part** n.m.inv. SENS 13 *Nous avons reçu leur* **faire-part** *de mariage,* une carte annonçant leur mariage.
■ **faisable** adj. SENS 5 *L'opération est* **faisable** (= possible, réalisable).
■ **défaire** v. SENS 2 *Veux-tu m'aider à* **défaire** *mes bagages ?* (≠ faire). SENS 10 *Il faudra* **te défaire** *de cette mauvaise habitude* (= se débarrasser).
■ **infaisable** adj. SENS 5 *Ce problème est* **infaisable,** très difficile (= impossible).
■ **refaire** v. SENS 1 *Elle m'a fait* **refaire** *mon devoir* (= recommencer). SENS 2 *On* **a refait** *la toiture de la maison,* on l'a remise en état (= réparer).

654

■ **réfection** n.f. SENS 2 *La route est en réfection* (= réparation).
R. *Faire, défaire, refaire* → conj. n° 76. → *fait* et *faîte. Faisable, infaisable* se prononcent [fəzabl, ɛ̃fəzabl].

faisan n.m. *À la chasse, nous avons tué un faisan,* un grand oiseau.
R. On prononce [fəzɑ̃].

faisandé, e adj. *Du gibier faisandé* est du gibier qui a subi un début de décomposition.

faisceau n.m. 1. *Un fagot est formé par un faisceau de petites branches,* un assemblage de branches attachées ensemble. 2. *Les projecteurs émettent des faisceaux lumineux,* des bandes de lumière.

fait n.m. 1. *Voilà un fait curieux !* (= événement, chose). 2. *Le fait qu'elle était absente prouve son innocence,* elle était absente, cela prouve son innocence. 3. *Du fait de sa maladie, il a été longtemps absent,* il a été longtemps absent parce qu'il a été malade. 4. *Le voleur a été pris sur le fait,* pendant qu'il commettait son action. 5. *Au fait, tu viens demain ?,* puisque j'y pense, à propos. 6. *J'ai cru l'apercevoir ; en fait, c'était sa sœur,* en réalité.
■ **fait divers** n.m. *Les accidents, les vols, etc. figurent dans la rubrique des faits divers d'un journal,* la rubrique réservée à ce genre d'information.
R. *Fait* se prononce [fɛ] comme [*il*] fait (de *faire*) ou [fɛt] comme *faîte.*

faîte n.m. *Il est monté sur le faîte du toit,* l'endroit le plus élevé (= sommet).
R. *Faîte* se prononce [fɛt] comme *fait, faite* (participe de *faire*) et *fête.*

fait-tout n.m.inv. ou **faitout** n.m. *La soupe cuit dans le fait-tout,* un récipient à anses et à couvercle.

fakir n.m. *Au music-hall, il y avait un fakir,* un artiste qui faisait des tours de magie.

falaise n.f. *La falaise est très haute,* la paroi qui domine la mer.

fallacieux, euse adj. *La vendeuse nous avait fait des promesses fallacieuses,* destinées à tromper.

falloir v. 1. *Il faut que tu partes,* tu dois partir. *Il me faut du repos,* j'en ai besoin. 2. *Il s'en est fallu de peu qu'elle tombe,* elle a manqué tomber. 3. *Tiens-toi comme il faut,* convenablement.
R. → Conj. n° 48. → *faux 2.*

1. falot n.m. *Un falot* est une lanterne portative.

2. falot, e adj. *Personne n'avait remarqué ce personnage falot* (= insignifiant, effacé).

falsifier v. *Falsifier un document,* c'est le modifier dans une intention malhonnête.
■ **falsification** n.f. *La falsification des signatures est punie par la loi.*

famélique adj. *Des chiens faméliques erraient dans les ruines du village,* des chiens très maigres par manque de nourriture.

fameux, euse adj. 1. *Cette région est fameuse pour ses fromages,* très connue (= réputé, célèbre). 2. Fam. *Ce vin est fameux,* très bon (= excellent).
■ **fameusement** adv. *Voilà un vin fameusement bon* (= très).

familial → *famille.*

familier, ère adj. 1. *J'aime vivre dans ce paysage familier,* connu (≠ étranger). 2. *Elle a des façons trop familières,* qui manquent de respect (= libre ; ≠ réservé). 3. *Quand on dit « bagnole » au lieu de « voiture », c'est familier,* cela s'emploie seulement dans la conversation entre camarades.
■ **familier** n.m. SENS 1 *C'est un familier de la maison,* il vient souvent (= habitué).

■**familièrement** adv. SENS 3 *« Bouffer »* s'emploie **familièrement** pour *« manger »*.

■**familiariser** v. SENS 1 *Je me familiarise avec eux,* je m'habitue à vivre avec eux.

■**familiarité** n.f. SENS 2 *Elle m'a traitée avec une **familiarité** déplacée,* des façons trop familières (= désinvolture).

famille n.f. 1. *J'ai de la **famille** en Europe,* des parents (oncles, cousins, etc.). 2. *La **famille** Sanchez est très sympathique,* le père, la mère et les enfants. 3. *Le chien et le loup appartiennent à la même **famille** d'animaux,* ils ont des traits communs. 4. *« Jointure », « jonction », « rejoindre » sont des mots de la même **famille**,* ils sont formés à partir d'un même mot.

■**familial, e, aux** adj. SENS 2 *La vie **familiale** est la vie de famille.*

famine n.f. *Dans ce pays, il y a une **famine**,* on manque de nourriture (= disette).

fanal n.m. *Un **fanal** est un petit phare ou une lanterne de signalisation pour les bateaux.*

fanatique adj. et n. 1. *Un militant **fanatique** a assassiné le chef de l'État,* passionné à l'excès pour ses idées. 2. *C'est une **fanatique** de cinéma,* une passionnée.

■**fanatisme** n.m. SENS 1 *Le **fanatisme** a été la cause de nombreuses guerres* (≠ tolérance).

■**fanatiser** v. SENS 1 *Les discours des chefs **ont fanatisé** les troupes,* ils les ont rendues fanatiques.

fane n.f. *On donne les **fanes** de carotte aux lapins,* la partie verte, les feuilles de ce légume.

faner v. 1. *Les cultivateurs **fanent** l'herbe fauchée,* ils la retournent plusieurs fois pour la faire sécher. 2. *Ces fleurs vont **se faner** si on ne change pas l'eau du vase,* se flétrir.

fanfare n.f. *La **fanfare** joue un air de musique militaire,* l'orchestre composé de divers instruments.

fanfaron, onne n. et adj. *Ne fais pas le **fanfaron** !, ne te vante pas !* (= crâneur, vantard ; ≠ modeste).

■**fanfaronnade** n.f. *Bonnie se prétend la plus forte, mais ce sont des **fanfaronnades**,* des paroles de fanfaron (= vantardise).

■**fanfaronner** v. *Quand le danger est apparu, il a cessé de **fanfaronner**,* de faire le fanfaron.

fange n.f., **fangeux, euse** adj. sont des équivalents rares de *boue, boueux.*

fanion n.m. *Un **fanion** est un petit drapeau.*

fantaisie n.f. 1. *Sophie n'a aucune **fantaisie**,* elle manque d'originalité, d'imagination. 2. *Son père lui passe toutes ses **fantaisies**,* ses caprices.

■**fantaisiste** adj. et n. 1. SENS 1 *Dominique est très **fantaisiste**.* 2. *Une **fantaisiste** est une actrice de music-hall.*

fantasmagorie n.f. *Ces milliers de flambeaux faisaient une véritable **fantasmagorie**,* un spectacle extraordinaire, merveilleux.

■**fantasmagorique** adj. *Le décor de la pièce était **fantasmagorique**,* plein d'effets extraordinaires.

fantasque adj. *Elle a un caractère **fantasque**,* qui change souvent (= fantaisiste, bizarre).

fantassin n.m. *Les **fantassins** sont des soldats qui vont à pied, qui sont dans l'infanterie.*

fantastique adj. 1. *J'aime les films **fantastiques**,* qui racontent des histoires en dehors du possible, de la réalité. 2. Fam. *Tu as eu une chance **fantastique**,* très grande (= inouï, extraordinaire).

438

763

fantoche n.m. Un *fantoche* est quelqu'un qui n'a pas d'autorité réelle, qui se laisse diriger par d'autres.

fantôme n.m. *On dit qu'un **fantôme** hante ce château,* un mort qui reviendrait sur terre (= spectre, revenant).
■ **fantomatique** adj. *Le clair de lune donnait aux rochers un aspect **fantomatique**,* un aspect mystérieux et plus ou moins inquiétant.

faon n.m. *La biche est suivie de son **faon**,* son petit.
R. *Faon* se prononce [fã] comme [*je*] *fends* (de *fendre*).

faramineux, euse adj. Fam. *Certains tableaux se sont vendus à des prix **faramineux**,* des prix énormes, fantastiques.

farandole n.f. *Dansons la **farandole** !,* en nous tenant par la main pour former une longue file.

1. farce n.f. *Pour lui faire une **farce**, ses amis lui ont donné une cuillère qui fond dans la tasse* (= blague). *Yves aime faire des farces.*
■ **farceur, euse** n. *Quelle **farceuse**, elle a caché mon parapluie !*

2. farce n.f. *Tu as mis de la **farce** dans les tomates ?,* de la viande hachée avec de la mie de pain et des aromates.
■ **farcir** v. *Nous avons mangé des tomates **farcies**.*

fard n.m. *Ces comédiens portent du **fard** sur les joues,* un produit de maquillage.
■ **se farder** v. *Cette jeune fille ne se **farde** pas* (= se maquiller).
R. *Fard* se prononce [far] comme *phare.*
→ *fart.*

fardeau n.m. *Ce sac de pommes de terre est un lourd **fardeau**,* une charge, un poids.

se farder → *fard.*

fardoches ou **ferdoches** n.f.pl. *Le chat s'est caché dans les **fardoches**,* les broussailles.

farfelu, e adj. et n. Fam. *Se baigner sous la pluie, c'est vraiment une idée **farfelue*** (= bizarre, drôle).

faribole n.f. Fam. *Je ne crois rien de toutes ces **faribolles**,* ces histoires pas sérieuses.

farine n.f. *La **farine** de blé est la poudre des grains de blé moulus.*
■ **farineux, euse** adj. *Des pommes de terre **farineuses** se désagrègent une fois cuites.*

farlouche → *ferlouche.*

farouche adj. **1.** *Ce chat est **farouche**, il fuit quand on l'approche* (= sauvage ; ≠ apprivoisé). **2.** *Une haine **farouche** les oppose* (= violent, acharné).
■ **farouchement** adv. SENS 2 *Il s'est **farouchement** opposé à cette proposition.*
■ **effaroucher** v. SENS 1 *En t'approchant trop près, tu **as effarouché** les oiseaux,* tu les as fait fuir (= effrayer).

fart n.m. *On met du **fart** sous les skis pour qu'ils glissent mieux,* un produit.
■ **farter** v. *Nancy **farte** ses skis,* elle met du fart.
R. On prononce [fart]. Ne pas confondre avec *fard.*

fascicule n.m. *Cette encyclopédie se vend par **fascicules**,* sous forme de brochures séparées.

fasciner v. *Paul **est fasciné** par les jouets dans la vitrine,* il les regarde avec envie (= émerveiller, éblouir).
■ **fascinant, e** adj. *Cette femme est **fascinante**,* elle éblouit par sa beauté ou son intelligence, etc.
■ **fascination** n.f. *Quelle **fascination** cette oratrice exerce sur ses auditeurs !* (= attrait, séduction).

fascisme n.m. *Le **fascisme** est une doctrine qui vise à établir un pouvoir très autoritaire.*

■**fasciste** adj. et n. *Ce pays a un régime fasciste.*
R. On prononce [faʃism, faʃist].

1. faste n.m. *Quel faste pour ce mariage royal !, quel étalage de luxe !* (= pompe).
■**fastueux, euse** adj. *Elle mène une vie fastueuse,* luxueuse.

2. faste adj. *C'est un jour faste, j'ai gagné à la loterie,* un jour de chance (≠ néfaste).

fastidieux, euse adj. *Cette énumération est fastidieuse,* elle est ennuyeuse, monotone, lassante.

fastueux → *faste* 1.

fatal, e, als adj. **1.** *Elle dépensait beaucoup trop, sa ruine était fatale* (= prévisible, inévitable). **2.** *Cet accident leur a été fatal,* ils en sont morts. **3.** *Ces excès de boisson risquent d'être fatals à ta santé,* de la détruire (= nuisible).
■**fatalement** adv. SENS 1 *Cela devait fatalement finir ainsi* (= forcément, inévitablement).
■**fatalité** n.f. SENS 1 *Elle a échoué, c'était la fatalité,* le destin.
■**fataliste** n. et adj. SENS 1 *C'est un fataliste,* il croit que tout ce qui arrive est inévitable.
■**fatidique** adj. SENS 1 *Le jour fatidique de l'examen approche* (= fatal).

fatiguer v. **1.** *La promenade a fatigué les enfants,* elle leur a causé de la fatigue (= lasser). **2.** *Paul n'aime pas se fatiguer,* faire des efforts (≠ se reposer). **3.** *Tu me fatigues avec tes questions* (= ennuyer, importuner). **4.** *On se fatigue vite des chansons à la mode,* on en a assez (= se lasser).
■**fatigue** n.f. SENS 1 *Les sauveteurs continuent leurs recherches malgré la fatigue,* la sensation de lassitude, d'abattement physique causée par l'effort.
■**fatigant, e** adj. SENS 1 *J'ai eu une jour-*née **fatigante** (≠ reposant). SENS 3 *Il est fatigant avec ses bavardages,* difficile à supporter (= lassant).
■**infatigable** adj. SENS 1 *C'est une marcheuse infatigable,* très résistante.
■**infatigablement** adv. SENS 1 *Les enquêteurs poursuivent infatigablement leurs recherches* (= inlassablement).
R. On distingue, dans l'orthographe, *fatigant* (adj.) et *fatiguant* (participe).

fatras n.m. *Un fatras de vieux journaux* est un tas en désordre.

fatuité n.f. *Il est plein de fatuité,* de vanité, de prétention.

faubourg n.m. *Ils habitent dans les faubourgs de Montréal,* loin du centre, à la périphérie (≠ au centre). | 219

faucher v. **1.** *Le paysan fauche l'herbe de son pré,* il la coupe. **2.** *Mon chien a été fauché par une voiture,* il a été renversé. **3.** Fam. *On lui a fauché sa montre,* on la lui a volée.
■**faux** n.f. SENS 1 *Avec sa faux le fermier coupe l'herbe haute du pré.* | 362
■**faucille** n.f. SENS 1 *Une faucille est une petite faux courbe à manche court.* | 362
■**fauche** n.f. SENS 3 Fam. *Il y a de la fauche dans ce magasin,* des vols.
■**faucheuse** n.f. SENS 1 *Une faucheuse est une machine agricole qui sert à faucher.* | 362
R. → *faux* 2.

faucheux n.m. *Un faucheux est une sorte d'araignée qui a des pattes longues et fines, très fragiles.*

faucille → *faucher.*

faucon n.m. *Le faucon s'abat sur sa proie,* un oiseau rapace.

faufiler v. **1.** *Je vais faufiler cet ourlet,* le coudre provisoirement à grands points (= bâtir). **2.** *Ils ont réussi à se faufiler dans la file d'attente,* à s'y glisser sans se faire remarquer.

faune n.f. *Il faut protéger la* **faune** *de cette région,* l'ensemble des animaux qui y vivent.

faussaire, faussement, fausser, fausseté → *faux* 2.

faute n. f. **1.** *En ne disant pas la vérité, tu as commis une* **faute,** tu as manqué à ton devoir, tu es coupable. *Si tu es en retard, c'est bien (de) ta* **faute,** c'est toi qui es responsable. **2.** *Tu as fait trois* **fautes** *d'orthographe* (= erreur). **3.** *Faute d'argent, nous n'avons pas pu partir en voyage,* par manque d'argent. **4.** *On vous attend* **sans faute** *à 8 heures,* de façon sûre. **5.** *Il ne* **s'est** *pas* **fait faute** *de critiquer le projet,* il ne s'en est pas privé.
■ **fautif, ive** n. et adj. SENS 1 *C'est elle la* **fautive,** c'est elle qui a commis la faute (= coupable). SENS 2 *Cette liste de mots est* **fautive,** il y a des fautes.

fauteuil n.m. *Assieds-toi dans le* **fauteuil,** un siège à bras et à dossier.

fauteur, trice n. *Une* **fautrice** *de troubles,* c'est quelqu'un qui provoque des troubles.

fautif → *faute.*

fauve **1.** adj. *Les poils de l'écureuil sont* **fauves,** d'une couleur proche du roux. **2.** n.m. et adj. *Le lion, le tigre, l'ours sont des* **fauves** *(des* **bêtes fauves),** de grands animaux sauvages.

fauvette n.f. *La* **fauvette** *est un petit oiseau.*

1. faux → *faucher.*

2. faux, fausse adj. **1.** *Votre addition est* **fausse,** vous avez fait une faute (= inexact ; ≠ juste). **2.** *C'est* **faux,** *je n'ai jamais dit cela,* c'est un mensonge (≠ vrai). *C'est une* **fausse** *alerte,* qui n'avait pas de raison d'être. **3.** *Ce bijou est* **faux,** c'est une imitation (≠ vrai, authentique). **4.** *Paul a un air* **faux** (= hypocrite ; ≠ franc, sincère).

■ **faux** n.m. SENS 3 *Ce tableau est un* **faux,** une imitation frauduleuse.
■ **faux** adv. SENS 1 *Marie chante* **faux** (≠ juste).
■ **faussaire** n. SENS 3 *Une* **faussaire** *est une personne qui fabrique des faux.*
■ **faussement** adv. SENS 1 *On l'a accusé* **faussement.**
■ **fausser** v. **1.** SENS 1 *Les résultats* **ont été faussés,** rendus faux. **2.** *Le choc* **a faussé** *la roue* (= déformer). **3.** *Ne chante plus, tu* **fausses,** tu n'as pas la note juste.
■ **fausseté** n.f. SENS 2 *L'avocate a démontré la* **fausseté** *de l'accusation* (≠ exactitude).
R. *Faux* (1 et 2) se prononce [fo] comme [*il*] *faut* (de *falloir*). *Fausse* se prononce [fos] comme *fosse. Fausser* se prononce [fose] comme *fossé.*

faux-fuyant n.m. *Paul trouve toujours des* **faux-fuyants** *pour échapper à ses obligations,* des prétextes.

faux-monnayeur → *monnaie.*

faux-sens → *sens.*

faveur n.f. **1.** *On lui a accordé une* **faveur** *en l'admettant,* un avantage particulier (= privilège). **2.** *Cette chanteuse a gagné la* **faveur** *du public,* elle est devenue populaire (= considération ; ≠ défaveur). **3.** *J'interviendrai* **en faveur de** *Pierre,* dans son intérêt, pour lui.

■ **favorable** adj. SENS 1 *On a navigué par un vent* **favorable,** qui favorise (≠ défavorable). SENS 3 *Je ne suis pas* **favorable** *à ce projet,* je ne suis pas pour qu'il se fasse.
■ **favorablement** adv. SENS 2 *J'ai été* **favorablement** *impressionné par ses paroles* (= bien).
■ **favori, ite** adj. et n. SENS 2 *C'est ma chanson* **favorite,** celle que je préfère. *Ce cheval est le* **favori** *de la course,* celui qui a le plus de chances de gagner.
■ **favoriser** v. SENS 1 *La nuit* **a favorisé** *les assaillants,* elle les a avantagés (≠ défavoriser).

■ **favoritisme** n.m. SENS 1 *On accorde toujours des faveurs à Hélène, c'est du favoritisme !,* c'est injuste.

■ **défaveur** n.f. SENS 2 *Ce produit est aujourd'hui en défaveur,* on ne l'apprécie plus (= discrédit).

■ **défavorable** adj. SENS 1 *Le moment est défavorable pour lui parler,* il est mal choisi.

■ **défavoriser** v. SENS 1 *La pluie a défavorisé ce skieur,* elle l'a désavantagé.

favoris n.m.pl. *Paul a laissé pousser ses favoris,* du poil sur le côté des joues.

fébrile adj. **1.** *Le malade est dans un état fébrile,* il a de la fièvre. **2.** *Il règne ici une activité fébrile,* très vive.

■ **fébrilement** adv. SENS 2 *Elle s'agite fébrilement.*

■ **fébrilité** n.f. SENS 2 *Dans la fébrilité du départ, on a perdu un paquet* (= agitation, précipitation, fièvre).

fécond, e adj. **1.** *Les lapines sont très fécondes,* elles ont beaucoup de petits. **2.** *C'est une journée féconde en incidents,* il y en a beaucoup (= riche).

■ **féconder** v. SENS 1 *La femelle a été fécondée par le mâle,* elle va avoir des petits.

■ **fécondation** n.f. SENS 1 *La fécondation a eu lieu, la femelle va avoir des petits.*

■ **fécondité** n.f. SENS 1 *La fécondité est en baisse dans de nombreux pays,* il naît moins d'enfants. SENS 2 *La fécondité de son imagination est prodigieuse* (= richesse).

fécule n.f. *La fécule de pomme de terre est utilisée en cuisine,* une sorte de farine.

■ **féculent** n.m. *Xavier mange trop de féculents,* des légumes qui contiennent de la fécule.

fédération n.f. *Une fédération est une association de pays, de partis, de clubs,* etc.

■ **fédéral, e, aux** adj. *La Suisse est une république fédérale,* une fédération.

■ **fédéralisme** n.m. *Le fédéralisme canadien est en constante évolution,* un système politique qui permet le regroupement de plusieurs états et provinces.

■ **fédéraliste** n. et adj. *Mme Leblanc est une ardente fédéraliste.*

■ **confédération** n.f. *CSN est le sigle de « Confédération des syndicats nationaux»,* un regroupement de syndicats.

■ **confédéral, e, aux** adj. *La CSN a tenu son congrès confédéral.*

fée n.f. *Les contes de fées sont des récits où figurent des femmes douées de pouvoirs magiques.*

■ **féerie** n.f. *Le feu d'artifice était une vraie féerie,* un spectacle magnifique, presque surnaturel.

■ **féerique** adj. *Ce paysage est féerique,* il a l'air d'être sorti d'un conte de fées (= merveilleux).

R. On prononce [feri, ferik] ou [feeri, feerik].

feignant → *fainéant.*

feindre v. *Jean feint de pleurer,* il fait semblant.

■ **feinte** n.f. *L'escrimeuse a fait une feinte,* une manœuvre pour tromper l'adversaire.

R. → Conj. n° 55. → *faim.*

fêler v. *La tasse n'est pas cassée, elle est juste fêlée,* fendue.

■ **fêlure** n.f. *La tasse a une fêlure.*

félicité n.f. *Si mon projet réussissait, je serais dans la félicité,* le bonheur parfait (= béatitude).

féliciter v. **1.** *On a félicité Lori pour son succès,* on lui a fait des compliments. **2.** *Je me félicite de ne pas l'avoir écouté,* j'en suis heureuse.

■ **félicitations** n.f.pl. SENS 1 *Toutes mes félicitations pour votre succès !,* mes compliments.

félin n.m. *Le chat, le tigre, le lion sont des félins.*

félon, onne n. est un équivalent savant de *traître.*

fêlure → *fêler.*

femelle n.f. *La chatte est la* **femelle** *du chat,* l'animal du sexe féminin (≠ mâle).

femme n.f. **1.** *Ma mère est une* **femme** *remarquable* (≠ homme). **2.** *Je vous présente ma* **femme,** la personne avec qui je suis marié (= épouse ; ≠ mari). **3.** *Ma voisine a une* **femme de ménage,** une personne qui est payée pour faire le ménage chez les autres. **4.** *Appelle la* **femme de chambre,** l'employée de l'hôtel qui fait les lits et le service des chambres.
■ **féminin, e 1.** adj. SENS 1 *La jupe est un vêtement* **féminin,** propre à la femme (≠ masculin). **2.** adj. et n.m. *« Joyeuse » est un adjectif* **féminin,** du genre féminin. *Le* **féminin** *de « un ami » est « une amie ».*
■ **féminisation** n.f. **1.** *Le Premier ministre est favorable à la* **féminisation** *des cadres,* l'augmentation de la proportion des femmes cadres par rapport aux hommes. **2.** *Ce dictionnaire fait une large place à la* **féminisation** *des noms de métier,* l'usage d'une forme féminine.
■ **féministe** adj. et n. *Une action* **féministe** vise à améliorer la condition des femmes dans la société. *Les* **féministes** défendent les droits des femmes.
■ **efféminé, e** adj. SENS 1 *Ce garçon est un peu* **efféminé,** il a un peu l'air d'une fille (≠ viril).

fémur n.m. *Judith s'est cassé le* **fémur,** l'os de la cuisse.

fenaison → foin.

fendre v. **1.** *Fendre une bûche,* c'est la partager dans le sens de la longueur. **2.** *La planche* **s'est fendue,** elle a une fente (= se fêler). **3.** *Son attitude m'a* **fendu le cœur,** m'a fait beaucoup de peine.
■ **fendiller** v. SENS 2 *L'argile* **se fendille** *en séchant,* elle a de petites fentes.
■ **fente** n.f. SENS 2 *L'eau s'écoule par une* **fente** *du récipient,* une ouverture très étroite et allongée (= fissure).
R. → Conj. n° 50. → **faon.**

fenêtre n.f. *Il fait chaud, ouvre la* **fenêtre.**

fennec n.m. *Le* **fennec** *est un petit renard du Sahara à longues oreilles, appelé aussi* renard des sables.

fenouil n.m. *Certains plats sont assaisonnés au* **fenouil,** une plante aromatique.

fente → fendre.

féodal, e, aux adj. *Au Moyen Âge, en Europe, on vivait dans une société* **féodale,** une société où il y avait des seigneurs et des vassaux.
■ **féodalité** n.f. *La* **féodalité** *est le régime féodal.*

fer n.m. **1.** *La tour Eiffel est en* **fer,** un métal. **2.** *Le* **fer-blanc** *est du fer recouvert d'étain.* **3.** *On repasse le linge avec un* **fer à repasser. 4.** *Un* **fer à cheval** *est un demi-cercle en fer qu'on met sous le sabot des chevaux.* **5.** *Il m'a cru* **dur comme fer,** il m'a tout à fait cru. *Louise a une* **santé de fer,** robuste et solide.
■ **ferraille** n.f. SENS 1 *Il y a un tas de* **ferraille** *devant la porte,* des débris d'objets en fer.
■ **ferrailleur, euse** n. SENS 1 *Le* **ferrailleur** *ramasse la ferraille pour la revendre,* c'est son métier.
■ **ferrer** v. SENS 4 *Ferrer un cheval,* c'est lui mettre des fers.
■ **ferrugineux, euse** adj. SENS 1 *L'eau* **ferrugineuse** *contient des particules de fer.*
■ **ferrure** n.f. SENS 1 *L'antiquaire vend un coffre ancien avec des* **ferrures,** des garnitures de fer pour le consolider.

ferdoches → fardoches.

férié, e adj. *Le dimanche est un jour* **férié,** un jour où l'on ne travaille pas.

ferlouche ou **farlouche** n.f. *Maman fait une tarte à la* **ferlouche,** garnie de mélasse et de raisins secs.

1. ferme n.f. *Nous avons passé nos vacances dans une* **ferme,** chez des paysans.

■**fermier, ère** n. *La fermière trait ses vaches,* la personne qui tient la ferme.

2. ferme adj. **1.** *Cette pâte est trop ferme* (= dur ; ≠ mou). **2.** *Il a parlé d'une voix ferme* (= assuré ; ≠ hésitant). **3.** *Elle est ferme avec ses enfants,* elle ne leur cède pas (≠ faible).

■**ferme** adv. SENS 2 *Il a fallu travailler ferme pour aboutir* (= énergiquement).

■**fermement** adv. SENS 2 *Notre choix est fermement arrêté.*

■**fermeté** n.f. SENS 3 *Elle a montré de la fermeté* (= autorité ; ≠ faiblesse).

■**affermir** v. SENS 2 *Cela n'a fait que l'affermir dans sa résolution,* le rendre plus ferme (= renforcer).

■**affermissement** n.m. SENS 2 *La présidente vise à l'affermissement de son autorité* (= consolidation, renforcement).

■**raffermir** v. SENS 1 ET 2 *Ces massages raffermissent la peau,* la rendent plus ferme (= durcir).

ferment n.m. Un *ferment* est une substance qui produit la fermentation.

■**fermentation** n.f. *Le vin est le produit de la fermentation du jus de raisin,* sa transformation sous l'action de microbes.

■**fermenter** v. *Le yogourt est du lait fermenté.*

fermer v. **1.** *Ferme la porte, il fait froid dehors ! Ferme le robinet, la baignoire est pleine ! Fermez vos livres et rangez-les !* (≠ ouvrir). *Ma voiture ferme à clé.* **2.** *Ce magasin ferme le dimanche,* il ne reçoit pas les clients (≠ ouvrir).

■**fermeture** n.f. SENS 1 *La fermeture du sac est cassée,* ce qui permet de le fermer. SENS 2 *On est arrivé après la fermeture du magasin,* le moment où il ferme (≠ ouverture).

■**fermoir** n.m. SENS 1 *Le fermoir de mon cartable est en cuivre* (= fermeture).

■**enfermer** v. SENS 1 *Enferme le chien, sinon il va se sauver,* mets-le dans un endroit fermé.

■**refermer** v. SENS 1 *Refermez la fenêtre !,* fermez-la de nouveau.

fermeté → *ferme* 2.

fermeture → *fermer.*

fermier → *ferme* 1.

fermoir → *fermer.*

féroce adj. *Le tigre est une bête féroce,* sauvage et cruelle.

■**férocement** adv. *Ils luttent férocement.*

■**férocité** n.f. *Ils se sont battus avec férocité* (= sauvagerie).

ferraille, ferrailleur, ferrer → *fer.*

ferroviaire adj. *La catastrophe ferroviaire a fait de nombreux morts,* l'accident de chemin de fer.

ferrugineux, ferrure → *fer.*

fertile adj. **1.** *Un sol fertile produit beaucoup* (= riche, fécond). **2.** *Le voyage a été fertile en surprises,* il y en a eu beaucoup (= riche).

■**fertiliser** v. SENS 1 *Les engrais fertilisent le sol,* ils le rendent plus fertile.

■**fertilité** n.f. SENS 1 *La fertilité de la terre est améliorée par les engrais.*

féru, e adj. *Linda est férue de musique,* passionnée.

fervent, e adj. et n. **1.** *Il a adressé au ciel une prière fervente,* très vive (= ardent). **2.** *C'est une fervente du tennis,* une passionnée.

■**ferveur** n.f. SENS 1 *Marie prie avec ferveur* (= ardeur, dévotion).

fesse n.f. *Ce bébé a les fesses rouges,* le derrière.

■**fessée** n.f. *Qui a déjà reçu une fessée ?,* des claques sur les fesses.

festin n.m. Un *festin* est un repas de fête copieux.

■**festoyer** v. *Festoyer,* c'est faire un bon repas.

33

festival n.m. *Ce film a eu le premier prix du festival,* de la série de représentations spéciales.
R. Noter le pluriel : des *festivals.*

festivités → *fête.*

feston n.m. Un *feston* est une broderie formant des arcs de cercle autour d'une étoffe.

festoyer → *festin.*

437 **fête** n.f. **1.** *Le 4 juillet est le jour de la fête nationale aux U.S.A.,* un jour où l'on se réjouit. **2.** *Aujourd'hui, c'est la fête de Jean, la saint Jean,* le jour consacré à la mémoire du saint dont on a reçu le nom. **3.** *Mon chien m'a fait fête,* il m'a accueilli joyeusement (= fêter). **4.** *Je fais une petite fête à la maison,* une reception.
■ **fêter** v. SENS 1 *On fête Noël le 25 décembre,* on célèbre cette fête. SENS 2 *On fête les vainqueurs,* on leur fait fête.
■ **festivités** n.f.pl. *Des festivités sont des fêtes officielles.*

fétiche n.m. *Cette poupée est mon fétiche,* mon porte-bonheur.

fétide adj. *Il y a une odeur fétide dans la cuisine,* très désagréable (= infect).

fétu n.m. Un *fétu* est un brin de paille.

581 **feu** n.m. **1.** *Faire du feu,* c'est faire brûler du bois, du papier, etc. **2.** *Au feu ! Il faut appeler les pompiers,* il y a un incendie. **3.** *Leur maison a passé au feu,* elle a brûlé. **4.** *Un fusil, un revolver sont des armes à feu. Faire feu,* c'est tirer avec une arme à feu. **5.** *Les piétons traversent quand le feu est rouge,* le signal lumineux. **6.** *Caroline a un feu sauvage,* un petit bouton sur le bord des lèvres.

217, 39

655 **feuille** n.f. **1.** *Les arbres perdent leurs feuilles en automne.* **2.** *Écrivez sur une feuille de papier,* un morceau très mince.
295 ■ **feuillage** n.m. SENS 1 *Le feuillage des arbres jaunit en automne,* l'ensemble de leurs feuilles.
■ **feuillet** n.m. SENS 2 *Il manque un feuillet à mon carnet,* une feuille (= page).

■ **feuilleter** v. SENS 2 *Feuilleter un livre,* c'est en tourner les feuillets. *La pâte feuilletée forme des feuilles à la cuisson.*
■ **feuillu, e** adj. *Une branche feuillue est garnie de feuilles.*
■ **effeuiller** v. **1.** SENS 1 *Cet arbre s'effeuille,* il perd ses feuilles. **2.** *Sais-tu effeuiller les marguerites ?,* en enlever un à un les pétales.

feuilleton n.m. *On a regardé le feuilleton télévisé,* une histoire découpée en épisodes.

feuillu → *feuille.*

feutre n.m. **1.** *Le feutre* est une étoffe de laine ou de poils écrasés. *Le mousquetaire portait un large feutre,* un chapeau en feutre. **2.** *Anne écrit avec un feutre (ou un crayon feutre),* un crayon à encre à pointe de feutre.
■ **feutré, e** adj. SENS 1 *Maïté marche à pas feutrés,* sans bruit.
■ **feutrine** n.f. *Les élèves font des collages en feutrine,* un tissu de feutre léger.

fève n.f. **1.** *La fève* est une graine proche du haricot. **2.** *Maman a préparé des fèves au lard,* un plat de haricots secs, de lardons avec de la mélasse.

février n.m. *Il a fait froid en février.*

fi interj. *Sophia fait fi de l'argent,* elle n'en tient pas compte, elle le méprise.

fiabilité, fiable → *se fier.*

fiancer v. *Paul s'est fiancé avec Marie,* il s'est engagé à l'épouser.
■ **fiancé, e** n. et adj. *Il m'a présenté sa fiancée,* sa future femme.
■ **fiançailles** n.f.pl. *Ils ont rompu leurs fiançailles,* leur promesse de mariage.

fiasco n.m. *Ce film est un fiasco,* un échec total.

fibre n.f. **1.** *Les muscles sont formés de fibres,* de filaments allongés. **2.** *La fibre de bois sert à l'emballage, la fibre de verre est un isolant,* des filaments de bois, de verre fabriqués industriellement.

■ **fibreux, euse** adj. SENS 1 *Cette viande est fibreuse,* pleine de fibres.

ficelle n.f. 1. *On a attaché le paquet avec de la ficelle,* de la corde mince. 2. *Une ficelle est une petite baguette de pain mince.*
■ **ficeler** v. SENS 1 *Le boucher a ficelé le rôti,* il l'a entouré de ficelle.

fiche n.f. 1. *Lori a écrit des renseignements sur des fiches,* des feuilles de carton. 2. *Enfonce la fiche dans la prise électrique,* la pièce qui sert à établir le contact.
■ **fichier** n.m. SENS 1 *Un fichier est un ensemble de fiches ou une boîte où l'on classe des fiches.*

ficher v. Fam. 1. *Fiche-moi la paix !,* laisse-moi tranquille ! 2. *J'ai perdu, mais je m'en fiche,* ça m'est égal. 3. *J'ai fichu en l'air la boîte,* je l'ai jetée. 4. *Paul ne fiche rien,* il ne fait rien.

fichier → fiche.

1. **fichu, e** adj. Fam. 1. *Ma montre est fichue* (= inutilisable, cassé). 2. *Paul est mal fichu,* malade.

2. **fichu** n.m. *Nous porterons un fichu sur la tête,* une sorte de foulard.

fictif, ive adj. *Une fée est un personnage fictif* (= imaginaire ; ≠ réel).
■ **fiction** n.f. *Cette histoire est une fiction,* un produit de l'imagination (≠ réalité).
■ **science-fiction** n.f. *J'ai lu un roman de science-fiction,* qui se passe dans le futur.
R. Noter le pluriel : des *sciences-fictions.*

fidèle adj. 1. *Luce est une amie fidèle* (= dévoué, loyal). 2. *Il m'a fait un récit fidèle* (= exact, précis ; ≠ mensonger).
■ **fidèle** n. *Le prêtre s'adresse aux fidèles,* à ceux qui pratiquent la religion.
■ **fidèlement** adv. SENS 1 *Son chien la suit fidèlement.* SENS 2 *Il a traduit fidèlement le texte* (= exactement).
■ **fidélité** n.f. SENS 1 *Il a fait un serment de fidélité.* SENS 2 *Une chaîne haute-fidélité reproduit très fidèlement les sons.*
■ **infidèle** adj. SENS 1 *M. Durand est un mari infidèle,* il trompe sa femme. SENS 2 *Judy a une mémoire infidèle* (= inexact).
■ **infidélité** n.f. SENS 1 *Mme Savoie fait des infidélités à son mari.*

fief n.m. *Un fief était un domaine qu'un seigneur prêtait à son vassal contre certains services.*

fieffé, e adj. *C'est un fieffé menteur !,* il est très menteur.

fiel n.m. 1. *Le fiel d'une volaille est amer,* la bile. 2. *Sa réponse était pleine de fiel* (= méchanceté).
■ **fielleux, euse** adj. SENS 2 *Elle m'a fait une réponse fielleuse,* pleine de méchanceté.

fiente n.f. *Les fientes des oiseaux sont leurs excréments.*

fier, ère adj. 1. *Marie est trop fière pour demander de l'aide* (= orgueilleux ; ≠ simple). 2. *Pierre est fier d'avoir été reçu,* très satisfait (≠ honteux).
■ **fièrement** adv. SENS 1 *Elle a fièrement refusé toute assistance.*
■ **fierté** n.f. SENS 1 *Vous avez refusé avec fierté,* orgueil. SENS 2 *Pierre tire une certaine fierté de son succès,* satisfaction.

se fier v. *Je me fie à Laura,* j'ai confiance en elle (≠ se méfier, se défier).
■ **fiable** adj. *Cet appareil est maintenant bien au point : il est très fiable,* on peut se fier à lui.
■ **fiabilité** n.f. *Cette série d'incidents fait douter de la fiabilité de la machine.*

fièvre n.f. 1. *Paul a de la fièvre,* la température de son corps est trop élevée. 2. *Dans la fièvre du départ, on a oublié une valise,* la grande agitation (= fébrilité).
■ **fiévreux, euse** adj. SENS 1 *Marie est fiévreuse,* elle a de la fièvre. SENS 2 *Une agitation fiévreuse règne dans le magasin* (= fébrile).

■ **fiévreusement** adv. *On préparait fiévreusement le départ* (= fébrilement).

fifre n.m. Un *fifre* est une petite flûte.

figer v. **1.** *La sauce a figé,* elle s'est solidifiée, elle ne coule plus. **2.** *Il était figé de peur,* immobile, paralysé.

fignoler v. Fam. *Line fignole son dessin,* elle le finit avec un soin minutieux (≠ bâcler).
■ **fignolage** n.m. *Le fignolage du travail a pris beaucoup de temps.*

578   **figue** n.f. La *figue* est le fruit du **figuier.**

802   **figure** n.f. **1.** *Va te laver la figure !,* le visage. **2.** *On comprend mieux le texte avec une figure,* un dessin (= illustration). **3.** *La patineuse fait des figures,* des pas et des mouvements artistiques. **4.** *Cette candidate a fait bonne figure,* bonne impression.

766   ■ **figurer** v. **1.** SENS 2 *La colombe figure la paix* (= représenter). **2.** *Tu te figures que c'est facile* (= croire, s'imaginer). **3.** *Ce nom ne figure pas sur ma liste,* il ne s'y trouve pas.
■ **figurant, e** n. Les *figurants* sont des acteurs qui ont un tout petit rôle, généralement muet.
■ **figuration** n.f. *Faire de la figuration,* c'est être figurant.
■ **figuré, e** adj. *Dans « j'ai soif de vengeance », « soif » a un sens figuré,* un sens imagé (≠ sens propre).
■ **figurine** n.f. Une *figurine* est une statuette.
■ **défigurer** v. SENS 1 *Cette blessure l'a défiguré,* elle lui a déformé la figure.

296, 293, 290   **fil** n.m. **1.** *Ces boutons sont cousus avec un fil solide. Le fil du téléphone est tout entortillé. Madeleine a réparé le fil de la lampe.* **2.** *De fil en aiguille,* on en est venu à parler des vacances, en passant d'un sujet à un autre.

150   **3.** *Le maçon utilise un fil à plomb,* une cordelette au bout de laquelle pend un poids. **4.** *Le fil de fer est du métal étiré. Les fils télégraphiques sont des fils métalliques par où passe un*

763 803, 807

courant. **5.** *J'ai perdu le fil de mes idées,* la suite (= enchaînement). **6.** *Marie donne un coup de fil,* un coup de téléphone. **7.** *Ce garçon me donne du fil à retordre,* il me cause des soucis.
■ **filament** n.m. SENS 1 Un *filament* est un fil très mince.
■ **filiforme** adj. SENS 1 *John est filiforme,* mince comme un fil.
■ **effilé, e** adj. SENS 1 *Le sommet des peupliers est effilé,* mince et allongé comme un fil (≠ épais).
■ **s'effilocher** v. SENS 1 *Le bord du tapis s'effiloche,* les fils se défont.
■ **enfiler** v. **1.** SENS 1 *Enfiler des perles,* c'est passer un fil dans le trou des perles. **2.** *Jean enfile son pull-over,* il le met.
■ **renfiler** v. SENS 1 *Mon collier s'est cassé, il faut le faire renfiler,* faire enfiler de nouveau les perles.
R. *Fil* se prononce [fil] comme *file* et [je] *file* (de *filer*). Ne pas confondre *des fils* [fil] et *un fils* [fis].

filandreux, euse adj. **1.** *Cette viande est filandreuse,* elle est pleine de fibres longues et dures. **2.** *Son discours était bien filandreux* il était confus, embarrassé !

filature → *filer.*

file n.f. **1.** *Il y a une file d'attente devant le cinéma,* une suite de personnes les unes derrière les autres. **2.** *Sandra a bu trois grands verres d'eau à la file,* l'un après l'autre, coup sur coup.
■ **enfilade** n.f. SENS 1 *Les pièces de l'appartement sont en enfilade,* les unes à la suite des autres.

filer v. **1.** *Filer la laine,* c'est la transformer en fil. **2.** *Le policier file la voleuse,* il la suit sans se faire voir. **3.** Fam. *Je suis en retard, je file,* je pars vite.
■ **filature** n.f. SENS 1 Une *filature* est une usine où l'on file les matières textiles. SENS 2 *La police a pris le bandit en filature,* elle le poursuit.

filet n.m. **1.** Un *filet* est un ensemble de mailles de ficelle, de corde ou de nylon.

2. *Un* **filet** *de sole* est un morceau allongé, situé de chaque côté de l'arête. *J'ai acheté un bifteck dans le* **filet**, un morceau de chair situé dans le dos. **3.** *Un* **filet** *d'eau* est un écoulement très mince d'eau.

filetage n.m. *Cette vis ne vaut plus rien, le* **filetage** *est usé,* la rainure creusée sur la vis en tournant.
■**fileté, e** adj. *Une tige* **filetée** *a un filetage.*

filial, e, aux adj. *L'amour* **filial** est l'amour des enfants pour leurs parents.
■**filiale** n.f. *Une* **filiale** *est une société qui dépend d'une société plus importante dite société mère.*

filière n.f. *Suivre une* **filière**, c'est passer par une série d'étapes.

filiforme → *fil.*

filigrane n.m. *Sur ce billet de banque, on voit un dessin en* **filigrane**, par transparence.

filin n.m. *Un* **filin** *est un cordage de bateau.*

fille n.f. **1.** *M. et Mme Dubois ont eu une* **fille** *(≠ fils).* **2.** *Marie est une* **fille**, *Paul est un garçon.* **3.** *Ma tante est restée* **vieille fille**, elle ne s'est pas mariée (on dit plus aimablement *célibataire*).
■**fillette** n.f. SENS 2 *Anne est une* **fillette** *de dix ans,* une fille très jeune (≠ garçonnet).

filleul, e n. *Marie est la* **filleule** *de Jacques,* Jacques est son parrain.

film n.m. **1.** *Mettez un* **film** *dans la caméra,* une pellicule. **2.** *J'ai vu un très bon* **film**, une œuvre cinématographique.
■**filmer** v. *Mme Truong a* **filmé** *ses enfants,* elle les a photographiés avec une caméra.

filon n.m. **1.** *Un* **filon** *est une couche de minerai dans le sol.* **2.** Fam. *J'ai trouvé un bon* **filon**, une situation avantageuse.

filou n.m. *Un* **filou** *est un voleur adroit.*

fils n.m. *M. et Mme Dubois ont deux* **fils** *(= garçon ; ≠ fille).*
R. On prononce [fis]. → *fil.*

filtre n.m. *Un* **filtre** *à café ne laisse passer que le liquide et retient les petits grains.*
■**filtrer** v. **1.** *Filtrer du thé,* c'est le passer dans un filtre. **2.** *La police* **filtre** *les arrivants,* elle les contrôle attentivement. **3.** *L'eau* **filtre** *par les fissures,* elle coule lentement. **4.** *De rares nouvelles* **ont filtré** *jusqu'à nous,* elles nous sont parvenues malgré les obstacles.
■**filtrage** n.m. SENS 2 *Les policiers opèrent un* **filtrage** *sévère (= contrôle).*
R. *Filtre* se prononce [filtr] comme *philtre.*

1. fin n.f. **1.** *Je n'ai pas vu ce film jusqu'à la* **fin**, jusqu'à son dernier moment (= bout ; ≠ commencement, début). **2.** *Elle est arrivée* **à ses fins**, au but qu'elle se proposait. **3.** *Que fais-tu pour la* **fin de semaine ?,** la période qui va du vendredi au dimanche soir (= week-end). **4.** *Elle* **a mis fin à** *leur querelle (= faire cesser).*
■**final, e, als** ou **aux** adj. SENS 1 *Les accords* **finals** *(ou parfois* **finaux**) *d'un air de musique* y mettent fin (= dernier).
■**finale** n.f. SENS 1 *Cette équipe de hockey a joué la* **finale** *de la Coupe Stanley,* le dernier des matchs de cette compétition.
■**finalement** adv. SENS 1 *Finalement, elle a accepté,* pour finir.
■**finaliste** adj. et n. SENS 1 *Ils sont* **finalistes**, qualifiés pour la finale.
■**finalité** n.f. SENS 2 *La* **finalité** *d'une action,* c'est ce à quoi elle tend (= but).
■**finir** v. **1.** SENS 1 *Tu* **as** *déjà* **fini** *ton travail ?* (= terminer, achever ; ≠ commencer). *Il faut* **en finir**, faire cesser cela. **2.** *Je* **finirai** *bien* **par** *trouver la solution,* j'y arriverai.
■**finissant, e** n. *Ma sœur est dans la classe des* **finissantes**, des élèves de dernière année.
■**finition** n.f. SENS 1 *Cette voiture manque de* **finition**, les détails en sont peu soignés (= fignolage).

■ **demi-finale** n.f. SENS 1 *Notre équipe a été battue en demi-finale,* au match qui a précédé la finale.

■ **infini, e** adj. SENS 1 *L'espace céleste est infini,* il n'a pas de limites.

■ **infiniment** adv. SENS 1 *Cette musique me plaît infiniment* (= énormément).

■ **infinité** n.f. SENS 1 *Il y a une infinité de façons de préparer les pommes de terre,* un très grand nombre.

R. Noter le pluriel : des *demi-finales.*

2. fin, e adj. **1.** *Du sable fin est formé de grains très petits* (≠ gros). *Voyez sa silhouette fine* (= mince ; ≠ épais). *Cette enfant a les traits fins* (= délicat ; ≠ rond, plein). **2.** *Tu as fait une fine plaisanterie* (= subtil, spirituel). *Paul se croit plus fin que les autres* (= rusé, astucieux). **3.** *De l'épicerie fine est de la meilleure qualité* (≠ ordinaire). **4.** *Laurence est bien fine, aimable.* **5.** *Lucie a l'air fin, elle est élégante, distinguée. Je suis tombé tout habillé dans la piscine, j'avais l'air fin* (= ridicule).

■ **finaud, e** adj. SENS 2 *Il a pris un air finaud pour me répondre* (= rusé).

■ **finement** adv. SENS 1 *Voilà de la dentelle finement travaillée,* d'une façon délicate.

■ **finesse** n.f. SENS 1 *Regarde la finesse de cette dentelle* (= délicatesse). SENS 2 *Elle a fait une remarque pleine de finesse* (= astuce, intelligence).

R. *Fin* (1 et 2) se prononce [fɛ̃] comme *faim* et *feint* (de *feindre*).

finance n.f. **1.** (au plur.) *On a examiné les finances de la société,* la façon dont elle gère son argent (= fonds). **2.** *Mme Muller appartient au monde de la finance,* de ceux qui font des affaires d'argent.

■ **financer** v. SENS 1 *L'État a financé les travaux,* il a fourni l'argent nécessaire.

■ **financement** n.m. SENS 1 *L'État a assuré le financement des travaux.*

■ **financier, ère** **1.** adj. SENS 1 *Un directeur financier s'occupe des finances*

d'une entreprise. **2.** n. SENS 2 *Un financier est une personne qui s'occupe de finance.*

■ **financièrement** adv. SENS 1 *L'opération est financièrement réalisable,* on peut la payer.

finaud, finement, finesse → *fin* 2.

finir, finition → *fin* 1.

fiole n.f. *Une fiole est un petit flacon.*

fioriture n.f. (au plur.) *Ce dessin est plein de fioritures,* de petits ornements surajoutés.

firmament n.m. *Regarde les étoiles au firmament* (= ciel).

firme n.f. *Je travaille dans une grosse firme,* une entreprise industrielle ou commerciale (= société).

fisc n.m. *On doit déclarer ses revenus au fisc,* au ministère du Revenu.

■ **fiscal, e, aux** adj. *Les entreprises ont des charges fiscales,* des impôts.

■ **fiscalité** n.f. *Les entreprises trouvent que la fiscalité est trop lourde,* l'ensemble des charges fiscales.

fissure n.f. *Il y a une fissure dans le plafond,* une petite fente (= lézarde).

■ **se fissurer** v. *Le plâtre se fissure* (= se fendiller).

fixe adj. **1.** *Ces sièges sont fixes,* on ne peut pas les déplacer (≠ mobile). **2.** *Il a le regard fixe,* ses yeux sont immobiles. **3.** *Donne-moi une date fixe* (= précis, ferme ; ≠ vague).

■ **fixement** adv. SENS 2 *Elle me regarde fixement,* avec insistance.

■ **fixer** v. SENS 1 *On a fixé des volets qui battaient* (= immobiliser). SENS 2 *Pourquoi me fixe-t-il ?,* me regarde-t-il fixement. SENS 3 *À quelle heure est fixé le rendez-vous ?* (= décider).

■ **fixation** n.f. SENS 1 *La fixation est-elle solide ?,* ce qui sert à fixer.

■ **fixité** n.f. SENS 2 *La fixité de son regard était impressionnante.*

fjord n.m. Un *fjord* est, en Norvège, un golfe très profond.
R. On prononce [fjɔr] ou [fjɔrd].

flacon n.m. Un *flacon* est une petite bouteille.

flageoler v. *Elle flageole sur ses jambes,* elle n'est pas stable (= vaciller, chanceler).

flageolet n.m. 1. Le *flageolet* est une variété de haricot. 2. *Sais-tu jouer du flageolet ?,* une petite flûte (= pipeau).

flagorner v. *Vous flagornez la directrice,* vous la flattez bassement.
■ **flagorneur, euse** n. *Jean-Marie est un flagorneur.*

flagrant, e adj. *Son erreur est flagrante,* elle est évidente.

flair n.m. 1. *Ce chien a du flair,* il a l'odorat sensible. 2. *J'ai eu du flair dans cette affaire,* je me suis doutée de quelque chose (= intuition).
■ **flairer** v. SENS 1 *Le chien a flairé le gibier,* il l'a senti. SENS 2 *Brenda flairait le piège,* elle s'en doutait, elle le pressentait.

flamant n.m. *En Camargue, il y a beaucoup de flamants roses,* d'oiseaux échassiers à long cou.

flambant adv. *La voiture est flambant neuve,* elle a tout l'éclat du neuf.

flamber v. *Le papier flambe vite,* il brûle avec une flamme. *On plume un poulet et on le flambe,* on le passe sur une flamme.
■ **flambeau** n.m. Un *flambeau* est une sorte de torche.
■ **flambée** n.f. 1. *On a fait une flambée dans la cheminée,* un feu. 2. *On a observé une flambée des prix,* une augmentation brusque.

flamboyer v. *Ses yeux flamboient de colère,* ils brillent d'un vif éclat (= étinceler).

■ **flamboyant, e** adj. *Ses yeux étaient flamboyants de colère.*
■ **flamboiement** n.m. *On aperçoit au loin le flamboiement de l'incendie,* la vive lumière.

flamenco n.m. *Elaine aime le flamenco,* une danse andalouse, du sud de l'Espagne.

flamme n.f. 1. *Elle s'est brûlée à la flamme de son briquet.* 2. *Paul parle de Marie avec flamme,* avec ardeur et enthousiasme.
■ **flammèche** n.f. SENS 1 *Une flammèche est une petite flamme.*
■ **enflammer** v. 1. SENS 1 *On frotte une allumette pour l'enflammer,* pour produire une flamme. SENS 2 *Son discours a enflammé l'auditoire,* il l'a enthousiasmé. 2. *La plaie s'est enflammée,* elle est devenue rouge et brûlante (= s'envenimer).
■ **inflammable** adj. SENS 1 *L'alcool est inflammable,* il s'enflamme facilement.
■ **ininflammable** adj. SENS 1 *Ce tissu mural est ininflammable.*

flan n.m. Un *flan* est une sorte de crème cuite.

flanc n.m. 1. *Le cheval s'est couché sur le flanc,* le côté. 2. *La maison est construite à flanc de coteau,* sur la pente du coteau.

flanc-mou n. *Sophie et Elise sont des flancs-mous,* des paresseuses.

flancher v. Fam. *Ce n'est pas le moment de flancher,* de faiblir (= lâcher ; ≠ tenir).

flanelle n.f. *J'aime porter ce gilet de flanelle,* un tissu léger.

flâner v. *Le dimanche, les gens flânent dans la rue,* ils se promènent sans se presser (≠ se dépêcher).
■ **flânerie** n.f. *Tu perds ton temps en flâneries.*
■ **flâneur, euse** n. *Les flâneurs descendent le boulevard.*

761

221

flanquer v. 1. *Elle est flanquée de son garde du corps,* accompagnée. 2. Fam. *Elle m'a flanqué une gifle,* elle me l'a donnée avec force. 3. Fam. *On l'a flanqué dehors* (= jeter).

flaque n.f. *J'ai marché dans une flaque d'eau,* une petite mare.

flash n.m. 1 *Ces photos ont été prises avec un flash,* avec un appareil qui produit une lumière vive. 2. *L'émission a été interrompue par un flash d'information,* une brève information.
R. Noter le pluriel : *des flashes.*

flash-back n.m.inv. *Dans le cours du film, des flash-back rappellent l'enfance du personnage,* des séquences de retour en arrière.

flasque adj. *Ces poissons ont la chair flasque,* molle (≠ ferme).

flatter v. 1. *Il flatte sa directrice,* il cherche à lui plaire par des compliments exagérés. 2. *Cette photo la flatte,* elle la montre plus jolie qu'elle n'est (= avantager). 3. *Je suis flatté d'être invité,* j'en suis fier. *Je me flatte d'avoir dit cela la première,* j'en suis fière (= se vanter). 4. *Xavier flatte son chat,* il le caresse.
■ **flatterie** n.f. SENS 1 *Paul est sensible à la flatterie,* aux louanges intéressées.
■ **flatteur, euse** n. et adj. SENS 1 *Méfiez-vous des flatteurs !* (= hypocrite). SENS 2 *On m'a parlé de toi en termes flatteurs* (= élogieux ; ≠ désobligeant).

fléau n.m. 1. *Un fléau était autrefois un instrument qui servait à battre le blé.* 2. *Le fléau d'une balance est la tige horizontale aux bouts de laquelle sont suspendus ou fixés les plateaux.* 3. *Cette sécheresse est un fléau* (= calamité, catastrophe).

flèche n.f. 1. *Avec son arc, Pia tire des flèches,* des projectiles faits d'une tige

de bois. 2. *Une flèche* (→) *indique la direction à suivre,* le dessin d'une flèche. 3. *Il y a un coq sur la flèche du clocher,* la partie supérieure terminée en pointe.
■ **flécher** v. SENS 2 *Flécher un parcours,* c'est l'indiquer par des flèches.
■ **fléchette** n.f. SENS 1 *Une fléchette est une petite flèche.*

fléchir v. 1. *Fléchissez les genoux !* (= plier, ployer). 2. *Elle a réussi à fléchir ses juges,* à les faire céder (= ébranler). 3. *Les cours de la Bourse fléchissent* (= baisser ; ≠ monter).
■ **fléchissement** n.m. SENS 1 *Le fléchissement des genoux lui est pénible* (= flexion). SENS 3 *Le fléchissement des prix s'est arrêté* (= baisse ; ≠ hausse).
■ **flexion** n.f. SENS 1 *Son plâtre lui interdit la flexion du bras* (≠ extension).
■ **flexible** adj. SENS 1 *Le roseau est flexible,* il peut se plier (= élastique, souple).
■ **inflexible** adj. SENS 2 *M. Dupont est un homme inflexible,* on ne peut pas le fléchir (= inébranlable).

flegme n.m. *Mary a un flegme imperturbable,* elle conserve toujours son calme.
■ **flegmatique** adj. *Paul a un tempérament flegmatique,* très calme (≠ coléreux, emporté).

flemme n.f. Fam. *Aujourd'hui je n'ai rien fait : j'avais la flemme,* je n'avais pas envie de travailler.
■ **flemmard, e** adj. Fam. *Êtes-vous trop flemmard pour m'aider ?* (= paresseux).

flétan n.m. *Ce soir, on mange du flétan,* un poisson plat des mers froides.

flétrir v. 1. *Les fleurs se flétrissent vite quand il fait chaud,* elles perdent leur fraîcheur (= se faner). 2. *Toutes ces calomnies ont flétri sa réputation,* elles l'ont rendue mauvaise (= diminuer, ternir).

fleur n.f. **1.** *John a fait un joli bouquet de fleurs.* **2.** *La balle lui est passée à fleur de peau,* elle est passée tout près, en la frôlant.
■ **fleurir** v. SENS 1 *Ces rosiers fleurissent en été,* ils sont en fleur. *On a fleuri sa tombe,* on l'a ornée de fleurs.
■ **fleuriste** n. SENS 1 *Une fleuriste cultive ou vend des fleurs.*
■ **fleuron** n.m. **1.** SENS 1 *Un fleuron est un ornement en forme de fleur.* **2.** *Le plus beau fleuron de sa collection, c'est ce tableau,* la plus belle pièce (= clou).
■ **floraison** n.f. SENS 1 *La floraison des roses,* c'est l'époque où elles sont en fleur.
■ **floral, e, aux** adj. SENS 1 *On a visité l'exposition florale,* l'exposition de fleurs.
■ **affleurer** v. SENS 2 *Les rochers affleurent à la surface de l'eau,* ils arrivent juste à ce niveau.
■ **effleurer** v. **1.** SENS 2 *La balle lui a effleuré le bras,* frôlé. **2.** *Cela ne m'avait même pas effleuré l'esprit,* je n'y avais pas pensé du tout.
■ **refleurir** v. SENS 1 *Les rosiers refleurissent.*

fleurdelisé ou **fleur de lysé** n.m. *Le fleurdelisé est le drapeau du Québec,* orné de fleurs de lis (ou lys).

fleurer v. *Ces sentiers fleurent bon le chèvrefeuille,* ils sentent bon.

fleuret n.m. *Un fleuret est une épée d'escrime.*

fleurir, fleuriste, fleuron → *fleur.*

fleuve n.m. *La Seine, le Saint-Laurent sont des fleuves,* des cours d'eau qui se jettent dans la mer.
■ **fluvial, e, aux** adj. *La navigation fluviale se fait sur les fleuves* (≠ maritime).

flexible, flexion → *fléchir.*

flibustier n.m. *Un flibustier était un pirate.*

flirt n.m. *Paul a un flirt avec Marie,* ils sont amoureux.
■ **flirter** v. *Paul flirte avec Marie.*
R. On prononce [flœrt], [flœrte].

flocon n.m. **1.** *La neige tombe en flocons,* en petits amas qui voltigent. *Regarde, il neige à gros flocons,* abondamment. **2.** *Indira mange des flocons d'avoine,* de fines lamelles.
■ **floconneux, euse** adj. SENS 1 *Des nuages floconneux passent dans le ciel,* des nuages formant des masses arrondies.

flonflon n.m. *On entend les flonflons de la fête,* la musique populaire.

floraison, floral → *fleur.*

flore n.f. *Connais-tu la flore de cette région ?,* l'ensemble des végétaux qui y poussent.

florissant, e adj. *Le commerce de ce pays est florissant,* très actif, très riche (= prospère).

flot n.m. **1.** (au plur.) *Le navire vogue sur les flots,* sur l'eau, la mer. **2.** *Quel flot de paroles !,* quelle quantité ! (= avalanche, déluge). **3.** *On a mis le bateau à flot,* sur l'eau pour qu'il flotte.

flottage → *flotter.*

flotte n.f. **1.** *L'amiral commande la flotte,* l'ensemble des bateaux. **2.** *Ce pays a eu une flotte aérienne importante,* des avions. **3.** Très fam. *J'ai bu un grand verre de flotte,* d'eau.
■ **flottille** n.f. SENS 1 *Une flottille est une petite flotte.*

flotter v. **1.** *La bouée flotte à la surface de l'eau,* elle est portée par l'eau (= surnager ; ≠ couler). **2.** *Le drapeau flotte au vent* (= onduler). **3.** *Je flotte dans ce manteau,* il est trop large. **4.** Très fam. *Il s'est mis à flotter,* à pleuvoir.
■ **flottage** n.m. SENS 1 *Au Canada, on transportait le bois par flottage,* en le faisant flotter sur l'eau (= drave).

652

583

■ **flottement** n.m. *Il y a eu un certain flottement dans l'assemblée,* un moment d'hésitation (= incertitude).

■ **flotteur** n.m. SENS 1 Un *flotteur* est un objet destiné à flotter ou à faire flotter un appareil.

728

flottille → *flotte.*

flou, e adj. *Cette photo est floue,* elle est brouillée, trouble (≠ net, précis). *Mes idées sont floues,* incertaines, imprécises (≠ clair).

fluctuations n.f.pl. *Cette firme surveille les fluctuations de la Bourse,* les hauts et les bas (= changements).

■ **fluctuant, e** adj. *Les cours de la Bourse sont fluctuants ces temps-ci,* ils sont sujets à des variations.

fluet, ette adj. *Marie a des jambes fluettes,* très minces (= grêle ; ≠ épais).

fluide 1. adj. *La circulation routière est fluide,* le flot des voitures s'écoule bien. **2.** n.m. *Les liquides et les gaz sont des fluides,* des corps qui peuvent couler (≠ solide).

801

■ **fluidité** n.f. *Cette huile garde une bonne fluidité à basse température* (≠ viscosité).

fluor n.m. *Pour éviter d'avoir des caries, la dentiste m'a conseillé du dentifrice au fluor,* une substance chimique.

fluorescent, e adj. *Un objet fluorescent émet de la lumière* (= lumineux). *La cuisine est éclairée par un tube fluorescent,* un tube contenant un gaz qui devient lumineux sous l'effet de *l'électricité.*

438, 439

flûte n.f. **1.** *Paul joue de la flûte,* d'un instrument de musique en forme de tube percé de trous, dans lequel on souffle. **2.** *Une flûte à champagne est un verre haut et étroit.*

■ **flûtiste** n. SENS 1 *Marie est flûtiste,* elle joue de la flûte.

fluvial → *fleuve.*

flux n.m. Le *flux* est la marée montante (≠ reflux).

fluxion n.f. est un mot vieilli pour *inflammation : fluxion de poitrine.*

foc n.m. Un *foc* est une petite voile triangulaire à l'avant d'un voilier.

focal, e, aux adj. *Dans un appareil photographique, la distance focale est la distance où se forme l'image par rapport à l'objectif* (au *foyer* de cet objectif).

fœtus n.m. On appelle *fœtus* l'enfant incomplètement formé qui est encore dans le ventre de sa mère.
R. On prononce [fetys].

foi n.f. **1.** *Avoir une foi religieuse,* c'est croire à ce qu'enseigne une religion. **2.** *Un témoin digne de foi* mérite qu'on le croie. **3.** *Il a prouvé sa bonne foi,* ses intentions honnêtes (= sincérité, honnêteté ; ≠ mauvaise foi). **4.** *Envoyez vos lettres avant minuit, le cachet de la poste fera foi,* en sera une preuve.
R. *Foi* se prononce [fwa] comme *foie* et *fois.*

foie n.f. *J'ai mal au foie,* à un organe contenu dans l'abdomen.
R. → *foi.*

foin n.m. *Il y a une meule de foin dans le pré,* d'herbe fauchée et séchée.
■ **fenaison** n.f. La *fenaison* est la récolte des foins.

foire n.f. **1.** *Les paysans vendent leurs produits à la foire,* au grand marché agricole. **2.** *À la foire, les enfants ont fait un tour de manège,* à la fête en plein air.
■ **forain, e** n. et adj. SENS 1 *Les forains déballent leur marchandise,* les marchands qui vendent à la foire. SENS 2 *Nous sommes allés à la fête foraine,* à la foire.

fois n.f. **1.** *Karim est venu ici deux fois,* à deux reprises. **2.** *Deux fois trois font*

six, trois multiplié par deux. **3.** *On ne peut faire deux choses* **à la fois,** en même temps (= ensemble ; ≠ séparément). **4.** *Une fois qu'on a compris, c'est facile,* quand on a compris.
R. → *foi.*

foison n.f. *Il y a des moustiques à foison ici,* en grande quantité.
■ **foisonner** v. *Les mauvaises herbes foisonnent,* elles abondent.
■ **foisonnement** n.m. *Il y a eu un foisonnement d'idées dans ce débat.*

folâtrer v. *Les enfants folâtrent dans le pré,* ils s'ébattent gaiement.

folichon, onne adj. Fam. *Le programme de la journée n'est pas folichon,* il n'est pas gai, agréable.

folie → *fou* 1.

folio n.m. *Un folio est un feuillet d'un registre ou d'un livre.*

folklore n.m. *Je connais une chanson du folklore breton,* qui fait partie des traditions anciennes de cette région.
■ **folklorique** adj. *On a vu un spectacle de danses folkloriques.*

folle, follement → *fou* 1.

follet adj. *Un feu follet est une flamme légère qui apparaît parfois spontanément sur certains terrains.*

fomenter v. *Fomenter une révolte,* c'est la préparer.

1. foncer v. *Tes cheveux ont foncé,* ils sont devenus plus sombres (≠ éclaircir).
■ **foncé, e** adj. *Elle porte une jupe bleu foncé* (= sombre ; ≠ clair).

2. foncer v. **1.** *Quand il m'a vu, il a foncé sur moi,* il s'est précipité. **2.** Fam. *Sophie est encore chez moi, fonce si tu veux la voir,* viens très vite.

foncier, ère adj. **1.** *Luce est d'une honnêteté foncière,* innée, profonde, natu-

relle. **2.** *Notre voisin est un important propriétaire foncier,* il possède des terres.
■ **foncièrement** adv. SENS 1 *Tu es foncièrement honnête,* par nature.

fonction n.f. **1.** *Paul exerce la fonction d'enseignant,* le métier (= profession). **2.** (au plur.) *Quelles sont vos fonctions dans cette entreprise ?,* votre travail (= activités, rôle). **3.** *Il est paralysé, ses jambes ne remplissent plus leur fonction,* leur rôle. **4.** *Quelle est la fonction de ce mot dans la phrase ?,* sa relation grammaticale avec les autres mots.
■ **fonctionnaire** n. SENS 1 *Yasmina est fonctionnaire,* elle est une employée de l'État.
■ **fonctionnel, elle** adj. SENS 3 *Des troubles fonctionnels* sont des troubles du fonctionnement de certains organes. *Une architecture fonctionnelle* est bien adaptée à la fonction d'un bâtiment.
■ **fonctionner** v. SENS 3 *Cette machine ne fonctionne plus* (= marcher).
■ **fonctionnement** n.m. SENS 3 *Explique-moi le fonctionnement de cet appareil,* comment il marche.

fond n.m. **1.** *Le fond du pot est percé,* la partie qui est en bas. **2.** *Ma chambre est au fond du couloir,* à la partie la plus éloignée de l'entrée (= bout). **3.** *Elle a une robe imprimée sur fond bleu,* sur la surface bleue de laquelle se détachent des motifs. **4.** *C'est là le fond du problème,* l'essentiel. **5.** *Serre la vis à fond,* complètement. **6.** *Au fond (dans le fond), tu as raison,* en réalité (= tout compte fait). **7.** *La maison a été détruite de fond en comble,* entièrement.
R. *Fond* se prononce [fɔ̃] comme *fonds, fonts,* [*ils*] *font* (de *faire*) et [*il*] *fond* (de *fondre*).

fondamental, fondamentalement → *fonder.*

fondant → *fondre.*

728

fonder v. 1. *La famille Lacoste a fondé ce club,* elle l'a créé. 2. *Sur quoi te fondes-tu pour l'accuser ?,* quels sont tes arguments, tes preuves ? (= s'appuyer).

■ **fondé, e** adj. SENS 2 *Cette critique n'est pas fondée,* justifiée.

■ **fondateur, trice** n. SENS 1 *La fondatrice de l'hôpital* est celle qui l'a fondé.

■ **fondation** n.f. 1. SENS 1 *La fondation du collège remonte à un siècle* (= création). 2. (au plur.) *On a fait les fondations de la maison,* la maçonnerie dans le sol pour la soutenir.

■ **fondement** n.m. SENS 2 *Cette rumeur est sans fondement,* elle ne repose sur aucun argument (= preuve).

■ **fondamental, e, aux** adj. SENS 2 *Les principes fondamentaux d'une théorie,* ce sont ses principes essentiels (≠ accessoire).

■ **fondamentalement** adv. SENS 2 *Ce projet n'est pas fondamentalement différent du précédent* (= radicalement).

R. [*Il*] *fonde* se prononce [fɔ̃d] comme [*qu'il*] *fonde* (de *fondre*).

fondre v. 1. *Le beurre fond au soleil,* il devient liquide. 2. *Fondre un métal,* c'est le chauffer jusqu'à ce qu'il soit liquide. 3. *Le sel fond dans l'eau,* il se dissout. 4. *Les deux sociétés ont été fondues en une seule,* réunies. 5. *L'aigle fond sur sa proie,* il s'abat sur elle.

■ **fondant, e** adj. SENS 1 *Cette poire est fondante,* elle fond dans la bouche. *On attend de la neige fondante aujourd'hui,* qui fond en tombant.

■ **fonderie** n.f. SENS 2 *Une fonderie est une usine où l'on fond les métaux.*

■ **fonte** n.f. SENS 1 *Avril est l'époque de la fonte des neiges,* où les neiges fondent. SENS 2 *Nos radiateurs sont en fonte,* en un métal fait de minerai de fer fondu.

■ **fusion** n.f. SENS 1 ET 2 *Un métal en fusion coule sous l'action de la chaleur.* SENS 4 *La fusion des deux sociétés a été décidée* (= réunion).

■ **fusionner** v. SENS 4 *Les deux partis ont fusionné,* ils se sont réunis en un seul. R. *Fondre* → conj. n° 51. → *fond* et *fonder*.

fondrière n.f. *Une fondrière est une crevasse ou un creux dans le sol.*

fonds n.m. 1. *Ils ont acheté un fonds de commerce,* un établissement commercial. 2. (au plur.) *On a trouvé des fonds pour construire la maison,* de l'argent (= capitaux).
R. → *fonts.*

fondue n.f. *J'aime la fondue bourguignonne,* un plat composé de petits morceaux de viande qu'on plonge dans de l'huile bouillante au moment d'être consommés.

fontaine n.f. *Nous avons bu de l'eau à la fontaine.*

fonte → *fondre.*

fonts n.m.pl. *Les fonts baptismaux sont le bassin près duquel on baptise, dans une église.*
R. *Fonts* se prononce [fɔ̃] comme *fond, fonds* et [ils] *font.*

football n.m. *Paul joue au football,* un sport d'équipe. *Pour Noël, il a eu un ballon de football.*

for intérieur n.m. *En mon for intérieur, j'ai pensé qu'elle avait raison,* au fond de moi-même, sans rien dire.

forage → *forer.*

forain → *foire*

forban n.m. *Ce vendeur est un vrai forban,* un individu sans scrupule qui exploite les gens (= pirate, bandit).

forçat → *forcé.*

force n.f. 1. *Line a de la force dans les bras,* elle est forte (= vigueur, résistance ; ≠ faiblesse). 2. *Il va falloir employer la force, si tu ne veux pas obéir* (= contrainte, violence ; ≠ douceur). *Ils*

*l'ont fait manger **de force,** ils l'ont obligé à manger.* **3.** *Ces élèves ne sont pas de la même **force** en anglais,* du même niveau. (au plur.) *Ce problème est au-dessus de mes **forces,*** de mes capacités intellectuelles. **4.** *La malade a repris des **forces,*** son énergie est revenue. **5.** *À **force de** crier, Lori n'a plus de voix,* parce qu'elle a beaucoup crié. **6.** *Tu as terminé le marathon, quel **tour de force** !,* quel exploit.
■ **forcer** v. SENS 1 *On a **forcé** la porte,* on l'a ouverte par la force. SENS 2 *On l'a **forcée** à partir,* on l'a obligée (= contraindre).

forcé, e adj. **1.** *Autrefois, les condamnés aux **travaux forcés** étaient soumis à un régime inhumain* (= bagne). **2.** *Tu as échoué ? C'était **forcé,** tu n'as pas travaillé !* (= inévitable).
■ **forçat** n.m. SENS 1 *Tu travailles comme un **forçat*** (= bagnard).
■ **forcément** adv. SENS 2 *Les débuts sont **forcément** lents* (= inévitablement).

forcené, e n. *On a maîtrisé le **forcené,*** le fou.

forcer → force.

forcir v. *Depuis que tu as pris ta retraite, tu **as** un peu **forci,*** tu as pris de l'embonpoint (= grossir).

forer v. ***Forer** un puits,* c'est creuser le sol pour faire ce puits.
■ **forage** n.m. *Une société a entrepris le **forage** de plusieurs puits de pétrole.*
■ **foret** n.m. *Un **foret** est un outil destiné à percer des trous dans le bois, le métal, etc.* (= mèche).

forêt n.f. *Marchons dans la **forêt,*** un grand terrain où poussent des arbres (= bois).
■ **foresterie** n.f. *Patricia travaille dans la **foresterie,*** le secteur de l'exploitation forestière.

■ **forestier, ère** adj. et n. *Un garde **forestier** est chargé de surveiller une forêt.*

forfait n.m. **1.** *Ce travail a été payé à **forfait,*** pour un prix convenu d'avance. **2.** *Notre équipe **a déclaré forfait,*** elle a renoncé à la compétition (= abandonner). **3.** *Un **forfait** est un grand crime.*
■ **forfaitaire** adj. SENS 1 *Chaque réparation est facturée selon un prix **forfaitaire,*** convenu d'avance, quelles que soient les circonstances particulières.

forfanterie n.f. *Je déclare, sans **forfanterie,** que je suis capable de faire cela,* sans me vanter (= fanfaronnade).

forger v. **1.** *La grille est en fer **forgé,*** travaillé au feu et à coups de marteau. **2.** *Son histoire **est forgée** de toutes pièces,* elle n'est pas vraie (= inventer).
■ **forge** n.f. SENS 1 *Un maréchal-ferrant travaille dans une **forge,*** son atelier. 291
■ **forgeron, onne** n. SENS 1 *La **forgeronne** bat le fer rouge sur son enclume,* c'est son métier. 291

se formaliser, formalisme, formaliste → forme 2.

formalité n.f. (au plur.) *Quand on se marie, il y a des **formalités** à accomplir,* des actes administratifs obligatoires.

format n.m. *Judy a acheté un livre en **format** de poche,* un livre qui a les dimensions d'une poche.

formateur, formation → former.

1. forme n.f. **1.** *La **forme** de son visage est toute ronde* (= aspect, contour). **2.** Fam. *Tu as l'air en pleine **forme** !,* en parfaite santé physique et morale.
■ **déformer** v. SENS 1 *À force d'être portée, ma robe **s'est déformée,*** elle a perdu sa forme.
■ **déformant, e** adj. SENS 1 *Xavier s'est regardé dans un miroir **déformant,*** qui modifie les formes du corps.

■**déformation** n.f. SENS 1 *Il a une défor-*
mation de la colonne vertébrale, une
altération de la forme.
■**indéformable** adj. SENS 1 *Cette arma-*
ture est indéformable.
■**informe** adj. SENS 1 *Quelle écriture*
informe !, dont les lettres sont défor-
mées.

2. forme n.f. *Je lui ai demandé son avis*
pour la forme, pour respecter les
usages. *La demande a été faite dans les*
formes, selon les règles établies. *Vous*
pouvez refuser mais en y mettant les
formes, avec des précautions de bienséance.
■**formel, elle** adj. **1.** *Sa protestation est*
purement formelle, pour la forme. **2.** *Elle*
a opposé un refus formel (= net, catégorique).
■**formellement** adv. *Je m'oppose for-*
mellement à ce projet (= catégoriquement).
■**formalisme** n.m. *Elle n'exige cette dé-*
marche que par pur formalisme, pour
respecter les règles administratives, les
usages.
■**formaliste** adj. *Nous sommes entre*
amis, ne soyez pas si formaliste, si attaché aux principes.
■**se formaliser** v. *Il m'a tutoyé tout de*
suite, mais je ne m'en formalise pas, cela
ne me choque pas.

former v. **1.** *Le fleuve forme un coude ici,*
il a la forme d'un coude. **2.** *Le ministre a*
formé son équipe, il l'a constituée.
3. *Dans cette école, on forme des secré-*
taires, on leur apprend leur métier (=
éduquer). **4.** *Lucie s'est formée toute*
seule, elle s'est instruite.
■**formation** n.f. SENS 2 *L'entraîneuse*
s'est chargée de la formation de
l'équipe, de sa constitution. SENS 3 *So-*
phia suit des cours de formation profes-
sionnelle, de préparation à sa profession.
■**formateur, trice** adj. SENS 3 *Ce stage*
en entreprise est très formateur (= instructif, profitable).

formidable adj. *Marthe a un appétit for-*
midable !, extraordinaire.

formulaire n.m. *Remplissez le formu-*
laire, l'imprimé où sont posées des questions d'ordre administratif.

formule n.f. **1.** *« S'il vous plaît » est une*
formule de politesse, une expression
toute faite. **2.** *La formule chimique de*
l'eau est H_2O, l'expression qui, sous
forme de chiffres et de lettres, indique sa
composition. **3.** *Nous avons adopté la*
formule du paiement mensuel de l'im-
pôt, la manière, le mode.
■**formuler** v. SENS 1 *Formulez votre de-*
mande en termes précis (= exprimer).

forsythia n.m. *Le forsythia est un ar-*
brisseau dont les fleurs jaunes apparais-
sent avant les feuilles.
R. On prononce [f1rsisja].

fort, e adj. **1.** *Pour transporter ce meuble,*
on a besoin de personnes fortes, qui ont
de la force (= robuste ; ≠ faible). **2.** *Pia*
est forte en anglais, elle réussit bien.
3. *L'as est la carte la plus forte,* il vaut
plus que les autres cartes. **4.** *Cette li-*
queur est forte, alcoolisée (≠ doux).
J'aime le thé fort, concentré (≠ léger). **5.** *M. Rossi parle d'une voix forte*
(= sonore, puissant ; ≠ faible). **6.** *Une*
place forte était un lieu protégé par des
fortifications (= fortifié).
■**fort, e** adv. **1.** SENS 1 *Ne tape pas si*
fort !, avec autant de force. SENS 5 *Parlez*
plus fort (= haut ; ≠ bas). **2.** *Ce gâteau*
est fort bon (= très).
■**fort** n.m. SENS 2 *Le latin n'est pas son*
fort, ce en quoi il réussit le mieux.
SENS 6 *Le fort se trouve sur la colline,* le
bâtiment fortifié.
■**fortement** adv. SENS 1 *Appuyez forte-*
ment sur le bouton ! (= vigoureusement, fort).
■**forteresse** n.f. SENS 6 *L'ennemi n'a*
pas pu prendre la forteresse, le grand
fort.

■ **fortifier** v. SENS 1 *La vie au grand air va te* **fortifier**, *te rendre plus fort* (≠ affaiblir). SENS 6 *Cette partie de la ville est* **fortifiée**, *protégée par des fortifications.*

■ **fortifiant** n.m. SENS 1 *Depuis sa maladie, Marie prend des* **fortifiants**, *des médicaments qui fortifient.*

■ **fortification** n.f. SENS 6 *Carcassonne est entourée de* **fortifications**, *de constructions destinées à la protéger.*

■ **fortin** n.m. SENS 6 *Un* **fortin** *est un petit fort.*

fortuit, e adj. *J'ai fait une rencontre* **fortuite** (= inattendu, imprévu ; ≠ prévisible).

■ **fortuitement** adv. *Je l'ai rencontrée* **fortuitement** (= par hasard).

fortune n.f. 1. *Elle a une grosse* **fortune**, *elle a des biens* (= richesses). *M. Dupont a* **fait fortune**, *il s'est enrichi.* 2. *La* **bonne fortune**, *c'est la chance, la* **mauvaise fortune**, *c'est la malchance.* 3. *On se débrouille avec des moyens de fortune*, *les moyens offerts par le hasard* (= improvisé).

■ **fortuné, e** adj. SENS 1 *La famille Dupont est* **fortunée** (= riche).

forum n.m. *J'ai participé à un* **forum** *sur l'éducation*, *une réunion avec débat.* **R.** On prononce [fɔrɔm].

fosse n.f. 1. *Pour enterrer les morts, on creuse une* **fosse**, *un grand trou dans le sol.* 2. *La* **fosse d'orchestre** *est l'endroit aménagé pour l'orchestre en bas de la scène.*

■ **fossé** n.m. SENS 1 *La voiture est allée dans le* **fossé**, *la fosse creusée le long de la route. Un pont-levis passe au-dessus du* **fossé** *du château fort*, *la fosse remplie d'eau* (= douve).

■ **fossoyeur, euse** n. SENS 1 *Les* **fossoyeurs** *ont rebouché la fosse*, *les employés du cimetière.* **R.** → *faux.*

fossette n.f. *Marie a une* **fossette** *au menton*, *un petit creux.*

fossile adj. et n. m. *Je collectionne les (coquillages)* **fossiles**, *des cailloux formés par des squelettes d'animaux ou des empreintes de plantes.*

fossoyeur → *fosse.*

1. fou, folle adj. et n. 1. *Elle est* **folle**, *elle a perdu la raison.* 2. *J'ai un travail* **fou**, *beaucoup de travail* (= énorme). 3. *Pierre est* **fou de** *cinéma* (= passionné). 4. *Un* **fou rire** *est un rire qu'on ne peut pas arrêter.* 5. *Va te changer, tu* **as l'air fou**, *ridicule.*

■ **folie** n.f. SENS 1 *Cette personne a des accès de* **folie**, *son cerveau est dérangé* (= démence). SENS 2 *Tu as fait des* **folies !**, *une dépense exagérée.*

■ **follement** adv. SENS 2 *Je suis* **follement** *inquiète* (= très).

2. fou n.m. 1. *Un* **fou** *était un bouffon chargé d'amuser un prince.* 2. *Le* **fou** *est une pièce du jeu d'échecs.*

fou de Bassan n.m. *Il y a des* **fous de Bassan** *sur l'île de Bonaventure en face de Percé*, *des oiseaux aquatiques au plumage blanc.*

foudre n.f. 1. *La* **foudre** *a frappé le clocher*, *une décharge électrique d'orage produisant un éclair et le tonnerre.* 2. *Ça a été le* **coup de foudre** *entre eux*, *la passion subite.*

■ **foudroyer** v. SENS 1 *La vache* **a été foudroyée** *sous l'arbre*, *elle a été tuée par la foudre.*

■ **foudroyant, e** adj. SENS 1 *Elle a eu une attaque* **foudroyante**, *rapide comme la foudre.*

fouet n.m. 1. *Le charretier fait claquer son* **fouet**, *une lanière attachée à un manche.* 2. *Ce premier succès lui a donné un* **coup de fouet**, *il l'a stimulé.* 3. *Le projectile a atteint la maison* **de plein fouet**, *directement, avec toute sa force.* 4. *Pour battre*

365

368

ma sauce, j'utilise un fouet, un ustensile de cuisine.

■ **fouetter** v. 1. SENS 1 *On ne fouette plus les enfants,* on ne les bat plus à coups de fouet. 2. Fam. *J'ai d'autres chats à fouetter,* j'ai à m'occuper d'affaires plus importantes. 3. Fam. *Il n'y a pas de quoi fouetter un chat,* ce n'est pas une faute grave.

654 **fougère** n.f. La *fougère* est une plante des bois à feuilles très découpées.

fougue n.f. *Elle a parlé avec fougue* (= ardeur, véhémence ; ≠ calme).

■ **fougueux, euse** adj. *Une attaque fougueuse* est très vive (= violent, impétueux).

fouiller v. *Les douaniers ont fouillé ma valise,* ils l'ont explorée minutieusement (= inspecter).

■ **fouille** n.f. 1. *À la frontière, la fouille des bagages nous a retardés,* l'inspection. 2. (au plur.) *Les archéologues font des fouilles,* ils creusent la terre pour y chercher des objets anciens.

fouillis n.m. *Quel fouillis sur cette table !,* quel désordre !

fouine n.f. La *fouine* est un petit animal au museau pointu qui vit dans les bois.

fouiner v. Fam. *C'est une personne qui fouine dans tous les recoins,* qui cherche attentivement (= fureter).

foulard n.m. *Maria a un foulard autour du cou,* un grand carré en tissu.

foule n.f. 1. *La foule se déverse dans le stade,* un grand nombre de personnes. 2. *Line a une foule de projets,* une grande quantité (= masse, multitude).

foulée n.f. 1. *Katy court à petites foulées* (= enjambée). 2. *M. Duval a fait repeindre son appartement et, dans la foulée, il a changé la moquette,* du même coup, dans le même mouvement.

fouler v. *Anne s'est foulé la cheville,* elle se l'est tordue douloureusement.

■ **foulure** n.f. Une *foulure* est une légère entorse.

four n.m. 1. *Le rôti cuit dans le four de la cuisinière,* la partie fermée. 2. *Les invités mangent des petits fours au buffet,* des petits gâteaux sucrés ou salés.

■ **fournée** n.f. SENS 1 *Le boulanger a fait trois fournées de pain,* trois fois le contenu de son four.

■ **fourneau** n.m. SENS 1 *La soupe chauffe sur le fourneau* (= cuisinière). *On fabrique la fonte dans un haut fourneau,* un grand four où l'on fond le minerai de fer.

■ **enfourner** v. SENS 1 *Le boulanger enfourne ses pains,* il les met dans le four.

fourbe n. et adj. *Méfie-toi de lui, c'est un fourbe,* un hypocrite, un homme perfide.

■ **fourberie** n.f. *J'ai été victime de sa fourberie* (= hypocrisie, perfidie).

fourbi n.m. Fam. *Ramasse-moi tout ce fourbi,* cet ensemble de choses diverses.

fourbu, e adj. *Anne est rentrée fourbue de sa marche,* très fatiguée (= épuisé, harassé, éreinté).

fourche n.f. 1. *Les paysans chargent le foin avec une fourche,* un instrument formé d'un manche terminé par des dents allongées. 2. *Marie était assise sur la fourche de l'arbre,* l'endroit où l'arbre se divise en plusieurs branches.

■ **fourchu, e** adj. SENS 2 *Les chèvres ont le pied fourchu,* divisé en deux (= fendu).

fourchette n.f. 1. *On pique la viande dans l'assiette avec une fourchette.* 2. *Les sondages lui accordent une fourchette de 43 à 45 % de voix,* un chiffre compris entre ces deux valeurs.

fourchu → *fourche.*

fourgon n.m. *Le chien a voyagé dans le fourgon à bagages,* une des voitures du train (= wagon). *Le fourgon à bes-*

tiaux, le **fourgon** *de marchandises* sont des camions utilisés pour les transports. *Un* **fourgon** *mortuaire est un corbillard.* *Le* **fourgon-pompe** *est le véhicule d'intervention des pompiers.*

■**fourgonnette** n.f. *Je fais mes livraisons avec ma* **fourgonnette** (= camionnette).

fourmi n.f. **1.** *Une* **fourmi** *m'a piqué,* un petit insecte. **2.** (au plur.) *J'ai des* **fourmis** *dans les jambes,* des picotements.

■**fourmilière** n.f. SENS 1 *Pierre a marché sur une* **fourmilière,** *un monticule construit par les fourmis.*

fourmiller v. *Ta lettre* **fourmille** *de fautes,* il y en a énormément (= abonder).

■**fourmillement** n.m. *De la terrasse, on observe un* **fourmillement** *humain sur la place* (= grouillement).

fournaise n.f. *En été, cette pièce est une vraie* **fournaise,** *il y fait très chaud* (= étuve).

fourneau, fournée → *four.*

fournir v. **1.** *L'école* **fournit** *les livres aux élèves,* elle les leur procure. **2.** *M. Da Silva* **se fournit** *toujours chez la même commerçante,* il y fait ses achats (= s'approvisionner). **3.** *Tu* **as fourni** *un gros effort* (= accomplir, produire).

■**fournisseur, euse** n. SENS 1 *Le* **fournisseur** *n'a pas livré la commande,* le commerçant ou le fabricant.

■**fourniture** n.f. SENS 1 *Paul nous assure la* **fourniture** *du pain,* il nous le fournit. SENS 2 (au plur.) *Dans cette papeterie, on vend des* **fournitures** *scolaires,* des objets dont les élèves doivent se fournir.

fourrage n.m. *Le* **fourrage,** *ce sont les plantes qui servent de nourriture au bétail.*

■**fourrager, ère** adj. *L'herbe, la luzerne, le foin sont des plantes* **fourragères,** *du fourrage.*

1. fourré n.m. *Le lièvre s'est caché dans un* **fourré,** *un endroit très touffu du bois.*

2. fourré, e adj. **1.** *L'hiver, je mets un manteau* **fourré** *et des gants* **fourrés,** *garnis de fourrure.* **2.** *Ce gâteau est* **fourré** *à la crème,* il est garni de crème à l'intérieur.

■**fourrure** n.f. SENS 1 *M. Tanguay a un manteau de* **fourrure,** *fait d'une peau d'animal garnie de ses poils.* 653

■**fourreur, euse** n. SENS 1 *Le* **fourreur** *est celui qui apprête les fourrures ou qui les vend.*

fourreau n.m. *Qui a sorti l'épée du* **fourreau** *?,* de l'étui. 224

fourrer v. Fam. *Où ai-je* **fourré** *mon sac ?,* où l'ai-je mis.

fourre-tout n.m.inv. Fam. *Cette pièce est un* **fourre-tout,** *un endroit où l'on met plein de choses.*

fourreur → *fourré 2.*

fourrière n.f. *La* **fourrière** *est l'endroit où l'on met les animaux abandonnés ou les voitures en infraction.*

fourrure → *fourré 2.*

se fourvoyer v. *Où me suis-je* **fourvoyée** *?* (= s'égarer, se perdre).

foutre v., **foutu, e** adj. sont des équivalents grossiers de *ficher, fichu.*

foyer n.m. **1.** *Le* **foyer** *d'une locomotive est la partie dans laquelle le combustible brûle.* **2.** *On signale de nombreux* **foyers** *d'incendie,* des endroits d'où part le feu (= centre). **3.** *Mme Dupont est femme au* **foyer,** *elle s'occupe de sa maison et de sa famille.* **4.** *Le* **foyer** *des artistes est le local où les acteurs d'un théâtre peuvent se réunir.* 291

fracas n.m. *L'arbre tombe avec* **fracas,** *avec un bruit violent.*

■**fracasser** v. *Les sauveteurs* **ont fracassé** *la porte d'un coup d'épaule,* ils l'ont brisée avec bruit.

■**fracassant, e** adj. *Ce film a eu un succès* **fracassant** (= éclatant).

563

fraction n.f. **1.** *Une fraction du syndicat n'a pas voté,* une partie. **2.** $\frac{3}{4}$ *est une fraction,* une expression numérique constituée par un numérateur (3) et un dénominateur (4) séparés par un trait, la *barre de fraction.*

■ **fractionner** v. SENS 1 *Le groupe s'est fractionné,* il s'est divisé en plusieurs parties.

fracture n.f. *Luce s'est fait une fracture du poignet,* une cassure.

■ **fracturer** v. *Je me suis fracturé la jambe en skiant. On a fracturé la serrure pour l'ouvrir,* on l'a cassée.

fragile adj. *Ce vase est fragile,* il se casse facilement ($\neq$ solide). *Il a une santé fragile* (= délicate ; $\neq$ robuste, vigoureux).

■ **fragilité** n.f. *Ce vase a la fragilité de la porcelaine* ($\neq$ solidité).

fragment n.m. **1.** *Paul recolle les fragments du pot cassé,* les morceaux (= débris). **2.** *J'ai lu des fragments de ce roman,* des passages.

■ **fragmentaire** adj. SENS 2 *J'ai des connaissances fragmentaires en histoire* (= partiel ; $\neq$ complet).

■ **fragmenter** v. SENS 1 *Le gel a fragmenté la pierre.* SENS 2 *Le roman a été fragmenté en épisodes de feuilleton* (= diviser).

1. frais, fraîche adj. **1.** *Élise a bu un verre d'eau fraîche,* un peu froide ($\neq$ tiède). **2.** *Ces œufs sont frais,* pondus depuis peu et bons à manger ($\neq$ avarié). **3.** *As-tu des nouvelles fraîches de Diane ?,* récentes. **4.** *Attention, la peinture est encore fraîche,* elle n'est pas sèche.

■ **frais** n.m. SENS 1 *Je prends le frais sur le pas de la porte,* je profite de la fraîcheur de l'air.

■ **fraîchement** adv. SENS 1 *Il s'est fait accueillir très fraîchement,* avec froideur. SENS 2 *Ce banc a été fraîchement repeint* (= récemment).

■ **fraîcheur** n.f. SENS 1 *Attention à la fraîcheur de la nuit,* à la température fraîche. SENS 2 *La date limite de fraîcheur des œufs est indiquée sur la boîte,* de bonne conservation.

■ **fraîchir** v. SENS 1 *Le temps fraîchit,* il devient plus frais.

■ **défraîchi, e** adj. SENS 2 *Cette robe est défraîchie,* elle a perdu sa fraîcheur, son aspect de neuf.

■ **rafraîchir** v. **1.** SENS 1 *J'ai soif, je vais me rafraîchir,* boire quelque chose de frais. *Le temps se rafraîchit* ($\neq$ se réchauffer). **2.** *Denis me doit 5 dollars, je vais lui rafraîchir la mémoire,* le lui rappeler.

■ **rafraîchissant, e** adj. SENS 1 *Une orangeade glacée est une boisson rafraîchissante.*

■ **rafraîchissement** n.m. SENS 1 *On a servi des rafraîchissements,* des boissons fraîches.

2. frais n.m.pl. **1.** *Cette réparation a entraîné des frais,* des dépenses. *J'ai eu des faux frais,* des dépenses supplémentaires imprévues. **2.** *Qui va faire les frais de cette décision ?,* en subir les inconvénients. **3.** *Annie m'a téléphoné à frais virés,* j'ai accepté de payer les frais d'appel.

■ **défrayer** v. **1.** SENS 1 *Paul a été défrayé de tout,* on lui a payé toutes ses dépenses (= rembourser). **2.** *Ce scandale défraie la chronique,* tout le monde en parle. **R.** → *fret.*

fraise n.f. **1.** *On a mangé des fraises,* le fruit rouge du fraisier. **2.** *La dentiste approche sa fraise de la dent cariée,* un instrument tournant qui sert à creuser (= roulette). **3.** *Autrefois, à la cour, on portait une fraise autour du cou,* un grand col en forme de roue à plis.

■ **fraiser** v. SENS 2 *Fraiser un trou,* c'est l'évaser avant d'y mettre une vis.

■ **fraiseur, euse** n. SENS 2 *Un fraiseur est un ouvrier qui travaille sur une machine à fraiser appelée fraiseuse.*

■**fraisier** n.m. SENS 1 *Mme Levert a des fraisiers dans son jardin,* des plantes.

framboise n.f. *Nous avons mangé une tarte aux framboises,* le petit fruit rouge du framboisier (un arbuste).

1. franc n.m. *Vous voulez payer en francs français ou en francs suisses ?,* des monnaies.

2. franc, franche adj. **1.** *C'est une personne franche,* elle ne ment pas (= sincère ; ≠ hypocrite). **2.** *Ce colis est franc de port,* les frais d'envoi ont été payés par l'expéditeur. **3.** *L'arbitre a sifflé un coup franc,* une faute au soccer.

■**franchement** adv. **1.** SENS 1 *Je vais te parler franchement,* ouvertement. **2.** *Le temps est franchement mauvais* (= très).

■**franchise** n.f. SENS 1 *Parlons en toute franchise,* sincérité. SENS 2 *Certaines lettres bénéficient de la franchise postale,* on ne paie pas de timbre.

■**franco** adv. SENS 2 *Ce colis a été expédié franco,* franc de port.

■**affranchir** v. **1.** SENS 2 *Cette lettre a été affranchie avec un timbre à 50 cents.* **2.** *Un seigneur pouvait affranchir un serf,* le rendre libre.

■**affranchissement** n.m. SENS 2 *L'affranchissement du paquet coûte 2 dollars.*

français, e n.m. et adj. *Le français, la langue française est parlé sur tous les continents,* la langue originaire de la France. *L'industrie française se porte bien,* de la France.

■**francisation** n.f. **1.** *La francisation des entreprises est devenue un objectif du gouvernement,* la généralisation de l'usage français. **2.** *Le président affiche avec fierté le certificat de francisation de son entreprise,* un document qui atteste que l'usage français y est suffisamment répandu.

■**franciser** v. *Il faut franciser cette entreprise,* y généraliser l'usage du français.

■**francophile** adj. et n. *M. Ferreira est très francophile,* il aime la France, les Français, la langue et la culture française.

■**francophone** adj. et n. *Il y a environ 150 000 francophones dans le monde,* des personnes qui parlent le français.

■**francophonie** n.f. *La francophonie est l'ensemble des pays qui sont entièrement ou partiellement de langue française.*

franchir v. *Il est interdit de franchir cette limite,* d'aller au-delà.

■**franchissement** n.m. *Le franchissement de la frontière est contrôlé.*

■**infranchissable** adj. *Ces montagnes forment une barrière infranchissable,* impossible à franchir.

franchise → *franc* 2.

franc-maçon, onne n. *Les francs-maçons sont les membres d'une société secrète d'entraide et de solidarité, la franc-maçonnerie.*

franco → *franc* 2.

franc-parler n.m. *Julie a son franc-parler,* elle n'hésite pas à dire tout ce qu'elle pense, même si c'est désagréable.

franc-tireur n.m. *Des francs-tireurs sont des combattants n'appartenant pas à une armée régulière.*

frange n.f. **1.** *Un tapis à franges a une bordure de fils qui pendent.* **2.** *Marie a coupé sa frange,* les cheveux qui lui tombaient sur le front.

frangipane n.f. *La frangipane est une crème aux amandes utilisée en pâtisserie.*

franquette (à la bonne) loc.adv. *On a fait un dîner entre amis à la bonne franquette,* sans façons, sans se gêner.

frapper v. **1.** *Frappez à la porte avant d'entrer !,* donnez des coups (= taper). **2.** *On ne doit pas frapper un animal* (= battre). **3.** *Frapper une pièce de monnaie,* c'est lui donner une empreinte en relief. **4.** *Ce détail m'avait frappé,* il avait attiré mon attention.

■ **frappant, e** adj. SENS 4 *Une ressemblance frappante se remarque tout de suite.*

■ **frappe** n.f. **1.** SENS 2 *La force de frappe d'un pays* est l'ensemble de ses armes atomiques. **2.** *Sophie fait des fautes de frappe en tapant à la machine,* des erreurs en tapant les lettres.

frasil n.m. *Au printemps le frasil flotte sur l'eau,* des cristaux de glace.

fraternel, fraternellement, fraterniser, fraternité → **frère.**

fraude n.f. *Il y a une fraude quand on triche* par rapport à un règlement.

■ **frauder** v. *Tu as fraudé le fisc ?* (= tromper).

■ **fraudeur, euse** n. *Les fraudeurs seront punis,* les tricheurs.

■ **frauduleux, euse** adj. *Une déclaration de revenus frauduleuse* est destinée à tromper (= malhonnête).

■ **frauduleusement** adv. *Il avait imité frauduleusement ma signature.*

frayer v. **1.** *On va se frayer un chemin dans la foule,* se faire un passage (= se tracer). **2.** *Elle frayait peu avec ses voisins,* elle les fréquentait peu.

frayeur n.f. *Anne a poussé un cri de frayeur,* de grande peur (= effroi, terreur, épouvante).

■ **effrayer** v. *Paul est effrayé par les histoires de fantômes,* il en a peur (= épouvanter).

■ **effrayant, e** ou **effroyable** adj. *Tu nous as raconté une histoire effrayante,* terrifiante. *Il y a une misère effroyable dans ce pays* (= épouvantable, terrible).

■ **effroi** n.m. *Marie a les yeux pleins d'effroi* (= terreur, épouvante).

■ **effroyablement** adv. *Tout cela est effroyablement compliqué* (= horriblement, terriblement).

fredonner v. *Marie fredonne dans son bain,* elle chante à mi-voix.

frégate n.f. *Une frégate* est un bateau de guerre.

frein n.m. **1.** *L'accident est dû à une rupture des freins,* du mécanisme qui permet de ralentir ou d'arrêter un véhicule. **2.** *Je rongeais mon frein en attendant de pouvoir m'expliquer,* j'étais plein d'impatience (= bouillir). **3.** *Tu dois mettre un frein à ta gourmandise,* chercher à l'arrêter.

■ **freiner** v. SENS 1 *Ce virage est dangereux, freine !,* actionne le frein pour ralentir. SENS 3 *Benoît doit freiner ses élans amoureux,* les restreindre.

■ **freinage** n.m. SENS 1 *Il y a des traces de freinage sur la route.*

frelaté, e adj. *Ce vin est frelaté,* on y a ajouté frauduleusement des produits (= trafiqué ; ≠ pur).

frêle adj. *Fatima est frêle* (= fragile ; ≠ robuste).

frelon n.m. *La piqûre du frelon est très douloureuse,* une grosse guêpe.

freluquet n.m. Fam. *Ce n'est pas ce freluquet qui pourra déménager l'armoire !,* cet homme malingre, chétif (= gringalet).

frémir v. *Dire que tu aurais pu être tuée, j'en frémis !* (= trembler).

■ **frémissement** n.m. *Un frémissement est un léger tremblement.*

frêne n.m. *Cette armoire est en frêne,* un arbre au bois blanc jaunâtre.

frénésie n.f. *Son discours a été applaudi avec frénésie par toute la salle,* très vivement (= délire).

■ **frénétique** adj. *Des hurlements frénétiques se sont déchaînés* (= fou).

■ **frénétiquement** adv. *La foule applaudissait frénétiquement.*

fréquent, e adj. *Les visites de Lori sont fréquentes,* elles ont lieu souvent (= répété ; ≠ rare).

■ **fréquence** n.f. *Quelle est la fréquence de ce mot dans la page ?,* le nombre de fois où il apparaît.

→ p. 369

truie

porcelet (goret)

chèvre

porc (cochon)

bouc

auge

chevreau (cabri)

pesage

bascule

fusil de chasse

carnier

cartouche

plombs

cartouchière

maquignon

chevaux

MACHINES AGRICOLES

machines agricoles

champ de foire

agriculteurs et agricultrices

bovin

bestiaux

bœuf

vache

veau

taureau

mulet

bât

âne

bélier

mouton

brebis

agneau

362

pulvérisateur d'insecticide

arbre fruitier

faucille

râteau

dents

manc

faux

fourche

houe

apiculture

enfumoir

rayon de miel

ruche

alvéoles

abeille

poulie

grange

séchoir à maïs

puits

por

poulailler (basse-cour)

cour

fermière

les animaux de la basse-cour

dindon

oie

pigeon

chat

pigeonnier

crête

coq

poule

canard

pintade

lapin

illère (fourgon à bestiaux)

meule

fléau

charrette

carriole

joug   timon

brancards

fumier

silos

meule

porcherie

mare

abreuvoir

hangar à matériel

tracteur

échelle

volaille

écurie

fleurs des champs

bouton-d'or

aster

marguerite   pissenlit

récolte des pommes

pommier   gaule

panier

chauve-souris

tamia suisse

lézard

souris

rat

hanneton (insecte)

araignée (arthropode)

guêpe (insecte)

charançon (insecte)

doryphore (insecte)

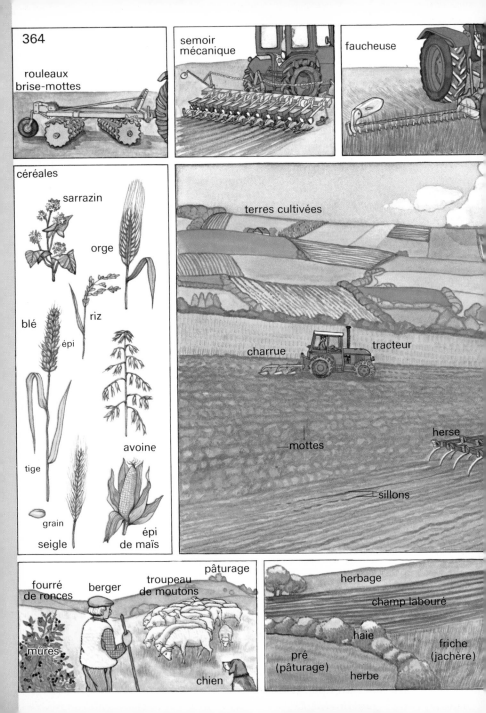

364

rouleaux
brise-mottes

semoir
mécanique

faucheuse

céréales

sarrazin

orge

riz

blé

épi

avoine

tige

grain

seigle

épi
de maïs

terres cultivées

charrue

tracteur

mottes

herse

sillons

pâturage

fourré
de ronces

berger

troupeau
de moutons

mûres

chien

herbage

champ labouré

haie

friche
(jachère)

pré
(pâturage)

herbe

ramasseuse-presse

paille

meule de foin

éclair (foudre)

orage

lline

village

bois

cultivateur

plantes fourragères

luzerne

betterave

trèfle

sainfoin

plantes oléagineuses

colza

noix

ssonneuse-batteuse

0 0

remorque

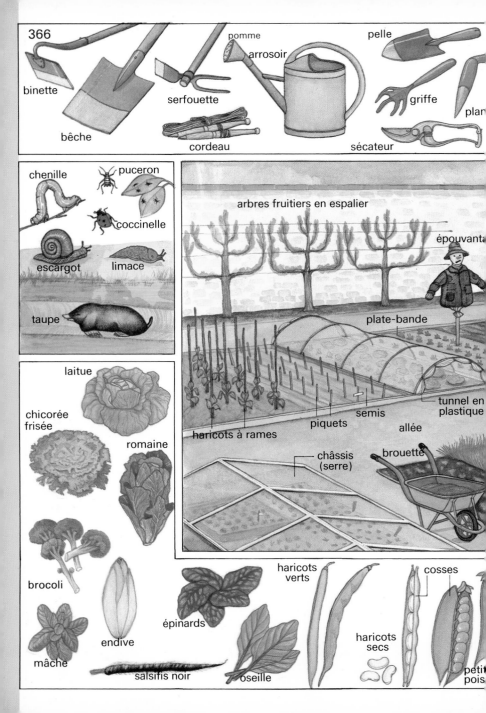

366

binette

bêche

serfouette

cordeau

pomme

arrosoir

pelle

griffe

plan

sécateur

chenille

puceron

coccinelle

escargot

limace

taupe

arbres fruitiers en espalier

épouvanta

plate-bande

tunnel en plastique

haricots à rames

piquets

semis

allée

châssis (serre)

brouette

laitue

chicorée frisée

romaine

brocoli

endive

mâche

salsifis noir

épinards

oseille

haricots verts

haricots secs

cosses

petit pois

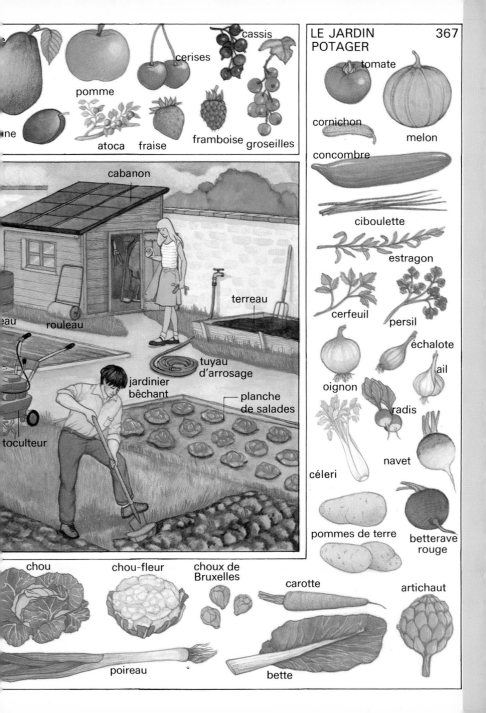

cassis

cerises

pomme

ne

atoca fraise

framboise groseilles

tomate

cornichon

melon

concombre

ciboulette

estragon

cerfeuil persil

échalote

ail

oignon

radis

navet

céleri

pommes de terre

betterave
rouge

cabanon

terreau

au rouleau

tuyau
d'arrosage

jardinier
bêchant

planche
de salades

toculteur

chou chou-fleur choux de
Bruxelles

carotte

artichaut

poireau bette

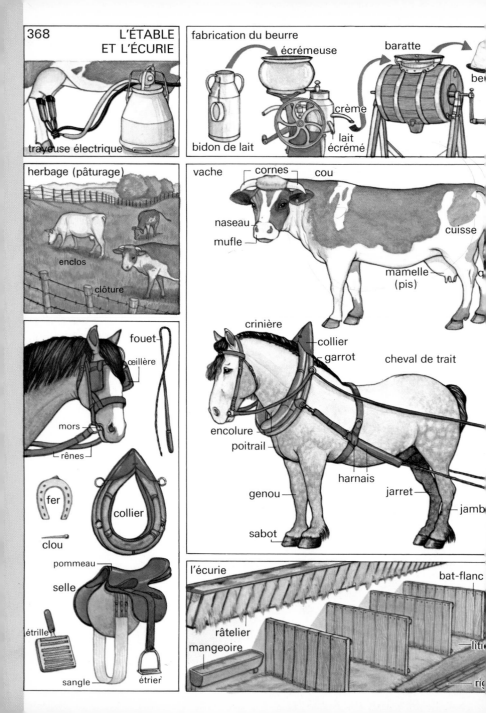

trayeuse électrique

fabrication du beurre

écrémeuse

baratte

be

crème

lait écrémé

bidon de lait

herbage (pâturage)

enclos

clôture

vache

cornes

cou

naseau

mufle

cuisse

mamelle (pis)

q

fouet

œillère

crinière

collier

garrot

cheval de trait

mors

rênes

encolure

poitrail

fer

collier

harnais

jarret

clou

genou

jamb

pommeau

selle

sabot

étrille

l'écurie

bat-flanc

râtelier

mangeoire

litiè

sangle

étrier

ri

■ **fréquemment** adv. *Ces accidents arrivent fréquemment* (= souvent).

fréquenter v. 1. *Maïté fréquente beaucoup les cinémas,* elle y va souvent. 2. *Tu fréquentes des gens malhonnêtes,* tu les rencontres souvent. *Claude et Diane se fréquentent,* ils sortent ensemble.
■ **fréquentation** n.f. SENS 1 *Le taux de fréquentation des cinémas baisse.* SENS 2 (au plur.) *Fatima a de bonnes fréquentations,* elle fréquente des gens recommandables (= relations, connaissances).

frère n.m. *Paul est le frère de Marie,* il a les mêmes parents qu'elle, elle est sa sœur.
■ **demi-frère** n.m. *Un demi-frère* est un frère né du même père ou de la même mère seulement.
■ **fraternel, elle** adj. *J'ai pour lui une affection fraternelle,* comme celle qui existe entre frères ou entre frères et sœurs.
■ **fraternellement** adv. *Dans l'équipe, on s'entraide fraternellement,* comme des frères.
■ **fraternité** n.f. *La fraternité,* ce sont les rapports fraternels qui existent entre des personnes.
■ **fraterniser** v. *Ces deux personnes ont vite fraternisé,* elle se sont senties comme frères.
R. Noter le pluriel : des *demi-frères.*

fresque n.f. *Il y a de belles fresques dans cette église,* des peintures sur les murs.

fret n.m. *Le fret d'un navire,* c'est sa cargaison, ou le prix du transport des marchandises.
R. *Fret* se prononce [frɛ] comme *frais.*

fréter v. *On a frété un car pour la colonie de vacances,* on l'a loué.

frétiller v. *Le chien a la queue qui frétille,* qui s'agite avec des mouvements vifs.

fretin n.m. *La police a emmené quelques suspects et relâché le menu fretin,* les personnes de peu d'intérêt pour elle.

friable adj. *La craie est une roche friable,* qui s'effrite facilement, se réduit en poudre.

friand, e adj. *La chatte est friande de lait,* elle l'aime beaucoup (= gourmand).
■ **friandise** n.f. *Les enfants adorent les friandises,* les bonbons, les sucreries.

fric n.m. Très fam. *Ça coûte beaucoup de fric,* d'argent.

fricassée n.f. *Une fricassée* est un ragoût fait à la casserole.

friche n.f. *Ce champ est en friche,* il n'est pas cultivé (= inculte). | 364
■ **défricher** v. *Défricher un terrain inculte,* c'est le mettre en culture.
■ **défrichement** n.m. *Le défrichement de ces bois permettra de nouvelles cultures.*
■ **défricheur, euse** n. *Les Canadiens ont été de rudes défricheurs,* ils ont abattu beaucoup d'arbres, enlevé beaucoup de roches pour agrandir le territoire agricole.

fricoter v. Fam. *Qu'est-ce qu'ils fricotent ensemble, ces deux là ?,* qu'est-ce qu'ils font de louche ? (= manigancer, trafiquer).

friction n.f. *Stephen s'est fait une friction au gant de crin,* il s'est frotté la peau.
■ **frictionner** v. *Jean s'est frictionné pour se réchauffer.*

frigorifier v. 1. *Ce poisson a été frigorifié,* mis au froid pour être conservé. 2. Fam. *Je suis frigorifié,* j'ai très froid (= gelé).
■ **frigorifique** adj. SENS 1 *Un réfrigérateur est un appareil frigorifique,* qui produit du froid. | 223
■ **frigo** n.m. SENS 1 Fam. *Remets le beurre au frigo* (= réfrigérateur).

frileux, euse adj. *Aziza est plus frileuse que Judith,* plus sensible au froid.

frimas n.m. *On appelle parfois frimas* un brouillard givrant.

■ **frimasser** v. *Il a frimassé la nuit dernière,* il y a eu du givre.

frime n.f. Fam. *Elle ne pleure pas vraiment, c'est de la frime,* ce n'est pas sérieux (= comédie).

frimousse n.f. *Quelle jolie frimousse !* (= visage, figure).

fringale n.f. Fam. *Quand est-ce qu'on mange ? J'ai une fringale terrible* (= faim).

fringant, e adj. *Un cheval fringant* est très vif.

fripé, e adj. *Ma robe est fripée,* elle est chiffonnée, froissée.

■ **friper** v. *Ton pantalon va se friper* (= chiffonner).

■ **défriper** v. *Mets la jupe bien à plat pour la défriper* (= défroisser).

fripier, ère n. *Un fripier* est un marchand de vêtements usagés.

fripon, onne adj. et n. *Petite friponne !,* coquine.

fripouille n.f. *Méfie-toi de lui, c'est une fripouille,* une personne malhonnête (= canaille, crapule).

frire v. *Les pommes de terre sont en train de frire,* de cuire dans une matière grasse bouillante.

■ **frite** n.f. *J'ai mangé un bifteck avec des frites,* des pommes de terre frites.

■ **friteuse** n.f. *Plongez vos beignets dans la friteuse,* le récipient qui sert à faire frire.

■ **friture** n.f. *On a mangé une friture de poissons,* des poissons frits.

R. *Frire* s'emploie surtout à l'infinitif et au participe. → Conj. n° 83.

frise n.f. *Une frise* est un ornement d'architecture.

friser v. 1. *Ses cheveux frisent naturellement,* ils bouclent. 2. *Il frise la quarantaine,* il approche des quarante ans.

■ **frisé, e** adj. SENS 1 *Aïcha a les cheveux frisés,* bouclés.

■ **frisette** n.f. SENS 1 *Ce bébé a des frisettes,* des petites boucles.

■ **défriser** v. SENS 1 *La pluie a défrisé mes cheveux,* elle a défait leurs boucles.

frisquet, ette adj. Fam. *Ce petit vent est frisquet,* il est très frais, plutôt froid.

frisson n.m. *Ruth doit être malade, elle a des frissons,* des tremblements.

■ **frissonner** v. *J'ai froid, je frissonne,* je grelotte.

frite, friteuse, friture → *frire.*

frivole adj. *Lire des journaux de mode est une occupation un peu frivole* (= futile ; ≠ sérieux).

■ **frivolité** n.f. *La frivolité d'une conversation,* c'est son caractère superficiel (= légèreté ; ≠ gravité).

froc n.m. *Un froc* est un habit de moine.

■ **défroqué, e** adj. et n. *Un prêtre défroqué* a quitté l'habit et l'état religieux.

froid, e adj. 1. *La neige est froide* (≠ chaud). 2. *Paul a un regard froid* (= dur ; ≠ chaleureux).

■ **froid** adv. 1. SENS 1 *Il fait froid ce matin.* 2. *Ce métal se travaille à froid,* sans qu'on le chauffe. 3. *Cette histoire ne me fait ni chaud ni froid,* elle me laisse indifférent.

■ **froid** n.m. SENS 1 *Marie craint le froid,* les températures froides (≠ chaleur). SENS 2 *Paul et moi, nous sommes en froid,* fâchés.

■ **froidement** adv. SENS 2 *Elle nous a accueillis froidement,* sans empressement (≠ chaleureusement). *Elle a froidement tué son chien,* sans aucun scrupule.

■ **froideur** n.f. SENS 2 *Elle nous a reçus avec froideur* (= réserve ; ≠ chaleur).

■ **froidure** n.f. *La froidure s'en vient,* le temps froid.

■ **refroidir** v. SENS 1 *La soupe va refroidir,* devenir froide (≠ chauffer). SENS 2 *Son ardeur se refroidit,* elle diminue.

■ **refroidissement** n.m. SENS 1 *On annonce un refroidissement de la température* (≠ réchauffement).

froisser v. 1. *Les draps sont tout froissés* (= chiffonner). 2. *Cette athlète s'est froissé un muscle,* elle s'est fait une entorse. 3. *C'est ma remarque qui t'a froissé ?* (= vexer).
■ **froissement** n.m. SENS 1 *On a entendu un froissement de tôle,* un bruit produit par la tôle froissée. SENS 2 *Elle a dû abandonner à la suite d'un froissement de muscle.*
■ **défroisser** v. SENS 1 *Les rideaux sont défroissés. Le tôlier a défroissé la carrosserie.*

frôler v. 1. *La balle lui a frôlé l'épaule,* elle est passée très près (= effleurer). 2. *Aïda a frôlé la mort,* elle a failli mourir.
■ **frôlement** n.m. SENS 1 *Il a la peau si irritée que le moindre frôlement est douloureux.*

fromage n.m. *Le camembert, le gruyère, le roquefort sont des fromages,* des produits faits avec du lait caillé.
■ **fromager, ère** n. *Un fromager est un fabricant ou un marchand de fromage.*

1. fromager → *fromage.*

2. fromager n.m. *Le fromager est un très grand arbre d'Afrique et des Antilles.*

froment n.m. *La meunière vend de la farine de froment,* de blé.

froncer v. 1. *Quand Paul fronce les sourcils, c'est qu'il est mécontent,* il plisse les sourcils en les rapprochant. 2. *Froncer un tissu,* c'est y faire des plis.
■ **froncement** n.m. SENS 1 *Le froncement de ses sourcils lui donne l'air dur.*
■ **fronce** n.f. SENS 2 *Une jupe à fronces a des plis ondulés.*

frondaison n.f. *Les frondaisons,* c'est le feuillage des arbres.

fronde n.f. 1. *Une fronde est un lance-pierres.* 2. *Une fronde s'est manifestée dans l'assemblée,* un mouvement d'opposition à la direction.
■ **frondeur, euse** adj. SENS 2 *Un esprit frondeur* brave l'autorité (= critique, moqueur).

front n.m. 1. *Marie a une frange sur le front,* le haut du visage, au-dessus des sourcils. 2. *Les soldats qui sont au front* sont dans la zone de combat où les armées sont face à face. 3. *Que de difficultés auxquelles il va falloir faire front !,* faire face. 4. *Tu mènes de front plusieurs affaires,* en même temps. 5. Fam. *Didier a du front tout le tour de la tête,* il a du toupet.

frontière n.f. *À la frontière, les douaniers nous ont demandé nos passeports,* à la limite qui sépare deux pays.
■ **frontalier, ère** adj. *La population frontalière* est celle qui habite près d'une frontière.

frontispice n.m. *Un frontispice est un titre orné de dessins à la première page d'un livre.*

fronton n.m. *Un fronton est un ornement architectural au-dessus de l'entrée principale d'un édifice.*

frotter v. 1. *Il faut frotter le linge avec du savon,* passer plusieurs fois, en appuyant, le savon sur le linge. 2. *La porte frotte sur le sol,* elle racle le sol. 3. *Je l'ai bien eu, je m'en frotte les mains,* je m'en réjouis.
■ **frottement** n.m. SENS 2 *On entend un frottement sur ce disque,* quelque chose qui frotte.

frousse n.f. Fam. *J'ai eu la frousse dans la nuit,* j'ai eu peur.
■ **froussard, e** adj. et n. Fam. *Paul est froussard* (= peureux).

fructifier, fructueux → *fruit.*

frugal, e, aux adj. *Je me contenterai d'un repas frugal* (= léger ; ≠ copieux).
■ **frugalité** n.f. *Excusez la frugalité de ce repas.*

fruit n.m. 1. *Le pommier est en fleur, il va bientôt y avoir des fruits.* 2. *Ce travail a porté ses fruits,* il a été utile, profitable. 3. *Ce livre est le fruit de plusieurs années de travail* (= résultat). 4. (au plur.) *On*

33

579

222

*a mangé des **fruits de mer,** des crustacés, des coquillages.*

■ **fruité, e** adj. SENS 1 *Voilà un vin très fruité,* qui a un arôme bien marqué.

■ **fruitier, ère** adj. SENS 1 *Le cerisier est un arbre fruitier,* qui produit des fruits.

■ **fructifier** v. SENS 2 *On a de l'argent et on le fait fructifier,* rapporter des intérêts.

■ **fructueux, euse** adj. SENS 2 *Ta démarche a été fructueuse* (= utile, profitable).

■ **infructueux, euse** adj. SENS 2 *Notre tentative a été infructueuse,* elle n'a pas porté ses fruits (= vain).

frusques n.f.pl. *Fam.* Des *frusques* sont de vieux vêtements.

fruste adj. *Ce sont des manières un peu frustes,* qui manquent de finesse (= grossier).

frustrer v. *Paul se sent frustré : il voulait manger des fraises, et il n'en reste plus, il est déçu, parce qu'il est privé de ce qu'il attendait.*

■ **frustration** n.f. *Ce refus lui a causé un sentiment de frustration* (= privation, déception).

FTQ. n.f. Le *FTQ* est la Fédération des travailleurs et travailleuses du Québec.

fuchsia n.m. Un *fuchsia* est une plante à fleurs décoratives.

R. On prononce [fyʃja].

fugace adj. *J'ai eu un sentiment fugace* (= passager, court ; ≠ durable, tenace).

fugitif, fugue, fugueur → *fuir.*

fuir v. 1. *Ne fais pas de bruit, tu vas faire fuir les oiseaux* (= se sauver). 2. *On dirait que Lise me fuit,* qu'elle cherche à m'éviter. 3. *Le robinet du lavabo fuit,* il laisse couler de l'eau.

■ **fuite** n.f. 1. SENS 1 *On a pris la fuite,* on a fui (= s'enfuir). SENS 3 *Il y a une fuite de gaz,* le gaz s'échappe. 2. *Ce projet était secret, mais il y a eu des fuites,* des indiscrétions qui l'ont fait connaître.

■ **fugitif, ive** 1. n. SENS 1 *On a retrouvé les fugitifs,* ceux qui avaient fui (=

fuyard). 2. adj. *Une sensation fugitive dure peu de temps* (= court, passager ; ≠ durable).

■ **fugue** n.f. SENS 1 *Ce jeune enfant a fait une fugue,* il s'est enfui de son domicile. SENS 2 Une *fugue* est un morceau de musique dans lequel des phrases musicales semblent être à la poursuite l'une de l'autre.

■ **fugueur, euse** adj. et n. SENS 1 *Ce jeune fugueur sera vite retrouvé.*

■ **fuyant, e** adj. SENS 2 *Vous avez remarqué ce regard fuyant ?,* qui fuit celui des autres.

■ **fuyard** n.m. SENS 1 *La police a rattrapé les fuyards,* ceux qui avaient pris la fuite (= fugitif).

■ **s'enfuir** v. SENS 1 *Les voleurs se sont enfuis,* ils sont partis en vitesse (= se sauver, filer, fuir).

R. → Conj. n° 17.

fulgurant, e adj. 1. *La douleur a été fulgurante,* très vive et très courte (= brutal). 2. *Cette voiture roule à une vitesse fulgurante,* extrêmement rapide.

fulminer v. *Ça ne sert à rien de fulminer contre eux,* de se mettre en colère.

fumé, e adj. *Marie porte des lunettes fumées,* aux verres de couleur sombre.

1. fumer v. 1. *La cheminée du salon tire mal, elle fume,* de la fumée s'en échappe. 2. *Paul fume une cigarette,* il aspire et rejette la fumée du tabac. 3. *Du jambon fumé* a été séché à la fumée d'un feu de bois.

■ **fumée** n.f. SENS 1 ET 2 *Une fumée grise sort de la cheminée,* ce qui se dégage des substances qui brûlent.

■ **fumeur, euse** n. SENS 2 *Les grands fumeurs nuisent à leur santé,* ceux qui fument beaucoup (≠ non-fumeur).

■ **fumigène** adj. SENS 1 *Une grenade fumigène* est destinée à produire de la fumée.

■ **enfumer** v. SENS 1 ET 2 *La pièce est enfumée,* remplie de fumée.

366, 362

■ **non-fumeur, euse** n. *Ce compartiment est réservé aux **non-fumeurs** et aux
non-fumeuses, ceux et celles qui ne
fument pas.*

2. fumer v. *Fumer la terre,* c'est y mettre
du fumier.

■ **fumier** n.m. *Un tas de **fumier** est dans
la cour de la ferme,* la matière formée par
de la paille et les excréments des bestiaux et servant d'engrais.

fumet n.m. *Je sens d'ici le **fumet** du civet
de lièvre,* l'odeur (= arôme).

fumeur → *fumer* 1.

fumeux, euse adj. *On a du mal à suivre
un discours aussi **fumeux*** (= confus,
obscur).

fumier → *fumer* 2.

fumigène → *fumer* 1.

fumiste n. **1.** *En France, le **fumiste** entretient les cheminées et les appareils de
chauffage* (= ramoneur). **2.** *Fam. Ce
sont tous des **fumistes** !,* ils ne sont pas
sérieux.

funambule n. *À la foire, il y avait une
funambule qui marchait sur une corde,*
une équilibriste.

funèbre adj. *Le service des **pompes funèbres** s'occupe des enterrements.

■ **funérailles** n.f.pl. *Les **funérailles** ont
lieu ce matin,* la cérémonie d'enterrement (= obsèques).

■ **funéraire** adj. *Un monument **funéraire** est élevé sur une tombe.*

funeste adj. *L'alcool est **funeste** à la
santé,* très nuisible (= fatal).

funiculaire n.m. *Pour aller au sommet,
on a pris le **funiculaire,*** la cabine tirée par
câble.

fur → *mesure.*

furet n.m. *Le **furet** est un petit animal
sauvage ressemblant à une belette.*

fureter v. *Je ne sais pas ce qu'il cherche, il est toujours en train de **fureter***
(= fouiller, fouiner).

fureur n.f. **1.** *Lori est dans une **fureur**
folle,* une grande colère. **2.** *Cette voiture
fait **fureur,*** elle remporte un grand
succès.

■ **furibond, e** adj. SENS 1 *Elle lui a jeté un
regard **furibond,*** furieux.

■ **furie** n.f. SENS 1 *Les assaillants attaquaient avec **furie*** (= fureur, violence).
*On ne pouvait pas la retenir, c'était une
vraie **furie,*** une femme furieuse.

■ **furieux, euse** adj. SENS 1 *Marie est
furieuse contre son frère,* très en colère.

■ **furieusement** adv. SENS 1 *On s'est
battu **furieusement** dans la ville.*

furoncle n.m. *Paul a un **furoncle** dans le
dos,* un gros bouton avec du pus
(= clou).

■ **furonculose** n.f. *Paul a de la **furonculose,*** il a des furoncles.

furtif, ive adj. *Luce a jeté un regard **furtif**
à sa montre,* sans se faire voir (= rapide,
discret ; ≠ ostensible).

■ **furtivement** adv. *Jean a regardé **furtivement** sa montre* (= rapidement,
discrètement).

fusain n.m. **1.** *L'allée est bordée de **fu-
sains,*** des arbrisseaux. **2.** *Il dessine au
fusain,* avec une sorte de crayon fait de
charbon de bois de fusain.

fuseau n.m. **1.** *Autrefois, on filait la laine
avec une quenouille et un **fuseau,*** un
bâtonnet pointu aux deux bouts. **2.** *La
Terre est divisée en 24 **fuseaux** horaires,*
en portions à l'intérieur desquelles
l'heure est la même. **3.** *Sonia a enfilé son
fuseau pour skier,* un pantalon rétréci
vers le bas.

fusée n.f. **1.** *Au feu d'artifice, il y avait des
fusées de toutes les couleurs,* des tubes
qui éclatent en l'air. **2.** *On a envoyé
une **fusée** dans l'espace,* un engin qui
se déplace en rejetant des gaz.

fuselage n.m. *Les ailes de l'avion sont
fixées sur le **fuselage,*** le corps de l'avion.

fuser v. *Les rires **fusent** dans la salle,* ils
jaillissent vivement.

224

582

803,
767,
511

fusible n.m. *Il n'y a plus d'électricité, il faut remplacer les **fusibles**,* les fils de plomb qui fondent en cas de court-circuit.

763, 361

fusil n.m. *J'ai entendu deux coups de **fusil**,* une arme à feu.

■ **fusilier** n. *Un **fusilier** marin* est un marin destiné à combattre à terre.

■ **fusiller** v. *On a **fusillé** l'espion,* on l'a tué à coups de fusil.

■ **fusillade** n.f. *Une **fusillade** a éclaté,* des coups de fusil.

R. *Fusil* se prononce [fyzi].

fusion, fusionner → *fondre.*

fustiger v. *L'oratrice a **fustigé** ses adversaires,* elle les a vivement critiqués.

fût n.m. **1.** *Le **fût** d'un arbre,* c'est le tronc. **2.** *On a mis le vin dans un **fût*** (= tonneau).

654

■ **futaie** n.f. SENS 1 *Une **futaie*** est une belle forêt.

■ **futaille** n.f. SENS 2 *Une **futaille*** est un grand tonneau.

R. *Fût* se prononce [fy] comme [*il*] *fut* (de *être*).

futé, e adj. et n. Fam. *Jean n'est pas très **futé** !* (= malin ; ≠ sot).

futile adj. *Leur conversation sur la mode est **futile** !,* frivole (≠ sérieux).

■ **futilité** n.f. *Quelle **futilité** d'esprit !* (= légèreté ; ≠ gravité). *Tu perds ton temps en **futilités**,* en occupations futiles, inutiles.

futur, e adj. *Cela servira aux générations **futures**,* à venir (= ultérieur ; ≠ passé).

■ **futur** n.m. **1.** *On ne peut connaître le **futur*** (= avenir). **2.** *Dans « je viendrai demain », « venir » est au **futur**,* au temps qui présente une action à venir.

■ **futuriste** adj. *Cette architecte a présenté un projet **futuriste**,* qui semble en avance sur la mode actuelle.

fuyant, fuyard → *fuir.*

gabardine n.f. *S'il pleut, je mettrai ma gabardine,* un manteau de pluie en tissu de laine très serré.

gabarit n.m. *Ce camion de déménagement a un gros gabarit,* il est haut et large (= dimensions).

gabegie n.f. *Il faut mettre fin à cette gabegie, sinon nous allons à la ruine,* ce désordre, cette mauvaise gestion (= gaspillage).

gabelle n.f. *Autrefois, on payait la gabelle,* un impôt sur le sel.

gâcher v. 1. *Le mauvais temps a gâché nos vacances,* il les a rendues peu agréables. 2. *Avant de réussir le dessin, on a gâché dix feuilles de papier,* on les a utilisées sans résultat (= gaspiller). 3. *Le maçon gâche du plâtre,* il prépare un mélange de plâtre et d'eau.
■ **gâchis** n.m. SENS 2 *Vous avez fait un beau gâchis en jouant avec des tubes de peinture,* vous avez tout abîmé, sali (= dégât).

gâchette n.f. *Quand on appuie sur la gâchette du revolver, le coup de feu part* (= détente).

gâchis → *gâcher.*

gadelle n.f. *Aimes-tu la gelée de gadelles ?,* des petites baies rouges, noires ou blanches réunies en grappes.
■ **gadelier** n.m. *Le gadelier est un arbuste qui produit des gadelles.*

gadget n.m. *Sa voiture est pleine de gad-*gets, *de petits objets amusants mais non indispensables.*
R. On prononce [gadʒɛt].

gadoue n.f. *Après cette pluie, on patauge dans la gadoue* (= boue).

gaffe n.f. 1. *J'ai repêché ta casquette avec une gaffe,* un long bâton muni d'un crochet. 2. Fam. *Marie a fait une gaffe en oubliant de saluer la directrice* (= sottise, maladresse).
■ **gaffeur, euse** n. et adj. SENS 2 Fam. *Sophie est une gaffeuse,* elle fait des gaffes.

gag n.m. *Ce film est une suite de gags,* de courtes scènes comiques.

gage n.m. 1. *Comme je ne pouvais pas payer, j'ai laissé ma montre en gage,* elle me sera rendue quand je paierai (= garantie). 2. *La règle de ce jeu dit que le perdant a un gage,* il doit accomplir une sorte de pénitence. 3. (au plur.) *C'est un espion aux gages d'un pays étranger,* il est payé par ce pays pour espionner.

gager v. *Je gage que je réussirai* (= parier).
■ **gageure** n.f. *C'est une gageure de vouloir faire tout ce travail en un jour,* un pari impossible.
R. On prononce [gaʒyr].

gagner v. 1. *Elle gagne beaucoup d'argent,* on lui en donne beaucoup pour son travail. 2. *Je gagne du temps,* j'en économise (≠ perdre). 3. *J'ai gagné la course,* je suis arrivée la première (= remporter ;

≠ perdre). **4.** *J'ai gagné la sortie,* je me suis dirigé vers elle. **5.** *L'incendie gagne la maison* (= atteindre).

■ **gagnant, e** adj. et n. SENS 3 *C'est Jean qui a le billet gagnant,* qui a gagné le lot. *Et voici notre gagnante !* (≠ perdant).

■ **gagne-pain** n.m.inv. SENS 1 *La pêche côtière est leur gagne-pain,* ce qui leur permet de subsister.

■ **gain** n.m. SENS 1 *Réaliser un gain,* c'est gagner de l'argent. SENS 2 *L'ordinateur permet un gain de temps,* de gagner du temps.

■ **regagner** v. SENS 2 *Il faudrait regagner le temps perdu* (= rattraper). SENS 4 *La famille Weber a regagné son pays,* elle y est retournée.

■ **regain** n.m. *L'économie a connu un regain d'activité* (= retour, renouveau).

gai, e adj. **1.** *C'est une femme très gaie,* qui aime rire* (= joyeux). **2.** *Des couleurs gaies* sont des couleurs claires et vives.

■ **gaiement** adv. SENS 1 *Les enfants chantaient gaiement* (= joyeusement).

■ **gaieté** n.f. *Le dîner a été d'une grande gaieté,* très gai.

■ **égayer** v. *Ce papier peint égaie l'appartement,* il le rend plus agréable.

R. *Gai* se prononce [gɛ] comme *gué.*

1. gaillard, e 1. adj. *Il a l'air gaillard,* frais et dispos. **2.** n. *Jacques est un solide gaillard,* un homme grand et fort.

■ **gaillardement** adv. SENS 1 *On a attaqué gaillardement la montée,* avec entrain.

■ **ragaillardir** v. SENS 1 *Ce petit repas nous a ragaillardis* (= réconforter, ravigoter).

2. gaillard n.m. *L'équipage du bateau loge dans le gaillard d'avant,* la partie surélevée du pont à l'avant (l'autre étant le *gaillard d'arrière*).

gain → gagner.

gaine n.f. **1.** *Le poignard est dans sa gaine* (= étui). **2.** *Grand-maman portait une gaine,* un sous-vêtement composé d'une bande élastique qui enserre la taille et les hanches.

■ **gainé, e** adj. SENS 1 *Ce coffret est gainé de cuir,* recouvert de cuir.

■ **dégainer** v. SENS 1 *L'escrimeuse avait dégainé son épée,* elle l'avait tirée hors du fourreau.

gala n.m. **1.** *Nous sommes allés à une soirée de gala,* à une fête officielle. **2.** *Un repas de gala* est abondant et raffiné.

galant, e adj. *Un homme galant* est plein d'attentions envers les femmes.

■ **galamment** adv. *Il a galamment offert sa place à une dame.*

■ **galanterie** n.f. *Dans le train, un monsieur a cédé sa place assise à une dame par galanterie,* par politesse envers elle.

galantine n.f. *Comme hors-d'œuvre, on a servi de la galantine,* un pâté entouré de gélatine.

galaxie n.f. *Les astronomes ont découvert de nombreuses galaxies,* d'immenses groupements d'étoiles.

galbe n.m. *Les jambes de cette statue ont un galbe parfait,* des courbes parfaites.

■ **galbé, e** adj. *Un meuble galbé* a des contours courbes.

gale n.f. La *gale* est une maladie de peau contagieuse.

■ **galeux, euse** adj. et n. *Une chienne galeuse* a la gale.

galère n.f. Les *galères* étaient des navires à rames et à voiles.

■ **galérien** n.m. *Autrefois, les galériens étaient condamnés à ramer sur les galères.*

galerie n.f. **1.** *Les taupes creusent des galeries dans le sol,* des longs couloirs souterrains (= tunnel). **2.** *Les enfants jouent sur la galerie,* un lieu de passage couvert qui longe les murs extérieurs d'un bâtiment. **3.** *Une galerie d'art* est un magasin où l'on expose et vend des œuvres d'art. **4.** *Les valises sont sur la galerie de la voiture,* sur un cadre métallique fixé au toit. **5.** *Tu es en train d'amuser la **galerie**, ceux qui t'écoutent* (= assistance).

galérien → *galère*.

galet n.m. *Dans les torrents, sur les plages, il y a des **galets**,* des cailloux polis par l'eau.

galette n.f. **1.** *Nous avons mangé une **galette**,* un gâteau rond et plat. **2.** *J'aime la **galette** de sarrasin,* une sorte de crêpe faite avec de la farine de sarrasin.

galeux → *gale*.

galimatias n.m. *Je ne comprends rien à ce **galimatias**,* à ces paroles compliquées, embrouillées (= charabia). **R.** On prononce [galimatja].

galion n.m. *L'Espagne possédait autrefois de nombreux **galions**,* des grands navires qui transportaient de l'or.

galipette n.f. *Les enfants font des **galipettes** sur la plage,* des culbutes pour jouer.

gallicisme n.m. *« Il y a », « c'est » sont des **gallicismes**,* des façons de parler particulières au français.

gallon n.m. *Le **gallon** est une mesure de capacité équivalant en Grande-Bretagne et au Canada à 4,54 litres et à 3,78 litres aux États-Unis.*

galoche n.f. **1.** *Les **galoches** sont des chaussures de cuir à semelles de bois.* **2.** *Un menton **en galoche** est relevé vers l'avant.*

galon n.m. **1.** *Le tissu des fauteuils est bordé d'un **galon**,* d'un ruban épais. **2.** *Sur les épaules de son uniforme sont cousus ses **galons** de lieutenant,* des rubans qui indiquent son grade. **3.** *Carole prend les mesures avec son **galon**,* un ruban divisé en centimètres.

galop n.m. *Le cheval part au **galop**,* à l'allure la plus rapide.

■ **galoper** v. *Les enfants **galopent** dans le jardin,* ils courent très vite.

■ **galopade** n.f. *On entend une **galopade** dans l'escalier,* des gens galoper.

galopin, e n. *Tu es un **galopin** !,* un petit garçon mal élevé et effronté (= polisson, garnement).

galvaniser v. **1.** *On **galvanise** le fil de fer pour qu'il ne rouille pas,* on le recouvre d'une couche de zinc. **2.** *Les paroles de l'oratrice **ont galvanisé** la foule,* elles lui ont donné envie de la suivre et de lui obéir (= enthousiasmer).

galvauder v. *Cette artiste **galvaude** son talent,* elle ne l'emploie pas bien.

gambade n.f. *Les enfants font des **gambades** dans l'herbe,* des bonds joyeux.

■ **gambader** v. *Les chèvres **gambadent** dans le pré.*

gamelle n.f. *Emporte ta **gamelle**,* le récipient fermé, en métal, où se trouve ton repas.

gamin, e **1.** n. Fam. *Marie est une **gamine**,* une enfant. **2.** adj. *Elle a un esprit **gamin*** (= espiègle, malicieux).

■ **gaminerie** n.f. (au plur.) *Arrête tes **gamineries** et sois un peu sérieux* (= enfantillages).

gamme n.f. **1.** *Les élèves chantent la **gamme** de « do »,* la suite de notes de musique qui part de *do.* **2.** *L'acheteuse choisit la couleur de sa voiture dans la **gamme** qu'on lui propose,* la série de couleurs.

gang n.m. *Nickie faisait partie d'un **gang**,* d'une bande organisée de malfaiteurs.

■ **gangster** n.m. *La police a arrêté les **gangsters*** (= bandit).

■ **gangstérisme** n.m. *La police lutte contre le **gangstérisme**,* l'action des gangsters.

ganglion n.m. *Un abcès dentaire m'a causé des **ganglions** au cou,* des petites boules sous la peau.

gangrène n.f. *À la suite d'une blessure mal soignée, on peut attraper la **gan-***

763

grène, une maladie qui provoque la pourriture des chairs.

■ **gangrener** v. *La plaie risque de se gangrener,* d'être infectée par la gangrène.

gangster, gangstérisme → *gang.*

gangue n.f. *On sépare le minerai de la gangue,* de la terre et des pierres qui y sont mêlées.

ganse n.f. **1.** *Il a pris le temps de bien recoudre la ganse de son paletot,* le petit cordon qui sert à suspendre (= bride). **2.** Fam. *Il le tient par la ganse,* solidement. **3.** *Cette robe est ornée d'une ganse,* un ruban décoratif.

gant n.m. **1.** *On se protège les mains du froid avec des gants.* **2.** *Prends le gant de toilette pour te laver la figure,* une poche en tissu-éponge. **3.** *Cette robe te va comme un gant,* elle te va parfaitement. **4.** *Je n'ai pas pris de gants pour lui dire ce que je pensais,* je le lui ai dit directement, sans ménagement.

■ **ganté, e** adj. *Une personne gantée* porte des gants.

37, 653

75

garage n.m. **1.** *Elle rentre sa voiture au garage,* dans un lieu couvert et fermé. **2.** *La voiture est en réparation dans un garage,* un atelier de mécanicien.

■ **garagiste** n. SENS 2 *La garagiste a dépanné la voiture.*

garantir v. **1.** *Cette machine est garantie un an,* la compagnie la réparera gratuitement pendant un an. **2.** *Tout sera prêt, je vous le garantis* (= affirmer, certifier, assurer). **3.** *Ce chapeau te garantira du soleil* (= protéger).

■ **garantie** n.f. SENS 1 *La voiture a une garantie de six mois,* elle est garantie six mois.

■ **garant, e** adj. et n. SENS 2 *Je me porte garante de son honnêteté,* je la garantis absolument.

garçon n.m. **1.** *M. et Mme Dupont ont une fille et un garçon* (= fils). **2.** *C'est un garçon sympathique* (≠ fille).

3. *Mon oncle est resté vieux garçon,* il ne s'est pas marié (= célibataire). **4.** *Un garçon boucher est un jeune homme employé chez un boucher.*

■ **garçonnet** n.m. SENS 2 *Mathieu est un garçonnet de cinq ans,* un petit garçon (≠ fillette).

garde → *garder.*

garde-à-vous n.m.inv. *Être au garde-à-vous,* c'est se tenir immobile, très droit, talons serrés.

garder v. **1.** *Hervé garde ses petits frères* (= surveiller). *Le chien garde la maison,* il la défend contre les voleurs (= protéger). **2.** *Au congélateur, on peut garder la viande six mois,* elle se conserve pendant six mois. **3.** *Judith a gardé sa montre pour se baigner,* elle l'a laissée à son poignet. **4.** *Je t'ai gardé une part de gâteau,* je te l'ai réservée. **5.** *Je garde un bon souvenir de cette promenade,* il m'en reste un bon souvenir (= conserver). **6.** *Sa maladie l'a obligé à garder le lit,* à rester couché. **7.** *Je me garderai de la gronder,* j'éviterai de la gronder (= s'abstenir). **8.** *Gardez-vous des voleurs,* méfiez-vous, protégez-vous d'eux.

■ **garde** n.f. **1.** SENS 1 *Mes voisins ont la garde de mon chien,* ils le gardent. *La garde est un groupe de personnes préposées à la sécurité d'un lieu, d'un édifice.* SENS 8 *La judoka se met en garde,* elle se prépare à éviter les coups de son adversaire. *Prends garde, ce chien est méchant,* fais attention. (au plur.) *Je suis sur mes gardes,* je me méfie. **2.** *La garde d'un poignard* est située entre la lame et la poignée et sert à protéger la main.

■ **garde** n. SENS 1 *La prisonnière a échappé à ses gardes* (= gardien).

■ **garde** ou **garde-malade** n. SENS 1 *Le malade a été surveillé toute la nuit par un garde-malade* (= infirmier).

■ **garde-barrière** n. SENS 1 *Les gardes-barrière(s) manœuvrent les barrières des passages à niveau.*

■ **garde-boue** n.m.inv. SENS 8 *Une bicyclette de course n'a pas de garde-*

boue, de bandes de métal qui empêchent les projections de boue.

■ **garde-chasse** n.m. SENS 1 *Les gardes-chasse(s) protègent le gibier contre les braconniers.*

■ **garde-fou** n.m. SENS 8 *Les garde-fous d'un pont sont les barrières qui empêchent les passants de tomber du pont.*

■ **garde-manger** n.m.inv. SENS 2 *Les fruits sont dans le garde-manger,* une petite armoire où l'on conserve des aliments.

■ **garde-robe** n.f. SENS 2 *La garde-robe de quelqu'un est l'ensemble de ses vêtements. Range ta jupe dans la garde-robe* (= penderie).

■ **garderie** n.f. SENS 1 *Xavier passe ses journées à la garderie, car ses parents travaillent,* un endroit où l'on s'occupe des enfants.

■ **gardien, enne** n. SENS 1 *La gardienne d'un immeuble est celle qui le garde. Jean est le gardien de but de notre équipe de hockey. Je suis la gardienne des enfants de Mme Durand,* je les surveille quand elle sort.

■ **arrière-garde** n.f. SENS 1 *L'arrière-garde d'une armée,* ce sont les soldats détachés derrière elle pour la protéger.

■ **avant-garde** n.f. SENS 1 *Ces troupes forment l'avant-garde de l'armée,* elles marchent devant. *Ce journal défend des idées d'avant-garde,* des idées hardies de progrès (= avancé).

R. Dans les mots composés pluriels commençant par *garde-*, on met un *s* à *garde* uniquement quand *garde* désigne une personne ; pour le deuxième élément, le *s* est facultatif : des *gardes-barrière(s),* des *gardes-chasse(s).* Noter les pluriels : des *gardes-malade(s),* des *garde-robes,* des *arrière-gardes,* des *avant-gardes.*

gardian n.m. Un *gardian* est un gardien de taureaux ou de chevaux en Camargue.

gardien → *garder.*

gardon n.m. *Dans cet étang, on pêche le gardon,* un poisson.

1. gare n.f. *Le train entre en gare,* l'endroit où il s'arrête. 509, 218

2. gare ! interj. *Gare à toi !,* fais attention à toi !

garenne n.f. *On chasse le lapin dans des garennes,* des bois où il vit à l'état sauvage.

garer v. *J'ai garé ma voiture dans un parc de stationnement* (= ranger).

se gargariser v. *Je me gargarise avec de l'eau tiède,* je me rince la gorge.

■ **gargarisme** n.m. *Pour soigner son angine, Marie se fait des gargarismes,* elle se gargarise avec un médicament.

gargote n.f. *Ils ont mangé dans une gargote,* un mauvais restaurant.

gargouille n.f. *Cette cathédrale est ornée de gargouilles,* de gouttières ayant la forme d'un animal à la gueule ouverte. 149

gargouiller v. *Mon estomac gargouille,* on y entend un bruit semblable à celui que font des bulles d'air traversant un liquide.

■ **gargouillement** ou **gargouillis** n.m. *J'ai des gargouillements dans les intestins.*

garnement n.m. *Cette mauvaise farce est l'œuvre de quelques garnements,* de jeunes enfants qui font des mauvais tours* (= galopin, polisson).

garnir v. 1. *La fenêtre est garnie de barreaux* (= munir). *La bibliothèque est bien garnie,* elle contient beaucoup de livres. 2. *Sa robe est garnie de dentelle,* la dentelle la rend plus belle (= orner, décorer).

■ **garniture** n.f. SENS 1 *Les garnitures de frein sont les parties des freins qui frottent sur les roues.* SENS 2 *Pour orner un vêtement, un meuble, on y met des garnitures.*

■ **dégarnir** v. SENS 1 ET 2 *Sa tête se dégarnit,* ses cheveux tombent.

■ **regarnir** v. SENS 1 ET 2 *Il faut regarnir la vitrine.*

garnison n.f. *Une ville de garnison est une ville où se trouve toujours une unité de l'armée.*

garniture → *garnir.*

garrigue n.f. *Dans les régions méditerranéennes, il y a des garrigues, des zones de végétation pauvre.*

garrocher v. Fam. **1.** *Arrête de garrocher des mottes de neige,* d'en lancer. **2.** *Je me suis garroché sous la douche avant les autres* (= se précipiter).

368 | **garrot** n.m. **1.** *La hauteur d'un cheval se mesure au garrot,* à la partie de l'encolure qui se trouve au-dessus de l'épaule. **2.** *Pour arrêter une hémorragie, on met un garrot au bras,* on serre le bras avec une corde.
■ **garrotter** v. SENS 2 *Les bandits ont garrotté leur victime,* ils l'ont étroitement attachée, ficelée.

gars n.m. Fam. *Je me suis adressé à un gars du pays,* un homme, un garçon.
R. On prononce [gɑ].

gaspiller v. *Tu gaspilles du papier,* tu en uses inutilement (= gâcher).
■ **gaspillage** n.m. *Dans cette entreprise, il y a du gaspillage de matériel* (= gâchis).

gastéropode → *gastropode.*

gastrique adj. *Ce médicament calme les douleurs gastriques,* de l'estomac.

gastronome n. *Nicole est une gastronome,* elle aime manger de bonnes choses (= gourmet).
■ **gastronomie** n.f. *La gastronomie est l'art de bien manger.*
■ **gastronomique** adj. *Au restaurant, nous avons commandé un menu gastronomique,* un menu fin et abondant.

gastropode ou **gastéropode** n.m. *Les limaces, les escargots sont des gastropodes,* des animaux qui rampent sur un large pied.

gâteau n.m. *Au dessert, nous mangeons un gâteau,* une pâtisserie.

gâter v. **1.** *Ne mange pas ce fruit, il est gâté* (= abîmer). **2.** *Le temps se gâte,* il devient mauvais. **3.** *Quel joli cadeau ! Tu me gâtes,* tu me donnes trop (= combler, choyer).
■ **gâterie** n.f. SENS 3 *Ils nous ont apporté des gâteries,* des friandises, des cadeaux.

gâteux, euse adj. et n. *Cette personne est gâteuse,* son intelligence est diminuée par l'âge.
■ **gâtisme** n.m. *Il est atteint de gâtisme,* il est gâteux.

gauche **1.** adj. et n. *Levez le bras gauche !* (≠ droit). *Prends le livre qui est à ta gauche.* **2.** adj. *Tu as des gestes gauches* (= maladroit, malhabile). **3.** n.f. *Un parti de gauche a des idées progressistes* (≠ droite).
■ **gauchement** adv. SENS 2 *Tu tiens gauchement ton outil* (= maladroitement).
■ **gaucher, ère** adj. et n. SENS 1 *Ma sœur est gauchère,* elle se sert le plus souvent de sa main gauche (≠ droitier).
■ **gaucherie** n.f. SENS 2 *Le bébé a des gestes pleins de gaucherie* (= maladresse).
■ **gauchiste** n. et adj. SENS 3 *Les gauchistes* sont partisans d'une politique d'extrême gauche.

se gauchir v. *Sous l'effet de l'humidité, la porte s'est gauchie,* elle s'est tordue.
■ **gauchissement** n.m. *Le gauchissement de la porte est dû à l'humidité.*

gauchiste → *gauche.*

gaucho n.m. *Un gaucho est un gardien de troupeaux en Amérique du Sud.*

gaufre n.f. *À la foire, nous avons mangé des gaufres,* des sortes de gâteaux.
■ **gaufrerie** n.f. *Une gaufrerie est un endroit où l'on fabrique et où l'on vend des gaufres.*

■ **gaufrier** n.m. Un *gaufrier* est un moule à gaufres.

■ **gaufrette** n.f. Une *gaufrette* est un gâteau sec, léger et croustillant.

gaufré, e adj. *Le papier gaufré* est plein de reliefs ou de creux imprimés.

gaufrette → *gaufre.*

gaule n.f. **1.** Une *gaule* est un bâton long et mince. **2.** *La pêcheuse plie sa gaule,* sa canne à pêche.

■ **gauler** v. SENS 1 *On ramasse les noix en les gaulant,* en les faisant tomber grâce à une gaule.

gaulois, e adj. *Une histoire gauloise* est une histoire d'un comique peu raffiné (= grivois).

■ **gauloiserie** n.f. *Tu racontes des gauloiseries,* des plaisanteries vulgaires.

se gausser v. se disait autrefois pour *se moquer.*

gaver v. **1.** *Dans le Périgord, on gave les oies,* on les fait manger de force pour les engraisser. **2.** *Ne te gave pas de bonbons,* n'en mange pas trop (= se bourrer).

gavial n.m. Un *gavial* est un crocodile à museau long et fin.
R. Noter le pluriel : des *gavials.*

gavroche **1.** n.m. Un *gavroche* est un gamin spirituel et sympathique qui a des manières populaires. **2.** adj. *Un air gavroche* est un air effronté, gouailleur.

gaz n.m. **1.** *L'air est un gaz,* une substance ni solide ni liquide. **2.** *J'ai une cuisinière à gaz,* qui fonctionne au moyen d'un gaz combustible. **3.** *Ma maison est chauffée au gaz naturel,* un gaz combustible.

■ **gazeux, euse** adj. SENS 1 *L'eau gazeuse* pétille, car elle contient un gaz.

■ **gazéifier** v. *Rachel n'aime pas l'eau qui a été gazéifiée,* que l'on a rendue gazeuse.

■ **gazoduc** n.m. SENS 2 Un *gazoduc* est une canalisation de gaz naturel à longue distance.

gaze n.f. *On a mis une bande de gaze sur sa blessure,* de tissu très léger.
R. Ne pas confondre *gaz* et *gaze.*

gazelle n.f. Une *gazelle* est une sorte de petite antilope.

gazer v. Fam. *Ça gaze,* ça va bien.

gazette n.f. *Certains journaux s'appellent des gazettes.*

gazeux → *gaz.*

gazole n.m. *Le camion fait le plein de gazole,* de carburant pour moteur diesel.

gazon n.m. *La maison est entourée de gazon,* d'herbe courte et fine.

gazouiller v. *J'entends des oiseaux gazouiller,* faire entendre de petits cris. *Le bébé gazouille dans son berceau,* il essaie de parler, de faire entendre des sons (= babiller).

■ **gazouillement** ou **gazouillis** n.m. *J'écoute le gazouillement du ruisseau,* son bruit (= murmure). *Les gazouillis du bébé font croire qu'il chantonne.*

geai n.m. Le *geai* est un oiseau assez gros, à plumage noir, blanc et bleu.
R. *Geai* se prononce [ʒɛ] comme *jais, jet* et *j'ai* (de *avoir*).

géant, e **1.** n. *Cet homme est un géant,* il est très grand (= colosse ; ≠ nain). **2.** adj. *New York est une ville géante* (= énorme, gigantesque).

■ **gigantesque** adj. *Cet arbre est gigantesque.*

geindre v. *La malade geint,* elle émet des sons plaintifs (= gémir).

■ **geignard, e** adj. *Tu as toujours un ton geignard* (= plaintif, pleurard).
R. → Conj. n° 55.

gel → *geler.*

gélatine n.f. *En faisant bouillir des os de veau, on obtient de la gélatine,* une substance molle, élastique et transparente.

581

75

geler v. 1. *L'eau a gelé,* elle s'est transformée en glace. 2. *Il gèle,* il fait si froid que l'eau devient de la glace. 3. *Je suis gelé,* j'ai très froid.

■ **gelé, e** adj. SENS 2 *Paul a eu les oreilles gelées,* très froides, blanches et insensibles.

■ **gelée** n.f. 1. SENS 2 *On annonce de la gelée,* qu'il va geler. 2. *La gelée de fruits* est une confiture sans la chair des fruits.

■ **gel** n.m. SENS 2 *Les légumes ont été abîmés par le gel,* parce qu'il a gelé (= gelée).

■ **antigel** n.m. SENS 2 *L'hiver, je mets de l'antigel dans le radiateur de la voiture,* un produit qui empêche l'eau de geler.

■ **congeler** v. SENS 1 *On congèle la viande pour la conserver,* on la soumet à un froid intense.

■ **congélateur** n.m. SENS 1 *Un congélateur* est un appareil frigorifique à très basse température où l'on congèle les aliments.

■ **décongeler** v. SENS 1 *Pour décongeler la viande, on la met à la température ambiante.*

■ **dégeler** v. SENS 1 ET 2 *Dégeler de la glace,* c'est la faire fondre en la chauffant.

■ **dégel** n.m. SENS 1 ET 2 *Le dégel commence,* la glace et la neige fondent.

■ **engelure** n.f. SENS 3 *Marie a des engelures aux doigts,* des plaies dues au froid.

■ **surgelé, e** adj. et n.m. SENS 1 *Les surgelés* sont des produits alimentaires que l'on a surgelés.

■ **surgeler** v. SENS 1 *En surgelant la viande, on la conserve longtemps,* en la soumettant rapidement à un froid intense.

R → Conj. n° 5.

gélule n.f. *Une gélule* est un petit cylindre de gélatine durcie contenant un médicament en poudre.

gémir v. *Je l'entends qui gémit,* qui pousse des gémissements (= geindre).

■ **gémissement** n.m. *On entend un gé-* missement, un cri plaintif exprimant la douleur.

gênant → gêne.

gencive n.f. *En me brossant les dents, j'ai fait saigner mes gencives,* la chair qui est à la base des dents.

gendarme n.m. En France, les *gendarmes* sont des militaires chargés de veiller à la sécurité des gens.

■ **gendarmerie** n.f. *La Gendarmerie royale du Canada, ou GRC,* est un corps de police fédérale.

■ **se gendarmer** v. *J'ai dû me gendarmer pour faire obéir mon fils,* me fâcher.

gendre n.m. *Le mari de notre fille est notre gendre* (= beau-fils).

gêne n.f. 1. *Éprouver une gêne,* c'est ne pas être à l'aise. 2. *Nous nous trouvons dans la gêne,* nous manquons d'argent pour vivre (= besoin).

■ **gêner** v. SENS 1 *Ma chaussure me gêne,* je ne suis pas bien dedans. *Elle se sent gênée dans cette société,* mal à l'aise (= embarrasser). SENS 2 *Je suis gênée en ce moment,* je manque d'argent.

■ **gênant, e** adj. SENS 1 *Ce meuble est gênant* (= embarrassant, encombrant).

■ **gêneur, euse** n. SENS 1 *Il faut nous débarrasser de ce gêneur.*

■ **dégêner** v. SENS 1 *Cette enfant se dégêne peu à peu,* elle perd sa timidité.

■ **sans-gêne** adj.inv. SENS 1 *Ce sont des gens sans-gêne,* ils ne s'occupent pas des autres. *Il agit avec sans-gêne* (= impolitesse).

généalogie n.f. *La généalogie d'une famille* est la liste de ses ancêtres.

■ **généalogique** adj. *Un tableau généalogique* représente tous les liens de parenté d'une famille.

gêner → gêne.

1. général, e, aux adj. 1. *La loi de la pesanteur est une loi générale,* elle s'applique à tous les êtres et objets (≠ particulier). 2. *Une grève générale* est une grève de tous les travailleurs. 3. adv. *En* *général, je me lève à 8 heures,* d'habitude (= généralement).

■ **généralement** adv. SENS 3 *Les orages éclatent généralement en été,* le plus souvent.

■ **généraliser** v. SENS 1 ET 2 *On a généralisé la vaccination,* on l'a faite à tout le monde. *Paul généralise quand il affirme que tous les gens du Canada ont une télévision,* il attribue à tous ce qui n'est vrai que pour quelques-uns ou plusieurs.

■ **généralités** n.f.pl. *Tu dis des généralités,* des choses que tout le monde connaît (= banalités).

2. général, e n. *Le grade de général est le grade le plus élevé,* un officier.

générateur, trice adj. et n. **1.** *La tyrannie est génératrice de crimes,* elle en produit. **2.** *Le générateur a fait défaut,* l'appareil qui transforme une énergie quelconque en énergie électrique. (On dit aussi *génératrice d'électricité*).

génération n.f. *Les grands-parents, les parents, les enfants représentent trois générations,* des groupes de gens nés à peu près à la même époque.

généreux, euse adj. **1.** *C'est un être généreux,* qui donne beaucoup aux autres (≠ avare). **2.** *Elle a donné un pourboire généreux* (= gros, large).

■ **généreusement** adv. *Des récompenses ont été généreusement distribuées* (= largement).

■ **générosité** n.f. *Sa générosité est grande,* il est très généreux.

générique 1. n.m. *Un film commence par le générique,* la liste des noms de ceux qui y ont collaboré. **2.** adj. *« Plante »* est un nom **générique** qui désigne les arbres, les herbes, les fleurs, etc., un nom qui s'applique à tout cet ensemble (≠ spécifique).

générosité → *généreux.*

genèse n.f. *La genèse d'un roman,* ce sont les étapes de sa création (= élaboration).

genêt n.m. *Les genêts sont en fleur,* des arbrisseaux à fleurs jaunes.

génétique adj. *Les lois génétiques sont les lois de l'hérédité.*

genévrier n.m. *Un genévrier est un arbuste dont les fruits* (**genièvres**) *sont de petits grains ronds.*

génie n.m. **1.** *Les génies des contes de fées sont doués de pouvoirs magiques,* des êtres imaginaires. **2.** *Cette musicienne a du génie,* elle est exceptionnellement douée. **3.** *Mozart, Victor Hugo furent des génies,* des êtres qui avaient du génie (au sens **2**). **4.** *Le génie est l'ensemble des services chargés de construire les routes, les ponts,* etc.

■ **génial, e, aux** adj. SENS 2 ET 3 *C'est une inventrice géniale,* elle a du génie. *J'ai lu un roman génial* (= remarquable, sensationnel).

genièvre → *genévrier.*

génisse n.f. *Une génisse est une jeune vache.*

génital, e, aux adj. *Les organes génitaux sont les organes qui servent à la reproduction* (= sexuel).

génocide n.m. *Commettre un génocide,* c'est exterminer les humains appartenant à une race, à une religion ou à un pays.

genou n.m. *En tombant, elle s'est écorché un genou. Il s'est mis à genoux pour prier,* il a posé les genoux sur le sol.

■ **s'agenouiller** v. *Le dromadaire s'agenouille,* il se met à genoux.

■ **génuflexion** n.f. *Faire une génuflexion,* c'est mettre un genou au sol en signe de respect, de soumission.

genre n.m. **1.** *Le genre humain est l'ensemble des êtres humains.* **2.** *Aimez-vous ce genre de chaussures ?* (= sorte, espèce, type). **3.** *Fanny a un drôle de genre,* de drôles de manières (= allure, air). **4.** *« La table »* est du genre féminin, *« le crayon »* est du genre masculin.

368, 38, 33

gens n.m.pl. **1.** *Des gens montent dans l'autobus*, des personnes. **2.** *Les vieilles gens* sont les personnes âgées.
R. Lorsque l'adjectif épithète précède *gens*, il se met au féminin.

651 **gentiane** n.f. La *gentiane* est une plante des montagnes à fleurs jaunes, bleues ou violettes.
R. On prononce [ʒɑ̃sjan]

gentil, ille adj. **1.** *Tu as un gentil visage*, un visage assez joli (= agréable). **2.** *Elle est gentille avec les enfants*, elle est douce avec eux. **3.** *Vous êtes bien gentil de m'aider* (= aimable). **4.** *Soyez bien gentils, les enfants*, soyez sages et obéissants.
■ **gentillesse** n.f. SENS 2 ET 3 *Il est d'une grande gentillesse*, il est très gentil.
■ **gentiment** adv. SENS 2 ET 3 *Yasmina m'a répondu gentiment* (= aimablement ; ≠ méchamment).
R. Au masculin, on ne prononce pas le l : [ʒɑ̃ti].

gentilhomme n.m. *Autrefois, les nobles étaient appelés des gentilshommes.*
R. On prononce [ʒɑ̃tijɔm] et au pluriel [ʒɑ̃tizɔm].

gentillesse, gentiment → *gentil.*

gentleman n.m. *M. Dupont est un parfait gentleman*, il est d'une éducation irréprochable.
R. On prononce [dʒɛntləman ou ʒɑ̃tləman]. Noter le pluriel : des *gentlemen* [dʒɛntləmɛn].

génuflexion → *genou.*

géographie n.f. La *géographie* est la science qui décrit la surface de la Terre, ses peuples, son économie.
■ **géographe** n. *Une géographe a étudié le climat de cette région.*
■ **géographique** adj. *Une carte géographique est accrochée au mur de la classe.*

geôle n.f. *Autrefois, on appelait une prison une geôle.*
■ **geôlier, ère** n. *Un geôlier était un gardien de prison.*
R. On prononce [ʒol], [ʒolje].

géologie n.f. La *géologie* est la science qui étudie le sous-sol de la Terre.
■ **géologue** n. *Des géologues ont fait des forages pour trouver du pétrole.*
■ **géologique** adj. *Une carte géologique* représente les roches de la Terre.

géométrie n.f. La *géométrie* est la science qui étudie les lignes, les surfaces, les volumes.
■ **géométrique** adj. *Le carré, le cercle, le triangle sont des formes géométriques*, des formes qu'étudie la géométrie.
■ **géomètre** n. *Le géomètre fait des plans*, c'est son métier.

gérance → *gérer.*

géranium n.m. *Mme Lopez a des géraniums sur son balcon*, des plantes à fleurs rouges.
R. On prononce [ʒeranjɔm].

gérant → *gérer.*

gerbe n.f. *Le blé est coupé et lié en gerbes*, en bottes, les épis étant tous du même côté.

gercer v. *Quand il fait froid, j'ai les lèvres gercées*, fendues en plusieurs endroits (= crevasser).
■ **gerçure** n.f. *Mes gerçures me font souffrir* (= crevasse).

gérer v. *Le magasin a fait faillite, car il était mal géré*, mal dirigé.
■ **gérant, e** n. *Le gérant d'un immeuble* est payé par les propriétaires pour le gérer.
■ **gérance** n.f. *Prendre la gérance d'un commerce*, c'est en devenir le gérant.
■ **gestion** n.f. *La gérante est chargée de la gestion de l'immeuble*, de le gérer.

germain, e adj. *Nicole est ma cousine germaine*, elle est la fille de mon oncle ou de ma tante.

germanique adj. *Ce qui est germanique* est de l'Allemagne.

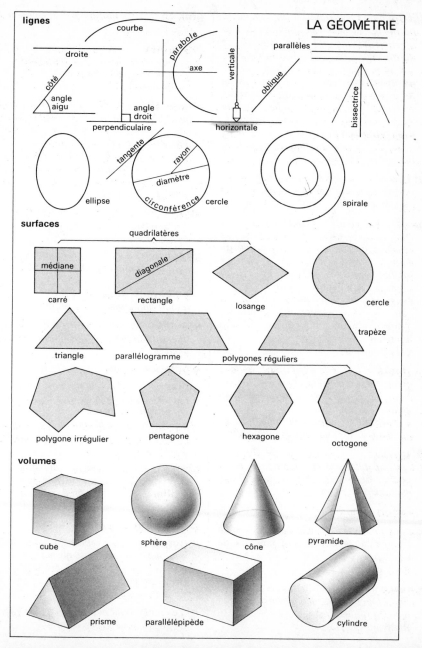

lignes

LA GÉOMÉTRIE

courbe — droite — parabole — axe — verticale — parallèles — oblique — côté — angle aigu — angle droit — perpendiculaire — horizontale — bissectrice — tangente — rayon — diamètre — circonférence — cercle — ellipse — spirale

surfaces

quadrilatères — médiane — carré — diagonale — rectangle — losange — cercle — triangle — parallélogramme — trapèze — polygones réguliers — polygone irrégulier — pentagone — hexagone — octogone

volumes

cube — sphère — cône — pyramide — prisme — parallélépipède — cylindre

germe n.m. **1.** *Les graines contiennent un germe qui, en se développant, va donner une nouvelle plante* (= embryon). **2.** *Le germe d'une maladie,* c'est le microbe qui est la cause de cette maladie.
■ **germer** v. **1.** SENS 1 *Les pommes de terre germent,* leur germe se développe. **2.** *L'idée d'un monde meilleur germe dans les esprits* (= se développer).
■ **germination** n.f. SENS 1 *Les enfants observent la germination du haricot,* le haricot en train de germer.

gésier n.m. *La nourriture des oiseaux est broyée dans leur gésier,* une des poches de leur estomac.

gésir v. **1.** *La blessée gisait sur le sol,* elle était étendue et ne bougeait pas. *Les policiers ont découvert un homme gisant à terre* (= couché). **2.** *Sur les tombeaux anciens, on lit parfois : « Ci-gît Monsieur X. »,* ici est enterré.
■ **gisant** n.m. *Dans cette abbaye, on peut voir des gisants,* des sculptures représentant un mort couché sur son tombeau.
R. → Conj. n° 32.

1. geste n.m. **1.** *Elle a fait un geste de la main,* elle a bougé la main (= mouvement). **2.** *En l'aidant, tu as fait un beau geste,* une bonne action.
■ **gesticuler** v. SENS 1 *L'homme, furieux, gesticulait,* il faisait de grands gestes.

2. geste n.f. *« La Chanson de Roland » est une chanson de geste,* un grand poème du Moyen Âge racontant les exploits d'un héros.

gestion → *gérer.*

geyser n.m. *Un geyser est une source d'eau chaude qui jaillit à une grande hauteur.*
R. On prononce [ʒɛzɛr].

ghetto n.m. *Dans certaines villes d'Amérique, les Noirs vivent dans un ghetto,* un quartier qui leur est réservé.
R. On prononce [geto]

gibbon n.m. *Le gibbon est un singe aux bras très longs.*

gibecière n.f. *À la chasse, on met le gibier tué dans une gibecière,* un grand sac que l'on porte en bandoulière (= carnassière).

gibelotte n.f. **1.** *Au menu, il y a de la gibelotte,* un ragoût fait de lapin et de vin blanc. **2.** *On nous a servi une vraie gibelotte,* un mets peu raffiné dans lequel plusieurs éléments sont mélangés. **3.** *Ce discours, quelle gibelotte !,* il est confus, désordonné. **4.** *Les rues sont en gibelotte* (= sloche).

gibet n.m. *Autrefois, les condamnés à mort étaient envoyés au gibet,* on les pendait (= potence).

gibier n.m. *Le gibier a pratiquement disparu dans cette région,* les animaux que l'on chasse.
■ **giboyeux, euse** adj. *L'Abitibi est une région giboyeuse,* riche en gibier.

giboulée n.f. *En mars, il tombe parfois des giboulées,* de courtes et fortes averses.

giboyeux → *gibier.*

gicler v. *Quand la voiture a roulé dans la flaque, l'eau a giclé de tous côtés,* elle a été projetée avec force.
■ **gicleur** n.m. *Le gicleur de la voiture est bouché,* le tube par lequel l'essence gicle dans le carburateur.

gifle n.f. *Tu vas recevoir une gifle,* un coup du plat de la main sur la joue.
■ **gifler** v. *Pierre m'a giflé,* il m'a donné une gifle.

gigantesque → *géant.*

gigogne adj. *Des tables gigognes sont des tables qu'on peut glisser les unes sous les autres. Des poupées gigognes sont des poupées qui s'emboîtent les unes dans les autres.*

gigot n.m. *Nous avons mangé un gigot d'agneau,* une cuisse d'agneau.

gigoter v. *Le bébé gigote dans son bain, il agite bras et jambes* (= gesticuler).

gigue n.f. *Viens danser la gigue,* une danse traditionnelle aux mouvements rapides des jambes, des pieds et des talons.
■ **giguer** v. *Au jour de l'an, mes grands-parents aiment giguer,* danser la gigue.
■ **gigueur, euse** n. *Sophie est une bonne gigueuse.*

gilet n.m. **1.** *Sous la veste de son costume, il porte un gilet,* un vêtement court, sans manches, boutonné sur le devant. **2.** *Elle a mis un gilet de laine sous son manteau,* une petite veste. **3.** *Pour faire du bateau, il faut mettre un gilet de sauvetage,* une sorte de veste sans manches qui permet de flotter sur l'eau.

girafe n.f. *Les girafes courent dans la brousse,* des animaux à très grand cou.

giratoire adj. *Des flèches courbes indiquent le sens giratoire,* le sens que les voitures doivent suivre pour faire le tour de la place.

girofle n.m. *Pour parfumer ma sauce, j'y ai mis des clous de girofle,* des boutons desséchés des fleurs de giroflier.

giroflée n.f. *Regarde ce massif de giroflées,* des fleurs jaunes ou oranges.

girolle n.f. *Dans le bois, nous avons cueilli des girolles,* des petits champignons jaunes comestibles.

giron n.m. *L'enfant est blotti dans le giron de sa mère,* sur les genoux et contre la poitrine de sa mère.

girouette n.f. *En haut du clocher de l'église, il y a une girouette en forme de coq,* un coq de métal qui tourne, indiquant la direction du vent.

gisait, gisant → **gésir.**

gisement n.m. *On a découvert un gisement de pétrole,* une masse de pétrole dans le sol.

gitan, e n. *Un groupe de gitans campe à l'entrée de la ville,* de bohémiens (= nomade, romanichel).

1. gîte n.m. **1.** *Les voyageurs cherchent un gîte pour la nuit,* un endroit où ils pourront coucher. **2.** *Le gîte du lièvre* est le creux du sol où il vit.
■ **gîter** v. SENS 2 *Le lièvre gîte souvent dans les sillons,* il s'y abrite.

2. gîte n.f. *Le bateau prend de la gîte,* il se couche sur le côté sous l'effet du vent.

givre n.m. *Ce matin, les toits sont blancs de givre,* de rosée gelée.
■ **givrer** v. *Les arbres sont givrés,* ils sont couverts de givre.
■ **dégivrer** v. *Il faut dégivrer le pare-brise,* ôter le givre qui s'y est déposé.
■ **dégivrage** n.m. *Le dégivrage du pare-brise est effectué par une soufflerie.*
■ **dégivreur** n.m. *Un dégivreur est un dispositif pour dégivrer.*

glabre adj. *Il a un visage glabre,* sans barbe ni moustache (= imberbe).

glace n.f. **1.** *Le lac est couvert de glace,* l'eau a gelé. **2.** *Mme Coté a un visage de glace,* qui n'exprime aucun sentiment (= impassible, immobile). **3.** *Je me regarde dans la glace,* dans le miroir. **4.** *Baisse les glaces de la voiture* (= vitre). **5.** *Au dessert, j'ai mangé une bonne glace,* une crème glacée.
■ **glacer** v. **1.** SENS 1 *Le vent me glace le visage,* j'ai une vive sensation de froid. SENS 2 *L'examinatrice glace les candidats,* elle les paralyse de peur. **2.** *Glacer un gâteau,* c'est le recouvrir d'une croûte lisse de sucre fondu.
■ **glaçage** n.m. *Paul fait le glaçage du gâteau,* il le glace. *J'aime le glaçage au chocolat.*
■ **glacé, e** adj. **1.** SENS 1 *J'ai bu une bière glacée,* très froide. SENS 2 *Tu m'as lancé un regard glacé,* froid et hostile. **2.** *Donne-moi une feuille de papier glacé,* lisse et brillant.
■ **glaciaire** adj. SENS 1 *La période glaciaire* est la période de l'histoire de la Terre marquée par le développement des glaciers.

584

221

■**glacial, e, als** adj. SENS 1 *Le temps est glacial,* très froid. SENS 2 *Il m'a fait un accueil glacial* (≠ chaleureux).

651, 649

■**glacier** n.m. SENS 1 *Les alpinistes ont traversé le glacier,* un fleuve de glace. SENS 5 *Le glacier fabrique ou vend des glaces,* c'est son métier.

■**glacière** n.f. SENS 1 *Les boissons sont au frais dans la glacière,* une boîte aux parois épaisses contenant de la glace.

■**glaçon** n.m. SENS 1 *Voulez-vous un glaçon dans votre verre ?,* un petit morceau de glace.

glacis n.m. *Les glacis d'un fort* sont les talus en pente douce qui l'entourent.

glaçon → *glace.*

gladiateur n.m. *Un des spectacles favoris des Romains était de voir combattre des gladiateurs,* des hommes dont le métier était de se battre à mort contre d'autres hommes ou contre des bêtes féroces.

80

glaïeul n.m. *La fleuriste vend des glaïeuls,* des fleurs à très longues tiges.

glaire n.f. *La respiration du malade est gênée par des glaires,* des mucosités.

■**glaireux, euse** adj. *Il a des crachats glaireux.*

glaise adj. et n.f. *Les pots de terre, les briques sont faits de (terre) glaise,* de terre grasse et imperméable.

440

glaive n.m. *Les soldats romains étaient armés de glaives,* d'épées courtes à double tranchant.

654

gland n.m. *Les cochons mangent des glands,* les fruits du chêne.

glande n.f. *Le foie est une glande,* un organe qui produit des substances nécessaires au fonctionnement du corps.

glaner v. 1. *Après la moisson, les enfants vont glaner,* ils vont ramasser les épis de blé oubliés. 2. *Je vais tâcher de glaner des renseignements,* d'en recueillir çà et là.

glapir v. *Le renard glapit,* il pousse des petits cris brefs et aigus.

■**glapissement** n.m. *Entends-tu les glapissements du lapin ?,* le cri qui lui est propre.

glas n.m. *Les cloches sonnent le glas pour annoncer la mort de quelqu'un,* elles tintent d'une façon spéciale.

glauque adj. *Aujourd'hui, la mer a une teinte glauque,* vert bleuâtre.

glèbe n.f. se disait autrefois pour désigner la *terre cultivée.*

glisser v. 1. *Les patineurs glissent sur la glace,* ils se déplacent d'un mouvement continu sur la surface lisse de la glace. 2. *Le verre m'a glissé des mains,* il m'a échappé. 3. *Glissons sur les détails de cette aventure !,* n'insistons pas. 4. *Sonia a glissé une lettre sous la porte,* elle l'a fait passer. 5. *Le chat s'est glissé sous l'armoire* (= se faufiler).

■**glissant, e** adj. SENS 1 *Attention ! le verglas rend la route glissante,* lisse et dangereuse.

■**glissade** n.f. SENS 1 *Les enfants font des glissades sur la neige durcie.*

■**glisse** n.f. SENS 1 *Ces skis ont une bonne glisse,* ils glissent bien.

■**glissement** n.m. SENS 1 *Les pluies ont provoqué un glissement de terrain,* une couche de terrain a glissé le long d'une pente.

■**glissière** n.f. SENS 1 *Une porte à glissière* est une porte qui glisse le long de rails métalliques. *La fermeture à glissière de ma jupe est cassée.*

■**glissoire** n.f. *La glissoire de Valcartier est très populaire,* une surface sur laquelle on glisse pour s'amuser.

global, e, aux adj. *Vous me devez la somme globale de dix dollars,* vous me devez en tout dix dollars (= total).

■**globalement** adv. *Les résultats sont globalement bons,* en considérant l'ensemble.

globe n.m. 1. *La pièce est éclairée par un globe lumineux,* une boule (= sphère). 2. *Les Durand ont fait le tour du globe,* de la Terre.

■ **globe-trotter** n. SENS 2 *Ludovic et Ève sont des globe-trotters,* des voyageurs qui parcourent le monde.

globule n.m. *Le sang contient des globules blancs et des globules rouges,* des éléments microscopiques.

gloire n.f. *Cette artiste connaît la gloire,* elle est connue et admirée de beaucoup de monde (= célébrité, renommée).

■ **glorieux, euse** adj. *Les sauveteurs ont accompli une action glorieuse,* qui donne de la gloire.

■ **glorieusement** adv. *Notre équipe a glorieusement disputé ce match.*

■ **se glorifier** v. *Elle se glorifie d'avoir réussi,* elle s'en vante.

■ **glorification** n.f. *Ce livre contribue à la glorification de nos grands peintres.*

■ **gloriole** n.f. *Vous avez agi par gloriole,* par vanité.

glossaire n.m. **1.** *Un glossaire est un répertoire donnant le sens des mots anciens ou rares d'un texte.* **2.** *Un glossaire est un lexique d'un domaine spécialisé.*

glousser v. *La poule glousse,* elle pousse de petits cris pour appeler les poussins.

■ **gloussement** n.m. *On entend les gloussements des poules.*

1. glouton, onne adj. et n. *Paul est un (enfant) glouton,* il mange très vite et beaucoup à la fois (= goinfre, goulu).

■ **gloutonnerie** n.f. *Sa gloutonnerie lui a valu une indigestion.*

2. glouton n.m. *Le glouton est l'autre nom du carcajou.*

glu n.f. *La glu est une colle forte.*

■ **gluant, e** adj. *La limace a laissé une trace gluante,* collante, visqueuse.

■ **englué, e** adj. *Tu as les doigts englués de confiture* (= poisseux).

glycérine n.f. *La glycérine est un liquide gras utilisé parfois en pharmacie.*

glycine n.f. *Une glycine orne le balcon,* une plante grimpante à fleurs odorantes en grappes.

gnome n.m. *Un gnome est un petit homme difforme.*
R. On prononce [gnom] et non [ɲom].

gobelet n.m. *Le bébé boit dans son gobelet d'argent,* dans un verre sans pied (= timbale).

gober v. **1.** *Gober une huître,* c'est l'avaler sans la mâcher. **2.** *On lui fait gober tout ce qu'on veut,* on le lui fait croire. **3.** Fam. *Pierre se gobe,* il est prétentieux.

godasse n.f. est un équivalent très familier de *chaussure.*

godet n.m. *Les élèves du cours de dessin remplissent d'eau leur godet,* un petit récipient.

295

godiche adj. et n.f. Fam. *Luc a un air godiche,* niais et maladroit.

godille n.f. **1.** *Le pêcheur fait avancer sa barque à la godille,* au moyen d'un aviron placé à l'arrière. **2.** *La skieuse descend la piste en godille,* en enchaînant des virages très rapprochés.

■ **godiller** v. SENS 1 *Katia sait godiller,* donner à l'aviron un mouvement en huit qui fait avancer son canot. SENS 2 *La skieuse godille pour ralentir sa descente,* elle fait des virages très rapprochés.

godillot n.m. *Les soldats de 1914 appelaient leurs chaussures des godillots.*

goéland n.m. *Le bateau de pêche est entouré de goélands,* de gros oiseaux de mer blancs et gris.

722

goélette n.f. *Dans le port est amarrée une goélette,* un navire à deux mâts et à voiles triangulaires.

goémon n.m. *La plage est couverte de goémon,* d'algues rejetées par la mer (= varech).

723

à gogo adv. Fam. *Au buffet, il y avait des gâteaux à gogo,* en abondance, à volonté.

goguenard, e adj. *Elle m'a regardé d'un air goguenard* (= moqueur, railleur ; ≠ sérieux).

goinfre n.m. et adj. *Tu manges comme un goinfre, beaucoup et salement* (= glouton).
■ **goinfrerie** n.f. *Tu as avalé ton repas avec une goinfrerie dégoûtante* (= gloutonnerie).
■ **se goinfrer** v. Fam. *Il s'est goinfré de gâteaux au buffet, il en a mangé comme un goinfre.*

goitre n.m. *J'avais le cou gonflé par un goitre, une grosseur au niveau de la gorge.*

golf n.m. *Sais-tu jouer au golf ?, un sport qui consiste à envoyer, à l'aide de cannes, une balle dans une série de trous dispersés sur un parcours spécialement aménagé.*
■ **golfeur, euse** n. *Céline est une golfeuse, elle joue au golfe.*

golfe n.m. *Un golfe est une large avancée de la mer dans les terres.*
R. Ne pas confondre *golfe* et *golf.*

gomme n.f. 1. *On peut effacer le crayon ou l'encre à l'aide d'une gomme, d'un petit bloc de caoutchouc.* 2. *Lorsqu'on incise l'écorce de certains arbres, il coule de la gomme, une substance collante.* 3. *Donne-moi une gomme à mâcher, une pâte parfumée que l'on mastique.*
■ **gommer** v. SENS 1 *Marie a gommé son dessin, elle l'a effacé avec une gomme.*
■ **gommé, e** adj. SENS 2 *Le papier gommé est un papier collant qu'on mouille pour qu'il colle.*
■ **gommette** n.f. *La maîtresse a collé des gommettes sur nos cahiers, des petits morceaux de papier gommé.*

gond n.m. 1. *Quand on l'ouvre, une porte pivote sur ses gonds, sur les pièces métalliques qui la tiennent* (= charnière). 2. *Cette réponse injurieuse l'a fait sortir de ses gonds, se mettre en colère.*
R. → *gong.*

gondole n.m. *Nous nous promenions sur les canaux de Venise en gondole, dans un long bateau plat aux extrémités recourbées.*

■ **gondolier, ère** n. *Le gondolier conduit une gondole.*

se gondoler v. *Le parquet s'est gondolé sous l'action de l'humidité, il s'est bombé* (= se déformer).

gondolier → *gondole.*

gonfler v. 1. *Je gonfle les pneus de mon vélo, j'y envoie de l'air.* 2. *L'éponge gonfle dans l'eau, elle grossit* (= enfler). *Les voiles du bateau se gonflent au vent.*
■ **gonflage** n.m. SENS 1 *L'automobiliste procède au gonflage des pneus, elle les gonfle.*
■ **gonflement** n.m. SENS 2 *Les pluies ont provoqué le gonflement de la rivière.*
■ **gonfleur** n.m. SENS 1 *Le matelas pneumatique est dégonflé, prends le gonfleur pour le regonfler, un appareil.*
■ **dégonfler** v. 1. SENS 1 *Le ballon s'est dégonflé, l'air (ou le gaz) s'en est échappé.* 2. Fam. *Au moment de tenter le coup, il s'est dégonflé, il n'a pas osé.*
■ **regonfler** v. SENS 1 *Regonfle le matelas pneumatique.*

gong n.m. *Un gong est un disque de métal suspendu qu'on fait sonner en le frappant.*
R. Ne pas confondre *gong* et *gond.* On prononce [gɔ̃g] ou [gɔ̃].

goret n.m. *La truie est suivie de ses gorets, ses petits* (= porcelet).

gorge n.f. 1. *J'ai mal à la gorge, au fond de la bouche* (= gosier). 2. *Il saisit son adversaire à la gorge, à la partie avant du cou.* 3. *La rivière coule au fond d'une gorge, d'une vallée étroite et profonde.*
■ **gorgée** n.f. SENS 1 *Bois une gorgée d'eau, ce qu'on peut avaler en une fois.*
■ **gorger** v. 1. *Après les pluies, la terre est gorgée d'eau, elle ne peut plus en absorber davantage* (= saturer). 2. *Tu te gorges de nourriture, tu en avales à l'excès.*

■ **égorger** v. SENS 2 *Le boucher **a égorgé** un mouton,* il l'a tué en lui coupant la gorge.

gorille n.m. *Un **gorille** peut peser plus de 200 kilos,* le plus grand et le plus fort de tous les singes.

gosier n.m. *J'ai le **gosier** sec,* le fond de la bouche (= gorge).
■ **s'égosiller** v. *Jean devait **s'égosiller** pour se faire entendre,* crier de toutes ses forces (= s'époumoner).

gosse n. Fam. *Martine est encore une **gosse**,* une enfant.

gosser v. Fam. *Mon père m'**a gossé** ce coupe-papier,* il en a sculpté le bois avec un canif.

gothique adj. *Beaucoup de cathédrales sont des exemples d'architecture **gothique**,* elles datent de la fin du Moyen Âge et ont des voûtes en ogive.

gouache n.f. *Marie peint avec de la **gouache**,* une peinture à l'eau.

gouailleur, euse adj. *Dominique parle d'un ton **gouailleur**,* moqueur et vulgaire.

goudron n.m. *La route est recouverte de **goudron**,* d'une pâte noire.
■ **goudronner** v. *On a **goudronné** la route,* on l'a recouverte de goudron.
■ **goudronnage** n.m. *Le **goudronnage** de la route est effectué par une machine, la* **goudronneuse**.

gouffre n.m. *La spéléologue est descendue au fond d'un **gouffre**,* d'un trou très profond (= abîme).

goujat n.m. *Il s'est conduit comme un **goujat**,* grossièrement, sans savoir-vivre (= mufle, malotru).

goujon n.m. *Le **goujon** est un petit poisson d'eau douce qu'on mange en friture.

goulache ou **goulasch** n.m. *Le **goulache** est un ragoût de bœuf à la sauce bien relevée.

goulet n.m. *Le port communique avec la mer par un **goulet**,* un passage étroit (= chenal).

goulot n.m. *J'enfonce le bouchon dans le **goulot** de la bouteille,* dans sa partie étroite.

goulu, e adj. et n. *Mon chien est **goulu**,* il mange très vite et beaucoup à la fois (= glouton, goinfre).
■ **goulûment** adv. *Ne mange pas aussi **goulûment** !*

goupille n.f. *Les roues sont maintenues sur l'essieu par une **goupille**,* une petite tige métallique.

goupiller v. Fam. *Tu **as** bien **goupillé** ton affaire* (= organiser, combiner).

goupillon n.m. 1. *On nettoie l'intérieur des bouteilles vides avec un **goupillon**,* une brosse longue et cylindrique. 2. *Le prêtre asperge la foule d'eau bénite avec un **goupillon**,* une tige terminée par une boule creuse.

gourd, e adj. *J'ai les doigts **gourds**,* rendus raides et insensibles par le froid.
■ **engourdir** v. *Le froid m'**engourdit**,* il raidit et insensibilise mes membres.
■ **engourdissement** n.m. *Le froid a produit un **engourdissement** de ses doigts.*
■ **dégourdir** v. *Je vais marcher un peu pour me **dégourdir** les jambes,* pour me délasser de mon immobilité (= dérouiller).
■ **dégourdi, e** adj. et n. *À son âge, Marie prend le métro toute seule, elle est **dégourdie*** (= débrouillard, malin).

gourde n.f. 1. *J'ai emporté de quoi boire dans une **gourde**,* un récipient portatif en métal ou en matière plastique. 2. Fam. *Léo s'est trompé d'adresse : quelle **gourde** !* (= maladroit, idiot).

gourdin n.m. *Nos adversaires nous menaçaient avec des **gourdins**,* de gros bâtons.

724

579

149

649

gourmand, e adj. et n. *C'est un enfant gourmand,* il aime manger beaucoup de bonnes choses.

■ **gourmandise** n.f. **1.** *Il a eu une indigestion à cause de sa gourmandise,* parce qu'il a été gourmand. **2.** *Le buffet regorgeait de gourmandises,* de friandises.

gourmet n.m. Un *gourmet* aime la cuisine raffinée (= gastronome, connaisseur).

220 **gourmette** n.f. *Je porte une gourmette,* un bracelet en forme de chaîne.

583 **gousse** n.f. *Après avoir écossé les petits pois, on jette les gousses,* les enveloppes qui les contenaient (= cosse).

gousset n.m. Un *gousset* est une petite poche de gilet.

goût n.m. **1.** Le *goût* est celui des cinq sens qui permet de connaître la saveur des aliments. **2.** *Ce fruit n'a pas de goût* (= saveur). **3.** *Tu as décoré ta maison avec goût,* en montrant que tu savais distinguer le beau du laid. **4.** *J'ai du goût pour la lecture,* je l'aime. *Nous avons les mêmes goûts,* nous aimons les mêmes choses. *Son appartement est décoré au goût du jour,* d'une façon qui plaît actuellement (= à la mode).

■ **goûter** v. **1.** SENS 1 *Goûte cette sauce !,* manges-en un peu pour savoir si elle est bonne. SENS 4 *J'ai goûté ce livre,* je l'ai aimé. **2.** *C'est l'heure de goûter,* de manger son goûter. **3.** *Ce pain goûte le moisi,* il a le goût du moisi.

■ **goûter** n.m. *J'emporte du pain et du chocolat pour mon goûter,* pour mon repas du milieu de l'après-midi.

■ **arrière-goût** n.m. SENS 2 *Cette sauce a un arrière-goût bizarre,* un goût qui reste dans la bouche.

■ **avant-goût** n.m. *Ces quelques images nous donnent un avant-goût du film,* un premier aperçu.

R. Noter les pluriels : des *arrière-goûts,* des *avant-goûts.*

goutte n.f. **1.** *Il tombe des gouttes d'eau,* des petites boules d'eau. **2.** *Maman m'a mis des gouttes dans l'oreille,* de très petites quantités de médicament liquide. **3.** *L'eau tombe goutte à goutte de la gouttière,* une goutte après l'autre. **4.** *Ces jumeaux se ressemblent comme deux gouttes d'eau,* ils se ressemblent énormément. **5.** *Bois une goutte de café,* un petit peu de café.

■ **gouttelette** n.f. SENS 1 *De fines gouttelettes de buée se forment sur la vitre,* de très petites gouttes.

■ **goutter** v. SENS 1 *Le robinet goutte,* il fuit et l'eau tombe goutte à goutte.

■ **gouttière** n.f. SENS 1 *Les toits des maisons sont bordés de gouttières,* de conduits qui recueillent l'eau de pluie.

■ **égoutter** v. SENS 1 *Le linge s'égoutte sur le fil,* il perd son eau goutte à goutte. *Il faut égoutter la salade.*

■ **égouttoir** n.m. SENS 1 *Mets la vaisselle sur l'égouttoir,* l'instrument sur lequel elle sèche en s'égouttant.

R. Ne pas confondre *goutte* et *[il] goûte* (de *goûter*), *goutter* et *goûter.*

gouverner v. **1.** *Gouverner un pays,* c'est le diriger. **2.** *Gouverner un bateau,* c'est le faire aller dans la direction voulue (= manœuvrer).

■ **gouvernail** n.m. SENS 2 *Le pilote manœuvre le gouvernail du bateau,* l'appareil servant à le diriger.

■ **gouvernant** n.m. SENS 1 Un *gouvernant* est un membre du gouvernement.

■ **gouvernante** n.f. *Autrefois, dans les familles riches, les enfants avaient une gouvernante,* une personne spécialement chargée de s'occuper d'eux.

■ **gouverne** n.f. *Pour ta gouverne, retiens bien ce que je vais te dire !,* pour que cela te serve de règle de conduite.

■ **gouvernement** n.m. SENS 1 Le *gouvernement* est l'ensemble des personnes qui gouvernent un pays.

■ **gouvernemental, e, aux** adj. SENS 1 *Le ministre a défendu la politique gouvernementale.*

■**gouverneur, e** n. SENS 1 Un *gouverneur militaire* est un général qui commande une place forte. *Le gouverneur général agit au Canada comme représentant du roi ou de la reine d'Angleterre.*

grabat n.m. *Qui couche sur ce grabat ?,* un lit misérable.
■**grabataire** n. Un *grabataire* est un malade qui ne peut pas quitter le lit.

grabuge n.m. Fam. *La foule est excitée, il risque d'y avoir du grabuge,* des désordres, de la bagarre.

1. grâce n.f. **1.** *Ce danseur a de la grâce,* ses mouvements et ses attitudes sont beaux. **2.** *Le condamné à mort a demandé sa grâce,* il a demandé à ne pas être exécuté. **3.** *J'ai accepté de bonne grâce* (= volontiers, sans se faire prier), *de mauvaise grâce* (= à contrecœur). *De grâce, n'insistez pas,* je vous en prie.
■**gracier** v. SENS 2 *Le condamné a été gracié,* il n'a pas été exécuté.
■**gracieux, euse** adj. **1.** SENS 1. *La biche est gracieuse,* elle a de la grâce. **2.** *J'ai reçu ce livre à titre gracieux,* gratuitement.
■**gracieusement** adv. *Cet exemplaire vous est remis gracieusement* (= gratuitement).
■**disgracieux, euse** adj. SENS 1 *Quelle démarche disgracieuse !,* sans élégance.
R. Attention à l'orthographe : seul *grâce* a un accent circonflexe sur le *a.*

2. grâce à prép. *J'ai retrouvé mon chemin grâce à la carte,* avec l'aide de la carte.

gracile adj. *Cet enfant a un corps gracile,* mince et gracieux.

gradation n.f. *Le passage du jour à la nuit se fait par une gradation insensible,* par degrés (= progression).
R. Ne pas confondre avec *graduation.*

1. grade n.m. *Le grade de lieutenant est immédiatement inférieur à celui de capitaine.*
■**gradé, e** n. et adj. Les *gradés* sont les militaires d'un grade inférieur à celui d'officier.

2. grade n.m. Le *grade* est l'unité de mesure des angles.

gradin n.m. *Au cirque, les spectateurs sont assis sur des gradins,* des bancs disposés en escalier.

graduer v. **1.** *Un thermomètre est gradué,* un petit trait marque chaque degré. **2.** *Les exercices de mathématiques ont été gradués,* ils deviennent de plus en plus difficiles.
■**graduation** n.f. SENS 1 *Les graduations d'une règle* sont les traits marquant les divisions.
■**graduel, elle** adj. SENS 2 *L'amélioration du temps est graduelle,* elle se fait petit à petit (= progressif ; ≠ subit).
■**graduellement** adv. SENS 2 *Le temps s'améliore graduellement* (= peu à peu, progressivement).

graffiti n.m. *Le mur est couvert de graffitis,* d'inscriptions et de dessins griffonnés.

grafigner v. *Je me suis grafigné dans les ronces* (= égratigner, griffer).

graillon n.m. *De la cuisine du restaurant sort une odeur de graillon,* une mauvaise odeur de graisse.

grain n.m. **1.** *On bat les épis de blé pour en extraire les grains.* **2.** *Je mange un grain de raisin,* un des fruits ronds qui constituent la grappe. **3.** *J'ai un grain de sable dans l'œil,* un petit morceau. **4.** *Cécile a un grain de beauté sur la joue,* une petite tache ronde et brune. **5.** *Le grain d'un cuir* est l'ensemble des inégalités qui font que sa surface n'est pas lisse. **6.** *Les marins redoutent les grains,* les averses violentes accompagnées de vent fort. **7.** *Veiller au grain,* c'est être sur

394, 763

35, 433

580, 578, 364

LES GRADES MILITAIRES

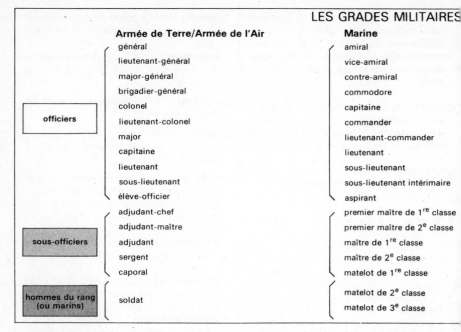

	Armée de Terre/Armée de l'Air	Marine
officiers	général	amiral
	lieutenant-général	vice-amiral
	major-général	contre-amiral
	brigadier-général	commodore
	colonel	capitaine
	lieutenant-colonel	commander
	major	lieutenant-commander
	capitaine	lieutenant
	lieutenant	sous-lieutenant
	sous-lieutenant	sous-lieutenant intérimaire
	élève-officier	aspirant
sous-officiers	adjudant-chef	premier maître de 1re classe
	adjudant-maître	premier maître de 2e classe
	adjudant	maître de 1re classe
	sergent	maître de 2e classe
	caporal	matelot de 1re classe
hommes du rang (ou marins)	soldat	matelot de 2e classe
		matelot de 3e classe

ses gardes, être attentif à ce qui peut arriver. **8.** *Paul ne peut pas s'empêcher d'intervenir dans la conversation, il faut qu'il **mette son grain de sel !**,* qu'il se mêle de ce qui ne le regarde pas.

■ **granulé** n.m. SENS 3 *Ce médicament est en **granulés**,* en petits grains.

■ **granuleux, euse** adj. SENS 5 *Une surface **granuleuse*** semble recouverte de petits grains (≠ lisse).

■ **grenu, e** adj. SENS 5 *Ce sac est en cuir **grenu**,* couvert de petits grains (≠ lisse).

■ **égrener** v. SENS 1 ET 2 *Lise **égrène** un épi de maïs,* elle le dégarnit de ses grains. *Égrener un chapelet,* c'est faire passer entre ses doigts chacun des grains du chapelet en priant.
R. *Égrener* → conj. n° 9.

graine n.f. *Les fruits contiennent des **graines** qui peuvent germer et donner de nouvelles plantes* (= semence).

■ **grainetier, ère** n. *La **grainetière** est une marchande de graines.*

graisse n.f. **1.** *Ce morceau de viande est bordé de **graisse**,* d'une substance onctueuse d'un blanc jaunâtre (= gras, lard). **2.** *Du pétrole, on extrait des **graisses**,* des produits gras.

■ **graisser** v. SENS 2 *Graisser une machine,* c'est mettre de la graisse sur ses parties mobiles (= lubrifier, huiler).

■ **graissage** n.m. SENS 2 *Le garagiste a fait le **graissage** de la voiture.*

■ **dégraisser** v. SENS 2 *Dégraisser un vêtement,* c'est en ôter les taches de graisse.

■ **engraisser** v. SENS 1 *La fermière **engraisse** ses cochons,* elle les nourrit beaucoup pour les rendre gras.

graminée n.f. *En botanique, on classe les céréales et les herbes des prairies dans la famille des **graminées**.*

grammaire n.f. *En classe, on étudie la **grammaire**,* la façon dont les phrases de notre langue sont construites.

■**grammatical, e, aux** adj. *Connais-tu cette règle grammaticale ?,* de grammaire.

gramme n.m. *Puisque cette pièce pèse dix grammes, cent pièces semblables pèsent un kilogramme.* Il y a 10 *décigrammes,* 100 *centigrammes,* 1 000 *milligrammes* dans un *gramme.* Il faut 10 *grammes* pour faire un *décagramme,* 100 *grammes* pour faire un *hectogramme,* 1 000 *grammes* pour faire un *kilogramme.*

grand, e adj. 1. *Cette personne est grande,* elle est de haute taille. 2. *C'est un grand immeuble,* il est haut et large (= vaste, important ; ≠ petit). 3. *La voiture se déplace à grande vitesse,* très vite (= élevé). 4. *C'est un grand peintre,* un peintre qui a beaucoup de talent, de célébrité (= éminent). 5. *Je vous annonce une grande nouvelle,* une nouvelle très importante. 6. *Votre fils est grand maintenant,* ce n'est plus un petit enfant.

■**grand, e** n. SENS 6 *La classe des grands* est celle des élèves les plus âgés. SENS 4 *Autrefois, les grands étaient les hauts personnages de la noblesse.*

■**grand** adv. *Il voit grand pour son fils,* il fait des projets ambitieux.

■**grandement** adv. SENS 3 *C'est grandement suffisant* (= très, amplement).

■**grand-chose** pron.indéfini *Tu n'as pas mangé grand-chose,* tu n'as presque rien mangé.

■**grandeur** n.f. SENS 1 ET 2 *Ces deux tableaux sont de la même grandeur,* aussi grands l'un que l'autre (= taille).

■**grandiose** adj. SENS 1 ET 2 *Les montagnes sont grandioses,* elles impressionnent par leur grandeur.

■**grandir** v. 1. *Les enfants grandissent,* ils deviennent grands (= pousser, se développer). 2. *Ce geste généreux le grandit,* lui donne plus de noblesse morale.

■**agrandir** v. SENS 2 *J'ai agrandi ma maison,* je l'ai rendue plus grande.

■**agrandissement** SENS 2 *Un agrandissement photographique* est la reproduction en plus grand d'une photo.

grandiloquent, e adj. *Un discours grandiloquent* est plein de phrases et de mots prétentieux (= ronflant).

■**grandiloquence** n.f. *L'avocat a plaidé avec grandiloquence* (= emphase).

grandiose, grandir → grand.

grand-père n.m., **grand-mère** n.f., **grands-parents** n.m.pl. *J'ai deux grands-pères, le père de ma mère et celui de mon père. Ma grand-mère maternelle est très âgée, la mère de ma mère. Dominique est allé chez ses grands-parents.* | 603

■**arrière-grand-père** n.m., **arrière-grand-mère** n.f., **arrière-grands-parents** n.m.pl. *Son arrière-grand-père vient de mourir,* le père d'un de ses grands-parents. | 603

R. Attention aux pluriels : des *grands-pères,* des *arrière-grands-pères,* des *arrière-grand-mères,* ou des *arrière-grands-mères,* des *grand-mères* ou des *grands-mères.*

grange n.f. *Les fermiers ont rentré le foin dans la grange,* dans un bâtiment où l'on met les récoltes. | 362

granit ou **granite** n.m. *Cette chapelle est construite en granit,* une roche très dure. | 650

■**granitique** adj. *La côte bretonne est granitique,* le granit y est la roche dominante.

granulé, granuleux → grain.

graphique 1. adj. *Chaque lettre de l'alphabet est un signe graphique,* un signe de l'écriture. 2. n.m. *Les élèves ont fait un graphique des variations de la température,* ils les ont représentées par une ligne reliant les points qui correspondent aux températures et aux jours. | 39

■**graphologie** n.f. SENS 1 *La graphologie est la science qui étudie l'écriture des gens pour y découvrir leur caractère.*

■**graphologique** adj. SENS 1 *Le tribunal a ordonné une expertise graphologique.*
■**graphologue** n. SENS 1 *Les graphologues ont identifié l'auteure des lettres anonymes.*

grappe n.f. *Les grains de raisin, les groseilles, les fleurs de lilas sont disposés en grappes,* les fruits ou les fleurs sont rassemblés sur une tige commune.

grappiller v. *Grappiller des fruits, des informations,* c'est en recueillir par-ci, par-là.

grappin n.m. *Un grappin est une sorte d'ancre à plusieurs pattes.*

gras, grasse adj. 1. *Le beurre, les huiles sont des produits gras,* formés de graisse ou qui en contiennent. 2. *Un papier gras* est un papier taché de graisse. 3. *Ce chien est trop gras,* il a trop de graisse (= gros). 4. *Les cactus sont des plantes grasses,* à feuilles épaisses. 5. *Certains mots de ce dictionnaire sont en caractères gras,* en caractères d'imprimerie épais.
■**gras** n.m. SENS 1 *Ma côtelette d'agneau est pleine de gras,* de morceaux de graisse. SENS 5 *« Grassement » est écrit en gras,* en caractère gras.
■**grassement** adv. *Ce travail est grassement payé,* très bien payé (= largement).
■**grassouillet, ette** adj. SENS 3 *Ce bébé est grassouillet,* un peu gras (= potelé, replet, rebondi).

gratifier v. *La cliente satisfaite a gratifié le livreur d'un bon pourboire,* elle lui a donné un bon pourboire en récompense.
■**gratification** n.f. *En fin d'année, certains employés reçoivent une gratification,* un supplément de salaire (= prime).

gratin n.m. *Des nouilles au gratin sont saupoudrées de chapelure et de gruyère râpé et dorées au four.*

■**gratiner** v. *Jacques a fait gratiner des pommes de terre,* cuire au four avec du gratin.

gratis adv. Fam. *Dans cette exposition on entre gratis* (= gratuitement).
R. On prononce le *s* : [gratis].

gratitude n.f. *Je lui ai dit ma gratitude pour sa complaisance* (= reconnaissance ; ≠ ingratitude).

gratte-ciel n.m.inv. *New York est célèbre pour ses gratte-ciel,* ses immeubles très hauts.

gratter v. 1. *Jean gratte les carottes,* il les frotte avec un couteau pour enlever la peau (= racler). 2. *Le chien se gratte le cou,* il se frotte pour calmer une démangeaison. 3. *Cet administrateur gratte sur tout,* il cherche à économiser. 4. *Il gratte la guitare à l'occasion,* il joue en amateur.
■**gratte** n.f. Fam. 1. *La tempête de neige est terminée, sors la gratte,* une large pelle avec laquelle on pousse la neige. 2. *La gratte va bientôt déblayer la rue* (= chasse-neige).
■**grattement** n.m. *J'ai entendu un grattement à la porte,* le bruit de quelqu'un ou de quelque chose qui gratte.
■**gratte-papier** n.m.inv. *Un gratte-papier est un petit employé de bureau.*
■**gratteux** n.m. Fam. SENS 1 *Un gratteux est un billet de loterie qu'il faut gratter pour connaître ce que le sort nous réserve.* SENS 3 *Quel gratteux !,* avare, personne mesquine.
■**grattoir** n.m. SENS 1 *Un grattoir est un outil pour gratter.*

gratuit, e adj. *L'entrée du musée est gratuite,* on ne paie pas pour y entrer.
■**gratuitement** adv. *J'ai eu ce livre gratuitement,* sans payer.
■**gratuité** n.f. *Elle a droit à la gratuité des transports en train,* elle ne paie pas.

gravats n.m.pl. *Après avoir démoli la maison, les ouvriers ont enlevé les gravats,* les morceaux de plâtre, de brique ou de pierre.

grave adj. **1.** *Paul a un visage grave* (= sérieux). **2.** *Marie a une grave maladie,* une maladie inquiétante. **3.** *En musique, un son grave est un son bas* (≠ aigu). **4.** *Sur le « è » de « crème », il y a un accent grave.*

■ **gravement** adv. SENS 1 *Tous écoutaient gravement,* d'un air sérieux. SENS 2 *Paul est gravement blessé.*

■ **gravité** n.f. SENS 1 *Tu me regardais d'un air plein de gravité* (= sérieux). SENS 2 *Cette écorchure est sans gravité.*

■ **aggraver** v. SENS 2 *Sa maladie s'est aggravée,* elle est devenue plus grave.

■ **aggravant, e** adj. SENS 2 *On avait déjà commis la même faute : c'est une circonstance aggravante* (≠ atténuant).

■ **aggravation** n.f. SENS 2 *On craint une aggravation des inondations.*

graver v. **1.** *Mon prénom est gravé sur mon bracelet,* il est écrit en creux sur le métal du bracelet. **2.** *Cet événement est gravé dans ma mémoire,* il y est pour toujours.

■ **gravure** n.f. SENS 1 **1.** *Je fais de la gravure sur cuivre,* je grave des dessins ou des inscriptions. **2.** *Ma chambre est ornée de gravures,* de reproductions de dessins.

■ **graveur, euse** n. SENS 1 *Les œuvres de ce graveur sont très belles,* cet artiste qui fait de la gravure.

gravier n.m. *Les allées du jardin sont couvertes de gravier,* de petits cailloux.

■ **gravillon** n.m. *La motocycliste a dérapé sur les gravillons,* les petits graviers qu'on met sur les routes.

gravir v. *Les alpinistes gravissent la montagne,* ils grimpent dessus lentement et avec effort (= escalader).

1. gravité → *grave.*

2. gravité n.f. *La Terre attire les corps : ce phénomène s'appelle la gravité* (= pesanteur).

■ **graviter** v. *La Lune gravite autour de la Terre,* elle tourne autour de la Terre.

gravure → *graver.*

gré n.m. **1.** *Je trouve ce manteau à mon gré,* à mon goût. **2.** *Je lui sais gré de sa discrétion,* je lui en suis reconnaissant. **3.** *Tu es venu ici de ton plein gré,* volontairement. **4.** *Bon gré mal gré, tu dois faire ce travail,* que tu le veuilles ou non. *Nous l'amènerons de gré ou de force,* même s'il faut employer la force.

gredin, e n. *Cet homme est un gredin,* un individu malhonnête (= canaille).

gréer v. *On grée le voilier,* on met en place les voiles et les cordages.

■ **gréement** n.m. *Le gréement d'un voilier* comprend les voiles, les poulies et les cordages.

1. greffe n.m. *Le greffe du tribunal est le lieu où l'on garde les dossiers.*

■ **greffier, ère** n. *Le greffier est l'employé qui s'occupe des dossiers du greffe.*

2. greffe n.f. **1.** *La chirurgienne a fait une greffe du cœur,* une opération qui consiste à remplacer un cœur malade par un cœur en bon état. **2.** *Le jardinier a mis une greffe* (ou un **greffon**) *à son pommier,* il y a fixé une pousse venant d'un autre arbre.

■ **greffer** v. **1.** SENS 1 ET 2 *Le chirurgien a greffé un cœur au malade. Greffer un prunier,* c'est y mettre une greffe. **2.** *De nouvelles difficultés se sont greffées sur celles qui existaient déjà,* elles s'y sont ajoutées.

grégaire adj. *Les fourmis ont l'instinct grégaire,* leur instinct les pousse à vivre en groupes.

grège adj. *J'ai un imperméable grège,* entre le gris et le beige.

1. grêle n.f. **1.** *Une averse de grêle a abîmé les récoltes,* de petits glaçons. **2.** *J'ai reçu une grêle de coups,* un grand nombre de coups.

■**grêler** v. SENS 1 *Il grêle,* il tombe de la grêle.
■**grêlon** n.m. SENS 1 *Il est tombé des grêlons énormes,* des glaçons ronds.

2. grêle adj. 1. *J'ai les jambes grêles,* longues et maigres. 2. *Écoutez cette voix grêle,* aiguë et faible. 3. *L'intestin grêle* est la partie la plus longue et la plus mince de l'intestin.

grelot n.m. *Mon chien porte un grelot à son collier,* une petite boule de métal qui tinte quand on l'agite.

grelotter v. *En sortant de l'eau, il grelottait de froid,* il tremblait très fort.

grenade n.f. 1. *Dans les pays méditerranéens, poussent des grenades,* des fruits ronds, gros comme des oranges et rouges à l'intérieur. 2. *Les militaires s'entraînent à lancer des grenades,* des boules de métal qui explosent.
■**grenadier** n.m. SENS 1 Le *grenadier* est l'arbre sur lequel poussent les grenades. SENS 2 Les *grenadiers* étaient des soldats d'élite.

grenadine n.f. *Veux-tu boire de la grenadine ?,* un sirop de couleur rouge.

grenat adj.inv. *Un velours grenat* est de couleur rouge sombre.

grenier n.m. *Les vieux meubles sont au grenier,* dans la partie de la maison située juste sous le toit (= combles).

grenouille n.f. *Les têtards de la mare se sont transformés en grenouilles,* de petits animaux vivant au bord de l'eau.

grenu → *grain.*

grès n.m. 1. Le *grès* est une roche formée de grains de sable liés par un ciment naturel. 2. *J'ai un vase rustique en grès,* en poterie très dure.

grésil n.m. *Il tombe une averse de grésil,* de petits grêlons blancs.

grésiller v. *L'huile grésille dans la poêle chaude,* elle fait des petits bruits d'explosion.

1. grève n.f. *Les vagues ont jeté un bateau sur la grève,* sur la plage (= rivage).

2. grève n.f. *Les ouvriers de l'usine sont en grève,* ils ont cessé le travail pour obtenir quelque chose. *Les détenus font la grève de la faim,* ils refusent toute nourriture, en signe de protestation.
■**gréviste** n. et adj. *Il y a de nombreux grévistes,* des salariés qui font grève.

grever v. *Ce propriétaire se plaint d'être grevé d'impôts* (= accablé).
■**dégrèvement** n.m. *On a obtenu un dégrèvement fiscal* (= allégement).

gréviste → *grève* 2.

gribouiller v. *Le petit enfant gribouille sur son cahier,* il trace des lignes qui ne représentent rien (= griffonner).
■**gribouillage** ou **gribouillis** n.m. *Son cahier est plein de gribouillages.*

grief n.m. *J'ai des griefs contre Lise,* des choses à lui reprocher.

grièvement adv. *Tu l'as grièvement blessé,* gravement.

griffe n.f. 1. *Le chat a des griffes,* des ongles crochus et pointus. 2. *Une griffe* est un outil de jardinage.
■**griffer** v. SENS 1 *Le chat m'a griffé,* il m'a égratigné avec ses griffes.

griffonner v. *Il a griffonné son adresse sur un bout de papier,* il l'a écrite très vite et mal.
■**griffonnage** n.m. *Je ne comprends rien à ce griffonnage* (= gribouillage).

grignoter v. *Les souris ont grignoté le fromage,* elles l'ont mangé petit à petit.

grigou n.m. Fam. *Ce vieux grigou ne sait pas faire un cadeau* (= avare).

gril, grillade → *griller.*

grille n.f. 1. *Le jardin est entouré d'une grille,* d'une clôture formée de barreaux. 2. *Les platanes du boulevard ont* *le bas du tronc entouré d'une **grille**,* un assemblage de barreaux en métal. **3.** *Une **grille** de mots croisés est un carré quadrillé.*

■ **grillage** n.m. SENS 1 *Le poulailler est entouré de **grillage**,* d'une clôture en fils de métal qui se croisent.

■ **grillager** v. SENS 1 *La fenêtre **est grillagée**,* elle est fermée par un grillage.

griller v. **1.** *Nous mangeons des côtelettes **grillées**,* rôties sur un gril. **2.** *Le gel **a grillé** les bourgeons,* il les a desséchés et racornis. **3.** *Je **grille** d'envie de vous raconter mon aventure,* j'en suis très impatiente. **4.** Fam. *J'ai **grillé** un feu rouge,* je l'ai franchi sans m'arrêter (= brûler).

■ **gril** n.m. SENS 1 *Nous cuisons des saucisses sur le **gril**,* sur une grille de métal placée au-dessus de la braise.

■ **grillade** n.f. SENS 1 *Je ne mange que des **grillades**,* des viandes grillées.

■ **grilladerie** n.f. SENS 1 Une ***grilladerie*** est un restaurant où l'on sert des grillades.

■ **grille-pain** n.m.inv. SENS 1 *J'ai acheté un **grille-pain** électrique,* un appareil pour griller des tranches de pain.

grillon n.m. *Dans les prés, on entend le cri des **grillons**,* une sorte d'insecte tout noir.

grimace n.f. **1.** *Le clown fait des **grimaces** pour faire rire les spectateurs,* il déforme son visage d'une façon amusante. **2.** *Quand on lui a interdit de sortir, il a fait la **grimace**,* il a montré qu'il n'était pas content.

■ **grimacer** v. SENS 1 *La malade **grimace** de douleur,* la douleur lui fait faire des grimaces.

■ **grimaçant, e** adj. SENS 1 *Les gargouilles ont des têtes **grimaçantes**.*

grimer v. *Veux-tu que je te **grime** en clown ?* (= maquiller).

grimoire n.m. *On a retrouvé de vieux **grimoires**,* de vieux livres contenant des textes mystérieux.

grimper v. **1.** ***Grimper** à un arbre,* c'est y monter en s'aidant des pieds et des mains (= escalader). **2.** *La cycliste **grimpe** la côte,* elle la monte. **3.** Fam. *Un rien le fait **grimper**,* mettre en colère.

■ **grimpant, e** adj. SENS 1 *Le lierre est une plante **grimpante**,* qui s'élève en s'accrochant à des supports.

■ **grimpeur, euse** n. SENS 2 *Ce cycliste est un bon **grimpeur**.*

grincer v. **1.** *En s'ouvrant, la porte **grince**,* elle fait un bruit de frottement désagréable. **2.** *La douleur me fait **grincer des dents**,* faire du bruit en frottant mes dents du bas contre celles du haut.

■ **grincement** n.m. *On entend le **grincement** d'une porte.*

grincheux, euse adj. et n. *C'est une personne **grincheuse**,* elle est sans cesse de mauvaise humeur (= grognon, bougon).

gringalet n.m. *Cet homme est un **gringalet**,* il est petit et chétif.

grippe n.f. **1.** *Cet hiver, beaucoup de gens ont eu la **grippe**,* une maladie contagieuse. **2.** *Elle **a pris** son voisin **en grippe**,* elle s'est mise à le détester.

■ **grippé, e** adj. SENS 1 *Nadia est **grippée**,* elle a la grippe.

gripper v. *Cette vis **est grippée**,* on ne peut plus la faire tourner.

grippe-sou n. et adj. *Un **grippe-sou** est un avare* (= gratteux).

R. Noter le pluriel : *des grippe-sous.*

1. gris, e adj. **1.** *J'ai un pantalon **gris**,* d'une couleur intermédiaire entre le blanc et le noir. **2.** *Le ciel est **gris**,* couvert de nuages.

■ **gris** n.m. SENS 1 *Le mur est peint en **gris**,* avec de la peinture grise.

■ **grisaille** n.f. SENS 2 *Par temps de brume, le paysage est dans la **grisaille**,* tout y paraît gris.

■ **grisâtre** adj. SENS 1 *Le plafond a pris une teinte **grisâtre**,* un peu grise.

■ **grisonner** v. SENS 1 *Ses cheveux grisonnent,* ils commencent à devenir gris.

2. gris, e adj. *Tu es gris,* tu es un peu ivre (= éméché).

■ **griser** v. *Le vin l'a grisé,* il l'a légèrement enivré (= étourdir).

■ **grisant, e** adj. *Cette star a connu un succès grisant* (= enivrant).

■ **griserie** n.f. *Je sentais la griserie de la vitesse,* la vitesse me grisait (= ivresse).

■ **dégriser** v. *Le grand air nous a dégrisés,* il a fait cesser notre ivresse.

grisou n.m. *Dans les mines de charbon, il se dégage parfois du grisou,* un gaz qui explose facilement.

grive n.f. *Nous avons mangé du pâté de grive,* un oiseau qu'on voit souvent dans les vignes.

grivois, e adj. *On m'a raconté une histoire grivoise,* une plaisanterie avec des allusions sexuelles (= gaulois).

grizzli n.m. *Le grizzli est un très grand ours des montagnes de l'Amérique du Nord.*

grog n.m. *Pour me réchauffer, j'ai bu un grog,* de l'eau chaude sucrée avec du rhum.

grogner v. **1.** *Le cochon grogne,* il pousse de petits cris. *Le chien grogne,* il gronde d'un air menaçant. **2.** *Je grogne d'avoir tout à recommencer,* je montre mon mécontentement en protestant (= ronchonner).

■ **grognement** n.m. SENS 1 *J'entends le grognement des cochons.*

■ **grognon, onne** adj. et n. SENS 2 *Cléa est grognonne,* de mauvaise humeur.

groin n.m. *Le museau du cochon ou du sanglier s'appelle le groin.*

grommeler v. *Tu as grommelé quelques mots,* tu les as dits sourdement entre tes dents (= marmonner).

R. → Conj. n° 6.

gronder v. **1.** *L'orage gronde,* on entend son bruit sourd et menaçant. **2.** *Je me suis fait gronder,* on m'a fait des reproches (= réprimander, attraper, disputer).

■ **grondement** n.m. SENS 1 *On entend le grondement du tonnerre.*

gros, grosse adj. **1.** *J'ai reçu un gros colis,* de grande taille (= volumineux ; ≠ petit). **2.** *M. Durand est un gros homme* (= gras, corpulent ; ≠ maigre). **3.** *Cette femme est grosse de six mois,* (= enceinte). **4.** *Il y a de gros défauts dans ce plan,* des défauts importants et très visibles. **5.** *Cet enfant a de gros traits,* les traits de son visage ne sont pas fins (= épais). **6.** *Tu as dit un gros mot,* un mot grossier. **7.** *Sa maman l'a grondé en lui faisant les gros yeux,* en le regardant d'un air sévère. **8.** *Louise a le cœur gros,* elle a du chagrin.

■ **gros, grosse 1.** n. SENS 2 *Paul est un gros,* il est gros. **2.** n.m. SENS 4 *Le plus gros du travail est fait,* la plus grande partie. *J'ai acheté ce manteau au prix de gros* (≠ au détail).

■ **en gros** adv. **1.** SENS 4 *Cette commerçante achète des fruits en gros,* par grandes quantités (≠ au détail). **2.** *Il y avait en gros mille personnes,* environ (= grosso modo).

■ **gros** adv. SENS 1 *J'écris gros,* en faisant de grandes lettres.

■ **grossesse** n.f. SENS 3 *La grossesse de la femme dure neuf mois,* le temps pendant lequel elle est enceinte.

■ **grosseur** n.f. **1.** SENS 1 *Le prix des œufs varie selon leur grosseur,* leur taille. **2.** *Tu as une grosseur sur le nez,* une enflure.

■ **grossir** v. SENS 1 *La fonte des neiges grossit les torrents,* elle les rend plus gros. *La loupe grossit les objets,* elle les fait paraître plus gros. SENS 2 *Tu as grossi,* tu es devenue plus grosse.

■ **grossissement** n.m. SENS 1 *Cette loupe a un fort grossissement.*

■ **grossiste** n. SENS 4 *Les détaillants achètent leur marchandise chez un grossiste,* un marchand qui vend en gros.

■ **dégrossir** v. SENS 4 *Dégrossir un travail,* c'est en faire le plus gros sans entrer dans les détails (≠ fignoler, finir).

groseille n.f. La *groseille* est un petit fruit rond, rouge ou blanc, acidulé, qui pousse en grappes sur les **groseilliers.**

grossesse, grosseur → *gros.*

grossier, ère adj. 1. *Un tissu grossier* est rude (≠ fin). 2. *Tu as fait une erreur grossière,* une lourde erreur très visible. 3. *Un mot grossier* est un mot qui peut choquer celui qui l'entend (= vulgaire).

■ **grossièrement** adv. SENS 1 ET 2 *Le paquet est grossièrement emballé,* de façon rudimentaire (= sommairement). SENS 3 *Tu m'as répondu grossièrement,* avec des mots grossiers.

■ **grossièreté** n.f. SENS 3 *Cette personne est d'une grande grossièreté,* elle est très mal élevée. *Tu dis des grossièretés,* des choses grossières.

grossir, grossissement, grossiste → *gros.*

grosso modo adv. *Raconte-moi l'histoire grosso modo,* sans entrer dans les détails (= en gros).

grotesque adj. *Cette vedette est habillée d'une façon grotesque,* qui provoque le rire (= ridicule, burlesque, cocasse).

grotte n.f. *Certains hommes préhistoriques vivaient dans des grottes,* des creux naturels des roches ou du sol (= caverne).

1. grouiller v. *Le lapin mort grouillait de vers,* il était plein de vers qui remuaient en tous sens (= fourmiller).

■ **grouillant, e** adj. *La place est remplie d'une foule grouillante,* qui s'agite dans tous les sens.

■ **grouillement** n.m. *On peut voir du balcon le grouillement de la foule.*

2. se grouiller v. Très fam. *Quand on surveille sa façon de parler, on ne dit pas « grouille-toi », mais « dépêche-toi ».*

groupe n.m. 1. *Le guide du musée est entouré d'un groupe de touristes,* d'un ensemble de touristes rassemblés. 2. *Un groupe de maisons forme un hameau,* plusieurs maisons.

■ **grouper** v. SENS 1 *Les élèves se groupent dans la cour,* ils se rassemblent (≠ disperser). SENS 2 *J'ai groupé plusieurs colis pour les envoyer ensemble* (= réunir ; ≠ séparer).

■ **groupement** n.m. SENS 1 *Un groupement politique* est un rassemblement de gens ayant les mêmes opinions (= association).

■ **groupuscule** n.m. SENS 1 *L'agitation était entretenue par des groupuscules,* de tout petits groupes politiques.

■ **regrouper** v. SENS 1 *Les soldats en fuite ont essayé de se regrouper,* de se remettre en groupe.

gruau n.m. 1. *Le boulanger vend du pain de gruau,* du pain fait avec une farine très fine. 2. *Katy aime bien le gruau,* une bouillie faite de grains d'avoine décortiqués grossièrement.

1. grue n.f. La *grue* est un grand oiseau échassier. | 579

2. grue n.f. *Sur le chantier, on a installé une grue,* un appareil très haut qui soulève et déplace de lourdes charges. | 150, 727

■ **grutier, ère** n. *M. Ramirez est grutier,* il conduit une grue. | 150

gruger v. *Elle s'est laissée gruger dans cette affaire* (= tromper, duper).

grume n.f. *Une grume est un tronc d'arbre coupé ayant encore son écorce.* | 581

grumeau n.m. *Je n'ai pas réussi ma crème, elle est pleine de grumeaux,* de petites boules gluantes.

grutier → **grue** 2.

gruyère n.m. Le *gruyère* est un fromage dont la pâte est souvent percée de trous.
R. On prononce [gryijɛr] ou [gryjɛr].

721 **gué** n.m. *Passer une rivière à gué,* c'est la traverser à pied à un endroit où elle est très peu profonde.
R. *Gué* se prononce [ge] comme *gai.* → *guetter.*

guenille n.f. **1.** *J'ai besoin d'une guenille pour faire le ménage,* un chiffon. **2.** (au plur.) *La mendiante était en guenilles,* elle avait des vêtements sales et déchirés (= loques, haillons).
■ **guenilleux, euse** adj. et n. SENS 2 Fam. *La place est pleine de vieux guenilleux,* en guenilles.
■ **déguenillé, e** adj. SENS 2 *Un clochard déguenillé demandait l'aumône,* vêtu de guenilles.

guenon n.f. La *guenon* est la femelle du singe.

434 **guépard** n.m. Le *guépard* est un animal d'Afrique et d'Asie à peau tachetée, le plus rapide de tous les animaux terrestres.

363 **guêpe** n.f. *En mangeant un fruit, j'ai été piqué par une guêpe,* un insecte.
■ **guêpier** n.m. *Un guêpier* est un nid de guêpes.

guère adv. *Je n'aime guère la viande,* je ne l'aime pas beaucoup.
R. *Guère* se prononce [gɛr] comme *guerre.*

76 **guéridon** n.m. *Le vase est posé sur un guéridon,* une petite table ronde avec un pied central.

guérilla n.f. *Les révolutionnaires avaient mené une guérilla,* une guerre faite d'embuscades et de petites attaques répétées.
■ **guérillero** n.m. *Les guérilleros* sont les combattants qui font la guérilla.
R. On prononce [gerijero].

guérir v. **1.** *Ce médicament a guéri ma sœur de sa grippe,* il l'en a débarrassée. **2.** *Elle guérira vite,* elle sera vite rétablie. **3.** *Je voudrais bien guérir mon rhume,* le faire cesser.
■ **guérison** n.f. *Sa guérison a été lente,* il a mis longtemps à guérir.
■ **guérisseur, euse** n. *M. Durand est allé voir une guérisseuse,* une femme qui prétend guérir les maladies sans être médecin.

guérite n.f. *La sentinelle monte la garde devant sa guérite,* une petite baraque en bois.

guerre n.f. **1.** *Ces deux pays se font la guerre,* leurs soldats se battent avec des armes. **2.** *Faire la guerre à l'alcoolisme,* c'est lutter contre l'alcoolisme.
■ **guerrier, ère** adj. et n. SENS 1 *Une peuplade guerrière a du goût pour la guerre* (= belliqueux). *Les guerriers gaulois se battaient le torse nu* (= combattant).
■ **guerroyer** v. SENS 1 *Au Moyen Âge, beaucoup de seigneurs guerroyaient contre leurs voisins,* ils faisaient la guerre.
R. → *guère.*

guet, guet-apens → *guetter.*

guêtre n.f. *À la chasse je porte des guêtres,* j'entoure le bas de mes jambes d'un morceau de cuir ou de tissu.

guetter v. **1.** *Le chat guette la souris,* il surveille les alentours pour la surprendre (= épier). **2.** *Je guette l'arrivée du courrier,* je l'attends avec impatience. **3.** *La folie la guette,* elle risque de devenir folle (= menacer).
■ **guet** n.m. SENS 1 *Pendant le cambriolage, un des malfaiteurs faisait le guet,* il surveillait les alentours pour voir si personne ne venait.
■ **guet-apens** n.m. SENS 1 *Pour l'assassiner, ses ennemis l'ont attiré dans un guet-apens,* à un endroit où ils l'attendaient (= piège, embuscade).

■ **guetteur, euse** n. SENS 1 *Les guetteurs ont signalé l'approche d'un ennemi.*
R. Ne pas confondre *guet* [gɛ] et *gué* [ge]. *Guet-apens* se prononce [gɛtapɑ̃]. Attention au pluriel : des *guets-apens* [degɛtapɑ̃].

gueule n.f. *Le chien ouvre la gueule,* sa bouche.
■ **gueuler** v. Très fam. *Ce n'est pas la peine de gueuler comme ça, j'ai entendu,* de crier très fort.
■ **gueulard, e** adj. et n. Très fam. *C'est un gueulard,* une personne qui parle haut et fort.

gueux n.m. se disait autrefois pour *mendiant, miséreux.*

gui n.m. *Au nouvel an, on décore la maison d'une touffe de gui,* une plante à boules blanches qui pousse sur certains arbres.

guichet n.m. **1.** *Les clients attendent devant les guichets de la poste,* les ouvertures derrière lesquelles sont les employés de la poste. **2.** *Ce spectacle est présenté à guichets fermés,* tous les billets sont déjà vendus.

guide 1. n. *Pour escalader la montagne, nous prenons un guide,* une personne qui nous montre le chemin. **2.** n.m. *Pour organiser notre voyage en Italie, nous avons consulté un guide,* un livre qui donne des renseignements sur ce pays.
■ **guide** n.f. **1.** *Je tiens les guides du cheval,* les lanières de cuir qui servent à le guider (= rênes). **2.** *Claire est guide,* elle fait partie d'une association de scoutisme.
■ **guider** v. SENS 1 *Marie nous a guidés à travers Québec,* elle nous a accompagnés pour nous conduire (= diriger).
■ **téléguider** v. *Grâce à cet appareil, on peut téléguider la voiture,* la conduire de loin.

guidon n.m. *Le cycliste tient le guidon de sa bicyclette,* la partie servant à diriger la bicyclette.

guigne n.f. Fam. *Quelle guigne !,* quelle malchance !

guigner v. *Je guigne cet emploi,* je voudrais bien l'avoir (= convoiter).

guignol n.m. *Les enfants ont ri aux éclats pendant la séance de guignol,* un spectacle de marionnettes.

440

guignolée n.f. *À la veille de Noël, nous passons pour la guignolée,* nous ramassons de l'argent pour ceux qui sont démunis.

guillemet n.m. *Le mot « dictionnaire » est ici entre guillemets.*

guilleret, ette adj. *Michèle est toute guillerette ce matin,* elle est vive et gaie (= fringant).

guillotine n.f. *Dans la cour de la prison, on avait dressé la guillotine,* l'instrument qui servait à couper la tête aux condamnés à mort.
■ **guillotiner** v. *Louis XVI a été guillotiné,* on lui a coupé la tête.

guimauve n.f. **1.** *La guimauve est une plante.* **2.** *La pâte de guimauve est une confiserie molle et sucrée.*

guimbarde n.f. **1.** Fam. *Une guimbarde est une vieille voiture.* **2.** *On a dansé au son de la guimbarde,* un petit instrument de musique à languette vibrante, qu'on tient entre les dents.

guindé, e adj. *Tu as pris un air guindé,* un air digne et froid (≠ naturel).

de guingois adv. *J'ai les dents plantées de guingois,* de travers.

guinguette n.f. *Le bal avait lieu dans une guinguette,* un cabaret populaire à la campagne.

guirlande n.f. *La salle était décorée de guirlandes,* de longues chaînes de fleurs, de papiers découpés, etc.

guise n.f. *Chacun agit à sa guise,* comme il lui plaît (= à sa tête).

■ **en guise de** prép. *J'ai mangé un sandwich en guise de repas,* à la place d'un repas, comme repas.

294 **guitare** n.f. *Le chanteur s'accompagne à la guitare,* un instrument de musique à cordes.

■ **guitariste** n. Une *guitariste* joue de la guitare.

guttural, e, aux adj. *Tu as une voix gutturale,* qui vient du fond de la gorge (= rauque).

35 **gymnastique** n.f. *Je fais de la gymnastique tous les matins,* des exercices pour assouplir le corps et fortifier les muscles.

■ **gymnase** n.m. *Les séances de gymnastique ont lieu dans un gymnase,* une grande salle aménagée pour cela.

■ **gymnaste** n. *Marie est une bonne gymnaste,* elle est forte en gymnastique.

gynécologue n. *Ma gynécologue m'a examinée,* une médecin spécialiste de la grossesse et de l'organisme de la femme.

gypse n.m. *Le gypse est une roche à partir de laquelle on fait du plâtre.*

gyrophare n.m. *La voiture de police se signale par son gyrophare bleu,* un phare tournant placé sur le toit.

h

h n.m. *L'heure H, c'est l'heure fixée.*

*ha ! interj. *Dans les textes, le rire se transcrit : « Ha ! ha ! ha ! »*

habile adj. *Antonio est habile,* il réussit bien ce qu'il fait (= adroit, capable).
- ■ **habilement** adv. *Elle a habilement évité le piège* (= adroitement).
- ■ **habileté** n.f. *Elle est douée d'une grande habileté manuelle,* elle est très habile de ses mains (= adresse).
- ■ **malhabile** adj. *Tu t'y es pris d'une façon trop malhabile pour réussir* (= maladroit).

habiliter v. *Je ne suis pas habilité pour prendre cette décision,* je n'en ai pas le droit (= autoriser).

habiller v. *Patrick habille ma petite sœur,* il lui met ses vêtements. *Ma petite sœur ne sait pas s'habiller toute seule* (= se vêtir). *Je m'habille toujours dans ce magasin,* j'y achète mes vêtements.
- ■ **habillé, e** adj. *Une robe habillée est élégante* (= chic).
- ■ **habillement** n.m. *Je travaille dans un magasin d'habillement,* qui vend des habits.
- ■ **habilleur, euse** n. *L'habilleuse aide les comédiens, les actrices à mettre leur costume.*
- ■ **habit** n.m. **1.** *Range tes habits,* tes vêtements. **2.** *À ce mariage, les hommes portaient l'habit,* un vêtement de cérémonie.
- ■ **déshabiller** v. *Carmen déshabille sa poupée. On se déshabille avant d'aller se coucher,* on enlève ses vêtements.
- ■ **rhabiller** v. *Après le bain, nous nous sommes rhabillés.*

habiter v. *J'habite (à) Paris,* j'y vis habituellement (= demeurer, résider, loger).
- ■ **habitant, e** n. **1.** *Ce village a mille habitants,* mille personnes y habitent. **2.** *C'est un habitant,* un paysan.
- ■ **habitable** adj. *Le grenier de la maison est habitable,* on peut y loger.
- ■ **habitat** n.m. **1.** *La jungle est l'habitat du tigre,* le lieu où il vit. **2.** *Le Parlement a voté une loi pour l'amélioration de l'habitat,* des conditions de logement.
- ■ **habitation** n.f. *Les Martin ont changé d'habitation* (= domicile, résidence).
- ■ **cohabiter** v. *J'ai cohabité quelque temps avec Dominique,* j'ai habité dans le même logement.
- ■ **inhabitable** adj. *Cette maison en ruine est inhabitable.*
- ■ **inhabité, e** adj. *Les déserts sont des régions inhabitées.*

habitude n.f. **1.** *J'ai l'habitude de me coucher tôt,* je le fais ordinairement. **2.** *Tu manges bien d'habitude* (= habituellement, d'ordinaire).
- ■ **habitué, e** n. et adj. *Ce sont des habitués,* des personnes qui ont l'habitude d'un restaurant, d'une activité, etc.
- ■ **habituer** v. *J'habitue mon chien à*

R. Les mots précédés d'un astérisque (*) commencent par un *h* aspiré : il n'y a pas d'élision *(le hamac)* et on ne fait pas la liaison *(les hamacs* [leamak]) ; les mots sans astérisque commencent par un *h* muet : il y a élision *(l'homme)* et on fait la liaison *(les hommes* [lezɔm]).

habitants des pays, des villes et des régions

Tous ces mots sont à la fois des adjectifs et des noms. Quand ils sont des noms désignant une personne, ils s'écrivent avec une majuscule. Ceux qui sont précédés d'un astérisque (*) désignent également une langue : *les Allemands parlent l'allemand.*

Afghanistan	*afghan	Colombie	colombien
Afrique	africain	Congo	congolais
Albanie	*albanais	Corée	*coréen
Alger	algérois	Corse	corse
Algérie	algérien	Côte-d'Ivoire	ivoirien
Allemagne	*allemand	Crète	crétois
Alsace	alsacien	Cuba	cubain
Amérique	américain	Danemark	*danois
Andorre	andorran	Dauphiné	dauphinois
Angleterre	*anglais	Écosse	écossais
Angola	angolais	Égypte	égyptien
Anjou	angevin	Équateur	équatorien
Antilles	antillais	Espagne	*espagnol
Aquitaine	aquitain		ou hispanique
Arabie	*arabe	Éthiopie	éthiopien
Argentine	argentin	Europe	européen
Arménie	*arménien	Finlande	finlandais
Artois	artésien		*finnois
Asie	asiatique	Flandres	*flamand
Athènes	athénien	France	*français
Australie	australien	Franche-Comté	franc-comtois
Autriche	autrichien	Gabon	gabonais
Auvergne	auvergnat	Gambie	gambien
Basque (pays)	*basque	Gascogne	gascon
Béarn	béarnais	Gaule	gaulois
Beauce	beauceron	Genève	genevois
Belgique	belge	Géorgie	*géorgien
Bengale	*bengali	Ghana	ghanéen
Bénin	béninois	Grande-Bretagne	britannique
(anc. Dahomey)		Grèce	*grec
Berlin	berlinois	Guadeloupe	guadeloupéen
Berry	berrichon	Guatemala	guatémaltèque
Birmanie	*birman	Guinée	guinéen
Bolivie	bolivien	Guyane	guyanais
Bordeaux	bordelais	Haïti	haïtien
Bourgogne	bourguignon	Hollande	hollandais
Brésil	brésilien	Hongrie	*hongrois
Bretagne	*breton	Inde	indien
Brie	briard	Indonésie	*indonésien
Bruxelles	bruxellois	Irak ou Iraq	irakien
Bulgarie	*bulgare	Iran	*iranien
Burkina	burkinabé	Irlande	*irlandais
(anc. Haute-Volta)		Islande	*islandais
Cambodge	cambodgien	Israël	israélien
Cameroun	camerounais	Italie	*italien
Canada	canadien	Jamaïque	jamaïquain
Catalogne	*catalan		ou jamaïcain
Cévennes	cévenol	Japon	*japonais
Champagne	champenois	Java	*javanais
Charente	charentais	Jordanie	jordanien
Chili	chilien	Jura	jurassien
Chine	*chinois	Kenya	kenyan
Chypre	chypriote	Koweït	koweïtien
		Languedoc	languedocien

Laos	laotien	Pologne	* polonais
Laponie	lapon	Portugal	* portugais
Liban	libanais	Provence	* provençal
Libéria	libérien	Québec	québécois
Libye	libyen	Réunion	réunionnais
Lille	lillois	Rhodésie	rhodésien
Limousin	limousin	Rome	romain
Londres	londonien	Roumanie	* roumain
Lorraine	lorrain	Ruanda	ruandais
Luxembourg	luxembourgeois	Russie	* russe
Lyon	lyonnais	Sahara	saharien
Madagascar	* malgache	Saint-Étienne	stéphanois
Madrid	madrilène	Sardaigne	sarde
Malaisie	* malais	Savoie	savoyard
Mali	malien	Scandinavie	scandinave
Maroc	marocain	Sénégal	sénégalais
Marseille	marseillais	Sibérie	sibérien
Martinique	martiniquais	Sicile	sicilien
Mauritanie	mauritanien	Soudan	soudanais
Mexique	mexicain	Sri Lanka	sri lankais
Monaco	monégasque	Strasbourg	strasbourgeois
Mongolie	* mongol	Suède	* suédois
Morvan	morvandiau	Suisse	suisse
Moscou	moscovite	Syrie	syrien
Népal	* népalais	Tahiti	tahitien
New York	new-yorkais	Tanzanie	tanzanien
Niger	nigérien	Tchad	tchadien
Nigeria	nigerian	Tchécoslovaquie	tchécoslovaque
Normandie	normand		ou * tchèque
Norvège	norvégien	Thaïlande	thaïlandais
Nouvelle-Guinée	néo-guinéen	Tibet	* tibétain
Nouvelle-Zélande	néo-zélandais	Togo	togolais
Océanie	océanien	Touraine	tourangeau
Ouganda	ougandais	Tunisie et Tunis	tunisien
Pakistan	pakistanais	Turquie	* turc
Paraguay	paraguayen	U.R.S.S.	soviétique
Paris	parisien	Uruguay	uruguayen
Pays-Bas	néerlandais	Vendée	vendéen
Pékin	pékinois	Venezuela	vénézuélien
Périgord	périgourdin	Viêt-nam	* vietnamien
Pérou	péruvien	Yémen	yéménite
Perse	persan	Yougoslavie	yougoslave
Philippines	philippin	Zaïre	zaïrois
Picardie	picard	Zambie	zambien
Poitou	poitevin	Zimbabwe	zimbabwéen

être propre, je lui apprends à l'être toujours (= accoutumer). Je m'habitue à ce nouveau genre de vie, je le supporte de mieux en mieux (= se faire, s'adapter).

■ **habituel, elle** adj. On nous a servi le menu habituel, celui qu'on sert le plus souvent (= courant, ordinaire).

■ **habituellement** adv. Habituellement, ils viennent nous voir le jeudi, ils viennent en principe tous les jeudis (= d'habitude, d'ordinaire).

■ **déshabituer** v. Je me suis déshabituée de fumer, j'en ai perdu l'habitude.

■ **inhabituel, elle** adj. Cet incident est inhabituel (= rare, exceptionnel).

■ **réhabituer** v. Après cette longue maladie, il se réhabitue peu à peu à vivre normalement.

*****hâbleur, euse** n. et adj. Bernard fait toujours l'important : c'est un hâbleur (= vantard).

761 ***hache** n.f. *On fend des bûches avec une* **hache,** un outil tranchant.

■ ***hachette** n.f. *Les campeurs ont emporté une* **hachette** *dans leur sac,* une petite hache.

*hacher v. *La viande* **est hachée,** elle est coupée en tout petits morceaux.

■ ***haché, e** adj. *Cette oratrice a un débit* **haché** (= heurté, saccadé).

■ ***hachis** n.m. *On fait cette farce avec du* **hachis** *de volaille,* de la viande hachée.

78 ■ ***hachoir** n.m. *Un* **hachoir** est un appareil qui hache.

*hachette → hache.

*hachure n.f. *Sur certaines cartes, les reliefs sont indiqués par des* **hachures,** des traits parallèles.

■ ***hachurer** v. *Marie* **a hachuré** *une partie de son dessin,* elle a tracé des hachures.

*hagard, e adj. *Le prisonnier avait l'air* **hagard,** il semblait avoir l'esprit fortement troublé (= égaré).

73,
364 ***haie** n.f. **1.** *Le pré est entouré d'une* **haie,** d'une clôture d'arbustes. **2.** *Le coureur passe entre deux* **haies** *de spectateurs* (= rangée). **3.** *Qui a gagné la* **34** **course de haies** *?,* où il faut sauter par-dessus des barrières.

*haillons n.m.pl. *Le clochard était vêtu de* **haillons,** de vêtements vieux et déchirés (= guenilles, hardes).

*haïr v. *Je* **hais** *le mensonge et les menteurs,* je les déteste (≠ aimer).

■ ***haine** n.f. *J'ai la* **haine** *du tabac,* je le déteste (= répugnance, aversion). *Ce crime est inspiré par la* **haine** (≠ amour, amitié).

■ ***haineux, euse** adj. *Tu m'as jeté un regard* **haineux,** plein de haine (= hostile ; ≠ amical).

■ ***haineusement** adv. *Tu m'as ré-*

pondu **haineusement,** très méchamment.

■ ***haïssable** adj. *Le mensonge est* **haïssable** (= détestable).
R. → Conj. n° 13

*halage → haler.

*hâle n.m. *Au* **hâle** *de son visage, on voit qu'elle revient du soleil,* à sa couleur brune.

■ ***hâler** v. *Elle est revenue* **hâlée** *de la montagne,* bronzée (= brunir).
R. Ne pas confondre *hâler* [ɑle] et *haler* [ale].

haleine n.f. **1.** *Le chien a mauvaise haleine,* l'air qu'il expire sent mauvais. **2.** *Il est* **hors d'haleine,** très essoufflé. **3.** *Cette autoroute est une œuvre de longue haleine,* elle a demandé beaucoup de temps. **4.** *Le film nous a tenus* **en haleine,** il nous a intéressés jusqu'au bout.

*haler v. *Les pêcheurs* **halent** *le bateau sur la plage,* ils le tirent avec une corde.

■ ***halage** n.m. *Le long du fleuve, il y a un chemin de* **halage,** qui permettait de haler les péniches.
R. *Haler* se prononce [ale] comme *aller.* → hâle.

*hâler → hâle.

*haleter v. *Le chien* **halète,** il respire très vite.
R. → Conj. n° 7.

*hall n.m. *Le* **hall** *d'un hôtel, d'une mairie* est la grande salle qui sert d'entrée.
R. On prononce [ol].

*halle n.f. **1.** *Dans ce port, il y a une* **halle** *aux poissons,* un bâtiment où les pêcheurs viennent vendre leur pêche. **2.** (au plur.) *Ces commerçantes se fournissent aux* **halles,** des grands bâtiments où l'on vend des aliments en gros.

*hallebarde n.f. *Autrefois, une* **hallebarde** *était une arme faite d'une sorte de hache au bout d'une pique.*

halloween n.f. *Xavier se déguisera en pirate à l'halloween,* une fête en octobre à l'occasion de laquelle les enfants déguisés vont de porte en porte pour obtenir des friandises.

hallucination n.f. *J'ai eu des hallucinations,* j'ai eu la sensation de voir des choses qui n'existent pas.
■ **halluciné, e** adj. et n. *Vous aviez un regard halluciné,* le regard d'une personne égarée.
■ **hallucinant, e** adj. *Le spectacle de la catastrophe était hallucinant* (= effrayant).

*halo n.m. *La lune est entourée d'un halo,* d'un cercle légèrement lumineux.

*halte 1. n.f. *On a fait une halte pour déjeuner,* on s'est arrêté. *Lorsque papa est fatigué de conduire il s'arrête à une halte routière,* un espace aménagé en bordure de la route pour permettre aux automobilistes de se reposer (= aire de repos). 2. interj. *Halte-là !,* arrêtez-vous !

haltère n.m. *Le gymnaste soulève un haltère de cent kilos,* deux boules de fer réunies par une barre.

*hamac n.m. *Katy dort dans son hamac,* une couchette de toile suspendue par ses extrémités.

*hamburger ou ***hambourgeois** n.m. *Un hamburger est un bifteck haché servi grillé dans un petit pain rond.*
R. On prononce [ãburgœr].

*hameau n.m. *Quel joli hameau !,* un groupe de maisons situé en milieu rural.

hameçon n.m. *Louise accroche un ver à l'hameçon,* au crochet pointu fixé au bout de la ligne.

*hampe n.f. *La hampe du drapeau* est le manche de bois auquel il est fixé.

*hamster n.m. *Dans notre classe, nous élevons un hamster,* un petit animal rongeur.
R. On prononce [amstɛr]

*hanche n.f. *Mon pantalon est serré aux hanches,* à la partie du corps située sous la taille.   33
■ **se déhancher** v. *Ce vieil homme marche en se déhanchant,* en balançant les hanches.
■ **déhanchement** n.m. *Elle a un léger déhanchement* en marchant.

*handball n.m. *Le handball* est un jeu d'équipe où l'on lance le ballon avec les mains.   35
R. On prononce [ãdbal]

*handicap n.m. *Ta mauvaise vue est un handicap pour ce métier,* elle te gêne (= désavantage).
■ ***handicaper** v. *Il est handicapé par sa blessure,* elle l'empêche de faire ce qu'il veut.
■ ***handicapé, e** n. et adj. *C'est une handicapée physique,* une personne diminuée (= infirme).

*hangar n.m. *On a rentré les avions dans leur hangar,* un grand abri.   511, 363, 219

*hanneton n.m. *Le hanneton* est un gros insecte roux.   363

*hanter v. 1. *Cette idée me hante,* elle ne me quitte pas (= obséder). 2. *On dit que cette maison est hantée,* qu'il y a des fantômes dedans.
■ ***hantise** n.f. SENS 1 *J'ai la hantise de l'accident,* je crains tout le temps d'en avoir un (= obsession).

*happer v. *Le chien happe le morceau de sucre,* il l'attrape brusquement avec la gueule (= saisir).

*hara-kiri n.m. *Certains Japonais se sont fait hara-kiri,* ils se sont suicidés en s'ouvrant le ventre.

*haranguer v. *L'orateur a harangué la foule,* il lui a parlé avec force pour la convaincre.
■ ***harangue** n.f. *La directrice a prononcé une harangue devant la classe* (= discours).

*haras n.m. *On élève les chevaux dans des* **haras.**

*harasser v. *Je* **suis harassée,** *extrêmement fatiguée* (= épuiser, exténuer, éreinter).

■ ***harassant, e** adj. *Les sauveteurs faisaient un travail* **harassant** (= épuisant, exténuant).

*harceler v. *Les moustiques me* **harcèlent,** *ils m'attaquent sans arrêt.*

■ *** harcèlement** n.m. *Les assiégés subissaient des tirs de* **harcèlement** *de l'artillerie, des tirs fréquemment répétés.*
R. → Conj. n° 5.

*hardes n.f.pl. *Des* **hardes,** *ce sont de vieux vêtements* (= haillons).

*hardi, e adj. *Ce chien est* **hardi,** *il n'a pas peur* (= courageux, intrépide ; ≠ peureux).

■ ***hardiment** adv. *L'enfant s'approcha* **hardiment** *du chien* (= bravement).

■ ***hardiesse** n.f. *Tu manques de* **hardiesse,** *tu n'es pas assez hardie* (= audace).

■ **s'enhardir** v. *Je* **me suis enhardie** *jusqu'à le contredire, j'ai pris de la hardiesse.*
R. *Enhardir se prononce* [ɑ̃ardir].

*harem n.m. *Les femmes du sultan vivaient dans le* **harem,** *un endroit de la maison qui, chez les musulmans, leur est réservé.*

*hareng n.m. *Au dîner, nous avons mangé des* **harengs,** *un poisson de mer qui vit en troupes très nombreuses.*

*harfang n.m. *L'*harfang *des neiges est une sorte de chouette blanche qui vit dans les régions froides.*

*hargne n.f. *L'employé que j'ai dérangé m'a répondu avec* **hargne,** *avec des paroles désagréables* (= agressivité, colère).

■ ***hargneux, euse** adj. *Ma chienne est* **hargneuse,** *elle grogne tout le temps.*

*haricot n.m. *Le* **haricot** *vert et le* **haricot** *sec sont des légumes.*

harmonica n.m. *Jean joue un air sur son* **harmonica,** *un petit instrument de musique.*

harmonie n.f. *Ces couleurs sont en* **harmonie,** *elles vont bien ensemble* (= accord).

■ **harmonieux, euse** adj. *Une voix* **harmonieuse** *est agréable à écouter. On est parvenu à une répartition* **harmonieuse** (= équilibré).

■ **harmonieusement** adv. *Ces couleurs sont* **harmonieusement** *assemblées.*

■ **harmoniser** v. 1. *Marie sait* **harmoniser** *les couleurs, les assembler avec harmonie. Ces couleurs* **s'harmonisent** *bien, elles vont bien ensemble.* 2. **Harmoniser** *une chanson, c'est en composer l'accompagnement.*

■ **harmonisation** n.f. 1. *On est parvenu à une* **harmonisation** *des salaires, à une répartition harmonieuse.* 2. *L'*harmonisation *de cette chanson est originale* (= accompagnement).

harmonium n.m. *Un* **harmonium** *est un petit orgue.*

*harnais n.m. 1. *Le* **harnais** *d'un cheval est l'ensemble des pièces composant son équipement.* 2. *Le* **harnais** *du parachutiste est un système de sangles qui lui maintiennent le buste.*

■ ***harnacher** v. SENS 1 *Harnacher un cheval,* c'est lui mettre le harnais. SENS 2 *Les cosmonautes* **étaient harnachés,** *munis de leur équipement encombrant.*

■ ***harnachement** n.m. SENS 1 *Le* **harnachement** *d'un cheval est constitué de la selle, des rênes, des sangles, des étriers.* SENS 2 *Le soldat est parti avec son* **harnachement** *sur le dos,* son équipement lourd.

*harpe n.f. *La* **harpe** *est un grand instrument de musique triangulaire à cordes.*

■ ***harpiste** n. *Cette* **harpiste** *est célèbre,* cette joueuse de harpe.

*harpie n.f. *Cette personne est une harpie,* elle est très méchante et coléreuse.

*harpiste → *harpe.*

*harpon n.m. *Les baleines sont chassées au harpon,* avec une tige de métal munie de dents, qu'on lance du bateau.
■ ***harponner** v. *On a harponné un gros poisson,* on l'a attrapé au harpon.

*hasard n.m. **1.** *Aïcha a profité d'un hasard heureux,* d'un événement inattendu (= occasion, circonstance). **2.** *La loterie est un jeu de hasard,* où l'on ne peut pas prévoir qui gagnera. **3.** *Nous nous sommes rencontrés par hasard,* sans l'avoir cherché (= accidentellement, fortuitement). **4.** *J'allais au hasard,* sans but précis, n'importe où.
■ ***hasarder** v. *Je hasardai une réponse,* je fis une réponse qui risquait de ne pas être la bonne. *Malgré la pluie, je me suis hasardée dehors,* j'ai osé y aller (= s'aventurer, se risquer).
■ ***hasardeux, euse** adj. *Un sauvetage hasardeux* fait courir des risques (= dangereux).

*haschisch n.m. *Paul ne veut plus jamais fumer de haschisch,* une drogue très dangereuse pour la santé.

*hâte n.f. *J'ai hâte de manger,* je suis pressé. *Je m'habille à la hâte,* à toute vitesse (≠ lentement).
■ ***hâter** v. *J'ai hâté mon départ pour arriver à l'heure,* je suis parti plus tôt (= avancer ; ≠ retarder). *Hâtez-vous, vous êtes en retard* (= se dépêcher).
■ ***hâtif, ive** adj. *Des pommes hâtives* sont mûres avant les autres. *Un départ hâtif* est précipité.
■ ***hâtivement** adv. *L'incendie a fait partir hâtivement les habitants* (= précipitamment).

*hauban n.m. *Le mât d'un voilier est tenu droit par des haubans,* des câbles.

*haubert n.m. *Le haubert* était une tunique de mailles d'acier et faisait partie de l'armure.

*haut, e adj. **1.** *L'immeuble est haut,* il est élevé. *L'oiseau s'est posé sur les hautes branches de l'arbre,* au sommet (≠ bas). **2.** *Les chalutiers vont en haute mer,* loin des côtes. **3.** *J'ai une montre de haute précision,* très précise. **4.** *Parlez à voix haute* (= fort ; ≠ bas). **5.** *Cette note est trop haute pour ma voix,* trop aiguë. **6.** *Ce plat résiste aux hautes températures,* à une forte chaleur.
■ ***haut** adv. SENS 1 *L'avion vole haut,* à une grande altitude.
■ ***haut** n.m. SENS 1 **1.** *Le haut du placard* est sa partie supérieure. **2.** *Le mur fait un mètre de haut,* dans le sens vertical (= hauteur). **3.** *Comment va sa santé ? — Oh, elle connaît des hauts et des bas !,* des bonnes périodes auxquelles succèdent de mauvaises et ainsi de suite.
■ **en *haut** adv. SENS 1 *Sa chambre est en haut,* à l'étage supérieur (= là-haut).
■ **en *haut de** prép. SENS 1 *Un oiseau chante en haut de l'arbre,* à son sommet.
■ ***hautement** adv. SENS 6 *Ce travail délicat exige un ouvrier hautement qualifié* (= très).
■ ***hausser** v. SENS 1 *Jean a haussé les épaules,* il les a levées. SENS 4 *Ne hausse pas la voix !,* ne parle pas plus fort ! SENS 6 *Cette restauratrice a haussé ses prix,* elle les a augmentés.
■ ***hausse** n.f. SENS 6 *La hausse des prix* est leur augmentation. *La température est en hausse,* elle monte (≠ baisse).
■ ***hauteur** n.f. SENS 1 **1.** *La hauteur du mont Logan est de 6 050 mètres,* sa dimension dans le sens vertical. **2.** *L'observateur monta sur une hauteur,* un lieu élevé (= colline). **3.** *On n'a pas réussi, on n'était pas à la hauteur,* on n'en était pas capable.
R. *Haut* se prononce [o] comme *eau.*

*hautain, e adj. *Un air hautain* est méprisant (= dédaigneux).

439, 438 ***hautbois** n.m. Le *hautbois* est un instrument de musique à vent.

805 ***haut-de-chausses** n.m. *Autrefois, les hommes portaient des hauts-de-chausses,* des culottes bouffantes.

804 ***haut-de-forme** n.m. *Pour la cérémonie, les hommes portaient des hauts-de-forme,* des chapeaux hauts, cylindriques et à bords.

*haute-fidélité adj. et n.f. *Les appareils haute-fidélité* assurent une très bonne reproduction des sons.

*hauteur → haut.

*haut-fond n.m. *Le bateau s'est échoué sur des hauts-fonds,* là où la mer ou la rivière sont peu profondes (≠ bas-fond).

*haut-le-cœur n.m.inv. *Cette odeur me donne des haut-le-cœur,* elle me donne envie de vomir.

*haut-le-corps n.m.inv. *Elle était si surprise qu'elle en eut un haut-le-corps,* un mouvement brusque du corps.

509, 219 ***haut-parleur** n.m. *Le discours était diffusé par des haut-parleurs,* des appareils qui répandent les sons.

*haut-relief → relief.

*havre n.m. 1. *Ton chalet est un véritable havre de paix,* un refuge. 2. *Le havre de pêche de Grande-Entrée peut contenir une centaine d'embarcations,* un abri naturel ou aménagé.

39 ***hayon** n.m. *Le hayon* est une sorte de porte qui s'ouvre de bas en haut à l'arrière d'une voiture.
R. On prononce [ajɔ̃].

*hé ! interj. sert à interpeller quelqu'un : *Hé ! vous, là-bas !*

147 ***heaume** n.m. *Au Moyen Âge, les soldats portaient le heaume,* un casque couvrant une partie du visage.

hebdomadaire adj. et n.m. *Le samedi, tu achètes ton (journal) hebdomadaire,* qui paraît toutes les semaines (≠ quotidien et mensuel).

héberger v. *Nous hébergeons nos amis pendant trois jours, nous les logeons chez nous* (= recevoir).
■ **hébergement** n.m. *Ce centre d'hébergement reçoit des personnes en difficulté,* d'accueil.

hébété, e adj. *La blessée paraissait hébétée, son expression montrait qu'elle avait perdu ses capacités intellectuelles* (= ahuri, abruti).
■ **hébétement** n.m. ou **hébétude** n.f. *Le boxeur était dans un état d'hébétement complet.*

hébreu adj. et n. Dans l'Antiquité, le peuple *hébreu* (ou les *Hébreux*), c'était le peuple juif.
R. Pour l'adjectif, on emploie aussi le mot *hébraïque.*

hécatombe n.f. *Les chasseurs ont fait une hécatombe de lapins, ils en ont tué un grand nombre* (= tuerie, carnage).

hectare → are.

hecto-, placé devant un nom de mesure la multiplie par 100 : *hectogramme, hectolitre, hectomètre* (→ **gramme, litre, mètre**).

hégémonie n.f. *L'hégémonie d'un État sur un autre, c'est sa domination, sa suprématie.*

*hein interj. 1. *Il fait beau, hein ?,* n'est-ce pas ? 2. *Hein ? qu'est-ce que tu dis ?* (= quoi ?, comment ?).

*hélas ! interj. *J'ai perdu, hélas !, j'en suis malheureuse.*

*héler v. *Mme Dupuis a hélé un taxi,* elle l'a appelé de loin.

hélice n.f. *Les bateaux à moteur avancent grâce à leur hélice,* une pièce de métal faite de pales, qui tourne.

hélicoïdal, e, aux adj. *Un escalier hélicoïdal* monte en tournant toujours dans le même sens (= en spirale).

hélicoptère n.m. *L'hélicoptère est un avion sans ailes qui s'élève grâce à des pales horizontales qui tournent.*
■ **héliport** n.m. *Un héliport est un aéroport pour hélicoptères.*

hellène ou **hellénique** adj. *Les cités hellènes sont celles de la Grèce antique.*

helvétique adj. *Le peuple helvétique,* c'est le peuple suisse.

***hem !,** interj. *On fait hem ! hem ! pour attirer l'attention de quelqu'un.*

hématome n.m. *Un hématome est un amas de sang sous la peau* (= bleu).

hémicycle n.m. *Les députés étaient nombreux dans l'hémicycle,* la salle en demi-cercle où sont les gradins.

hémisphère n.m. *L'Australie se trouve dans l'hémisphère Sud,* dans la partie sud de la Terre.

hémorragie n.f. *Le blessé a une hémorragie,* il perd beaucoup de sang.

***henné** n.m. *On m'a fait un shampooing au henné,* une poudre jaune ou rouge qui teint les cheveux.

***hennin** n.m. *Au moyen Âge, certaines femmes portaient des hennins,* des coiffures hautes en forme de cône.

***hennir** v. *Le cheval hennit,* il pousse son cri.
■ ***hennissement** n.m. *Le hennissement du cheval est son cri.*

***hep !** interj. sert à appeler quelqu'un : *Hep ! taxi !*

hépatique adj. *Cette malade souffre de douleurs hépatiques,* du foie.
■ **hépatite** n.f. *Une hépatite est une maladie de foie* (= jaunisse).

***héraut** n.m. *Dans l'Antiquité et au Moyen Âge, un héraut était quelqu'un chargé de faire des proclamations.*
R. *Héraut se prononce* [eʀo] comme *héros.*

herbe n.f. **1.** *Les vaches broutent l'herbe du pré.* **2.** *Le persil, la ciboulette sont des fines herbes,* des herbes utilisées en cuisine. **3.** *Il faut enlever les mauvaises herbes,* les plantes qui poussent toutes seules et qui empêchent les plantes cultivées de pousser. **4.** *Un musicien en herbe* est un jeune enfant qui fait de la musique. 364
■ **herbage** n.m. SENS 1 *Les bestiaux sont dans les herbages,* des prairies naturelles.
■ **herbeux, euse** adj. SENS 1 *Les troupeaux paissent sur les pentes herbeuses.*
■ **herbicide** adj. et n.m. SENS 3 est un synonyme de désherbant.
■ **herbier** n.m. SENS 1 *Sophie ramasse des plantes pour faire un herbier,* une collection de plantes desséchées.
■ **herbivore** adj. et n.m. SENS 1 *Les bœufs sont (des) herbivores,* ils se nourrissent d'herbe.
■ **herboriser** v. SENS 1 *Nous partons herboriser,* recueillir des plantes.
■ **herboriste** n. SENS 1 *Une herboriste* est une commerçante qui vend des plantes qui servent de remèdes à certaines maladies.
■ **désherber** v. SENS 3 *Je désherbe les allées du jardin,* j'en enlève les mauvaises herbes.
■ **désherbant** n.m. SENS 3 *Un désherbant* est un produit chimique qui détruit les mauvaises herbes (= herbicide).

hercule n.m. *Cet homme est un hercule,* il est très musclé et très fort.
■ **herculéen, enne** adj. *L'éléphant a une force herculéenne* (= énorme).

***hère** n.m. *Un pauvre hère* est un malheureux.

hérédité n.f. *Les lois de l'hérédité disent la façon dont se transmettent les caractères héréditaires.*

■ **héréditaire** adj. *La couleur des yeux est un caractère **héréditaire**,* les parents la transmettent à leurs enfants.

hérésie n.f. *La théorie de ce physicien est une **hérésie** scientifique,* elle est contraire à la doctrine admise par l'ensemble des savants.

■ **hérétique** adj. *La doctrine de Luther fut déclarée **hérétique**,* contraire à celle de l'Église catholique.

*hérisser v. 1. *Le chat en colère **hérisse** les poils de son dos,* il les dresse. 2. *Ce problème **est hérissé** de difficultés,* rempli de difficultés. 3. *Je **suis hérissé**,* en colère.

■ ***hérisson** n.m. SENS 1 *Le **hérisson** est un petit animal au corps hérissé de piquants.*

hériter v. 1. *Line **hérite** de son oncle,* son oncle étant mort, Line reçoit ce qu'il possédait. *Pierre **a hérité** de son oncle une maison,* son oncle lui a laissé après sa mort une maison. 2. *Aïcha **hérite** d'une maison,* le propriétaire de la maison étant mort, c'est Aïcha qui la reçoit. 3. *Elle **a hérité** des yeux de sa mère,* elle a les mêmes yeux qu'elle.

■ **héritage** n.m. SENS 1 ET 2 *Jean a reçu un **héritage** important,* il a hérité.

■ **héritier, ère** n. SENS 1 *Elle est l'**héritière** de ses parents,* elle hérite de ses parents.

■ **déshériter** v. SENS 1 ET 2 *Sa tante a menacé de le **déshériter**,* de ne pas lui laisser d'héritage.

■ **déshérité, e** n. *Cet organisme porte secours aux **déshérités*** (= malheureux).

hermétique adj. 1. *Une fermeture **hermétique** ne laisse rien passer.* 2. *Des paroles **hermétiques** n'ont pas un sens compréhensible.*

■ **hermétiquement** adv. SENS 1 *Le flacon est **hermétiquement** bouché.*

hermine n.f. *As-tu remarqué le manteau en **hermine** ?,* fait avec la fourrure blanche de ce petit animal.

*hernie n.f. *Ce sac est trop lourd pour toi, tu vas te faire une **hernie**,* une grosseur très douloureuse.

1. héroïne → *héros.*

2. héroïne n.f. *On peut mourir d'une piqûre d'**héroïne**,* une piqûre d'une drogue très dangereuse pour la santé.

héroïque, héroïquement, héroïsme → *héros.*

*héron n.m. *Le **héron** a un long bec et de longues pattes,* un oiseau qui vit au bord de l'eau.

*héros n.m., **héroïne** n.f. 1. *Le **héros** de ce roman est sympathique,* le personnage principal. *L'**héroïne** du film a 20 ans.* 2. *Ce pompier s'est conduit en **héros**,* il a montré un courage exceptionnel.

■ **héroïsme** n.m. SENS 2 *Les sauveteurs ont fait preuve d'**héroïsme**,* ils se sont conduits en héros.

■ **héroïque** adj. SENS 2 *On l'a décorée pour son acte **héroïque**,* très courageux.

■ **héroïquement** adv. SENS 2 *Les soldats ont lutté **héroïquement**.*

R. Le *h* n'est pas aspiré dans *héroïne, héroïsme, héroïque, héroïquement* → **héraut.**

*herse n.f. 1. *Le fermier passe la **herse** dans son champ,* une sorte de grand râteau servant à égaliser le sol. 2. *Au Moyen Âge, la porte du château fort était fermée par une **herse**,* une grille garnie de pointes.

hésiter v. 1. *J'**hésite** à plonger,* je n'arrive pas à me décider. 2. *L'élève **hésite** en récitant sa leçon,* elle s'arrête parfois, car elle ne la sait pas bien.

■ **hésitation** n.f. SENS 1 *Il a accepté sans hésitation,* sans hésiter, tout de suite.

hétéroclite adj. *La voiture du brocanteur est pleine d'objets hétéroclites,* d'objets de toutes sortes bizarrement mélangés.

hétérogène adj. *Une classe hétérogène* est composée d'élèves très différents (≠ homogène).

***hêtre** n.m. *Le buffet est en hêtre,* un grand arbre à l'écorce grise dont le fruit est la **faîne.**

***heu !** ou **euh !** interj. exprime l'embarras, le doute, l'hésitation.

heur n.m. *Cette réponse n'a pas eu l'heur de lui plaire,* elle ne lui a pas plu (= chance, bonheur).

heure n.f. 1. *Un jour dure 24 heures. Une heure dure 60 minutes.* 2. *La classe commence à 9 heures,* à ce moment de la journée. 3. *C'est l'heure de dormir,* le moment.
■ **à la bonne heure** adv. *S'il est content comme ça, à la bonne heure !* voilà qui est bien, tant mieux.
■ **de bonne heure** adv. *On se lève de bonne heure,* tôt.
■ **tout à l'heure** adv. 1. *Je vais sortir tout à l'heure,* dans un moment. 2. *J'y étais tout à l'heure,* il y a un moment.
■ **horaire** 1. adj. SENS 1 *Le salaire horaire* est celui de l'heure de travail. 2. n.m. SENS 2 *Regarde l'horaire des trains !,* les heures de départ et d'arrivée. *Mon horaire ne me permet pas d'être chez moi avant 19 heures,* mes heures de travail (= emploi du temps).

heureux, euse adj. 1. *Marie a réussi, elle est heureuse* (= content ; ≠ triste, malheureux). 2. *Ce remède a eu un effet heureux* (= bon, favorable ; ≠ fâcheux).

■ **heureusement** adv. SENS 2 *Il ne pleut pas, heureusement,* par bonheur. SENS 2 *L'affaire a été heureusement conclue* (= avantageusement, favorablement).
■ **bienheureux, euse** adj. SENS 1 *Nous étions bienheureux en ce temps-là,* parfaitement heureux.

***heurter** v. 1. *La voiture a heurté un arbre,* elle l'a touché avec violence. 2. *Vos paroles l'ont heurté,* elles l'ont choqué. 3. *On s'est heurté à un refus,* on nous a dit non.
■ ***heurt** n.m. SENS 1 *Le heurt a été violent* (= choc). SENS 2 *Ces deux personnes ont des heurts,* elles se disputent souvent (= conflit).
■ ***heurté, e** adj. *Ces tableaux choquent par leurs couleurs heurtées,* qui offrent de violents contrastes.

hévéa n.m. *L'hévéa est un arbre dont on tire du caoutchouc.*

hexagone n.m. *Les dalles du carrelage ont la forme d'un hexagone,* elles ont six côtés. 385

hiberner v. *Les ours hibernent,* ils passent l'hiver à dormir.
■ **hibernation** n.f. *L'hibernation des marmottes se termine au printemps.*
R. → hiver.

***hibou** n.m. *Les hiboux sont des oiseaux de nuit.*

***hic** n.m. Fam. *Voilà le hic !,* la difficulté.

***hideux, euse** adj. *Il a un visage hideux,* d'une laideur repoussante (= affreux).

hier adv. 1. *Il faisait beau hier,* le jour précédant aujourd'hui. 2. *Cette situation ne date pas d'hier,* elle est déjà ancienne. 125
■ **avant-hier** adv. *J'ai vu Marie avant-hier,* la veille d'hier. 125

***hiérarchie** n.f. *Elle a monté tous les degrés de la hiérarchie,* elle a occupé successivement des emplois de plus en plus importants.

■ ***hiérarchique** adj. *Mon supérieur hiérarchique est très sévère,* celui qui a un grade supérieur au mien.

■ ***hiérarchiquement** adv. *Elle est hiérarchiquement ma supérieure.*

806 **hiéroglyphe** n.m. *Les anciens Égyptiens écrivaient en hiéroglyphes,* au moyen de dessins.

hilare adj. *Les spectateurs sont hilares,* ils ont l'air réjoui.

■ **hilarant, e** adj. *On m'a raconté une histoire hilarante,* très drôle (= désopilant).

■ **hilarité** n.f. *L'hilarité est générale,* tout le monde rit.

hindou, e adj. et n. *La religion hindoue* est celle de la majorité des habitants de l'Inde.

hippique adj. *Le sport hippique,* c'est le sport du cheval.

■ **hippisme** n.m. *L'hippisme,* c'est le sport à cheval (= équitation).

■ **hippodrome** n.m. *C'est sur des hippodromes qu'ont lieu les courses de chevaux.*

724 **hippocampe** n.m. *L'hippocampe* est un petit poisson de mer qu'on appelle aussi, à cause de sa forme, *cheval marin.*

hippodrome → *hippique.*

434 **hippopotame** n.m. *Un hippopotame* est un gros animal qui vit dans les grands fleuves d'Afrique.

579 **hirondelle** n.f. *Au printemps, les hirondelles reviennent des pays chauds,* des oiseaux aux longues ailes.

hirsute adj. *Tu as les cheveux hirsutes,* mal peignés (= hérissé).

*****hisser** v. *On a hissé le colis sur le toit de la voiture,* on l'a monté en faisant de grands efforts.

histoire n.f. **1.** *Catherine s'intéresse à l'histoire de l'Égypte,* au récit des événements qui se sont passés en Égypte au cours des siècles. **2.** *Raconte-nous une histoire !,* un récit imaginé (= conte, roman). **3.** *Je ne veux pas avoir d'histoires avec toi* (= ennuis). **4.** *Tu me racontes des histoires,* des choses fausses.

■ **historien, enne** n. SENS 1 *Un historien* est un homme qui étudie l'histoire.

■ **historiette** n.f. SENS 2 *Une historiette* est une courte histoire.

■ **historique** adj. et n.m. SENS 1 *Cette église est un monument historique,* elle a un intérêt pour l'histoire. *Davy Crockett est un personnage historique,* il a réellement existé. *Faire l'historique d'un événement,* c'est le raconter en suivant son déroulement dans le temps.

■ **préhistoire** n.f. SENS 1 *Certains hommes de la préhistoire vivaient dans des cavernes,* de la période très ancienne, quand les hommes ne savaient pas écrire.

■ **préhistorique** adj. SENS 1 *Cette grotte contient des gravures préhistoriques,* de la préhistoire.

hiver n.m. *Nous sommes en hiver, les jours sont courts.*

■ **hivernal, e, aux** adj. *Il fait un froid hivernal,* comme en hiver.

■ **hiverner** v. *Le bétail hiverne,* il est à l'abri pour l'hiver.

■ **hivernage** n.m. *Mon bateau est en hivernage,* il hiverne.

R. Ne pas confondre *hiverner* et *hiberner.*

H. L. M. n.m. ou f. *Je loge dans un (une) H. L. M.,* un immeuble où on paie des loyers peu élevés.

*****ho !** interj. sert à appeler, à exprimer la surprise, l'indignation, etc.

*****hobereau** n.m. *Un hobereau* est un noble vivant à la campagne.

*hocher v. *Mon interlocutrice a hoché la tête,* elle l'a remuée de haut en bas.
■ ***hochement** n.m. *Elle approuve d'un hochement de tête* (= signe).

*hochet n.m. *Bébé agite son hochet,* un jouet fait d'une boule creuse contenant des grains qui font du bruit.

*hockey n.m. *Le hockey est un jeu d'équipe où l'on doit envoyer une rondelle dans le but adverse à l'aide d'un bâton.*

*holà ! interj. signifie : « Attention, arrêtez-vous ! ».
■ ***holà** n.m. *J'ai mis le holà à ses dépenses,* je lui ai interdit de les continuer (= mettre fin).

*hold-up n.m.inv. *La banque a été victime d'un hold-up,* d'une attaque à main armée.
R. On prononce [ɔldœp].

*hollande n.m. *Le hollande est un fromage en forme de boule ou de meule.*

*homard n.m. *Le homard est un crustacé au corps bleu et à grosses pinces qui devient rouge à la cuisson.*

homéopathie n.f. *Je me soigne par l'homéopathie,* en absorbant à toutes petites doses certains remèdes appelés *remèdes* homéopathiques.

homérique adj. *Elle a éclaté d'un rire homérique* (= énorme).

homicide n.m. *L'accusé a commis un homicide,* il a tué quelqu'un (= meurtre, assassinat).

hommage n.m. **1.** *Je rends hommage à votre franchise,* je vous en félicite. **2.** (au plur.) *Jean a présenté ses hommages à la maîtresse de maison,* il lui a témoigné son respect.

homme n.m. **1.** *Les hommes parlent des langues très diverses,* les êtres humains (hommes et femmes). **2.** *Les hommes*

ont de la barbe, les adultes de sexe masculin (≠ femme). **3.** *Un curé est un homme d'Église, un avocat est un homme de loi.*

■ **homme-grenouille** n.m. SENS 3 *Les hommes-grenouilles sont des plongeurs munis d'un appareil pour respirer sous l'eau.*

■ **humain, e** adj. **1.** SENS 1 *En classe, nous avons étudié le corps humain,* celui de l'homme. **2.** *Ce juge est humain* (= compréhensif, bon).

■ **humains** n.m.pl. SENS 1 *L'ensemble des humains forme l'humanité,* des hommes.

■ **humainement** adv. SENS 2 *Ces prisonniers sont traités humainement,* avec humanité.

■ **s'humaniser** v. *Elle commence à s'humaniser,* à devenir plus humaine, plus compréhensive.

■ **humanitaire** adj. *On se consacre à des œuvres humanitaires* (= noble, généreux).

■ **humanité** n.f. **1.** SENS 1 *Cette savante est une bienfaitrice de l'humanité,* de l'ensemble des hommes. **2.** *On a traité le prisonnier avec humanité* (= bonté).

■ **inhumain, e** adj. *Il est inhumain de laisser la blessée sans soins* (= cruel).

■ **surhumain, e** adj. SENS 1 *Il a fallu faire un effort surhumain pour réussir* (= extraordinaire).

homogène adj. *Notre équipe est homogène,* ses membres vont bien ensemble (≠ hétérogène).

homologue n. *Le ministre des Affaires étrangères s'est entretenu avec son homologue allemand,* avec le ministre allemand qui a les mêmes fonctions.

homologuer v. *Ce record est homologué,* il a été officiellement reconnu valable.

■ **homologation** n.f. *La fédération sportive a refusé l'homologation de ce record.*

33, 40

homonyme n.m. *« Un tour » et « une tour » sont des* **homonymes,** *de même que « un sceau » et « un saut »,* ces mots se prononcent de la même façon.

homosexuel → *sexe.*

honnête adj. **1.** *C'est une personne* **honnête,** elle ne voudrait pas voler ou tromper les autres. **2.** *Ce repas est* **honnête,** de qualité moyenne (= correct, convenable, passable).

■ **honnêtement** adv. SENS 1 *Elle agit toujours* **honnêtement.**

■ **honnêteté** n.f. SENS 1 *Je connais ton* **honnêteté,** je sais que tu es honnête (= probité, loyauté).

■ **malhonnête** adj. SENS 1 *Ce commerçant est* **malhonnête.**

■ **malhonnêtement** adv. SENS 1 *Il s'est conduit* **malhonnêtement.**

■ **malhonnêteté** n.f. SENS 1 *Méfie-toi de sa* **malhonnêteté.**

honneur n.m. **1.** *Autrefois, les duels avaient lieu lorsqu'un homme voulait défendre son* **honneur,** le sentiment qu'il avait de sa dignité. **2.** *Ce qu'elle a fait est tout à son* **honneur,** elle mérite des éloges. **3.** *On a fait une fête en l'honneur du champion,* spécialement pour lui. **4.** *Ce bâtiment* **fait honneur** *à l'architecte,* c'est un sujet de fierté pour elle. *On* **a fait honneur à** *mon gâteau,* on en a mangé beaucoup. **5.** (au plur.) *Cette nouvelle a les* **honneurs** *de la première page du journal,* elle est assez importante pour y être placée.

■ **honorer** v. SENS 2 ET 3 *On a donné à Mme Dupont une décoration pour l'honorer,* pour montrer qu'on reconnaît son mérite.

■ **honorable** adj. **1.** SENS 2 *Un personnage* **honorable** *mérite le respect.* **2** *Ce résultat est* **honorable** (= convenable, honnête).

■ **honorabilité** n.f. SENS 2 *Je peux vous garantir la parfaite* **honorabilité** *de cette personne,* que c'est quelqu'un de très honorable.

■ **honorablement** adv. SENS 2 *On s'est tiré* **honorablement** *de cette situation difficile.*

■ **honorifique** adj. SENS 2 ET 3 *Une décoration est une distinction* **honorifique,** qui honore.

■ **déshonneur** n.m. SENS 1 *Il n'y a aucun* **déshonneur** *à reconnaître son ignorance,* il n'y a pas lieu d'avoir honte.

■ **déshonorer** v. SENS 1 *Cet acte infâme l'a* **déshonoré** (= discréditer).

honoraire adj. *Mme Scott est présidente* **honoraire,** elle en a le titre mais n'en exerce pas la fonction.

honoraires n.m.pl. *L'architecte a reçu ses* **honoraires,** la somme d'argent qu'on lui remet en paiement de son travail.

honorer, honorifique → *honneur.*

*****honte** n.f. *J'ai* **honte** *d'avoir aussi mal agi,* je sais que j'ai mal fait et le regrette. *Tu me* **fais honte** *habillé ainsi,* je me sens gênée à tes côtés.

■ *****honteux, euse** adj. **1.** *Je suis* **honteuse,** j'ai honte (= confus). **2.** *Ce que tu as fait est* **honteux,** tu devrais en avoir honte (= odieux).

■ *****honteusement** adv. *Tu as fui* **honteusement.**

■ **éhonté, e** adj. *C'est un menteur* **éhonté,** il n'a pas honte de mentir.

*****hop !** interj. accompagne un mouvement brusque : *Allez,* **hop !** *saute !*

hôpital → *hospitalier.*

*****hoquet** n.m. *Julie a le* **hoquet,** des secousses involontaires soulèvent sa poitrine en produisant un petit bruit.

horaire → *heure.*

*horde n.f. *Autrefois, les voyageurs étaient parfois attaqués par des **hordes** de brigands,* des troupes de brigands prêts à toutes les violences (= bande).

*horion n.m. *Les gamins échangèrent quelques **horions**,* quelques coups violents.

horizon n.m. *Le soleil disparaît derrière l'**horizon**,* la ligne qui sépare le ciel de la terre.
■ **horizontal, e, aux** adj. et n.f. *Le plancher est **horizontal**,* il n'est pas en pente (≠ vertical). *La voile du bateau se couche presque à l'**horizontale*** (= horizontalement).
■ **horizontalement** adv. *Le livre est posé **horizontalement** sur l'étagère* (= à plat ; ≠ verticalement).

horloge n.f. *L'**horloge** de la gare indique 8 heures,* la grosse pendule.
■ **horloger, ère** n. *L'**horloger** répare et vend des pendules et des montres.*
■ **horlogerie** n.f. 1. *Marie est entrée dans une **horlogerie**,* une boutique d'horloger. 2. *Elle a appris l'**horlogerie**,* le métier d'horlogère.

*hormis prép. se dit quelquefois pour *excepté, sauf.*

horoscope n.m. *Certains journaux publient des **horoscopes**,* les prévisions que font les astrologues sur l'avenir des gens.

horreur n.f. 1. *Un spectacle d'**horreur** provoque l'épouvante et le dégoût.* 2. *J'ai **horreur** du tabac,* je le déteste. 3. *Ce dessin est une **horreur**,* il est très laid. 4. (au plur.) *Anne raconte des **horreurs** sur cet homme,* des choses épouvantables, des calomnies.
■ **horrible** adj. SENS 1 *Il s'est produit un accident **horrible*** (= épouvantable). SENS 3 *Tu portes une chemise **horrible**,* très laide. *Le temps est **horrible**,* très mauvais (= affreux).
■ **horriblement** adv. SENS 2 *C'est **horriblement** cher,* extrêmement.

■ **horrifier** v. SENS 1 *Je suis **horrifié** par ce spectacle,* très effrayé.

horripiler v. *Ce bruit m'**horripile**,* il m'énerve (= exaspérer).

*hors-bord n.m.inv. *On fait du ski nautique tiré par un **hors-bord**,* un bateau rapide à moteur extérieur.

*hors de prép. 1. *Le castor a la tête **hors de** l'eau,* à l'extérieur de l'eau. 2. *Un outil **hors d'usage** ne peut plus servir.* 3. *Les truffes sont **hors de prix**,* très chères. 4. *Elle est **hors d'elle**,* furieuse.

*hors-d'œuvre n.m.inv. *Comme **hors-d'œuvre**, nous avons des crudités ou de la charcuterie,* comme plat servi avant le plat principal du repas.

*hors-jeu n.m.inv. *L'arbitre a sifflé un **hors-jeu**,* une faute au football ou au hockey.

*hors-la-loi n.m.inv. *La police recherche un dangereux **hors-la-loi*** (= malfaiteur, bandit, gangster).

hortensia n.m. *M. Dupont a des **hortensias** dans son jardin,* des arbustes à fleurs blanches, roses ou bleues.

horticulture n.f. *À l'école d'**horticulture**, on apprend à cultiver les légumes, les arbres fruitiers, les fleurs.*
■ **horticulteur, trice** n. *Mme Leduc est **horticultrice**,* son métier est l'horticulture.
■ **horticole** adj. *Les produits **horticoles** sont ceux des jardins.*

hospice n.m. *Son grand-père était dans un **hospice** de vieillards,* une maison où l'on accueille des vieillards pauvres.

hospitalier, ère adj. 1. *Mme Paoli est une personne **hospitalière**,* elle accueille volontiers des gens chez elle. 2. *Les cliniques et les hôpitaux sont des établissements **hospitaliers**,* on y donne des soins aux malades.

■ **hôpital** n.m. SENS 2 *La blessée est à l'hôpital,* dans un établissement où l'on soigne les malades.

■ **hospitaliser** v. SENS 2 *Le blessé a été hospitalisé,* on l'a fait entrer à l'hôpital.

■ **hospitalité** n.f. SENS 1 *Je vous remercie de votre hospitalité,* de m'avoir accueilli.

■ **inhospitalier, ère** adj. SENS 1 *Cette région désertique est inhospitalière* (≠ accueillant).

hostie n.f. *Le prêtre consacre les hosties pendant la messe,* les morceaux de pain qui servent à la communion.

hostile adj. **1.** *Mon adversaire m'a jeté un regard hostile,* qui montre qu'il me veut du mal* (= malveillant ; ≠ amical). **2.** *Je suis hostile à votre projet,* contre ce projet (= opposé ; ≠ favorable).

■ **hostilité** n.f. **1.** SENS 1 ET 2 *Le chien accueille les visiteurs avec hostilité,* d'une manière hostile. **2.** (au plur.) *Les hostilités ont commencé à la frontière,* les combats entre deux pays.

*****hot-dog** n.m. *Les hot-dogs sont des petits pains longs contenant une saucisse chaude.

hôte, hôtesse **1.** n. *J'ai été bien reçu par mes hôtes,* par ceux qui m'ont accueilli chez eux. *Avant de partir, les invités remercient l'hôtesse* (= maîtresse de maison). **2.** n.m. *Vous êtes mon hôte,* mon invité. **3.** n.f. *À l'entrée de l'exposition, je me suis renseigné auprès d'une hôtesse,* une jeune femme chargée d'accueillir les visiteurs. *Les hôtesses de l'air s'occupent des voyageurs dans les avions* (= agente de bord).

hôtel n.m. **1.** *Nous avons couché à l'hôtel,* dans un établissement qui loue des chambres. **2.** *Notre hôtel de ville vient d'être rénové* (= mairie). **3.** *Ce riche industriel a acheté un hôtel particulier,* une maison de luxe, en ville.

■ **hôtelier, ère** n. et adj. SENS 1 *L'hôtelière est la personne qui tient l'hôtel. Dans une école hôtelière, on apprend le métier d'hôtelier.*

■ **hôtellerie** n.f. SENS 1 *L'hôtellerie est le métier d'hôtelier. Nous déjeunons dans une hôtellerie,* un hôtel d'allure élégante.

hôtesse → *hôte.*

*****hotte** n.f. **1.** *Une hotte est un grand panier d'osier qui se fixe sur le dos par des bretelles.* **2.** *On fume des jambons dans la hotte de la cheminée,* la partie évasée située au-dessus du foyer. **3.** *Dans la cuisine, on a installé une hotte,* un appareil qui aspire les fumées grasses.

*****hou !** interj. *Le public crie « hou ! » au chanteur,* il le hue.

*****houblon** n.m. *Le houblon sert à fabriquer la bière,* une plante grimpante.

*****houe** n.f. *Le jardinier travaille avec une houe,* une pioche à fer large et plat.

*****houille** n.f. **1.** *De cette mine, on extrait de la houille,* du charbon. **2.** *Les barrages produisent de la houille blanche,* de l'électricité.

■ *****houiller, ère** adj. SENS 1 *Un bassin houiller est une région dont le sous-sol contient de la houille.*

*****houle** n.f. *Le bateau tangue à cause de la houle,* des ondulations de la mer.

■ *****houleux, euse** adj. **1.** *La mer est houleuse,* elle est agitée par la houle. **2.** *La séance est houleuse,* les gens sont très agités.

*****houlette** n.f. *Les écoliers étudiaient sous la houlette de leur professeur,* sous sa conduite.

*****houppe** ou *****houppette** n.f. *Marie met de la poudre sur son visage avec une houppe (houppette),* une boule faite de brins de laine, de duvet.

*hourra n.m. *L'équipe gagnante est accueillie par des hourras,* des acclamations.

*houspiller v. *Le fautif s'est fait houspiller* (= gronder).

*housse n.f. *Les sièges de la voiture sont recouverts d'une housse,* d'une enveloppe protectrice.

*houx n.m. *Le houx est un arbuste à feuilles vertes et piquantes, dont les fruits sont des petites boules rouges.*

*huard ou ***huart** n.m. *Le huard a poussé un long cri,* un oiseau aquatique au bec effilé.

*hublot n.m. *Les bateaux, les avions ont des hublots,* des petites fenêtres arrondies à fermeture étanche.

*huche n.f. *Une huche est un coffre à pain.*

*hue ! interj. *sert à faire avancer un cheval.*

*huer v. *Cette pièce de théâtre a été huée,* les spectateurs ne l'ont pas aimée et ont crié (= siffler).
■ ***huées** n.f.pl. *L'orateur quitte la salle sous les huées du public,* ses cris hostiles.

huile n.f. **1.** *L'huile d'arachide est un liquide gras utilisé dans la cuisine.* **2.** *On utilise une huile minérale pour graisser les moteurs de voiture.*
■ **huiler** v. *Dominique a huilé la serrure,* elle y a mis de l'huile.
■ **huileux, euse** adj. *Un liquide huileux a l'aspect de l'huile.*

*huis n.m. *Le tribunal a rendu son jugement à huis clos,* sans admettre le public dans la salle.

huissier, ère n. **1.** *Les huissiers d'un ministère sont les employés qui accueillent les visiteurs.* **2.** *Le mobilier de cette personne a été saisi par l'huissier,* celui

qui fait exécuter les décisions de la justice.

*huit adj. *Sylvie a été malade pendant huit jours. Deux fois quatre font huit* ($2 \times 4 = 8$). | 563
■ ***huitaine** n.f. *Tu resteras bien une huitaine de jours ?,* environ huit jours, une semaine. | 563, 125
■ ***huitante** adj. *En Suisse, on dit huitante pour quatre-vingts.*
■ ***huitième** adj. et n. *Je suis huitième. Le huitième d'une tarte,* c'est un des morceaux de la tarte coupée en huit. | 563

huître n.f. *À Noël, nous avons mangé des huîtres,* des coquillages. | 728

*hululer → **ululer.**

*hum ! interj. *exprime le doute, l'hésitation.*

humain, humainement, s'humaniser, humanitaire, humanité → **homme.**

humble adj. **1.** *Ce sont d'humbles employés,* ils accomplissent des petites tâches (= modeste, obscur). **2.** *Tu te fais humble devant ton patron,* tu t'abaisses devant lui (= soumis ; ≠ orgueilleux).
■ **humblement** adv. SENS 2 *Le chien me regardait humblement,* d'un air soumis.
■ **humilier** v. SENS 2 *Son échec l'a humilié,* l'a rendu honteux (= vexer). *Je refuse de m'humilier devant toi,* de me faire humble (= s'abaisser).
■ **humiliant, e** adj. SENS 2 *Notre équipe a subi une défaite humiliante.*
■ **humiliation** n.f. SENS 2 *J'ai rougi d'humiliation* (= honte, confusion).
■ **humilité** n.f. SENS 2 *Vous baissiez les yeux avec humilité,* humblement.

humecter v. *On humecte les timbres-poste pour les coller,* on les mouille légèrement.

*humer v. *Je hume l'odeur du café,* je la respire avec plaisir (= sentir).

humérus n.m. *L'humérus est l'os du bras qui va de l'épaule au coude.* | 40

humeur n.f. **1.** *Notre chien est d'humeur batailleuse,* il a envie de se battre (= caractère, tempérament). **2.** *Marie est de bonne humeur, gaie. Jean est de mauvaise humeur,* mécontent.

humide adj. *La route est humide,* légèrement mouillée (≠ sec).
■ **humidité** n.f. *Le fer rouille à l'humidité,* quand il est dans un lieu humide.
■ **humidifier** v. *On humidifie l'air d'une chambre trop chauffée,* on le rend humide.

humiliant, humiliation, humilier, humilité → *humble.*

humour n.m. *Ce livre est plein d'humour,* il fait sourire.
■ **humoriste** adj. et n. *L'entracte a été égayé par une humoriste,* quelqu'un qui se moque des choses et des gens tout en gardant l'air sérieux.
■ **humoristique** adj. *Ce livre contient des dessins humoristiques* (= amusant, drôle).

654 **humus** n.m. *Le sol de la forêt est couvert d'humus,* d'une terre produite par les débris de plantes pourries.

803 ***hune** n.f. *La hune est la plate-forme fixée sur certains mâts de bateaux.*

***huppe** n.f. *Le paon est un oiseau qui a une huppe sur la tête,* une touffe de plumes.
■ ***huppé, e** adj. **1.** *Il a tué deux gélinottes huppées,* un oiseau caractérisé par une touffe de plumes sur la tête. **2.** *Tu fréquentais des gens huppés,* riches ou nobles.

***hure** n.f. *La hure du sanglier,* c'est sa tête.

***hurler** v. **1.** *Bébé hurle,* il crie très fort de colère ou de peur. **2.** *La sirène hurle,* elle émet un bruit fort et prolongé. **3.** *Le loup hurle,* il pousse son cri.
■ ***hurlement** n.m. SENS 1, 2 ET 3 *On a entendu un hurlement de douleur,* un cri très fort. *Entends-tu le hurlement du loup ?*

hurluberlu, e n. *Fernand est un hurluberlu,* il agit sans réfléchir (= étourdi, farfelu).

***hussard** n.m. *Un hussard est un soldat d'un corps de cavalerie.*

***hutte** n.f. *Les enfants ont construit une hutte,* une petite cabane de branchages.

hybride n.m. et adj. *Le mulet est un hybride,* il est né de deux animaux d'espèce différente : le cheval et l'âne.

hydrater v. *Cette crème hydrate la peau,* elle la rend plus souple en lui ajoutant de l'eau.
■ **déshydrater** v. *Ce voyage dans la voiture en pleine chaleur a déshydraté le bébé,* lui a fait éliminer de l'eau contenue dans son corps. *Je suis déshydratée,* j'ai soif.

hydraulique adj. **1.** *Les machines hydrauliques fonctionnent à l'aide d'un liquide.* **2.** *L'énergie hydraulique est fournie par les chutes d'eau, les marées ou les courants.*

hydravion n.m. *Un hydravion est un avion qui peut se poser sur l'eau.*

hydrocution n.f. *L'eau était froide et le baigneur est mort par hydrocution,* un accident qui fait que le baigneur perd connaissance et coule à pic.

hydroélectrique adj. *L'énergie hydroélectrique est l'énergie électrique fournie par les barrages.*

hydrogène n.m. *L'hydrogène est le plus léger de tous les gaz.*

hydroglisseur n.m. *Un hydroglisseur est un bateau à fond plat qui se déplace grâce à une hélice aérienne.*

hydrographie n.f. **1.** *L'hydrographie étudie les cours d'eau et les mers du globe terrestre.* **2.** *L'hydrographie d'un pays est l'ensemble de ses cours d'eau.*

hydromel n.m. *Les Gaulois buvaient, dit-on, de l'hydromel,* une boisson faite d'eau et de miel.

hydrophile adj. *Le coton hydrophile est un coton qui absorbe facilement les liquides.*

hyène n.f. *L'hyène est un animal sauvage d'Afrique et d'Asie qui se nourrit surtout d'animaux morts.*

hygiène n.f. *Se laver, surveiller son alimentation font partie des principes de l'hygiène,* des soins par lesquels on conserve l'homme en bonne santé.
■ **hygiénique** adj. *Je fais tous les matins une promenade hygiénique,* pour me maintenir en bonne santé.

hymne n.m. *« La Marseillaise » est l'hymne national français,* le chant que les Français exécutent au cours des cérémonies officielles.

hyper-, placé au début d'un mot, indique un degré extrême : être *hypersensible,* c'est être très sensible ; un *hypermarché,* c'est un grand magasin.

hypermétrope adj. *Ma petite sœur est hypermétrope,* elle voit mal de près.

hypnose n.f. *L'hypnose est un sommeil provoqué artificiellement.*
■ **hypnotique** adj. *Tu étais dans un état hypnotique,* un état d'hypnose.

■ **hypnotiser** v. *Il a été hypnotisé,* quelqu'un l'a endormi par sa seule volonté.

hypocrite adj. et n. *Tu es hypocrite,* tu caches ce que tu penses (≠ sincère, franc).
■ **hypocrisie** n.f. *Son sourire est plein d'hypocrisie* (= fourberie).

hypothèque n.f. *J'ai une hypothèque de dix mille dollars sur sa maison,* s'il ne peut pas me payer ce qu'il me doit, j'ai droit à dix mille dollars sur la vente de sa maison.
■ **hypothéquer** v. *Tu as hypothéqué ta maison,* tu as accepté qu'on prenne une hypothèque sur ta maison, qui sert de garantie.

hypothèse n.f. *On émet l'hypothèse que l'accident s'est produit ainsi,* on fait cette supposition.
■ **hypothétique** adj. *Mon succès à l'examen est hypothétique,* il n'est pas certain.

hystérie n.f. *Cette personne est en proie à l'hystérie,* elle est si excitée qu'elle paraît folle.
■ **hystérique** adj. et n. *Un public hystérique* ne contrôle plus ses actes.

i

581 **ibis** n.m. *Les **ibis** se tiennent souvent debout sur une patte,* de grands oiseaux des pays chauds.
R. On prononce le *s* final : [ibis].

584 **iceberg** n.m. *Le navire a heurté un **iceberg** et il a coulé,* une masse de glace flottante.
R. On prononce [ajsbɛrg] ou [isbɛrg].

ici adv. **1.** *Judith est **ici**, où je suis* (≠ là-bas). **2.** *Regarde **ici**,* à cet endroit. **3.** *Je reviendrai **d'ici** peu,* dans peu de temps.

icône n.f. *Une **icône** est une peinture à sujet religieux de l'Église orthodoxe.

idéal, e, als ou **aux** **1.** adj. et n.m. *Tu as trouvé la solution **idéale**,* la meilleure (= parfait, rêvé). *L'**idéal** serait de partir maintenant,* la solution la meilleure. **2.** n.m. *M. Champagne a un **idéal** : la paix pour tous les hommes,* cette idée guide son action.
■ **idéaliser** v. SENS 1 *L'orateur a **idéalisé** une situation qui n'est pas brillante,* il l'a présentée plus belle qu'elle n'est.
■ **idéalisme** n.m. SENS 2 *J'agis non par intérêt personnel, mais par **idéalisme**,* par fidélité à un idéal.
■ **idéaliste** n. et adj. SENS 2 *Maïté est une **idéaliste*** (≠ réaliste).

idée n.f. **1.** *Jean a perdu le fil de ses **idées*** (= pensée). **2.** *Qu'est-ce qui t'est venu à l'**idée** ?,* à quoi as-tu pensé ? (= esprit). **3.** *Mme Lagarde et M. Dubois n'ont pas les mêmes **idées** politiques* (= opinion). **4.** *As-tu une **idée** de l'heure qu'il est ?,*

le sais-tu à peu près ? (= notion, aperçu). **5.** *C'est chez lui une **idée** fixe,* quelque chose à quoi il pense tout le temps (= obsession).

identité n.f. **1.** *Nous avons une **identité** d'intérêts dans cette affaire,* les mêmes intérêts (= similitude). **2.** *On ne connaît pas l'**identité** des voleurs,* leur nom.
■ **identifier** v. SENS 2 *La police a **identifié** les voleurs,* elle a découvert qui ils étaient.
■ **identification** n.f. SENS 2 *L'enquête a permis l'**identification** des malfaiteurs.
■ **identique** adj. SENS 1 *Ces deux dessins sont **identiques**,* il n'y a aucune différence entre eux (=semblable, pareil ; ≠ différent).

idéologie n.f. *Le racisme est une **idéologie** sans justification,* une doctrine inspirant les actes de certaines gens.
■ **idéologique** adj. *Ils se sont livrés à des querelles **idéologiques**,* des querelles d'opinions, d'idées.

idiot, e adj. et n. *Arrête de faire des réflexions **idiotes** !* (= bête, stupide ; ≠ intelligent). *Ne fais pas l'**idiot** !* (= imbécile).
■ **idiotie** n.f. *Dominique a encore fait une **idiotie*** (= bêtise).
R. *Idiotie* se prononce [idjɔsi].

idole n.f. **1.** *Les païens adoraient des **idoles**,* des objets représentant une divinité. **2.** *Claude est l'**idole** de ses parents,* ils l'aiment et le gâtent extrêmement. *Le* *public est déchaîné à l'arrivée de son* **idole,** de la vedette de la chanson ou du spectacle qui l'enthousiasme.

■ **idolâtrer** v. SENS 2 *Ses parents l'idolâ-trent* (= adorer).

■ **idolâtrie** n.f. SENS 2 *Ils l'aiment jusqu'à l'idolâtrie.*

idylle n.f. *Il y a une idylle entre Jacques et Jeannine,* ils sont amoureux.

■ **idyllique** adj. *Ils s'aiment d'un amour idyllique,* tendre et naïf.

if n.m. *On plante souvent des ifs dans les cimetières,* des arbres à feuillage toujours vert de la famille du sapin.

igloo ou **iglou** n.m. *Les Inuit construisent des igloos,* des abris faits de blocs de glace.
R. On prononce [iglu].

igname n.f. *Les ignames sont des plantes des pays chauds dont les longs tubercules sont très nourrissants.*

ignare adj. *Ces gens-là n'ont jamais rien appris, ils sont ignares,* extrêmement ignorants (= inculte).

ignoble adj. **1.** *C'est un ignoble individu,* très méchant (= infâme). **2.** *Cette nourriture est ignoble,* très mauvaise (= infect ; ≠ délicieux).

ignominie n.f. *Cet individu a commis les pires ignominies,* des actions déshonorantes (= infamie).

ignorer v. *J'ignore qui est venu,* je ne le sais pas.
■ **ignorance** n.f. *Elle m'a laissé dans l'ignorance de son départ,* je ne savais pas qu'elle partait.
■ **ignorant, e** adj. et n. *Jacques est (un) ignorant,* il ne sait rien (= ignare, illettré ; ≠ instruit, savant).

iguane n.m. *Un iguane est une espèce de très grand lézard d'Amérique.*
R. On prononce [igwan].

il(s), elle(s) pron.pers. *s'emploient pour représenter des personnes ou des choses dont on parle : Il vient. Elles sont là.*

île n.f. *Anticosti est une île,* une terre entourée d'eau. | 724
■ **îlot** n.m. *Le navire a jeté l'ancre devant un îlot,* une toute petite île. | 725, 578
■ **insulaire** n. *Les Antillais sont des insulaires,* ils habitent des îles.
■ **presqu'île** n.f. *La Nouvelle-Écosse est une presqu'île,* une terre entourée presque entièrement par la mer. | 725, 579

illégal, illégalité → *loi.*

illégitime → *légitime.*

illettré → *lettre.*

illicite → *licite.*

illico adv. Fam. *On leur a dit de partir illico,* à l'instant même (= sur-le-champ, aussitôt).

illimité → *limite.*

illisible → *lire* 2.

illogique → *logique.*

illumination n.f. **1.** *Nous sommes allés voir les illuminations de Noël* (= lumières). **2.** *J'ai eu soudain une illumination,* une inspiration, une révélation.
■ **illuminer** v. SENS 1 *La rue est illuminée,* brillamment éclairée.
■ **illuminé, e** n. et adj. SENS 2 *Ne vous fiez pas à ce garçon, c'est un illuminé,* il croit naïvement avoir la révélation de la vérité.

illusion n.f. **1.** *Les mirages sont des illusions d'optique,* des visions fausses (≠ réalité). **2.** *Elle croit qu'elle gagnera, mais elle se fait des illusions,* des idées fausses, elle se trompe.
■ **s'illusionner** v. SENS 2 *Il ne faut pas s'illusionner,* se faire des illusions (= se tromper, s'abuser).

■ **illusionniste** n. SENS 1 *L'illusionniste a fait sortir un lapin de son chapeau* (= prestidigitateur).

■ **illusoire** adj. SENS 2 *Il est illusoire d'espérer qu'elle viendra* (= vain ; ≠ réel, sûr).

■ **désillusion** n.f. SENS 2 *Son échec a été pour lui une grande désillusion* (= déception).

■ **désillusionner** v. *Elle a été désillusionnée par son échec,* elle a perdu ses illusions.

illustrer v. 1. *Ce livre est illustré de dessins et de photos* (= orner). 2. *Autrefois, les nobles voulaient s'illustrer,* se rendre célèbres par leurs exploits (= se distinguer).

■ **illustration** n.f. SENS 1 *Ce livre a de belles illustrations,* des dessins, des photos (= image).

■ **illustre** adj. SENS 2 se dit parfois pour *célèbre.*

■ **illustré, e** adj. et n.m. SENS 1 *Mehdi lit des (journaux) illustrés,* contenant surtout des images.

îlot → *île.*

image n.f. 1. *Linda regarde les images de son livre,* les dessins, les photos (= illustration). 2. *Jean regarde son image dans la glace* (= reflet). 3. *Tu te fais une image fausse de la situation* (= idée, représentation). 4. *La balance est l'image de la justice,* un objet qui la représente (= symbole).

■ **imagé, e** adj. SENS 4 *Elle parle d'une manière imagée,* avec des mots qui évoquent des images.

imaginer v. 1. *Essaie d'imaginer son étonnement quand elle saura cela !,* de le représenter dans ton esprit. 2. *J'ai imaginé tout un scénario,* je l'ai inventé. 3. *Pierre s'imagine qu'il est le plus fort,* il le croit à tort.

■ **imaginable** adj. SENS 1 *On a essayé par tous les moyens imaginables.*

■ **imaginaire** adj. SENS 1 *La licorne est un animal imaginaire,* qui n'existe que dans l'esprit (= fantastique ; ≠ réel, vrai).

■ **imagination** n.f. SENS 1 ET 2 *Tu as beaucoup d'imagination,* tu peux imaginer, inventer toutes sortes de choses.

■ **imaginatif, ive** adj. SENS 2 *Luce a un esprit imaginatif,* capable d'inventer facilement (= inventif).

■ **inimaginable** adj. SENS 1 *Il y a ici un désordre inimaginable* (= incroyable).

imbattable → *battre.*

imbécile n. *Celle qui a inventé ça n'est pas une imbécile,* une personne sans intelligence (= idiot).

■ **imbécillité** n.f. *Arrête de dire des imbécillités !* (= sottise, bêtise).

R. Attention : *imbécile* n'a qu'un *l, imbécillité* a 2 *l.*

imberbe → *barbe.*

imbiber v. *La serviette de toilette est imbibée d'eau,* elle est mouillée, humide (= tremper, imprégner).

imbriqué, e adj. *Les tuiles du toit sont imbriquées,* elles se recouvrent en partie les unes les autres.

■ **s'imbriquer** v. *Ces questions s'imbriquent les unes dans les autres* (= s'enchevêtrer).

imbroglio n.m. *Je ne comprends rien à cet imbroglio,* à cette situation embrouillée (= confusion, désordre, méli-mélo).

R. On prononce parfois [ɛ̃brɔljo].

imbu, e adj. *M. Dupont est imbu de sa supériorité,* il en est pénétré (= infatué).

imbuvable → *boire.*

imiter v. 1. *Lise sait imiter l'aboiement du chien* (= reproduire). 2. *Paul cherche à imiter son père,* à le prendre pour modèle.

■**imitation** n.f. SENS 1 *Ce tableau est une imitation,* il est faux (= copie, reproduction). *Cette artiste fait des imitations,* elle reproduit les gestes et les paroles des autres.
■**imitateur, trice** n. SENS 1 *Marie est une bonne imitatrice,* elle imite bien.
■**inimitable** adj. SENS 1 *Tu es d'une drôlerie inimitable.*

immaculé → *maculer.*

immangeable → *manger.*

immanquable → *manquer.*

immatériel → *matière.*

immatriculer v. *Cette voiture est immatriculée à Montréal,* elle est inscrite sur les registres officiels.
■**immatriculation** n.f. *La plaque d'immatriculation d'une voiture porte son numéro d'immatriculation.*

immédiat, e adj. **1.** *Les Dupont sont nos voisins immédiats,* les plus proches. **2.** *Le résultat a été immédiat,* il s'est produit aussitôt (= instantané).
■**immédiatement** adv. SENS 2 *Viens ici immédiatement !,* tout de suite, à l'instant.

immémorial → *mémoire.*

immense adj. *L'U.R.S.S. est un pays immense,* très grand (≠ minuscule). *Cette vedette a un immense succès* (= énorme, extraordinaire).
■**immensément** adv. *Cette famille est immensément riche,* extrêmement riche.
■**immensité** n.f. *Le bateau s'est éloigné dans l'immensité de la mer,* l'étendue immense.

immerger v. *Ces rochers sont immergés à marée haute,* ils sont sous l'eau (≠ émerger).
■**immersion** n.f. *On a procédé à l'immersion d'un câble sous-marin,* on l'a plongé dans l'eau.

immérité → *mériter.*

immeuble n.m. *Ils habitent un appartement dans un immeuble neuf,* un bâtiment à plusieurs étages.

immigrant, immigration, immigré, immigrer → *migration.*

imminent, e adj. *Une guerre paraissait imminente entre ces deux pays,* très proche.
■**imminence** n.f. *L'imminence du danger a fait cesser leur dispute* (= proximité).

s'immiscer v. *Arrête de t'immiscer dans mes affaires !* (= se mêler).

immobile → *mobile.*

immobilier → *mobilier.*

immobilisation, immobiliser, immobilité → *mobile.*

immodéré → *modéré.*

immoler v. *Les Anciens immolaient des animaux en sacrifice à leurs dieux,* ils les tuaient comme offrandes (= sacrifier).

immonde adj. *Cette famille habite un taudis immonde,* très sale (= dégoûtant, répugnant).
■**immondices** n.f. pl. *Il y a un tas d'immondices devant la porte* (= ordures).

immoral, immoralité → *moral.*

immortaliser, immortalité, immortel → *mourir.*

immuable adj. *Tu restes immuable dans tes opinions,* tu n'en changes pas (= constant).

immuniser v. *En se faisant vacciner, on s'immunise contre les maladies,* on se met à l'abri (= se préserver).
■**immunité** n.f. *Les députés jouissent de l'immunité parlementaire,* on ne peut leur faire un procès que dans certaines conditions.

impact n.m. **1.** *Le point d'impact d'une balle est l'endroit où elle frappe.* **2.** *Cette*

218, 217

publicité a eu un grand **impact** sur le public (= influence).

impair → *pair.*

impalpable → *palper.*

imparable → *parer.*

impardonnable → *pardon.*

imparfait, imparfaitement → *parfait.*

impartial, impartialité → *partial.*

impartir v. *Un délai très court nous est **imparti**,* nous est accordé. **R.** Ce verbe ne s'emploie qu'à l'infinitif et aux formes composées.

217 **impasse** n.f. **1.** *Cette rue est une **impasse**,* elle n'a pas d'issue (= cul-de-sac). **2.** *Les discussions sont dans l'**impasse**,* elles ne progressent plus, elles sont bloquées.

impassible adj. *Dominique a un visage **impassible*** (= calme, froid). ■ **impassibilité** n.f. *Tout le monde a ri, mais elle a gardé son **impassibilité**.*

impatiemment, impatience, impatient, impatienter → *patient.*

impayable adj. *Il nous a raconté une histoire **impayable**,* très drôle.

impayé → *payer.*

impeccable adj. *Tu as toujours une tenue **impeccable**,* sans défaut (= irréprochable). ■ **impeccablement** adv. *Le départ de la fusée s'est effectué **impeccablement**,* parfaitement.

impénétrable → *pénétrer.*

impénitent → *pénitence.*

impensable → *penser.*

impératif, ive **1.** adj. *Il m'a parlé d'un ton **impératif*** (= autoritaire, impérieux). *La patience est une condition **impérative** du succès dans cette affaire*

(= absolu). **2.** n.m. *« Va » est l'**impératif** de « aller »,* la forme qui exprime l'ordre. *Il faut respecter les **impératifs** de l'horaire* (= contrainte, nécessité).

impératrice → *empire.*

imperceptible, imperceptiblement → *percevoir.*

imperfection → *parfait.*

impérial, impérialiste → *empire.*

impériale n.f. *Autrefois, les voyageurs montaient dans l'**impériale** de la diligence,* l'étage supérieur.

impérieux, euse adj. **1.** *Tu m'as répondu d'une voix **impérieuse*** (= autoritaire). **2.** *Ce pays a un **impérieux** besoin de pétrole* (= pressant). ■ **impérieusement** adv. SENS 1 ET 2 *On nous a demandé **impérieusement** de venir.*

impérissable → *périr.*

imperméabiliser, imperméable → *perméable.*

impersonnel → *personne.*

impertinent, e adj. *Ce garçon m'a interpellé d'un ton **impertinent*** (= insolent, effronté ; ≠ poli). ■ **impertinence** n.f. *On l'a punie pour son **impertinence*** (= impolitesse, insolence, effronterie).

imperturbable, imperturbablement → *perturber.*

impétueux, euse adj. *Aïcha a un caractère **impétueux*** (= vif, violent). ■ **impétueusement** adv. *L'orateur a attaqué **impétueusement** ses adversaires,* avec véhémence (= violemment). ■ **impétuosité** n.f. *Les défenseurs ont reculé sous l'**impétuosité** de l'attaque* (= violence).

impie, impiété → *pieux.*

impitoyable, impitoyablement →
pitié.

implacable adj. *Claude me porte une
haine implacable,* sans pitié (= acharné,
terrible).

■**implacablement** adv. *Je poursuis implacablement ma vengeance* (= impitoyablement).

implanter v. *Beaucoup d'Italiens se
sont implantés aux États-Unis,* ils se
sont fixés dans ce pays (= s'installer,
s'établir).

■**implantation** n.f. *L'implantation
d'une usine dans la région a été décidée*
(= établissement).

implicite adj. *Puisqu'elle n'a pas protesté, c'est qu'elle nous donne son
accord implicite,* un accord qu'elle
n'exprime pas mais qui va de soi (≠
explicite).

■**implicitement** adv. *Je suis implicitement d'accord,* sans le dire (= tacitement).

impliquer v. 1. *Il a été impliqué dans un
meurtre* (= mêler à). 2. *Si tu veux arriver
à l'heure, cela implique que tu partes tout
de suite* (= nécessiter, entraîner).

■**implication** n.f. *Cette décision a des
implications très diverses* (= conséquence, effet).

implorer v. *Le blessé implorait du secours,* il le demandait d'une voix suppliante.

impoli, impoliment, impolitesse
→ poli.

impondérable adj. *Notre succès dépend d'éléments impondérables,* impossibles à évaluer.

impopulaire, impopularité → peuple.

1. importer v. *Ce qui importe pour eux,
c'est le confort,* ce qui a de l'importance,
de l'intérêt (= compter).

■**n'importe** adv. indique l'indifférence :
N'importe qui peut faire cela, tout le
monde. *Il travaille n'importe comment,
n'importe où, n'importe quand.*

■**importance** n.f. *Ce que je vais dire a
une grande importance* (= intérêt,
gravité).

■**important, e** adj. 1. *C'est une somme
importante,* élevée. *Tu as joué un rôle
important dans cette affaire,* qui compte
(≠ accessoire, secondaire). 2. *Mon patron est un homme important* (= influent).

2. importer v. *Le Canada importe beaucoup de pétrole,* il le fait venir de l'étranger.

■**importation** n.f. *L'importation de certains produits est soumise à des droits
de douane.*

■**importateur, trice** adj. et n. *La France
est importatrice de pétrole.*

■**exporter** v. *La Californie exporte du
vin,* elle le vend à l'étranger.

■**exportation** n.f. *Ce pays cherche à
développer ses exportations.*

■**exportateur, trice** adj. et n. *La France
est exportatrice de vin.*

■**import-export** n.m. *Une entreprise
d'import-export est spécialisée dans
l'importation et l'exportation de produits
commerciaux.*

importuner v. *Tu m'importunes avec
tes questions* (= ennuyer, agacer).

■**importun, e** adj. et n. *Je vous laisse,
je ne veux pas être (un) importun*
(= gêneur).

imposer v. 1. *On m'a imposé de finir ce
travail,* on m'y a obligée (= forcer ;
≠ dispenser). 2. *Les gens sont imposés
d'après leurs revenus,* ils paient des impôts (= taxer). 3. *Son courage en impose,* il provoque le respect. 4. *Elle s'est
imposée par son intelligence,* elle s'est
fait connaître et respecter. 5. *Une action
s'impose,* est nécessaire.

■**imposable** adj. SENS 2 *Les revenus trop*

bas ne sont pas *imposables,* soumis à l'impôt.

■ **imposant, e** adj. SENS3 *Elle a parlé d'un ton imposant,* qui en impose. *Il y a un rassemblement imposant sur la place* (= impressionnant, important).

■ **impôt** n.m. SENS 2 *Quand on achète un produit, on paie un impôt indirect,* une partie du prix est versée à l'État (= taxe).

impossibilité, impossible → *possible.*

imposture n.f. *L'imposture a été découverte* (= mensonge, tromperie).
■ **imposteur** n.m. *L'imposteur a été démasqué* (= menteur).

impôt → *imposer.*

impotent, e adj. et n. *Cette personne est (une) impotente,* elle ne peut plus marcher, remuer ses membres (= infirme, invalide).

impraticable → *pratique.*

imprécation n.f. *Le vaincu lançait des imprécations contre ses ennemis,* des insultes, des malédictions.

imprécis, imprécision → *précis.*

imprégner v. *Il y a une fuite, le tapis est imprégné d'eau* (= tremper, imbiber).

imprenable → *prendre.*

imprésario n. *La chanteuse était accompagnée de son imprésario,* de la personne qui s'occupe de ses intérêts.

impression n.f. **1.** *Son arrivée a produit une grosse impression,* on l'a remarquée (= effet, sensation). **2.** *J'ai l'impression que nous sommes en avance,* je le pense (= sentiment). *France donne l'impression d'être toujours joyeuse,* elle le paraît (= sentiment). **3.** *Il y a dans ce journal beaucoup de fautes d'impression,* faites en imprimant.

■ **impressionner** v. SENS 1 *On a voulu nous impressionner par des menaces* (= émouvoir, influencer).

■ **impressionnable** adj. SENS 1 *Ce spectacle est trop violent pour un enfant impressionnable* (= émotif, sensible).

■ **impressionnant, e** adj. SENS 1 *C'était un spectacle impressionnant* (= imposant, grandiose).

■ **imprimer** v. SENS 3 *On imprime un livre en reportant sur du papier des caractères portés par des formes enduites d'encre. Ce livre est imprimé en Belgique,* fabriqué par l'imprimerie (= publier, éditer).

■ **imprimante** n.f. SENS 3 *Les résultats du calcul sortent sur l'imprimante de l'ordinateur,* une machine qui imprime sur papier.

■ **imprimé** n.m. SENS3 *Les livres, les journaux, les revues sont des imprimés.*

■ **imprimerie** n.f. SENS 3 *Gutenberg a inventé l'imprimerie. Mme Lauzier travaille dans une imprimerie.*

■ **imprimeur, euse** n. SENS 3 *M. Dupont est ouvrier imprimeur.*

■ **réimprimer** v. SENS 3 *Ce livre est épuisé, mais on va le réimprimer.*

■ **réimpression** n.f. SENS 3 *On attend la réimpression de cet ouvrage.*

imprévisible, imprévoyance, imprévoyant, imprévu → *prévoir.*

imprimante, imprimé, imprimer, imprimerie, imprimeur → *impression.*

improbable → *probable.*

improductif → *produire.*

impromptu, e adj. *Cléa m'a rendu une visite impromptue,* sans me prévenir (= inattendu).

imprononçable → *prononcer.*

impropre, improprement, impropriété → *propre.*

improviser v. *L'orateur a improvisé son discours,* il l'a dit sans l'avoir préparé.
■ **improvisation** n.f. *L'organiste a joué une improvisation,* un morceau improvisé.
■ **improvisateur, trice** n. *C'est une habile improvisatrice,* quelqu'un qui improvise bien.

à l'improviste adv. *Elle est arrivée à l'improviste,* sans avoir prévenu.

imprudemment, imprudence, imprudent → *prudent.*

impudent, e adj. *Voilà un mensonge impudent !* (= insolent, effronté).
■ **impudence** n.f. *Tu m'as répondu avec impudence* (= cynisme ; ≠ discrétion).
R. Ne pas confondre *impudence* et *imprudence.*

impuissance, impuissant → *puissance.*

impulsion n.f. **1.** *J'ai donné une impulsion à la bille pour la faire rouler,* je l'ai poussée. **2.** *Tu obéis à tes impulsions,* à ce qui se passe par la tête (= instinct, penchant).
■ **impulsif, ive** adj. SENS 2 *Jean est un garçon impulsif* (≠ calme, réfléchi).

impunément, impuni → *punir.*

impur, impureté → *pur.*

imputer v. *On lui a imputé la responsabilité de notre échec* (= attribuer).
■ **imputable** adj. *Cette faute ne m'est pas imputable,* on ne peut pas m'en rendre responsable.

imputrescible → *putréfier.*

in- au début d'un mot peut indiquer la privation, la négation : *informe, inutile.* Ce préfixe peut prendre les formes *il-, im-, ir-* : *illégal, imprudent, irrégulier.*

inabordable → *aborder.*

inacceptable → *accepter.*

inaccessible → *accès.*

inaccoutumé → *coutume.*

inachevé → *achever.*

inactif, inaction, inactivité → *agir.*

inadaptation, inadapté → *adapter.*

inadmissible → *admettre.*

par inadvertance adv. *On s'est trompé de chemin par inadvertance,* parce qu'on ne faisait pas attention (= par mégarde ; ≠ exprès).

inaliénable → *aliéner.*

inaltérable → *altérer.*

inamical → *ami.*

inamovible → *amovible.*

inanimé → *animer.*

inanition n.f. *Les naufragés sont morts d'inanition,* à cause du manque de nourriture.

inaperçu → *apercevoir.*

inapplicable → *appliquer.*

inappréciable → *apprécier.*

inapte, inaptitude → *apte.*

inarticulé → *articuler.*

inattaquable → *attaquer.*

inattendu → *attendre.* °

inattentif, inattention → *attention.*

inaudible → *audition.*

inaugurer v. *Le maire a inauguré le nouvel hôpital,* il a présidé la cérémonie d'inauguration.
■ **inauguration** n.f. *L'inauguration d'une nouvelle construction* est une cérémonie qui précède sa mise en service.

■ **inaugural, e, aux** adj. *La présidente a prononcé le discours* **inaugural***, le discours qui marque le début de la séance, de la cérémonie, etc.*

inavouable → *avouer.*

incalculable → *calcul.*

incandescent, e adj. *Il y a des braises* **incandescentes** *au fond du fourneau, chauffées au rouge.*
■ **incandescence** n.f. *Le soudeur porte le fer à l'*incandescence *avec son chalumeau.*

incapable, incapacité → *capable.*

incarcérer v. *L'escroc* **a été incarcéré***, mis en prison.*
■ **incarcération** n.f. *Le juge a ordonné son* **incarcération***.*

incarnat adj. et n.m. *Un rouge* **incarnat** *est un rouge vif.*

incarnation n.f. *Cet homme est l'*incarnation *de la générosité,* c'est la générosité faite homme.

incarné, e adj. *Un ongle* **incarné** *a pénétré dans la chair sur les côtés du doigt de pied.*

incarner v. *Dans ce film, le rôle principal* **est incarné** *par une actrice américaine, il est tenu par cette actrice* (= représenter, jouer).

incartade n.f. *Elle a été punie pour une petite* **incartade** (= faute, bêtise).

incassable → *casser.*

incendie n.m. *Les pompiers ont réussi à éteindre l'*incendie*, le feu.*
■ **incendiaire** adj. et n. *Une bombe* **incendiaire** *a détruit la maison. La police a arrêté une* **incendiaire***, quelqu'un qui avait mis volontairement le feu.*
■ **incendier** v. *La forêt* **a été incendiée***, détruite par le feu.*

incertain, incertitude → *certain.*

incessamment adv. *Ruth va arriver* **incessamment***, dans très peu de temps, tout de suite.*

incessant → *cesser.*

inceste n.m. *L'*inceste *est interdit par la loi,* le mariage entre très proches parents.

inchangé → *changer.*

incidemment adv. *Je vous rappelle* **incidemment** *votre promesse, en passant* (= entre parenthèses).

incidence n.f. *Le mauvais temps a une* **incidence** *sur le prix des fruits* (= répercussion, effet).

incident n.m. *Un* **incident** *imprévu a provoqué la rupture des négociations* (= fait, événement).
R. Ne pas confondre *incident* et *accident.*

incinérer v. *On* **a incinéré** *les ordures* (= brûler).

incise adj. et n.f. *Dans la phrase « Viens, dit-il »,* on appelle « dit-il » une proposition **incise***.*

incisif, ive adj. *Tu m'as répondu d'un ton* **incisif** (= dur, coupant).
■ **incisive** n.f. *L'être humain possède 8* **incisives***, des dents coupantes sur le devant.*

incision n.f. *Le médecin a fait une* **incision** *dans la peau pour extraire un éclat de verre* (= entaille, coupure).
■ **inciser** v. *Il a fallu* **inciser** *la peau* (= entailler).

inciter v. *Elle m'*a incité *à accepter cette proposition* (= pousser, encourager ; ≠ empêcher, détourner).
■ **incitation** n.f. *Ce journal a été condamné pour* **incitation** *à la violence.*

incliner v. **1.** *Le vent* **incline** *les arbres, les fait pencher. Elle* **s'est inclinée** *pour nouer ses lacets* (= se pencher). **2.** *J'*incline *à penser que tu as tort,* j'ai cette tendance.

→ p. 441

chapiteau

mât

piquets

massue

jongleur

clown

balancier

funambule

acrobate

gradins

piste

uyère

otarie

trapèze volant

voltige

trapéziste

echelle de corde

filet

ménagerie

cage à fauves

otte

tigre

dompteuse

434

hippopotame

fauves

tigre

guépard

panthère
(léopard)

aquarium

scalaire

cyprin

grenouille

crapaud

têtard

salamandre

triton

batraciens

rocher des singes

boa

iguane

caïman

reptiles et serpents

lama
(igogne)

kangourou

orang-outan

singes

ouistiti

oiseaux

courlis

colibri

casoar

volière

abri

manchot

vivarium

pélican

fosse

cages

condor

clôture

enclos

toucan

entrée

ZOO

cigogne

tortue

caméléon

cobra
(naja)

couleuvre
à collier

paon

436

jeu de croquet

maillet

arcea

boule

forain

tireur

carabine

stand de tir

billard

tapis

queue

boules

bande

loterie

baraques

chenille

jeu d'échecs

pièces

échiquier

case

pions

jeu de dames

damier

autos tamponneuses

montagnes russes

cornet

dés

loto

12		39	43	59		75
6			42	55		89
15	34				64	76

cartes à jouer

pique

carreau

trèfle

cœur

jeu électronique

dominos

tation
bombe
cravache
es
des)

promenade sur l'eau
barque
rame

maillot
de bain
la baignade

grande roue
nacelle
balançoires
manège
la fête foraine

deltaplane
dérive
carlingue
planeur
vol à voile

la peinture
chevalet
tableau
boîte de
couleurs
palette

erie
amique)
vases
tour

maquette
d'un avion
modèle réduit

la photographie
viseur
appareil
objectif
pellicule (film)

438

violon
archet
âme
clefs
cordes
ouïes
chevalet

bannière
fanfare
(clique)

tambour
baguette
clairon

métronome
diapason

soufflet
accordéon
touches

orchestre de chambre
(quatuor)

timbales
cors et trompettes
clarinettes
flûte
violons
1er violon

notes
clef de fa
clef d'ut
noire
blanche
clef de sol
ronde
queue
dièse
bémol
bécarre
croches
portée

flûte
hautbois
clefs
clarinette

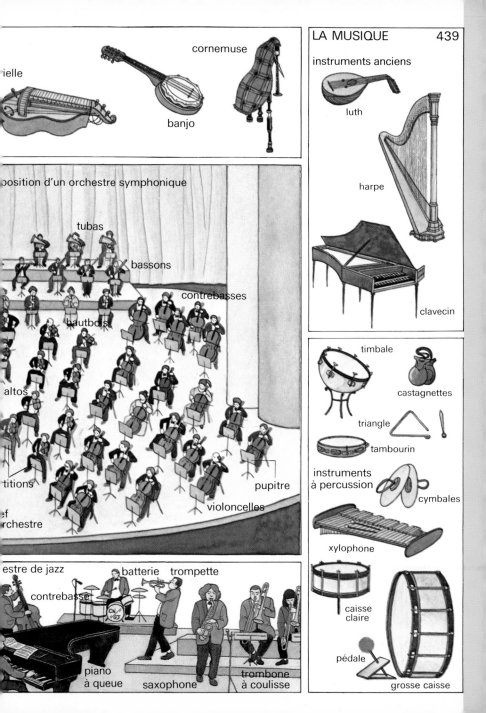

cornemuse

banjo

·ielle

instruments anciens

luth

harpe

clavecin

position d'un orchestre symphonique

tubas

bassons

contrebasses

hautbois

altos

titions

pupitre

ef
rchestre

violoncelles

timbale

castagnettes

triangle

tambourin

instruments
à percussion

cymbales

xylophone

caisse
claire

pédale

grosse caisse

estre de jazz

batterie   trompette

contrebasse

piano
à queue   saxophone

trombone
à coulisse

tragédie classique

cuirasse

glaive

péplum

toge

comédiens

spectateurs

théâtre de marionnettes

guignol

poulailler

baignoires

scène

balcon

parterre

fauteuils d'orchestre

rideau

décor

coulisses

machiniste

projecteur

loge

pompier

rampe

plateau

acteurs

trou du souffleur

fosse d'orchestre

cabine de projection

projecteur

salle de cinéma

écran

faisceau lumineux

bobines de films

■ **inclinaison** n.f. SENS 1 *L'inclinaison du toit est très raide* (= pente).

■ **inclination** n.f. SENS 2 *Jean suit ses inclinations* (= penchant, tendance).

inclure v. *Il faut **inclure** cette somme dans le total de nos dépenses,* l'y mettre (= comprendre ; ≠ exclure).

■ **inclus, e** adj. *Tu liras ce livre jusqu'à la trentième page **incluse*** (= compris).

■ **inclusivement** adv. *Nous serons absents jusqu'à lundi **inclusivement*** (= compris).

R. → Conj. n° 68.

incognito adv. et n.m. *La présidente voyage **incognito,*** sans se faire reconnaître (= secrètement). *Elle veut conserver l'**incognito*** (= anonymat).

incohérence, incohérent → *cohérent.*

incollable → *colle.*

incolore → *couleur.*

incomber v. *Cette dépense lui **incombe,*** c'est lui qui doit la faire.

incombustible → *combustible.*

incommensurable adj. *Vous êtes d'un orgueil **incommensurable*** (= immense, extrême).

incommode, incommoder, incommodité → *commode 2.*

incomparable → *comparer.*

incompatible → *compatible.*

incompétence, incompétent → *compétent.*

incomplet, incomplètement → *complet 1.*

incompréhensible, incompréhension → *comprendre.*

incompressible → *comprimer.*

incompris → *comprendre.*

inconcevable → *concevoir.*

inconciliable → *concilier.*

inconditionnel, inconditionnellement → *condition.*

inconduite → *conduire.*

inconfortable → *confort.*

incongru, e adj. *Claude m'a fait une remarque **incongrue*** (= impoli, déplacé ; ≠ convenable).

■ **incongruité** n.f. *Cesse de dire des **incongruités** !,* des choses inconvenantes (= grossièreté, incorrection).

inconnu → *connaître.*

inconsciemment, inconscience, inconscient → *conscience.*

inconséquence, inconséquent → *conséquent.*

inconsidéré, e adj. *Tu as eu tort de te lancer dans des dépenses **inconsidérées*** (= déraisonnable, excessif).

■ **inconsidérément** adv. *Ne t'engage pas **inconsidérément** dans cette affaire,* sans réfléchir (= étourdiment).

inconsistant → *consistant.*

inconsolable → *consoler.*

inconstance, inconstant → *constance.*

incontestable → *contester.*

incontrôlable, incontrôlé → *contrôle.*

inconvenance, inconvenant → *convenir.*

inconvénient n.m. *Cette maison a l'**inconvénient** d'être humide* (= défaut ; ≠ avantage, qualité).

incorporation, incorporer → *corps.*

incorrect, incorrection, incorrigible → *corriger.*

incorruptible → *corrompre.*

incrédule → *croire.*

increvable → *crever.*

incriminer v. *Tu l'incrimines sans preuves* (= accuser).

incroyable, incroyablement, incroyant → *croire.*

incruster v. **1.** *Ce meuble est incrusté d'ivoire,* il y a des morceaux d'ivoire fixés dans le bois. **2.** *Le coquillage s'est incrusté dans le rocher,* il s'y est solidement fixé (= s'enfoncer). **3.** Fam. *On l'invite à dîner et elle reste tout le week-end ! c'est quelqu'un qui s'incruste !,* qui s'installe chez les autres avec sans-gêne.
■ **incrustation** n.f. SENS 1 *Ce meuble a des incrustations d'ivoire.*

incubation n.f. *L'incubation des œufs de poule dure 21 jours,* le temps où ils sont couvés, avant qu'ils n'éclosent.

inculpation n.f. *Il a été arrêté sous l'inculpation d'escroquerie* (= accusation).
■ **inculper** v. *Le juge a inculpé les gangsters* (= accuser).
■ **inculpé, e** n. *L'inculpée a été laissée en liberté provisoire.*

inculquer v. *On lui a inculqué les règles de la politesse,* on les lui a apprises (= enseigner).

inculte → *cultiver.*

incurable → *cure* 2.

incursion n.f. *Des soldats ont franchi la frontière et fait une incursion en territoire adverse,* ils y sont entrés brusquement pour un temps assez court (= raid).

incurver v. *En chauffant une barre de fer, on peut l'incurver,* la rendre courbe (= courber, tordre).

indécence, indécent → *décent.*

indéchiffrable → *chiffre.*

indécis, indécision → *décider.*

indéfectible adj. *Il a toujours été d'une fidélité indéfectible,* constante, à toute épreuve.
■ **indéfectiblement** adv. *Ce chien m'est resté indéfectiblement attaché.*

indéfendable → *défendre.*

indéfini, indéfiniment → *définir.*

indéformable → *forme* 1.

indélébile adj. *Cette encre fait des taches indélébiles,* impossibles à effacer.

indémaillable → *maille.*

indemne adj. *Elle est sortie indemne de l'accident,* sans blessure, saine et sauve.

indemnité n.f. *M. Gomez touche une indemnité de déplacement,* de l'argent pour le rembourser de ses frais.
■ **indemniser** v. *Après l'incendie, l'assurance nous a indemnisés* (= dédommager).
■ **indemnisation** n.f. *L'assurance se charge de l'indemnisation des dégâts.*

indéniable, indéniablement → *nier.*

indépendamment, indépendance, indépendant → *dépendre.*

indéracinable → *racine.*

indescriptible → *décrire.*

indésirable → *désirer.*

indestructible → *détruire.*

indéterminé → *déterminer.*

index n.m. **1.** *On tient son stylo entre le pouce et l'index,* un des doigts. **2.** *À la fin du livre, il y a un index des noms propres,* une liste de ces noms permettant de les retrouver dans le livre.

indexer v. *Les salaires étaient indexés sur la hausse des prix,* ils variaient dans les mêmes proportions.

indicateur, indicatif, indication → *indiquer.*

indice n.m. **1.** *Tu rougis : c'est un indice de timidité* (= signe, preuve, marque). **2.** *Chaque mois, on publie l'indice de la hausse des prix,* le chiffre moyen.

indicible adj. *Cette nouvelle me cause une joie indicible* (= extraordinaire, inexprimable).

indifférent, e adj. **1.** *Monica m'est indifférente,* elle ne m'intéresse pas. **2.** *M. Dubois est un homme indifférent,* il ne s'intéresse pas aux autres (= froid). ■ **indifféremment** adv. SENS 1 *Je prendrai indifféremment une pomme ou une poire,* cela m'est égal. ■ **indifférence** n.f. SENS 1 *Elle m'a regardé avec indifférence,* sans s'intéresser à moi (= froideur).

indigence → *indigent.*

indigène n. et adj. *En Amérique, les indigènes ce sont les Amérindiens,* les habitants d'origine du continent.

indigent, e n. et adj. *Cette organisation a pour but de secourir les indigents* (= pauvre). ■ **indigence** n.f. *Ces réfugiés vivent dans une extrême indigence* (= misère, dénuement).

indigeste, indigestion → *digérer.*

indigne, indignité → *digne.*

indigner v. *Cette erreur judiciaire nous a indignés,* remplis de colère (= révolter). ■ **indignation** n.f. *Il a répondu avec indignation qu'il n'était pas coupable* (= colère, révolte).

indigo n.m. et adj.inv. *J'ai acheté une chemise indigo,* bleu foncé.

indiqué, e adj. *Un séjour à la montagne est tout indiqué pour fortifier cet*

enfant, il convient tout à fait (= recommandé). ■ **contre-indiqué, e** adj. *Le sel est contre-indiqué dans certaines maladies* (= interdit). ■ **contre-indication** n.f. *Ce médicament ne comporte aucune contre-indication.* **R.** Noter le pluriel : *des contre-indications.*

indiquer v. **1.** *Pouvez-vous m'indiquer le chemin de la gare ?* (= expliquer, montrer). **2.** *La pendule indique 3 heures* (= marquer). ■ **indicateur, trice** adj. et n.m. SENS 1 ET 2 *Le panneau indicateur porte le nom de la prochaine ville. L'indicateur des chemins de fer* est une brochure qui indique les heures des trains. ■ **indicatif** n.m. **1.** SENS 2 *Écoute ! c'est l'indicatif de l'émission sportive,* l'air qui en indique le début. **2.** *« Je suis » est l'indicatif présent du verbe « être »,* un des modes. ■ **indication** n.f. SENS 1 *Tu n'as pas suivi mes indications* (= avis, conseil).

indirect, indirectement → *direct.*

indiscipline, indiscipliné → *discipline.*

indiscret, indiscrètement, indiscrétion → *discret.*

indiscutable → *discuter.*

indispensable → *dispenser.*

indisponibilité, indisponible → *disposer.*

indisposer v. **1.** *Essaie de ne pas indisposer les voisins !,* de ne pas leur déplaire (= gêner, ennuyer). **2.** *Cette odeur de moisi m'indispose,* elle me rend un peu malade (= incommoder). ■ **indisposition** n.f. SENS 2 *Par suite d'une indisposition, elle n'a pu venir travailler,* un petit ennui de santé.

indissociable → *associer.*

indissolubilité, indissoluble → *dissoudre.*

indistinct → *distinguer.*

individu n.m. **1.** *Dans ce pays, les individus sont opprimés* (= personne, homme ; ≠ collectivité, groupe). **2.** *Comment s'appelle cet individu ?,* cette personne peu recommandable (= type).
■ **individuel, elle** adj. SENS 1 *Chacun des enfants a une chambre individuelle* (= personnel, particulier ; ≠ commun, collectif).
■ **individuellement** adv. SENS 1 *On nous a reçus individuellement,* l'un après l'autre (= séparément ; ≠ ensemble).
■ **individualiste** n. SENS 1 *Lori est une individualiste,* elle aime être indépendante des autres.
■ **individualisme** n.m. SENS 1 *Par individualisme, j'ai toujours refusé de me syndiquer.*

indivisible → *diviser.*

indocile → *docile.*

indolent, e adj. *Paul est un élève indolent* (= mou, endormi ; ≠ actif, énergique).
■ **indolence** n.f. *Ton indolence m'énerve* (= inertie ; ≠ vivacité).

indolore → *douleur.*

indomptable → *dompter.*

indu → *devoir.*

indubitable, indubitablement → *douter.*

induire v. *Jean m'a induite en erreur,* il m'a trompée.
R. → Conj. n° 70. Ne pas confondre *induire* et *enduire.*

indulgent, e adj. *Mme Da Silva est indulgente avec les enfants,* elle leur pardonne facilement (= patient ; ≠ sévère).

■ **indulgence** n.f. *L'accusée a demandé l'indulgence des juges* (= clémence, compréhension ; ≠ rigueur, dureté).

indûment → *devoir.*

industrie n.f. **1.** *L'industrie transforme les matières premières et fournit les produits fabriqués.* **2.** *Je dirige une petite industrie,* une entreprise qui fabrique des produits.
■ **industriel, elle** adj. et n. *Cette région est une région industrielle,* où il y a beaucoup d'usines. *M. Dupuis est un industriel,* il possède une usine.
■ **industriellement** adv. *Cet article est fabriqué industriellement,* par grandes quantités.
■ **industrialiser** v. *Le pays s'est industrialisé,* on a construit des usines.

industrieux, euse adj. se disait pour *actif* ou *adroit.*

inébranlable → *ébranler.*

inédit → *éditer.*

ineffable adj. *Une joie ineffable est une joie si intense qu'on ne peut pas l'exprimer par des mots* (= indicible).

ineffaçable → *effacer.*

inefficace, inefficacité → *efficace.*

inégal, inégalable, inégalement, inégalité → *égal.*

inélégant → *élégant.*

inéligible → *élire.*

inéluctable adj. *La mort est inéluctable,* on ne peut pas y échapper (= inévitable).

inénarrable adj. *Il m'est arrivé une aventure inénarrable,* d'une bizarrerie extraordinaire.

inepte adj. *On m'a raconté une histoire inepte* (= idiot, stupide).

■**ineptie** n.f. *Ce livre est une ineptie* (= idiotie). *Arrête de dire des inepties* (= bêtise).
R. *Ineptie* se prononce [inɛpsi].

inépuisable → *épuiser.*

inerte adj. *Le blessé restait allongé par terre, inerte, sans mouvement* (= immobile).
■**inertie** n.f. *Rien ne peut te faire sortir de cette inertie, ce manque d'énergie* (= indolence).
R. *Inertie* se prononce [inɛrsi].

inespéré → *espérer.*

inesthétique → *esthétique.*

inestimable → *estimer.*

inévitable, inévitablement → *éviter.*

inexact, inexactitude → *exact.*

inexcusable → *excuser.*

inexistant → *exister.*

inexorable adj. *On l'a supplié, mais il est resté inexorable* (= inflexible, impitoyable).
■**inexorablement** adv. *La sécheresse se poursuit inexorablement* (= implacablement).

inexpérience, inexpérimenté → *expérience.*

inexplicable → *expliquer.*

inexploré → *explorer.*

inexpressif, inexprimable → *exprimer.*

inexpugnable adj. *Cette citadelle était inexpugnable, il était impossible de la prendre d'assaut.*

in extenso adv. *Lire un texte in extenso, c'est le lire d'un bout à l'autre.*

inextinguible adj. *J'ai une soif inextinguible, impossible à faire cesser* (= insatiable).

in extremis adv. *Les pompiers sont arrivés in extremis pour le sauver, au dernier moment, à la dernière limite.*
R. On prononce le *s* final : [inɛkstremis].

inextricable adj. *Cette affaire présente des complications inextricables, très embrouillées.*

infaillible adv. 1. *Voilà un remède infaillible contre la grippe, qui réussit toujours.* 2. *Personne n'est infaillible, incapable de se tromper.*
■**infailliblement** adv. SENS 1 *Cette politique mène infailliblement à l'échec, à coup sûr.*

infaisable → *faire.*

infâme adj. *Voilà un crime infâme !* (= horrible, ignoble).
■**infamant, e** adj. *Cette condamnation n'a rien d'infamant, de déshonorant.*
■**infamie** n.f. *Tu serais capable de commettre ces infamies ?* (= crime).

infanterie n.f. *Jean est soldat dans l'infanterie, les troupes qui combattent à pied, les fantassins.*

infanticide, infantile, infantilisme → *enfant.*

infarctus n.m. *Mme Leduc a fait un infarctus, elle doit supprimer le tabac et l'alcool, une maladie de cœur* (= crise cardiaque).

infatigable, infatigablement → *fatiguer.*

infatué, e adj. *M. Dupont est infatué de lui-même, il est prétentieux* (= imbu).

infecter v. 1. *Ces ordures infectent le voisinage, elles sentent très mauvais* (= empester). 2. *Sa blessure s'est infectée, elle s'est remplie de pus.*
■**infect, e** adj. SENS 1 *Cette viande a un goût infect, très mauvais* (= répugnant). *Quel homme infect !, ignoble.*
■**infectieux, euse** adj. SENS 2 *La grippe est une maladie infectieuse, due à des microbes.*

■ **infection** n.f. SENS 2 *Le manque de propreté peut provoquer une* **infection,** un développement des maladies.

■ **désinfecter** v. SENS 2 *On a désinfecté les habits du malade,* on a détruit les microbes qui y étaient.

■ **désinfection** n.f. SENS 2 *Le médecin a ordonné la* **désinfection** *des habits de la malade.*

R. Ne pas confondre *infecter* et *infester.*

inférieur, e adj. 1. *J'habite à l'étage* **inférieur,** en dessous, plus bas. 2. *6 est* **inférieur** *à 9,* plus petit. 3. n. et adj. *Elle me traite comme un* **inférieur** (= subalterne ; ≠ supérieur).

■ **infériorité** n.f. SENS 3 *Paul a un sentiment d'*infériorité, il se croit moins fort que les autres (≠ supériorité).

infernal → *enfer.*

infester v. *La région* **est infestée** *de moustiques,* il y en a beaucoup (= envahir).

R. → *infecter.*

infidèle, infidélité → *fidèle.*

s'infiltrer v. *L'eau s'infiltre dans le sol,* elle y pénètre peu à peu.

■ **infiltration** n.f. *Il y a des* **infiltrations** *d'eau dans la cave.*

infime adj. *Il y a une* **infime** *différence entre ces deux dessins,* très petite (= minime ; ≠ énorme).

infini, infiniment, infinité → *fin* 1.

infinitésimal, e, aux adj. *Une quantité* **infinitésimale** *est extrêmement petite.*

infinitif n.m. *« Aimer », « sortir » sont des verbes à l'*infinitif, un mode qui ne se conjugue pas.

infirme adj. et n. *Depuis son accident, elle est restée* **infirme** (= invalide, mutilé, paralysé).

■ **infirmité** n.f. *Il est aveugle, sourd et manchot. Comment peut-il supporter toutes ces* **infirmités** *?*

infirmer v. *Sa supposition* **a été infirmée** *par les résultats de l'expérience,* elle a été contredite, ruinée (≠ confirmer).

infirmier, ère n. *Un* **infirmier** *est venu me faire des piqûres,* une personne qui s'occupe des malades (= gardemalade).

■ **infirmerie** n.f. *On a transporté la blessée à l'*infirmerie de l'école, l'endroit où l'on soigne les malades, les blessés.

infirmité → *infirme.*

inflammable, inflammation → *flamme.*

inflation n.f. *Les salariés souffrent de l'*inflation, de la hausse des prix.

inflexible → *fléchir.*

inflexion n.f. *Il parlait avec de tendres* **inflexions** *dans la voix,* des modifications du ton.

infliger v. *Le tribunal lui* **a infligé** *une amende pour excès de vitesse,* il l'a punie d'une amende (= appliquer).

influence n.f. 1. *La mer exerce une* **influence** *sur le climat* (= action, effet). 2. *Virginia a beaucoup d'*influence *sur moi,* j'écoute ce qu'elle dit (= autorité, pouvoir).

■ **influencer** v. SENS 2 *Cléa se laisse facilement* **influencer** (= entraîner).

■ **influençable** adj. SENS 2 *Jean est* **influençable** (≠ têtu).

■ **influent, e** adj. SENS 2 *Ce ministre est très* **influent,** il a beaucoup de pouvoir.

■ **influer** v. SENS 1 *Les pluies* **influent** *sur les récoltes,* elles ont une influence.

informaticien → *informatique.*

information n.f. 1. *De qui tiens-tu cette* **information** *?* (= renseignement, nouvelle). 2. (au plur.) *As-tu écouté les* **informations** *à la radio ?,* les nouvelles de la journée.

■**informer** v. *Les journaux nous ont informés des événements*, ils nous les ont appris (= avertir, renseigner). *T'es-tu informé de sa santé ?*, t'es-tu mis au courant ?

■**nformatique** n.f. *L'informatique est la science et la technique des ordinateurs.*
■**informaticien, enne** n. *Une informaticienne est une spécialiste en informatique.*

■**nforme** → *forme* 1.

■**nformer** → *information.*

■**nfortuné, e** adj. *On plaignait le sort des infortunés prisonniers* (= malheureux).

■**nfraction** → *enfreindre.*

■**nfranchissable** → *franchir.*

■**nfructueux** → *fruit.*

■**nfuser** v. *Laisse le thé infuser quelques minutes !*, tremper dans l'eau bouillante.
■**infusion** n.f. *Tous les soirs, il boit une infusion de menthe* (= tisane).

■'**ingénier** v. *Elle s'est ingéniée à résoudre cette difficulté*, elle a fait tous ses efforts pour cela.

■**ngénieur, e** n. *M. Diallo est ingénieur dans une usine chimique*, il imagine et dirige les travaux.

■**ngénieux, euse** adj. *Mme Durand est ingénieuse* (= intelligent, astucieux).
■**ingénieusement** adv. *Cet appareil est très ingénieusement conçu* (= astucieusement).
■**ingéniosité** n.f. *Ce problème demande de l'ingéniosité*, de la finesse d'esprit.

■**ngénu, e** adj. *Marie a un air ingénu* (= naïf, simple).
■**ingénuité** n.f. *Marie me pose des questions pleines d'ingénuité* (= naïveté, candeur).

■**ngérer** v. *Ingérer un médicament*, c'est l'avaler.

■**ingestion** n.f. *Quand a eu lieu l'ingestion de cette pilule ?*

s'ingérer v. *Il a voulu s'ingérer dans mes affaires*, s'en mêler sans en avoir le droit.
■**ingérence** n.f. *Je m'oppose à toute ingérence dans mes affaires*, à ce que d'autres s'en mêlent.

ingrat, e 1. n. et adj. *Quel ingrat ! il a oublié ce que j'ai fait pour lui*, il n'a pas de reconnaissance. 2. adj. *Tu fais un travail ingrat* (= désagréable ; ≠ plaisant).
■**ingratitude** n.f. SENS 1 *Je lui ai reproché son ingratitude.*

ingrédient n.m. *Pour faire cette sauce, il faut de nombreux ingrédients* (= produit).

ingurgiter v. *En une minute, j'ai ingurgité trois gâteaux*, je les ai avalés avidement (=engloutir).

inhabitable, inhabité → *habiter.*

inhabituel → *habitude.*

inhaler v. *Anne a inhalé un gaz nocif* (= aspirer).
■**inhalation** n.f. *Quand on a mal à la gorge, on peut faire des inhalations*, aspirer des vapeurs pour se soigner.

inhérent, e adj. *De nombreux avantages sont inhérents à cette fonction*, y sont liés.

inhospitalier → *hospitalier.*

inhumain → *homme.*

inhumer v. *Mme Scott a été inhumée au cimetière de Sudbury* (= enterrer).
■**inhumation** n.f. *L'inhumation a eu lieu hier* (= enterrement).
■**exhumer** v. *Exhumer un cadavre*, c'est le sortir de terre.

inimaginable → *imaginer.*

inimitable → *imiter.*

inimitié n.f. *Je ne comprends pas son inimitié à mon égard* (= hostilité ; ≠ amitié).

ininflammable → *flamme.*

inintelligible → *intelligence.*

inintéressant → *intérêt.*

ininterrompu → *interrompre.*

inique adj. *Ce jugement est inique,* très injuste.

initial, e, aux 1. adj. *Marie a renoncé à son projet initial,* qu'elle avait au début (= premier ; ≠ final). **2.** n.f. *« J. D. » sont les initiales de Jean Duval,* la première lettre de son prénom et la première lettre de son nom.
■ **initialement** adv. SENS 1 *Initialement, je voulais partir demain,* au début.

initiation → *initier.*

initiative n.f. **1.** *On a pris l'initiative de venir vous voir,* on a décidé nous-mêmes de le faire. **2.** *Jean a l'esprit d'initiative,* il sait prendre ses décisions tout seul, entreprendre de nouvelles choses.

initier v. *Yasmina m'a initié aux échecs,* elle m'a appris à y jouer, à aimer ce jeu.
■ **initiation** n.f. *Ce livre est une bonne initiation aux mathématiques,* un début pour les apprendre (= introduction).

injecter v. *Il faudra injecter ce médicament à la malade,* lui faire une piqûre.
■ **injection** n.f. *On fait les injections avec une seringue et une aiguille* (= piqûre).

injonction n.f. *Il a refusé de se plier aux injonctions de la directrice* (= ordre).
R. Ne pas confondre *injonction* et *injection.*

injure n.f. *Paul s'est mis en colère et m'a crié des injures* (= insulte ; ≠ compliment).
■ **injurier** v. *Il m'a injurié, en me traitant d'imbécile* (= insulter).

■ **injurieux, euse** adj. *Vous parlez en termes injurieux* (= offensant, outrageant ; ≠ respectueux).

injuste, injustement, injustice → *juste.*

injustifié → *justifier.*

inlassable, inlassablement → *las.*

inné, e adj. *Dominique a un goût inné pour la musique,* un goût spontané, naturel (≠ acquis).

innocent, e adj. et n. **1.** *L'accusé répétait qu'il était innocent,* qu'il n'avait rien fait de mal (≠ coupable). **2.** *Tu as pris un air innocent pour me répondre,* un peu bête (= naïf ; ≠ malin).
■ **innocemment** adv. SENS 2 *Elle est tombée innocemment dans le piège* (= naïvement, sottement).
■ **innocence** n.f. SENS 1 *Son innocence a été finalement reconnue* (≠ culpabilité). SENS 2 *Quelle innocence dans ses propos !* (= naïveté).
■ **innocenter** v. SENS 1 *Le tribunal l'a innocentée,* l'a déclarée innocente (= disculper ; ≠ condamner).

innombrable → *nombre.*

innommable adj. *Après la bagarre, ses vêtements étaient dans un état innommable* (= répugnant, repoussant).

innover v. *Ce fabricant a innové en lançant un modèle original,* il a créé un changement.
■ **innovation** n.f. *La direction a introduit des innovations dans le travail* (= changement, nouveauté).

inoccupé → *occuper.*

inoculer v. *La morsure du chien lui avait inoculé la rage,* elle l'avait introduite dans son corps.

inodore → *odeur.*

inoffensif → *offensif.*

inonder v. *Le fleuve en crue a inondé les champs,* il les a recouverts d'eau.
■ **inondation** n.f. *L'inondation a été causée par de fortes pluies.*

inopérant → *opérer.*

inopiné, e adj. *Son arrivée a été inopinée* (= imprévu, inattendu).
■ **inopinément** adv. *J'arrivais inopinément dans la pièce,* à l'improviste.

inopportun → *opportun.*

inoubliable → *oublier.*

inouï, e adj. *Je viens d'apprendre une chose inouïe* (= extraordinaire, incroyable).

inoxydable → *oxyde.*

inqualifiable → *qualifier.*

inquiet, ète adj. *Je suis inquiète de ne pas recevoir de ses nouvelles,* je me fais du souci (= soucieux, anxieux ; ≠ tranquille).
■ **inquiétant, e** adj. *La situation est inquiétante* (= alarmant, menaçant ; ≠ rassurant).
■ **inquiéter** v. *Ta santé m'inquiète. Ne t'inquiète pas, je ne cours aucun danger* (= se tracasser ; ≠ se calmer).
■ **inquiétude** n.f. *Pars sans inquiétude, je m'occupe de tout* (= souci).

inquisition n.f. *Que de questions ! C'est une véritable inquisition !* une enquête approfondie et indiscrète.
■ **inquisiteur, trice** adj. *Le policier jeta un regard inquisiteur sur le prévenu.*

insaisissable → *saisir.*

insalubre, insalubrité → *salubre.*

insanité n.f. *Comment voudrais-tu qu'on te croie, tu ne dis que des insanités* (= bêtise).

insatiable → *satiété.*

insatisfaction, insatisfait → *satisfaire.*

inscrire v. **1.** *Qu'est-ce qui est inscrit sur ce panneau ? — « Entrée interdite »* (= marquer, écrire). **2.** *Luce s'est inscrite à l'association sportive,* elle a fait mettre son nom sur les registres, elle en fait partie.
■ **inscription** n.f. SENS 1 *Les murs sont recouverts d'inscriptions,* de mots écrits. SENS 2 *L'inscription dans ce club coûte cher.*
R. → Conj. n° 71.

insecte n.m. *Les mouches, les abeilles, les fourmis sont des insectes.* 363
■ **insecticide** adj. et n.m. *On a mis de l'insecticide sur les cultures,* un produit pour tuer les insectes. 362
■ **insectivore** adj. et n.m. *Les moineaux, les hirondelles sont (des) insectivores,* ils mangent des insectes pour se nourrir.

insécurité → *sûr.*

insensé → *sens.*

insensibiliser, insensibilité, insensible, insensiblement → *sensible.*

inséparable → *séparer.*

insérer v. *Pour voter, on insère un bulletin dans une enveloppe* (= glisser, introduire).
■ **insertion** n.f. *L'insertion sociale de cet individu est difficile,* son intégration dans la société.
■ **réinsérer** v. *Ces handicapés ont pu se réinsérer dans la vie professionnelle,* y revenir.
■ **réinsertion** n.f. *La réinsertion des handicapés pose des problèmes.*

insidieux, euse adj. *Son adversaire lui a posé des questions insidieuses* (= trompeur, sournois).

insigne n.m. *Les soldats portent des insignes sur leur uniforme,* des signes distinctifs. 763, 767

insignifiant, e adj. **1.** *Tu m'as chicané sur un détail insignifiant,* très peu important (≠ considérable). **2.** *Quel individu insignifiant !,* banal, quelconque.

insinuer v. *On a insinué que c'était moi la coupable,* on l'a dit d'une manière sournoise (= suggérer). **2.** *Judy essaie de s'insinuer dans ce groupe,* de s'y introduire habilement.
■ **insinuation** n.f. SENS 1 *Pas d'insinuations, parle franchement !,* pas d'accusations détournées.

insipide adj. **1.** *Ce thé est insipide,* sans goût (= fade). **2.** *À la télé, il y avait un film insipide* (= ennuyeux).

insister v. *Jean a insisté pour que je vienne,* il l'a demandé plusieurs fois.
■ **insistance** n.f. *Elle a réclamé avec insistance d'aller au cinéma* (= obstination).

insolation n.f. *Si tu restes au soleil, tu vas avoir une insolation,* un grave coup de soleil.

insolent, e adj. et n. *Paul est (un) insolent* (= impoli, grossier, effronté).
■ **insolemment** adv. *Rien ne vous autorise à me répondre aussi insolemment.*
■ **insolence** n.f. *On l'a puni pour son insolence* (= impertinence).

insolite adj. *Cette voiture a un aspect insolite* (= bizarre, étrange, inusité ; ≠ normal).

insoluble → *solution.*

insolvable → *solvable.*

insomnie → *sommeil.*

insondable → *sonder.*

insonore, insonoriser → *son* 2.

insouciance, insouciant →*souci* 2.

insoumis, insoumission → *soumettre.*

insoupçonné → *soupçon.*

insoutenable → *soutenir.*

inspecter v. *L'architecte inspecte les travaux,* elle contrôle si tout va bien (= surveiller).
■ **inspecteur, trice** n. *Un inspecteur est venu vérifier les aliments.*
■ **inspection** n.f. *Les douaniers ont fait une tournée d'inspection* (= examen).

inspirer v. **1.** *Tu m'inspires confiance,* j'ai confiance en toi (= donner). **2.** *Ce poète est inspiré par la campagne,* la campagne fait naître en lui des idées et des sentiments. **3.** *Ce film s'est inspiré d'un roman,* il en a repris le sujet en l'adaptant. **4.** *Inspirez lentement !,* faites entrer de l'air dans vos poumons (≠ expirer).
■ **inspiration** n.f. SENS 2 *Marie a eu soudain une inspiration* (= idée). SENS 4 *L'inspiration et l'expiration se succèdent et constituent la respiration.*

instabilité, instable → *stable.*

installer v. **1.** *On a fait installer le téléphone,* mettre en place (= poser). **2.** *Les Sampiero se sont installés à Ottawa,* ils y habitent (= s'établir). **3.** *Jean s'est installé dans un fauteuil,* il s'y est assis confortablement.
■ **installateur, trice** n. SENS 1 *Si l'appareil fonctionne mal, adressez-vous à l'installateur.*
■ **installation** n.f. SENS 1 *L'installation de la maison est terminée* (= aménagement). SENS 2 *Leur installation à Toronto date du mois dernier* (= établissement).

1. instant, e adj. *Malgré mes demandes instantes, elle a refusé de me recevoir* (= pressant, insistant).
■ **instamment** adv. *Elle m'a prié instamment de venir* (= vivement).
■ **instances** n.f.pl. *Devant ses instances répétées, j'ai accepté* (= prières, sollicitations).

2. instant n.m. **1.** *Attendez un instant !,* un petit moment (= minute, seconde). **2.** *Il était là à l'instant,* il y a très peu de temps. **3.** *Dès l'instant que tu es d'accord, tout va bien* (= du moment que, puisque).

■ **instantané, e** adj. SENS 1 *La mort a été instantanée* (= immédiat, brusque, soudain).

■ **instantanément** adv. SENS 1 *J'ai répondu instantanément* (= tout de suite, aussitôt).

instaurer v. *La révolution chinoise a instauré un nouveau régime* (= établir, instituer).

instigation n.f. *Elle a agi à l'instigation de son frère,* poussée par lui.

■ **instigateur, trice** n. *Marie est l'instigatrice de cette surprise,* c'est elle qui a poussé à la faire.

instinct n.m. **1.** *Les animaux sont guidés par leur instinct,* une force intérieure qui les fait agir. **2.** *D'instinct, je me suis méfiée,* sans réfléchir, spontanément.

■ **instinctif, ive** adj. *Tu as fait un geste instinctif de défense* (= involontaire, machinal ; ≠ réfléchi).

■ **instinctivement** adv. *Je me suis jeté de côté instinctivement.*

R. *Instinct* se prononce [ɛ̃stɛ̃].

instituer v. *Cette loi a institué de nouveaux règlements* (= établir, créer).

institut n.m. **1.** *De nombreux savants travaillent dans cet institut,* cet établissement scientifique. **2.** *Un institut de beauté* est un établissement où l'on donne des soins de beauté.

instituteur, trice n. *Marie a une nouvelle institutrice,* une maîtresse d'école, une enseignante au cours primaire.

institution n.f. **1.** (au plur.) *Un référendum a modifié les institutions,* les lois fondamentales (= régime). **2.** *Il est professeur dans une institution religieuse,* un établissement d'enseignement.

instruire v. **1.** *On va à l'école pour s'instruire,* acquérir des connaissances (= apprendre, étudier). **2.** *On m'a ins-*

truite des difficultés de ce travail, on m'a mise au courant (= renseigner). **3.** *Le juge instruit le procès,* il rassemble toutes les informations à connaître.

■ **instructeur, trice** adj. et n. SENS 1 *Un officier instructeur* est chargé d'instruire les jeunes soldats.

■ **instructif, ive** adj. SENS 1 *Ce livre est instructif* (= éducatif).

■ **instruction** n.f. SENS 1 *Mme Lebel a de l'instruction,* elle a des connaissances étendues. SENS 2 (au plur.) *Il m'a donné des instructions précises,* il m'a dit ce qu'il fallait faire (= ordres, directives, consignes). SENS 3 *Le juge d'instruction a interrogé les témoins,* celui qui dirige l'enquête.

R. → Conj. n° 70.

instrument n.m. **1.** *Le râteau, la bêche sont des instruments de jardinage,* des objets servant à jardiner (= outil, ustensile). **2.** *Le violon, la guitare sont des instruments à cordes ; la trompette, la flûte sont des instruments à vent.*

■ **instrumental, e, aux** adj. SENS 2 *J'ai assisté à un concert de musique instrumentale,* faite avec des instruments (≠ vocal).

■ **instrumentiste** n. SENS 2 *Une instrumentiste* est quelqu'un qui joue d'un instrument de musique.

à l'insu de prép. *Elle est sortie à l'insu de son père,* sans que celui-ci le sache.

insubmersible → *submerger.*

insubordination → *subordonner.*

insuccès → *succès.*

insuffisamment, insuffisance, insuffisant → *suffire.*

insuffler v. *Ces encouragements nous ont insufflé une ardeur nouvelle,* il nous l'ont donnée.

insulaire → *île.*

insulter v. *Louise s'est énervée et elle m'a insulté* (= injurier).

39

439

■ **insultant, e** adj. *Tu as prononcé des paroles **insultantes** à notre égard* (= injurieux).

■ **insulte** n.f. *« Imbécile », « crétin », « idiot » sont des **insultes*** (= injure).

insupportable → *supporter.*

s'insurger v. *Le peuple **s'est insurgé** contre cette loi* (= se révolter, se soulever).

■ **insurrection** n.f. *Une **insurrection** a éclaté dans ce pays* (= révolte).

insurmontable → *surmonter.*

intact, e adj. *Malgré la tempête, le bateau est **intact**, en bon état* (≠ abîmé, endommagé).

intangible adj. *Est-ce que le règlement est **intangible** ?, est-ce qu'on ne peut rien y changer ?* (= sacré).

intarissable → *tarir.*

intégral, e, aux 1. adj. *L'assurance a effectué le remboursement **intégral** de l'accident* (= complet, total ; ≠ partiel). **2.** n.f. *Je possède l'**intégrale** des œuvres de Victor Hugo*, l'édition complète de ses œuvres.

■ **intégralement** adv. *Cette personne a été remboursée **intégralement**, en totalité.*

intégrant → *intégrer.*

intègre adj. *Voici une personne **intègre*** (= honnête ; ≠ corrompu, vénal).

■ **intégrité** n.f. *Son **intégrité** lui vaut le respect général* (= honnêteté).

intégrer v. **1.** *L'écrivain **a intégré** un nouveau chapitre dans son livre*, il l'y a mis (= ajouter, incorporer). **2.** *Lori **s'est** mal **intégrée** dans sa nouvelle école*, elle s'y sent mal à l'aise.

■ **intégrant, e** adj. *L'étang **fait partie intégrante** de la propriété*, il y est totalement compris.

■ **intégration** n.f. *Son **intégration** dans la classe est lente*, le fait de se sentir à l'aise dans un groupe (= insertion).

intégrité → *intègre.*

intelligence n.f. **1.** *En agissant ainsi, tu as fait preuve d'**intelligence*** (= réflexion, clairvoyance ; ≠ bêtise, stupidité). **2.** *La famille Truong vit en bonne **intelligence** avec ses voisins* (= entente, accord).

■ **intellectuel, elle** adj. et n. SENS 1 *Ce travail demande un effort **intellectuel**, de l'intelligence* (= cérébral ; ≠ manuel). *Les savants, les professeurs sont des **intellectuels**, ils ne travaillent pas de leurs mains.*

■ **intellectuellement** adv. SENS 1 *Cette candidate est **intellectuellement** supérieure aux autres*, par son intelligence.

■ **intelligent, e** adj. SENS 1 *Jean est un enfant très **intelligent**, il comprend vite* (= éveillé, astucieux ; ≠ bête, sot).

■ **intelligemment** adv. SENS 1 *Marie a répondu **intelligemment*** (≠ bêtement).

■ **intelligible** adj. SENS 1 *Ce que tu racontes n'est pas **intelligible*** (= compréhensible, clair).

■ **intelligiblement** adv. SENS 1 *Parle plus **intelligiblement** !*

■ **inintelligible** adj. SENS 1 *Ce texte est **inintelligible**, on ne peut pas le comprendre.*

intempérance, intempérant → *tempérance.*

intempéries n.f. pl. *Le match a été reporté en raison des **intempéries**, du mauvais temps.*

intempestif, ive adj. *La séance a été troublée par une manifestation **intempestive**, mal à propos* (= déplacé, inconvenant).

intenable → *tenir.*

intendant, e n. *L'**intendant** administrait jadis une colonie du royaume.*

■ **intendance** n.f. **1.** *À l'armée, l'**intendance** est le service du ravitaillement des troupes.* **2.** *L'**intendance** regroupe les services administratifs d'une institution ou d'un hôpital.*

intense adj. *J'écoute cette musique avec un plaisir intense,* très grand (= vif ; ≠ faible).
■ **intensément** adv. *Tous les regards fixaient intensément la pendule.*
■ **intensif, ive** adj. *Cet examen demande une préparation intensive, il faut faire des efforts intenses.*
■ **intensifier** v. *Il faut intensifier tes efforts* (= augmenter).
■ **intensification** n.f. *On signale une intensification des combats.*
■ **intensité** n.f. *L'intensité de ce bruit est difficile à supporter* (= force).

intenter v. *Mme Smith a intenté un procès à son voisin,* elle l'a poursuivi en justice.

intention n.f. *J'ai l'intention de partir demain,* je veux le faire (= projet, dessein). *Cette fête a été organisée à l'intention de Paul,* pour lui.
■ **intentionné, e** adj. *Paul est bien (mal) intentionné à mon égard,* ses intentions sont bonnes (mauvaises) [= bienveillant ; ≠ malveillant].
■ **intentionnel, elle** adj. *Si je t'ai fait mal, ce n'était pas intentionnel* (= voulu).
■ **intentionnellement** adv. *J'ai laissé la porte ouverte intentionnellement,* exprès.
R. *Mal intentionné* peut aussi s'écrire en un seul mot : *malintentionné.*

inter-, placé au début d'un mot, indique une relation ou une situation entre plusieurs choses : *intercontinental, interligne.*

intercaler v. *Une voiture est venue s'intercaler entre nous et la voiture de devant,* se mettre dans la place vide.
■ **intercalaire** n.m. *J'ai séparé mes documents avec des intercalaires,* des feuilles que l'on place entre les documents.

intercéder v. *J'ai intercédé en ta faveur,* je suis intervenue pour te soutenir.

intercepter v. *L'adversaire a réussi à intercepter la balle,* à la prendre au passage.
■ **interception** n.f. *Une escadrille de chasse a été chargée d'une mission d'interception,* chargée de couper la route à des avions adverses.

interchangeable → *changer.*

interclasse → *classe.*

interdépendance, interdépendant → *dépendre.*

interdire v. *Il est interdit de marcher sur les pelouses* (= défendre ; ≠ permettre, autoriser).
■ **interdiction** n.f. *Elle est sortie malgré mon interdiction* (= défense ; ≠ permission).
R. → Conj. n° 72.

interdit, e adj. *Cette réponse inattendue l'a laissé interdite,* très étonnée (= stupéfait).

intérêt n.m. **1.** *Ce livre a beaucoup d'intérêt,* il n'est pas ennuyeux, il ne laisse pas indifférent. **2.** *Un détail a éveillé mon intérêt* (= attention, curiosité ; ≠ indifférence). **3.** *J'ai agi dans ton intérêt* (= avantage). **4.** *Quand on emprunte de l'argent, on paie des intérêts,* une certaine somme proportionnelle à la somme empruntée.
■ **intéressant, e** adj. SENS 1 ET 2 *Quand un cours est intéressant, tout le monde écoute* (= passionnant, captivant ; ≠ ennuyeux). SENS 3 *Cette voiture est en très bon état, on a fait une affaire intéressante* (= avantageux).
■ **intéressé, e** adj. et n. SENS 2 *Sophie est la principale intéressée dans cette affaire,* celle qui est directement concernée. SENS 3 *M. Dupont est un homme intéressé,* il agit dans son seul intérêt (≠ généreux).
■ **intéresser** v. **1.** SENS 1 ET 2 *Lori s'intéresse à la musique. La danse l'intéresse aussi* (= passionner ; ≠ ennuyer). **2.** *Cette loi intéresse les paysans,* elle a de l'importance pour eux (= concerner).

■ **désintéressé, e** adj. SENS 3 *Mme Scott est une personne désintéressée,* elle ne recherche pas des avantages pour elle-même (= généreux ; ≠ avare).

■ **désintéressement** n.m. SENS 3 *Dominique a agi avec désintéressement* (= générosité).

■ **se désintéresser** V. SENS 1 ET 2 *Je me désintéresse de ce travail,* il n'a plus d'intérêt pour moi (= se moquer, négliger).

■ **inintéressant, e** adj. SENS 1 *Ce travail monotone est inintéressant,* sans intérêt.

intérieur, e adj. 1. *Je mets mon argent dans la poche intérieure de ma veste,* celle qui est dedans. 2. *Nous avons parlé de la politique intérieure,* de ce qui se passe dans le pays (≠ extérieur).

■ **intérieur** n.m. SENS 1 *Regarde à l'intérieur du tiroir,* dans le tiroir.

■ **intérieurement** adv. SENS 1 *Intérieurement, la maison est en mauvais état. Elle paraît souriante mais intérieurement elle est triste,* en elle-même.

■ **extérieur, e** adj. SENS 1 *On va au premier étage par un escalier extérieur,* qui passe dehors. SENS 2 *Le ministre des Affaires étrangères dirige la politique extérieure du pays.*

■ **extérieur** n.m. SENS 1 *Ne reste pas à l'extérieur, entre !,* dehors.

■ **extérieurement** adv. SENS 1 *Extérieurement, Julie est très gaie,* en apparence.

intérim n.m. *J'exerce cette fonction par intérim,* je remplace quelqu'un.

■ **intérimaire** adj. *J'ai des fonctions intérimaires* (= provisoire).

interjection n.f. *« Ah ! », « oh ! », « hélas ! » sont des interjections.*

interligne → *ligne.*

interlocuteur, trice n. *N'interromps pas sans arrêt ton interlocutrice !,* la personne avec laquelle tu parles.

interloquer V. *Cette réplique brutale nous a interloqués,* elle nous a beaucoup surpris.

interlude n.m. *Un interlude est une courte séquence pour faire patienter le spectateur entre deux émissions de télévision.*

intermède n.m. *La séance a été coupée par un intermède comique,* un moment de détente.

intermédiaire n. 1. *J'ai servi d'intermédiaire pour les réconcilier,* de lien entre eux. 2. *J'ai eu ce livre par l'intermédiaire de quelqu'un,* grâce à quelqu'un.

■ **intermédiaire** adj. SENS 1 *L'orangé est une couleur intermédiaire entre le jaune et le rouge,* entre les deux.

interminable → *terminer.*

intermittent, e adj. *Qu'est-ce que c'est que ce bruit intermittent ?,* qui s'arrête et recommence (≠ continu).

■ **intermittence** n.f. *Ce signal s'allume par intermittence,* irrégulièrement.

international → *nation.*

interne 1. adj. *Le cœur est un organe interne,* situé à l'intérieur du corps (≠ externe). 2. adj. et n. *Les (élèves) internes mangent et couchent dans le collège* (= pensionnaire ; ≠ externe). 3. n. *Ingrid est interne en médecine,* elle est étudiante en médecine et travaille dans un hôpital.

■ **internat** n.m. SENS 2 *Marie est élève dans un internat* (= pensionnat). SENS 3 *Sophie commence son internat,* la période de travail dans un hôpital sous la direction des médecins.

interner v. *L'assassin a été interné à la prison de Bordeaux* (= enfermer).

■ **internement** n.m. *Sa crise de démence a nécessité un internement.*

interpeller v. *Lori m'a rencontré dans la rue et elle m'a interpellé,* appelé brusquement (= apostropher).

interphone n.m. *Le directeur appuie sur l'interphone pour parler à sa secrétaire, une sorte de téléphone.*
R. C'est un nom de marque.

interplanétaire → *planète.*

s'interposer v. **1.** *Mme Bellini s'est interposée dans la dispute,* elle est intervenue pour y mettre fin. **2.** *Ils ont réglé cette affaire par personne interposée,* par l'intermédiaire de quelqu'un.

interpréter v. **1.** *Je ne sais comment interpréter ses paroles,* comment il faut les comprendre (= expliquer). **2.** *L'orchestre a interprété une symphonie* (= jouer).
■ **interprétation** n.f. SENS 1 *Chacun avait son interprétation de l'accident* (= explication). SENS 2 *Cet acteur a eu le prix de la meilleure interprétation,* il a le mieux joué.
■ **interprète** n. **1.** SENS 2 *Les interprètes de la pièce ont été applaudis* (= acteur). **2.** *Mme Gomez ne sait pas le français,* elle a besoin d'un *interprète,* de quelqu'un qui traduit pour elle le français et l'anglais.

interroger v. *Mme Chang m'a interrogé sur ce que je voulais faire,* elle m'a posé des questions.
■ **interrogateur, trice** adj. *Elle m'a regardé d'un air interrogateur,* comme si elle voulait m'interroger.
■ **interrogatif, ive** adj. *« Est-ce que tu viens ? » est une phrase interrogative,* qui contient une question.
■ **interrogation** n.f. *Une phrase interrogative finit par un point d'interrogation.*
■ **interrogatoire** n.m. *La police lui a fait subir un interrogatoire,* elle lui a posé de nombreuses questions.

interrompre v. **1.** *J'ai interrompu mon voyage* (= arrêter ; ≠ continuer). **2.** *Jean a interrompu le professeur,* il lui a coupé la parole.
■ **interrupteur** n.m. SENS 1 *Un interrupteur sert à couper le courant électrique.*

■ **interruption** n.f. *Tu as parlé sans interruption pendant une heure* (= arrêt, coupure).
■ **ininterrompu, e** adj. SENS 1 *Quel est ce bruit ininterrompu ?* (= continuel).
R. → Conj. n° 53.

intersection n.f. *La boulangerie se trouve à l'intersection des deux rues,* là où elles se croisent (= croisement). 507

interstice n.m. *La pluie pénètre par des interstices du toit,* des petites fentes.

interurbain, e adj. et n.m. Une communication *interurbaine* est une communication téléphonique établie entre deux ou plusieurs villes. L'*interurbain* est le service téléphonique qui assure des communications interurbaines.

intervalle n.m. **1.** *Laisse plus d'intervalle entre tes mots* (= espace, place, distance). **2.** *Il y a un intervalle d'une heure entre l'arrivée et le départ du train* (= durée). **3.** *France venait me voir par intervalles,* de temps en temps.

intervenir v. *Aïcha est intervenue pour me défendre,* elle est entrée en action, elle s'en est occupée.
■ **intervention** n.f. **1.** *Je te remercie de ton intervention* (= action). **2.** *Cette intervention chirurgicale me fait peur,* cette opération.
R. *Intervenir* se conjugue avec *être.* → Conj. n° 22.

intervertir v. *Tu as interverti deux mots dans ta phrase,* tu as mis l'un à la place de l'autre.

interview n.f. *Le ministre a accordé une interview à une journaliste* (= entrevue, entretien).
■ **interviewer** v. *Le journaliste a interviewé le ministre,* il lui a posé des questions.
■ **interviewer** ou **intervieweur, euse** n. *L'interviewer pose des questions.*
R. On prononce [ɛ̃tɛrvju, ɛ̃tɛrvjuvœ].

intestin n.m. *La digestion des aliments se termine dans l'intestin,* dans un or- 40 gane en forme de tube contenu dans le ventre (= boyau).

■ **intestinal, e, aux** adj. *J'ai des douleurs intestinales.*

intime adj. **1.** *Ma vie intime ne te regarde pas* (= personnel, privé). **2.** *Maïté est mon amie intime,* très chère, très proche. **3.** *J'ai le sentiment intime que tu te trompes,* un sentiment qui est au plus profond de moi.

■ **intimement** adv. SENS 2 *Nous nous connaissons intimement,* très bien. SENS 3 *J'en suis intimement convaincue* (= profondément).

■ **intimité** n.f. SENS 2 *Je vis en grande intimité avec Pierre,* nous sommes très amis.

intimer v. *On m'a intimé l'ordre de sortir* (= ordonner).

intimider → *timide.*

intimité → *intime.*

intituler → *titre.*

intolérable, intolérance, intolérant → *tolérer.*

intonation n.f. *À ton intonation, j'ai senti que tu étais en colère,* au ton de ta voix.

intoxication, intoxiquer → *toxique.*

intra-, au début d'un mot, indique l'intérieur : *intramusculaire, intraveineux.*

intraduisible → *traduire.*

intraitable → *traiter.*

intramusculaire → *muscle.*

intransigeance, intransigeant → *transiger.*

intransitif → *transitif.*

intraveineux → *veine.*

intrépide adj. *Tu es une personne intrépide,* tu n'as pas peur du danger (= courageux, brave ; ≠ peureux).

■ **intrépidité** n.f. *J'admire ton intrépidité* (= hardiesse ; ≠ lâcheté).

intrigue n.f. **1.** *L'intrigue de ce film est compliquée,* le déroulement des événements (= action). **2.** *Ce député a mené des intrigues pour devenir ministre,* des manœuvres secrètes (= machination, combine).

■ **intriguer** v. **1.** SENS 2 *Elle a intrigué pour se faire nommer à ce poste* (= manœuvrer). **2.** *Ce que tu fais m'intrigue* (= surprendre, étonner).

■ **intrigant, e** n. SENS 2 *Ce député est un intrigant* (= arriviste).

introduire v. **1.** *Un écureuil s'est introduit dans la maison,* il y est entré (= pénétrer). **2.** *Pour ouvrir la porte, on introduit la clé dans la serrure,* on l'y fait entrer (= enfoncer).

■ **introduction** n.f. **1.** SENS 1 *J'ai apporté une lettre d'introduction,* pour me faire admettre. **2.** *L'introduction de ton devoir est trop longue* (= début ; ≠ conclusion).

R. → Conj. n° 70.

introuvable → *trouver.*

intrus, e n. *Tout le monde l'a regardée comme une intruse,* quelqu'un qui est là sans en avoir le droit (= indésirable).

■ **intrusion** n.f. *Pardonnez mon intrusion dans votre petit groupe,* mon arrivée intempestive.

intuition n.f. *J'ai l'intuition que tu réussiras,* je le pense sans pouvoir le prouver (= pressentiment).

■ **intuitif, ive** adj. *Tu as tout deviné, tu es très intuitif,* tu as de l'intuition.

■ **intuitivement** adv. *Je me méfie intuitivement de cette proposition* (= instinctivement).

inuit n.pl. *Les Inuit sont les habitants des terres arctiques. On les appelait autrefois des Esquimaux.*

R. Le singulier est *Inuk.*

inusable → *user* 1.

inusité → *user* 2.

inutile, inutilement, inutilisable, inutilisé, inutilité → *utile.*

invaincu → *vaincre.*

invalide, invalider, invalidité → *valide.*

invariable, invariablement → *varier.*

invasion → *envahir.*

invectives n.f.pl. *Les deux adversaires se lançaient des **invectives** (= injures).*
■**invectiver** v. *L'ivrogne **invectivait** les passants (= injurier).*

invendable → *vendre.*

inventaire n.m. *La commerçante a fait l'**inventaire** de ce qui lui restait,* la liste précise.
■**inventorier** v. *On a **inventorié** tous les moyens de résoudre le problème,* on les a passés en revue.

inventer v. **1.** *Gutenberg a **inventé** l'imprimerie* (= trouver, découvrir, créer). **2.** *Tu as **inventé** cette histoire pour me rassurer* (= imaginer).
■**inventeur, trice** n. SENS 1 *Gutenberg est l'**inventeur** de l'imprimerie.*
■**inventif, ive** adj. SENS 1 ET 2 *Tu as un esprit **inventif*** (= ingénieux).
■**invention** n.f. SENS 1 *L'électricité est une belle **invention*** (= découverte). SENS 2 *Cette histoire, c'est une **invention**,* un mensonge.

inventorier → *inventaire.*

inverse adj. et n.m. *On est reparti en sens **inverse*** (= opposé, contraire). *Tu te trompes, il faut faire l'**inverse**.*
■**inverser** v. *Inversons nos rôles : tu feras mon travail et je ferai le tien* (= changer, échanger, intervertir).
■**inversion** n.f. *Dans « viendra-t-il ? », il y a une **inversion** du sujet,* le sujet, qui est d'habitude avant le verbe, est après.

invertébré → *vertèbre.*

investigation n.f. *Les **investigations** de la police ont été sans résultat,* les recherches minutieuses.

investir v. **1.** *J'ai **investi** de l'argent dans cette entreprise,* je l'ai placé pour qu'il rapporte. **2.** *L'ennemi a **investi** la ville,* il en fait le siège (= assiéger). **3.** *La nouvelle présidente a été **investie** de ses fonctions,* elle en a été officiellement chargée.
■**investissement** n.m. SENS 1 *Son banquier lui a conseillé un bon **investissement**,* un bon placement d'argent.
■**investiture** n.f. SENS 3 *Mme Boileau a obtenu l'**investiture** du parti libéral,* elle a été désignée officiellement par le parti comme candidate aux élections.

invétéré, e adj. *Plusieurs maladies guettent les fumeurs **invétérés**,* les fumeurs chez qui cette habitude est enracinée (= endurci).

invincible, invinciblement → *vaincre.*

invisible → *voir.*

inviter v. *Jean a **invité** ses amis pour son anniversaire,* il les a priés de venir chez lui.
■**invitation** n.f. *As-tu reçu une **invitation** à son mariage ?*
■**invité, e** n. *Mme Durand reçoit des **invités**.*

invivable → *vie.*

invocation → *invoquer.*

involontaire, involontairement → *vouloir.*

invoquer v. **1.** *Invoquer une divinité,* c'est l'appeler à son aide. **2.** *Il a **invoqué** sa fatigue pour ne pas venir,* il a donné cela comme explication (= alléguer).
■**invocation** n.f. SENS 1 *Cette prière est une **invocation** à la Vierge.*

invraisemblable, invraisemblance → *vrai.*

invulnérable → *vulnérable.*

807

iode n.m. *On met de la **teinture d'iode** sur les blessures pour les désinfecter,* un produit antiseptique.

ipso facto adv. *Si tu ne te présentes pas devant le tribunal, tu seras condamnée **ipso facto**,* de ce fait même (= automatiquement).

irascible adj. *Tu es une personne **irascible**,* tu te mets facilement en colère (= irritable).

80

33

iris n.m. **1.** *Marie a acheté un bouquet d'**iris**,* de fleurs le plus souvent mauves. **2.** *La pupille de l'œil est située au centre de l'**iris**,* du rond coloré au milieu de l'œil. **R.** On prononce le *s* final : [iris].

irisé, e adj. *Ce verre a des reflets **irisés**,* qui ont toutes les couleurs de l'arc-en-ciel.

ironie n.f. *Il y avait de l'**ironie** dans ses paroles* (= moquerie, raillerie).
■ **ironique** adj. *Tu m'as regardé d'un air **ironique*** (= narquois, moqueur ; ≠ sérieux).
■ **ironiquement** adv. *Elle m'a demandé **ironiquement** où j'allais.*
■ **ironiser** v. *L'orateur **a ironisé** sur l'attitude de son adversaire,* il s'en est moqué, il a fait des plaisanteries à ce sujet.

irradier v. *Il a fallu **irradier** la tumeur,* la soumettre à l'action de rayons radioactifs.
■ **irradiation** n.f. *On procède à l'**irradiation** de certains fruits,* à leur traitement par rayons radioactifs.

irraisonné, irrationnel → *raison.*

irréalisable → *réaliser.*

irrécupérable → *récupérer.*

irrécusable → *récuser.*

irréductible → *réduire.*

irréel → *réel.*

irréfléchi → *réfléchir.*

irréfutable → *réfuter.*

irrégularité, irrégulier, irrégulièrement → *régulier.*

irréligieux → *religion.*

irrémédiable, irrémédiablement → *remède.*

irremplaçable → *remplacer.*

irréparable → *réparer.*

irréprochable → *reproche.*

irrésistible, irrésistiblement → *résister.*

irrésolu, irrésolution → *résoudre.*

irrespirable → *respirer.*

irresponsable → *responsable.*

irréversible → *réversible.*

irrévocable → *révoquer.*

irriguer v. *Ces jardins **sont irrigués**,* ils sont arrosés par un système de canaux, de tuyaux.
■ **irrigation** n.f. *Sans **irrigation**, cette région serait un désert* (= arrosage).

irriter v. **1.** *Mes remarques l'**ont irritée**,* elles l'ont mise en colère (= contrarier, impatienter, exaspérer). **2.** *Cette fumée m'**irrite** les yeux,* elle me pique.
■ **irritable** adj. SENS 1 *Dominique est très **irritable*** (= coléreux, irascible).
■ **irritation** n.f. SENS 1 *On a essayé de calmer son **irritation*** (= colère). SENS 2 *Tu te plaignais d'une **irritation** de la gorge* (= inflammation).

irruption n.f. *Lori a fait **irruption** dans la chambre,* elle est entrée brusquement. **R.** Ne pas confondre *irruption* et *éruption.*

isard n.m. *L'**isard** est un chamois des Pyrénées.*

islam n.m. *L'**islam** est la religion de Mahomet.*
■ **islamique** adj. *Ali est de religion **islamique*** (= musulman).

isocèle adj. *Un triangle **isocèle** a deux côtés égaux.*

isoler v. **1.** *Quand je veux travailler, je m'isole dans ma chambre, je me mets à l'écart des autres.* **2.** *Les murs épais nous isolent du bruit, du froid et de la chaleur* (= séparer).

■ **isolant** n.m. SENS 2 *Le liège est un bon isolant.*

■ **isolation** n.f. SENS 2 *Il fait froid dans la maison, il faut refaire l'isolation,* la pose de matériaux qui isolent du froid et de la chaleur.

■ **isolé, e** adj. SENS 1 *Ils habitent dans une maison isolée,* à l'écart des autres.

■ **isolement** n.m. SENS 1 *Jean se plaint de son isolement,* d'être tout seul.

■ **isolément** adv. SENS 1 *Ils ont travaillé isolément,* chacun de leur côté.

■ **isoloir** n.m. SENS 1 *Pour voter, il faut entrer dans l'isoloir,* une cabine où l'on est tout seul.

israélite adj. et n. *David est de religion israélite* (= juif).

R. Ne pas confondre *israélite* et *israélien* (→ p. 406).

issu, e adj. *Céline est issue d'une famille pauvre,* ce sont ses origines (= né, originaire).

issue n.f. **1.** *Les issues de la maison sont surveillées par la police,* les portes et les fenêtres (= sortie). **2.** *La situation est sans issue* (= solution). *La discussion a eu une issue heureuse* (= résultat).

isthme n.m. *L'isthme de Panama est traversé par le canal de Panama,* la bande de terre entre deux mers.

R. On prononce [ism].

italique n.f. *Ce passage est en italique,* en lettres d'imprimerie penchées. 290

itinéraire n.m. *Pour venir, on a choisi l'itinéraire le plus court* (= chemin, trajet).

itinérant, e adj. *Voici une troupe de théâtre itinérante,* qui va successivement en plusieurs endroits.

ivoire n.m. *Les défenses de l'éléphant sont en ivoire,* une matière blanche et dure. 40

ivraie n.f. *L'ivraie est une herbe qui gêne la croissance des céréales.*

ivre adj. **1.** *À moitié ivre, il s'est mis à chanter,* il avait l'esprit troublé par l'alcool (= soûl). **2.** *Marie était ivre de joie,* très joyeuse (= fou).

■ **ivresse** n.f. SENS 1 *Conduire en état d'ivresse est très dangereux.*

■ **ivrogne** n. SENS 1 *Cette personne est une ivrogne,* elle a l'habitude de boire.

■ **ivrognerie** n.f. SENS 1 *Ne sombre pas dans l'ivrognerie !* (= alcoolisme).

■ **enivrer** v. SENS 1 *Ils se sont enivrés avec du vin* (= se soûler). SENS 2 *Marie est enivrée par son succès,* très contente (= transporter).

■ **enivrant, e** adj. SENS 2 *On a connu un succès enivrant* (= grisant).

R. *Enivrer, enivrant* se prononcent [ãnivre], [ãnivrã].

j

j n.m. *Le jour J,* c'est le jour précis prévu pour quelque chose.

j' → *je.*

jabot n.m. *Les oiseaux gardent leur nourriture dans le jabot, avant qu'elle ne passe dans l'estomac,* la poche qu'ils ont dans le cou.

jacasser v. **1.** *La pie jacasse,* elle pousse son cri. **2.** Fam. *Alain et Catherine jacassent,* ils parlent bruyamment.

jachère n.f. *Une terre en jachère* est laissée momentanément sans culture pour qu'elle se repose.

jacinthe n.f. *La jacinthe embaume toute la pièce,* une fleur en grappe poussant sur un oignon.

jade n.m. *Un vase en jade* est en pierre de couleur verdâtre.

jadis adv. *Jadis, cette ville n'existait pas* (= autrefois, dans le temps).
R. On prononce le *s* final : [ʒadis].

jaguar n.m. *Le jaguar est plus grand que la panthère,* une bête fauve dont le pelage a des taches noires.
R. On prononce [ʒagwar].

jaillir v. *L'eau jaillit du tuyau,* elle sort avec force (= gicler).
■ **jaillissement** n.m. *Du feu d'artifice est sorti un jaillissement* d'étincelles.

jais n.m. *Maria a des cheveux de jais,* d'un noir très foncé.
R. *Jais* se prononce [ʒɛ] comme *geai, jet* ou *j'ai* (de *avoir*).

jalon n.m. **1.** *Pour tracer une route, on plante d'abord des jalons,* des piquets servant de repères. **2.** *J'espère être nommée à ce poste, j'ai déjà posé des jalons,* pris des précautions préliminaires pour réussir.
■ **jalonner** v. SENS 1 *Ce parcours est jalonné d'obstacles,* des obstacles sont placés de distance en distance.

jaloux, ouse adj. et. n. **1.** *Certains époux sont jaloux,* ils craignent d'être trompés. **2.** *Marie est jalouse du succès de sa sœur,* elle lui en veut de son succès (= envieux).
■ **jalousement** adv. SENS 1 *Le secret a été jalousement gardé,* avec la plus grande attention.
■ **jalouser** v. SENS 2 *Jacques jalouse son frère,* il en est jaloux (= envier).
■ **jalousie** n.f. SENS 1 ET 2 *C'est la jalousie qui l'a poussée au crime. Son succès a excité la jalousie des autres,* leur envie.

jamais adv. **1.** *Je ne triche jamais,* à aucun moment. **2.** *Elle est partie à tout jamais,* pour toujours. **3.** *Si jamais il apprend la chose, il sera furieux,* si cela arrive.

jambage n.m. *La lettre « n » a deux jambages,* deux traits verticaux.

jambe n.f. **1.** *Pierre boite : il a mal à une jambe.* **2.** *Quand le taureau a eu l'air de foncer sur lui, Paul a pris ses jambes à son cou,* il s'est mis à courir très vite (= détaler). *Cet enfant est tout le temps dans mes jambes,* continuellement près de moi.

■**jambette** n.f. *Sylvain m'a donné une jambette* (= croc-en-jambe).

■**enjambée** n.f. *Maïté marche à grandes enjambées,* à grands pas.

■**enjamber** v. *On peut facilement enjamber ce ruisseau,* passer par-dessus d'une enjambée.

■**unijambiste** n. *Un unijambiste est une personne qui a perdu une jambe.*

jambon n.m. *Tu veux manger une tranche de jambon?,* de la cuisse ou de l'épaule du porc préparée pour être conservée.

■**jambonneau** n.m. *Un jambonneau est un petit jambon cuit, fait avec le jarret du porc.*

jante n.f. *La jante d'une roue de vélo est le cercle sur lequel le pneu est fixé.*

janvier n.m. *Bonne année!, c'est aujourd'hui le 1er janvier.*

japper v. *Quand un jeune chien aboie, on dit qu'il jappe.*

■**jappement** n.m. *Tu entends les jappements des chiots?,* les petits cris brefs et aigus.

jaquette n.f. **1.** *Pour le mariage de sa fille, M. Dubois était en jaquette,* une sorte de veste descendant derrière jusqu'au jarret. **2.** *Maman m'a offert une jaquette pour Noël,* un vêtement que l'on porte pour dormir (= chemise de nuit).

jardin n.m. **1.** *Il y a un jardin devant la maison,* un terrain où l'on cultive des fleurs ou des légumes. **2.** *Un jardin public est* un terrain avec des pelouses, des bancs, des fleurs, des arbres. **3.** *Marie a quatre ans, elle va au jardin d'enfants,* à la garderie.

■**jardiner** v. SENS 1 *Le dimanche, M. Dupont jardine,* il s'occupe de son jardin.

■**jardinage** n.m. SENS 1 *Brigitte fait du jardinage,* elle jardine.

■**jardinerie** n.f. SENS 1 *Une jardinerie est un magasin où l'on vend toutes sortes d'articles de jardinage.*

■**jardinier, ère** n. SENS 1 ET 2 *Le jardinier ratisse les allées,* celui dont le métier est de s'occuper des jardins.

■**jardinière** n.f. **1.** *Une jardinière de légumes est* un plat de légumes coupés en petits morceaux. **2.** *Une jardinière de fleurs est* un bac où on les cultive. **3.** SENS 3 *Sophie est jardinière d'enfants,* elle s'occupe des enfants, dans un jardin d'enfants.

jargon n.m. *Je ne comprends rien au jargon de ces savants,* à leur langage obscur (= charabia).

jarre n.f. *Une jarre est un grand vase de grès.*
R. *Jarre* se prononce [ʒar] comme *jars*.

jarret n.m. *Le jarret est la partie arrière du genou.*

jars n.m. *Le jars est le mâle de l'oie.*
R. → *jarre*.

jaser v. **1.** *On reçoit beaucoup d'amis, ça fait jaser les voisins,* parler pour critiquer. **2.** *Jaser de quelque chose,* c'est en parler, bavarder.

■**jasant, e** adj. SENS 2 *Martin n'est pas jasant,* bavard.

■**jasette** n.f. SENS 2 **1.** *Mme Nadeau a de la jasette,* elle aime bavarder. **2.** *Luc et Anne font la jasette* (= faire la causette).

jasmin n.m. *Sens-tu cette odeur de jasmin?,* un arbuste à fleurs.

jatte n.f. *Le chat boit son lait dans une jatte,* une sorte d'écuelle ronde.

jauge n.f. *La jauge d'huile d'un moteur est* la baguette graduée servant à mesurer le niveau.

■**jauger** v. *Du premier coup d'œil, elle a jaugé le candidat,* elle a jugé sa valeur.

jaune **1.** adj. et n.m. *Le cœur des marguerites est jaune. Les murs de la chambre sont peints en jaune.* **2.** n.m. *Pour faire la mayonnaise, on sépare les blancs des jaunes,* de la partie jaune des œufs. **3.** adv. *Rire jaune,* c'est avoir un rire forcé.

■ **jaunâtre** adj. SENS 1 *Ce tissu blanc est devenu jaunâtre,* d'une couleur vaguement jaune.

■ **jaunir** v. SENS 1 *Les feuilles de mon plant de tomates jaunissent,* elles deviennent jaunes.

■ **jaunisse** n.f. SENS 1 *Paul a une jaunisse,* une maladie du foie qui donne un teint jaune.

javelliser v. *L'eau de la piscine est javellisée,* on y a ajouté de l'eau de Javel pour la désinfecter.

javelot n.m. *L'athlète a lancé le javelot à 90 mètres,* une sorte de lance.

jazz n.m. *Si on écoutait un disque de jazz ?,* de musique rythmée venant des Noirs d'Amérique.
R. On prononce [dʒaz].

je pron.pers. s'emploie pour représenter la personne qui parle quand elle est sujet du verbe : *Je suis ici.*
R. *Je* devient *j'* devant une voyelle ou un *h* muet.

jean ou **blue-jean** n.m. *Les jeunes portent des jeans,* des pantalons en toile de couleur bleue.
R. On prononce [dʒin].

jeep n.f. *Pour traverser ce terrain boueux, il faudrait une jeep,* une automobile tout terrain.
R. On prononce [dʒip]. C'est un nom de marque.

jérémiades n.f.pl. *Arrête tes jérémiades !,* tes plaintes continuelles.

jerrican n.m. *J'ai demandé à la pompiste de remplir d'essence le jerrican,* un gros bidon à poignée.
R. On prononce [ʒerikan].

jersey n.m. *Marie a une jupe en jersey,* en tissu tricoté.

jésuite n.m. *Un jésuite est un prêtre appartenant à un ordre religieux, la Compagnie de Jésus.*

1. jet → *jeter.*

2. jet n.m. *Un jet est un avion à réaction.*
R. On prononce [dʒɛt].

jetée n.f. *La jetée protège le port,* le grand mur qui s'avance dans la mer (= digue).

jeter v. 1. *Les enfants jettent des pierres dans l'eau* (= lancer). 2. *J'ai jeté tous les vieux journaux,* je m'en suis débarrassé. 3. *Les alliés se sont jetés dans la bataille,* ils s'y sont engagés avec ardeur (= se lancer, se précipiter). *Le Saint-Laurent se jette dans l'Atlantique,* il s'y déverse.

■ **jetable** adj. SENS 2 *J'ai apporté des assiettes jetables,* que l'on peut jeter après usage.

■ **jet** n.m. 1. SENS 1 *L'athlète a réussi un jet de 90 mètres au javelot.* 2. *Il y a un jet d'eau au milieu du bassin,* de l'eau qui jaillit avec force.
R. → Conj. n° 8. → *jais.*

jeton n.m. *As-tu des jetons pour le pont Champlain ?,* une pièce de métal, ronde et plate, qui remplace la pièce de monnaie.

jeu → *jouer.*

jeudi n.m. *Si tu ne peux pas venir mercredi, on se verra le lendemain, jeudi.*

à jeun → *jeûner.*

jeune adj. et n. *Katy a dix ans, elle est plus jeune que Jacques, qui en a quinze,* moins âgée (≠ vieux). *Cette musique plaît aux jeunes,* aux garçons et aux filles (= jeunesse).

■ **jeunesse** n.f. 1. *Grand-mère parle souvent de sa jeunesse,* de l'époque où elle était jeune (≠ vieillesse). 2. *Une émission pour la jeunesse s'adresse aux enfants et aux adolescents.*

■ **rajeunir** v. *Ta coiffure te rajeunit,* elle te fait paraître plus jeune (≠ vieillir).

■ **rajeunissement** n.m. *Cette crème provoquera un rajeunissement de votre peau !* (≠ vieillissement).

jeûner v. *Jeûner,* c'est se priver de manger.

■ **jeûne** n.m. *Autrefois, l'Église prescrivait de nombreux jours de jeûne*, de privation de nourriture.

■ **à jeun** adv. *Pour la prise de sang, vous serez à jeun, vous n'aurez rien mangé.*
R. *À jeun* se prononce [aʒœ̃].

jeunesse → *jeune.*

joaillerie, joaillier → *joyau.*

jockey n.m. *Pour la course, ce cheval sera monté par un célèbre jockey*, un cavalier professionnel.
R. On prononce [ʒɔkɛ].

jogging n.m. *Le dimanche matin, nous faisons du jogging dans les bois*, nous courons à petite vitesse.

■ **joggeur, euse** n. *Il y a beaucoup de joggeuses sur le Mont-Royal*, des femmes qui pratiquent le jogging.
R. On prononce [dʒɔgiŋ, dʒɔgœr].

joie n.f. *C'est avec joie que j'accepte votre invitation*, j'en suis heureux (= plaisir ; ≠ tristesse).

■ **joyeux, euse** adj. *Cette fête était très joyeuse*, pleine de joie (= gai ; ≠ triste).

■ **joyeusement** adv. *On a fêté joyeusement son anniversaire* (= gaiement).

joindre v. **1.** *C'est en joignant leurs efforts qu'ils ont réussi*, en les réunissant (= associer). **2.** *Je joins le chèque à ma lettre*, je le mets avec (= ajouter). **3.** *Impossible de te joindre au téléphone !*, de parvenir à t'atteindre (= toucher). **4.** *Paul n'arrive pas à joindre les deux bouts*, il manque toujours d'argent à la fin du mois.

■ **joint, e** adj. SENS 1 *Mettez-vous debout, les pieds joints* (= réuni ; ≠ écarté). SENS 2 *Ci-joint un chèque de 10 dollars*, joint à mon envoi.

■ **joint** n.m. SENS 1 *L'eau du tuyau fuit par le joint*, la rondelle qui réunit les deux éléments.

■ **jointure** n.f. SENS 1 *Quand je me baisse, j'ai des douleurs aux jointures*, aux endroits où les os se joignent (= articulation).

■ **jonction** n.f. SENS 1 *L'accident s'est produit à la jonction de deux routes*, à l'endroit où elles se joignent (= croisement).

■ **disjoindre** v. SENS 1 *Il faut disjoindre cette question des autres* (= séparer).

■ **rejoindre** SENS 1 *Nos routes se rejoignent* (= se réunir). SENS 3 *On a rejoint le peloton de tête* (= rattraper). *Rejoignez votre place !*, retournez-y.
R. → Conj. n° 55. *Ci-joint* s'accorde avec le nom qui le précède *(la lettre ci-jointe)*, mais non avec celui qui le suit *(ci-joint la lettre)*.

joker n.m. *Chic ! j'ai un joker dans mon jeu !*, une carte qui remplace toutes les autres à certains jeux.
R. On prononce le *r* final : [ʒɔkɛr].

joli, e adj. *Ce tableau est joli*, agréable à regarder (= beau ; ≠ laid).

■ **joliment** adv. *Ta chambre est joliment installée*, agréablement.

■ **enjoliver** v. *Elle a ajouté quelques détails pour enjoliver son histoire* (= embellir).

jonc n.m. *Il y a des joncs au bord de la rivière*, une sorte d'herbe à grandes tiges minces.
R. On ne prononce pas le *c* final : [ʒɔ̃].

joncher v. *Le sol est jonché de feuilles d'arbres*, il en est recouvert.

jonction → *joindre.*

jongler v. **1.** *Le clown jongle avec les balles*, il les lance en l'air et les rattrape. **2.** *Benoît dort mal, il jongle*, il est soucieux.

■ **jongleur, euse 1.** n. *Au cirque, il y avait des jongleurs très adroits.* **2.** adj. *Tu es bien jongleuse depuis hier*, pensive.

jonque n.f. *En Extrême-Orient, une jonque* est une sorte de voilier.

jonquille n.f. *Les jonquilles sont des fleurs jaunes qui poussent au printemps dans les bois et les prés.*

joue n.f. *On s'est embrassé sur les deux joues*, chacun des deux côtés du visage.

■ **joufflu, e** adj. *Ce bébé est joufflu,* il a de grosses joues.
R. → *joug.*

jouer v. 1. *Les enfants, allez jouer dehors !,* vous amuser. *On joue aux cartes ?,* on se distrait avec ce jeu ? 2. *Cette personne joue à la loterie,* elle risque de l'argent en misant sur des numéros. 3. *Marie joue du piano,* elle fait de la musique avec cet instrument. 4. *De grands acteurs jouent dans ce film,* ils y ont un rôle. 5. *Pierre a voulu me jouer un tour en se cachant, mais je l'ai vu !,* me faire une farce. 6. *La porte joue,* elle ne ferme pas bien.

436 ■ **jeu** n.m. 1. SENS 1 *Qu'est-ce que c'est que ce nouveau jeu ?,* cette façon de jouer. *Tu as un jeu de cartes ?,* des cartes pour jouer. *J'ai eu un jeu d'échecs pour*

808 *Noël et mon frère un jeu vidéo.* SENS 2 *Elle a perdu beaucoup d'argent au jeu,* à des distractions où les gains dépendent du hasard. *C'est mon honneur qui est en jeu,* en question. SENS 4 *Les critiques ont admiré le jeu des acteurs,* leur façon de jouer. SENS 6 *Il y a du jeu dans la porte,* un trop grand espace qui fait qu'elle ferme mal. 2. *Un jeu de clés* est une série de clés. 3. *Lori fait souvent des jeux de mots,* des plaisanteries utilisant des ressemblances de mots (= calembour). 4. *Elle a bien caché son jeu,* dissimulé ses intentions.

77 ■ **jouet** n.m. SENS 1 *Qu'est-ce que tu as eu comme jouets à Noël ?,* comme objets servant à jouer.

808 ■ **joueur, euse** n. SENS 1 *Une joueuse de l'équipe de basket a été blessée. Un joueur de football, un joueur de hockey, une joueuse de baseball.* SENS 3 *Jean est joueur de flûte.*

■ **joujouthèque** n.f. *Il y a beaucoup d'enfants à la joujouthèque,* un endroit où l'on peut emprunter ou louer des joujoux.

■ **joujou** n.m. SENS 1 *Oh ! bébé, regarde les beaux joujoux !,* jouets.

■ **enjeu** n.m. SENS 2 *Jacques a perdu tout*

son *enjeu,* l'argent qu'il avait joué. *Quel est l'enjeu de cette bataille ?,* ce qu'on peut y perdre ou y gagner.

joufflu → *joue.*

joug n.m. *On met un joug sur la tête des bœufs pour les atteler,* une pièce de bois.
R. *Joug se prononce* [ʒu] *comme joue.*

jouir v. *M. Duval jouit d'une bonne santé,* il en profite, il en tire de l'agrément.
■ **jouissance** n.f. *Les locataires ont la jouissance du jardin,* ils peuvent en profiter.

joujou, joujouthèque → *jouer.*

jour n.m. 1. *Je prends ce médicament deux fois par jour,* dans un espace de 24 heures, de minuit à minuit. *Quel jour sommes-nous ?* — *Lundi.* 2. *De nos jours,* on voyage beaucoup, à notre époque. 3. *Marie vit au jour le jour,* sans se soucier du lendemain. 4. *Il fait jour de bonne heure en été,* il fait clair (≠ nuit). *Vous verrez mieux la couleur de cette jupe au jour,* à la lumière du soleil. 5. *Au cours des fouilles, on a mis au jour plusieurs statues anciennes* (= découvrir). 6. *Il faut mettre à jour vos connaissances,* vous mettre au courant des nouveautés (= actualiser). 7. *Je brode des draps à jours,* qui sont ornés de trous brodés.

■ **journalier, ère** adj. SENS 1 *La cuisine fait partie des occupations journalières,* de chaque jour (= quotidien).

■ **journellement** adv. SENS 1 *Ce sont des choses qui arrivent journellement,* chaque jour (= quotidiennement).

■ **contre-jour** n.m. SENS 4 *On ne distingue pas bien les détails des objets à contre-jour,* quand ils sont éclairés par-derrière.

journal n.m. 1. *Tu serais au courant, si tu lisais les journaux,* les feuilles imprimées paraissant chaque jour. 2. *Tu as écouté le journal télévisé ?,* les informations à la télévision. 3. *Tu tiens un journal, toi ?,* un cahier où l'on écrit chaque jour ses réflexions.

■ **journaliste** n. SENS 1 ET 2 Les *journalistes* écrivent dans les journaux ou donnent les informations à la radio ou à la télévision.

■ **journalisme** n.m. SENS 1 ET 2 *Marie veut faire du journalisme,* avoir le métier de journaliste.

journalier → *jour.*

journée n.f. 1. *La journée a été chaude,* l'espace de temps entre le matin et le soir (≠ soir, soirée). 2. *Nous n'avons pas de cours aujourd'hui, les professeurs sont en journée d'études,* en réunion de formation et d'information.

journellement → *jour.*

joute n.f. Une *joute* est une lutte entre deux adversaires.

jovial, e adj. *Ce gros bonhomme a un air jovial,* gai et sympathique.
R. Attention au pluriel : des *hommes jovials.*

joyau n.m. *Au musée, on a vu les joyaux de la reine,* des bijoux de grande valeur.

■ **joaillier, ère** n. Le *joaillier* fabrique ou vend des joyaux (= bijoutier).

■ **joaillerie** n.f. La *joaillerie* consiste à fabriquer et à vendre des joyaux.

joyeux → *joie.*

jubiler v. *Quand je pense aux vacances, je jubile !,* j'éprouve une grande joie.

jucher v. *Le chat s'est juché sur le toit,* il s'y est perché.

judaïsme n.m. Le *judaïsme* est la religion des descendants du peuple hébreu.

■ **judaïque** adj. *La loi judaïque* est la loi religieuse des Juifs.

■ **juif, juive** adj. et n. *Sarah est juive,* elle est d'une famille qui a pour religion le judaïsme (= israélite).

judas n.m. *N'ouvre pas la porte, regarde d'abord par le judas,* le petit trou qui permet de voir sans être vu.

judiciaire adj. *L'enquête judiciaire n'avance pas,* l'enquête de la justice.

judicieux, euse adj. *Ta remarque est judicieuse,* elle résulte d'un bon jugement (= pertinent).

judo n.m. *Je fais du judo,* un sport de combat.

■ **judoka** n. *Le malfaiteur a été maîtrisé par une judoka,* quelqu'un qui pratique le judo.

juger v. 1. *L'accusé sera jugé prochainement,* il passera devant les juges qui diront s'il est coupable. 2. *La chirurgienne n'a pas jugé utile d'opérer le malade* (= penser, estimer).

■ **juge** n. SENS 1 *Les juges ont condamné l'accusée,* ceux qui sont chargés de rendre la justice (= magistrat). SENS 2 *Dans cette affaire, tu es meilleur juge que moi,* tu es plus capable de décider, d'apprécier.

■ **jugement** n.m. SENS 1 *Le jugement du tribunal a été sévère,* sa décision (= sentence). SENS 2 *Je me fie au jugement de Catherine,* à la façon dont elle juge les choses (= avis).

■ **jugeote** n.f. Fam. SENS 2 *Si tu avais eu plus de jugeote, tu n'aurais pas fait cette bêtise,* de bon sens.

■ **préjugé** n.m. SENS 2 *Mon grand-père a un préjugé défavorable contre les produits étrangers,* une opinion établie avant tout examen (= idée préconçue).

■ **préjuger** v. SENS 2 *On ne peut pas préjuger du résultat de cette entreprise,* émettre une opinion dessus (= pronostiquer).

jugulaire n.f. *La jugulaire du casque passe sous le menton,* la courroie qui le maintient.

juguler v. *Le gouvernement s'efforce de juguler la hausse des prix,* de l'arrêter (= maîtriser).

juif → *judaïsme.*

juillet n.m. *Le 14-Juillet, en France, c'est le jour de la fête nationale.*

juin n.m. *L'été commence le 21 juin cette année.*

juke-box n.m. Un *juke-box* est un électrophone automatique qu'on met en marche avec une pièce de monnaie.
R. On prononce [dʒukbɔks].

jumeau, jumelle 1. adj. et n. *Comme ils se ressemblent ! Ce sont des (frères) jumeaux ?,* des frères nés en même temps. **2.** adj. *Des lits jumeaux* sont deux lits semblables placés côte à côte.

jumeler v. *Ces deux villes sont jumelées,* on les a associées pour favoriser des échanges culturels.
■**jumelage** n.m. *On a fêté le jumelage de ces deux villes,* leur association.
R. → Conj. n° 6.

jumelles n.f.pl. *Prends des jumelles, tu verras mieux le bateau,* une lunette double pour voir loin.

jument n.f. *Voilà la jument avec son poulain,* la femelle du cheval.

jungle n.f. **1.** *Le tigre vit dans la jungle,* la forêt tropicale. **2.** *Dans leur groupe, c'est la loi de la jungle qui prévaut,* la loi du plus fort.

junior **1.** adj. et n. *Un junior* est un jeune sportif entre 17 et 21 ans. **2.** adj. *Dupont junior,* c'est le plus jeune des deux Dupont.

jupe n.f. *Marie a mis sa jupe plissée,* un vêtement qui part de la taille et descend sur la jambe.
■**jupon** n.m. *Un jupon se porte sous une jupe.*

juré → **jury.**

jurer v. **1.** *Je te jure que c'est vrai,* je t'en fais le serment (= promettre). **2.** *Nom de Dieu, qu'est-ce que c'est que ça ! — Oh ! ne jure pas comme ça !,* ne prononce pas de juron. **3.** *Le rouge et l'orange jurent ensemble,* sont mal assortis.
■**juron** n.m. SENS 2 Un *juron* est une exclamation grossière ou qui choque les sentiments religieux.

juridique adj. *J'ai fait des études juridiques,* des études de droit.

juron → **jurer.**

jury n.m. *Vous êtes reçu avec les félicitations du jury,* de l'ensemble des personnes chargées de juger.
■**juré** n.m. Les *jurés* sont des membres d'un jury.

jus n.m. *J'ai bu du jus d'orange,* le liquide extrait du fruit.
■**juteux** adj. *Cette poire est juteuse,* elle a du jus.

jusque prép. **1.** *Reste là jusqu'à ce que je revienne,* en attendant ce moment. **2.** *La plaine s'étend jusqu'à la mer,* c'est sa limite.

justaucorps n.m. **1.** Un *justaucorps* était une sorte de veste longue portée au XVIIᵉ et au XVIIIᵉ s. **2.** *Au cours de danse, on met des justaucorps,* des sortes de maillots à manches courtes ou longues.

juste adj. **1.** *Ces calculs sont justes,* sans erreur (= exact ; ≠ faux). **2.** *Mes chaussures sont un peu justes,* serrées (= étroit). **3.** *9 heures et demie, ce sera juste pour être à la gare à 10 heures,* à peine suffisant (= peu). **4.** *Paul a eu un cadeau et pas moi, ce n'est pas juste !* (= équitable ; ≠ injuste).
■**juste** adv. SENS 1 **1.** *C'est juste ce que je voulais,* exactement (= précisément, justement). **2.** *Tu chantes juste,* sans fausses notes (≠ faux). **3.** *Que t'a dit Benoît au juste ?,* exactement.
■**justement** adv. SENS 1 *Te voilà ! Je pensais justement à toi !,* précisément.
■**justesse** n.f. SENS 1 *Le succès dépendra de la justesse des calculs* (= exactitude). SENS 3 *J'ai évité la voiture de justesse,* de peu.
■**justice** n.f. **1.** SENS 4 *Il n'y a pas de justice, j'aurais dû gagner !,* ce n'est pas juste, j'aurais dû avoir ce à quoi j'avais droit (= équité ; ≠ injustice). **2.** *La justice rendra son verdict,* les juges.

■ **justicier** n.m. SENS 4 *Le justicier a vengé les innocents et puni les coupables.*

■ **injuste** adj. SENS 4 *Cette punition est injuste,* elle n'est pas méritée.

■ **injustement** adv. SENS 4 *Il a été injustement accusé,* il était innocent.

■ **injustice** n.f. SENS 4 *On a commis une injustice* en ne lui donnant pas ce qu'elle méritait.

justifier v. *Les événements justifient mes craintes,* ils montrent que j'avais raison de craindre (= vérifier, confirmer). *N'essaie pas de te justifier, tu as tort,* de prouver que tu as raison.

■ **justification** n.f. *Il nous faut une justification de votre paiement,* une preuve.

■ **injustifié, e** adj. *Vos réclamations sont injustifiées* (= inacceptable, sans fondement).

jute n.m. *Le sac d'oignons est en toile de jute,* un tissu grossier.

juteux → *jus.*

juvénile adj. *Ce vieil acteur a encore une silhouette juvénile,* jeune.

juxtaposer v. *Ne juxtapose pas ce vert et ce rouge, ça ne va pas,* ne les mets pas côte à côte.

kaki adj. inv. et n.m. *Des uniformes kaki* sont de couleur brun jaunâtre. *Le kaki est une drôle de couleur.*

kaléidoscope n.m. *Marie a passé des heures à jouer avec son kaléidoscope,* un tube à l'intérieur duquel on peut voir des images changeantes de verres colorés.

kangourou n.m. *La mère kangourou porte ses petits dans la poche qu'elle a sur le ventre,* un animal d'Australie qui avance en sautant.

435

karaté n.m. *Le karaté* est un sport de combat d'origine japonaise.
■**karatéka** n. *Une karatéka* est quelqu'un qui pratique le karaté.

kart n.m. *Un kart* est un petit véhicule à moteur très bas et très rapide.
■**karting** n.m. *Paul aime faire du karting,* piloter un kart.
R. On prononce le *t* : [kart].

721

kayak ou **kayac** n.m. *Ils ont descendu la rivière en kayak,* une embarcation légère en toile ou en peau d'animal.

képi n.m. *Les agents de police, les militaires français portent un képi,* une casquette à visière.

kermesse n.f. *Les gens du village ont organisé une kermesse,* une fête de charité.

kérosène n.m. *L'avion a fait le plein de kérosène,* un carburant.

ketchup n.m. *Le ketchup* est une sauce tomate avec laquelle on peut accompagner certains plats.
R. On prononce [kɛtʃœp]

kibboutz n.m. *Un kibboutz* est une ferme collective en Israël.

kidnapper v. *Les bandits qui ont kidnappé l'enfant réclament une rançon de 2 millions,* qui l'ont enlevé.
■**kidnapping** n.m. *Un kidnapping* est un rapt.

kif-kif adj.inv. Fam. *C'est kif-kif,* c'est pareil.

kilo-, placé devant une unité de mesure, la multiplie par 1 000 : *kilomètre, kilogramme, kilowatt.*

kilogramme → *gramme.*

kilométrage, kilomètre, kilométrique → *mètre.*

kilt n.m. *Les Écossais portent un kilt,* une jupe plissée.

kimono n.m. *Le kimono* est une tunique japonaise à larges manches.

kinésithérapie n.f. *Après son accident, on lui a fait des séances de kinésithérapie,* des soins consistant à faire certains mouvements.
■**kinésithérapeute** n. *Un kinésithérapeute* est spécialisé dans la pratique de la kinésithérapie.

kiosque n.m. **1.** *Le kiosque à journaux de ma rue est fermé le dimanche,* l'abri où l'on vend des journaux. **2.** *L'orchestre* donne un concert sous le **kiosque à musique,** un abri ouvert de tous côtés.

kirsch n.m. *On met du kirsch dans la salade de fruits,* de l'eau-de-vie de cerise.

kit n.m. *Marie s'est achetée des meubles de cuisine en kit,* en éléments à monter soi-même.
R. On prononce le *t* : [kit].

kiwi n.m. Le *kiwi* est un fruit de Nouvelle-Zélande à la peau recouverte de poils soyeux et à la chair verte très parfumée.

klaxon n.m. *Donne un coup de klaxon, ce croisement est dangereux* (= avertisseur).
■ **klaxonner** v. *On n'a pas le droit de klaxonner dans les villes,* d'utiliser le klaxon.
R. *Klaxon* se prononce [klaksɔn]. C'est un nom de marque.

K.-O. adj. et n.m.inv. *Le boxeur a mis K.-O. son adversaire,* il l'a mis hors de combat.
R. C'est l'abréviation de l'anglais *knock-out* [nɔkaut].

koala n.m. Un *koala* est un petit animal d'Australie aux mouvements très lents, qui vit dans les arbres.

krypton n.m. Le *krypton* est un gaz rare de l'atmosphère utilisé pour remplir certaines ampoules électriques.

kung-fu n.m. Le *kung-fu* est un sport de combat d'origine chinoise.
R. On prononce [kungfu].

kyrielle n.f. *On nous a posé une kyrielle de questions,* un très grand nombre.

kyste n.m. Un *kyste* est un renflement qui se forme sous la peau.

l', la → *le* 1 et 2.

la n.m. Le *la* est la sixième note de la gamme.

là adv. **1.** *Viens là !,* à cet endroit. **2.** *Cette fille-là, c'est Marie,* celle dont je parle. **3.** *Regarde là-bas, il y a quelqu'un qui vient,* au loin. **4.** *Il va falloir grimper là-haut,* à cet endroit élevé.

label n.m. Un *label* est une garantie de qualité.

labeur n.m. se disait pour *travail intense.*

laboratoire n.m. Un *laboratoire* est un local où l'on fait des recherches scientifiques.
■ **laborantin, e** n. *Anne est laborantine,* assistante dans un laboratoire.

laborieux, euse adj. *La recherche a été laborieuse, mais j'ai fini par trouver,* difficile et longue.
■ **laborieusement** adv. *Le programme a été laborieusement mis au point,* au prix de grands efforts (= péniblement).

labourer v. *Assis sur son tracteur, le fermier laboure son champ,* il en retourne la terre.
■ **labour** n.m. *C'est la saison des labours,* du labourage. *Les chasseurs marchent dans les labours,* les terres labourées.
■ **labourable** adj. *Dans ces régions montagneuses, les terres labourables sont rares* (= cultivable).
■ **labourage** n.m. *Aujourd'hui, les bœufs sont remplacés par le tracteur pour le labourage de la terre.*

■ **laboureur** n.m. se disait pour *cultivateur.*

labyrinthe n.m. Un *labyrinthe* est un ensemble de couloirs ou de rues dans lesquels on se perd.

lac n.m. **1.** *On a fait du bateau sur le lac,* une grande étendue d'eau douce. **2.** *Tous ces projets sont tombés dans le lac,* ils ont été abandonnés (= tomber à l'eau).
■ **lacustre** adj. *Les cités lacustres* étaient des villages sur pilotis au bord d'un lac.

lacer → *lacet.*

lacérer v. *À coups de couteau, il a lacéré le coussin,* il l'a mis en lambeaux (= déchirer).
■ **lacération** n.f. *La lacération des affiches électorales est punie d'une amende.*

lacet n.m. **1.** *J'ai cassé mon lacet de chaussure,* le cordon qui sert à l'attacher. **2.** *Cette route est pleine de lacets,* de virages.
■ **lacer** v. SENS 1 *Line, veux-tu lacer tes chaussures !,* les attacher avec les lacets.
■ **laçage** n.m. *Le laçage des chaussures est difficile pour un enfant.*
■ **délacer** v. SENS 1 *Je n'arrive pas à délacer mes chaussures,* à en défaire les lacets.
R. *Lacer* se prononce [lase] comme *lasser.*

lâche adj. **1.** *C'est lâche de s'attaquer à plus faible que soi,* ce n'est pas coura-

geux. **2.** *La corde est trop **lâche**,* molle (≠ tendu).
■**lâche** n.m. SENS 1 *Quel **lâche**, il a fui !,* quel poltron ! (= peureux ; ≠ brave).
■**lâchement** adv. SENS 1 *Ce malheureux vieillard a été **lâchement** assassiné.*
■**lâcheté** n.f. SENS 1 *En attaquant par-derrière, il a montré sa **lâcheté**,* son manque de courage (= poltronnerie). *S'enfuir serait une **lâcheté**,* une action lâche.

lâcher v. **1.** *Ne **lâche** pas le ballon, il va s'envoler !,* ne cesse pas de le tenir. **2.** *La corde qui retenait le bateau **a lâché**,* elle a cédé (= casser). **3.** *Tu ne vas pas nous **lâcher** maintenant ?,* nous quitter (= abandonner). **4.** *En vacances, il **lâche** son fou,* il s'amuse follement.
■**lâcher** n.m. SENS 1 *À la kermesse, il y a eu un **lâcher** de ballons,* on en a lâché beaucoup à la fois dans l'air.
■**lâchage** n.m. SENS 3 *Elle a été très peinée du **lâchage** de ses amis* (= aban-don).
■**lâcheur, euse** n. SENS 3 Fam. *Quelle **lâcheuse**, elle s'en va !*

lâcheté → *lâche.*

lacis n.m. *J'ai failli me perdre dans ce **lacis** de ruelles* (= dédale, labyrinthe).
R. Le *s* final ne se prononce pas : [lasi].

laconique adj. *Une réponse **laconique** est brève* (≠ long).
■**laconiquement** adv. *Elle a répondu **laconiquement** : non.*
■**laconisme** n.m. *Sa réponse nous a déconcertés par son **laconisme*** (= briè-veté, concision).

lacrymogène adj. *Les grenades **la-crymogènes** contiennent des gaz qui font pleurer.*

lacté → *lait.*

lacune n.f. *Il y a des **lacunes** dans son récit,* il manque des éléments (= trou).

lacustre → *lac.*

lad n.m. *Un **lad** est un garçon qui soigne les chevaux de course.*

ladre adj. et n. *Un **ladre** est un avare.*
■**ladrerie** n.f. *C'est par **ladrerie** que tu vis le soir dans l'obscurité ?* (= avarice).

lagon n.m. *Un **lagon** est une étendue d'eau fermée vers le large par un récif de corail.*

lagune n.f. *Une **lagune** est une étendue d'eau salée séparée de la mer par une bande de terre.*

724

laïc, laïcité → *laïque.*

laid, e adj. *Je trouve ce tableau très **laid**,* désagréable à voir (≠ beau, joli).
■**laideur** n.f. *Ce tableau est d'une **lai-deur** !* (≠ beauté).
■**enlaidir** v. *Ces usines **enlaidissent** le paysage,* elles le rendent laid. *Avec l'âge, il **enlaidit**,* il devient laid (≠ embellir).
■**enlaidissement** n.m. *Nous protes-tons contre l'**enlaidissement** de notre quartier.*
R. → *laie.*

laie n.f. *La **laie** est la femelle du sanglier.*
R. *Laie* se prononce [lɛ] comme *laid* et *lait.*

laine n.f. *Je me tricote un pull de **laine**,* fait avec du poil de mouton.
■**lainage** n.m. *Prends un **lainage**, il fait froid,* un vêtement en laine tricotée (= tricot, pull).
■**laineux, euse** adj. *Un tissu **laineux** contient beaucoup de fils de laine.*
■**lainier, ère** adj. *L'industrie **lainière** est celle de la laine.*

296, 361

laïque adj. *Cette école est **laïque**,* elle est indépendante de toutes les religions (≠ religieux, confessionnel).
■**laïc, ïque** ou **laïque** n. *À la messe, la quête est faite par des **laïcs**,* des chré-tiens qui ne sont pas des membres du clergé.

■ **laïcité** n.f. La *laïcité* est l'absence d'engagement religieux.

laisse n.f. *Mets sa laisse au chien,* la lanière que l'on attache à son collier pour le retenir.

laisser v. 1. *Je te laisse !,* je ne t'emmène pas (= quitter). 2. *Tu as laissé ton parapluie au restaurant* (= oublier ; ≠ prendre). 3. *Laisse-moi du gâteau, ne prends pas tout* (= garder). 4. *J'ai laissé les clefs à la concierge,* je les lui ai confiées. *Sa tante lui a laissé une fortune importante en héritage* (= léguer). 5. *Le camelot m'a laissé le foulard pour 2 dollars,* il me l'a cédé. 6. *Laisse-moi partir, je vais être en retard,* ne m'en empêche pas. 7. *Tu mets ton poulet au four et tu le laisses cuire une heure,* tu le fais cuire sans y toucher. 8. *Zut, j'ai laissé tomber une assiette !,* je l'ai fait tomber sans le faire exprès. 9. *Depuis sa maladie, Pierre s'est laissé aller,* il est découragé, il ne fait plus rien.

■ **laisser-aller** n.m.inv. SENS 9 *Alors, on arrive en retard, maintenant ? Quel laisser-aller !,* quel relâchement !

■ **laissez-passer** n.m.inv. SENS 6 *Pour entrer au ministère, il fallait un laissez-passer,* une permission écrite de passer.

lait n.m. *Le veau tète le lait de la vache,* le liquide blanc qui sort des mamelles.

■ **lacté, e** adj. 1. *Les produits lactés* contiennent du lait. 2. *La Voie lactée* est un amas d'étoiles qui a l'aspect d'une grande bande blanche.

■ **laitage** n.m. *Je n'aime pas les laitages,* les aliments à base de lait.

■ **laiteux, euse** adj. *Un blanc laiteux* a la teinte du lait.

■ **laitier, ère** 1. adj. *Les fromages sont des produits laitiers,* fabriqués avec du lait. *Ce fermier a des vaches laitières,* qui donnent du lait. 2. n. *Le laitier passe tous les matins,* celui qui livre ou ramasse le lait.

■ **laiterie** n.f. *Une laiterie* est une usine où l'on fabrique des produits laitiers.

■ **petit-lait** n.m. *Le petit-lait* est un liquide clair qui se sépare du lait caillé.

■ **allaiter** v. *La chienne allaite ses petits,* elle les nourrit avec son lait.
R. → laie.

laiton n.m. *Le laiton* est un alliage de cuivre et de zinc de couleur jaune (= cuivre jaune).

laitue n.f. *Qu'est-ce que j'achète comme salade ? — Prends une laitue.*

laïus n.m. Fam. *Assez de laïus, il faut agir,* de discours.

1. lama n.m. *Un lama* est un prêtre bouddhiste.

2. lama n.m. *Dans les Andes, il y a des lamas,* des animaux ressemblant à des chameaux, mais plus petits.

lambeau n.m. *Qu'as-tu fait ? Ta chemise est en lambeaux,* déchirée en morceaux (= loque).

lambin, e adj. et n. Fam. *Que tu es lambine, dépêche-toi !,* tu ne sais pas agir vite (= lent ; ≠ rapide, vif).
■ **lambiner** v. Fam. *Ne lambine pas, on est pressés* (= traîner).

lambris n.m. *Un lambris* est un panneau qui décore les murs ou le plafond d'une salle.
■ **lambrissé, e** adj. *Un plafond lambrissé* est revêtu de lambris.

lame n.f. 1. *Une lame de métal, de verre* est un morceau plat, mince et allongé. 2. *Il faut aiguiser la lame du couteau,* la partie coupante. 3. *Une lame de rasoir* est un petit rectangle d'acier tranchant. 4. *Une lame de fond a fait chavirer le bateau,* une très grosse vague.
■ **lamelle** n.f. SENS 1 *On se sert de lamelles de verre pour examiner quelque chose au microscope,* de lames très minces.

■**laminer** v. SENS 1 *Laminer du métal,* c'est le réduire en lames.

■**laminoir** n.m. SENS 1 Le *laminoir* sert à laminer des métaux entre des rouleaux d'acier.

lamentable adj. 1. *Le sort de ces malheureux réfugiés est lamentable* (= pitoyable, navrant). 2. *Il a obtenu des notes lamentables à l'examen,* très mauvaises (= minable ; ≠ brillant).

■**lamentablement** adv. SENS 1 *La tentative a échoué lamentablement.*

se **lamenter** v. *Marie se lamente sur son sort à longueur de journée,* elle se plaint (≠ se réjouir).

■**lamentations** n.f.pl. *Arrête tes lamentations !,* tes plaintes (= jérémiades).

laminer, laminoir → *lame.*

lampe n.f. *Éteins la lampe !,* l'appareil qui sert à éclairer.

■**lampadaire** n.m. Un *lampadaire* est une lampe avec un grand pied.

■**lampion** n.m. *C'est la fête, les lampions sont allumés,* des lampes en papier.

■**lampiste** n.m. Dans une gare, le *lampiste* est chargé de l'entretien des lampes.

lance n.f. 1. *La lance* était une arme faite d'un long manche à bout de fer pointu. 2. *Les pompiers éteignent le feu avec la lance à incendie,* le tube en métal monté au bout d'un tuyau pour envoyer de l'eau.

■**lancier** n.m. SENS 1 Un *lancier* était un soldat armé d'une lance.

lancer v. 1. *Lance-moi le ballon !,* envoie-le-moi (= jeter). 2. *Tu as vu la publicité pour lancer ce nouveau parfum ?,* le faire connaître. 3. *Il faut toujours qu'elle se lance dans de longues explications !,* qu'elle s'y engage (= entrer).

■**lancer** n.m. SENS 1 *Ce sportif s'exerce au lancer du javelot,* un exercice d'athlétisme.

■**lancée** n.f. SENS 3 *Il parlait toujours et, sur sa lancée, il nous a raconté toute sa vie,* dans son élan.

■**lancement** n.m. SENS 1 *On a vu le lancement de la fusée à la télévision.* SENS 2 *Le lancement d'un nouveau produit se fait par la publicité.*

■**lanceur, euse** n. SENS 1 *Paul est lanceur de javelot. L'armée est équipée de lanceurs d'engins,* d'appareils pour lancer des engins.

■**lance-pierres** n.m.inv. SENS 1 *Il est imprudent de jouer avec un lance-pierres,* un instrument qui sert à lancer des pierres.

■**relance** n.f. *On assiste à la relance de l'économie,* à la reprise de son activité.

■**relancer** v. 1. SENS 1 *Relance-moi la balle !,* lance-la-moi de nouveau. 2. *Lori me doit de l'argent, il faut que je la relance à ce sujet,* que je le lui rappelle.

lancier → *lance.*

lanciner v. *La crainte d'un accident me lancinait,* me tourmentait.

■**lancinant, e** adj. *Une douleur lancinante* est vive et répétée.

lançon n.m. Un *lançon* est un petit poisson appelé aussi *équille.*

landau n.m. *Papa promène bébé dans son landau,* une voiture avec une capote. **R.** Noter le pluriel : des *landaus.*

lande n.f. *La lande bretonne est couverte de bruyères,* le terrain inculte.

langage → *langue.*

lange n.m. *Autrefois, on emmaillotait les bébés dans des langes,* des rectangles de tissu en coton ou en laine.

■**langer** v. *La maman lange son bébé,* elle l'enveloppe dans un lange.

langoureux → *languir.*

langouste n.f. *La langouste diffère du homard en ce qu'elle n'a pas de pinces.*

■**langoustine** n.f. *À midi, on a mangé des **langoustines**,* des petits crustacés roses, aux pattes terminées par des pinces.

33 **langue** n.f. **1.** *Ouvre la bouche et tire la **langue**.* **2.** *« Bouquin » est un mot de la **langue** familière* (= langage, vocabulaire). **3.** *Lysa parle deux **langues** étrangères : l'anglais et l'allemand. Le latin est une **langue morte**, l'anglais est une **langue vivante**,* le latin ne se parle plus, l'anglais est parlé de nos jours. **4.** *Sophie a **la langue bien pendue**,* elle est bavarde. **5.** *Je ne te dis plus rien, tu ne sais pas **tenir ta langue**,* garder un secret. **6.** *C'est une bonne devinette, je **donne ma langue au chat**,* je ne trouve pas de réponse.
■**langage** n.m. SENS 2 *Les scientifiques ont un **langage** parfois difficile à comprendre,* une façon de parler (= langue). *Grâce au **langage** nous pouvons communiquer,* la faculté de parler.
■**languette** n.f. SENS 1 *Tire la **languette** de tes chaussures !,* un petit morceau de cuir qui rappelle la forme d'une langue.

languir v. **1.** *Je commençais à **languir** toute seule en vous attendant,* à m'ennuyer, à me sentir déprimée (= se morfondre). **2.** *Comme la conversation **languissait**, on est parti,* elle s'arrêtait presque (= traîner ; ≠ s'animer).
■**languissant, e** adj. SENS 2 *La conversation était **languissante**,* elle traînait (= morne ; ≠ vivant).
■**langueur** n.f. SENS 1 *La **langueur**,* c'est un manque d'énergie, de dynamisme, une tendance à la rêverie (= abattement, mélancolie).
■**langoureux, euse** adj. SENS 1 *Ils dansaient sur un rythme **langoureux**,* qui exprime la langueur (= lent ; ≠ vif).

649 **lanière** n.f. Une ***lanière*** est une bande étroite et souple de cuir, de tissu.

75 **lanterne** n.f. **1.** *Le veilleur de nuit fait sa ronde, une **lanterne** à la main,* avec une sorte de boîte transparente contenant une lumière. **2.** *Ce cycliste est la **lanterne rouge** de la course,* il est le dernier.

lapalissade n.f. *Tu me dis qu'un grand verre contient plus qu'un petit verre : c'est une **lapalissade**,* une réflexion d'une banalité niaise.

laper v. *Le chat **lape** son lait,* il le boit à petits coups de langue.

lapereau → lapin.

1. lapidaire adj. *Elle a mis fin à la conversation en une formule **lapidaire**,* brève et expressive.

2. lapidaire n. Un ***lapidaire*** est un artisan qui taille les pierres précieuses autres que le diamant.

lapider v. *L'assassin faillit **être lapidé** par la foule,* tué à coups de pierres.

lapin n.m., **lapine** n.f. *À midi, on a mangé un **lapin**,* un petit animal à longues oreilles. *La **lapine** a eu trois petits.*
■**lapereau** n.m. Un ***lapereau*** est un jeune lapin.

laps n.m. Un ***laps de temps*** est un espace de temps, une durée.

lapsus n.m. *Tu as dit « mouche » au lieu de « bouche », c'est un **lapsus**,* une erreur commise en parlant.
R. On prononce le s final : [lapsys].

laquais n.m. Un ***laquais*** était un valet habillé d'une livrée.

laque n.f. **1.** *On a verni le bureau avec de la **laque**,* un enduit transparent. **2.** *La coiffeuse a vaporisé de la **laque** sur mes cheveux,* un produit qui sert à les maintenir en place.
■**laquer** v. SENS 1 *On a **laqué** le bureau.* SENS 2 *Marie **se laque** les cheveux,* elle les enduit de laque pour maintenir sa coiffure.

laquelle → lequel.

larcin n.m. *Un larcin a été commis dans le magasin,* un vol de peu d'importance.

lard n.m. *Va chez la charcutière acheter du lard,* de la graisse de porc.

■ **larder** v. *Larder un rôti,* c'est y piquer des lardons.

■ **lardon** n.m. *Une omelette aux lardons* est cuite avec des petits morceaux de lard.

large adj. 1. *La route est large ici, tu peux doubler,* étendue dans le sens opposé à la longueur (≠ étroit). 2. *Cette veste est trop large pour moi,* grande (= ample). 3. *Tu es trop large avec les enfants* (= généreux). 4. *Il y a une large part de mensonge dans ce récit* (= grand, important ; ≠ petit). 5. *Vous ne me choquez pas, j'ai l'esprit large* (= tolérant).

■ **large** n.m. 1. SENS 1 *La rue a 5 mètres de large,* de largeur (≠ long). SENS 2 *Ici au moins, on est au large,* on a de la place (≠ à l'étroit). 2. *Les marins sont allés pêcher au large,* loin des côtes (= en pleine mer). 3. *Le voleur a pris le large,* il a pris la fuite.

■ **largement** adv. SENS 3 *Encore du poulet ? — Non, merci, j'ai été largement servi,* avec abondance (≠ peu). *Xavier a largement le temps de finir son dessin,* il a plus de temps qu'il n'en faut.

■ **largesses** n.f.pl. SENS 3 *Faire des largesses,* c'est se montrer généreux.

■ **largeur** n.f. SENS 1 *J'ai mesuré la largeur de la table : elle est de 60 centimètres,* l'espace compris entre les deux côtés les plus rapprochés (≠ longueur ou hauteur). SENS 5 *On s'entend facilement avec elle, car elle a une grande largeur d'esprit* (= tolérance ; ≠ étroitesse d'esprit).

■ **élargir** v. 1. SENS 1 ET 2 *Il faut élargir ce manteau,* le rendre plus large (≠ rétrécir). 2. *Élargir un prisonnier,* c'est le libérer. 3. *Il faut élargir le débat,* le rendre plus général.

■ **élargissement** n.m. SENS 1 *Les ou-vriers travaillent à l'élargissement de la chaussée.*

larguer v. *Larguez les amarres !,* déta-chez-les. *Larguer des bombes,* c'est les lâcher.

larme n.f. 1. *En nous quittant, Marie avait les larmes aux yeux,* elle pleurait. 2. *Tu veux du vin ? — Oui, une larme,* un tout petit peu (= goutte).

■ **larmoyer** v. SENS 1 *Ses yeux larmoient,* ils sont pleins de larmes.

larron n.m. *Nicole et Diane s'entendent comme larrons en foire,* elles s'enten-dent à merveille.

larve n.f. *La chenille est une larve qui devient ensuite un papillon,* une forme du développement de certains insectes avant l'état adulte.

larvé, e adj. *Une révolte larvée* ne s'exprime pas pleinement (= latent).

larynx n.m. *Le larynx est la partie du cou où se trouvent les cordes vocales qui permettent de parler.*

las, lasse adj. 1. *Oh ! que je suis lasse après cette journée !,* fatiguée. 2. *Pascal, je suis las de te répéter tous les jours la même chose,* j'en ai assez.

■ **lasser** v. SENS 2 *Tu te lasseras vite de cette couleur,* tu en auras vite assez (= se fatiguer).

■ **lassant, e** adj. SENS 2 *Pierre raconte toujours les mêmes histoires, c'est las-sant à la fin !,* c'est fatigant (= en-nuyeux).

■ **lassitude** n.f. SENS 1 ET 2 *Tu refais cha-que jour le même travail sans lassitude ?,* sans fatigue.

■ **délasser** v. SENS 1 *Prends un bain pour te délasser,* pour faire disparaître ta fati-gue (= se détendre).

■ **délassement** n.m. SENS 1 *Lire un livre est pour moi un délassement,* ça me repose (= détente).

■ **inlassable** adj. SENS 1 ET 2 *Tu as une patience inlassable* (= infatigable).

■ **inlassablement** adv. *On répète **inlassablement** la même chose.*
R. Au masculin, on ne prononce pas le *s* de *las* : [lɑ]. → *lacet* et *lacer.*

lascar n.m. Fam. *Ce type-là, c'est un drôle de **lascar,** un homme débrouillard, qui ne s'embarrasse pas de scrupules.*

laser n.m. *Un **laser** est une source de lumière pouvant produire des rayons très intenses.*
R. On prononce [lazɛr].

lassant, lassitude → *las.*

lasso n.m. *Les cow-boys capturent les chevaux avec un **lasso,** une corde terminée par un nœud coulant.*

latent, e adj. *Une révolte est **latente,** elle est restée longtemps cachée, elle va bientôt éclater (≠ apparent).*

149 **latéral, e, aux** adj. *Ne passez pas par l'allée centrale, mais par les allées **latérales,** celles qui sont sur le côté.*
■ **bilatéral, e, aux** adj. *Dans cette rue, le stationnement **bilatéral** est interdit, des deux côtés. Ces deux États ont signé un accord **bilatéral,** qui engage les deux parties.*
■ **équilatéral, e, aux** adj. *Un triangle **équilatéral** a ses trois côtés égaux.*
■ **unilatéral, e, aux** adj. 1. *Stationnement **unilatéral** autorisé !, d'un seul côté. 2. Ne prends pas une décision **unilatérale,** seul sans consulter les autres.*
■ **unilatéralement** adv. *Elle s'est mise dans son tort en rompant **unilatéralement** l'accord, par sa seule décision.*

latin, e adj. et n.m. *Jacques apprend le **latin** (la langue **latine**), la langue parlée autrefois par les Romains.*
■ **latiniste** n. *Jeanne est une bonne **latiniste,** elle connaît bien le latin.*
■ **latinité** n.f. *La **latinité,** c'est la civilisation des peuples latins.*

latitude n.f. 1. *Montréal est à 45 degrés de **latitude** Nord,* à cette distance de l'équateur (≠ longitude). 2. *Vous aurez toute **latitude** pour faire ce travail, vous serez libre.*

latrines n.f.pl. *Des **latrines** sont des toilettes en plein air.*

latte n.f. *Les tuiles du toit sont soutenues par des **lattes** de bois,* des baguettes.

laudatif, ive adj. *J'ai été très flatté de cet article **laudatif** (= élogieux).*

lauréat, e n. *Aïcha est une des **lauréates** du concours,* une de celles qui ont remporté un prix.

laurier n.m. 1. *Je parfume la sauce avec deux feuilles de **laurier,** un arbuste. 2. Ne te repose pas sur tes **lauriers** !,* sur tes succès passés.

lavable, lavabo, lavage → *laver.*

lavallière n.f. *Certains artistes peintres portent un large chapeau et une **lavallière,** une cravate faite d'un gros nœud de soie flottant.*

lavande n.f. *On parfume le linge de l'armoire avec des sachets de **lavande,** d'une plante à petites fleurs bleues.*

lave n.f. *Une coulée de **lave** s'échappe de la bouche du volcan,* de matière minérale visqueuse et brûlante.

lavement n.m. *Le médecin a ordonné des **lavements,** des injections de liquide dans l'intestin.*

laver v. 1. *Cette chemise est sale, il faut la **laver,** la nettoyer avec de l'eau. 2. Allons, va te **laver** !,* faire ta toilette (= se débarbouiller). 3. Fam. *Fais ce que tu veux, je m'en **lave** les mains,* je ne serai responsable de rien.
■ **lavable** adj. SENS 1 *Les murs de la cuisine sont recouverts d'une peinture **lavable,*** que l'on peut laver facilement.
■ **lavage** n.m. SENS 1 *Mon pantalon a rétréci au **lavage,*** quand il a été lavé.
■ **lavabo** n.m. 1. SENS 2 *Le robinet du **lavabo** coule,* de la cuvette fixée au mur et qui sert à la toilette. 2. (au plur.)

*Où sont les **lavabos**, s'il vous plaît ?,* les toilettes (= waters).

■ **laverie** n.f. SENS 1 Une *laverie* est un établissement où on lave le linge à la machine (= buanderie).

■ **lavette** n.f. SENS 1 Une *lavette* est un carré de tissu-éponge pour laver, essuyer une table.

■ **laveur, euse** n. SENS 1 *M. Da Silva est laveur de carreaux.*

■ **laveuse** n.f. Une *laveuse* est un lave-linge.

■ **lavoir** n.m. SENS 1 *Dans ce village, il y a un lavoir,* un bassin où on lave le linge.

■ **lave-auto** n.m. *La voiture est sale, allons au lave-auto,* un endroit équipé d'un dispositif automatique pour laver les voitures.

■ **lave-glace** n.m. Un *lave-glace* est un appareil qui envoie un jet d'eau sur le pare-brise d'une voiture.

■ **lave-linge** n.m.inv. SENS 1 Un *lave-linge* est une machine à laver le linge.

■ **lave-vaisselle** n.m.inv. SENS 1 *Mets les assiettes sales dans le lave-vaisselle,* la machine à laver la vaisselle.

R. Noter les pluriels : des *lave-autos,* des *lave-glaces.*

lavis n.m. *L'architecte a fait un dessin au lavis,* un dessin colorié avec de l'encre de Chine ou une couleur délayée avec de l'eau.

R. On ne prononce pas le *s* final : [lavi].

laxatif, ive adj. et n.m. *Une tisane laxative* combat la constipation.

layette n.f. *Maman tricote la layette de bébé,* ses vêtements.

1. le, la, les articles définis *Dans « c'est la fille de Paul », la indique que le nom qui suit est déterminé.*

R. *Le, la* s'écrivent *l'* devant une voyelle ou un *h* aspiré *(tu as vu l'homme ?, j'aime l'eau).*

2. le, la, les pron.pers. *Dans « n'embête pas le chat, laisse-le ! » ou « ma leçon, je*

la sais », **le, la** remplacent des groupes du nom *(le chat, ma leçon).*

R. *Le, la* s'écrivent *l'* devant une voyelle *(Paul, je ne l'ai jamais vu).*

leader n.m. Un *leader* est une personne qui est à la tête d'un parti, d'un mouvement (= chef de file, meneur).

R. On prononce [lidœr].

lécher v. *Le chat lèche sa patte,* il passe sa langue dessus. *Joëlle se lèche les doigts car ils sont pleins de chocolat.*

lèche-vitrines n.m. inv. Fam. *À la période des fêtes, j'aime faire du lèche-vitrines,* flâner en m'attardant aux vitrines des magasins.

leçon n.f. 1. *Je prends des leçons de conduite,* j'apprends à conduire (= cours). 2. *Mehdi, viens me réciter ta leçon,* le texte que tu dois apprendre. 3. *Tu t'es fait mal ? Que ça te serve de leçon !,* que cette expérience t'apprenne à ne plus recommencer !

lecteur, lecture → *lire* 2.

légal, légalement, légaliser, légalité → *loi.*

légat n.m. *Un légat du pape* est son représentant.

légataire → *léguer.*

légende n.f. 1. *Ma grand-mère me raconte souvent de vieilles légendes amérindiennes* (= histoire, conte). 2. *Elle représente quoi, cette photo ? — Tu n'as qu'à lire la légende pour le savoir,* le texte qui est écrit dessous.

■ **légendaire** adj. 1. SENS 1 *Ulysse est un héros légendaire,* de légende. 2. *Ses gaffes sont légendaires,* connues de tous (= proverbial).

léger, ère adj. 1. *Ma valise est légère, elle est presque vide* (≠ lourd). 2. *L'été, je mets des vestes légères,* en tissu fin (≠ épais). 3. *Dans l'avion, on nous a servi un repas léger,* peu abondant (= frugal ; ≠ copieux). 4. *Je voudrais un café léger* (≠ fort). 5. *Lise est un esprit* *léger,* elle manque de sérieux (= insouciant, superficiel, frivole). **6.** *Heureusement, tu n'as eu que des blessures légères,* peu importantes (≠ grave). **7.** *Un rien me réveille, j'ai le sommeil léger* (≠ profond, lourd).

■ **à la légère** adv. SENS 5 *Il ne faut pas prendre cette maladie à la légère, c'est grave,* avec insouciance.

■ **légèrement** adv. **1.** SENS 2 *Tu es habillée trop légèrement* (≠ chaudement). SENS 3 *Je déjeunerai légèrement* (≠ copieusement). SENS 5 *Nous avons agi trop légèrement,* sans réfléchir. SENS 6 *Il n'est que légèrement blessé* (≠ gravement). **2.** *Tourne-toi légèrement vers moi,* un petit peu.

■ **légèreté** n.f. SENS 1 *Le liège flotte à cause de sa légèreté.* SENS 5 *Tu as pris cette décision avec trop de légèreté* (= insouciance).

■ **alléger** v. SENS 1 *Pour alléger la valise, j'ai enlevé quelques affaires,* pour la rendre plus légère (≠ alourdir).

■ **allégement** n.m. SENS 6 *Il y aura un allégement des taxes* (= diminution).

légion n.f. **1.** *Les soldats de la Légion étrangère ont défilé le 14-Juillet,* de la troupe composée de volontaires surtout étrangers. **2.** *M. Dubois a eu la Légion d'honneur,* une décoration.

■ **légionnaire** n.m. SENS 1 *Un légionnaire* est un soldat de la Légion.

législatif, ive adj. *Une assemblée législative* est chargée de faire les lois.

■ **législation** n.f. *La législation* est l'ensemble des lois.

légiste adj. *Un médecin légiste* est chargé de faire des expertises dans des affaires criminelles.

légitime adj. *Ta protestation est légitime,* tu as raison de protester, elle est justifiée (= fondé). *C'est un cas de légitime défense,* la personne était en droit de se défendre.

■ **légitimement** adv. *Tu protestes légitimement contre cet abus* (= à juste titre).

■ **légitimer** v. *Il s'est efforcé de légitimer sa conduite* (= justifier).

■ **illégitime** adj. *Ce qui est illégitime n'est pas permis.*

léguer v. *Elle a légué toute sa fortune à son neveu,* elle la lui a donnée par testament.

■ **légataire** n. *Mes nièces seront mes légataires,* elles bénéficieront de mon testament.

légume n.m. *Que veux-tu manger comme légume : haricots, carottes, pommes de terre, asperges ?*

leitmotiv n.m. *Je prêche l'union : c'est le leitmotiv de mes discours,* ce que je répète sans cesse.

R. On prononce [lajtmɔtif].

lendemain → *demain.*

lent, e adj. *Le vieillard marchait d'un pas lent* (≠ rapide). *Que tu es lente ! Dépêche-toi, on est en retard !,* tu ne vas pas assez vite (≠ vif).

■ **lentement** adv. *Marie mange lentement* (≠ vite).

■ **lenteur** n.f. *La lenteur de ses progrès est décourageante* (≠ rapidité).

■ **ralentir** v. *La voiture ralentit, car le feu va passer au rouge,* elle va plus lentement (≠ accélérer).

■ **ralentissement** n.m. *On signale un ralentissement de la circulation sur l'autoroute,* les voitures ralentissent (≠ accélération).

■ **ralenti** n.m. *Vous allez revoir au ralenti le but marqué par le joueur,* à une vitesse moins grande que la vitesse normale.

lentille n.f. **1.** *À midi, on a mangé des lentilles,* des graines rondes. **2.** *Une lentille* est un disque de verre utilisé dans les instruments d'optique pour grossir ou réduire l'image des objets.

léopard n.m. *La panthère d'Afrique à fourrure tachetée s'appelle le léopard.*

lèpre n.f. *La lèpre* est une maladie contagieuse dans laquelle la peau se couvre de plaies.

■ **lépreux, euse** n. et adj. Un *lépreux* est une personne atteinte de la lèpre.

■ **léproserie** n.f. Une *léproserie* est un hôpital ou l'on soigne les lépreux.

lequel, laquelle, lesquels, lesquelles pron. relatifs et interrogatifs **1.** *Il y a des questions sur **lesquelles** je ne reviendrai pas,* je ne reviendrai pas sur ces questions. **2.** *J'hésite entre ces deux voitures ; **laquelle** préfères-tu ?,* quelle voiture ?

R. *Lequel* se contracte avec les prépositions *à* et *de* : *auquel, auxquels, duquel, desquels.*

les → *le* 1 et 2.

lèse-majesté n.f.inv. *Un crime de **lèse-majesté** est une grave faute envers un roi ou une reine,* un grave manque de respect envers quelqu'un.

léser v. *Paul n'a pas eu la même part d'héritage que les autres : il **a été lésé**,* désavantagé.

lésiner v. *Pourquoi **lésiner** sur toutes les dépenses ?,* se montrer avare.

lésion n.f. *Un coup, une blessure, une inflammation sont des **lésions**.*

lessive n.f. **1.** *Peux-tu m'acheter du savon à **lessive** ?,* un produit en poudre ou liquide pour laver. **2.** *Quand feras-tu la **lessive** ?,* quand laveras-tu le linge ? **3.** *As-tu étendu la **lessive** ?,* le linge lavé.

■ **lessiver** v. SENS 2 *Le carrelage de la cuisine est sale, il faut le **lessiver**,* le nettoyer.

■ **lessivage** n.m. SENS 2 *On a fait le **lessivage** des murs avant de les repeindre.*

■ **lessiveuse** n.f. SENS 2 *Autrefois, on faisait bouillir le linge dans une **lessiveuse**,* un grand récipient.

lest n.m. *On lâche du **lest** pour que le ballon s'élève plus haut,* de lourds sacs de sable.

■ **lester** v. *Lester un bateau,* c'est le garnir de matières lourdes pour qu'il soit stable.

■ **délester** v. *Délester un navire,* c'est l'alléger.

leste adj. *Cette gamine est **leste** comme un singe,* agile dans ses mouvements.

R. Ne pas confondre *leste* et *lest* : [lɛst].

lester → *lest.*

léthargie n.f. *La marmotte passe l'hiver en état de **léthargie**,* de sommeil profond (= engourdissement).

■ **léthargique** adj. *La drogue l'a mis dans un état **léthargique**,* un état de torpeur.

lettrage n.m. **1.** *Quel beau **lettrage** !,* inscription. **2.** *J'apprends la technique du **lettrage**,* qui consiste à peindre ou disposer des lettres sur des panneaux, des enseignes, etc.

■ **lettreur, euse** n. *Paul est **lettreur**,* il pratique la technique du lettrage.

lettre n.f. **1.** *L'alphabet français comprend 26 **lettres**,* des caractères d'écriture. **2.** *J'ai reçu une **lettre** de Judy,* elle m'a écrit. **3.** (au plur.) *Sékou fait des études de **lettres**,* de langue et de littérature. **4.** *J'ai suivi vos instructions **à la lettre**,* exactement (= ponctuellement). **5.** *Elle a dit cela **en toutes lettres**,* clairement, sans détour.

292

■ **lettré, e** n. et adj. SENS 3 *Ma grand-mère a beaucoup lu, c'est une **lettrée**,* une personne cultivée.

■ **lettrine** n.f. SENS 1 *Sur les manuscrits anciens, le chapitre ou le paragraphe commençait par une **lettrine**,* une grande lettre ornée.

806

■ **illettré, e** n. et adj. SENS 1 *Cet homme est un **illettré**,* il ne sait ni lire ni écrire.

leucémie n.f. *La **leucémie** est une maladie du sang.*

1. leur pron.pers. s'emploie pour représenter les personnes dont on parle : *Je **leur** ai dit de venir,* à eux.

2. leur adj. et pron.possessif *Ce sont **leurs** affaires, laissez-les,* elles sont à eux. *Notre voiture est mieux que **la leur**,* que celle qui leur appartient.

R. → *leurre.*

leurre n.m. **1.** *On peut pêcher le brochet avec un leurre,* un appât artificiel. **2.** *Ce qu'on te propose n'est qu'un leurre,* un faux espoir.

■ **se leurrer** v. SENS 2 *Si tu crois que Dominique va t'aider, tu te leurres,* tu te fais des illusions* (= se tromper).

R. *Leurre* se prononce [lœr] comme *leur.*

lever v. **1.** *Levez le bras droit !,* bougez-le vers le haut (≠ baisser). **2.** *La séance est levée !,* elle est terminée (≠ ouvrir). *L'interdiction de circuler dans cette rue a été levée,* elle a cessé. **3.** *Le facteur lève le courrier à 15 heures,* il le prend dans la boîte aux lettres pour le porter à la poste. **4.** *En marchant, on a levé un lièvre,* on l'a fait partir de son gîte. **5.** *Le blé commence à lever,* à sortir de terre (= pousser). **6.** *La fermentation fait lever la pâte,* elle la fait se gonfler. **7.** *Allons, lève-toi, il est 8 heures,* sors du lit (≠ se coucher). **8.** *En été, le soleil se lève tôt,* il apparaît dans le ciel (≠ se coucher). **9.** *Le vent se lève,* il commence à souffler.

■ **lever** n.m. SENS 1 *On est arrivé au théâtre juste avant le lever du rideau,* le moment où on le lève. SENS 8 *Dès le lever du jour, les chasseurs se mettent en route,* le moment où le jour commence.

■ **levage** n.m. SENS 1 *Une grue est un appareil de levage,* qui sert à soulever des charges.

■ **levain** n.m. SENS 6 *Le levain est une substance qui fait lever la pâte.*

■ **levant** n.m. et adj. SENS 8 *Il faut s'orienter vers le levant,* la direction où le soleil se lève (= est, orient). *Le soleil levant,* qui se lève.

■ **levée** n.f. **1.** SENS 2 *La levée de la séance a eu lieu à 16 heures,* la fin. *La levée des punitions a été décidée.* SENS 3 *Les heures des levées sont indiquées sur la boîte aux lettres,* les heures où le courrier est levé. **2.** *Aux cartes, faire une levée,* c'est ramasser les cartes des autres après avoir gagné un coup (= pli).

■ **levure** n.f. SENS 6 *Zut, on a oublié de mettre de la levure dans le gâteau,* un produit qui fait lever la pâte.

levier n.m. **1.** *Cette barre va me servir de levier pour soulever le rocher.* **2.** *Le levier du changement de vitesse est cassé,* la barre qui sert à changer de vitesse.

lèvre n.f. *Maman se met du rouge sur les lèvres.*

lévrier n.m. *Les lévriers courent très vite,* des grands chiens très maigres.

levure → *lever.*

lexique n.m. **1.** *Un lexique français-latin est un petit dictionnaire.* **2.** *Le lexique du français est l'ensemble des mots français* (= vocabulaire).

■ **lexicographie** n.f. *La lexicographie est la fabrication des dictionnaires.*

■ **lexicographe** n. *Un lexicographe est un rédacteur de dictionnaire.*

lézard n.m. **1.** *Un lézard est un petit reptile à quatre pattes et à longue queue.* **2.** *Mes chaussures sont en lézard,* en peau de lézard.

lézarde n.f. *Il y a des lézardes dans le mur,* des fentes (= crevasse, fissure).

■ **se lézarder** v. *Le plafond s'est lézardé,* il s'est fissuré.

liaison → *lier.*

liane n.f. *Dans la jungle, Tarzan s'élançait d'une liane à l'autre,* de l'une à l'autre des longues tiges souples qui pendent des arbres.

liant → *lier.*

liasse n.f. *Une liasse de billets de banque est un paquet de billets attachés ensemble.*

libations n.f.pl. *Après ces copieuses libations, il était très gai,* après avoir bien bu du vin.

libeller v. *Libeller un télégramme,* c'est le rédiger.

■**libellé** n.m. *Le libellé d'un texte,* ce sont les mots exacts avec lesquels il est rédigé.

libellule n.f. *Cet insecte aux longues ailes transparentes qui vole au bord de l'eau est une libellule.*

libéral, e, aux adj. **1.** *Tu as des idées libérales,* tu préconises la plus grande liberté pour tous (= tolérant). **2.** *Être avocat, médecin, c'est avoir une profession libérale.* **3.** *Voterez-vous pour le parti libéral ?* **4.** n. *Les libéraux sont au pouvoir,* des membres du parti libéral (= rouge).

libéralité n.f. *Vous avez longtemps profité des libéralités de la patronne,* de ses dons généreux (= largesse).

libération, libérer, liberté → *libre.*

librairie n.f. Une *librairie* est un magasin où l'on vend des livres.

■**libraire** n. Le *libraire* est celui qui tient une librairie.

libre adj. **1.** *Après un an de prison, cet homme est libre,* il n'est plus emprisonné (≠ détenu). **2.** *Tu es libre de partir,* rien ne t'en empêche. **3.** *Ce soir, je suis libre, je peux dîner avec toi* (≠ occupé, pris). **4.** *La voie est libre,* on peut passer.

■**librement** adv. SENS 1 ET 2 *Ici, on peut aller et venir librement,* sans interdiction.

■**libérer** v. SENS 1 *Le prisonnier a été libéré,* on lui a rendu la liberté (= libérer, élargir). *La France a été libérée de l'occupation allemande en 1945,* délivrée. SENS 3 *J'ai une réunion jusqu'à midi, mais j'essaierai de me libérer un peu avant,* de me rendre libre.

■**libérateur, trice** adj. et n. SENS 1 *Les soldats alliés sont entrés en libérateurs dans la ville occupée.*

■**libération** n.f. SENS 1 *La prisonnière attend sa libération* (≠ emprisonnement).

■**liberté** n.f. SENS 1 *Le prisonnier a retrouvé la liberté,* il est libre. *Ces animaux vivent en liberté* (≠ captivité). SENS 2 *Tu peux parler en toute liberté,* tu as le droit de dire ce que tu veux.

■**libre-service** n.m. SENS 2 Un *libre-service* est un magasin où l'on se sert soi-même.

R. Noter le pluriel : des *libres-services.*

licence n.f. *Marie avait obtenu une licence en lettres,* un diplôme universitaire.

licencier v. *L'usine a licencié des ouvriers,* elle les a renvoyés (≠ embaucher).

■**licencié, e** n. et adj. **1.** *Cette équipe a été formée de licenciés de l'armée,* de personnes dont la période d'enrôlement était terminée. **2.** *Des travailleurs licenciés,* privés de leur emploi.

■**licenciement** n.m. *On a protesté contre le licenciement d'une employée* (= renvoi).

lichen n.m. *Sur ces rochers, il y a des algues et des lichens,* des végétaux.

R. On prononce [likɛn].

licite adj. *Ce qui est licite est permis par la loi* (= légal).

■**illicite** adj. *Passer de l'alcool en fraude est illicite,* défendu (= illégal).

licorne n.f. La *licorne* est un animal fantastique à corps de cheval avec une corne au milieu du front.

licou n.m. *Le cheval est retenu par son licou,* une courroie de cuir que l'on met autour de son cou pour le conduire.

lie n.f. *La lie du vin* est le dépôt qui se forme au fond de la bouteille ou du tonneau.

R. → *lit.*

lied n.m. Un *lied* est un chant d'origine allemande.

R. On prononce [lid].

liège n.m. *Le liège flotte sur l'eau,* l'écorce du chêne-liège.

lier v. **1.** *Le prisonnier avait les mains liées derrière le dos,* attachées. **2.** *Les Da Silva* *et nous, on **est** très **liés,*** nous sommes amis (= unir). **3.** *Ces deux affaires de meurtre **sont liées,*** en rapport l'une avec l'autre. **4.** *Sophie **est liée** par un contrat,* elle doit le respecter.

■ **liaison** n.f. **1.** SENS 3 *Il y a un manque de **liaison** entre ces deux paragraphes,* de rapport. **2.** *La **liaison** a été rétablie entre l'avion et la tour de contrôle,* le contact par radio. **3.** *Ce bateau assure la **liaison** entre la France et l'Angleterre,* il fait le trajet (= communication). **4.** *Faire une **liaison,*** c'est prononcer la consonne qui termine un mot quand le mot suivant commence par une voyelle.

■ **liant, e** adj. SENS 2 *Cette personne est très **liante,*** elle se lie facilement (= sociable).

■ **lien** n.m. SENS 1 *Une corde, une ficelle sont des **liens,*** des choses qui servent à lier. SENS 2 *Nous n'avons aucun **lien** de parenté avec ces gens,* nous ne sommes pas liés par la parenté. SENS 3 *Il y a un **lien** entre ces deux crimes,* un rapport.

■ **délier** v. **1.** SENS 1 *La ficelle **s'est déliée,*** le nœud s'est défait (= se détacher, se dénouer). **2.** *Je me considère comme **déliée** de ma promesse,* je ne suis plus liée à elle (= dégager).

R. → *lie.*

lierre n.m. *Le **lierre** est une plante grimpante aux feuilles toujours vertes.*

liesse n.f. *La **liesse** populaire,* c'est une grande joie qui se manifeste.

1. lieu n.m. **1.** *On a retrouvé un couteau sur le **lieu** du crime,* à l'endroit où il s'est produit. **2.** *L'examen **aura lieu** le 26 juin,* il se produira, on le fera. **3.** *Cet avis **tient lieu** de faire-part,* il remplace un faire-part. **4.** *C'est Maïté qui est venue **au lieu** de Sandra,* à sa place.

■ **lieu commun** n.m. *Tu ne dis que des **lieux communs,*** des banalités.

2. lieu n.m. *Le **lieu** est un poisson encore appelé colin.*

R. Noter le puriel : des *lieus.*

lieue n.f. **1.** *La **lieue** est une ancienne mesure de longueur correspondant à peu près à 4 kilomètres.* **2.** *J'étais **à cent lieues** d'imaginer cela,* très éloigné.

lieutenant, e n. *Un **lieutenant** est l'officier au-dessous du capitaine.*

■ **lieutenant-colonel** n. *Un **lieutenant-colonel** est l'adjoint du colonel.*

■ **lieutenant-gouverneur** n. *Un **lieutenant-gouverneur** représente le roi ou la reine dans chaque province du Canada.*

lièvre n.m. *Le chasseur a tué un **lièvre,*** une sorte de lapin sauvage.

ligament n.m. *À la suite d'une entorse, j'ai des douleurs aux **ligaments,*** aux fibres qui rattachent les articulations.

ligature n.f. *L'arbuste est fixé à son tuteur par une **ligature,*** une attache.

■ **ligaturer** v. *On a **ligaturé** les deux bouts de corde,* on les a attachés ensemble.

ligne n.f. **1.** *Trace une **ligne** droite avec ta règle,* un trait. **2.** *Lis la première **ligne** en haut de la page,* la suite de mots les uns à côté des autres. **3.** *Les enfants, mettez-vous en **ligne,*** les uns à côté des autres (= rang, file). **4.** *Quelle **ligne** de métro prends-tu ?,* quel trajet fais-tu ? **5.** *Allô !... Ah ! la **ligne** est coupée !,* le contact téléphonique. **6.** *J'ai cassé ma **ligne,*** le fil attaché au bout d'une canne à pêche. **7.** *On a toujours suivi la même **ligne de conduite,*** le même principe (= règle). **8.** *Je mange peu pour garder la **ligne,*** rester mince. **9.** *On descend en droite **ligne** des Bourbons,* de la suite des descendants des Bourbons.

■ **lignée** n.f. SENS 9 *Une **lignée** est l'ensemble des descendants d'une personne.*

■ **linéaire** adj. SENS 1 *Un dessin **linéaire** est fait de simples lignes.*

■ **aligner** v. SENS 3 *Les coureurs **se sont alignés** au poteau de départ,* ils se sont mis en ligne.

■ **alignement** n.m. SENS 3 *Mettez-vous à l'**alignement,*** alignez-vous.

■ **interligne** n.m. SENS 2 *Le texte est dac-tylographié avec de grands **interlignes**,* de grands espaces entre les lignes.

ligneux, euse adj. *Une tige **ligneuse** est* une tige qui a des fibres dures comme celles du bois.

ligoter v. *Ligoter quelqu'un,* c'est l'atta-cher avec des cordes.

ligue n.f. *Une **ligue** est une association* militante.
■ **se liguer** v. *Ils **se sont** tous **ligués*** contre moi, unis.

lilas n.m. *Le **lilas** est un arbuste à fleurs* parfumées violettes ou blanches.

limace n.f. *Des **limaces** ont mangé les* *fraises du jardin,* des mollusques sans coquille.

limaille → *lime.*

limande n.f. *La **limande** est un poisson* de mer plat.

lime n.f. *Tu n'aurais pas une **lime** à on-gles ?,* un instrument qui sert à user, à polir.
■ **limer** v. *Le prisonnier avait **limé** les* *barreaux de sa cellule,* il les avait frottés avec une lime pour les couper.
■ **limaille** n.f. *La **limaille** de fer,* c'est la poussière de fer obtenue en limant ce métal.

limite n.f. 1. *Le ballon est sorti des **limites*** *du terrain,* des lignes qui déterminent son étendue. 2. *C'est aujourd'hui la der-nière **limite** pour s'inscrire,* le dernier moment où c'est possible. 3. *Alors, là, tu* *dépasses les **limites** !* tu exagères.
■ **limiter** v. SENS 2 *La vitesse **est limitée*** *à 100 kilomètres à l'heure sur l'auto-route,* il n'est pas permis d'aller plus vite. *Tu dois **te limiter** dans tes activités,* tu ne dois pas en faire trop.
■ **limitation** n.f. SENS 2 *Un panneau de* *limitation de vitesse* indique la vitesse à ne pas dépasser.
■ **limitrophe** adj. SENS 1 *Le Mexique est* *un pays **limitrophe** des États-Unis,*

ces pays ont une frontière commune (= voisin).
■ **délimiter** v. SENS 1 *On va **délimiter** le* *terrain,* en fixer les limites.
■ **illimité, e** adj. SENS 2 *J'ai une confiance* *illimitée en toi,* qui n'a pas de limites (= total, absolu). *Je pars pour une durée* *illimitée* (= indéterminé).

limoger v. *Ce général **a été limogé**,* privé de son emploi, renvoyé.

limonade n.f. *J'ai bu un verre de **limo-nade**,* une boisson gazeuse.

limpide adj. *Une eau **limpide** est très* claire (≠ trouble).
■ **limpidité** n.f. *Quelle **limpidité** dans* *son explication !* (= clarté ; ≠ obs-curité).

lin n.m. *Le **lin** sert à faire des tissus et de* *l'huile,* une plante.   80

linceul n.m. *On enveloppe les morts dans* *un **linceul**,* une sorte de drap.

linéaire → *ligne.*

linge n.m. 1. *On va laver le **linge** sale,*   79 les pièces de tissu dont on se sert dans une maison (linge de maison = draps, serviettes, torchons, etc.) ou les vêtements en tissu léger (chaussettes, chemises, etc.). 2. *Donne-moi un **linge*** *à vaisselle,* un torchon.
■ **lingerie** n.f. 1. *Dans un magasin de* *lingerie féminine,* on vend des chemises   77 de nuit, des sous-vêtements, des bas. 2. *Sylvie repasse à la **lingerie**,* dans la pièce où on range et où on entretient le linge.

lingot n.m. *Un **lingot** est une grosse barre* d'un métal précieux.

linguistique n.f. *La **linguistique** est* l'étude des langues, du langage.
R. On prononce [lɛ̃gµistik].

linoléum ou **lino** n.m. *On a recouvert* *le plancher avec du **linoléum**,* une toile épaisse revêtue d'un produit imper-méable.
R. On prononce [linɔleɔm].

linotte n.f. *Quelle **tête de linotte**, il a encore oublié le pain !,* quel étourdi !

linteau n.m. Le **linteau** d'une porte ou d'une fenêtre est la pièce horizontale de bois, de pierre, etc., qui soutient la maçonnerie au-dessus de l'ouverture.

lion n.m., **lionne** n.f. *Au cirque, le dompteur dresse les **lions**,* de grands animaux au pelage fauve. *La **lionne** veille sur ses petits,* la femelle du lion.
■ **lionceau** n.m. Les **lionceaux** sont les petits du lion.

liquéfier → *liquide.*

liqueur n.f. *Après le dîner, papa a pris un verre de **liqueur**,* une boisson alcoolisée sucrée (= digestif).

liquidation → *liquider.*

liquide adj. 1. *Ta sauce est trop **liquide**, ajoute de la farine,* elle n'est pas assez épaisse. 2. *J'ai payé en argent **liquide**,* en billets, en pièces de monnaie.
■ **liquide** n.m. SENS 1 *L'eau, le lait, l'essence sont des **liquides**,* des substances qui coulent. SENS 2 (au sing.) *Je n'ai plus de **liquide**,* d'argent liquide.
■ **liquéfier** v. SENS 1 *La cire se **liquéfie** à la chaleur,* elle devient liquide.

liquider v. 1. *Cette affaire est **liquidée**,* elle est terminée (= régler). 2. *Avant sa fermeture définitive, le magasin **liquide** tout son stock,* il le vend à bas prix.
■ **liquidation** n.f. SENS 1 *Il faut attendre la **liquidation** du procès.* SENS 2 *La **liquidation** des marchandises a été rapide.*

1. lire n.f. La **lire** est la monnaie italienne.

2. lire v. 1. *Maria apprend à **lire**,* à comprendre ce qui est écrit. 2. ***Lis**-moi la lettre de Chantal,* dis-moi tout haut ce qui y est écrit. 3. *Tu as déjà **lu** ce livre ?,* pris connaissance de ce qui y est écrit.

4. ***Lire** les notes de musique,* c'est les déchiffrer.
■ **lecture** n.f. SENS 1 *Pascal apprend la **lecture**,* il apprend à lire. SENS 2 *Je vais te faire la **lecture** de ce texte,* te le lire. SENS 3 *J'aime la **lecture**,* lire des livres. *Quelles sont tes **lectures** préférées ?,* tes livres préférés.
■ **lecteur, trice** 1. n. SENS 3 *Beaucoup de **lectrices** du journal nous ont écrit,* de femmes qui le lisent. 2. n.m. On appelle **lecteurs** des appareils qui servent à reproduire des sons *(lecteur de cassette)* ou à lire des informations *(lecteur de disquette).*
■ **lisible** adj. SENS 1 *Que tu écris mal, c'est à peine **lisible** !,* on peut à peine te lire.
■ **lisiblement** adv. SENS 1 *Écris plus lisiblement,* de façon plus lisible.
■ **lisibilité** n.f. SENS 1 *Il faut espacer les lignes pour améliorer la **lisibilité**,* pour rendre le texte plus lisible.
■ **illisible** adj. SENS 1 *Cette signature est **illisible**,* on ne peut pas la lire.
■ **relire** v. SENS 2 ***Relis** ce passage,* lis-le de nouveau. SENS 3 *Je **relis** toujours mes lettres,* je lis ce que j'ai écrit.
R. → Conj. n° 73. → *lit.*

lis ou **lys** n.m. Le **lis** est une plante à fleurs blanches odorantes. *La fleur de **lys** est l'emblème du Québec.*
R. *Lis* se prononce [lis] comme *lisse.*

liseré ou **liséré** n.m. *Maman a brodé un **liseré** au bas de ma robe,* un ruban étroit.

liseron n.m. Le **liseron** est une plante grimpante dont les fleurs sont en forme d'entonnoir.

lisibilité, lisible, lisiblement → *lire* 2.

lisière n.f. *Sa maison est à la **lisière** de la forêt,* au bord (= limite).

lisse adj. *Bébé a la peau **lisse*** (= doux ; ≠ rugueux).

■ **lisser** v. *Lisser ses cheveux,* c'est les rendre lisses.
R. → *lis.*

liste n.f. *Dupont ?... Non, vous n'êtes pas sur la liste,* la suite de noms écrits les uns au-dessous des autres.

lit n.m. **1.** *Il est l'heure d'aller au lit,* de se coucher sur le meuble prévu pour cela. **2.** *Le lit d'un cours d'eau* est le creux dans lequel il coule.
■ **literie** n.f. SENS 1 *Le sommier, le matelas, les oreillers, les draps, etc., constituent la literie.*
■ **s'aliter** v. SENS 1 *Jean s'est alité avec de la fièvre,* il s'est mis au lit.
R. *Lit* se prononce [li] comme *lie,* [je] *lie* (de *lier*), [je] *lis* (de *lire*).

litanie n.f. *Il a repris la litanie de ses réclamations,* la longue liste.

lithographie ou **litho** n.f. *J'ai acheté cette lithographie chez un antiquaire,* une reproduction d'un dessin.

litière n.f. **1.** *La litière des vaches* est la paille sur laquelle elles se couchent. **2.** *Il faut changer la litière du chat,* le sable dans lequel le chat fait ses besoins. **3.** Autrefois, une *litière* était une sorte de lit posé sur des brancards.

litige n.m. *Ce litige peut se régler facilement,* ce petit conflit (= différend).
■ **litigieux, euse** adj. *Quels sont les points litigieux ?,* qui font l'objet du litige (= contesté).

litre n.m. **1.** *Le litre* est l'unité de mesure des liquides. *Il y a 100 centilitres et 10 décilitres dans un litre ; il faut 10 litres pour faire un décalitre et 100 litres pour faire un hectolitre.* **2.** *Rebouche le litre de vin,* la bouteille contenant 1 litre.

littéraire → *littérature.*

littéral, e, aux adj. *Au sens littéral, « mille façons » signifie « dix fois cent*

façons »,au sens large, cela signifie « de nombreuses façons » (= propre, rigoureux, strict).
■ **littéralement** adv. *J'ai été littéralement stupéfaite,* absolument.

littérature n.f. *Ce roman est un des chefs-d'œuvre de la littérature,* de l'ensemble des livres écrits par des écrivains.
■ **littéraire** adj. *Une émission littéraire* concerne la littérature, les livres.

littoral n.m. *Le littoral* est le bord de mer (= côte). | 725

liturgie n.f. *La liturgie* est la façon dont se déroulent les cérémonies religieuses.
■ **liturgique** adj. *Une cérémonie liturgique* est conforme à la liturgie.

livide adj. *Tu as froid ? Tu es livide,* très pâle.

livraison → *livrer.*

1. livre n.m. *Papa a beaucoup de livres dans sa bibliothèque,* de volumes imprimés (= volume ; fam. bouquin). *J'ai oublié mon livre de français* (= manuel). | 221, 295
■ **livret** n.m. **1.** *Un livret* est un livre mince où l'on inscrit quelque chose (= carnet). **2.** *Le livret d'un opéra,* c'est le texte mis en musique, les paroles.

2. livre n.f. **1.** *La livre* est la monnaie anglaise. **2.** *La livre* est une ancienne unité de masse qui valait 16 onces.

livrée n.f. *Une livrée* est un costume spécial porté autrefois par certains domestiques, aujourd'hui par le personnel de certains hôtels.

livrer v. **1.** *Le coupable a été livré à la police,* remis. **2.** *Le meuble que vous avez commandé vous sera livré samedi,* apporté à domicile. **3.** *Livrer bataille,* c'est engager le combat. **4.** *Ils se sont livrés au pillage,* ils se sont mis à piller.

■ **livraison** n.f. SENS 2 *J'attends une livraison,* qu'on me livre ce que j'ai acheté. *C'est demain que je prends livraison de ma nouvelle voiture,* que je vais la recevoir.

■ **livreur, euse** n. SENS 2 *Ingrid, donne un pourboire au livreur!,* à celui qui livre.

livret → *livre* 1.

lob n.m. *Au tennis ou au football, faire un lob,* c'est faire passer la balle au-dessus du joueur adverse.

40, 33

lobe n.m. *Le lobe de l'oreille* est la partie arrondie du bas de l'oreille.

local, e, aux adj. 1. *Tu lis le journal local?,* celui de la région. 2. *Une anesthésie locale* s'applique à une partie du corps seulement (≠ général). 3. n.m. *Vous voulez visiter les nouveaux locaux?,* les bâtiments ou parties de bâtiments (= salle).

■ **localement** adv. SENS 1 ET 2 *Le temps sera localement pluvieux,* par endroits.

■ **localiser** v. SENS 2 *La douleur est localisée dans le dos,* limitée à cet endroit.

■ **localité** n.f. SENS 1 *Une localité* est une petite ville (= agglomération).

locataire, locatif, location → *louer.*

locomotion n.f. *La voiture, le train, l'avion sont des moyens de locomotion,* pour aller d'un lieu à un autre.

802, 582, 509

locomotive n.f. *La locomotive* est la machine qui tire les trains.

locution n.f. *« Sous »* est une préposition, *« au-dessus de »* est une *locution* prépositive, un groupe de mots qui a le sens d'un seul mot. *« Coup de foudre »* est aussi une *locution,* un groupe de mots (= expression).

loge n.f. 1. *La loge de la concierge est près de l'entrée de l'immeuble,* l'endroit où elle habite. 2. *La loge d'un artiste* est la pièce où il s'habille et se maquille. 3. *J'ai loué une loge au théâtre,*

440

un compartiment contenant plusieurs sièges.

loger v. 1. *Pour l'instant, je loge à l'hôtel,* j'y habite. 2. *Cet appartement est trop petit, nous sommes mal logés,* installés. 3. *La balle s'est logée dans le mur,* elle s'y est placée (= se mettre).

■ **logement** n.m. SENS 1 *Je cherche un logement,* un endroit où habiter (= appartement, habitation).

■ **logeur, euse** n. SENS 1 *Ma logeuse demande à être payée tout de suite,* la personne qui me loue un logement meublé.

■ **logis** n.m. SENS 1 *Chaque soir, je rentre au logis,* chez moi.

■ **déloger** v. *Nos troupes ont délogé l'ennemi,* elles l'ont chassé de ses positions.

loggia n.f. *Une loggia* est un balcon fermé sur les côtés.

logique 1. adj. *Ton explication est logique,* cohérente, raisonnable (≠ absurde). 2. n.f. *Essaye de faire preuve de logique,* de bon sens.

■ **logiquement** adv. *Logiquement, votre assurance devrait vous rembourser les dégâts* (= normalement).

■ **illogique** adj. *Ses arguments sont illogiques,* incohérents.

logis → *loger.*

loi n.f. 1. *Les citoyens doivent obéir à la loi,* à l'ensemble des règles concernant les droits et les devoirs des gens. 2. *Le Parlement a voté une nouvelle loi,* un nouveau règlement. 3. *La chute des objets obéit aux lois de la physique,* aux principes selon lesquels se produisent les phénomènes physiques.

■ **légal, e, aux** adj. SENS 1 *Ce qui est légal est conforme à la loi* (= réglementaire).

■ **légalement** adv. SENS 1 *Légalement, vous n'avez pas le droit d'agir ainsi,* selon la loi.

■ **légalité** n.f. SENS 1 *Il faut rester dans la légalité,* dans le cadre de la loi.

■ **légaliser** v. SENS 1 *Légaliser une situation,* c'est la rendre légale.

■ **illégal, e, aux** adj. SENS 1 *Ces mesures sont illégales,* contraires à la loi.

■ **illégalement** adv. SENS 1 *J'ai été arrêté illégalement,* de façon illégale.

■ **illégalité** n.f. SENS 1 *Ils vivent dans l'illégalité* (≠ légalité).

loin adv. 1. *Tu habites loin ?,* à une grande distance d'ici. *L'école est loin de chez moi* (≠ près de). 2. *On entend le tonnerre au loin,* dans un endroit éloigné. 3. *Loin de se plaindre, elle riait,* non seulement elle ne se plaignait pas, mais elle riait. *Il n'est pas malheureux, loin de là,* il s'en faut (= au contraire). 4. *Ça suffit, tu vas trop loin,* tu exagères.

■ **lointain, e** adj. et n.m. *Bombay est une ville lointaine,* à une grande distance de nous (= éloigné ; ≠ proche). *On aperçoit les montagnes dans le lointain,* au loin (= à l'horizon).

■ **éloigner** v. *Les enfants, ne vous éloignez pas trop,* n'allez pas trop loin (= s'écarter ; ≠ s'approcher).

■ **éloigné, e** adj. *J'habite un quartier éloigné du centre de la ville* (≠ proche).

■ **éloignement** n.m. *À l'étranger, Paul souffrait de l'éloignement,* d'être loin des siens.

loir n.m. *Le loir* est un petit animal d'Europe et d'Asie qui dort tout l'hiver.

loisir n.m. 1. (au plur.) *Je travaille beaucoup, j'ai peu de loisirs,* de moments libres pour me distraire. 2. *Le ski est un loisir comme un autre* (= distraction, passe-temps).

lombaire adj. *La région lombaire* est celle des reins.

lombago → lumbago.

long, longue adj. 1. *Ta robe est trop longue* (≠ court). 2. *La corde est longue de 2 mètres,* elle a 2 mètres de longueur

(≠ large ou haut). 3. *En été, les journées sont plus longues qu'en hiver,* elles durent plus longtemps (≠ bref).

■ **long** n.m. 1. SENS 2 *Le mur a 10 mètres de long,* de longueur (≠ large ou haut). 2. *Yves a glissé et il est tombé de tout son long,* tout son corps étendu par terre. 3. *J'ai parcouru le boulevard tout du long,* dans toute sa longueur. 4. *Tu marchais de long en large dans la pièce,* en tous sens. 5. *Elle m'a raconté l'histoire en long et en large,* avec tous les détails.

■ **le long de, au long de** prép. *On va se promener le long de la rivière ?,* en suivant le bord de la rivière. *Il a plu tout au long de la journée,* pendant toute la journée.

■ **à la longue** adv. SENS 3 *À la longue, tu t'habitueras,* avec le temps (= petit à petit).

■ **longuement** adv. SENS 3 *On a longuement parlé* (= longtemps ; ≠ brièvement).

■ **longueur** n.f. SENS 2 *Quelle est la dimension de la pièce en longueur ?,* dans son plus grand côté (= long ; ≠ largeur ou hauteur). SENS 3 *La réunion a été d'une longueur !,* elle a duré longtemps (≠ brièveté). *Marie chante à longueur de journée,* toute la journée.

■ **longer** v. *Si on longeait la côte en bateau ?,* si on allait le long de la côte ? *Le chemin longe la mer,* il suit le bord de la mer.

■ **allonger** v. 1. SENS 1 ET 2 *Cette robe est trop courte, il faudrait l'allonger,* la rendre plus longue (= rallonger ; ≠ raccourcir). SENS 3 *N'allongeons pas plus la discussion !,* ne la faisons pas durer plus longtemps (≠ abréger). *Les jours allongent,* ils deviennent plus longs. 2. *Allongez les bras devant vous,* tendez-les. *Allonge-toi sur le lit,* étends-toi.

■ **allongement** n.m. SENS 1, 2 ET 3 *Ce serait bien s'il y avait un allongement des vacances,* si elles étaient plus longues.

■ **rallonger** v. SENS 1 ET 2 *J'ai rallongé mon manteau* (= allonger ; ≠ raccourcir). SENS 3 *En été, les jours rallongent,* leur durée augmente (= allonger ; ≠ diminuer).

■ **rallonge** n.f. SENS 1 ET 2 *Nous sommes huit à table, mets la rallonge,* une planche qui rend la table plus longue. *Le fil de la lampe est trop court, il faut une rallonge pour aller jusqu'à la prise,* un fil électrique supplémentaire.

longe n.f. *On dresse un cheval avec une longe,* une grande courroie pour le conduire.

longer → *long.*

longévité n.f. *Il a cent ans, quelle longévité !,* quelle longue vie !

longitude n.f. *Le bateau est à 60 degrés de longitude Ouest,* à 60 degrés à l'ouest du méridien de Greenwich (≠ latitude).

longitudinal, e, aux adj. *Faire une coupe longitudinale d'une tige,* c'est la couper dans le sens de la longueur (≠ transversal).

longtemps adv. *Il y a longtemps que je n'ai pas vu Chantal,* un long espace de temps.

longue, longuement, longueur → *long.*

764 | **longue-vue** n.f. *Une longue-vue est une lunette pour voir très loin.*
R. Noter le pluriel : *des longues-vues.*

766 | **looping** n.m. *L'avion a fait un looping,* une acrobatie qui consiste à faire une boucle dans le plan vertical.
R. On prononce [lupiŋ].

lopin n.m. *M. Durand cultive un lopin de terre,* un petit morceau de terrain.

loquace adj. *Tu n'es pas très loquace aujourd'hui,* tu ne parles pas beaucoup (= bavard).
R. On prononce [lɔkas].

loque n.f. *Tu t'es battu ? Ta veste est en loques,* en lambeaux (= guenille).

■ **loqueteux, euse** adj. *Des vêtements loqueteux* sont en loques.

loquet n.m. *Pour ouvrir la porte, il suffit de lever le loquet,* la petite barre qui sert de fermeture.

lorgner v. *Ce sont les chocolats que tu lorgnes ?,* que tu regardes avec envie (= convoiter).

lorgnette n.f. *Voir par le petit bout de la lorgnette,* c'est accorder trop d'importance à des détails secondaires.

lorgnon n.m. *Sur cette photo, la vieille dame porte un lorgnon,* des lunettes qui tiennent sur le nez par un ressort.

lors adv. et prép. 1. *Je l'ai vue l'année dernière, mais depuis lors, pas de nouvelles,* depuis ce moment. 2. *Ça se passait lors de notre voyage en Italie,* au moment de. 3. *Elle était absente ce jour-là ; dès lors, on ne peut pas l'accuser,* dans ces conditions, par conséquent.

lorsque conj. *Lorsque tu seras à Moncton, téléphone-moi,* quand tu y seras.

losange n.m. *Un losange est une figure géométrique à quatre côtés égaux, mais dont les angles ne sont pas droits.*

lot n.m. 1. *Ce terrain a été vendu en plusieurs lots,* en parts séparées. 2. *J'espère qu'on va gagner le gros lot à la loterie,* l'argent ou les choses auxquels on a droit quand on a le billet gagnant. 3. *À vendre, tout un lot de casseroles,* plusieurs casseroles (= ensemble).

■ **loterie** n.f. ou **loto** n.m. SENS 2 *J'ai acheté un billet de loterie,* d'un jeu où l'on tire au sort les numéros des billets gagnants.

■ **lotir** v. 1. SENS 1 *Lotir un terrain,* c'est le diviser en lots. 2. *Être mal loti,* c'est ne pas avoir de chance.

■**lotissement** n.m. SENS 1 Un *lotissement* est un grand terrain divisé en lots sur lesquels on construit des maisons individuelles.

lotion n.f. *Frictionnez-vous avec cette lotion,* une eau de toilette pour les soins de la peau, des cheveux.

lotir, lotissement → *lot.*

1. loto n.m. *Veux-tu faire une partie de loto ?,* un jeu où l'on tire des pions numérotés et où on doit les poser sur les cases correspondantes d'un carton.

2. loto → *loterie.*

lotte n.f. *On a mangé de la lotte,* un gros poisson de mer.

lotus n.m. Le *lotus* est une sorte de nénuphar.
R. On prononce [lɔtys].

louable → *louer* 2.

louage → *louer* 1.

louange → *louer* 2.

1. louche adj. *Il ne veut pas dire où il va, c'est louche,* il faut se méfier (= suspect, bizarre ; ≠ clair).

2. louche n.f. *On sert le potage avec une louche,* une grande cuillère.

loucher v. *Jacques louche,* ses deux yeux ne regardent pas dans la même direction.

1. louer v. 1. *Chaque été, on loue une villa un mois au bord de la mer,* on y habite un mois, en payant une somme au propriétaire. *Ma propriétaire me loue le studio 300 dollars par mois,* elle me permet d'y habiter moyennant cette somme. 2. *J'ai loué trois places de théâtre,* je les ai payées à l'avance (= retenir, réserver).
■**louage** n.m. SENS 1 *Une voiture de louage* est louée pour un certain temps (= location).

■**loueur, euse** n. SENS 1 *Le loueur de voitures* a pour métier de louer des voitures aux autres.

■**locataire** n. SENS 1 La *locataire* est la personne qui loue un appartement, une maison, en payant un loyer (≠ propriétaire).

■**locatif, ive** adj. SENS 1 La *valeur locative* d'une maison, c'est le prix qu'on peut la louer.

■**location** n.f. SENS 1 *Quel est le prix de location de cette villa ?,* le prix auquel on la loue. *Une voiture de location* est une voiture que l'on loue. SENS 2 *La location d'une place de théâtre,* c'est sa réservation.

■**loyer** n.m. SENS 1 *Je paie 300 dollars de loyer par mois à ma propriétaire,* je lui verse cette somme pour louer.

■**sous-louer** v. SENS 1 *Il sous-loue une chambre de son appartement,* il la laisse en location à quelqu'un (un *sous-locataire*) alors qu'il est lui-même locataire.

2. louer v. *Il faut la louer de cette initiative,* la féliciter (≠ blâmer). *Je n'ai qu'à me louer de cet élève,* j'en suis très satisfaite (= se féliciter).
■**louable** adj. *Son attitude est tout à fait louable,* elle mérite d'être louée (≠ blâmable).

■**louange** n.f. *Quelles louanges j'ai entendues à ton sujet !* (= compliment, éloge).

louis n.m. *Un louis d'or* est une pièce d'or.

loup n.m. 1. Le *loup* est un animal sauvage qui ressemble au chien. 2. *Au menu, il y a du loup au fenouil,* un poisson qu'on appelle aussi *bar. Un loup marin* est une sorte de phoque. 3. *Au bal masqué, elle portait un loup,* un masque noir qui couvre les yeux. 4. *Un vieux loup de mer* est un marin qui a beaucoup navigué.
■**louve** n.f. SENS 1 La *louve* est la femelle du loup.
■**louveteau** n.m. 1. SENS 1 Les *louveteaux* sont les petits du loup. 2. Un

582
579

louveteau est un jeune scout de moins de douze ans.

■ **loup-garou** n.m. SENS 1 Les *loups-garous* étaient des sorciers qui, croyait-on, se changeaient en loups la nuit.

loupe n.f. Une *loupe* est un morceau de verre bombé qui fait paraître les objets plus gros.

louper v. Fam. *Zut ! J'ai loupé mon autobus !*, je l'ai manqué (= rater).

loup-garou → *loup*.

lourd, e adj. 1. *Laisse-moi porter cette valise, elle est trop lourde pour toi,* d'un grand poids (= pesant ; ≠ léger). *Les impôts sont lourds,* difficiles à supporter. 2. *Cet oiseau a un vol lourd,* lent et sans souplesse. 3. *Ta plaisanterie est plutôt lourde !*, elle manque de finesse (= gros ; ≠ fin). *C'est une lourde erreur,* une erreur grossière. 4. *Tu n'as rien entendu ? Eh bien, tu as le sommeil lourd !* (= profond ; ≠ léger). 5. *Ce repas est lourd,* difficile à digérer (= indigeste). 6. *Il fait un temps lourd,* chaud et orageux.
■ **lourd** adv. SENS 1 *Ça pèse lourd,* ça a un grand poids.
■ **lourdaud, e** adj. et n. SENS 2 ET 3 *Une personne lourdaude* est gauche, maladroite dans ses mouvements, ou lente à comprendre.
■ **lourdement** adv. SENS 2 *Tu marchais trop lourdement* (= pesamment). SENS 3 *Tu te trompes lourdement* (= grossièrement).
■ **lourdeur** n.f. SENS 3 *Elle est d'une lourdeur, cette plaisanterie !* (≠ finesse). SENS 5 (au plur.) *Avoir des lourdeurs d'estomac,* c'est avoir du mal à digérer.
■ **alourdir** v. SENS 1 *Je sens mes paupières s'alourdir, tellement j'ai sommeil,* devenir lourdes.
■ **alourdissement** n.m. SENS 1 *On annonçait un alourdissement des impôts* (= accroissement).

loustic n.m. Fam. *C'est un drôle de loustic,* un garçon malin, qui aime plaisanter.

loutre n.f. La *loutre* est un petit animal qui se nourrit de poissons et que l'on chasse pour sa fourrure.

louve, louveteau → *loup*.

louvoyer v. *Faire louvoyer un voilier,* c'est le faire avancer contre le vent, en faisant des zigzags.

se lover v. *Le serpent se love,* il s'enroule sur lui-même.

loyal, e, aux adj. *Nos adversaires se sont montrés très loyaux, ils ont reconnu leur faute* (= honnête ; ≠ déloyal).
■ **loyalement** adv. *Ce boxeur ne se bat pas loyalement,* d'une façon honnête.
■ **loyalisme** n.m. *Elle a toujours été d'un loyalisme irréprochable à l'égard de son parti* (= fidélité).
■ **loyauté** n.f. *Tu as agi avec loyauté* (= honnêteté, droiture).
■ **déloyal, e, aux** adj. *Tricher au jeu est une attitude déloyale,* malhonnête.
■ **déloyauté** n.f. *On lui a reproché sa déloyauté* (= fourberie).

loyer → *louer* 1.

L. S. D. n.m. Le *L. S. D.* est une drogue très dangereuse.

lubie n.f. *Brenda a une nouvelle lubie : elle veut s'acheter une voiture de course,* une envie un peu folle (= fantaisie, toquade).

lubrifier v. *Lubrifier une pièce de machine,* c'est y mettre de l'huile ou de la graisse.
■ **lubrifiant** n.m. *Un lubrifiant* est un produit pour graisser les machines.

lucarne n.f. Une *lucarne* est un panneau vitré dans un toit.

lucide adj. *Marc a bu trop d'alcool, il n'est plus très lucide,* conscient.

■**lucidement** adv. *Il faut examiner **luci-dement** la situation,* en cherchant à y voir clair.

■**lucidité** n.f. *Marie a toute sa **lucidité**,* elle est capable de comprendre et de raisonner (≠ inconscience).

luciole n.f. *La **luciole** est un insecte qui brille dans la nuit.*

lucratif, ive adj. *Une affaire **lucrative*** rapporte de l'argent.

lueur n.f. **1.** *On aperçoit des **lueurs** au loin,* des lumières faibles. **2.** *Il reste une **lueur** d'espoir de la sauver,* un faible espoir.

luge n.f. *Lise fait de la **luge**,* elle glisse sur la neige avec un petit traîneau.

lugubre adj. *Il fait sombre ici, c'est **lugubre*** (= sinistre ; ≠ gai).

lui pron.pers. *Dans « jai vu Judy, je lui ai dit bonjour »,* ***lui*** *désigne Judy,* la personne dont je parle. *Il fabrique **lui-même** ses meubles.*

R. *Lui* se prononce [lɥi] comme [*le soleil*] *luit* (de *luire*).

luire v. *Le soleil **luit**,* il brille.

■**luisant, e** adj. *Tu as la peau **luisante**,* brillante. *Un **ver luisant** est un insecte qui brille la nuit.*

■**reluire** v. *Jean fait **reluire** ses chaussures* (= briller).

R. → Conj. n° 69. → *lui.*

lumbago ou **lombago** n.m. *Papa marche courbé, il a un **lumbago**,* il a mal aux reins.

R. On prononce [lɔ̃bago].

lumière n.f. **1.** *Il y a beaucoup de **lumière** dans cette pièce,* elle est très éclairée (= clarté). **2.** *En partant, éteins les **lumières**,* les lampes allumées (= électricité, éclairage). **3.** *Nous ferons toute la **lumière** sur cette affaire mystérieuse,* nous l'éclaircirons. **4.** Fam. *Cette fille n'est pas une **lumière**,* elle n'est pas très intelligente.

■**lumignon** n.m. SENS 2 *Ce bout de chandelle n'est qu'un **lumignon**,* une lumière qui éclaire mal.

■**luminaire** n.m. SENS 2 *Dans un magasin de **luminaires**,* on vend des appareils d'éclairage.

■**lumineux, euse** adj. SENS 1 *Ma montre a un cadran **lumineux**,* qui brille dans l'obscurité. SENS 3 *Ton explication est **lumineuse**,* très claire (= ingénieux).

■**lumineusement** adv. SENS 3 *Cette affaire a été **lumineusement** expliquée.*

294, 217

lunaire → *lune.*

lunatique → *luné.*

lunch n.m. *Viens-tu me rejoindre pour le **lunch** ?,* le repas de midi.

R. On prononce [lœnʃ] ou [lœ̃ʃ]. Noter le pluriel : des *lunches* ou des *lunchs.*

lundi n.m. *La boucherie est fermée le **lundi**,* le lendemain du dimanche.

125

lune n.f. **1.** *C'est le 21 juillet 1969 que les premiers hommes ont marché sur la **Lune**,* la planète qui tourne autour de la Terre. **2.** *Le **clair de lune** est la lumière que cet astre envoie,* la nuit, sur la Terre. **3.** *Être dans la **lune**,* c'est être distrait, rêveur. **4.** *Demander, promettre la **lune**,* c'est demander, promettre des choses impossibles.

■**lunaire** adj. SENS 1 *Le sol **lunaire** est celui de la Lune.*

■**alunir** v. SENS 1 *L'engin spatial **a aluni**,* il s'est posé sur la Lune.

■**alunissage** n.m. SENS 1 *L'**alunissage** de l'engin spatial s'est bien effectué.*

luné, e adj. Fam. *Anne est **mal (bien) lunée** aujourd'hui,* de mauvaise (de bonne) humeur.

■**lunatique** adj. *Ce matin tu étais de bonne humeur et cet après-midi tu boudes : comme tu es **lunatique** !,* d'humeur changeante (= fantasque).

lunette n.f. **1.** (au plur.) *Anne porte des **lunettes**,* des verres pour mieux voir ou pour se protéger les yeux. **2.** *Une **lunette***

290, 649

d'approche est un tube avec des lentilles pour voir au loin (= longue-vue). **3.** *La lunette **arrière** d'une voiture* est sa vitre arrière.

lupin n.m. Le *lupin* est une plante à fleurs en épi.

lurette n.f. Fam. *Il y a **belle lurette** que je ne l'ai pas vue,* il y a longtemps.

luron, onne n. *C'est une bande de joyeux **lurons**,* de personnes gaies et insouciantes.

1. lustre n.m. *Dans le salon, il y a un **lustre** en cristal,* un appareil d'éclairage à plusieurs lampes, suspendu au plafond.

2. lustre n.m. *La présence de la présidente a donné du **lustre** à la cérémonie* (= éclat, solennité).

lustré, e adj. *Ton costume est **lustré**,* il a un aspect brillant, dû à l'usure.

luth n.m. Le *luth* est un instrument de musique ancien à cordes.
■ **luthier, ère** n. Le *luthier* fabrique des luths, des violons, des guitares.

lutin n.m. *Dans les contes de fées, les **lutins** sont des petits bonshommes surnaturels.*

lutrin n.m. *Le livre de chants religieux est posé sur le **lutrin**,* un pupitre.

lutte n.f. **1.** La *lutte* est un sport de combat où chacun des deux adversaires cherche à mettre l'autre à terre. **2.** *La **lutte** contre le cancer,* c'est la recherche des moyens de le vaincre.
■ **lutter** v. SENS 1 ET 2 *La petite chèvre a **lutté** toute la nuit contre le méchant loup,* elle s'est battue. *Ils **luttent** contre la faim dans le monde* (= combattre).
■ **lutteur, euse** n. SENS 1 Un *lutteur* est un sportif qui pratique la lutte.

luxe n.m. **1.** *Il y a un grand **luxe** dans cet appartement,* des choses chères qui ne sont pas indispensables. **2.** *Le caviar*

*est un produit **de luxe**,* très cher. **3.** *Son récit contient **un luxe de** détails,* une grande abondance.
■ **luxueux, euse** adj. SENS 1 *Dans une maison **luxueuse**,* il y a du luxe (= somptueux). SENS 2 *Un produit **luxueux*** est très coûteux.
■ **luxueusement** adv. SENS 1 *Son appartement est **luxueusement** décoré.*
■ **luxuriant, e** adj. SENS 3 *Une végétation **luxuriante** pousse abondamment* (= surabondant).

luxer v. *En tombant, je **me suis luxé** une épaule,* je me suis démis un os.
■ **luxation** n.f. *Depuis sa **luxation** du genou, elle porte un bandage.*

luzerne n.f. La *luzerne* est une herbe qui sert à nourrir les lapins, les vaches.

lycée n.m. En France, le *lycée* est un établissement d'enseignement secondaire.
■ **lycéen, enne** n. *Sarah est encore **lycéenne**,* élève d'un lycée.

lymphe n.f. La *lymphe* est un liquide incolore du corps.

lymphatique adj. *Une personne **lymphatique** est peu énergique* (= mou, nonchalant).

lyncher v. *L'assassin a failli se faire **lyncher** par la foule,* tuer.
R. On prononce [lɛ̃ʃe].

lynx n.m. **1.** Le *lynx* est une sorte de grand chat sauvage. **2.** *Solène a des **yeux de lynx**,* elle a une très bonne vue.

lyre n.f. La *lyre* est un instrument de musique ancien.

lyrique adj. **1.** *Un style **lyrique*** est plein de poésie, d'émotion, de passion. **2.** *Une artiste **lyrique*** est une chanteuse d'opéra.
■ **lyrisme** n.m. SENS 1 *Jean m'a décrit son voyage avec **lyrisme**,* de manière lyrique (= enthousiasme).

lys → *lis.*

m

m' → *me.*

ma → *mon.*

macabre adj. *On m'a raconté une histoire* **macabre,** une histoire qui parle de la mort (= sinistre).

macadam n.m. *Les pas résonnent sur le* **macadam** *du trottoir,* le revêtement du trottoir, constitué de pierres et de sable tassés par un rouleau compresseur (= bitume, asphalte).
R. On prononce [makadam].

macaque n.m. *Le* **macaque** est une sorte de singe.

macaron n.m. **1.** *À la pâtisserie, on a acheté des* **macarons,** des petits gâteaux ronds. **2.** *Tante Adèle a des* **macarons** *sur les oreilles,* des nattes de cheveux roulés sur les oreilles. **3.** *Tous les bénévoles portent un* **macaron,** un insigne qui permet de les identifier.

macaroni n.m. *Nous avons mangé des* **macaronis** *à la sauce tomate,* des pâtes allongées et creuses.

macédoine n.f. *La* **macédoine** est un mélange de légumes (ou de fruits) coupés en petits morceaux.

macérer v. *On fait* **macérer** *des fruits dans de l'alcool,* on les laisse tremper pour qu'ils s'en imprègnent.

mach n.m. *Cet avion vole à* **mach** *2,* à deux fois la vitesse du son.
R. On prononce [mak].

mâche n.f. *La* **mâche** est une salade à petites feuilles vert foncé.

mâchefer n.m. *Le* **mâchefer** *est un résidu de charbon qu'on répand sur les routes et les voies ferrées.

mâcher v. **1.** *Mâche bien ta viande avant de l'avaler !,* écrase-la avec tes dents (= mastiquer). **2.** Fam. *Carole ne* **mâche** *pas* **ses mots,** elle dit franchement ce qu'elle pense.
■ **mâchoire** n.f. SENS 1 *Les dents sont plantées dans la* **mâchoire.**
■ **mâchonner** v. SENS 1 *Je* **mâchonne** *le bout de mon crayon,* je le mords machinalement.

machette n.f. *Une* **machette** *est une sorte de très grand couteau,* utilisé surtout dans les régions tropicales.

machiavélique adj. *Attention ! C'est une personne* **machiavélique,** rusée et perfide.
■ **machiavélisme** n.m. *Il s'est conduit avec* **machiavélisme** (≠ franchise).
R. On prononce [makjavelik, makjavelism].

mâchicoulis n.m. *Au Moyen Âge, les* **mâchicoulis** *étaient des ouvertures dans la partie supérieure d'une tour d'un château fort.

machin n.m. Fam. *Où as-tu trouvé ce* **machin ?,** cet objet dont je ne sais pas le nom (= truc).

machinal, machinalement → *machine.*

machination n.f. *J'ai pu déjouer ses* **machinations,** ce qu'elle préparait en secret contre moi (= manœuvre, intrigue).

293

79,
296

machine n.f. Une *machine* est un appareil qui exécute un travail à la place de l'homme. *Une machine à laver lave, une machine à coudre coud automatiquement.*

■ **machinal, e, aux** adj. *Marie a fait un geste machinal,* sans s'en rendre compte, un peu comme une machine (= mécanique ; ≠ volontaire).

■ **machinalement** adv. *Tu as freiné machinalement.*

■ **machinerie** n.f. Une *machinerie* est un ensemble de machines.

■ **machinisme** n.m. *Le machinisme s'est développé depuis un siècle,* l'emploi généralisé des machines, l'emploi des machines dans l'industrie.

■ **machiniste** n. 1. Un *machiniste* fait fonctionner une machine. 2. *Le machiniste* met en place et démonte les décors de théâtre, de cinéma, l'ouvrier chargé de cette fonction.

440

mâchoire, mâchonner → *mâcher.*

151

maçon, onne n. *Les maçons ont commencé la construction de la maison,* des ouvriers dont le métier est de construire.

■ **maçonnerie** n.f. *Un mur de maçonnerie est fait de pierres (ou de briques) assemblées avec du ciment.*

maculer v. *Ton pantalon est maculé de cambouis,* il est taché, sali.

■ **immaculé, e** adj. *Tu portes une chemise immaculée,* sans une tache.

madame → *dame.*

madeleine n.f. Une *madeleine* est un petit gâteau léger.

mademoiselle → *demoiselle.*

madone n.f. *Marie a un visage de madone,* qui ressemble à celui des Vierges des tableaux.

madras n.m. *Aux Antilles, les femmes portent des jupes et des foulards en madras,* un tissu aux couleurs vives.
R. On prononce [madras].

madré, e adj. *Un vieux bonhomme madré* est rusé et peu scrupuleux.

madrier n.m. *Le mur est renforcé par des madriers,* des planches épaisses.

madrigal n.m. Un *madrigal* est un petit poème tendre.

maestria n.f. *Aliocha joue du violon avec maestria,* très bien (= brio, virtuosité).
R. On prononce [maestrija].

mafia ou **maffia** n.f. *La police a arrêté un des chefs de la mafia,* d'une association de bandits.

maganer v. Fam. *Ne magane pas mes photos,* ne les abîme pas. *Tes bottes vont se maganer si tu ne les cires pas* (= s'abîmer).

■ **magané, e** adj. *Il faut repeindre le mur, il est très magané,* détérioré. *Tu as l'air magané ce matin,* fatigué.

magasin n.m. 1. *Nous sommes allés dans les magasins faire des courses* (= boutique). *Viens-tu avec moi dans les grands magasins ?,* ceux qui réunissent de nombreux rayons différents. 2. *Le magasin d'un théâtre* est l'endroit où l'on range les décors, les costumes, etc.

■ **magasinage** n.m. SENS 1 *Paul aime faire du magasinage,* les courses dans les magasins.

■ **magasiner** v. SENS 1 *Viens-tu magasiner ?,* faire du magasinage.

■ **magasineur, euse** n. SENS 1 *Il y a trop de magasineurs aujourd'hui,* de personnes qui magasinent.

■ **magasinier, ère** n. SENS 2 *Le magasinier* est chargé de s'occuper des objets emmagasinés dans une entreprise.

■ **emmagasiner** v. SENS 2 *On a emmagasiné la récolte de blé,* on l'a mise en dépôt dans une réserve.

magazine n.m. 1. *J'ai acheté un magazine illustré* (= revue). 2. *Le magazine sportif de la télé est à 20 heures* (= émission).

magie n.f. *D'un coup de baguette, la fée a transformé la sorcière en citrouille, c'est de la magie !,* l'art de faire des choses qui semblent surnaturelles au moyen d'actes et de mots mystérieux.

■ **mage** n.m. 1. *Les mages de l'Antiquité étaient à la fois des prêtres et des magiciens.* 2. *Les **Rois mages** s'appelaient Melchior, Gaspard et Balthazar, les personnages qui vinrent, guidés par une étoile, adorer Jésus à Bethléem.*

■ **magicien, enne** n. *Les sorciers, les prestidigitateurs sont des **magiciens**.*

■ **magique** adj. *Elle a prononcé une formule **magique**, qui est destinée à avoir un effet mystérieux.*

magistral, e, aux adj. *Tu as réussi un coup **magistral**, un coup de maître (= magnifique).*

■ **magistralement** adv. *Tu as **magistralement** réussi ton coup.*

magistrat, e n. 1. *Le père de Lise est **magistrat** (= juge).* 2. *Les préfets, les maires sont des **magistrats**, ils possèdent une autorité publique.*

■ **magistrature** n.f. SENS 1 *Le père de Jean est dans la **magistrature**.* SENS 2 *Au Canada, la plus haute **magistrature** est le juge en chef de la Cour suprême.*

magma n.m. *Cet exposé n'est qu'un **magma** confus d'idées,* un mélange.

magnanime adj. *Les vainqueurs se sont montrés **magnanimes**,* généreux envers les vaincus.

■ **magnanimité** n.f. *Elle a pardonné avec **magnanimité** (= générosité).*

magnésium n.m. *Le **magnésium** est un corps qui brûle avec une flamme éblouissante.*

magnétique adj. 1. *On a acheté des bandes **magnétiques**,* des rubans servant à enregistrer les sons avec un magnétophone ou les sons et les images avec un magnétoscope. 2. *L'aimant a des propriétés **magnétiques**,* il attire le fer. 3. *Tu as un regard **magnétique**,* très attirant et mystérieux.

■ **magnétiser** v. SENS 2 *Magnétiser un objet,* c'est le rendre magnétique. SENS 3 *Magnétiser quelqu'un,* c'est exercer sur lui une attirance très grande (= hypnotiser).

■ **magnétisme** n.m. SENS 2 *Le magnétisme est l'ensemble des propriétés des aimants.* SENS 3 *Elle exerce sur son entourage un véritable **magnétisme** (= fascination).*

■ **magnéto** n.f. SENS 2 *Une **magnéto** est un appareil contenant un aimant et produisant du courant électrique.*

■ **magnétophone** n.m. SENS 1 *On a écouté une cassette sur le **magnétophone**, un appareil qui enregistre et reproduit les sons.*

76, 806

■ **magnétoscope** n.m. SENS 1 *On s'est passé un film au **magnétoscope**, un appareil qui enregistre et reproduit les sons et les images sur un écran de télévision.*

806

magnifique adj. *Ce paysage est **magnifique**,* très beau (= splendide, superbe ; ≠ affreux).

■ **magnifiquement** adv. *Elle a **magnifiquement** réussi,* très bien.

■ **magnificence** n.f. *On a admiré la **magnificence** du spectacle* (= splendeur).

magnolia n.m. *Le **magnolia** est un arbre à grandes fleurs parfumées.*

magnum n.m. *Un **magnum** de champagne est une grande bouteille équivalant à deux bouteilles normales.* **R.** On prononce [magnɔm].

magot n.m. Fam. *L'avare avait caché son **magot** dans la cave,* l'argent qu'il avait accumulé (= trésor).

magouille n.f. ou **magouillage** n.m. Fam. *On l'a accusée de **magouilles** électorales,* de combines louches.

■ **magouiller** v. Fam. *C'est une personne honnête, qui a toujours refusé de **magouiller**,* de faire des manœuvres malhonnêtes.

maharadjah n.m. *Maharadjah était le titre des rois, des grands princes de l'Inde.*

mahométan, e n. est un équivalent ancien de *musulman.*

125 | **mai** n.m. *Le mois de **mai** est le cinquième mois de l'année.* **R.** *Mai* se prononce [mɛ] comme *mais, mes,* un *mets* et *[je] mets, [il] met* (de *mettre*).

maigre adj. **1.** *Seydou ne mange pas assez, il est très **maigre** (≠ gros, gras).* **2.** *L'enquête n'a donné que de **maigres** résultats,* des résultats peu importants (= médiocre).
■ **maigrement** adv. SENS 2 *C'est un travail **maigrement** payé* (= peu).
■ **maigreur** n.f. SENS 1 *Seydou est d'une extrême **maigreur**.*
■ **maigrichon, onne** adj. SENS 1 *Marie est **maigrichonne**,* un peu trop maigre.
■ **maigrir** v. SENS 1 *Depuis un an tu **as** beaucoup **maigri**,* tu es devenu maigre. *Cette robe te **maigrit**,* elle te fait paraître maigre.
■ **amaigrir** v. SENS 1 *La maladie l'a **amaigri**,* elle l'a rendu maigre.
■ **amaigrissant, e** adj. SENS 1 *Maman se trouve trop grosse, elle suit un régime **amaigrissant**,* un régime pour maigrir.
■ **amaigrissement** n.m. SENS 1 *Son **amaigrissement** est inquiétant.*

296 | **1. maille** n.f. **1.** *Marie compte les **mailles** de son tricot,* les boucles de laine qui le forment. **2.** *Ce filet de pêche a de larges **mailles**,* des trous formés par les mailles (au sens 1).
■ **maillon** n.m. SENS 1 *Un **maillon** de la chaîne est cassé,* une des boucles qui la constituent.
■ **se démailler** v. SENS 1 *Mon collant s'est **démaillé**,* des mailles ont sauté.
■ **indémaillable** adj. SENS 1 *Cette robe est en tissu **indémaillable**,* les mailles ne peuvent pas se défaire.

2. maille n.f. *Lori a eu **maille à partir** avec Paul,* elle s'est disputée avec lui.

291, 436 | **maillet** n.m. *Un **maillet** est un marteau en bois.*

mailloche n.f. **1.** *Une **mailloche** est un gros maillet en bois ou en fer.* **2.** *Elle manie bien la **mailloche** sur son xylo-*

phone, une baguette terminée par une boule de matière molle.

maillon → *maille.*

maillot n.m. **1.** *Les danseuses portent un **maillot**,* un vêtement collant qui leur couvre tout le corps. **2.** *Pierre a mis un **maillot** de corps,* un vêtement qui couvre le buste. **3.** *Si tu vas à la piscine, n'oublie pas ton **maillot**,* ton vêtement de bain. **4.** *Autrefois, on enveloppait les bébés dans un **maillot**,* un tissu qui entourait les jambes et le buste.
■ **emmailloter** v. **1.** SENS 4 *Emmailloter un bébé,* c'était l'envelopper d'un maillot. **2.** *Tu as un doigt **emmailloté** d'un pansement* (= bander).

main n.f. **1.** *Pierre écrit de la **main** droite et Marie de la **main** gauche.* **2.** *On a la haute **main** sur ce projet,* on le dirige. **3.** *Les voleurs **ont fait main basse sur** le magot,* ils s'en sont emparés. **4.** *Il a préparé cela **de longue main**,* depuis longtemps. **5.** *On m'a **forcé la main**,* on m'a forcée à accepter. **6.** *Paul et Jean **en sont venus aux mains**,* ils se sont battus. **7.** *Cette maison **a changé de mains**,* de propriétaire. **8.** *Elle **a pris** ce travail **en main**,* elle s'en est chargée. **9.** *Avez-vous eu ces renseignements **de première main** ou **de seconde main** ?,* directement ou par un intermédiaire. **10.** *J'ai mis la dernière **main** à mon travail,* j'ai soigné tous les détails (= parachever). **11.** *Je suis fatigué, il est temps que je **passe la main**,* que je confie mon travail à quelqu'un d'autre. **12.** *Je n'ai pas **sous la main** tous les documents que vous demandez,* je n'en dispose pas immédiatement. **13.** *On a gagné **haut la main**,* sans difficulté. **14.** *Je n'arrive pas à **mettre la main sur** ce dossier,* le retrouver. **15.** *J'ai mis **la main à la pâte**,* j'ai aidé. **16.** *Donne-moi un **coup de main**,* aide-moi. **17.** *Remettez l'argent **en mains propres** au destinataire,* à la personne elle-même. **18.** *Paul **en mettrait sa main au feu**,* il le jurerait.
R. → *manuel.*

main-d'œuvre n.f. **1.** *Cette usine emploie de la main-d'œuvre étrangère,* des ouvriers. **2.** *Dans ce garage, le prix de la main-d'œuvre est très élevé,* le prix du travail.

main-forte n.f. *Tu nous as prêté main-forte,* tu nous as aidés.

maint, e adj. se dit parfois pour *beaucoup de* : *J'ai remarqué cela en maintes occasions.*

maintenance n.f. *Ce technicien s'occupe de la maintenance du système,* de son entretien et des réparations.

maintenant adv. *Maintenant je m'en vais,* en ce moment (= à présent).

maintenir v. **1.** *Ces poutres maintiennent la toiture,* elles l'empêchent de tomber (= soutenir). **2.** *Les agents maintenaient la foule,* ils l'empêchaient d'avancer (= retenir). **3.** *Il faut maintenir la paix,* la faire continuer. **4.** *Je maintiens que j'ai raison,* je le dis encore une fois (= soutenir).
■ **maintien** n.m. **1.** SENS 3 *La police veille au maintien de l'ordre.* **2.** *Le maintien d'une personne,* c'est son attitude, sa tenue.
R. → Conj. n° 22.

maire, mairesse n. *M. Durand est le maire d'une petite ville,* il a été élu pour l'administrer.
■ **mairie** n.f. *La mairie est située près de l'église,* la maison où se trouve l'administration municipale.
R. *Maire* se prononce [mɛr] comme *mer* et *mère.* La forme *une maire* est acceptable.

mais conj. **1.** Marque une opposition à ce qui précède : *C'est difficile, mais nous devons réussir.* **2.** Renforce une réponse : *Tu manges encore ? Mais oui !*
R. → *mai.*

maïs n.m. *J'ai mangé du maïs grillé,* une plante qui donne des épis de gros grains jaunes. *Au Canada, le maïs est appelé blé d'Inde. Au cinéma, j'achète du maïs éclaté.*

maison n.f. **1.** *Les Durand habitent dans une belle maison.* **2.** *Viens à la maison,* chez moi. **3.** *Luce est une amie de la maison* (= famille). **4.** *Un casino est une maison de jeu, une prison est une maison d'arrêt, une entreprise commerciale est une maison de commerce.*
■ **maisonnée** n.f. SENS 3 *Toute la maisonnée est réunie pour le repas* (= famille).
■ **maisonnette** n.f. SENS 1 *Il y a une maisonnette au fond du jardin,* une petite maison.

maître n.m., **maîtresse** n.f. **1.** *M. Durand est habitué à parler en maître* (= chef). *Comment s'appelle la maîtresse de maison ?,* celle qui dirige la famille. **2.** *Ce chien a perdu son maître,* celui auquel il appartient. **3.** *La maîtresse a posé avec nous pour la photo de classe. Pierre aime bien son maître d'école* (= instituteur). **4.** *Je suis resté maître de moi,* j'ai gardé mon sang-froid, je me suis dominé. **5.** *Je ne suis pas maître de refuser,* je n'en ai pas le pouvoir (= libre). **6.** *Les attaquants se sont rendus maîtres de la ville,* ils s'en sont emparés. **7.** (au masc. seulement) *Pour ce qui est de dessiner, c'est un maître,* il le fait très bien. *Un coup de maître* est un coup très bien réussi. **8.** *J'ai écrit à maître Dubois* (Mᵉ Dubois est un notaire ou un avocat). **9.** *À la piscine, nous prenons des leçons avec le maître nageur,* le professeur de natation. **10.** (au fém. seulement) *Jeanne est la maîtresse de M. Durand,* elle vit avec lui comme si elle était sa femme, bien qu'il ne soit pas marié avec elle.
■ **maîtrise** n.f. SENS 4 *Anne a conservé sa maîtrise devant le danger,* elle était maître d'elle-même (= sang-froid). SENS 7 *Ce travail est exécuté avec maîtrise* (= habileté).
■ **maîtriser** v. SENS 4 *Saïd était en colère et il n'a pas réussi à se maîtriser,* à garder son calme (= se contrôler, se dominer). SENS 6 *Les pompiers ont maîtrisé le feu,*

219, 145, 75

218

ils s'en sont rendus maîtres (= arrêter, éteindre).

R. *Maître* se prononce [mɛtr] comme *mètre* et *mettre*. → *magistral*.

majesté n.f. **1.** *Le visage de cette vieille dame est plein de* **majesté**, de noblesse et de dignité. **2.** *On appelle les rois et les reines « Votre* **Majesté** ».

■ **majestueux, euse** adj. SENS 1 *Elle marchait d'un pas* **majestueux**, d'un pas lent et digne, avec solennité.

majeur, e adj. **1.** *Leur souci* **majeur** *est de trouver un logement*, le plus important (≠ mineur). **2.** *La* **majeure** *partie des élèves est malade*, le plus grand nombre (= majorité). **3.** *Brenda sera* **majeure** *dans un mois*, elle aura dix-huit ans (≠ mineur). **4.** n.m. *Le* **majeur** *est le doigt du milieu*.

■ **majorité** n.f. SENS 2 *La candidate n'a pas eu la* **majorité** *des voix*, plus de la moitié (≠ minorité). SENS 3 *Pierre a atteint sa* **majorité**, l'âge où il a les mêmes droits et les mêmes devoirs qu'un adulte. *Le parti de la* **majorité** *est le parti de ceux qui appuient le gouvernement élu*.

■ **majoritaire** adj. SENS 2 *Ce parti est* **majoritaire** *dans le pays*, il est soutenu par la majorité des citoyens (≠ minoritaire).

major n. **1.** *Un* **major** *est un officier de l'armée*. **2.** *Autrefois, on appelait* **major**, *un médecin militaire*.

majoration → *majorer*.

majordome n.m. *Chez des gens très riches, un* **majordome** *commande les autres domestiques*.

majorer v. *Virginia voudrait que son salaire soit* **majoré** (= augmenter, élever, hausser ; ≠ réduire, diminuer).

■ **majoration** n.f. *On annonce une* **majoration** *du prix des transports* (= augmentation).

majorette n.f. *À la fête, des* **majorettes** *marchaient en tête du défilé*, des jeunes filles en uniforme.

majoritaire, majorité → *majeur*.

majuscule n.f. *Les noms propres commencent par une* **majuscule** (≠ minuscule).

mal n.m. **1.** *Les animaux ne distinguent pas le bien du* **mal**, de ce qui est contraire à la morale. *Qui t'a dit du* **mal** *de moi ?* (≠ bien). **2.** *Sonia se donne du* **mal** *pour réussir*, elle fait des efforts (= peine). **3.** *Maria a* **mal** *à la tête*, sa tête lui fait **mal**, elle souffre de la tête. *Tu vas* **attraper du mal** *sous la pluie*, tomber malade. **4.** *Jean a des* **maux** *de dents* (= douleur). **5.** *La guerre est un des pires* **maux** *de l'humanité* (= malheur, fléau). **6.** *Richard a du* **mal** *à se lever*, de la difficulté.

■ **mal** adj.inv. SENS 1 *Il a menti, c'est* **mal** (≠ bien).

■ **mal** adv. **1.** SENS 1 *Tu écris* **mal** (≠ bien). SENS 3 *Je me sens* **mal**, je ne vais pas bien, je souffre. **2.** *Il y a* **pas mal** *de gens dans les rues* (= beaucoup).

R. Le pluriel de *mal* est *maux*, mais n'est employé qu'aux sens 4 et 5. *Mal* se prononce [mal] comme *malle* ; *maux* se prononce [mo] comme *mot*. Employé comme préfixe, *mal* sert à former de nombreux mots où il exprime une idée contraire.

malachite n.f. *La* **malachite** *est une pierre d'un beau vert vif*.

R. On prononce [malakit].

malade adj. et n. *Pierre est* **malade** *depuis deux jours*, il n'est plus en bonne santé (≠ bien portant). *Ne réveillez pas le* **malade** *!*

■ **maladie** n.f. *La* **maladie** *de Mary n'est pas grave*.

■ **maladif, ive** adj. **1.** *Marie est une enfant* **maladive**, souvent malade. **2.** *Claude a une crainte* **maladive** *des abeilles*, une crainte irraisonnée.

maladresse, maladroit, maladroitement → *adroit*.

malaise n.m. **1.** *Un* **malaise** *est une impression de gêne, de trouble*. **2.** *Elle a eu un* **malaise** *et elle est tombée*, elle s'est

sentie mal tout d'un coup et s'est évanouie.

malaisé, malaisément → *aisance.*

malaria n.f. est un équivalent de *palu-disme.*

malaxer v. *La pâtissière **malaxe** du beurre, de la farine et des œufs,* elle les mélange et remue la pâte (= pétrir).

malchance, malchanceux→ *chance.*

malcommode → *commode.*

maldonne → *donner.*

mâle n.m. et adj. *Le coq est le **mâle** de la poule, le taureau est le **mâle** de la vache,* l'animal de sexe masculin (≠ femelle).

malédiction → *maudire.*

maléfice n.m. *Paul est superstitieux, il croit aux **maléfices*** (= mauvais sort, sortilège).
  ■**maléfique** adj. *Une action **maléfique** exerce une mauvaise influence* (= né-faste, nuisible).

malencontreux, euse adj. *Tu as eu des paroles **malencontreuses**,* dites mal à propos (= fâcheux).
  ■**malencontreusement** adv. *J'étais **malencontreusement** sorti quand vous êtes arrivée,* par malchance.

malentendu n.m. *On s'est disputé, mais ce n'était qu'un **malentendu**,* on s'était mal compris.

malfaçon → *façon* 2.

malfaisant, e adj. *Tu as sur Jean une influence **malfaisante*** (= nuisible ; ≠ bienfaisant).
  R. On prononce [malfəzã].

malfaiteur n.m. *La police a arrêté les **malfaiteurs**,* les bandits, les voleurs, les gangsters.

malfamé, e adj. *Ce quartier est **mal-famé**,* on y rencontre des gens de mau-vaise réputation, des bandits.

malformation n.f. *J'ai une **malforma-tion** de la hanche,* un défaut qui existe depuis ma naissance.

malgré prép. indique que quelqu'un ou quelque chose s'oppose à l'action : *Je suis venue **malgré** la pluie. **Malgré tout**, je t'aime bien,* en dépit de tout.

malhabile → *habile.*

malheur n.m. 1. *Il vient de lui arriver un **malheur**,* un deuil, un accident, un échec, etc. 2. *On dit que le **malheur** des uns fait le bonheur des autres* (= mal-chance). *Si par **malheur** il m'arrivait quelque chose, voici qui prévenir.*
  ■**malheureux, euse** adj. et n. SENS 1 *Aïcha est très **malheureuse**, son père est mort* (≠ heureux). *Il faut aider les **mal-heureux**.* SENS 2 *Un mot **malheureux** l'a fait se mettre en colère* (= malen-contreux, regrettable).
  ■**malheureusement** adv. SENS 2 *Je voulais voir Pierre, **malheureusement** il est parti* (≠ heureusement).

malhonnête, malhonnêtement, malhonnêteté → *honnête.*

malice n.f. *Tes paroles étaient pleines de **malice**,* tu te moquais gentiment de moi (= raillerie).
  ■**malicieux, euse** adj. *Marie a fait une réflexion **malicieuse*** (= espiègle, ironi-que).

malin, igne adj. et n. 1. *Pierre est **malin** comme un singe,* il est très rusé (= astucieux, débrouillard). *Marie est une **maligne**.* 2. *Il éprouve un **malin** plaisir à agacer sa sœur* (= méchant). 3. Fam. *Tu as cassé le verre, **c'est malin !**,* c'est stupide.

malingre adj. *Jean est un enfant **malin-gre**,* il ne paraît pas en bonne santé (= chétif, fragile ; ≠ robuste).

malintentionné → *intention.*

malle n.f. 1. *Une **malle** est un grand coffre.* 2. *Mets les valises dans la **malle** arrière de la voiture,* le coffre.

■ **mallette** n.f. SENS 1 Une *mallette* est une petite valise.
R. → *mal.*

malléable adj. **1.** *La cire, le plomb sont malléables,* faciles à modeler, à déformer (= souple ; ≠ cassant). **2.** *Xavier n'est pas très malléable,* influençable.

802 **malle-poste** n.f. *Autrefois, la malle-poste acheminait le courrier,* une voiture tirée par des chevaux.
R. Noter le pluriel : des *malles-postes.*

mallette → *malle.*

malmener v. *Jean a été malmené par des voyous,* ils l'ont traité durement (= brutaliser).

malnutrition → *nutritif.*

malodorant → *odeur.*

malotru, e n. *En voilà un malotru !,* un personnage mal élevé, grossier (= goujat).

malpoli → *poli.*

malpropre, malpropreté → *propre.*

malsain → *sain.*

malséant, e adj. *Tu insistes de façon malséante,* inconvenante, déplacée.

malt n.m. *Le malt sert à faire de la bière,* l'orge préparée spécialement.

maltraiter → *traiter.*

malveillant, e adj. *Tu as dit sur moi un mot malveillant* (= méchant, malintentionné, désobligeant ; ≠ bienveillant).
■ **malveillance** n.f. *Elle m'a regardé avec malveillance* (= hostilité ; ≠ sympathie).

malversation n.f. *La caissière a été accusée de malversations,* d'avoir détourné de l'argent à son profit.

malvoyant → *voir.*

maman n.f. *Bonjour maman ! Où est ta maman ?* (= mère).

mamelle n.f. *La vache a des mamelles remplies de lait* (= pis ; on dit *sein* en parlant de la mamelle de la femme).

368

■ **mamelon** n.m. **1.** *Le mamelon est le bout de la mamelle.* **2.** *La maison est située sur un mamelon,* une petite colline arrondie (= butte).
■ **mammifère** n.m. *L'homme, le chien, la baleine sont des mammifères,* des animaux dont la femelle a des mamelles.

mammouth n.m. *Les mammouths étaient d'énormes éléphants de l'époque préhistorique.*

manager n. *Le boxeur monte sur le ring suivi de son manager,* de la personne qui s'occupe de lui.
R. On prononce [manadʒɛr].

manant n.m. se disait autrefois pour *paysan.*

1. manche n.f. **1.** *Je porte une chemise à manches longues,* mon bras est recouvert jusqu'au poignet. **2.** *On a perdu la première manche, mais on a gagné la revanche et la belle,* la première partie du jeu. **3.** *Sur un terrain d'aviation, la manche à air indique la direction du vent,* une étoffe située en haut d'un mât dans laquelle l'air s'engouffre.
■ **manchette** n.f. **1.** SENS 1 *Des boutons de manchettes servent à fermer les manches de certaines chemises.* **2.** *Dans un journal, une manchette est un titre en grosses lettres.*
■ **manchon** n.m. SENS 1 *Un manchon est une fourrure dans laquelle on mettait les mains pour les protéger du froid.*
■ **emmanchure** n.f. SENS 1 *L'emmanchure d'un vêtement,* c'est l'endroit où sont fixées les manches.

2. manche n.m. **1.** *Prends le couteau par le manche, pas par la lame,* la partie servant à le tenir. **2.** *Le pilote actionne le manche à balai,* le levier de commande manuel de l'avion.
■ **démancher** v. SENS 1 *Le marteau s'est démanché,* le manche ne tient plus.
■ **emmancher** v. **1.** SENS 1 *Cette pioche est mal emmanchée,* le manche est mal fixé. **2.** *L'affaire s'emmanche bien* (= commencer).

manchot, e 1. n. et adj. *Un manchot est une personne qui a perdu un bras* (ou les deux). **2.** n.m. *Le manchot est un oiseau à ailes très courtes vivant dans les régions froides.*

mandarine n.f. *La mandarine ressemble à une petite orange,* un fruit.

mandat n.m. **1.** *Pierre a rempli le mandat qu'on lui avait confié,* il a fait ce qu'on l'avait chargé de faire (= mission). **2.** *Ma grand-mère m'a envoyé un mandat de 10 dollars,* elle m'a envoyé de l'argent par la poste. **3.** *Un mandat d'arrêt est un ordre délivré par un juge d'arrêter quelqu'un.*
■ **mandataire** n. SENS 1 *En mon absence, vous serez mon mandataire,* je vous charge d'agir à ma place.
■ **mandater** v. SENS 1 *Je ne suis pas mandatée pour prendre cette décision,* cela ne fait pas partie de ma mission.

mandibule n.f. **1.** *Les criquets coupent les tiges avec leurs mandibules,* les pinces de leur bouche. **2.** *On dit familièrement les mandibules pour les mâchoires.*

mandoline n.f. *La mandoline est une sorte de guitare bombée.*

manège n.m. **1.** *Un manège est un endroit où l'on apprend à monter à cheval.* **2.** *Stéphanie a fait un tour de manège à la fête,* elle est montée sur un appareil tournant dont la plate-forme porte des animaux, des véhicules sur lesquels on s'assoit. **3.** *J'ai compris ton manège,* ce que tu préparais pour me tromper (= manœuvre).

manette n.f. *Appuie sur cette manette pour mettre l'appareil en route,* cette poignée ou ce levier.

manger v. *J'ai mangé un bifteck,* je l'ai mâché et avalé. *Pierre mange trop.*
■ **mangeable** adj. *Cette viande n'est pas mangeable,* bonne à manger.
■ **mangeoire** n.f. *Une mangeoire est un récipient où mangent les animaux.*

■ **mangeur, euse** n. *M. Costaud est un gros mangeur,* il mange beaucoup.
■ **immangeable** adj. *Ce gâteau est brûlé, il est immangeable.*
R. *Immangeable* se prononce [ɛ̃mɑ̃ʒabl].

mangouste n.f. *Une mangouste est un petit animal qui attaque les serpents.*

mangue n.f. *La mangue est un fruit tropical.*

maniable → *manier.*

maniaque adj. et n. **1.** *M. Duval est un peu maniaque,* il est très attaché à ses petites habitudes. **2.** *La police a arrêté un dangereux maniaque,* un fou.
■ **manie** n.f. SENS 1 *Elle a la manie de se gratter l'oreille,* l'habitude bizarre (= tic).

manier v. **1.** *Il faut manier ce vase avec précaution,* le prendre dans ses mains pour le déplacer (= manipuler). **2.** *Cette voiture est difficile à manier* (= manœuvrer, conduire).
■ **maniable** adj. SENS 2 *Cet outil est peu maniable,* il est difficile à utiliser.
■ **maniabilité** n.f. SENS 2 *Cette voiture est d'une grande maniabilité,* on la manœuvre facilement.
■ **maniement** n.m. SENS 2 *Connais-tu le maniement de cet appareil ?,* la manière de s'en servir.
■ **remanier** v. *L'auteur a remanié son livre,* il l'a repris et corrigé (= retoucher).

manière n.f. **1.** *Je n'aime pas sa manière de conduire,* la façon dont il le fait. *Ne viens pas, de toute manière je n'y serai pas,* de toute façon. **2.** *Elle s'est levée tôt, de manière à ne pas rater le train* (= pour). **3.** (au plur.) *Je n'aime pas ses manières,* la façon dont il agit (= attitude). **4.** *Lori fait des manières,* elle manque de simplicité (= embarras).
■ **maniéré, e** adj. SENS 4 *Jacques est maniéré* (= poseur).

manifester v. **1.** *Mary a manifesté son intention de partir,* elle l'a fait connaître clairement (= exprimer, montrer). **2.** *Les ouvriers* **ont manifesté** *dans la rue,* ils ont défilé dans la rue pour montrer ce qu'ils pensent.

■ **manifestant, e** n. SENS 2 *Les manifestants* ont défilé pendant trois heures.

■ **manifestation** n.f. SENS 1 *Son arrivée est accueillie par des* **manifestations** *de joie* (= démonstration). SENS 2 *La manifestation a été interdite par les autorités,* le rassemblement et le défilé.

■ **manifeste** adj. SENS 1 *Sa joie est* **manifeste,** *elle apparaît clairement* (= évident).

■ **manifeste** n.m. SENS 1 *Un* **manifeste** est une déclaration par laquelle on fait connaître son opinion.

■ **manifestement** adv. SENS 1 *Manifestement, tu as tort,* cela apparaît clairement.

manigancer v. *C'est toi qui* **a manigancé** *l'affaire ?,* qui l'a préparée en secret (= combiner).

■ **manigance** n.f. *Je n'aime pas ses* **manigances,** ses manœuvres secrètes destinées à tromper.

manille n.f. *Bianca joue à la* **manille** *avec ses amis,* un jeu de cartes.

manioc n.m. *Le* **manioc** *sert à faire le tapioca,* une plante tropicale.

manipuler v. *Ne* **manipule** *pas cet appareil, il est fragile* (= toucher, tripoter).

■ **manipulation** n.f. *La* **manipulation** *des explosifs est dangereuse.*

manitou n.m. Fam. *M. Durand est le grand* **manitou** *de l'usine* (= patron, chef).

manivelle n.f. *Une* **manivelle** *est une tige coudée qui sert à faire tourner un mécanisme, un appareil, un moteur.*

manne n.f. *La* **manne** *est une nourriture miraculeuse que Dieu envoya du ciel aux Hébreux selon la Bible.*

mannequin 1. n.m. *Les robes sont exposées sur des* **mannequins,** des sortes de statues aux dimensions humaines. **2.** n. *Ce journal de mode contient des photos de* **mannequins,** des personnes qui présentent les nouveaux modèles de vêtements.

1. manœuvre n.f. **1.** *La* **manœuvre** *de cet appareil est difficile,* la manière de le faire marcher (= fonctionnement). *L'accident est dû à une* **fausse manœuvre** *du conducteur du train,* une manœuvre inverse de celle qui devait être faite ou une manœuvre mal exécutée. **2.** *Les soldats font la* **manœuvre** *dans la cour de la caserne,* ils font des exercices pour s'entraîner. **3.** *Il a atteint son but par des* **manœuvres,** des moyens plus ou moins honnêtes.

■ **manœuvrer** v. SENS 1 *Je ne sais pas* **manœuvrer** *cette grue,* la faire fonctionner (= conduire). SENS 3 *Tu as habilement* **manœuvré** *pour réussir,* tu as fait tout ce qu'il fallait.

2. manœuvre n. *Un* **manœuvre** est un ouvrier qui fait un travail simple mais souvent pénible.

manoir n.m. **1.** *Un* **manoir** *est un petit château.* **2.** *J'ai passé mes vacances dans un* **manoir** *très confortable,* un hôtel généralement de style traditionnel et situé à la campagne.

manomètre n.m. *Un* **manomètre** *sert à mesurer la pression d'un liquide ou d'un gaz dans un appareil, un circuit.*

manquer v. **1.** *En cette période de sécheresse, l'eau* **manque,** il n'y en a pas assez. *Je* **manque de** *patience,* je n'en ai pas assez. **2.** *Aujourd'hui, deux élèves* **manquent,** ils ne sont pas là. **3.** *Il te* **manque** *un bouton,* il n'est plus à sa place. **4.** *Aïcha a* **manqué** *la classe,* elle n'est pas venue. **5.** *Le gardien de but a* **manqué** *la balle,* il ne l'a pas attrapée (= rater). **6.** *Maïté a* **manqué de** *se faire écraser,* elle en a été très près (= faillir).

7. *Si tu pars,* **ne manque pas de** *m'avertir,* fais-le absolument. **8.** *Il me l'avait promis, mais il* **a manqué à sa parole,** *il ne l'a pas tenue.*

■ **manquant, e** adj. SENS 2 ET 3 *Il y a deux élèves manquants* (= absent).

■ **manque** n.m. SENS 2 *Cette région souffre du* **manque** *d'eau* (= pénurie).

■ **manquement** n.m. SENS 2 *Tout* **manquement** *à la discipline sera puni,* toute faute contre la discipline.

■ **immanquable** adj. SENS 7 *C'est un moyen* **immanquable** *de réussir,* grâce auquel on ne peut pas manquer de réussir.

mansarde n.f. *J'habite dans une* **mansarde,** *une chambre située sous le toit.*

■ **mansardé, e** adj. *Dans le grenier, on a fait une chambre* **mansardée,** *dont une partie du plafond est en pente.*

mansuétude n.f. se disait surtout autrefois pour *indulgence, douceur de caractère.*

mante n.f. *La* **mante religieuse** *est un insecte des régions chaudes.*
R. *Mante se prononce* [mɑ̃t] *comme menthe* et [qu'il] *mente* (de *mentir*).

manteau n.m. **1.** *Il fait froid, mets ton* **manteau. 2.** *Cléa a posé ses clés sur le* **manteau** *de la cheminée,* la partie de la cheminée au-dessus du feu.

■ **portemanteau** n.m. SENS 1 *Accroche ton imperméable au* **portemanteau.**

mantille n.f. *Mme Lopez porte une* **mantille** *sur la tête,* une écharpe de dentelle.

manucure n. *Dans ce salon de coiffure, une* **manucure** *soigne les mains et surtout fait les ongles des clientes.*

1. manuel, elle adj. et n. *Pierre aime le travail* **manuel,** *le travail qu'on fait à la main* (≠ intellectuel). *Clara est une* **manuelle,** *elle est habile de ses mains.*

2. manuel n.m. *Prenez votre* **manuel** *de français,* votre livre de classe.

manufacture n.f. *Mme Durand travaille dans une* **manufacture** *de vêtements,* une usine.

■ **manufacturé, e** adj. *Des produits* **manufacturés** *ont été fabriqués en usine.*

manuscrit, e 1. adj. *Une lettre* **manuscrite** *est écrite à la main* (≠ imprimé ou dactylographié). **2.** n.m. *Au Moyen Âge, les moines copiaient des histoires sur les* **manuscrits,** *des livres écrits à la main, avant l'invention de l'imprimerie. L'auteur a envoyé son* **manuscrit** *à l'imprimerie,* le texte qu'il a écrit. | 806

manutention n.f. *Une équipe importante est chargée de la* **manutention,** de manipuler, d'emballer les marchandises.

■ **manutentionnaire** n. *M. Martin a été embauché comme* **manutentionnaire,** *comme employé chargé de la manutention.*

mappemonde n.f. *Une* **mappemonde** *est une sphère représentant la carte de l'ensemble de la Terre.*

maquereau n.m. *J'aime les* **maquereaux** *grillés,* des poissons de mer. | 728

maquette n.f. *Lori fait des* **maquettes** *d'avions,* des modèles réduits. | 437, 145

maquignon n.m. *Un* **maquignon** *est un marchand de chevaux.* | 361

maquiller v. *Veux-tu que je te* **maquille** *en clown ?,* que je te mette des produits de beauté, des fards sur le visage (= farder, grimer). *Mon amie* **se maquille** *avant de sortir,* elle met du rouge à lèvres, de la poudre, etc. sur son visage.

■ **maquillage** n.m. *Son* **maquillage** *la change beaucoup.*

■ **démaquiller** v. *Marie* **se démaquille** *avant de se coucher,* elle enlève son maquillage.

■ **démaquillant** n.m. *Un* **démaquillant** *est un produit pour se démaquiller.*

maquis n.m. **1.** *Les* **maquis** *de Corse sont très touffus,* des terrains couverts de broussailles. **2.** *Pendant la guerre, les* résistants formaient des **maquis** contre les occupants, ils se regroupaient dans des endroits secrets.

■ **maquisard** n.m. SENS 2 *Des maquisards avaient attaqué un poste allemand*, des combattants d'un maquis (= partisan).

marabout n. et adj. inv. Fam. *Paul est marabout, sa voiture ne marche pas,* il est de mauvaise humeur. *Tu as l'air bien marabout aujourd'hui.*

maraîcher, ère 1. adj. *Cette région est connue pour ses cultures maraîchères,* de légumes et de primeurs. 2. n. *Un maraîcher* est une personne qui cultive des légumes pour les vendre.

marais n.m. *Beaucoup de marais ont été asséchés,* des étendues couvertes d'eau stagnante (= marécage).

marasme n.m. *L'économie est dans le marasme,* dans une situation difficile.

marathon n.m. *Il faut beaucoup d'endurance pour courir le marathon,* une course à pied d'environ 42 kilomètres.

marâtre n.f. *Une marâtre* est une mauvaise mère.

marauder v. *Des soldats maraudaient dans les villages,* ils volaient de la volaille, des fruits, des objets dans les maisons, etc.

■ **maraudage** n.m. *Le maraudage* est le vol de fruits et de légumes dans les jardins.

■ **maraudeur, euse** n. *Le maraudeur a été surpris par la fermière.*

marbre n.m. *Le dallage de la terrasse est en marbre,* en une pierre dure aux couleurs variées, qui se polit bien.

■ **marbré, e** adj. *Un papier marbré* présente des taches semblables à celles du marbre.

■ **marbrure** n.f. *Tu as des marbrures rouges sur la figure* (= tache).

marc n.m. 1. *Le marc de raisin* est ce qui reste du raisin pressé. 2. *Après le repas,*

ils ont bu un **marc,** un alcool de raisin. **R.** On ne prononce pas le *c* : [mar]. → *mare.*

marcassin n.m. *Le marcassin* est le petit du sanglier.

marchand, marchandage, marchander, marchandise → *marché.*

marche n.f. 1. *La marche est un exercice sain,* l'action de marcher. *Tu as une marche rapide,* une façon de marcher. 2. *Ce bouton commande la marche de l'appareil* (= fonctionnement). 3. *On m'a indiqué la marche à suivre,* comment il fallait faire. 4. *Cet escalier a 39 marches.* 5. *Les soldats défilent au son d'une marche militaire,* d'un air de musique. 6. *Il faut faire marche arrière* (= reculer).

■ **marcher** v. 1. SENS 1 *Nous avons marché tout l'après-midi,* nous nous sommes déplacés à pied. SENS 2 *Ma montre ne marche plus,* elle est arrêtée (= fonctionner). 2. Fam. *Je voulais partir avec lui mais il n'a pas marché* (= accepter).

■ **marchepied** n.m. SENS 4 *Le marchepied d'un train,* ce sont les quelques marches qui permettent d'y monter.

■ **marchette** n.f. 1. *Une marchette* est un appareil à roues destiné à soutenir les jeunes enfants qui apprennent à marcher. 2. *Grand-papa a besoin d'une marchette pour se déplacer,* un appareil sur lequel on peut s'appuyer et qui aide à marcher.

■ **marcheur, euse** n. SENS 1 *Marie est bonne marcheuse,* elle peut marcher longtemps.

R. → *marché.*

marché n.m. 1. *Tous les samedis, il y a un marché sur cette place,* des marchands y viennent pour proposer leurs marchandises. *M. Durand fait son marché le samedi,* il va acheter des produits alimentaires (= faire des courses). 2. *J'ai conclu un marché avec Dominique,* je lui ai acheté, vendu ou échangé quelque chose (= affaire). 3. *Le marché de l'or*

→ p. 513

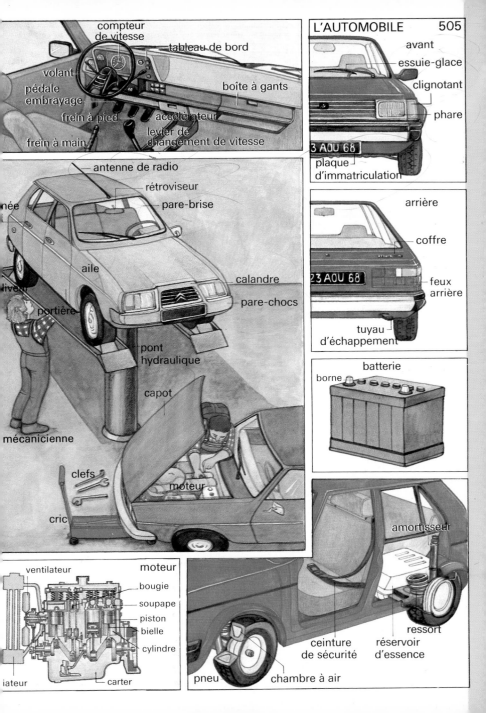

compteur de vitesse

tableau de bord

volant

pédale embrayage

boîte à gants

frein à pied

accélérateur

frein à main

levier de changement de vitesse

avant

essuie-glace

clignotant

phare

3 AOU 68

plaque d'immatriculation

antenne de radio

rétroviseur

...née

pare-brise

arrière

coffre

aile

calandre

...liveur

pare-chocs

23 AOU 68

feux arrière

portière

pont hydraulique

tuyau d'échappement

capot

batterie

borne

mécanicienne

clefs

moteur

cric

amortisseur

ventilateur

moteur

bougie

soupape

piston

bielle

cylindre

ressort

ceinture de sécurité

réservoir d'essence

...iateur

carter

pneu

chambre à air

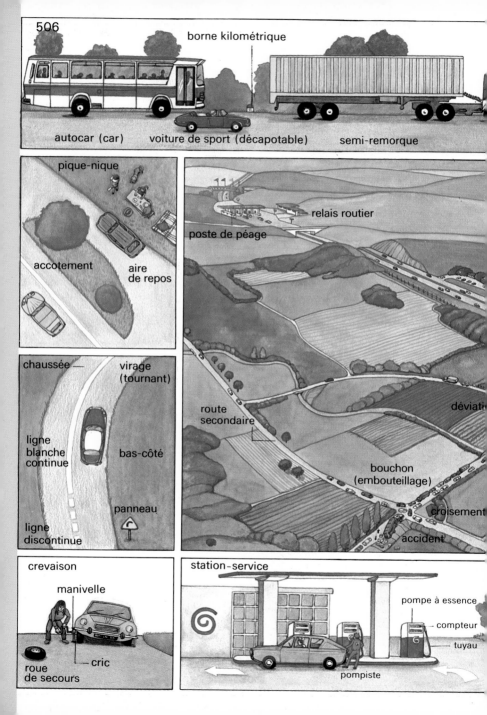

506

borne kilométrique

autocar (car)   voiture de sport (décapotable)   semi-remorque

pique-nique

accotement   aire de repos

relais routier

poste de péage

chaussée   virage (tournant)

ligne blanche continue   bas-côté

panneau

ligne discontinue

route secondaire

déviati

bouchon (embouteillage)

croisement

accident

crevaison

manivelle

roue de secours   cric

station-service

pompe à essence

compteur

tuyau

pompiste

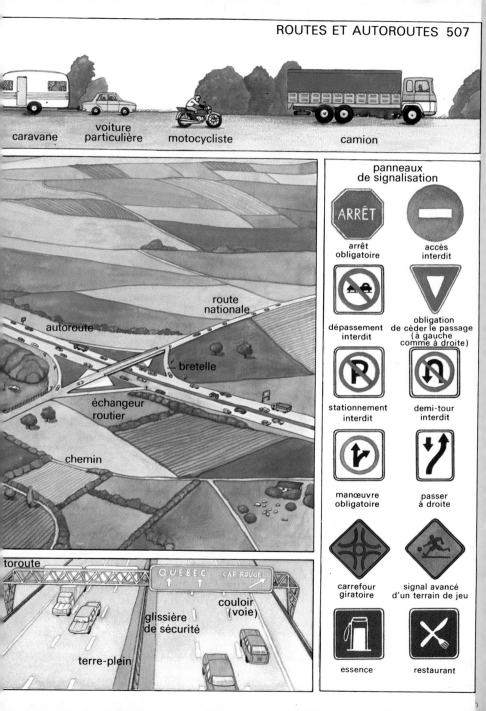

caravane — voiture particulière — motocycliste — camion

route nationale

autoroute

bretelle

échangeur routier

chemin

autoroute

QUÉBEC — CAP ROUGE

couloir (voie)

glissière de sécurité

terre-plein

panneaux de signalisation

ARRÊT
arrêt obligatoire

accès interdit

dépassement interdit

obligation de cèder le passage (à gauche comme à droite)

stationnement interdit

demi-tour interdit

manœuvre obligatoire

passer à droite

carrefour giratoire

signal avancé d'un terrain de jeu

essence

restaurant

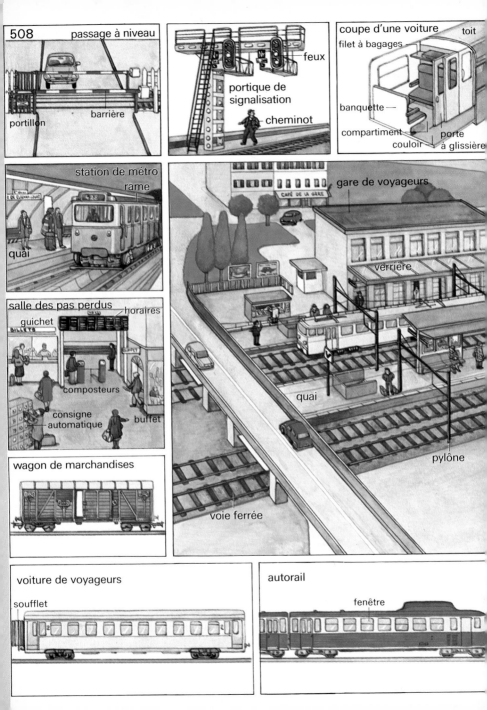

508 passage à niveau

portillon

barrière

feux

portique de signalisation

cheminot

coupe d'une voiture

toit

filet à bagages

banquette

compartiment

couloir

porte à glissière

station de métro

rame

quai

gare de voyageurs

CAFÉ DE LA GARE

verrière

salle des pas perdus

horaires

guichet

BILLETS

composteurs

consigne automatique

buffet

quai

pylône

wagon de marchandises

voie ferrée

voiture de voyageurs

soufflet

autorail

fenêtre

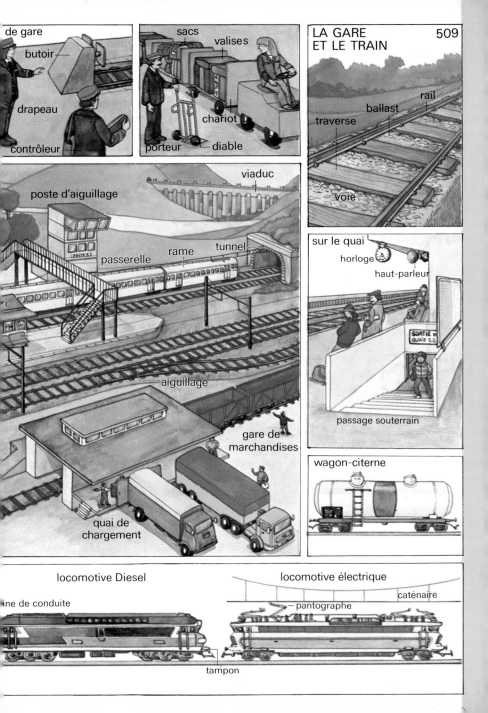

de gare

butoir

drapeau

contrôleur

sacs

valises

chariot

porteur

diable

rail

ballast

traverse

voie

viaduc

poste d'aiguillage

passerelle

rame

tunnel

aiguillage

gare de
marchandises

quai de
chargement

sur le quai

horloge

haut-parleur

SORTIE
QUAIS 1-2

passage souterrain

wagon-citerne

locomotive Diesel

ine de conduite

locomotive électrique

caténaire

pantographe

tampon

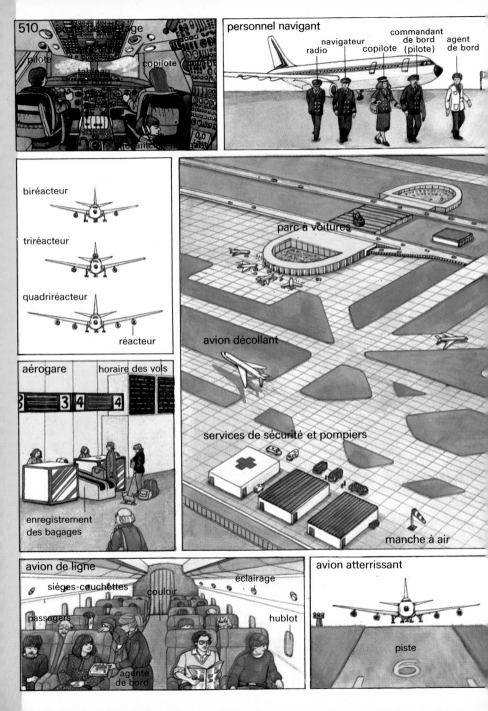

510

poste de pilotage
pilote
tableau
copilote

personnel navigant
radio navigateur copilote commandant de bord (pilote) agent de bord

biréacteur
triréacteur
quadriréacteur
réacteur

aérogare horaire des vols
3 4 4
enregistrement des bagages

parc à voitures

avion décollant

services de sécurité et pompiers

manche à air

avion de ligne
sièges-couchettes couloir éclairage
passagers
hublot
agente de bord

avion atterrissant
piste

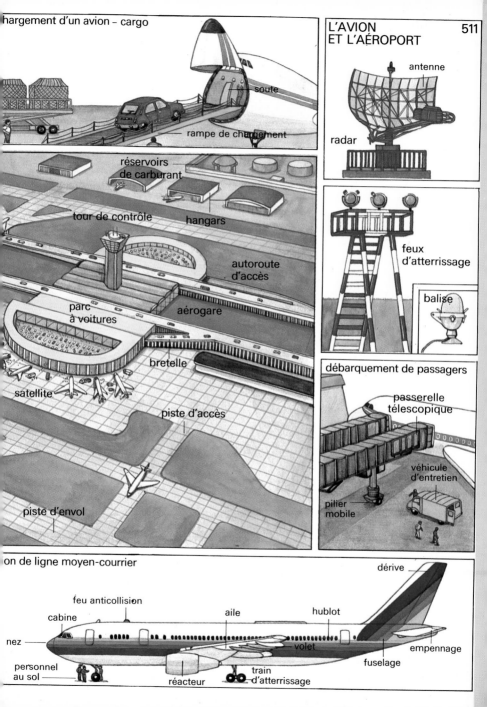

chargement d'un avion - cargo

soute

rampe de chargement

antenne

radar

réservoirs
de carburant

tour de contrôle

hangars

autoroute
d'accès

parc
à voitures

aérogare

bretelle

satellite

piste d'accès

piste d'envol

feux
d'atterrissage

balise

débarquement de passagers

passerelle
télescopique

véhicule
d'entretien

pilier
mobile

avion de ligne moyen-courrier

feu anticollision

cabine

nez

personnel
au sol

aile

hublot

volet

dérive

empennage

fuselage

réacteur

train
d'atterrissage

512 LE CYCLISME

bicyclette (vélo)

selle
cadre
guidon
porte-bagages
phare
roue
pignon
dérailleur
pédale
jante
chaîne
roue dentée

pompe
raccord
valve
feu rouge
garde-bou
rayons

banderole

ARRIVÉE

course en montagne

col

échappée

vainqueur

voitures suiveuses

peloton

ligne
d'arrivée

bidon

motards de
la presse

cale-pied

caravane
publicitaire

voiture balai

boyau

coureurs
attardés

l'arrivée à l'étape

le départ

casquette
maillot

musette
culotte

coureur
en danseuse

dossard

supporteur

chute

est très actif, l'ensemble des achats et des ventes de ce produit. **4.** *Elle arrive en retard et **par-dessus le marché** elle se plaint* (= en plus, en outre). **5.** *En ce moment les fruits sont **bon marché,** leur prix est bas* (≠ cher).

■**marchand, e** n. SENS 2 *M. Paoli est **marchand de** chaussures,* il en vend (= commerçant). *Mon grand-père était **marchand général,*** il vendait à peu près de tout.

■**marchand, e** adj. SENS 2 *La marine **marchande** transporte les marchandises,* celle qui sert au commerce.

■**marchandise** n.f. SENS 2 *Le navire est plein de **marchandises,*** de produits destinés à être vendus.

■**marchander** v. SENS 5 *Je **marchande** le prix des légumes,* je discute pour les obtenir moins cher.

■**marchandage** n.m. SENS 5 *Le **marchandage** a duré une heure* (= discussion).

■**supermarché** n.m. SENS 1 *Un **supermarché** est un grand magasin qui vend en libre service.*

■**hypermarché** n.m. SENS 1 *Un **hypermarché** est plus grand qu'un supermarché.*

R. *Marché* se prononce [marʃe] comme *marcher.*

marchepied, marcher, marcheur → *marche.*

mardi n.m. *Nous sommes le **mardi** 7 février.*

mare n.f. *Des canards barbotent dans la **mare,** une petite étendue d'eau stagnante.*

R. *Mare* se prononce [mar] comme *marc.*

marécage n.m. *Nous pataugions dans les **marécages,** les terrains très humides* (= marais).

■**marécageux, euse** adj. *Ce terrain **marécageux** a été asséché.*

maréchal n.m. **1.** *Dans plusieurs pays, la dignité de **maréchal** est la plus haute dans l'armée.* **2.** *Le métier du **maréchal-ferrant** consiste essentiellement à ferrer les chevaux.*

marée n.f. **1.** *La **marée** est le mouvement des eaux de la mer qui, tous les jours, montent et descendent.* **2.** *Une **marée** humaine arrive sur la place,* beaucoup de gens (= flot). | 725

marelle n.f. *Yasmina joue à la **marelle,** elle pousse un palet en sautant sur un pied.* | 294

margarine n.f. *Je préfère le beurre à la **margarine,** une graisse faite avec des plantes.*

marge n.f. **1.** *Laissez une **marge** à gauche de la page,* un espace blanc. **2.** *Il est 8 heures, cela nous laisse une **marge** de 5 minutes* (= délai). **3.** *Vivre **en marge** de la société,* c'est ne pas s'y intégrer, rester en dehors.

■**marginal, e, aux** adj. SENS 1 *Une note **marginale** est faite dans la marge.* SENS 3 *Un travail **marginal** est un travail accessoire, secondaire, non officiel. Sophie est (une) **marginale,** elle vit en marge de la société.*

■**émarger** v. SENS 1 *Voulez-vous **émarger** ce document,* signer dans la marge.

margelle n.f. *La **margelle** d'un puits,* ce sont les pierres qui en forment le rebord.

marginal → *marge.*

marguerite n.f. *Dominique a cueilli des **marguerites** dans les prés,* des fleurs à pétales blancs et à cœur jaune. | 363

mari n.m. *Connais-tu le **mari** de Mme Dupont ?* (= époux ; ≠ femme). | 603

■**marier** v. **1.** *Pierre et Jeanne **se marient** demain,* ils deviennent mari et femme. *Le prêtre **a marié** mes amis,* il les a unis. *Mon père **a marié** ma mère après ses études de droit* (= épouser). **2.** *Ton chandail et ton pantalon **se marient** bien,* ils vont bien ensemble.

■**mariage** n.m. SENS 1 *Ils nous ont invités à leur **mariage*** (= noces).

■**marié, e** n. et adj. SENS 1 *On a bu à la santé des jeunes **mariés.***

■ **se remarier** v. SENS 1 *M. Dupont vient de se remarier,* il était veuf ou divorcé. **R.** → *matrimonial.*

marin n. *M. Cloarec est marin,* son métier est de naviguer en mer.
■ **marin, e** adj. *Les courants marins,* ce sont les courants de la mer.
■ **marine 1.** n.f. SENS 1 *M. Cloarec est dans la marine,* il est marin. *La marine des États-Unis est la première du monde,* l'ensemble des bateaux (= flotte). **2.** adj. inv. *Ma robe est bleu marine,* bleu foncé.
■ **marinier, ère** n. SENS 1 *Les mariniers naviguent sur les fleuves et les canaux dans des péniches,* c'est leur métier (= batelier).
■ **sous-marin, e** adj. et n.m. SENS 2 *La navigation sous-marine se fait sous l'eau. Les sous-marins sont des navires capables de naviguer sous l'eau.*

mariner v. *On a mis les harengs saurs à mariner dans l'huile* (= tremper, s'imprégner).
■ **marinade** n.f *La marinade est le liquide plus ou moins aromatisé dans lequel on fait mariner un aliment.* (au plur.) *Papa fait de bonnes marinades,* des légumes ou des fruits en morceaux qui macèrent dans du vinaigre avec des épices.

maringouin n.f. *Il y a beaucoup de maringouins dans la forêt,* des moustiques.

marinier → *marin.*

marionnette n.f. *Marie aime les spectacles de marionnettes,* de poupées que l'on anime avec les mains ou au moyen de fils.

maritime adj. *Halifax est un port maritime,* au bord de la mer. *Le commerce maritime se fait par la mer. J'ai visité les provinces maritimes cet été,* qui se trouvent en bordure de l'océan Atlantique.

marjolaine n.f. *La marjolaine est une plante odorante.*

mark n.m. *Le mark est la monnaie allemande.*

marketing n.m. *Le marketing est un ensemble d'activités favorisant la vente d'un produit commercial* (= mercatique).

marmaille → *marmot.*

marmelade n.f. **1.** *Marie aime la marmelade d'oranges,* la confiture d'écorces d'oranges. **2.** *Sa voiture était en marmelade,* très endommagée.

marmite n.f. *L'eau bout dans la marmite,* un grand récipient à couvercle muni de deux poignées.

marmiton n.m. *Un marmiton est un apprenti cuisinier dans un restaurant.*

marmonner ou **marmotter** v. *Qu'est-ce que tu marmonnes entre tes dents ?* (= murmurer).

marmot n.m. Fam. *Une dizaine de marmots s'amusent dans la cour,* de petits enfants.
■ **marmaille** n.f. Fam. *Je dois m'occuper de la marmaille,* des jeunes enfants.

marmotte n.f. *La marmotte est un petit animal de montagne, qui dort tout l'hiver* (= siffleux).

marmotter → *marmonner.*

maroquinier, ère n. *Le maroquinier vend des objets de cuir.*
■ **maroquinerie** n.f. *J'ai acheté ce portefeuille dans une maroquinerie.*
■ **maroquin** n.m. *Un sac en maroquin est fait en peau de chèvre.*

marotte n.f. *Maïté collectionne les timbres, c'est sa marotte,* son idée fixe (= manie).

marquer v. **1.** *Le professeur marque les fautes à l'encre rouge,* il les indique par un signe particulier (= signaler). *Bianca marque toutes ses dépenses,* elle les indique par écrit (= inscrire). **2.** *L'horloge marque 5 heures* (= indiquer). **3.** *Son enfance l'a beaucoup marquée,* elle lui a laissé des souvenirs durables. **4.** *L'été a été marqué par une grande* *sécheresse,* celle-ci a été un événement important. **5.** *Pierre* **a marqué** *un but,* il l'a réussi. **6.** *Au football,* **marquer** *un joueur,* c'est le surveiller de près.

■ **marquant, e** adj. SENS 3 *Quels sont les faits* **marquants** *de la semaine ?,* ceux dont on se souvient.

■ **marque** n.f. **1.** SENS 1 *Il y a des* **marques** *de pas sur la neige* (= trace). *Elle m'a donné des* **marques** *de confiance* (= signe). **2.** *De quelle* **marque** *est cette voiture ?,* quel est le nom du fabricant ? **3.** *À la mi-temps, la* **marque** *était de 3 à 1 en notre faveur,* le nombre de points de notre équipe (= résultat, pointage, score).

■ **marqueur** n.m. SENS 1 *Un* **marqueur** est un gros crayon-feutre.

■ **marqueur, euse** n. SENS 3 *Benoît est un bon* **marqueur,** *il marque souvent des points. Sophie est* **marqueuse** *aujourd'hui,* elle inscrit les points au tableau.

■ **démarquer** v. **1.** SENS 6 *Un joueur* **démarqué** *a pris le ballon,* un joueur qu'on ne surveillait pas. **2.** *Démarquer un vêtement, un objet,* c'est en ôter la marque (au sens 2) pour les vendre moins cher.

marquis n.m., **marquise** n.f. *Un* **marquis** *était un noble d'un degré supérieur à celui d'un comte.*

marquise n.f. *Ce café a une* **marquise** *à l'entrée,* un auvant vitré au-dessus d'une porte d'entrée ou d'un perron.

marraine n.f. *La* **marraine** *d'un enfant est celle qui, le jour de son baptême, s'est engagée à veiller sur lui et à l'aider dans la vie.*

R. Le masculin correspondant est *parrain.*

marre adv. Très fam. *J'en ai* **marre** *de ce travail,* j'en ai assez, j'en suis excédée.

R. On n'emploie pas cette expression quand on surveille sa façon de parler.

se marrer v. est un équivalent de *s'amuser,* ou de *rire ;* on évite toujours ce mot, ainsi que **marrant** (= amusant, drôle), quand on surveille sa façon de parler.

marron n.m. **1.** *J'aime bien les* **marrons** *grillés* (= châtaigne). **2.** *On m'a offert des* **marrons glacés,** des marrons (au sens 1) confits dans du sucre. **3.** *Le* **marron d'Inde** *n'est pas bon à manger,* le fruit du marronnier.

■ **marron** adj.inv. et n.m. *Jean a des chaussures* **marron,** de la couleur des marrons (= brun).

■ **marronnier** n.m. SENS 3 *La route est bordée de* **marronniers,** de grands arbres.

mars n.m. *Le printemps commence à la fin du mois de* **mars.**   125

marsouin n.m. *Le* **marsouin** *est un animal marin qui ressemble au dauphin.*

marsupial n.m. *Le kangourou, le koala sont des* **marsupiaux,** des animaux dont la femelle a une poche sur le ventre pour abriter ses petits.

marte → *martre.*

marteau n.m. **1.** *On enfonce les clous avec un* **marteau,** un outil à manche. **2.** *Un* **marteau piqueur** *fonctionne à l'air comprimé et sert à casser la pierre.* **3.** *Elle a remporté l'épreuve du lancer du* **marteau,** une boule de métal qu'un fil d'acier relie à une poignée.   291, 289   217, 150

■ **marteler** v. SENS 1 *Le forgeron est en train de* **marteler** *une barre de fer,* de frapper dessus à coups de marteau.

■ **martèlement** n.m. SENS 1 *On entend le* **martèlement** *des gros souliers sur le plancher.*

martel n.m. *Ne vous mettez pas* **martel** *en tête pour cette affaire,* ne vous tracassez pas.

martial, e, aux adj. *Tu marches d'un pas* **martial,** avec la fermeté d'un soldat.

R. On prononce [marsjal].

martien, enne n. *J'ai lu une histoire de* **martiennes,** les habitants imaginaires de la planète Mars.

R. On prononce [marsjɛ̃].

martinet n.m. **1.** *Autrefois, on menaçait les enfants du* **martinet** (= fouet). **2.** *Le*

martinet est un oiseau qui ressemble à l'hirondelle.

martingale n.f. La *martingale* d'un manteau, c'est la demi-ceinture placée dans le dos.

martin-pêcheur n.m. Un *martin-pêcheur* est un petit oiseau qui vit près des cours d'eau.
R. Noter le pluriel : des *martins-pêcheurs.*

martre ou **marte** n.f. La *martre* est un petit animal, voisin de la fouine, dont la fourrure est appréciée.

martyr, e n. et adj. 1. Un *martyr* est une personne qui souffre pour défendre sa foi, son idéal. 2. *Il y a malheureusement encore des enfants martyrs,* des enfants cruellement maltraités.
■ **martyre** n.m. SENS 1 ET 2 *Sa maladie a été un long martyre* (= souffrance, supplice).
■ **martyriser** V. SENS 2 *Arrête de martyriser ce chien,* de le maltraiter cruellement, de le faire souffrir (= torturer).

marxisme n.m. Le *marxisme* est une philosophie qui propose une nouvelle organisation de la société et de l'économie.
■ **marxiste** n. et adj. *Les marxistes combattent le capitalisme.*

mas n.m. En Provence, un *mas* est une ferme, une maison à la campagne.
R. On prononce [mɑs] ou [mɑ] comme *mât.*

mascarade n.f. *Ce procès sans avocats n'a été qu'une mascarade,* une démonstration hypocrite (= simulacre).

mascaret n.m. Le *mascaret* est une grande vague qui se forme parfois à l'embouchure d'un grand fleuve.

mascotte n.f. *Ce chien est la mascotte du régiment,* le porte-bonheur.

masculin, e adj. et n.m. *M. Durand est du sexe masculin,* c'est un homme (≠ féminin). *Chien est le masculin de chienne. Certains mots sont masculins,* on les utilise avec les articles le, les et un.

maskinongé n.m. *Le maskinongé est vorace,* un poisson d'eau douce, très proche du brochet.

masque n.m. 1. *Au mardi gras, on se déguise, on met des masques,* des objets qui cachent le visage. 2. *Pour faire de l'escrime, il faut porter un masque,* un objet qui protège le visage.
■ **masquer** v. 1. SENS 1 *Des bandits masqués ont attaqué la banque.* 2. *Cette maison masque le paysage,* elle empêche de le voir (= cacher).
■ **démasquer** v. SENS 1 *L'escroc a été démasqué,* on a découvert qui il était.

massacre n.m. 1. *La bataille a été un massacre,* beaucoup de gens y sont morts (= tuerie, carnage). 2. *Un jeu de massacre* consiste à renverser des pantins avec des balles. 3. *Qui t'a coupé les cheveux ? c'est un massacre,* la coupe est affreuse.
■ **massacrer** v. 1. SENS 1 *Les prisonniers ont été massacrés* (= tuer). 2. *Ces immeubles affreux massacrent le paysage* (= abîmer).
■ **massacrant, e** adj. *Je suis d'une humeur massacrante,* de très mauvaise humeur.

massage n.m. Le *massage* consiste à pétrir les muscles quand ils sont raides, fatigués ou douloureux.
■ **masser** v. *Monique a une entorse, elle doit se faire masser la cheville.*
■ **masseur, euse** n. *M. Hernandez est le masseur de l'équipe de football.*

masse n.f. 1. *Les montagnes forment une masse à l'horizon,* un gros bloc compact. 2. *Tu as des masses de livres,* un très grand nombre (= quantité). *Les électeurs ont voté en masse,* en très grand nombre. 3. *Les masses populaires,* c'est l'ensemble des gens du peuple. 4. *Une masse* est un gros marteau que l'on doit manier à deux mains. 5. *Ce poisson a une masse de 2 kilogrammes,* son poids est de 2 kilogrammes.

■ **masser** v. SENS 2 *Les gens s'étaient massés près de la sortie,* rassemblés en grand nombre.

■ **massif, ive** adj. SENS 1 *Ce bijou est en or massif,* entièrement en or. SENS 2 *Elle a pris une dose massive de médicament,* très forte.

■ **massif** n.m. SENS 1 *Un massif de fleurs* est un ensemble compact de fleurs. *Un massif montagneux* est un bloc de montagnes.

■ **massivement** adv. SENS 2 *Demain, les gens partiront massivement en vacances* (= en masse).

masser → *massage* et *masse.*

masseur → *massage.*

massif, massivement → *masse.*

massue n.f. Une *massue* est un gros bâton avec lequel on peut tuer ou assommer.

mastic n.m. Le *mastic* est une pâte durcissante qui sert à boucher les trous, à fixer les vitres.

■ **mastiquer** v. *Il faudrait mastiquer les fentes,* les boucher au mastic.

1. mastiquer → *mastic.*

2. mastiquer v. *Mastique bien ta viande avant de l'avaler* (= mâcher).

mastoc adj.inv. Fam. *Ce bâtiment est mastoc,* il est trop massif.

mastodonte n.m. 1. *Un mastodonte est* un mammifère fossile voisin de l'éléphant. 2. *Fam. Un mastodonte est une* personne ou une chose énorme.

masure n.f. Une *masure* est une maison misérable.

1. mat, e adj. 1. *Le zinc a un aspect plus mat que l'or* (= terne ; ≠ brillant, luisant). 2. *La balle a rebondi avec un bruit mat* (= sourd ; ≠ sonore).
R. *Mat* se prononce [mat] comme *maths* → aussi *mât.*

2. mat adj.m.inv. *Aux échecs, le roi est mat quand il ne peut plus se déplacer.*

R. *Mat* se prononce [mat] comme *maths.* → aussi *mât.*

mât n.m. 1. *Un coup de vent a cassé le mât du bateau,* le poteau qui porte les voiles. 2. *La tente est soutenue par un mât,* une pièce de bois ou de métal verticale plantée en terre.
R. *Mât* se prononce [mɑ] comme *mas.* Ne pas confondre avec *mat.* | 726, 802, 803 | 433

matamore n.m. Un *matamore* est quelqu'un qui n'est courageux qu'en paroles (= fanfaron).

match n.m. *As-tu regardé le match de baseball à la télé ?,* la rencontre des deux équipes. | 34
R. Noter les pluriels : des *matchs* ou des *matches.*

matelas n.m. 1. *Le matelas, les draps et les couvertures forment la literie.* 2. *Sabine dort en camping sur un matelas pneumatique,* une enveloppe gonflée d'air. | 77, 723

matelot n.m. *Les matelots lavent le pont du navire* (= marin). | 803

mater v. *Il voulait résister mais on l'a maté,* on l'a soumis par la force (= dompter).

se matérialiser, matérialisme, matériaux, matériel → *matière.*

maternel, maternellement, maternité → *mère.*

mathématiques ou, fam., **maths** n.f. pl. *L'arithmétique, l'algèbre, la géométrie font partie des mathématiques,* de la science des nombres et des grandeurs.

■ **mathématique** adj. *Elle est arrivée avec une précision mathématique,* très rigoureuse.

■ **mathématicien, enne** n. *Pascal fut un grand mathématicien,* un savant en mathématiques.
R. → *mat* 1 et 2.

matière n.f. 1. *La matière peut être perçue par les sens,* ce qu'on peut voir, toucher (≠ esprit). 2. *La craie est une*

matière *friable* (= substance, corps).
3. *Lori est brillante dans les* **matières**
scientifiques mais faible dans les ma-
tières littéraires (= sujet, discipline,
domaine).

■ **matériel, elle** adj. **1.** SENS 2 *L'accident*
a fait des dégâts **matériels,** *qui ont at-*
teint les objets et non les personnes
(≠ corporel). **2.** *Anne a des soucis ma-*
tériels, d'argent.

■ **matériel** n.m. SENS 2 *Le* **matériel** *agri-*
cole, ce sont tous les objets qui servent
à l'agriculture.

■ **matériau** n.m. SENS 2 *La pierre, le ci-*
ment, le bois, le fer sont des **matériaux**
(de construction).

■ **se matérialiser** v. SENS 1 *Son rêve*
s'est matérialisé, il est devenu réalité (=
se réaliser, se concrétiser).

■ **matérialisme** n.m. SENS 1 Le **matéria-**
lisme est une philosophie qui affirme
l'importance fondamentale de la matière.

■ **immatériel, elle** adj. SENS 1 *Dieu est*
immatériel, il est uniquement esprit.

matin n.m. *Tous les* **matins,** *je vais à*
l'école (≠ après-midi et soir).

■ **matinal, e, aux** adj. *Cléa est* **matinale,**
elle se lève tôt. *Je fais ma toilette* **mati-**
nale, du matin.

■ **matinée** n.f. *J'ai travaillé toute la* **mati-**
née, entre le lever du jour et midi. *Au-*
jourd'hui c'est samedi, je **fais la grasse**
matinée, je reste longtemps au lit.
Dimanche prochain, il y aura un specta-
cle en **matinée,** dans l'après-midi.
R. *Matin* indique plutôt un moment, *matinée*
une durée.

matois, e adj. *Un air* **matois** *est un air*
rusé, finaud.

matou n.m. *Un* **matou** *est un gros chat.*

matraque n.f. *J'ai reçu un coup de* **ma-**
traque *sur la tête,* d'un bâton destiné à
frapper les gens.

■ **matraquer** v. *La police* **a matraqué** *les*
manifestants (= brutaliser).

matricule n.m. *Le* **matricule** *d'un soldat,*
d'un prisonnier, c'est son numéro d'inscription sur un registre.

matrimonial, e, aux adj. *Une agence*
matrimoniale s'occupe de marier les
gens.

matrone n.f. *Une* **matrone** *est une*
grosse femme vulgaire.

maturité → *mûr.*

maudire v. *Il* **maudissait** *sa malchance,*
il en était furieux, exaspéré.

■ **maudit, e** adj. *Quel* **maudit** *temps !*
(= détestable).

■ **malédiction** n.f. *Une* **malédiction**
s'acharne sur eux, une malchance
exaspérante.

maugréer v. *Qu'as-tu à* **maugréer** *entre*
tes dents ?, à murmurer des paroles de
mécontentement (= grogner, ronchonner).

mausolée n.m. *Un* **mausolée** *est un tom-*
beau monumental.

maussade adj. **1.** *Pierre est d'humeur*
maussade, il est grognon, morose. **2.** *Le*
temps est **maussade,** il est triste, gris,
couvert.

mauvais, e adj. **1.** *Cette viande est* **mau-**
vaise, *elle a un goût désagréable* (=
exécrable ; ≠ bon). *Ta santé est* **plus**
mauvaise *que la mienne* (= pire).
2. *Jean est* **mauvais** *en mathématiques*
(= faible). **3.** *Quand elle se met en*
colère, elle devient **mauvaise** (= méchant). **4.** *Ce livre est* **mauvais,** il est sans
intérêt (≠ passionnant). **5.** *La mer est*
mauvaise, très agitée.

■ **mauvais** adv. SENS 1 *Berk ! ça* **sent**
mauvais *ici !,* il y a une odeur infecte. *Il a*
fait *très* **mauvais** *en Bretagne,* il y eu de
la pluie, du vent (≠ beau).

mauve adj. *Marie a une robe* **mauve,**
violet pâle.

mauviette n.f. *Pierre est une* **mauviette,**
il est faible et peureux.

maxillaire n.m. *Les dents sont implan-*
tées dans les **maxillaires,** les deux os qui
constituent la mâchoire.

maximal → *maximum.*

361

maxime n.f. *« Qui vivra verra »* est une *maxime,* une phrase courte qui exprime une vérité générale (= proverbe, dicton).

maximum n.m. et adj. *Elle a voulu mettre le maximum de chances de son côté,* le plus grand nombre. *Ne dépassez pas la vitesse maximum autorisée,* la plus grande vitesse ($\neq$ minimum).

■ **maximal, e, aux** adj. *Les températures maximales ne dépasseront pas 10°,* les plus élevées (= maximum ; $\neq$ minimal). **R.** On prononce [maksimɔm]. Le pluriel est des *maximums* ou des *maxima.*

mayonnaise n.f. La *mayonnaise* est une sauce froide faite d'œufs et d'huile mélangés.

mazout n.m. *Notre chauffage fonctionne au mazout,* un liquide tiré du pétrole.

me est le pronom de la première personne quand il est complément : *Elle me voit.* **R.** *Me* devient *m'* devant une voyelle ou un *h* muet : *Il m'a parlé.*

mea culpa n.m.inv. *Faire son mea culpa,* c'est reconnaître qu'on est coupable. **R.** On prononce [meakylpa ou meakulpa].

méandre n.m. *Cette rivière fait de nombreux méandres,* elle ne coule pas en ligne droite (= boucle).

mécanique adj. **1.** *Un jouet mécanique fonctionne grâce à un mécanisme* ($\neq$ électrique). **2.** *Cette voiture a eu un incident mécanique,* de fonctionnement. **3.** *J'ai fait un geste mécanique,* sans y penser (= machinal).

■ **mécanique** n.f. SENS 1 ET 2 **1.** *La mécanique* est la science des mouvements. **2.** *Cette montre est une mécanique compliquée* (= machine).

■ **mécaniquement** adv. SENS 1 *Cette bouteille est remplie d'eau mécaniquement,* par une machine. SENS 3 *J'ai répondu mécaniquement,* sans réfléchir (= machinalement).

■ **mécaniser** v. SENS 1 ET 2 *Les agriculteurs se mécanisent de plus en*

plus, ils utilisent des machines pour travailler.

■ **mécanisme** n.m. SENS 1 ET 2 *Le mécanisme d'un appareil* est l'ensemble de ses rouages, des pièces qui lui permettent de fonctionner.

■ **mécanicien, enne** ou, fam., **mécano** n. SENS 1 ET 2 *Un mécanicien entretient et répare les machines et les moteurs.*   36, 291, 505, 802

mécène n.m. Un *mécène* est une personne riche qui aide financièrement les artistes et les écrivains.

■ **mécénat** n.m. *Autrefois, de nombreux artistes vivaient grâce au mécénat,* grâce à la protection de personnes riches.

méchant, e adj. et n. *Attention, ce chien est méchant,* il attaque les gens. *Les méchants cherchent à nuire à leur prochain* ($\neq$ bon).

■ **méchamment** adv. *Tu as ri méchamment quand je suis tombée* ($\neq$ gentiment).

■ **méchanceté** n.f *Il a fait cela par méchanceté* (= cruauté ; $\neq$ bonté). *Pourquoi me dis-tu des méchancetés ?,* des paroles méchantes.

mèche n.f. **1.** *La mèche d'une bougie,* c'est le cordon qui dépasse et qu'on allume. **2.** *Tiens ! tu as une mèche qui dépasse,* une touffe de cheveux. **3.** *Sophie met une mèche à la perceuse,* une tige de métal pour faire des trous. **4.** Fam. *Le gardien était de mèche avec les gangsters,* d'accord avec eux. **5.** *Un des conspirateurs a vendu la mèche,* a révélé le complot.   224 289

méchoui n.m. *Nous avons mangé un méchoui,* un mouton rôti à la broche.

mécompte n.m. *Mme Côté a eu de graves mécomptes financiers* (= déception, déboires).

méconnaître v. *Je ne méconnais pas ton courage,* je le reconnais.

■ **méconnaissable** adj. *Tu es méconnaissable avec tes nouvelles lunettes,* on a de la peine à te reconnaître.

■ **méconnaissance** n.f. *La méconnaissance de cette règle a fait échouer le projet,* le fait qu'on l'ignorait ou qu'on n'en a pas tenu compte.

■ **méconnu, e** adj. *Cette comédienne est méconnue,* elle n'est pas appréciée à sa juste valeur.

mécontent, mécontentement, mécontenter → content.

mécréant, e n. *Un mécréant est une* personne qui ne croit pas en Dieu.

220 **médaille** n.f. **1.** *Je porte une médaille au cou,* un bijou ressemblant à une pièce

763 de monnaie. **2.** *On a obtenu deux médailles aux jeux Olympiques,* deux récompenses sous forme de pièces de métal précieux.

■ **médaillé, e** n. et adj. SENS 2 *Les médaillés sont sur le podium,* ceux qui ont été décorés d'une médaille.

■ **médaillon** n.m. SENS 1 *Un médaillon* est un bijou qui peut contenir un portrait, un souvenir.

médecine n.f. *La médecine fait sans cesse des progrès,* l'art de soigner les malades.

38 ■ **médecin** n. *Claude est malade, il faut appeler le médecin* (= docteur).

■ **médical, e, aux** adj. *À l'école, nous avons passé la visite médicale,* le médecin nous a examinés pour vérifier notre état de santé.

■ **médicament** n.m. *Marie est allée à la pharmacie acheter les médicaments prescrits par le médecin* (= remède).

38 ■ **médicinal, e, aux** adj. *Les plantes médicinales sont bonnes pour la santé.*

média n.m. *La radio, la télévision, la presse sont des médias,* des moyens de diffusion de la pensée.

385 **médian, e** adj. *Une ligne médiane est au milieu.*

■ **médiane** n.f. *La médiane est une* droite qui joint un sommet d'un triangle au milieu du côté opposé.

médiateur, trice n. *Ces deux parties ne s'entendent pas, il faudrait nommer un médiateur,* une personne qui les aidera à trouver un terrain d'entente.

médical, médicament, médicinal → *médecine.*

médiéval, e, aux adj. *La littérature médiévale* est celle du Moyen Âge.

médiocre adj. et n. *M. Durand a un salaire médiocre* (= faible, insuffisant). *Paul est un médiocre,* une personne sans talent particulier, sans ambition.

■ **médiocrement** adv. *Tu travailles médiocrement,* plutôt mal.

■ **médiocrité** n.f. *Pierre est d'une grande médiocrité en mathématiques.*

médire v. *Médire de quelqu'un,* c'est dire du mal de lui pour lui faire du tort.

■ **médisance** n.f. *Ne croyez pas cela, ce sont des médisances* (= ragot).

■ **médisant, e** n. *Des médisants l'ont accusé de vol.*

R. → Conj. n° 72, sauf au participe *(médit).*

méditer v. *Il faudrait méditer ce projet plus longuement,* y réfléchir.

■ **méditation** n.f. *Elle semble plongée dans ses méditations* (= pensée, réflexion).

■ **préméditer** v. *L'assassin avait prémédité son crime,* il y avait pensé pour le préparer.

■ **préméditation** n.f. *La préméditation aggrave la faute.*

méditerranéen, enne adj. *Les pays méditerranéens* sont situés près de la Méditerranée. *Le climat méditerranéen* est chaud l'été et doux l'hiver.

méduse n.f. *Ce nageur s'est fait piquer par une méduse,* un animal marin au corps transparent et mou, qui avance dans l'eau à l'aide de filaments.

méduser v. *Maïté était médusée par le spectacle,* très étonnée (= fasciner, stupéfier).

meeting n.m. *Le meeting électoral a été très animé,* la réunion publique.

R. On prononce [mitiŋ].

méfait n.m. *Le vase est cassé : quel est l'auteur du méfait ?,* de la faute, de la mauvaise action.

se méfier v. *Il faut se méfier de lui, c'est un sournois,* ne pas lui faire confiance (= se défier ; ≠ se fier à). *Cette branche peut céder, il faut se méfier,* faire attention.

■ **méfiance** n.f. *J'éprouve envers lui une grande méfiance* (= défiance ; ≠ confiance).

■ **méfiant, e** adj. *Marie est très méfiante* (= soupçonneux).

mégalomane n. et adj. *C'est une mégalomane, elle se prend pour la plus grande architecte du monde,* quelqu'un qui a un désir anormal de supériorité, de gloire, de puissance.

par mégarde adv. *Par mégarde, il a pris une mauvaise route,* sans le vouloir (= par inadvertance).

mégère n.f. *Une mégère est une femme méchante.*

mégot n.m. Fam. *Mets ton mégot dans le cendrier,* le bout qui reste de ta cigarette fumée.

meilleur, e adj. et n. *Ce vin est bon mais celui-là est meilleur* (≠ pire). *Aïcha est ma meilleure amie. Que le meilleur gagne !*

■ **améliorer** v. *Tes résultats sont passables, il faudrait les améliorer,* les rendre meilleurs.

■ **amélioration** n.f. *On espère une amélioration de sa santé.*

R. *Meilleur* est le comparatif et *le meilleur* le superlatif de *bon.* (On ne dit pas *plus bon, le plus bon.*)

mélancolie n.f. *Il pense avec mélancolie que les vacances sont finies,* avec une tristesse vague.

■ **mélancolique** adj. *Pourquoi es-tu si mélancolique ?* (= triste, sombre).

■ **mélancoliquement** adv. *Nous regardions mélancoliquement tomber la pluie.*

mélanger v. 1. *On a mélangé du sucre, des œufs et de la farine pour faire un gâteau,* on a mis le tout ensemble (≠ séparer). 2. *Qui a mélangé mes papiers ?,* les a mis en désordre (= mêler).

■ **mélange** n.m. SENS 1 *Cette boisson est un mélange de sirop et d'eau.*

■ **mélangeur** n.m. SENS 1 *Le lavabo a un mélangeur,* un robinet permettant de mélanger l'eau froide et l'eau chaude. Un *mélangeur* est un appareil qui sert à broyer et à mélanger les aliments.

mélasse n.f. *La mélasse est du sirop de sucre.*

melba adj.inv. *Une pêche melba est une pêche servie avec de la glace à la vanille.*

mêler v. 1. *Le chat a mêlé les fils du tricot,* mis en désordre (= embrouiller, mélanger). 2. *Jean s'est mêlé à notre groupe,* il s'y est joint. 3. *De quoi te mêles-tu ? Mêle-toi de tes affaires* (= s'occuper de). 4. *Ne me parle pas, tu vas me mêler dans mon calcul,* m'embrouiller.

■ **mêlant, e** adj. SENS 4 *C'est très mêlant cette histoire,* on ne s'y retrouve plus.

■ **mêlée** n.f. SENS 1 *Une mêlée est un combat désordonné.* Au football, il y a *mêlée* lorsque les joueurs s'arc-boutent pour récupérer le ballon.

■ **démêler** v. 1. SENS 1 *J'ai mis une heure à démêler cette pelote de laine* (≠ emmêler). 2. *Cette affaire est difficile à démêler* (= résoudre, débrouiller).

■ **démêlé** n.m. *M. Durand a eu des démêlés avec ses voisins,* des disputes.

■ **emmêler** v. SENS 1 *Tu as les cheveux emmêlés,* mis les uns dans les autres.

■ **entremêler** v. SENS 1 *Les dates s'entremêlent dans ma tête,* elles sont en désordre.

■ **méli-mélo** n.m. SENS 1 Fam. *Quel méli-mélo sur ce bureau !,* quel mélange confus (= fouillis).

R. Noter le pluriel : des *mélis-mélos.*

■ **pêle-mêle** adv. SENS 1 *Ses vêtements sont pêle-mêle sur le tapis,* en désordre (= en vrac).

650 **mélèze** n.m. Le *mélèze* est un arbre proche du sapin mais à aiguilles caduques (= épinette rouge).

mélodie n.f. *Marie chante une mélodie, une jolie chanson.*

■ **mélodieux, euse** adj. *Une voix mélodieuse* est agréable à entendre (= musical).

■ **mélodieusement** adv. *Les oiseaux chantaient mélodieusement.*

mélodramatique, mélodrame → drame.

mélomane n. et adj. *Un mélomane* est un passionné de musique.

367, 578 **melon** n.m. 1. *Marika aime les melons bien sucrés*, un gros fruit sphérique. 2. *En été, on mange du melon d'eau* (= pastèque). 3. *Nos grands-pères portaient des chapeaux melons*, ronds et bombés.

804

mélopée n.f. *Une mélopée* est un chant triste.

membrane n.f. *Les poumons sont enveloppés par une membrane*, une peau très mince.

membre n.m. 1. *Les bras sont les membres supérieurs, les jambes les membres inférieurs.* 2. *Je suis membre d'un club sportif*, j'en fais partie.

même adj. et pron. 1. *Ils ont des cheveux de la même couleur* (= semblable, identique, pareil ; ≠ différent). *Tu as un beau stylo, je veux le même* (≠ autre). 2. *M. Durand c'est la bonté même*, il est très bon (= en personne).

■ **même** adv. 1. *Tout le monde est coupable, même moi*, moi aussi. 2. *Il pleuvait, mais elle est partie quand même* (ou *tout de même*), malgré la pluie. 3. *Lise a ri, Pierre a fait de même,* de la même façon, pareillement. 4. *Tu n'es pas à même de juger* (= capable). 5. *Il a bu à même la bouteille*, directement à la bouteille.

R. *Même* se place avec un trait d'union derrière *moi, toi, lui, soi, nous, vous, eux* pour renforcer le sens de ces pronoms personnels :

J'ai fait cela moi-même, tout seul, en personne.

mémento n.m. *J'écris mes rendez-vous sur mon mémento* (= agenda).

R. On prononce [meměto]

mémère n.f. Fam. *Ma voisine est une vraie mémère*, elle se mêle des affaires de tout le monde.

■ **mémérage** n.m. Fam. *Ton mémérage m'ennuie* (= bavardage).

■ **mémérer** v. Fam. *Paul mémère tout le temps*, il bavarde sur tout et sur rien.

mémoire n.f. 1. *Yaelle a une bonne mémoire*, elle se rappelle bien. 2. *On a élevé un monument en mémoire de la victoire*, pour qu'on s'en souvienne (= souvenir).

■ **mémoire** n.m. 1. *On a publié un mémoire sur cette maladie* (= étude). 2. *Cette actrice a écrit ses Mémoires*, ses souvenirs.

■ **mémorable** adj. *Tu as prononcé des paroles mémorables*, dont on se souviendra (= inoubliable).

■ **mémorial** n.m. *Un mémorial* est un monument élevé en mémoire d'un événement.

■ **se remémorer** v. *Je n'arrive pas à me remémorer son nom*, à m'en souvenir.

■ **immémorial, e, aux** adj. *Une coutume immémoriale* est si ancienne qu'on ne peut pas se rappeler son origine.

menacer v. 1. *Son voisin l'a menacée d'un procès*, il lui a fait craindre. 2. *La pluie menace de tomber*, on craint qu'elle ne tombe.

■ **menaçant, e** adj. SENS 1 *Il a pris un air menaçant* (≠ rassurant).

■ **menace** n.f. SENS 1 *Ses menaces ne me font pas peur*, ses gestes ou ses paroles annonçant l'intention de faire du mal. SENS 2 *On parle de menaces de guerre* (= danger).

ménage n.m. 1. *M. et Mme Durand forment un ménage uni* (= couple). 2. *Je fais le ménage*, je nettoie mon logement. 3. *Cette personne fait des ménages*, elle gagne sa vie en faisant le ménage chez

les autres. **4.** *Notre chien et nos chats font bon ménage,* ils s'entendent bien (≠ faire mauvais ménage).
■ **ménager, ère** adj. SENS 2 *Je m'occupe des travaux ménagers,* qui concernent l'entretien, la propreté de la maison.
■ **ménagère** n.f. SENS 2 *Tu es une bonne ménagère,* tu t'occupes bien de ta maison.

1. ménager v. **1.** *On lui a dit de ménager sa santé, de se ménager,* de ne pas faire d'efforts excessifs. **2.** *Par cette sécheresse, il faut ménager l'eau* (= économiser). **3.** *On nous a ménagé une surprise* (= préparer, réserver). **4.** *Le boxeur ménageait son adversaire,* il le traitait avec modération (≠ accabler).
■ **ménagement** n.m. SENS 4 *On l'a traitée sans ménagement,* avec brutalité (= égard).

2. ménager → *ménage.*

ménagerie n.f. *Nous avons visité la ménagerie du cirque,* l'endroit où se trouvent les animaux du cirque. *Qui s'occupe de la ménagerie ?,* de l'ensemble des animaux.

mendier v. *Un vieil homme mendie au coin de la rue,* il demande la charité.
■ **mendiant, e** n. *Pierre a donné un dollar à une mendiante.*
■ **mendicité** n.f. *La mendicité est interdite,* l'action de mendier.

menées n.f.pl. *On l'a accusée de menées révolutionnaires,* de manœuvres secrètes (= agissements, machinations).

mener v. **1.** *Cette route mène à la mer,* elle y va (= conduire). **2.** *Elle mène son entreprise à la baguette,* elle la dirige, la conduit. **3.** *La police mène l'enquête,* elle s'en occupe. **4.** *On mène une vie heureuse,* on vit heureux (= passer). **5.** *Notre équipe mène par 2 buts à 1,* elle est en tête.
■ **meneur, euse** n. SENS 2 *La police a arrêté les meneurs,* ceux qui dirigeaient, entraînaient les autres.

ménestrel n.m. Au Moyen Âge, un *ménestrel* était un joueur d'instrument de musique.

menhir n.m. Un *menhir* est une grande pierre dressée par les hommes préhistoriques.
R. On prononce [mɛnir].

méninge n.f. **1.** Les *méninges* sont chacune des trois membranes qui entourent le cerveau. **2.** (au plur.) *Ne te fatigue pas les méninges* (= cerveau).
■ **méningite** n.f. SENS 1 La *méningite* est une grave maladie du cerveau.

menottes n.f.pl. *Le bandit a été conduit en prison menottes aux poignets,* les poignets attachés par des bracelets d'acier.

mensonge, mensonger → *mentir.*

menstruation n.f. La *menstruation* est, chez la femme, un écoulement sanguin mensuel qui commence à la puberté.

mensualiser, mensualité, mensuel, mensuellement → *mois.*

mensurations n.f.pl. *Quelles sont tes mensurations ? — 60 cm de tour de taille, 90 cm de tour de hanches et de tour de poitrine,* quelles sont tes mesures.

mental, e, aux adj. *Le calcul mental* se fait de tête. *Un malade mental* est une personne à l'esprit dérangé.
■ **mentalement** adv. *J'ai fait ce calcul mentalement,* dans mon esprit, sans l'écrire (= de tête).
■ **mentalité** n.f. *Ces gens ont une mentalité différente de la nôtre,* un état d'esprit.

menterie, menteur → *mentir.*

menthe n.f. La *menthe* est une plante très odorante dont on fait des tisanes, des sirops, des bonbons.
R. *Menthe* se prononce [mɑ̃t] comme *mante* et [*qu'il*] *mente* (de *mentir*).

mention n.f. **1.** *Ce journal fait mention d'un incendie,* il le signale. **2.** *J'ai obtenu*

40

une **mention** à mon examen, une appréciation favorable. **3.** *Veuillez remplir le questionnaire et rayer les* **mentions** *inutiles,* les renseignements qui ne vous concernent pas.

■ **mentionner** v. SENS 1 *N'oubliez pas de* **mentionner** *votre adresse* (= indiquer, signaler).

mentir v. *Tout cela est faux, le témoin a* **menti,** il n'a pas dit la vérité.

■ **mensonge** n.m. *Ne la crois pas, elle dit des* **mensonges,** elle ment (= menterie).

■ **mensonger, ère** adj. *Il nous a fait un récit* **mensonger** *de son aventure* (= faux ; ≠ vrai).

■ **menterie** n.f. *Diane raconte des menteries* (= mensonge).

■ **menteur, euse** n. *Marie est une* **menteuse,** elle ment souvent.

R. → Conj. n° 19. → **menthe.**

33 | **menton** n.m. *Jean a reçu un coup de poing au* **menton,** à la base du visage.

1. menu, e adj. **1.** *Jeanne est une fillette* **menue,** petite et mince (≠ fort, corpulent, gras). **2.** *Il nous ennuie avec de* **menus** *détails,* des détails sans importance.

2. menu n.m. **1.** *Le garçon nous a apporté le* **menu,** la liste des plats. **2.** *Au restaurant, j'ai choisi le* **menu** *à prix fixe,* le repas à prix moins élevés que la carte.

menuet n.m. *Le* **menuet** *est une ancienne danse.*

291 | **menuisier, ère** n. *Le métier du* **menuisier** *consiste à travailler le bois et à faire des meubles.*

■ **menuiserie** n.f. *Je travaille dans une* **menuiserie,** un atelier de menuisier. *On fait de la* **menuiserie,** un travail de menuisier.

se méprendre v. *Je me suis* **méprise** *sur le sens de cette phrase,* je me suis trompée.

■ **méprise** n.f. *Veuillez excuser ma* **méprise !** (= erreur, confusion).

R. → Conj. n° 54. → **mépriser.**

mépriser v. **1.** *Jean est un lâche, tout le monde le* **méprise,** personne n'a d'estime pour lui (≠ admirer). **2.** *Tu* **méprises** *le danger,* tu n'en as pas peur (≠ craindre).

■ **mépris** n.m. SENS 1 *Nous n'avons que du* **mépris** *pour des gens aussi lâches* (= dédain ; ≠ estime).

■ **méprisable** adj. SENS 1 *Ces flatteurs sont* **méprisables,** ils méritent qu'on les méprise (≠ respectable).

■ **méprisant, e** adj. SENS 1 *Elle s'est détournée d'un air* **méprisant** (= dédaigneux, hautain).

R. Ne pas confondre *mépris* et [*il s'est*] *mépris* (de *se méprendre*).

mer n.f. **1.** *Une* **mer** *est une étendue d'eau salée plus petite qu'un océan.* **2.** *Nous avons passé nos vacances à la* **mer,** près d'une mer ou d'un océan (= plage).

■ **amerrir** v. SENS 2 *L'hydravion a* **amerri** *près de la côte,* il s'est posé sur l'eau.

■ **amerrissage** n.m. SENS 2 *L'*amerrissage *de l'avion a été parfait.*

■ **outre-mer** loc.adv. *L'Espagne et l'Italie sont des pays d'*outre-mer, *d'au-delà des mers (par rapport au Canada).*

R. → *maire* et *marin, maritime.*

mercantile adj. *Tu as l'esprit* **mercantile,** tu ne penses qu'à l'argent (= cupide ; ≠ désintéressé).

mercatique n.f. *Mercatique* est un autre mot pour *marketing.*

mercenaire n. *Un* **mercenaire** *est un soldat qu'un gouvernement étranger paie pour combattre à son profit.*

mercerie n.f. *Dans une* **mercerie,** on peut acheter du fil, des boutons, des rubans.

■ **mercier, ère** n. *Chez la* **mercière,** nous avons acheté des aiguilles et du fil.

merci n.f. **1.** *Le combat a été* **sans merci,** sans pitié. **2.** *Elle* **est à la merci** *d'un accident,* elle y est exposée. **3.** n.m. et interj. *Je vous dois un grand* **merci,** de la reconnaissance. **Merci** *de vos vœux !,* je vous en suis reconnaissant.

■**remercier** v. **1.** SENS 3 *Je ne sais comment vous remercier,* vous dire merci. **2.** *On a remercié la secrétaire,* on l'a congédiée, renvoyée.

■**remerciement** n.m. SENS 3 *Paul a écrit à sa marraine une lettre de remerciement,* pour remercier.

mercier → *mercerie.*

mercredi n.m. *Demain, nous serons mercredi 8 février.*

mercure n.m. Le *mercure* est un métal liquide et brillant.

mercurochrome n.m. Le *mercurochrome* est un liquide rouge qui sert à désinfecter les plaies.

mère n.f. **1.** *Pierre aime beaucoup sa mère,* celle qui l'a mis au monde (= maman). **2.** *Les petits chats tètent leur mère,* l'animal femelle qui les a mis au monde. **3.** *On dit que « prudence est mère de sûreté »,* qu'elle la produit.

■**maternel, elle** adj. **1.** SENS 1 *L'amour maternel* est l'amour de la mère pour ses enfants. *Je vais souper chez ma grand-mère maternelle,* du côté de ma mère. **2.** *Les enfants de moins de six ans vont à l'école maternelle.* **3.** *Le français est ma langue maternelle,* celle que je parle depuis que je suis tout petit et que l'on parle dans ma famille.

■**maternité** n.f. SENS 1 *La maternité l'a rendue heureuse,* le fait de devenir mère. **R.** → *maire.*

merguez n.f. *Nous avons mangé du couscous avec des merguez,* des petites saucisses pimentées.

méridien n.m. *On calcule l'heure à partir du méridien de Greenwich,* d'une ligne imaginaire qui va d'un pôle à l'autre à la surface de la Terre.

méridional, e, aux adj. et n. *Nous avons passé nos vacances en Italie méridionale,* du Sud. *Les Méridionaux ont l'accent du Midi,* les gens du sud de la France.

meringue n.f. *Marie aime les meringues,* des gâteaux légers à base de blancs d'œufs battus et sucrés.

merisier n.m. Le *merisier* est un cerisier sauvage.

■**merise** n.f. *Les merises ont un goût un peu amer.*

mériter v. **1.** *Tu as été sage, tu mérites une récompense,* tu en es digne. **2.** *Cette nouvelle mérite d'être vérifiée,* il faut la vérifier (= valoir).

■**méritant, e** adj. SENS 1 *Ce sont des gens méritants,* qui ont du mérite.

■**mérite** n.m. SENS 1 *M. Durand a beaucoup de mérite,* il est digne d'être récompensé.

■**méritoire** adj. SENS 1 *Voilà un travail méritoire* (= louable).

■**immérité, e** adj. SENS 1 *Il a reçu des reproches immérités,* qu'il ne méritait pas (= injuste).

merlan n.m. Le *merlan* est un poisson de mer.

merle n.m. *Un merle siffle devant ma fenêtre,* un oiseau noir à bec jaune.

mérou n.m. *Un mérou* est un gros poisson des mers chaudes.

merveille n.f. **1.** *Regarde ce bijou ciselé, c'est une merveille,* une chose très belle. **2.** *Pierre et Ruth s'entendent à merveille,* très bien (= parfaitement).

■**merveilleux, euse** adj. SENS 1 ET 2 *Ce paysage de montagnes est merveilleux* (= magnifique, admirable).

■**merveilleusement** adv. SENS 2 *Lise se porte merveilleusement,* très bien (= admirablement).

■**émerveiller** v. SENS 1 *Les enfants étaient émerveillés par le spectacle,* ils l'admiraient beaucoup.

■**émerveillement** n.m. SENS 1 *Cécile a regardé tous ces jouets avec émerveillement.*

mes → *mon.*

mésange n.f. *Il y a une mésange sur le poirier,* un petit oiseau.

mésaventure → *aventure.*

mesdames → *dame.*

mesdemoiselles → *demoiselle.*

mésentente → *entendre.*

mésestimer → *estimer.*

mesquin, e adj. *Il faudrait être mesquin pour lui reprocher ce petit défaut,* avoir l'esprit étroit.
■ **mesquinerie** n.f. *Tu as agi avec mesquinerie.*

mess n.m. *Le colonel Dupont mange au mess des officiers,* dans la salle qui leur est réservée.

message n.m. *On m'a chargé de vous transmettre un message,* une lettre, une information.
■ **messager, ère** n. Un *messager* est une personne chargée d'un message.

messageries n.f. *Les messageries sont un organisme de transport de marchandises.*

messe n.f. *Nous allons à la messe tous les dimanches,* à la cérémonie essentielle du culte catholique.

messie n.m. *Il est très populaire, on l'attend comme le Messie,* comme s'il était envoyé par Dieu.

messieurs → *monsieur.*

messire → *sire.*

mesure n.f. **1.** *Prendre les mesures d'une pièce,* c'est voir quelle est sa longueur, sa largeur, sa hauteur. *L'heure est l'unité de mesure du temps,* celle qui sert à évaluer une durée. *J'ai fait faire ma robe sur mesure,* spécialement pour moi. **2.** *Tu ne joues pas en mesure,* en suivant le rythme de la musique. **3.** *Tu manges trop, tu n'as pas le sens de la mesure,* tu agis sans modération. *Arrête un peu, tu dépasses la mesure,* tu dépasses ce qui est permis, tu exagères. **4.** *Il faut prendre des mesures énergiques contre le chômage,* il faut agir énergiquement (= décision). **5.** *Je ne suis pas en mesure de te répondre,* je n'en suis pas

871

capable. **6.** *Il faut économiser dans la mesure du possible,* en proportion des possibilités. **7.** *Je dépense mon argent (au fur et) à mesure que je le gagne,* en même temps.
■ **mesurer** v. **1.** SENS 1 *Le mètre sert à mesurer les longueurs, le mètre carré les surfaces, le mètre cube les volumes.* SENS 3 *Brenda ne mesure pas ses efforts, elle les fait sans se modérer.* **2.** *Se mesurer avec quelqu'un,* c'est se battre contre lui.
■ **mesuré, e** adj. SENS 3 *Elle parle d'un ton mesuré,* avec modération.
■ **démesure** n.f. SENS 3 *Elle a choqué tout le monde par la démesure de ses paroles* (= excès, outrance).
■ **démesuré, e** adj. SENS 3 *Dominique est d'un orgueil démesuré* (= exagéré, excessif ; ≠ modéré).
■ **démesurément** adv. SENS 3 *Ce roman est démesurément long* (= exagérément).
■ **demi-mesure** n.f. SENS 4 *Ces demi-mesures sont insuffisantes,* ces décisions imparfaites.

métairie n.f. Autrefois, une *métairie* était une exploitation agricole louée en métayage.
■ **métayage** n.m. *Le métayage est un système de location d'une terre dans lequel le paysan partage la récolte avec le propriétaire.*
■ **métayer** n.m. *Les métayers étaient alors des paysans pauvres.*

métal n.m. *Le fer est le métal le plus courant ; l'or et l'argent sont des métaux précieux ; d'autres métaux sont le cuivre, l'aluminium, le zinc.*
■ **métallique** adj. *On a acheté des meubles métalliques,* en fer ou en acier. *Écoute ce bruit métallique,* qui évoque le métal par sa sonorité.
■ **métallisé, e** adj. *Sa voiture est gris métallisé,* une couleur qui rappelle l'éclat brillant du métal.
■ **métallurgie** n.f. *La métallurgie est l'industrie qui produit les métaux.*

■ **métallurgique** adj. *Il y a beaucoup d'usines métallurgiques dans cette région.*

■ **métallurgiste** adj. et n. *Son père est ouvrier métallurgiste, dans la métallurgie.*

■ **métallo** n. Fam. *Les métallos se sont mis en grève,* les ouvriers métallurgistes.

métamorphose n.f. **1.** *Le papillon est le résultat de la métamorphose de la chenille,* de sa transformation complète. **2.** *Aïcha a beaucoup grandi, quelle métamorphose !,* quel grand changement.

■ **métamorphoser** v. SENS 1 *Les têtards se métamorphosent en grenouilles.* SENS 2 *Sa nouvelle coupe de cheveux l'a métamorphosé.*

métaphore n.f. *Quand on dit « un torrent d'injures » pour « une grande abondance d'injures », on emploie une métaphore,* une comparaison abrégée (= image).

■ **métaphorique** adj. *Le mot « brûler » dans « brûler de désir », est pris dans un sens métaphorique.*

métaphysique n.f. La *métaphysique est une partie de la philosophie.*

métayage, métayer → *métairie.*

météo → *météorologie.*

météore n.m. *Les étoiles filantes sont des météores,* des phénomènes lumineux qui se produisent dans le ciel.

■ **météorite** n.f. *Les météorites sont des cailloux venus de l'espace et tombés sur la Terre.*

météorologie ou, fam., **météo** n.f. La *météorologie est la science qui étudie le temps et le climat.*

■ **météorologique** adj. *Et voici les prévisions météorologiques pour demain,* concernant le temps qu'il fera.

■ **météorologiste** ou **météorologue** n. *La météorologiste prévoit un temps ensoleillé pour la fin de semaine,* la spécialiste de météorologie.

méthanier n.m. *Un méthanier est un navire qui transporte du gaz naturel.*

méthode n.f. **1.** *Agissons avec méthode,* en suivant un ordre logique et raisonné. **2.** *Voulez-vous m'indiquer la méthode à employer* (= moyen, procédé).

■ **méthodique** adj. SENS 1 *Jean est un garçon méthodique* (= soigneux, réfléchi, organisé ; ≠ désordonné).

■ **méthodiquement** adv. SENS 1 *Tu travailles méthodiquement,* avec méthode.

méticuleux, euse adj. *Mme Dubois est une femme méticuleuse,* elle fait attention à chaque détail (= minutieux ; ≠ négligent).

■ **méticuleusement** adv. *Il enlevait méticuleusement la poussière.*

métier n.m. **1.** *M. Durand est professeur, c'est son métier,* le travail dont il vit (= profession). **2.** *Un métier est une machine servant à fabriquer des tissus.*

métis, isse n. et adj. *Un métis est une personne dont les parents sont de races différentes. Cette enfant métisse est très jolie.*

R. On prononce le *s* final : [metis].

mètre n.m. **1.** *Le mètre est la principale unité de mesure des longueurs. Je mesure 1,60 m,* 1 mètre et 60 centimètres. **2.** *La couturière mesure son tissu avec un mètre,* un ruban de la longueur d'un mètre. | 871 | 296, 289 |

■ **métrage** n.m. **1.** SENS 1 *Le métrage d'un tissu ou d'un film,* c'est sa longueur en mètres. **2.** *On va voir un long métrage,* un film qui dure plus d'une heure. *Un court métrage dure moins de quinze minutes.*

■ **métrique** adj. SENS 1 Le *système métrique est le système des poids et mesures qui a pour base le mètre.*

■ **centimètre** n.m. SENS 1 *Ce ruban mesure un centimètre de large,* la centième partie d'un mètre. | 871 |

■ **décamètre** n.m. SENS 1 *Ce jardin a trois décamètres de côté* (10 m × 3). | 871 |

■ **décimètre** n.m. SENS 1 *Le mur a un décimètre d'épaisseur* (1 m : 10). SENS 2 | 871 |

*Prête-moi ton **double décimètre,** ta règle mesurant 20 cm.*

■ **hectomètre** n.m. SENS 1 *Cette forêt a un **hectomètre** de large* (1 m × 100).

871 ■ **kilomètre** n.m. SENS 1 *Il y a 240 kilomètres de Québec à Montréal* (1 000 m × 240).

■ **kilométrage** n.m. SENS 1 *Cette voiture a un **kilométrage** important,* beaucoup de kilomètres parcourus.

506 ■ **kilométrique** adj. SENS 1 *Je n'ai pas pu lire la borne **kilométrique,** celle que l'on trouve à chaque kilomètre.*

■ **millimètre** n.m. SENS 1 *Cet insecte mesure un **millimètre*** (1 m : 1 000).

871 ■ **millimétrique** ou **millimétré, e** adj. SENS 1 *Le papier **millimétrique** est quadrillé par des carrés de 1 mm de côté.* **R.** → *maître.*

217, **métro** n.m. *Le **métro** est un train, souvent souterrain, qui sert à se déplacer dans les grandes villes.*

508

438 **métronome** n.m. *Un **métronome** est un instrument qui indique le rythme d'un morceau de musique.*

métropole n.f. **1.** *Toronto est la **métropole** de l'Ontario,* la plus grande ville. **2.** *En France, la **métropole** est le pays auquel se rattache un département ou un territoire d'outre-mer.*

■ **métropolitain, e** n. et adj. **1.** SENS 2 *La Guadeloupe, la Martinique, la Réunion accueillent les touristes **métropolitains,*** de la métropole. **2.** *À Montréal, l'autoroute **métroplitaine** relie les différentes parties de la ville.*

mets n.m. *Le caviar est un **mets** apprécié* (= aliment, plat). **R.** → *mai.*

mettre v. **1.** *Mets ce livre sur la table* (= placer, poser ; ≠ enlever). **2.** *Pierre s'est mis à côté de moi* (= s'installer). **3.** *Ruth a mis un pantalon bleu,* elle s'est habillée avec. **4.** *J'ai mis du sucre dans le café,* je l'y ai ajouté et mélangé. **5.** *J'ai mis deux heures à venir,* il m'a fallu ce temps-là. **6.** *Pierre s'est mis à pleurer,* il

a commencé à le faire. **7.** *Ce livre vient d'être mis en vente,* sa vente vient de commencer.

■ **mettable** adj. SENS 3 *Je ne jette pas ce manteau, il est encore **mettable,*** on peut encore le mettre.

■ **metteur, eure** n. SENS 7 *Le **metteur en scène** d'un film est celui qui en dirige la réalisation.*

■ **mise** n.f. SENS 1 *Mme Bernier a doublé sa **mise,** l'argent qu'elle avait mis au départ.* SENS 3 *Tu soignes ta **mise,** ta manière de t'habiller.* SENS 7 *La **mise en scène** de ce film est très réussie.*

■ **miser** v. SENS 1 *M. Durand a **misé** dix dollars sur un cheval,* il a placé cette somme d'argent pour parier.

R. → Conj. n° 57. → *maître, mai* et *mi.*

1. meuble n.m. *J'essuie les **meubles** du salon,* les chaises, la table, les fauteuils, etc.

■ **meubler** v. **1.** *Son appartement est bien **meublé,*** il y a de beaux meubles. **2.** *Sophie ne sait pas comment **meubler** ses loisirs* (= occuper).

■ **ameublement** n.m. *Elle a acheté une armoire et un lit dans un magasin d'**ameublement,*** qui vend des meubles. **R.** → *mobilier.*

2. meuble adj. *Cette terre est **meuble,*** elle est facile à labourer (≠ compact).

■ **ameublir** v. *Les labours **ameublissent** le sol.*

meugler v. *La vache **meugle,** elle pousse son cri* (= beugler, mugir).

■ **meuglement** n.m. *On entend le **meuglement** des vaches à l'étable.*

meule n.f. **1.** *Une **meule** est une grosse pierre plate et ronde qui sert à moudre le grain dans les anciens moulins.* **2.** *J'ai aiguisé mon couteau sur la **meule,*** un disque de pierre ou d'une matière minérale qui affûte les outils en tournant. **3.** *Il y a une **meule** de foin dans ce champ,* un gros tas.

meulière n.f. *La **meulière** est une pierre utilisée en construction.*

meunier, ère n. Un *meunier* est une personne qui possède un moulin et qui moud le grain.

meurtre n.m. *Un meurtre a été commis hier,* quelqu'un a été assassiné (= crime).
■ **meurtrier, ère** n. et adj. *La police a arrêté le meurtrier* (= assassin). *Des combats meurtriers ont eu lieu,* qui ont causé des morts (= sanglant).

meurtrière n.f. Une *meurtrière* est une étroite ouverture dans une fortification.

meurtrir v. *Un coup de poing lui a meurtri la lèvre* (= blesser).
■ **meurtrissure** n.f. *Tu as des meurtrissures sur le visage,* des traces de coups.

meute n.f. 1. Une *meute* est une troupe de chiens de chasse. 2. *Il courait, poursuivi par une meute de gens,* un grand nombre (= bande).

mévente → *vente.*

mezzanine n. Une *mezzanine* est un demi-étage qui ne couvre qu'une partie d'une pièce.

1. mi n.m. *Mi* est la troisième note de la gamme.
R. *Mi se prononce* [mi] comme *mie* et [je] *mis,* [il] *mit* (de *mettre*).

2. mi- est un préfixe qui, placé devant un nom, signifie « à moitié », « à demi » *(s'arrêter à mi-côte, à mi-chemin).*

miasme n.m. *Cette ruelle est empestée par les miasmes des égouts,* des odeurs malsaines.

miauler v. *Le chat miaule, il doit avoir faim,* il pousse son cri.
■ **miaulement** n.m. *Le miaulement* est le cri du chat.

mica n.m. *Le mica* est un minéral brillant et transparent.

mi-carême → *carême.*

miche n.f. Une *miche* est un gros pain rond.

micmac n.m. Fam. *Qu'est-ce que c'est que ce micmac ?,* cette affaire louche et embrouillée.

1 micro → *micro-ordinateur.*

2. micro ou **microphone** n.m. *Parle devant le micro,* l'appareil qui amplifie la voix. | 807

3. micro- placé au début d'un mot signifie « tout petit » : *Un microfilm* est une photographie de tout petit format ; *un microsillon* est un disque dont les sillons, très petits, sont nombreux et permettent une audition de longue durée.

microbe n.m. *Les microbes* sont des êtres vivants microscopiques qui sont les causes de certaines maladies.
■ **microbien, enne** adj. *La tuberculose est une maladie microbienne,* causée par un microbe.

microfilm → *micro-3.*

micro-ordinateur ou **micro** n.m. *Un micro-ordinateur* est un petit ordinateur. | 808

microscope n.m. *Leïla a un microscope qui grossit cent fois,* un appareil qui permet de voir les objets invisibles à l'œil nu. | 294
■ **microscopique** adj. *Les globules du sang sont microscopiques,* visibles seulement au microscope tellement ils sont petits.

microsillon → *micro-3.*

midi n.m. 1. *Nous déjeunons à midi,* à 12 heures. 2. *Cette maison est exposée au midi,* au sud. 3. *Nous avons passé nos vacances dans le Midi,* dans le sud de la France. 4. *Sébastien cherche toujours midi à quatorze heures,* il complique les choses.
■ **après-midi** n.m. ou f. inv. SENS 1 *Je passerai vous voir cet après-midi,* entre midi et 18 heures.
■ **avant-midi** n.m. ou f. inv. *Pauline a un rendez-vous cet avant-midi,* au cours de la matinée.
R. → *méridional.*

mie n.f. *Mon arrière-grand-père n'a plus de dents, il mange la mie et laisse la*

croûte, la partie intérieure et tendre du pain.
R. → *mi.*

362

miel n.m. **1.** *Le miel est fabriqué par les abeilles avec le suc des fleurs.* **2.** *Jean s'est montré tout miel,* trop poli.
■**mielleux, euse** adj. SENS 2 *Tu parles d'une voix mielleuse,* douce et hypocrite.

le mien 1. pron.possessif *Cette robe n'est pas à toi, c'est la mienne.* **2.** n.m. *J'aime les miens,* mes parents.

miette n.f. **1.** *Marie a jeté des miettes de pain aux oiseaux,* de petites parcelles. **2.** *Oh, le vase est tombé et il est en miettes !,* en mille morceaux.
■**émietter** v. SENS 1 *Lori émiette une biscotte dans son potage,* elle en fait des miettes.
■**émiettement** n.m. SENS 1 *L'émiettement des responsabilités,* c'est leur dispersion, leur éparpillement.

mieux 1. adv. *Tu travailles mieux que Pierre,* d'une manière meilleure. *Grandpapa va mieux,* sa santé est meilleure. *Tu ferais mieux de manger,* c'est dans ton intérêt. **2.** adj. *Cet appartement est mieux que le précédent,* il est plus joli, plus agréable. **3.** n.m. *J'ai fait de mon mieux,* aussi bien que j'ai pu. *On a fait pour le mieux,* de la meilleure façon possible.
R. *Mieux est le comparatif et le mieux le superlatif de bien.*

mièvre adj. *Il a prononcé des paroles mièvres,* gentilles mais fades, banales.

mignon, onne adj. *Ce bébé est très mignon,* charmant et gentil.

migraine n.f. *J'ai la migraine,* mal à la tête.

migration n.f. *Il se produit une migration quand des gens quittent leur pays pour aller vivre dans un autre. Les oies sauvages sont en pleine migration,* c'est le temps de l'année où elles s'en vont vivre ailleurs.

■**migrateur, trice** adj. *L'hirondelle est un oiseau migrateur,* elle change de région selon les saisons.
■**émigrer** v. *Beaucoup d'Haïtiens ont émigré au Canada,* ils ont quitté leur pays pour venir s'établir au Canada.
■**émigrant, e** n. *Beaucoup d'émigrants vivent dans ce quartier,* des gens d'origine étrangère.
■**émigration** n.f. *L'émigration est souvent causée par le chômage,* le départ vers un pays étranger.
■**émigré, e** adj. et n. *Carole est une émigrée,* elle est allée s'établir dans un autre pays.
■**immigrer** v. *Plusieurs Asiatiques cherchent à immigrer au Canada et aux États-Unis,* à venir s'y installer, s'y fixer.
■**immigrant, e** n. *Il y a beaucoup d'immigrantes dans cette école,* des jeunes filles venues d'autre pays.
■**immigration** n.f. *L'immigration est contrôlée par l'État,* l'arrivée de travailleurs étrangers.
■**immigré, e** adj. et n. *Il y a au pays beaucoup de travailleurs immigrés,* venus de l'étranger.

mijaurée n.f. *Marie fait la mijaurée,* elle a une attitude prétentieuse.

mijoter v. **1.** *Je fais mijoter un ragoût,* je le fais cuire doucement. **2.** *Pierre et Luc mijotent quelque chose,* ils préparent un mauvais coup.

mil → *mille* et *millet.*

milan n.m. *Le milan est une sorte de faucon.*

mildiou n.m. *Le mildiou est une maladie de la vigne.*

milice n.f. *Une milice est une troupe de volontaires qui renforcent l'armée régulière.*
■**milicien, enne** n. *Une milice est composée de miliciens.*

milieu n.m. **1.** *Il y a une table au milieu de la pièce,* à l'endroit qui est à égale distance des bords ou du tour (= centre).

2. *Bianca est née au* **milieu** *du xxᵉ siècle, en 1950* (≠ *début et fin*). **3.** *Tu vis dans un* **milieu** *bourgeois,* les gens qui t'entourent sont des bourgeois. *Il faut laisser vivre les animaux dans leur* **milieu** *naturel,* leur environnement.

militaire adj. et n. *Nous avons croisé un convoi de camions* **militaires,** de camions de l'armée. *M. Dupuis est* **militaire** *de carrière* (= soldat).
■ **militairement** adv. *Un soldat en uniforme salue* **militairement.**
■ **antimilitariste** adj. et n. *Yaelle est* **antimilitariste,** elle est hostile à l'armée.
■ **démilitariser** v. *Une zone* **démilitarisée** *est une zone sans éléments militaires, sans armée.*

militer v. *Mme Trudel* **milite** *dans un syndicat,* elle y joue un rôle actif.
■ **militant, e** adj. et n. *M. Durand est un* **militant** *syndical.*

mille adj. **1.** *Cette ville est à* **mille** *mètres d'altitude.* 10 × 100 = 1 000. **2.** *Je t'ai dit cela* **mille** *fois,* de très nombreuses fois.
■ **mille** n.m. **1.** *Le* **mille** *est une ancienne mesure de distance au Canada qui vaut 1 610 m.* **2.** *Le* **mille** *marin est une unité de distance valant 1 852 m.*
■ **millage** n.m. *Connais-tu le* **millage** *entre New York et Montréal ?,* la distance en milles. *Quel est le* **millage** *de ta voiture ?,* le nombre de milles parcourus indiqués au compteur.
■ **millénaire** n.m. et adj. SENS 1 *Il s'est écoulé un* **millénaire** *depuis le xᵉ siècle,* mille ans. *Une roche* **millénaire** *a mille ans ou plus.*
■ **milli-** placé devant une unité la divise par 1 000 : *milligramme, millimètre.*
■ **millième** adj. et n.m. SENS 1 *10 est la* **millième** *partie* (ou *le* **millième**) *de 10 000.*
■ **millier** n.m. SENS 1 *Il y avait un* **millier** *de personnes sur la place,* environ mille.
■ **mille-feuille** n.m. SENS 2 *Les* **mille-feuilles** *sont des gâteaux formés de nombreuses couches de pâte et de crème.*

■ **mille-pattes** n.m.inv. SENS 2 *Le* **mille-pattes** *est un insecte qui a beaucoup de pattes.*
R. Dans les dates on peut écrire **mil** : mil *neuf cent cinquante (1950).*

millésime n.m. *Cette bouteille porte le* **millésime** *de 1976,* cette date est écrite dessus.

millet ou **mil** n.m. *Le* **millet,** ou **mil,** *est une céréale à grains très petits.*

milliard n.m. *Il y a environ trois* **milliards** *d'êtres humains sur la terre (3 000 000 000).*
■ **milliardaire** n. *Cet industriel est* **milliardaire,** sa fortune se compte en milliards.

millième, millier → *mille.*

milligramme → *gramme.*

millimètre, millimétrique → *mètre.*

million n.m. *Paris a trois* **millions** *d'habitants (3 000 000).*
■ **millionnaire** n. *Mme Dupuis est* **millionnaire,** elle est très riche.

mime n. *Un* **mime** *est un acteur qui joue en s'exprimant par gestes, sans parler.*
■ **mimer** v. *Pierre s'amuse à* **mimer** *son professeur,* à l'imiter.
■ **mimique** n.f. *Marie a fait une* **mimique** *de dégoût* (= expression, geste).
■ **pantomime** n.f. *Une* **pantomime** *est une pièce de théâtre jouée par des mimes.*

mimétisme n.m. **1.** *Par* **mimétisme,** *les papillons prennent la couleur de l'objet sur lequel ils se posent,* par imitation. **2.** *À force de vivre avec sa tante, il a fini par lui ressembler, c'est du* **mimétisme** *!,* une ressemblance due à une imitation inconsciente des gestes, des attitudes, etc.

mimosa n.m. *Le* **mimosa** *est un arbre à fleurs jaunes et parfumées.*

minable adj. et n. Fam. *Ce devoir est* **minable,** très médiocre (≠ *excellent*). *Ce type est un* **minable,** une personne d'une médiocrité pitoyable.

563

563

578

minaret n.m. *Le minaret d'une mosquée est la tour du haut de laquelle on appelle les fidèles à la prière.*

minauder → *mine* 1.

mince adj. **1.** *Le papier de ce livre est très mince* (= fin ; ≠ épais). *Sophie est toute mince* (≠ gros). **2.** *Entre ces deux textes, il n'y a qu'une mince différence* (= insignifiant, faible, infime).
■ **minceur** n.f. SENS 1 *Sa taille est d'une minceur extrême.* SENS 2 *L'avocat souligné la minceur des preuves de l'accusation.*
■ **amincir** v. SENS 1 *Marie s'est amincie en suivant un régime amaigrissant* (≠ grossir).

1. mine n.f. **1.** *Pierre a mauvaise mine,* son visage indique une mauvaise santé. **2.** *Il ne faut pas juger les gens sur leur mine,* leur aspect extérieur (= physionomie). *Ce restaurant ne paie pas de mine,* il n'inspire pas confiance par son extérieur. **3.** *Jean a fait mine de partir,* il a fait semblant. *Mine de rien, Luc a ramassé tous les bonbons,* sans que l'on s'en rende compte. **4.** (au plur.) *Tu fais des mines,* tu as une attitude affectée (= manières).
■ **minauder** v. SENS 4 *Tu minaudes en parlant,* tu fais des mines.
■ **minois** n.m. SENS 1 *Dominique a un joli minois* (= visage).

2. mine n.f. *Il y a des mines de charbon dans le Nord,* des exploitations souterraines.
■ **minerai** n.m. *Le minerai de cuivre est extrait dans les mines de cuivre,* la roche qui contient ce métal.
■ **mineur, euse** n. *Les mineurs font un travail pénible,* les ouvriers des mines.
■ **minier, ère** adj. *L'Abitibi est une région minière.*

3. mine n.f. *Le navire a sauté sur une mine,* sur un engin explosif.
■ **miner** v. **1.** *Les soldats ont miné le pont,* ils y ont placé une mine. **2.** *Il est*

miné par les soucis, affaibli peu à peu (= ronger).
■ **déminer** v. *Le port est déminé, les bateaux peuvent y entrer,* il est débarrassé des mines qu'on y avait mises.
■ **déminage** n.m. *Le déminage est une opération dangereuse.*

4. mine n.f. *J'ai cassé la mine de mon crayon,* la partie centrale qui sert à écrire.

minéral, e, aux **1.** adj. *Les roches et les métaux sont des matières minérales,* ni animales ni végétales. *L'eau minérale contient des substances minérales.* **2.** n.m. *Les minéraux sont les éléments dont sont formées les roches.*
■ **minéralogie** n.f. SENS 2 *La minéralogie est la science qui étudie les minéraux.*

minéralogique adj. *On a volé ma plaque minéralogique,* qui porte le numéro d'immatriculation de ma voiture.

minet n.m. *Viens ici, minet !* (= chat).

1. mineur → *mine* 2.

2. mineur, e **1.** adj. *Ceci est un problème mineur,* peu important (= secondaire ; ≠ majeur). **2.** adj. et n.m. *Pierre est mineur,* il n'a pas dix-huit ans. *Les mineurs n'ont pas le droit de vote* (≠ majeur).
■ **minoritaire** adj. *Ce projet de loi est minoritaire,* il n'est soutenu que par une minorité d'avis favorables (≠ majoritaire).
■ **minorité** n.f. **1.** SENS 2 *La minorité finit à dix-huit ans.* **2.** *Le gouvernement a été mis en minorité,* moins de la moitié des députés l'ont approuvé (≠ majorité). **3.** *Une minorité de coureurs a terminé le marathon,* un petit nombre.

mini- au début d'un mot indique la petitesse : *Un minibus* (ou *minicar*) *est un autobus de dimensions réduites, etc.*

miniature n.f. **1.** *Ce peintre fait des miniatures,* des tableaux tout petits. **2.** *Nadia joue avec des autos (en) miniature,* des modèles réduits d'autos.

■ **miniaturiser** v. SENS 2 *L'électronique a permis de miniaturiser de très nombreux appareils,* de leur donner de très petites dimensions.

minibus, minicar → *mini-*.

minier → *mine* 2.

minime adj. *J'ai payé cela une somme minime,* très petite (≠ important).

■ **minimum** n.m. et adj. *Je veux faire le minimum de dépenses,* le moins possible. *18 ans est l'âge minimum pour voter,* le plus bas (≠ maximum).

■ **minimal, e, aux** adj. *Les températures minimales seront stationnaires,* les températures les plus faibles (= minimum ; ≠ maximal).

■ **minimiser** v. *On aurait tort de minimiser les conséquences de cet incident,* d'en diminuer l'importance (= réduire, sous-estimer ; ≠ exagérer).

R. *Minimum* se prononce [minimɔm]. Le pluriel est des *minimums* ou des *minima*.

ministre n. 1. *Les ministres constituent le gouvernement sous la direction du Premier ministre.* 2. *Un prêtre est un ministre du culte,* il accomplit des actes religieux.

■ **ministère** n.m. SENS 1 *Où se trouve le ministère des Finances ?,* l'administration qui s'occupe des finances et qui relève d'un ou d'une ministre. SENS 2 *Ce prêtre a exercé son ministère dans notre paroisse,* son activité de prêtre.

■ **ministériel, elle** adj. SENS 1 *Une crise ministérielle,* c'est un changement de gouvernement.

■ **sous-ministre** n. *Pour l'inauguration de cette école, le ministre, Mme Papineau, était accompagnée de son sous-ministre,* la personne qui dirige l'administration sous l'autorité immédiate du ministre.

minium n.m. *Le minium sert à protéger les métaux de la rouille,* une peinture rouge.

R. On prononce [minjɔm].

minois → *mine* 1.

minoritaire, minorité → *mineur* 2.

minoterie n.f. *Une minoterie est une usine où l'on moud le grain pour faire de la farine.*

minuit n.m. *Lori s'est couchée à minuit,* à 24 heures ou 0 heure.

minus n.m. Fam. *Il est nul, laisse-le tomber, c'est un minus,* une personne minable, incapable, bonne à rien.

minuscule 1. adj. *J'ai une écriture minuscule,* très petite (≠ énorme). 2. n.f. *Tu as écrit le mot avec un M majuscule, il fallait une minuscule,* une petite lettre.

minute n.f. 1. *Il y a 60 minutes dans une heure et 60 secondes dans une minute.* 2. *Veux-tu m'attendre une minute ?,* un court instant.

■ **minuter** v. *Mon emploi du temps est minuté,* il est compté à la minute près.

■ **minuterie** n.f. *As-tu réglé la minuterie du four ?,* l'appareil que l'on règle pour l'arrêt automatique du four.

minutieux, euse adj. *Marie est très minutieuse,* elle fait attention à chaque détail (≠ négligent).

■ **minutieusement** adv. *Tu as noté minutieusement tout ce que je lui ai dit ?*

■ **minutie** n.f. *Il travaille toujours avec minutie,* un très grand soin.

R. On prononce [minysjø, minysi].

mioche n. Fam. *Les Durand promènent leurs mioches,* leurs enfants.

mirabelle n.f. *Marie aime la confiture de mirabelles,* de petites prunes rondes et jaunes.

miracle n.m. 1. *Dans l'Évangile, on raconte l'un des miracles du Christ, qui change l'eau en vin,* un événement qu'on ne peut pas expliquer avec notre raison et qui nous paraît surnaturel. 2. *Elle a échappé à la mort par miracle,* de façon heureuse et très inattendue.

■ **miraculeux, euse** adj. SENS 1 *Les Apôtres firent une pêche miraculeuse,* qui tient du miracle. SENS 2 *Tu as une chance* *miraculeuse* (= extraordinaire ; ≠ naturel).

■ **miraculeusement** adv. SENS 2 *Il a miraculeusement échappé à un attentat* (= par miracle).

mirador n.m. *Une sentinelle est postée sur le mirador de la prison,* le poste d'observation surélevé.

mirage n.m. *Dans les déserts on voit quelquefois des mirages,* des paysages qui n'existent pas, dus à des couches d'air surchauffé par le soleil.

mire n.f. **1.** *Le cran de mire d'un fusil,* c'est ce qui sert à viser. *La ligne de mire* est la ligne droite qui va de l'œil de l'observateur à l'objet visé. **2.** *Tu es le point de mire de tous les regards,* tout le monde te regarde.

se mirer v. *Le clocher se mire dans le lac,* il s'y reflète.

mirifique ou **mirobolant, e** adj. Fam. *Elle nous a fait des promesses mirifiques* (ou *mirobolantes*), trop belles pour être vraies.

miroir n.m. *Tu aimes te regarder dans ton miroir ?* (= glace).

■ **miroiter** v. *L'eau de la rivière miroite au soleil,* le soleil s'y réfléchit (= briller).

■ **miroitement** n.m. *Je contemple le miroitement du lac,* les reflets.

■ **miroitier** n.m. *Un miroitier est un fabricant ou un marchand de miroirs.*

misaine n.f. *Le mât de misaine d'un bateau à voiles,* c'est le mât de l'avant.

misanthrope adj. et n. *Mon grand-père devient misanthrope,* il n'aime pas la compagnie des autres gens.

mise, miser → **mettre.**

misère n.f. **1.** *Ces gens vivent dans la misère,* ils sont très pauvres. **2.** *Elle est toujours à se plaindre de ses misères,* de ses malheurs, de ses souffrances. **3.** *J'ai eu beaucoup de misère à réussir ce dessert,* de difficulté. **4.** Fam. *Cette femme mange de la misère,* elle a des difficultés, des problèmes.

■ **misérable** adj. **1.** SENS 1 *Ces gens vivent dans des conditions misérables,* dans la misère (= pitoyable). **2.** *Ils se sont battus pour une misérable question d'argent* (= insignifiant).

■ **misérablement** adv. SENS 1 *Cette famille vit misérablement,* très pauvrement.

■ **miséreux, euse** n. SENS 1 *Un miséreux demandait l'aumône* (= pauvre).

miséricorde n.f. *Les pénitents imploraient la miséricorde divine,* le pardon de leurs fautes. *À tout péché miséricorde,* on ne doit pas toujours refuser de pardonner à celui qui regrette ses fautes.

■ **miséricordieux, euse** adj. *Un regard miséricordieux exprime la pitié.*

misogyne n. et adj. *Un misogyne est quelqu'un qui a une hostilité particulière envers les femmes.*

missel n.m. *Un missel est un livre qui contient les prières et les chants de la messe.*

missile n.m. *Un missile est une fusée transportant une bombe.*

mission n.f. **1.** *David a reçu la mission d'accueillir les invités,* on l'a chargé de le faire. **2.** *Une mission scientifique est partie étudier le pôle Sud,* un groupe de savants chargés de cette étude. **3.** *Une mission est un établissement où vivent des missionnaires.*

■ **missionnaire** n. et adj. SENS 3 *Cette paroisse d'Afrique avait été créée par des missionnaires,* des religieux, des religieuses ou des pasteurs qui vont dans des pays lointains pour faire connaître Dieu.

missive n.f. *Dominique m'a écrit une longue missive* (= lettre).

mistral n.m. *Le mistral est un vent violent et froid qui souffle dans le Midi de la France.*

mitaine n.f. **1.** *Des mitaines sont des gants qui ne couvrent pas le bout des doigts.* **2.** *J'ai tricoté des mitaines pour*

Jocelyn, un gant chaud qui recouvre entièrement la main en séparant le pouce des autres doigts.

mite n.f. *Cette couverture a été mangée par les mites,* des petits insectes.

■ **mité, e** adj. *La couverture est mitée,* trouée par les mites.

■ **antimite** n.m. *On met de l'antimite dans l'armoire,* un produit qui protège le linge des mites.

R. *Mite* se prononce [mit] comme *mythe.*

mi-temps n.f.inv. *Le but a été marqué pendant la seconde mi-temps,* la seconde partie du match. *Nous irons manger à la mi-temps,* à la pause entre les deux parties du match.

■ **à mi-temps** adv. ou adj. *J'ai trouvé un travail à mi-temps,* qui occupe la moitié du temps normal de travail.

miteux, euse adj. *On habite un appartement miteux,* de pauvre apparence (= minable).

mitigé, e adj. *Les journalistes ont fait des éloges mitigés de ce livre,* des éloges avec des réserves, mêlés de critiques.

mitonner v. *J'ai mitonné un bon pot-au-feu,* je l'ai préparé avec soin (= mijoter).

mitoyen, enne adj. *Un mur mitoyen fait la limite de deux propriétés.*

mitrailler v. 1. *Les avions ennemis mitraillaient la ville,* ils tiraient dessus avec des armes à feu. 2. *On l'a mitraillée de questions* (= bombarder).

■ **mitraille** n.f. SENS 1 *Les soldats fuyaient sous la mitraille,* les balles, les obus, etc.

■ **mitraillette** n.f., **mitrailleur, euse** adj., **mitrailleuse** n.f. SENS 1 *La mitraillette,* le *fusil* et le *pistolet mitrailleur,* la *mitrailleuse* sont des armes à feu qui tirent très vite.

mitre n.f. *Une mitre est une coiffure haute et pointue que les évêques portent dans certaines cérémonies.*

mitron n.m. *Un mitron est un apprenti boulanger ou pâtissier.*

à mi-voix → *voix.*

mixte adj. *Marie va dans une école mixte,* où il y a des filles et des garçons.

mixture n.f. *Je n'ai pas pu avaler cette mixture,* ce mélange au goût désagréable.

mobile 1. adj. *Notre mâchoire inférieure est mobile,* elle peut bouger. *Les parachutistes sont des soldats très mobiles,* ils peuvent se déplacer rapidement. 2. adj. *Pâques est une fête mobile,* elle ne tombe pas à la même date chaque année. 3. n.m. *Je ne comprends pas le mobile de ton action,* ce qui t'a poussé à agir (= raison, motif). 4. n.m. *On a suspendu un mobile au dessus du lit du bébé,* un objet dont les éléments bougent sous l'effet du moindre souffle d'air.

■ **mobilité** n.f. SENS 1 *Une douleur à l'épaule diminue la mobilité de mon bras,* la possibilité de le déplacer.

■ **immobile** adj. SENS 1 *Le chien est resté immobile,* sans bouger.

■ **immobiliser** v. SENS 1 *La voiture a été immobilisée par une panne. L'avion s'est immobilisé sur la piste,* s'est arrêté.

■ **immobilisation** n.f. SENS 1 *Son accident lui a valu un mois d'immobilisation.*

■ **immobilisme** n.m. SENS 1 *Le gouvernement a été accusé d'immobilisme,* d'opposition à tout changement.

■ **immobilité** n.f. SENS 1 *Cette maladie me condamne à l'immobilité,* à ne pas me déplacer.

mobilier 1. n.m. *On a changé le mobilier du salon,* l'ensemble des meubles. 2. adj. *Je possède des biens mobiliers,* des marchandises, des meubles, des autos, des rentes, etc. (≠ immobilier).

■ **immobilier, ère** adj. SENS 2 *Les Truong ont une fortune immobilière,* des terres, des maisons. *Une société immobilière s'occupe de construire des maisons et des immeubles. Une agence immobilière s'occupe d'acheter, de vendre, de louer des appartements, des immeubles des maisons.*

mobiliser v. *En cas de guerre, les hommes valides **sont mobilisés,** ils sont appelés à l'armée. On **a mobilisé** tout le village pour secourir les sinistrés,* on a fait appel à la participation de tous.
■ **mobilisation** n.f. *M. Durand a reçu sa feuille de **mobilisation,** la lettre qui le mobilise.*
■ **démobiliser** v. *À la fin de la guerre, les soldats **sont démobilisés,** ils retournent à la vie civile.*
■ **démobilisation** n.f. *Les soldats attendent leur **démobilisation.***

mobilité → mobile.

mobylette n.f. *Ma sœur a une **mobylette,** un vélomoteur.*

mocassin n.m. 1. *Je porte des **mocassins,** des chaussures basses sans lacets.* 2. *Pour faire de la raquette, je mets des **mocassins,** une chaussure d'origine amérindienne,* généralement en cuir souple.

moche adj. Fam. *Qu'est-ce qu'elle est **moche,** cette chemise !* (= laid).

modalité n.f. *Un texte précise les **modalités** de remboursement de cet emprunt,* les conditions dans lesquelles il sera remboursé.

1. mode n.f. *Marie est habillée à la dernière **mode,** ses vêtements sont au goût du jour. Ta coupe de cheveux **est passée de mode,** démodée.*
■ **démoder** v. *Cette robe **est démodée,** elle n'est plus à la mode.*

2. mode n.m. 1. *Nous avons changé notre **mode** de vie,* la manière dont nous vivons (= genre). 2. *Le **mode** d'emploi d'un appareil* indique la manière de s'en servir. 3. *L'indicatif, le subjonctif, le conditionnel, l'impératif, l'infinitif et le participe sont les six **modes** du verbe,* les manières d'exprimer l'action.

modelage → modeler.

modèle n.m. 1. *Pierre dessine d'après un **modèle,** un objet qu'il doit imiter. Il prend **modèle** sur son père,* il suit son exemple, il veut l'imiter. 2. *On a fait des **modèles** réduits d'avions,* des petits avions qui imitent exactement les vrais (= maquette). 3. *Paul est un **modèle** d'honnêteté,* il est digne d'être imité (= exemple). 4. *Cette voiture est un nouveau **modèle*** (= type, sorte).
■ **modélisme** n.m. SENS 2 *Le **modélisme** occupe tous ses loisirs,* les modèles réduits.
■ **modéliste** n. 1. SENS 2 *Les **modélistes** se retrouvent au club,* ceux qui font des modèles réduits. 2. *Elle est **modéliste** dans une maison de haute couture,* elle crée des modèles de vêtements.

modeler v. *Le sculpteur **modèle** de l'argile pour faire une statue,* il la pétrit et lui donne une forme.
■ **modelage** n.m. *Sandra fait des **modelages** avec de la pâte à modeler.*
R. → Conj. n° 5.

modélisme, modéliste → modèle.

modéré, e adj. 1. *Aïcha est **modérée** dans ses prétentions,* elles ne sont pas trop grandes (≠ excessif). *Les prix de ce restaurant sont **modérés*** (= raisonnable ; ≠ exagéré). 2. *Les partis **modérés** ne sont ni de droite ni de gauche.*
■ **modérément** adv. SENS 1 *Dominique fume **modérément*** (≠ trop).
■ **modérateur, trice** adj. SENS 1 *Marie a une influence **modératrice** sur son frère,* elle l'empêche de faire des excès.
■ **modération** n.f. SENS 1 *Elle mange et boit avec **modération,*** en quantité raisonnable (= mesure ; ≠ excès).
■ **modérer** v. SENS 1 *Claude a de la peine à **modérer** sa colère,* à en diminuer la violence (= retenir, calmer).
■ **immodéré, e** adj. SENS 1 *Il faut diminuer ces dépenses **immodérées*** (= excessif).

moderne adj. *J'aime l'art **moderne,*** celui de l'époque actuelle (= nouveau ; ≠ ancien).
■ **moderniser** v. *Cette usine s'est mo-*

dernisée, elle a adopté des techniques modernes.

■ **modernisation** n.f. *La modernisation de l'usine permet une meilleure production.*

■ **modernisme** n.m. Le *modernisme* est le goût de ce qui est moderne.

modeste adj. **1.** *Malgré sa réussite, ce chanteur est resté modeste* (= simple ; ≠ orgueilleux). **2.** *Ils habitent un logement modeste,* sans luxe (= médiocre).

■ **modestement** adv. SENS 1 *Tu as refusé modestement ces honneurs.* SENS 2 *C'est un travail modestement rémunéré* (= médiocrement).

■ **modestie** n.f. SENS 1 *Tu agis toujours avec modestie* (= humilité ; ≠ vanité, prétention).

modicité → *modique.*

modifier v. *Tu devrais modifier la fin de ton devoir* (= changer). *La situation s'est modifiée,* elle a changé, évolué.

■ **modification** n.f. *Ce projet a subi de nombreuses modifications* (= transformation, changement).

modique adj. *J'ai acheté cette voiture pour une somme modique* (= faible ; ≠ important).

■ **modicité** n.f. *Il se plaint de la modicité de son salaire* (= médiocrité).

modiste n. Une *modiste* fait des chapeaux de femme.

module n.m. *J'ai acheté des modules pour construire ma bibliothèque,* plusieurs éléments qui, assemblés, forment un ensemble.

moduler v. *Moduler un air de musique,* c'est le chanter d'une voix changeante.

■ **modulation** n.f. **1.** *Il y a des modulations dans sa voix,* elle est tantôt haute, tantôt basse. **2.** *La modulation de fréquence* est un procédé d'émission radiophonique qui permet des auditions de très bonne qualité.

moelle n.f. *La moelle des os,* c'est la substance molle et grasse qui se trouve dedans. *La moelle* du sureau est une substance blanche et légère qui est dans les branches.
R. On prononce [mwal].

moelleux, euse adj. *Cette couverture est moelleuse,* très douce au toucher.
R. On prononce [mwalø].

moellon n.m. *Le mur du jardin est en moellons,* en pierres de grosseur moyenne.
R. On prononce [mwalɔ̃].

mœurs n.f.pl. *Les mœurs changent avec les époques et les pays,* la manière de vivre (= coutume, habitude).
R. On prononce [mœrs] ou [mœr] comme [*je*] *meurs* (de *mourir*).

mohair n.m. *Je tricote un pull en mohair,* avec une laine très douce.

moi pron.pers. peut s'employer : *a)* pour renforcer le sujet *je* ou après *c'est* : *Moi, je pars. C'est moi le chef ; b)* comme complément après une préposition : *Elle est partie sans moi.*
R. *Moi* se prononce [mwa] comme *mois.*

moignon n.m. *Le manchot avait un crochet au bout de son moignon,* de son bras amputé.

moindre adj. *La nuit, le moindre bruit me réveille,* le plus petit, le plus faible.

■ **amoindrir** v. *La maladie l'a amoindri,* l'a rendu plus faible (= diminuer).

■ **amoindrissement** n.m. *On observe un amoindrissement de son influence* (= diminution, baisse, affaiblissement ; ≠ accroissement).

moine n.m. *Les moines vivent dans les monastères et passent leur vie à prier Dieu.*

■ **monacal, e, aux** adj. *Elle mène une vie monacale,* qui ressemble à celle des moines.

■ **monastère** n.m. *Il s'est retiré dans un monastère,* il s'est fait moine (= abbaye, couvent).

■ **monastique** adj. *Il a pris l'habit monastique,* celui de moine.

150

moineau n.m. *Mme Durand donne du pain aux moineaux,* des petits oiseaux bruns très nombreux.

moins adv. **1.** *Ruth travaille peu, mais Pierre travaille encore moins. L'aluminium est moins lourd que le plomb* (≠ *plus*). *J'ai acheté le gâteau le moins cher* (≠ *le plus*). *Félix a moins de six ans,* il n'a pas encore six ans. **2.** *Sept moins trois font quatre* (7 − 3 = 4). *Il fait moins vingt aujourd'hui,* la température est à vingt degré au-dessous de zéro. **3.** *Il y a au moins une heure que je suis là,* une heure sinon plus (= *au minimum*). **4.** *Elle est venue, du moins elle le dit* (= en tout cas). **5.** *Je vais me promener, à moins qu'il ne pleuve,* seulement s'il ne pleut pas (= sauf si).

moire n.f. *La moire est un tissu à reflets changeants.*
■ **moiré, e** adj. *Un bateau glisse sur l'eau moirée du lac,* l'eau qui a des reflets variés.

mois n.m. **1.** *Janvier est le premier mois de l'année.* **2.** *Virginia vient de toucher son mois,* son salaire pour le travail d'un mois.
■ **mensuel, elle** adj. SENS 1 *Cette revue est mensuelle,* elle paraît tous les mois.
■ **mensuellement** adv. SENS 1 *M. Durand est payé mensuellement,* tous les mois.
■ **mensualiser** v. SENS 2 *Les ouvriers étaient payés à l'heure, on les a mensualisés,* payés au mois.
■ **mensualité** n.f. SENS 1 *Je paie mon appartement par mensualités,* je paie une somme chaque mois.
■ **bimensuel, elle** adj. SENS 1 *Une revue bimensuelle paraît deux fois par mois.*
R. → *moi.*

moisir v. **1.** *Il faisait trop humide, le pain a moisi,* il a commencé à se gâter. **2.** Fam. *Je ne vais pas moisir ici toute la journée,* y rester sans rien faire.
■ **moisi, e** adj. et n.m. SENS 1 *Ce pain est moisi,* couvert de moisissure. *Ça sent le moisi ici,* l'odeur aigre de ce qui a moisi.
■ **moisissure** n.f. SENS 1 *Le fromage est couvert de moisissures vertes,* de taches formées par de petits champignons.

moisson n.f. *En juillet, les paysans font la moisson,* ils coupent le blé, l'orge, l'avoine, etc.
■ **moissonner** v. *On a mis deux heures à moissonner ce champ de blé,* à le couper.
■ **moissonneur, euse** n. *Le soir, les moissonneurs sont fatigués,* ceux qui font la moisson.
■ **moissonneuse-batteuse** n.f. *Une moissonneuse-batteuse est une machine qui coupe et bat automatiquement le blé.*
R. Noter le pluriel : *des moissonneuses-batteuses.*

moite adj. *Ton front est moite, tu dois avoir de la fièvre,* un peu humide.
■ **moiteur** n.f. *La moiteur de ses mains était la marque de son émotion.*

moitié n.f. **1.** *Dix est la moitié de vingt,* 10 + 10 = 20 (≠ *double*). **2.** *Son verre est à moitié vide,* en partie (= à demi ; ≠ complètement).

moka n.m. **1.** *Le moka est un café très parfumé.* **2.** *Au dessert, on a servi un moka,* un gâteau au café.

molaire n.f. *J'ai mal à une molaire,* une grosse dent du fond de la bouche.
■ **prémolaire** n.f. *Les prémolaires se trouvent entre les molaires et les canines.*

môle n.m. *Les passagers se dirigent vers le môle d'embarquement,* l'endroit où est amarré le navire (= quai).

molécule n.f. *Tous les corps sont formés de molécules,* de très petites parties.
■ **moléculaire** adj. *Le poids moléculaire d'un corps est celui d'une molécule de ce corps.*

molester v. *Jean a été molesté par des voyous* (= brutaliser, malmener).

molette n.f. **1.** *La molette d'un briquet,* c'est la roulette dentée que l'on actionne avec le doigt. **2.** *Serre l'écrou avec la clé à molette,* un outil dont on peut écarter ou rapprocher les branches en tournant une molette.

molle, mollement, mollesse → *mou.*

1. mollet n.m. *Yaelle a eu le mollet mordu par un chien,* le muscle entre la cheville et le genou.

2. mollet → *mou.*

molleton n.m. *Le molleton* est une étoffe épaisse de laine ou de coton.
■ **molletonné, e** adj. *J'ai une robe de chambre molletonnée,* garnie de molleton.

mollir → *mou.*

mollusque n.m. *Les huîtres, les moules, les escargots, les pieuvres sont des mollusques,* des animaux sans squelette.

molosse n.m. *Un molosse* est un gros chien de garde.

môme n. Fam. *Ces mômes sont trop bruyants* (= enfant).

moment n.m. **1.** *On nous a dit d'attendre un moment,* un espace de temps (= instant). **2.** *Ce sera bientôt le moment de partir,* il faudra le faire bientôt. **3.** *L'orage a éclaté au moment où nous partions* (= quand, lorsque). **4.** *Du moment que tu le dis, je te crois* (= puisque, si). **5.** *Pour le moment, tout va bien,* actuellement (mais cela peut changer). **6.** *En ce moment, il fait beau,* maintenant, au moment où je parle. **7.** *Ils peuvent arriver à tout moment,* n'importe quand. **8.** *Elle partira d'un moment à l'autre,* dans peu de temps.
■ **momentané, e** adj. SENS 1 *Son absence a été momentanée,* elle n'a duré qu'un moment (= court).
■ **momentanément** adv. SENS 1 *Elle est partie momentanément* (= provisoirement).

momie n.f. *Pierre a vu au musée des momies égyptiennes,* des cadavres conservés.

mon, ma, mes adj.possessifs indiquent ce qui est à moi, ce qui m'appartient : *Mon père, ma mère, mes parents.*
R. → *mont* et *mai.* On emploie *mon* au lieu de *ma* devant un nom féminin commençant par une voyelle ou un *h* muet : *Mon oreille.*

monacal → *moine.*

monarchie n.f. *La Belgique est monarchie,* un régime politique dans lequel c'est un roi (ou une reine) qui gouverne.
■ **monarchique** adj. *Les rois, les empereurs exercent un pouvoir monarchique.*
■ **monarchiste** n. *Les monarchistes veulent le renversement de la République et le retour du roi.*
■ **monarque** n.m. *Les rois de France étaient jadis des monarques absolus et héréditaires* (= souverain).

monastère, monastique → *moine.*

monceau n.m. *Il y a un monceau d'ordures devant la porte,* un gros tas.
■ **amonceler** v. *Elle a amoncelé les livres sur son bureau,* elle les a mis en tas (= entasser). *Les preuves s'amoncellent* (= s'accumuler).
■ **amoncellement** n.m. *Il y a un amoncellement de vieux journaux au grenier* (= entassement, tas).
R. *Amonceler* → conj. n° 6.

monde n.m. **1.** *On croyait autrefois que la Terre était au centre du monde,* de tout ce qui existe (= univers). **2.** *Cette musicienne est connue dans le monde entier,* sur toute la Terre. **3.** *Mettre au monde un enfant,* c'est le faire venir à la vie ; *venir au monde,* c'est naître ; *être seul au monde,* c'est être seul dans la vie. **4.** *Cette nouvelle a bouleversé le monde des affaires,* l'ensemble des gens d'affaires (= milieu). **5.** *M. Durand est un homme du monde,* il fait partie de la haute société (= aristocratie). **6.** *Il y avait beaucoup de monde à la réunion,* beaucoup de gens. **7.** *Tout le monde est parti,* tous les gens.

■ **mondial, e, aux** adj. SENS 2 *Une guerre mondiale* concerne le monde entier (= international).

■ **mondialement** adv. SENS 2 *Cette artiste est mondialement connue* (= universellement).

■ **mondain, e** adj. SENS 5 *Tu aimes la vie mondaine ?,* celle de la haute société.

■ **mondanités** n.f.pl. SENS 5 *Pour fuir les mondanités, elle se retire à la campagne,* les manières de la haute société.

monétaire → *monnaie.*

moniteur, trice n. **1.** *Sylvie est monitrice de ski,* elle enseigne le ski. **2.** *Les moniteurs de la colonie de vacances sont très gentils,* les personnes chargées de s'occuper des enfants.

221 | **monnaie** n.f. **1.** *La monnaie française s'appelle le franc, la monnaie canadienne, le dollar,* les pièces et les billets (= argent). **2.** *Peux-tu me faire la monnaie de ce billet de 10 dollars ?,* me l'échanger contre des pièces ou des billets de plus faible valeur. **3.** *Je t'avais donné 5 dollars, rends-moi la monnaie,* la différence entre ce je t'ai donné et ce qui reste. **4.** *Vide tes poches, elles sont pleines de monnaie,* de petites pièces.

■ **monétaire** adj. SENS 1 *Le dollar est l'unité monétaire des États-Unis et du Canada,* l'unité de monnaie.

■ **monnayer** v. SENS 1 *Tu as monnayé tes services un bon prix,* tu les as vendus pour de l'argent.

■ **faux-monnayeur** n.m. SENS 1 *Des faux-monnayeurs ont été arrêtés,* des fabricants de fausse monnaie.

■ **porte-monnaie** n.m.inv. SENS 2 *Mary a perdu son porte-monnaie,* le petit sac où elle met son argent.

mono- placé au début d'un mot signifie « seul » : *Faire du monoski,* c'est skier sur un seul ski.

monocle n.m. *Mon arrière-grand-père portait un monocle,* un verre de lunette fixé sous le sourcil d'un seul œil.

monocorde adj. *Une voix monocorde est une voix* ennuyeuse par son uniformité.

monogamie n.f. *La loi canadienne impose la monogamie,* on ne peut avoir qu'une épouse à la fois.

■ **bigamie** n.f. *Il a été arrêté pour bigamie,* il avait deux femmes, il était bigame.

■ **polygamie** n.f. *La polygamie existe chez les musulmans,* ils peuvent avoir plusieurs épouses.

monogramme n.m. *Son monogramme est brodé sur sa chemise,* ses initiales entrelacées.

monolithe n.m. *Un dolmen, un menhir, un obélisque sont des monolithes,* des monuments faits d'un seul bloc de pierre.

■ **monolithique** adj. *Une statue monolithique est taillée dans un seul bloc.*

monologue n.m. *Yasmina continue son monologue,* elle parle toute seule.

■ **monologuer** v. *Il monologuait à mi-voix en marchant,* il parlait tout seul.

monopole n.m. *L'État a le monopole de la vente du vin,* il est le seul à en vendre.

■ **monopoliser** v. *Pierre monopolise le téléphone,* il est le seul à s'en servir (= accaparer).

monoski → *mono-.*

monosyllabe → *syllabe.*

monotone adj. *Nous menons une vie monotone,* où il ne se passe rien (= banal, plat, ennuyeux ; ≠ varié).

■ **monotonie** n.f. *Elle se plaint de la monotonie de son travail* (≠ variété).

monseigneur n.m. *Lorsqu'on parle à un évêque, on dit «Monseigneur ».*

monsieur n.m. *Le père de Pierre s'appelle monsieur Durand (M. Durand). Bonjour messieurs. Il n'y avait que des messieurs au restaurant,* des hommes.

monstre n.m. 1. *Un veau né avec deux têtes est un monstre,* un être qui est né avec une grave malformation. 2. *Les chimères, les centaures sont des monstres,* des êtres imaginaires. 3. *Le chef des pillards était un monstre,* il était très cruel. 4. *Lori est un monstre de travail,* elle travaille beaucoup (= bourreau).
■ **monstre** adj. SENS 4 *Ce film a eu un succès monstre,* très grand (= énorme, prodigieux).
■ **monstrueux, euse** adj. SENS 3 *Il est d'une laideur monstrueuse* (= horrible).
■ **monstrueusement** adv. SENS 3 *Tu es monstrueusement égoïste.*
■ **monstruosité** n.f. SENS 3 *Tu as commis des monstruosités,* des actes horribles (= atrocité, horreur).

mont → *montagne.*

montage → *monter.*

montagne n.f. *Le sommet de cette montagne dépasse 4 000 mètres. Sophie s'en va à la montagne cet été,* dans une région d'altitude élevée.
■ **mont** n.m. se disait autrefois pour *montagne ;* suivi d'un nom propre, il désigne une montagne *(le mont McKinley)* ou une colline *(le mont Royal).*
■ **montagnard, e** n. *Les montagnards* sont les habitants des montagnes.
■ **montagneux, euse** adj. *Les Rocheuses sont une région montagneuse,* où il y a des montagnes.

monter v. 1. *Jean est monté sur la colline,* il est allé de bas en haut (= grimper). *Marie a monté l'escalier* (≠ descendre). *Au printemps, le niveau de l'eau monte et inonde les terres.* 2. *Peux-tu monter la valise au grenier,* la porter de bas en haut. 3. *Nadia sait monter à cheval* (= aller). *Jean monte un cheval blanc,* il est dessus. 4. *Yasmina est montée en grade,* elle a eu de l'avancement (= progresser). 5. *Les prix ne cessent de monter,* de devenir plus élevés (= augmenter). *Ton bulletin est bon, tes notes ont monté,* elles sont meilleures. *Mes achats se montent à 20 dollars* (= s'éle-

ver). 6. *Les campeurs montent leur tente,* ils en assemblent les parties. 7. *C'est Pierre qui t'a monté contre moi,* qui t'a mis en colère (= exciter).
■ **montage** n.m. SENS 6 *Le montage de cet appareil n'est pas difficile* (= assemblage). *Il ne reste que le montage du film à faire,* l'assemblage des bouts de film. | 290
■ **montant, e** adj. SENS 1 *C'est l'heure de la marée montante,* la mer monte vers le rivage.
■ **montant** n.m. 1. SENS 5 *Quel est le montant de tes dépenses ?,* à quelle somme se montent-elles (= chiffre). 2. *Les montants d'une échelle,* ce sont les deux pièces verticales. | 77, 151
■ **montée** n.f. SENS 1 *La montée au sommet nous a fatigués* (= ascension). *La voiture a ralenti dans la montée* (= côte). SENS 5 *La radio annonce une montée de la température* (= augmentation).
■ **monteur, euse** n. SENS 6 *Le métier du monteur de films* est d'assembler les morceaux de pellicule.
■ **monture** n.f. SENS 3 *La cavalière est descendue de sa monture,* de la bête sur laquelle elle était montée. SENS 6 *La monture d'une paire de lunettes,* c'est l'armature sur laquelle les verres sont montés.
■ **monte-charge** n.m.inv. SENS 2 *Un monte-charge sert à monter de lourds fardeaux.* | 151
■ **démonter** v. 1. SENS 3 *Le cheval a démonté son cavalier,* il l'a jeté par terre. SENS 6 *Esther a démonté le poste de radio,* elle en a séparé les éléments. 2. *Il a été démonté par mes paroles,* très étonné. 3. *La mer est démontée,* très agitée.
■ **démontable** adj. SENS 6 *Nous avons acheté un bateau démontable,* qui peut se monter et se démonter.
■ **démontage** n.m. SENS 6 *Le démontage du moteur m'a pris deux heures.*
■ **remonter** v. 1 SENS 1 *Nous avons remonté l'escalier,* monté de nouveau. *Remonte le col de ta chemise* (= relever). *Les saumons remontent la rivière,* ils suivent une direction contraire à celle du

courant. SENS 6 *Kathy **a remonté** l'appareil,* remis en état après l'avoir démonté. SENS 5 *Les températures **remontent**,* montent après avoir baissé. **2.** *Cette histoire **remonte** loin,* son origine est lointaine (= dater de). **3.** *Ta montre est arrêtée, il faut la **remonter**,* actionner le remontoir pour tendre le ressort. **4.** *Bois cela pour te **remonter**,* pour te donner de la force (= réconforter).

■ **remontant** n.m. *Une tasse de café est un bon **remontant**,* elle remonte (au sens 4) [= tonique].

■ **remontée** n.f. SENS 1 *Les téléskis, les télésièges, les téléphériques sont des **remontées mécaniques**,* ils montent les skieurs en haut des pentes.

■ **remonte-pente** n.m. SENS 1 est un synonyme de ***téléski**.*

■ **remontoir** n.m. *Le **remontoir** d'une montre,* c'est le mécanisme que l'on actionne pour remonter (au sens 3) le ressort.

R. *Monter* se conjugue tantôt avec *être,* tantôt avec *avoir.* Noter le pluriel : des *remonte-pentes.*

montgolfière n.f. *Regarde la **montgolfière** là-haut !,* un ballon rempli d'air chaud qui peut s'élever dans les airs et transporter des passagers (= ballon).

monticule n.m. *Un **monticule** est une petite colline ou un tas de terre, de pierres,* etc.

1. montre n.f. *Quelle heure est-il ? — Je ne sais pas, ma **montre** est arrêtée.*

2. montre → *montrer.*

montrer v. **1.** *À la frontière, il faut **montrer** ses papiers aux douaniers,* les leur faire voir (= présenter ; ≠ cacher). **2.** *Tu n'**as** pas **montré** ton émotion,* tu ne l'as pas laissé paraître (= manifester). **3.** *Je lui **ai montré** qu'elle avait tort,* je le lui ai expliqué (= démontrer). **4.** *Cette girouette **montre** la direction du vent,* elle l'indique.

■ **montre** n.f. *Faire **montre** de courage,* c'est se montrer courageux (= faire preuve).

■ **démontrer** v. SENS 3 *Bianca m'a **démontré** qu'elle avait raison,* elle me l'a montré de manière incontestable (= prouver).

■ **démonstrateur, trice** n. SENS 1 *Le **démonstrateur** nous a fait voir comment fonctionne l'appareil* (= vendeur).

■ **démonstratif, ive** adj. et n. SENS 1 *Les (pronoms et adjectifs) **démonstratifs** servent à montrer une personne ou une chose.* SENS 2 *Pierre est très **démonstratif**,* il manifeste ses sentiments (≠ renfermé).

■ **démonstration** n.f. SENS 1 *Cette machine est très rapide, je vais vous faire une **démonstration**,* vous montrer comment elle fonctionne. SENS 2 *Il m'a accueilli avec des **démonstrations** de joie,* il a manifesté sa joie. SENS 3 *Sa **démonstration** est très convaincante,* les preuves qu'il a données.

monture → *monter.*

monument n.m. **1.** *Yaelle nous a montré les plus beaux **monuments** de Paris,* les églises, les palais, les théâtres, etc. **2.** *Un **monument** aux morts sert à rappeler aux vivants le souvenir de ceux qui sont morts à la guerre.*

■ **monumental, e, aux** adj. SENS 1 *Il y a sur la place une statue **monumentale*** (= énorme). *C'est là un contresens **monumental*** (= colossal).

se moquer v. **1.** *Pierre **se moque** de sa sœur,* il l'ennuie en la tournant en ridicule. **2.** *Tu **te moques** de mes conseils,* tu n'en tiens aucun compte.

■ **moquerie** n.f. SENS 1 *Dominique ne supporte pas les **moqueries**,* les plaisanteries à son sujet (= raillerie).

■ **moqueur, euse** adj. SENS 2 *Sonia m'a regardé d'un air **moqueur*** (= railleur, ironique).

moquette n.f. *Il y a une tache sur la **moquette** du salon,* le tapis fixé au sol.

moqueur → *moquer.*

moraine n.f. *La moraine d'un glacier,* ce sont les roches et la terre qu'il entraîne en avançant.

moral, e, aux adj. **1.** *Notre conscience morale nous fait distinguer le bien du mal.* **2.** *Tu as une grande force morale,* de caractère (≠ physique).
■ **moral** n.m. SENS 2 *Claude n'a pas le moral,* elle se sent sans force morale, elle est découragée.
■ **morale** n.f. SENS 1 **1.** *Il a agi selon la morale,* selon ce que l'on considère comme étant bien. *As-tu fini de me faire la morale,* de me faire des reproches sur ma conduite. **2.** *La morale d'une fable, d'une histoire,* c'est la conclusion morale qu'on peut en tirer.
■ **moralement** adv. SENS 1 *Je ne peux pas moralement t'approuver* (= honnêtement, en conscience).
■ **moraliser** v. SENS 1 *Essayer de moraliser la vie politique,* c'est essayer d'y faire respecter davantage des principes moraux.
■ **moralisateur, trice** adj. SENS 1 *Elle me parlait d'un ton moralisateur,* comme si elle voulait me dire ce qui est mal.
■ **moralité** n.f. SENS 1 *C'est une personne sans moralité,* elle se conduit mal. *Quelle est la moralité de cette histoire ?,* la conclusion morale (= leçon).
■ **démoraliser** v. SENS 2 *Jean était démoralisé par son échec à l'examen* (= décourager).
■ **démoralisant, e** adj. SENS 2 *Ce nouvel échec est démoralisant.*
■ **immoral, e, aux** adj. SENS 1 *Ce livre est immoral,* contraire à la morale.
■ **immoralité** n.f. SENS 1 *L'immoralité de sa conduite m'a indigné* (≠ honnêteté).

moraliste n. *Un moraliste* est un écrivain qui décrit les mœurs, c'est-à-dire les caractères et la conduite des gens.

morbide adj. *Lori a un goût morbide pour la solitude,* un goût si grand qu'il est anormal (= malsain, maladif).

morceau n.m. **1.** *Donne-moi un morceau de pain* (= bout). **2.** *Le vase est cassé, il faut ramasser les morceaux,* les différentes parties (= fragment). **3.** *Un recueil de morceaux choisis* rassemble des textes d'auteurs différents.
■ **morceler** v. SENS 2 *La propriété a été morcelée,* divisée en plusieurs parties.
■ **morcellement** n.m. SENS 2 *Les héritages successifs ont abouti au morcellement du domaine.*

mordre v. **1.** *Le chien m'a mordu,* il m'a blessé avec ses dents. **2.** *Lise mord dans un morceau de pain,* elle y enfonce ses dents. **3.** Fam. *Pierre ne mord pas aux mathématiques,* il ne s'y intéresse pas. **4.** *Le poisson a mordu à l'hameçon,* il s'en est saisi. **5.** *La rouille mord le métal,* elle le ronge.
■ **mordant, e** adj. SENS 1 *Elle m'a parlé avec une ironie mordante,* blessante.
■ **mordiller** v. SENS 1 ET 2 *Marie mordille son crayon,* elle le mord légèrement.
■ **morsure** n.f. SENS 1 *La morsure de la vipère peut être mortelle,* la plaie faite en mordant.
R. → Conj. n° 52. → *mourir.*

mordu, e n. *Jean est un mordu de hockey,* il s'y intéresse beaucoup.

se morfondre v. *Enfin, te voilà ! Je me morfonds depuis trois heures,* je m'ennuie en t'attendant.
R. → Conj. n° 51.

1. morgue n.f. *Vous êtes plein de morgue avec vos employés,* vous les traitez avec mépris (= arrogance).

2. morgue n.f. *Une morgue* est un endroit où l'on dépose provisoirement les cadavres.

moribond → *mourir.*

morigéner v. est un équivalent savant de *réprimander.*

morille n.f. *Édith a trouvé des morilles dans la forêt,* une variété de champignon comestible au chapeau qui ressemble un peu à une éponge.

295

656

morne adj. *Nous avons passé une* **morne** *journée* (= triste, ennuyeux ; ≠ gai).

morose adj. *Pourquoi as-tu cet air mo-rose ?* (= triste ; ≠ joyeux).

morphine n.f. *On a fait au blessé une piqûre de* **morphine,** *un médicament contre la douleur.*

morphologie n.f. **1.** La *morphologie* étudie la forme des mots. **2.** *Cette athlète a une* **morphologie** *tout à fait adaptée à la course,* un corps.

368   **mors** n.m. **1.** *Les brides du harnais sont attachées au* **mors,** à une barre de métal placée dans la bouche du cheval. **2.** *Mon cheval* **a pris le mors aux dents,** il n'a plus senti le mors dans sa bouche et n'a plus obéi. **3.** *Louise* **a pris le mors aux dents,** elle s'est mise en colère. **R.** → *mourir.*

584   **1. morse** n.m. *Un* **morse** *est un grand animal des mers polaires.*

806   **2. morse** n.m. *Le* **morse** *est un code qui sert à envoyer des messages télégraphiques.*

morsure → *mordre.*

mort → *mourir.*

mortadelle n.f. *J'aime la* **mortadelle,** *une sorte de très gros saucisson.*

291   **mortaise** n.f. *Le tenon de la pièce doit s'enfoncer dans la* **mortaise,** *l'entaille.*

mortalité, mortel, mortellement, mort-né → *mourir.*

mort-aux-rats n.f.inv. *La* **mort-aux-rats** *est un produit destiné à empoisonner les rats et les souris.*

morte-saison n.f. *Dans cet hôtel, en novembre c'est la* **morte-saison,** *la période où il y a moins de travail qu'à l'ordinaire.* **R.** Noter le pluriel : *des mortes-saisons.*

150   **1. mortier** n.m. *Le maçon prépare du* **mortier** *pour construire son mur,* un mélange de chaux ou de ciment, de sable et d'eau qui durcira peu à peu.

2. mortier n.m. *Dominique écrase de l'ail dans un* **mortier,** un gros bol.

3. mortier n.m. *Un* **mortier** *est un canon à tir courbe.*

mortifier v. *Luce* **était mortifiée** *par mes critiques,* très vexée (= humilier). ■ **mortification** n.f. *Elle a subi des* **mortifications** *de toutes sortes,* des blessures d'amour-propre.

mortuaire → *mourir.*

morue n.f. *La* **morue** *est un poisson de mer que l'on peut conserver séché et salé.*

morve n.f. *Essuie ta* **morve** *avec ton mouchoir,* le liquide qui coule de ton nez. ■ **morveux, euse** adj. et n. *Jeannot est sale et* **morveux,** il a de la morve au nez.

mosaïque n.f. *La salle de bains a un sol en* **mosaïque,** fait de petits carreaux de céramique assemblés de manière décorative.

mosquée n.f. *Les musulmans vont prier à la* **mosquée,** un bâtiment réservé au culte.

mot n.m. **1.** *La phrase : « Les oiseaux chantent dans les bois » contient six* **mots. 2.** *Ils* **ont eu des mots,** ils se sont disputés. **3.** *Julien est mal élevé, il dit des* **gros mots,** des mots grossiers. **4.** *Maïté a dit un* **bon mot,** une plaisanterie. **5.** *Ils ont obéi à un* **mot d'ordre** (= consigne). *On* **s'était** *tous* **donné le mot** *pour lui faire la surprise,* on s'était secrètement mis d'accord. **6.** *Quand on discute, tu veux toujours* **avoir le dernier mot,** tu veux avoir raison. **7.** *Répète-moi* **mot-à-mot** *ce qu'elle a dit,* en employant exactement les mêmes mots (= textuellement). **8.** *Cela va coûter mille dollars* **au bas mot,** au moins. **9.** *J'aime faire des* **mots croisés,** un jeu qui consiste à trouver des mots d'après leurs définitions et à les écrire dans les cases d'une grille. **10.** *J'ai* **mon mot à dire** *dans cette histoire,* je suis autorisé à donner mon avis. **11.** *France était absente hier, elle a*

apporté un **mot** d'excuse à son professeur, une courte lettre.
R. → mal.

motard → moto.

motel n.m. Nous avons couché dans un **motel**, un hôtel pour automobilistes.

moteur 1. n.m. Nous avons eu une panne de **moteur**, du mécanisme qui fait avancer la voiture. 2. adj. Cette auto a quatre roues **motrices**, qui transmettent le mouvement.
■ **motoriser** v. SENS 1 L'agriculture **est de plus en plus motorisée**, on utilise de plus en plus d'engins à moteur (= mécaniser).
■ **motorisé, e** adj. Fam. Êtes-vous **motorisé ?**, avez-vous une voiture pour vous déplacer ?
■ **motoculteur** n.m. SENS 1 Nous avons acheté un **motoculteur** pour cultiver notre jardin, un engin à moteur.
■ **motrice** n.f. SENS 1 La **motrice** d'un train est la voiture à moteur qui le tire.
■ **automoteur, trice** adj. SENS 2 Une péniche **automotrice** n'a pas besoin d'être remorquée, elle se déplace grâce à son propre moteur.
■ **bimoteur** n.m., **quadrimoteur** n.m. SENS 1 Un **bimoteur** est moins puissant qu'un **quadrimoteur**, un avion à deux, à quatre moteurs.

1. motif n.m. Pour quel **motif** es-tu partie si vite ?, quelle raison t'a poussée à le faire ?
■ **motiver** v. Son départ **était motivé** par la fatigue (= causer).
■ **motivation** n.f. On comprend mal ses **motivations**, l'ensemble des raisons qui le font agir.

2. motif n.m. 1. Les deux tableaux représentent le même **motif** (= sujet). 2. Ta robe a un très joli **motif**, un dessin qui se répète.

motion n.f. L'Assemblée a voté une **motion**, un texte proposé par l'un de ses membres.

motiver → motif.

moto ou **motocyclette** n.f. Une **moto** nous a doublés sur l'autoroute, un véhicule à deux roues ayant un moteur puissant. — 217
■ **motocycliste** n. Les **motocyclistes** doivent porter un casque, ceux qui font de la moto. — 37
■ **motocross** n.m. Le **motocross** est une course de motos sur tous terrains.
■ **motoneige** n.f. 1. Une **motoneige** est un véhicule à une ou deux places qui circule sur la neige grâce à des chenilles et des skis à l'avant. 2. La **motoneige** est très agréable, la pratique sportive avec ce véhicule.
■ **motoneigiste** n. Sophie est une **motoneigiste**, elle fait de la motoneige.
■ **motard, e** n. Fam. 1. Une **motarde** nous a fait un signe de remerciement sur l'autoroute (= motocycliste). 2. Un **motard** nous a arrêtés sur l'autoroute pour excès de vitesse, un policier en moto. — 512

motoculteur, motoriser, motrice → moteur.

motte n.f. 1. Le jardinier casse une **motte** de terre avec sa bêche, une petite masse. 2. Ce commerçant vend des **mottes** de beurre, des masses de beurre. — 364 / 368, 222
■ **motton** n.m. 1. SENS 1 Il y a un gros **motton** de neige dans ma botte, un morceau de neige durcie. 2. Fam. En apprenant la nouvelle, il a eu le **motton**, il a été ému, il a eu comme une boule dans la gorge.

motus ! interj. s'emploie pour demander à quelqu'un de ne rien dire.

mou, molle adj. 1. Mets le beurre dans le réfrigérateur, il est tout **mou** (≠ dur). 2. Jeanne est une grande fille **molle**, lente, nonchalante (≠ énergique).
■ **mou, molle** 1. n. SENS 2 Pierre est un **mou**, un garçon sans énergie. 2. n.m. J'ai acheté du **mou** de bœuf pour le chat, du poumon. 3. Il faut **donner du mou** à cette corde, la laisser se détendre.

■ **mollement** adv. SENS 2 *Tu travailles mollement* (= lentement).

■ **mollesse** n.f. SENS 2 *Sa mollesse est exaspérante* (= lenteur, paresse).

■ **mollet** adj. SENS 1 *Des œufs mollets* sont des œufs cuits, mais dont le jaune n'est pas coagulé.

■ **mollir** v. SENS 2 *On a senti son courage mollir* (= faiblir).

■ **amollir** ou **ramollir** v. SENS 1 *La chaleur a ramolli le beurre,* l'a rendu mou. SENS 2 *Depuis sa maladie, elle est un peu ramollie,* sans énergie.

R. *Mou se prononce* [mu] *comme moue, moût et* [je] *mouds,* [il] *moud* (de *moudre*).

mouchard, e n. *Cette personne est une moucharde,* elle a dénoncé ses camarades.

■ **moucharder** v. *Gare à toi si tu mouchardes !* (= rapporter).

mouche n.f. **1.** *Des mouches se sont posées sur le pain, puis se sont envolées,* des insectes ailés très répandus. *Il y a beaucoup de mouches à feu ce soir* (= luciole). *Je ne veux pas aller camper, il y a trop de mouches noires,* des petits insectes dont la piqûre fait très mal. **2.** *Pierre a pris la mouche,* il s'est brusquement mis en colère. *Quelle mouche te pique ?,* pourquoi te fâches-tu soudain ? **3.** *Elle a tiré et a fait mouche,* elle a touché le but. **4.** *Je pêche à la mouche,* un appât.

■ **moucher** v. **1.** SENS 4 *Il est resté au centre du lac pour moucher,* pour pêcher à la mouche. **2.** Fam. *Il s'est fait moucher par un plus petit,* remettre en place.

■ **moucheron** n.m. SENS 1 *Un moucheron* est une toute petite mouche.

1. moucher v. *Paul est enrhumé, il ne cesse de se moucher,* de débarrasser son nez de ce qui l'encombre.

■ **mouchoir** n.m. *Dominique s'essuie les yeux avec son mouchoir,* un carré de tissu.

2. moucher → *mouche.*

moucheron → *mouche.*

moucheté, e adj. *Ce cheval est noir moucheté de blanc,* avec des taches blanches.

mouchoir → *moucher.*

moudre v. *On moud le café,* on transforme les grains en poudre.

■ **moulin** n.m. *Les moulins à vent servaient à moudre le grain. Les moulins à café servent à moudre le café.*

■ **mouture** n.f. *Le café sera plus fort si la mouture est très fine* (= poudre).

R. → Conj. n° 58. → *mou.*

moue n.f. *Tu as fait la moue quand je t'ai demandé de l'argent* (= grimace).

R. → *mou.*

mouette n.f. *Des mouettes volent au-dessus du port,* des oiseaux de mer.

moufette n.f. *Notre chien a attaqué une moufette, maintenant, il sent très mauvais,* un petit mammifère carnassier qui se défend en projetant un liquide qui sent mauvais, d'où son surnom de bête puante.

moufle n.f. *Des moufles* sont des gants dont le pouce seul est séparé des autres doigts (= mitaine).

mouflon n.m. Le *mouflon* est un mouton sauvage des montagnes.

mouiller v. **1.** *Le linge a été mouillé par la pluie,* rendu humide (= tremper). **2.** *Le bateau mouille dans la baie,* il s'y est arrêté (= jeter l'ancre). **3.** Fam. *Il mouille tous les jours en ce moment,* il pleut.

■ **mouillage** n.m. SENS 2 *Cette rade abritée est un bon mouillage pour les voiliers,* un endroit pour s'arrêter.

■ **mouillette** n.f. SENS 1 *Je trempe des mouillettes dans mon œuf à la coque,* des morceaux de pain.

■ **mouilleur** n.m. SENS 1 *Un mouilleur* est un ustensile de bureau qui sert à mouiller la surface collante des timbres, des étiquettes.

moujik n.m. *Autrefois, on appelait les paysans russes des moujiks.*

moulage, moulant → *moule* 2.

1. moule n.f. *Pierre ramasse des **moules** sur les rochers,* des coquillages allongés d'un noir bleuté.

2. moule n.m. *Quand on veut reproduire un objet, on verse une pâte durcissante dans un **moule**,* un récipient qui a en creux la forme de l'objet.

■ **mouler** v. 1. *Mouler une statue,* c'est en prendre l'empreinte avec une pâte qui, une fois durcie, servira de moule pour la reproduire. 2. *Sa robe lui **moule** le corps,* elle est très étroite, collante.

■ **moulage** n.m. *On a fait un **moulage** de cette statue* (= reproduction).

■ **moulant, e** adj. *Elle porte une robe moulante* (≠ large, ample).

■ **démouler** v. *Démouler un objet,* c'est le retirer du moule quand la pâte a durci.

moulin → *moudre*.

moulinet n.m. 1. *Faire des **moulinets** avec un bâton,* c'est le faire tournoyer. 2. *Un **moulinet** permet d'enrouler et de dérouler le fil d'une canne à pêche.

moulu, e adj. *Après cette longue marche, nous étions tous **moulus**,* très fatigués, épuisés.

moulure n.f. *Il y a des **moulures** au plafond du salon,* des ornements en creux ou en relief.

mourir v. 1. *Il est mort après une longue maladie,* il a cessé de vivre (= décéder). 2. *Je **meurs** de faim et de soif,* j'ai très faim et très soif.

■ **mourant, e** ou **moribond, e** adj. et n. SENS 1 *La blessée est **mourante**,* elle va mourir.

■ **mort, e 1.** adj. SENS 1 *Les feuilles mortes tombent à l'automne. Le latin est une langue morte,* qui n'est plus parlée. 2. SENS 2 *Je suis **morte** de fatigue,* épuisée.

■ **mort, e** n. SENS 1 *L'accident a fait deux morts et trois blessés.*

■ **mort** n.f. 1. SENS 1 *La mort de sa mère lui a causé un grand chagrin* (= décès).

2. *Je t'en veux à mort,* je te déteste jusqu'à souhaiter ta mort.

■ **mortel, elle** adj. SENS 1 *Tous les hommes sont **mortels**,* ils meurent tous. *Ce liquide est un poison **mortel**,* il cause la mort. SENS 2 *Ce travail est **mortel**,* il est très ennuyeux.

■ **mortellement** adv. SENS 1 *Il a été mortellement blessé,* il est mort de sa blessure. SENS 2 *Ce livre est **mortellement** ennuyeux* (= très, horriblement).

■ **mortalité** n.f. SENS 1 *La mortalité infantile a beaucoup diminué,* le nombre des enfants qui meurent.

■ **mort-né, e** adj. SENS 1 *Un enfant mortné est mort en venant au monde. Un projet **mort-né** est abandonné avant même d'être réalisé.

■ **mortuaire** adj. SENS 1 *Avant l'enterrement, on s'est réunis à la maison mortuaire,* à la maison où était le mort.

■ **immortel, elle** adj. SENS 1 1. *Dieu, dit-on, est **immortel**,* il ne peut pas mourir. 2. *Ce chef-d'œuvre l'a rendu **immortel**,* on se souvient de lui après sa mort.

■ **immortaliser** v. *Ce livre l'a immortalisée,* l'a rendue immortelle (au sens 2).

■ **immortalité** n.f. SENS 1 *Les chrétiens croient à l'immortalité de l'âme,* à une vie après la mort.

R. → Conj. n° 25. *Mourir* se conjugue avec *être. Mort* se prononce [mɔr] comme *mors* et [*je*] *mords,* [*il*] *mord* (de *mordre*). → **mœurs**.

mouron n.m. *Le **mouron** est une plante des prés et des chemins à petites fleurs.

mousquet n.m. *Un **mousquet** est un fusil d'autrefois.

■ **mousquetaire** n.m. *Les **mousquetaires** étaient des soldats qui gardaient le roi et qui étaient armés d'un mousquet.

mousqueton n.m. 1. *Un **mousqueton** est un fusil court. 2. *La corde de l'alpiniste passe dans un **mousqueton**,* une sorte de crochet à ressort qui forme une boucle.

1. mousse n.m. *Un **mousse** est un apprenti marin.

2. mousse n.f. **1.** *Le champagne fait de la mousse quand on le débouche,* des bulles. **2.** *Nous avons mangé une mousse au chocolat,* du chocolat mélangé à des blancs d'œufs fouettés. **3.** *Il y a de la mousse au pied de cet arbre,* une petite plante verte formant une sorte de tapis.

■ **mousser** v. **1.** SENS 1 *Ce shampooing mousse beaucoup,* il fait de la mousse. **2.** *Il a moussé ses qualités auprès de ses supérieurs,* il les a vantées, les a fait valoir.

■ **mousseux, euse** adj. et n.m. SENS 1 *Le (vin) mousseux est un vin qui pétille.*

■ **moussu, e** adj. SENS 3 *Ce chêne a un tronc moussu,* recouvert de mousse.

mousseline n.f. *Quel joli foulard en mousseline !,* en tissu léger et transparent.

mousser, mousseux → *mousse* 2.

mousseron n.m. *Le mousseron est un petit champignon comestible.*

mousson n.f. *La mousson est un vent qui souffle en Inde.*

moussu → *mousse* 2.

moustache n.f. *M. Durand a laissé pousser sa moustache* (ou *ses moustaches*), les poils de sa lèvre supérieure.

■ **moustachu, e** adj. et n. *M. Durand est moustachu.*

moustique n.m. *Aie ! J'ai été piquée par un moustique,* un insecte volant au corps très mince.

■ **moustiquaire** n.f. **1.** *Une moustiquaire est un tissu léger sous lequel on dort pour se protéger des moustiques.* **2.** *En été on installe des moustiquaires aux fenêtres,* un fin grillage métallique tendu sur un cadre de fenêtre et qui empêche les moustiques d'entrer.

moût n.m. *On appelle moût le jus de raisin qui sort du pressoir.*
R. → *mou.*

moutarde n.f. *J'aime le rosbif avec de la moutarde,* un condiment au goût piquant qui provient d'une plante du même nom.

mouton n.m. **1.** *La bergère conduit ses moutons au pâturage. La femelle du mouton s'appelle la brebis et son petit l'agneau. On mange du mouton ce soir,* de la viande de mouton. **2.** *Il y a du vent, on voit des moutons sur la mer,* des vagues qui font une écume blanche. **3.** *Il y a beaucoup de moutons sur le plancher,* des amas de poussière.

■ **moutonner** v. SENS 2 *La mer moutonne,* elle fait des moutons.

■ **moutonneux, euse** adj. SENS 2 *Le ciel est moutonneux,* les nuages blancs font penser à des moutons.

■ **moutonnier, ère** adj. SENS 1 *Pierre est moutonnier,* il suit aveuglément les autres, comme le font les moutons.

mouture → *moudre.*

mouvement n.m. **1.** *Les vagues sont des mouvements de la mer, les vents des mouvements de l'air* (= déplacement). **2.** *Kathy a fait un mouvement du bras pour regarder l'heure,* elle a bougé le bras (= geste). **3.** *Jean a eu un mouvement de colère,* il s'est mis en colère (= impulsion). **4.** *Elle a agi de son propre mouvement,* d'elle-même (= inspiration). **5.** *Dominique appartient à un mouvement politique* (= organisation). **6.** *Cette symphonie comporte trois mouvements* (= partie).

■ **mouvementé, e** adj. SENS 1 *Nous avons une vie mouvementée,* agitée.

■ **mouvoir** v. SENS 2 *Je ne peux plus mouvoir le bras,* le mettre en mouvement (= bouger).

■ **mouvant, e** adj. *Attention ! sur cette plage il y a des sables mouvants,* dans lesquels on s'enfonce.
R. *Mouvoir* → conj. n° 36.

1. moyen, enne adj. **1.** *Aïcha est de taille moyenne,* ni grande ni petite, entre les deux. **2.** *Jean est moyen en mathématiques,* ni bon ni mauvais (= passable). **3.** *M. Durand est un citoyen moyen,* il

n'est pas connu (= ordinaire). **4.** *On calcule la vitesse **moyenne** d'une auto en divisant le nombre de kilomètres parcourus par le temps mis à les parcourir.*
■ **moyenne** n.f. SENS 2 *Cléa n'a pas eu la **moyenne** en français,* elle n'a pas eu 10 sur 20. *En classe, j'arrive toujours dans la **moyenne**,* le groupe d'élèves se situant entre les plus faibles et les plus forts. SENS 4 *Nous avons fait 320 kilomètres en quatre heures, ça fait du 80 de **moyenne**.*
■ **moyennement** adv. SENS 2 *Je travaille **moyennement**,* ni bien ni mal.

2. moyen n.m. **1.** *Par quel **moyen** es-tu entrée dans cette maison ?,* comment es-tu arrivée à le faire ? (= procédé). *Le train et l'avion sont des **moyens** de transport,* des véhicules qui nous permettent de nous déplacer. *Je suis venue par mes propres **moyens**,* toute seule. **2.** *Elle est montée sur le toit **au moyen** d'une échelle* (= avec, grâce à, à l'aide de). **3.** (au plur.) *Je n'ai pas les **moyens** de partir en vacances,* assez d'argent pour le faire. **4.** *Quand il est fatigué, il perd ses **moyens*** (= capacités).

Moyen Âge n.m. *On appelle **Moyen Âge** la période historique qui est entre l'Antiquité et l'époque moderne.*
■ **moyenâgeux, euse** adj. *Nous avons visité un château **moyenâgeux*** (= médiéval).
R. On prononce [mwajɛnaʒ], [mwajɛnaʒø].

moyennant prép. *Elle a accepté de venir **moyennant** une forte somme,* à condition qu'on la lui donne (= pour, en échange de).

moyeu n.m. *Le **moyeu** d'une roue est sa partie centrale.*

mucosité → **muqueuse.**

muer v. **1.** *Les serpents **muent** tous les ans,* ils changent de peau. **2.** *Pierre a douze ans, sa voix **mue**,* elle devient plus grave.
■ **mue** n.f. SENS 1 ET 2 *La **mue** est l'action de muer.*

muet, ette adj. et n. **1.** *Cet enfant est sourd et **muet** de naissance,* il ne peut pas parler. **2.** *Quand on l'a interrogé, il est resté **muet**,* il n'a pas voulu (ou pu) parler (= silencieux ; ≠ bavard). **3.** *Dans « carte », le « e » reste **muet**,* on ne le prononce pas. *« Homme » commence par un « h » **muet**,* qui n'empêche pas la liaison (≠ aspiré).
■ **mutisme** n.m. SENS 2 *Lori est restée enfermée dans son **mutisme**,* son refus de parler (= silence).

mufle n.m. **1.** *Le **mufle** de la vache, du chien,* c'est le bout de leur museau. **2.** *M. Duval s'est conduit comme un **mufle**,* très grossièrement (= goujat).
■ **muflerie** n.f. SENS 2 *Sa **muflerie** dépasse les bornes* (= grossièreté).

mugir v. *On entend **mugir** les vaches dans l'étable* (= meugler, beugler).
■ **mugissement** n.m. *Le **mugissement** est le cri de la vache et du taureau.*

muguet n.m. *Le 1ᵉʳ mai, j'ai offert un bouquet de **muguet** à ma mère,* de fleurs à clochettes blanches parfumées.

mulâtre n.m. *Beaucoup d'Antillais sont des **mulâtres**,* l'un de leurs parents est noir et l'autre blanc.
R. Le féminin est *mulâtresse.*

mulet n.m. **1.** *Nous avons loué des **mulets** pour faire une promenade en montagne,* des animaux plus petits que le cheval et plus grands que l'âne. **2.** *On a pêché un **mulet**,* un grand poisson de mer.
■ **mule** n.f. **1.** SENS 1 *La **mule** est un mulet femelle, née d'un âne et d'une jument.* **2.** *Une **mule** est une sorte de pantoufle à haut talon.*
■ **muletier, ère 1.** adj. SENS 1 *Un chemin **muletier** est étroit et escarpé.* **2.** n. SENS 1 *Un **muletier** est un conducteur de mulets.*

mulot n.m. *Le **mulot** est un petit rat des champs.*

multi- *au début d'un mot a le sens de « plusieurs » : Une **multimillionnaire** a plusieurs millions.*

multicolore → *couleur.*

multiple 1. adj. *Cet accident a des causes multiples* (= nombreux ; ≠ unique). **2.** n.m. *20 est un multiple de 2, de 4, de 5 et de 10,* tous ces nombres sont contenus plusieurs fois dans 20 (4 × 5 et 10 × 2 = 20).
■ **multiplier** v. SENS 1 *Jean a multiplié les erreurs,* il en a fait beaucoup. SENS 2 *Si on multiplie 3 par 6 on obtient 18 (3 × 6 = 18).*
■ **multiplicateur** n.m. et **multiplicande** n.m. SENS 2 *Dans la multiplication 3 × 4 = 12, 3 est le multiplicande et 4 le multiplicateur.*
■ **multiplication** n.f. SENS 2 *La multiplication de 3 par 6 donne 18* (≠ division).
■ **démultiplier** v. *Quand une petite roue entraîne une plus grande roue, lavitesse est démultipliée,* la grande roue tourne moins vite.

multiracial → *race.*

multitude n.f. *Il y avait une multitude de gens dans les rues,* un très grand nombre (= foule, masse).

municipal, e, aux adj. *Les employés municipaux sont ceux qui travaillent pour la ville.*
■ **municipalité** n.f. La *municipalité* est la plus petite unité administrative.

munir v. *Il pleut, n'oublie pas de te munir d'un parapluie,* de le prendre avec toi. *La porte d'entrée est munie d'un système d'alarme,* elle en a un (= doter, pourvoir).
■ **démunir** v. *Lise est démunie d'argent,* elle n'en a pas.

munition n.f. (au plur.) *Les soldats n'avaient plus de munitions,* de quoi charger leurs armes.

muqueuse n.f. *Le nez, la bouche, l'estomac sont tapissés par des muqueuses,* de la peau très fine.
■ **mucosité** n.f. Une *mucosité* est un liquide visqueux qui s'écoule d'une muqueuse, en particulier du nez.

mur n.m. **1.** *La propriété est entourée d'un mur de pierre.* **2.** *Les murs de la pièce sont tapissés de papier peint.* **3.** *L'avion a franchi le mur du son,* il a dépassé la vitesse du son.
■ **mural, e, aux** adj. SENS 2 *Une carte murale est au fond de la classe,* accrochée au mur.
■ **murer** v. SENS 1 *On a muré la deuxième porte de cette chambre,* on a construit un mur à la place.
■ **muraille** n.f. SENS 1 *Cette ville est entourée de murailles,* de très gros murs.
■ **murette** n.f. ou **muret** n.m. SENS 1 *Dans cette région, les champs sont séparés par des murettes,* des petits murs.
■ **emmurer** v. SENS 1 *Les mineurs ont été emmurés par un éboulement* (= enfermer).
R. *Mur* se prononce [myr] comme *mûr* et *mûre.*

mûr, e adj. **1.** *Les cerises sont rouges, elles sont mûres,* elles peuvent être cueillies et mangées. **2.** *M. Durand est un homme mûr,* il a fini de se développer, c'est un adulte. *Tu es plus mûre que je ne le croyais,* plus réfléchie.
■ **mûrement** adv. SENS 2 *J'ai mûrement réfléchi à la question,* longtemps et en examinant tout.
■ **mûrir** v. SENS 1 *Le raisin mûrit en septembre.* SENS 2 *Cette idée a mûri lentement dans sa tête,* elle s'est développée. *Anne a mûri,* elle a acquis de la réflexion, de la sagesse.
■ **maturation** n.f. SENS 1 *La maturation des tomates n'est pas terminée,* le fait de mûrir.
■ **maturité** n.f. SENS 1 *Les cerises sont arrivées à maturité,* elles sont mûres. SENS 2 *Sonia a beaucoup de maturité pour son âge,* elle se conduit comme une personne mûre (= sagesse).
R. → *mur.*

muraille, mural → *mur.*

mûre n.f. *Papa fait de la confiture de mûres,* avec les fruits noirs des ronces.
R. → *mur.*

murer, muret, murette → *mur.*

mûrier n.m. Le *mûrier* est un arbre des régions chaudes qui sert à l'élevage des vers à soie.

mûrir → *mûr*.

murmure n.m. 1. *On entend un murmure derrière la cloison,* un faible bruit de voix. 2. *Elle a obéi sans murmure* (= protestation).
■ **murmurer** v. SENS 1 *Jean m'a murmuré quelque chose à l'oreille,* Il l'a dit tout bas (= chuchoter). SENS 2 *Elle a accepté de partir sans murmurer* (= protester).

musaraigne n.f. La *musaraigne* est un animal qui ressemble à la souris et qui se nourrit de vers et d'insectes.

musarder v. *Anne a passé son après-midi à musarder,* à ne rien faire, à perdre son temps (= flâner, traîner).

musc n.m. Le *musc* est un parfum très fort.

muscade n.f. *La noix muscade sert à parfumer les aliments.*

muscadet n.m. Le *muscadet* est un vin blanc de la Loire.

muscat n.m. Le *muscat* est une sorte de raisin dont on fait un vin parfumé appelé lui aussi *muscat.*

muscle n.m. *Je fais de la gymnastique pour développer mes muscles.*
■ **musclé, e** adj. *Tu as des bras musclés,* tu as de gros muscles.
■ **musculaire** adj. *La force musculaire* est celle de nos muscles.
■ **musculature** n.f. *La musculature d'une personne* est l'ensemble de ses muscles.
■ **intramusculaire** adj. *On lui a fait une piqûre intramusculaire,* dans un muscle (≠ sous-cutané ou intraveineux).

muse n.f. Les *Muses* étaient neuf déesses grecques qui protégeaient les artistes et les poètes.

museau n.m. *Le chien a avancé son museau et m'a léché la main,* la partie avant de sa tête.

■ **museler** v. *Il faut museler ce chien pour l'empêcher de mordre,* lui mettre une muselière.
■ **muselière** n.f. *Une muselière sert à emprisonner le museau d'un animal.*

musée n.m. *On a visité un musée de la préhistoire,* un endroit où sont rassemblés et exposés des objets préhistoriques.
■ **écomusée** n.m. *L'écomusée de la Beauce est fort intéressant,* un musée sans murs où l'on peut voir vivre les gens dans leur milieu.
■ **muséum** n.m. Un *muséum* est un musée consacré aux sciences naturelles.
R. *Muséum* se prononce [myzeɔm].

museler, muselière → *museau.*

musette n.f. 1. *La pêcheuse porte une musette en bandoulière,* un sac de toile. 2. *Un bal musette* est un bal populaire, où l'on danse au son de l'accordéon. 512

muséum → *musée.*

musique n.f. 1. *Cléa apprend la musique,* l'art d'assembler harmonieusement les sons, de jouer d'un instrument. *J'aime la musique de cette chanson* (= air). 2. *Sais-tu jouer de la musique à bouche ?,* de l'harmonica. 439
■ **musical, e, aux** adj. SENS 1 *Il y avait à la télé une émission musicale,* de musique. *Elle a une voix musicale,* mélodieuse.
■ **musicien, enne** n. SENS 1 *M. Dupuis est musicien dans un orchestre de jazz,* il joue de la musique. *Bach était un grand musicien,* un compositeur.
■ **music-hall** n.m. SENS 1 *On va au music-hall pour écouter des chanteurs, des acteurs comiques.*
R. *Music-hall* se prononce [myzikol].

musulman, e adj. et n. *Mahomet a fondé la religion musulmane. Le dieu des musulmans s'appelle Allah.*

mutation n.f. 1. *J'ai demandé ma mutation,* qu'on me change de lieu de travail. 2. *Ce quartier est en pleine mutation,* en changement.

■ **muter** v. SENS 1 *On l'a muté à Vancouver,* on l'a nommé à un nouveau poste à Vancouver.

mutiler v. 1. *Après cet accident, j'ai été mutilé des deux jambes,* je les ai perdues. 2. *Mutiler un texte,* c'est en retrancher certaines parties.
■ **mutilation** n.f. SENS 1 *Le corps de la victime portait des traces de mutilation* (= blessure). SENS 2 *Ce texte a subi des mutilations qui le dénaturent* (= coupure).
■ **mutilé, e** n. SENS 1 *Les mutilés de guerre touchent une pension,* ceux qui ont perdu un membre à la guerre.

mutin n.m. *Les mutins se sont emparés de la prison,* les prisonniers révoltés (= rebelle).
■ **se mutiner** v. *Les marins se sont mutinés* (= se révolter).
■ **mutinerie** n.f. *La mutinerie a été durement réprimée* (= révolte, rébellion).

mutisme → *muet.*

mutuel, elle 1. adj. *Ruth et Pierre se portent une amitié mutuelle* (= partagé, réciproque). 2. n.f. *Une mutuelle est une association d'entraide.*
■ **mutuellement** adv. SENS 1 *Stephen et Jeanne s'aident mutuellement à travailler,* ils s'aident l'un l'autre.
■ **mutualiste** n. SENS 2 *Un mutualiste* est une personne qui est membre d'une mutuelle.

mycologie n.f. *La mycologie est l'étude des champignons.*

mygale n.f. *La mygale est une grosse araignée dont la piqûre est très dangereuse.*

myope adj. *Tu es myope,* tu vois mal les objets éloignés.
■ **myopie** n.f. *Sa myopie a augmenté, il lui faut des lunettes plus fortes.*

myosotis n.m. Le *myosotis* est une petite fleur bleue.

myriade n.f. *Il y a des myriades d'étoiles dans le ciel,* des quantités innombrables.

myrrhe n.f. La *myrrhe* est un parfum tiré d'un arbre d'Arabie.

myrtille n.f. *Nous avons ramassé des myrtilles dans la forêt,* de petits fruits sauvages bleu-noir (= bleuet).

mystère n.m. 1. *On n'a pas réussi à éclaircir ce mystère,* cette chose impossible à comprendre. 2. *Xavier fait beaucoup de mystères ce soir,* des cachoteries. 3. *Au Moyen Âge, un mystère était une pièce de théâtre à sujet religieux.*
■ **mystérieux, euse** adj. SENS 1 *Cette disparition est mystérieuse* (= inexplicable). SENS 2 *Tu es bien mystérieuse,* secrète.
■ **mystérieusement** adv. SENS 1 *Elle a disparu mystérieusement.*

mysticisme → *mystique.*

mystifier v. *Il a mystifié tout le monde en racontant cette histoire* (= tromper, berner).
■ **mystification** n.f. *Nous avons été victimes d'une mystification* (= farce).
■ **démystifier** v. *L'enquêteur a démystifié toute l'affaire,* il lui a enlevé son caractère mystérieux.

mystique adj. et n. *Les mystiques ont conscience d'être en communication avec Dieu.*
■ **mysticisme** n.m. *Le mysticisme recherche l'union intime de l'homme et de la divinité.*

mythe n.m. *Un mythe est un récit qui met en scène des personnages imaginaires* (= légende).
■ **mythique** adj. *Ce récit est mythique,* légendaire.
■ **mythologie** n.f. *Jupiter, Mars, Vénus sont des dieux de la mythologie romaine,* de l'ensemble des récits légendaires des Romains.
■ **mythologique** adj. *Hercule est un héros mythologique.*
R. *Mythe* se prononce [mit] comme *mite.*

n

n' → ne.

nabot n.m. *M. Duval mesure à peine un mètre, c'est un **nabot*** (= nain).

nacelle n.f. *On aperçoit deux passagers dans la **nacelle** du ballon aérien,* le panier suspendu à ce ballon. *Claire s'assoit dans la **nacelle** de la balançoire,* la coque.

nacre n.f. *J'ai des boutons de **nacre** à mon corsage,* d'une matière brillante d'un blanc rosé.

nager v. *Marie apprend à **nager**,* à se soutenir et à avancer dans l'eau.
■**nage** n.f. **1.** *Le crawl est la **nage** la plus rapide,* la manière de nager. **2.** *Jean a couru, il est **en nage*** (= en sueur).
■**nageoire** n.f. *Les **nageoires** des poissons leur permettent de se déplacer dans l'eau.*
■**nageur, euse** n. *Jeanne est une bonne **nageuse**,* elle nage bien.
■**natation** n.f. *Pierre va à la piscine faire de la **natation**,* nager pour faire du sport.
■**natatoire** adj. *La vessie **natatoire** est une poche pleine d'air qui permet aux poissons de garder leur équilibre.*

naguère adv. est un équivalent rare de *récemment*.

naïf, ive adj. et n. *Marie est **naïve**,* elle croit tout ce qu'on lui dit.
■**naïvement** adv. *Pierre a souri **naïvement**,* un peu bêtement.
■**naïveté** n.f. *On s'est moqué de sa **naïveté*** (= crédulité).

nain, e n. *Un des clowns du cirque était un **nain**,* un homme très petit (≠ géant).

naître v. **1.** *Mon petit frère **est né** à Chicoutimi en 1985,* il est venu au monde (≠ mourir). **2.** *Une grande amitié **est née** entre Jeanne et Marie,* elle a commencé (≠ finir). **3.** *La venue au monde de son petit frère **a fait naître** chez cette petite fille une sorte de sentiment maternel* (= provoquer, causer).
■**naissance** n.f. SENS 1 *Il y a eu trois **naissances** cette nuit,* trois enfants sont nés. *Écrivez votre lieu de **naissance**,* où vous êtes née. SENS 2 *Ils sont partis à la **naissance** du jour* (= début).
■**natal, e, als** adj. SENS 1 *Il est retourné dans son pays **natal**,* le pays où il est né.
■**natalité** n.f. SENS 1 *L'Inde a une très forte **natalité**,* le nombre des naissances y est très grand.
■**natif, ive** adj. SENS 1 *Marie est **native** de Toronto,* elle y est née.
■**né, e** adj. *Richard est un sportif **né**,* il a un talent naturel pour le sport.
■**nouveau-né, e** adj. et n. SENS 1 *Mme Durand berce son **nouveau-né**,* son enfant qui vient de naître (= nourrisson).
■**renaître** v. SENS 1 *Les fleurs **renaissent** au printemps,* elles poussent de nouveau. SENS 2 *L'espoir **renaît** de voir la guerre finir,* il recommence à apparaître (= revenir). SENS 3 *Leur succès me fait **renaître**,* me redonne de l'énergie, du courage.
■**renaissance** n.f. SENS 2 **1.** *Après la crise, il y a eu une **renaissance** de l'industrie* (= reprise). **2.** La ***Renaissance***

est une période historique qui a vu un grand développement des arts, des lettres et des sciences.

R. → Conj. n° 65. *Naître se conjugue avec être. Nouveau reste invariable : des nouveau-nés, une fille nouveau-née.* → *nez.*

naïvement, naïveté → *naïf.*

435 **naja** n.m. Le *naja* est un serpent très dangereux d'Asie et d'Afrique.

nantir v. est un équivalent rare de *munir, doter.*

naphtaline n.f. *On met de la naphtaline dans les tissus pour les protéger des mites,* un produit blanc à odeur forte.

76 **nappe** n.f. **1.** *La nappe sert à protéger la table sur laquelle on mange,* une pièce de tissu. **2.** *Un étang, un lac, une mer sont des nappes d'eau,* des couches de liquide très étendues.
■ **napper** v. *Je nappe ma crème glacée de sauce au chocolat* (= recouvrir).

76 ■ **napperon** n.m. SENS 1 *Mets un napperon sous le vase de fleurs,* une petite nappe.

80 **narcisse** n.m. Le *narcisse* est une fleur parfumée à fleurs jaunes ou blanches.

narcotique n.m. est un équivalent savant de *somnifère.*

narguer v. *Le malfaiteur nargue la police par ses coups de téléphone,* il se moque d'elle avec insolence (= braver).

33 **narine** n.f. Les *narines* sont les ouvertures du nez.

narquois, e adj. *Marie me regardait d'un air narquois,* elle semblait se moquer de moi (= ironique, railleur).

narration n.f. *Le professeur nous a demandé de faire une narration sur nos vacances,* de les raconter par écrit (= rédaction). *Le témoin a fait une narration fidèle de l'accident* (= récit).
■ **narrateur, trice** n. *N'interrompez pas la narratrice !,* celle qui raconte.
■ **narrer** v. se disait autrefois pour *raconter.*

nasal, naseau, nasillard, nasiller → *nez.*

nasse n.f. *Les poissons viennent se prendre dans la nasse,* une sorte de panier servant de piège à poissons.

natal, natalité → *naître.*

natation, natatoire → *nager.*

natif → *naître.*

nation n.f. *La nation canadienne,* c'est à la fois le peuple canadien, son territoire et son gouvernement.
■ **national, e, aux** adj. *L'Assemblée nationale représente le peuple. C'est l'équipe nationale de hockey qui a gagné ! Une route nationale parcourt une grande partie du pays* (≠ rural, local).
■ **nationalité** n.f. *Mark est de nationalité américaine,* il est américain.
■ **nationaliser** v. *Ces usines atomiques sont nationalisées,* elles appartiennent à l'État.
■ **nationalisation** n.f. *La nationalisation de l'électricité au Québec a marqué la Révolution tranquille.*
■ **nationalisme** n.m. Le *nationalisme* est la doctrine de ceux qui placent leur nation au-dessus des autres nations.
■ **nationaliste** n. et adj. *Les nationalistes veulent une nation puissante.*
■ **international, e, aux** adj. *L'O. N. U. est une organisation internationale,* où se rencontrent les nations du monde.

natte n.f. **1.** *Jeanne a de belles nattes blondes,* ses cheveux sont tressés. **2.** *Les Japonais dorment sur des nattes,* sur des tapis de paille tressée.

naturaliser v. **1.** *Ahmed veut se faire naturaliser canadien,* il veut devenir citoyen canadien. **2.** *Naturaliser un animal,* c'est lui faire subir, quand il est mort, une préparation qui lui conserve l'aspect d'un animal vivant (= empailler).
■ **naturalisation** n.f. SENS 1 *Il a attendu trois ans sa naturalisation.* SENS 2 *La naturalisation de cet ours est réussie.*

nature n.f. 1. La *nature,* c'est l'ensemble de tout ce qui existe dans le monde en dehors de l'intervention des hommes ($\neq$ civilisation). 2. *Nous nous sommes promenés dans la nature* (= campagne). 3. *La nature humaine est différente de la nature animale,* les caractères propres à l'homme ou à l'animal. *Quelle est la nature de cette roche ?* (= caractéristique). 4. *Louise a menti ? Ce n'est pas dans sa nature* (= caractère, tempérament). 5. *Cet objet est dessiné grandeur nature,* aussi grand que le modèle. 6. *Une nature morte* est un tableau représentant des objets. 7. *Payer en nature,* c'est payer avec des produits du sol (légumes, fruits), des objets ($\neq$ en argent).

■ **naturel, elle** adj. 1. SENS 1 *Les sciences naturelles étudient les choses de la nature (les êtres vivants, les plantes, les roches). Ce corsage est en soie naturelle* ($\neq$ artificiel). SENS 3 *Une mort naturelle est causée par l'âge ou la maladie* ($\neq$ accidentel). 2. *Ne me remercie pas, ce que j'ai fait est tout naturel* (= normal). ■ **naturel** n.m. 1. SENS 4 *Paul est d'un naturel honnête* (= caractère). 2. *Lise s'exprime avec naturel* (= spontanéité, simplicité).

■ **naturellement** adv. 1. SENS 4 *Marie est naturellement gaie,* c'est sa nature. 2. *Tu connais Jean ? — Naturellement* (= bien sûr, évidemment).

■ **naturaliste** n. SENS 1 *Un naturaliste est un savant qui étudie les sciences naturelles.*

■ **dénaturer** v. SENS 3 *On a dénaturé mes paroles,* on en a changé le sens, le caractère.

■ **surnaturel, elle** adj. SENS 1 *Un miracle est un événement surnaturel,* qui ne peut exister dans la nature (= extraordinaire).

naufrage n.m. *Le navire a fait naufrage à cause de la tempête,* il a coulé ou s'est échoué.

■ **naufragé, e** n. *Les naufragés ont été recueillis par un bateau de pêche,* ceux qui ont fait naufrage.

nausée n.f. *Cette odeur me donne la nausée,* envie de vomir.

■ **nauséabond, e** adj. *Le dépôt d'ordures répand une odeur nauséabonde* (= dégoûtant, écœurant).

nautique adj. *Le canotage, la croisière, la planche à voile, le ski nautique sont des sports nautiques,* qui se pratiquent sur l'eau. 722

■ **nautisme** n.m. *Le nautisme,* c'est l'ensemble des sports nautiques.

naval, e, als adj. *Il y a des chantiers navals en Nouvelle-Écosse,* qui fabriquent des navires. 726

R. Noter le pluriel : *navals.*

navet n.m. 1. *Je n'aime pas les navets,* un légume blanc dont on mange la racine. 2. Fam. *Ce film est un navet,* il est sans valeur, sans intérêt. 367

navette n.f. 1. *Une navette* est un outil du tisserand qui va et vient pour passer le fil. 2. *Dominique fait la navette entre Montréal et New York,* elle voyage régulièrement entre ces villes. 3. *Une navette spatiale* est un véhicule conçu pour aller dans l'espace et revenir sur terre.

naviguer v. *Nous avons navigué pendant huit jours sur l'océan,* voyagé sur l'eau.

■ **navigable** adj. *Cette rivière n'est pas navigable,* on ne peut y naviguer.

■ **navigant, e** adj. *Les agents de bord font partie du personnel navigant,* de l'équipage de l'avion. 510

■ **navigateur, trice** n. *Christophe Colomb fut un grand navigateur* (= marin). *Le navigateur seconde le commandant de bord d'un avion en déterminant la route à suivre.* 510

■ **navigation** n.f. *La navigation maritime,* c'est le transport par bateaux ; *la navigation aérienne,* c'est le transport par avions.

R. On distingue, dans l'orthographe, *navigant* (adj.) et *naviguant* (participe).

803,
727

navire n.m. *Les cargos, les paquebots, les pétroliers sont des **navires,** de grands bateaux.*

navrer v. *Je **suis navrée** de vous avoir dérangé,* très ennuyée (= désoler).
■ **navrant, e** adj. *Cet échec est vraiment navrant* (= désolant, affligeant).

nazisme n.m. *Le **nazisme** est une doctrine nationaliste, raciste et guerrière fondée en Allemagne par Hitler.*
■ **nazi, e** n. *Les **nazis** ont déclenché la Seconde Guerre mondiale.*

ne adv. indique une négation et est souvent suivi de *pas, jamais, plus, rien, aucun : Je **ne** viendrai **pas**. Je **ne** veux plus.*

néanmoins adv. marque une opposition : *Il était malade, néanmoins il est venu* (= pourtant, cependant, toutefois).

néant n.m. **1.** *Le **néant,** c'est ce qui n'existe pas.* **2.** *On a réduit mes espoirs à **néant,*** on les a anéantis.

nébuleuse n.f. *Une **nébuleuse** est une masse d'étoiles très nombreuses en forme de spirale.*

nébuleux, euse adj. **1.** *Le ciel est **nébuleux,*** couvert de nuages. **2.** *Les idées de Lise sont **nébuleuses,*** elles ne sont pas nettes (= confus ; ≠ clair).

nécessaire adj. *Il est **nécessaire** de partir tôt demain matin,* il le faut (= indispensable ; ≠ inutile). *Donne-moi les outils **nécessaires,*** ceux dont j'ai besoin (= utile).
■ **nécessaire** n.m. **1.** *On manque même du **nécessaire,*** de ce qu'il faut absolument pour vivre (≠ superflu). *Faire le **nécessaire,*** c'est faire ce qui est indispensable dans une circonstance donnée. **2.** *Un **nécessaire de toilette** contient les objets nécessaires pour faire sa toilette.*
■ **nécessairement** adv. *Tu viendras nécessairement* (= forcément).
■ **nécessité** n.f. *Vous pouvez venir, mais ce n'est pas une **nécessité*** (= obliga-

tion). *Respirer est une **nécessité,*** un besoin.
■ **nécessiter** v. *Ce projet **nécessite** une longue réflexion,* il la rend nécessaire (= exiger).
■ **nécessiteux, euse** adj. et n. *Une personne **nécessiteuse** manque même du nécessaire* (= très pauvre).

nécrologie n.f. **1.** *J'ai lu dans le journal la **nécrologie** de M. Dupuis,* un article sur cet homme qui vient de mourir. **2.** *Le nom de mon oncle apparaît dans la **nécrologie** du lundi 22 mai,* la liste des avis de décès donnés ce jour-là à la radio ou dans un journal.
■ **nécrologique** adj. *Les journaux ont consacré des articles **nécrologiques** à cette grande artiste.*

nécropole n.f. *Une **nécropole** est un grand cimetière.*

nectar n.m. **1.** *Les abeilles recueillent le **nectar** des fleurs,* le liquide sucré qu'elles contiennent. **2.** *Ce vin est un **nectar,*** il est délicieux. **3.** *Veux-tu du **nectar** d'abricot ?,* une boisson à base de jus de fruit additionné d'eau et de sucre.

nef n.f. **1.** *La **nef** d'une église est l'espace qui va du portail au chœur.* **2.** *Nef se disait autrefois pour navire.*

néfaste adj. *Le tabac est **néfaste** pour la santé* (= nuisible).

négatif, ive **1.** adj. *Il m'a donné une réponse **négative,*** il a refusé (≠ affirmatif, positif). *En faisant mon calcul, j'ai obtenu – 5, c'est un nombre **négatif,*** en dessous de zéro. **2.** n.m. *Sur le **négatif** d'une photo, les parties claires correspondent aux teintes sombres, et inversement* (= pellicule).
■ **négative** n.f. SENS 1 *Elle a répondu par la **négative,*** elle a dit non. SENS 2 *Si vous êtes d'accord, nous aussi, **dans la négative** nous nous adresserons ailleurs,* dans le cas contraire.
■ **négation** n.f. SENS 1 *« Non » est un adverbe de **négation,*** qui sert à nier (≠ affirmation).

négliger v. *Ruth néglige son travail,* elle ne s'en occupe pas avec soin (≠ s'intéresser). *Luce se néglige,* elle ne prend plus soin d'elle-même, de sa toilette.
■ **négligé** n.m. *Tu te fais remarquer par le négligé de tes vêtements* (= laisseraller).
■ **négligeable** adj. *La différence de prix entre ces deux articles est négligeable,* il n'y a pas lieu d'en tenir compte (= minime, insignifiant ; ≠ important, considérable).
■ **négligence** n.f. *On lui a reproché sa négligence,* son manque de soin (≠ application).
■ **négligent, e** adj. *Paul est un élève négligent* (≠ consciencieux).
■ **négligemment** adv. *Tu as répondu négligemment à mes questions,* sans t'appliquer (≠ soigneusement).
R. On distingue, dans l'orthographe, *négligent* (adj.) et *négligeant* (participe).

négocier v. **1.** *Les deux pays ont négocié un traité de paix,* ils se sont mis d'accord pour faire la paix. **2.** *Mme Chang a négocié des valeurs boursières,* elle les a vendues.
■ **négoce** n.m. SENS 2 se disait autrefois pour *commerce.*
■ **négociant, e** n. SENS 2 *M. Dupont est négociant en vins,* il vend du vin en gros (≠ détaillant).
■ **négociateur, trice** n. SENS 1 *Les négociateurs du cessez-le-feu se sont rencontrés,* les diplomates chargés de négocier.
■ **négociation** n.f. SENS 1 *L'échec des négociations a rouvert les hostilités* (= discussion).

nègre n.m., **négresse** n.f. sont des mots péjoratifs pour désigner des personnes de race noire.
■ **négrier** n.m. *Les négriers* étaient des marchands d'esclaves noirs.
■ **negro-spiritual** n.m. *Un negro-spiritual* est un chant religieux des Noirs d'Amérique.
R. Noter le pluriel : des *negro-spirituals.*

neige n.f. **1.** *La neige tombe depuis ce matin,* de l'eau congelée en flocons blancs. *Plusieurs élèves partent en classe de neige,* ils partent quelques jours faire des sports d'hiver tout en continuant le travail scolaire. **2.** *Pour faire ce gâteau, il faut battre les œufs en neige,* les fouetter vivement jusqu'à ce qu'ils prennent une consistance ferme et blanche.
■ **neiger** v. SENS 1 *Il a neigé hier dans les Laurentides.*
■ **neigeux, euse** adj. **1.** SENS 1 *On voit au loin les sommets neigeux des Rocheuses,* blancs de neige. **2.** SENS 2 *Une mousse neigeuse* a l'aspect de la neige.
■ **enneigé, e** adj. SENS 1 *Les toits sont enneigés,* couverts de neige.
■ **enneigement** n.m. *L'enneigement des pistes est insuffisant pour faire du ski,* la couche de neige.

nénuphar n.m. *Le nénuphar* est une plante à grandes fleurs qui pousse dans l'eau.

néo- au début d'un mot signifie « nouveau ».

néologisme n.m. *« Deltaplane »* est un *néologisme,* un mot nouveau dans la langue française.

néon n.m. *La pièce est éclairée par un tube au néon,* un gaz lumineux sous l'effet de décharges électriques.

néophyte n. *Je suis encore un néophyte dans ce domaine,* un adepte récent (= novice).

népotisme n.m. Pour un homme politique, le *népotisme* consiste à favoriser sa famille.

nerf n.m. **1.** *Les nerfs relient le cerveau au reste du corps et nous permettent de sentir, de voir, d'entendre, de toucher.* **2.** *Jean est à bout de nerfs,* il est très excité. *Tu me tapes sur les nerfs,* tu m'énerves. **3.** *Maïté a du nerf,* elle est active, dynamique.
■ **nerveux, euse** adj. SENS 1 *Le système nerveux est constitué par les nerfs, le*

653,
652,
650

73

cerveau et la moelle épinière. SENS 2 *Tu es trop **nerveuse**, détends-toi* (= excité, agité). SENS 3 *Jessica a une voiture **nerveuse*** (= rapide).

■ **nerveusement** adv. SENS 2 *Jean s'agite **nerveusement*** (≠ calmement).

■ **nervosité** n.f. SENS 2 *Marie est d'une grande **nervosité**, elle est toujours surexcitée.*

■ **énerver** v. SENS 2 *Arrête de t'agiter, tu m'**énerves** !, tu me rends nerveux* (= agacer).

■ **énervant, e** adj. SENS 2 *Que c'est **énervant** d'attendre !* (= agaçant).

■ **énervement** n.m. SENS 2 *Je n'arrivais pas à cacher mon **énervement*** (= irritation, agacement).

R. *Nerf* se prononce [nɛr].

nervure n.f. *Les **nervures** d'une feuilles sont des lignes qui ressortent à sa surface.*

n'est-ce pas adv. sert à interroger, à demander un avis : *Ce café est bon, n'est-ce pas ?*

net, nette adj. 1. *Le col de ta chemise n'est pas **net*** (= propre). 2. *Cette photo est très **nette**, on y voit tous les détails avec précision* (≠ flou). 3. *Son refus a été très **net*** (= brutal, catégorique ; ≠ vague). 4. *Un prix **net** est un prix dont on a enlevé tous les frais supplémentaires* (≠ brut). 5. *J'en aurai le cœur **net**,* je saurai à quoi m'en tenir, je connaîtrai la vérité. 6. *On note une **nette** amélioration de l'état du malade* (= évident).

■ **net** adv. SENS 3 *La voiture s'est arrêtée **net*** (= brutalement, pile).

■ **nettement** adv. 1. SENS 2 *On voit **nettement** tous les détails de la photo* (= clairement). 2. *Cette voiture va **nettement** trop vite* (= beaucoup).

■ **netteté** n.f. SENS 2 *Maïté parle avec **netteté*** (= précision).

nettoyer v. *Nous avons passé la journée à **nettoyer** la maison,* à la rendre propre (≠ salir).

■ **nettoyage** n.m. *Le **nettoyage** des meubles se fait avec un chiffon.*

■ **nettoyeur, euse** n. *Va porter ma chemise chez le **nettoyeur**,* la personne qui nettoie et repasse les vêtements.

1. neuf adj. *Pierre a **neuf** ans. Les bureaux ouvrent à **9** heures. 8 + 1 = 9.*

■ **neuvième** adj. et n. *Septembre est le **neuvième** mois de l'année. J'habite au **neuvième** étage.*

R. On prononce *neuf ans* [nœvã], *neuf heures* [nœvœr].

2. neuf, neuve 1. adj. et n.m. *Marie s'est acheté une robe **neuve** et un pull **neuf*** (= nouveau ; ≠ usé, vieux). 2. *On a refait **à neuf** la chambre,* on lui a redonné l'aspect du neuf.

neurasthénie n.f. *La **neurasthénie** est une maladie qui se manifeste par une profonde tristesse.*

■ **neurasthénique** adj. *M. Durand est **neurasthénique**,* il est toujours triste, abattu.

neurologie n.f. *La **neurologie** est la partie de la médecine qui soigne le système nerveux.*

■ **neurologue** n. *Le **neurologue** lui a prescrit des calmants.*

neutre adj. 1. *La Suisse est un pays **neutre**,* qui ne prend pas parti au cours des guerres. 2. *Le gris est une couleur **neutre**,* sans éclat (≠ vif).

■ **neutraliser** v. 1. SENS 1 *Ce territoire a été **neutralisé**,* placé hors du conflit. 2. *Ses efforts **ont été neutralisés*** (= annuler, paralyser).

■ **neutralité** n.f. SENS 1 *Certains pays sont partisans de la **neutralité**,* ils veulent rester neutres.

neuvième → *neuf* 1.

névé n.m. *En montagne, un **névé** est une plaque de neige transformée en glace.*

neveu n.m., **nièce** n.f. *Pierre est le **neveu** de M. Durand,* le fils du frère ou de la sœur de M. Durand. *Marie est sa **nièce**,* la fille de son frère ou de sa sœur.

névralgie n.f. *Mme Durand souffre de névralgie faciale,* de vives douleurs des nerfs de la face.

■ **névralgique** adj. **1.** *J'ai des douleurs névralgiques,* des nerfs. **2.** *C'est là une question névralgique,* extrêmement délicate, sensible.

névrose n.f. Une *névrose* est une maladie mentale qui provoque des troubles nerveux.

■ **névrosé, e** n. et adj. *Dans ce centre, on soigne des névrosés.*

nez n.m. **1.** *Respire profondément par le nez. M. Durand parle du nez,* comme s'il avait le nez bouché. **2.** *Je me suis trouvée nez à nez avec Paul,* en face de lui. **3.** *L'avion a piqué du nez,* de sa partie avant. **4.** *Elle le mène par le bout du nez,* elle lui fait faire tout ce qu'elle veut. **5.** Fam. *Anne est très curieuse, elle fourre son nez partout,* elle essaie de tout savoir. **6.** Fam. *Tu ne vois pas plus loin que le bout de ton nez,* tu manques de lucidité, tu ne vois que ce qui arrive maintenant et pas ce ce qui pourra se passer.

■ **nasal, e** adj. SENS 1 *Les fosses nasales* sont à l'intérieur du nez.

■ **naseau** n.m. SENS 1 *Les naseaux d'un cheval,* ce sont ses narines.

■ **nasiller** v. SENS 1 *Ruth est enrhumée, elle nasille,* elle parle du nez.

■ **nasillard, e** adj. SENS 1 *Pierre a une voix nasillarde.*

R. *Nez* se prononce [ne] comme [*il est*] *né* (de *naître*).

ni conj. indique qu'on ajoute quelque chose de négatif : *Je n'ai rien vu ni rien entendu. Il n'est ni bon ni méchant.*

R. → *nid.*

niais, e adj. et n. *Jean est (un) niais,* il est ignorant et sot.

■ **niaiser** v. **1.** *As-tu fini de me faire niaiser ?,* de me faire attendre pour rien. **2.** *Paul a niaisé toute la journée,* il n'a rien fait.

■ **niaiserie** n.f. *Elle ne raconte que des niaiseries* (= sottise).

■ **niaiseux, euse** adj. et n. *Ce garçon est (un) niaiseux* (= niais, sot).

■ **déniaiser** v. *Ce voyage à l'étranger le déniaisera,* lui fera perdre sa naïveté, son innocence.

1. niche n.f. **1.** *Le chien dort dans sa niche,* une petite cabane. **2.** *La statue est placée dans une niche,* un renfoncement du mur.

2. niche n.f. Fam. *Pierre a fait une niche à sa sœur,* il lui a joué un tour (= farce).

nichée, nicher → *nid.*

nickel n.m. Le *nickel* est un métal brillant très résistant.

■ **nickelé, e** adj. *Un outil nickelé* est recouvert de nickel.

nicotine n.f. La *nicotine* est un poison contenu dans le tabac.

nid n.m. *Il y a au bord du toit un nid d'hirondelles,* une sorte d'abri pour leurs œufs et leurs petits.

■ **nicher** v. **1.** *Des corbeaux nichent dans ce grand arbre,* ils y ont fait leur nid. **2.** *La bille est allée se nicher dans un trou* (= se mettre, se loger).

■ **nichée** n.f. *Une nichée,* ce sont des petits oiseaux qui sont encore au nid.

■ **nichoir** n.m. *Il y a un nichoir dans l'arbre,* un abri pour les oiseaux.

■ **dénicher** v. **1.** *On a déniché des œufs de corneille,* on les a pris dans le nid. **2.** Fam. *Où as-tu déniché ce stylo ?* (= trouver).

R. *Nid* se prononce [ni] comme *ni* et [*je*] *nie,* [*tu*] *nies* (de nier).

nièce → *neveu.*

nier v. *Je t'ai donné des preuves, mais tu continues à nier,* à dire que ce n'est pas vrai (≠ affirmer, avouer).

■ **dénier** v. *On ne peut lui dénier du courage,* dire qu'elle n'est pas courageuse (= refuser, contester).

■ **indéniable** adj. *Ce que tu me dis est indéniable,* on ne peut pas le nier (= incontestable, indiscutable).

75
148

■ **indéniablement** adv. *Ce fait est in-déniablement exact* (= incontestable-ment, indiscutablement).
R. → *négatif, négation* et *nid.*

nigaud, e n. et adj. *Pierre est un grand nigaud,* il est bête, trop naïf (≠ *malin*).

nippes n.f.pl. Fam. *Où t'es-tu acheté ces nippes ?,* ces vieux vêtements.
■ **nipper** v. *Vous êtes nippés comme des clochards,* mal habillés.

nippon, onne adj. et n. est un équiva-lent de *japonais.*

nitrate n.m. *Les nitrates sont des pro-duits chimiques utilisés comme engrais.*

nitroglycérine n.f. *La nitroglycérine est un explosif très violent qui sert à fabriquer la dynamite.*

niveau n.m. **1.** *Le sommet du mont Blanc est à 4 807 mètres au-dessus du niveau de la mer,* de la surface horizontale de celle-ci. **2.** *L'eau lui arrive au niveau des genoux,* à la hauteur. **3.** *Le niveau des prix a encore monté,* ils sont plus élevés. **4.** *Un niveau est un instrument qui sert à vérifier qu'une surface est horizontale.* **5.** *Elle cherche à améliorer son niveau de vie,* ses conditions de vie.
■ **niveler** v. SENS 1 *On a nivelé le terrain,* on en a fait une surface horizontale, sans creux ni bosses. SENS 3 *Certains pensent qu'il faut niveler les salaires,* les mettre au même niveau.
■ **niveleuse** n.f. SENS 1 *La niveleuse est un engin de travaux publics qui nivelle les terrains.*
■ **nivellement** n.m. SENS 1 ET 5 *Des en-gins réalisent le nivellement du terrain. On observe un nivellement progressif des salaires.*
■ **déniveler** v. SENS 1 *La route est déni-velée par rapport à la plaine,* elle ne se trouve pas au même niveau.
■ **dénivellation** n.f. SENS 1 *Dans une plaine, les collines et les vallées forment des dénivellations,* des différences de niveau.
R. *Niveler, déniveler* → conj. n° 6.

noble 1. n. et adj. *Sous l'Ancien régime, les nobles avaient de nombreux privi-lèges* (= aristocrate, seigneur ; ≠ rotu-rier). **2** adj. *Ces nobles sentiments lui valent le respect de tous,* ces sentiments généreux, élevés (≠ bas, vil).
■ **noblement** adv. SENS 2 *Tu as pardonné noblement à tes ennemis* (= généreuse-ment).
■ **noblesse** n.f. SENS 1 *« Duc », « mar-quis », « comte », « baron » sont des titres de noblesse.* SENS 2 *Tu as montré une grande noblesse d'âme* (≠ bassesse).
■ **nobiliaire** adj. SENS 1 *« De » placé de-vant un nom propre est une particule nobiliaire,* indiquant qu'on est noble.
■ **anoblir** v. SENS 1 *Le roi pouvait anoblir les bourgeois,* les faire nobles.
■ **ennoblir** v. SENS 2 *On dit que le travail ennoblit la personne,* qu'il la rend plus noble moralement (= grandir).

noce n.f. **1.** *Les Durand ont invité cent personnes à la noce de leur fille,* à la fête qu'ils ont donnée pour son mariage. *Je suis allé aux noces de Patricia,* à son mariage. *Toute la noce s'est rendue à l'église à pied,* le cortège qui ac-compagne les mariés. **2.** Fam. *Ils ont fait la noce toute la nuit,* ils ont fait la fête, ont bu, mangé, se sont amusés.

nocif, nocivité → *nuire.*

nocturne → *nuit.*

Noël n.m. **1.** *Nous avons fêté Noël en famille,* le 25 décembre, anniversaire de la naissance du Christ. **2.** *Nous avons décoré l'arbre de Noël,* le sapin que l'on garnit de boules, de guirlandes pour Noël. **3.** *Le père Noël est un personnage imaginaire qui est censé distribuer des cadeaux aux enfants pendant la nuit de Noël.*

nœud n.m. **1.** *Fais un nœud très serré pour que le paquet soit solide,* bloque la ficelle en la nouant. **2.** *Voilà le nœud de la question,* le point important. **3.** *Cette ville est un important nœud routier,* beaucoup de routes s'y croisent. **4.** *Cette* *planche est pleine de **nœuds,** de parties de bois rondes et dures.* **5.** *Le bateau file 10 **nœuds,** sa vitesse est de 10 milles marins à l'heure (environ 18 kilomètres à l'heure).* **6.** *J'avais hâte de revoir Olivier mais j'**ai frappé un nœud,** car il était parti,* j'ai été déçu.

■ **nouer** v. **1.** SENS 1 *Nouer ses lacets de chaussures,* c'est les entrelacer pour les attacher ensemble. **2.** *Une profonde amitié **s'est nouée** entre Pierre et Lori,* elle s'est solidement établie.

■ **noueux, euse** adj. **1.** SENS 5 *Ce vieux chêne a un tronc **noueux,*** il y a des nœuds dans son bois. **2.** *Mon grand-père a les doigts **noueux,*** aux articulations renflées.

■ **dénouer** v. SENS 1 *Maïté **a dénoué** ses lacets pour enlever ses chaussures,* elle a défait les nœuds. SENS 3 *Dénouer une question,* c'est en trouver le point important pour le résoudre.

■ **dénouement** n.m. SENS 3 *Cette affaire a eu un heureux **dénouement,*** les difficultés ont été résolues et elle s'est bien terminée.

■ **renouer** v. **1.** SENS 1 *Tu devrais **renouer** ta cravate,* refaire le nœud. **2.** *Aïcha et Paul **ont renoué** leurs relations,* ils les ont reprises après une interruption.

R. → *nous.*

noir n.m. **1.** *Le **noir** est la couleur la plus foncée ; c'est aussi la couleur représentant le deuil, la tristesse* (≠ blanc). **2.** *Mon petit frère a peur dans le **noir,*** quand il fait sombre. **3.** *Tu vois tout en **noir,*** tu es pessimiste, triste. **4.** *L'Afrique est peuplée en majorité par des **Noirs,*** des gens à la peau très foncée. **5.** *Il travaille **au noir,*** clandestinement, sans que son travail soit déclaré.

■ **noir, e** adj. **1.** SENS 1 *Le charbon est **noir.*** SENS 2 *Nous sommes sortis à la nuit **noire.*** SENS 3 *Tu as des idées **noires*** (= triste). SENS 4 *Les Africains sont de race **noire.*** **2.** *Tes ongles sont **noirs,*** sales. **3.** *J'ai acheté 2 billets de hockey*

*au **marché noir,*** en fraude et à un prix différent du prix réel.

■ **noirâtre** adj. SENS 1 *Tu as une tache **noirâtre** sur ta veste,* presque noire, très foncée.

■ **noiraud, e** adj. SENS 1 *Mon petit chien est **noiraud,*** d'une couleur d'un brun noir.

■ **noirceur** n.f. SENS 1 *La **noirceur** de son teint est impressionnante.* SENS 3 *Je suis écœurée par la **noirceur** de cette trahison* (= méchanceté, perfidie).

■ **noircir** v. SENS 1 *Le plafond **est noirci** par la fumée,* taché de noir.

■ **noire** n.f. *En musique, une **noire** est une note égale au quart de la ronde.* | 438

noise n.f. *Chercher **noise** à quelqu'un,* c'est trouver un prétexte pour se disputer avec lui.

noisette n.f. *Jean est allé cueillir des **noisettes,*** de petits fruits recouverts d'une coquille. | 655

■ **noisetier** n.m. *Le **noisetier** est un arbuste.* | 655

noix n.f. **1.** *Une **noix** est un fruit recouvert d'une coquille.* **2.** *La **noix de coco,** la **noix muscade** sont des fruits qui possèdent aussi une coquille.* | 365 580

■ **noyer** n.m. SENS 1 *Le **noyer** est l'arbre qui produit des noix.*

R. *Noix se prononce* [nwa] *comme* [je me] *noie (du verbe noyer).*

nom n.m. **1.** *Quel est ton **nom** ? — Je m'appelle Dominique Durand, comment t'appelles-tu ?. Durand est mon **nom,*** Dominique est mon prénom. **2.** *« France » et « Durand » sont des **noms propres,*** ils désignent une seule chose, une seule personne ; « chien » et « table » sont des **noms communs,** ils désignent un ensemble d'êtres ou de choses. **3.** *Tu as agi en mon **nom,*** je suis responsable de ce que tu as fait à ma place. **4.** *Il se sert d'un **nom de plume** pour signer ses articles,* un pseudonyme.

■ **nommer** v. **1.** SENS 1 *Je me **nomme** Dupont,* c'est mon nom (= s'appeler).

Nomme-moi les quatre points cardinaux, dis-moi leur nom (= désigner). **2.** *Fatima a été nommée directrice,* désignée à cette fonction.

■ **nommément** adv. SENS 1 *On l'a nommément accusé,* en le désignant par son nom.

■ **nominal, e, aux** adj. SENS 1 *Le professeur a fait l'appel nominal des élèves,* il les a appelés par leur nom.

■ **nominatif, ive** adj. SENS 1 *Une liste nominative indique tous les noms d'un ensemble de personnes ou de choses.*

■ **nomination** n.f. *M. Durand attend sa nomination de professeur,* qu'on le nomme (au sens 2) professeur.

■ **dénommer** v. SENS 1 *Comment dénomme-t-on cette plante ?* (= nommer, appeler).

■ **dénommé, e** n. SENS 1 *Connaissez-vous le dénommé Pierre Durand ?,* celui qui a ce nom.

■ **prénom** n.m. SENS 1 *Durand est mon nom de famille et Dominique mon prénom.*

■ **surnom** n.m. SENS 1 *Tout le monde l'appelle Bobby, c'est son surnom.*

■ **surnommer** v. SENS 1 *Ses camarades l'ont surnommée « Chèvre » à cause de sa voix bêlante,* ils lui ont donné ce surnom.

R. *Nom* se prononce [nɔ̃] comme *non.*

nomade n. *Des nomades se sont installés à l'entrée du village,* des gens qui n'ont pas d'habitation fixe.

nombre n.m. **1.** *6 est un nombre entre 5 et 10.* **2.** *Quel est le nombre d'habitants de cette ville ?,* combien y en a-t-il ? **3.** *Il y a un grand nombre de personnes sur la place,* beaucoup. **4.** *Elle compte au nombre de mes amis,* parmi mes amis. **5.** *Les soldats ont succombé sous le nombre,* la grande quantité, la masse. **6.** *Cet adjectif s'accorde en genre et en nombre avec le nom,* on peut le mettre au singulier ou au pluriel.

■ **nombreux, euse** adj. SENS 3 ET 5 *Ils ont de nombreux amis,* ils en ont beaucoup (≠ rare).

■ **numéral, e, aux** adj. SENS 1 *Deux, trois, quatre, etc., sont des adjectifs numéraux,* qui désignent un nombre.

■ **numérateur** n.m. *Dans la fraction $\frac{3}{5}$, le nombre 3 est le numérateur* (≠ dénominateur)

■ **numération** n.f. SENS 1 *Les Romains avaient un système de numération différent du nôtre,* une manière de représenter les nombres.

■ **numérique** adj. SENS 3 ET 5 *La supériorité numérique de l'ennemi était écrasante,* ils étaient plus nombreux.

■ **numéro** n.m. **1.** SENS 1 *Mon billet de loterie porte le numéro 3720,* il y a ce nombre écrit dessus. **2.** *Le prochain numéro de cette revue paraît dans un mois* (= exemplaire). **3.** *Au cirque, un numéro, c'est une partie du spectacle.* **4.** *Cette fille est un drôle de numéro,* une personne bizarre.

■ **numéroter** v. SENS 1 *J'ai numéroté les pages de mon cahier,* j'ai marqué chaque page d'un numéro.

■ **dénombrer** v. SENS 2 *On cherchait à dénombrer les gens qui étaient dans la salle,* à en évaluer le nombre (= compter).

■ **dénombrement** n.m. SENS 2 *Le dénombrement de la population a lieu tous les six ans,* l'évaluation de son nombre (= recensement).

■ **innombrable** SENS 2, 3 ET 5 *Les étoiles sont innombrables,* si nombreuses qu'on ne peut les compter.

■ **surnombre** n.m. SENS 2, 3 ET 4 *Il y a deux voyageurs en surnombre,* en plus du nombre prévu (= excédent).

nombril n.m. **1.** *Le nombril est la cicatrice que chacun a au milieu du ventre et qui est la marque de la coupure du cordon ombilical.* **2.** *Sophie se prend pour le nombril du monde,* elle se croit très importante.

R. On prononce [nɔ̃bril] et parfois [nɔ̃bri].

les nombres

CHIFFRES	NOMBRES CARDINAUX	NOMBRES ORDINAUX
1	un	premier
2	deux	deuxième (second)
3	trois	troisième
4	quatre	quatrième
5	cinq	cinquième
6	six	sixième
7	sept	septième
8	huit	huitième
9	neuf	neuvième
10	dix	dixième
11	onze	onzième
12	douze	douzième
13	treize	treizième
14	quatorze	quatorzième
15	quinze	quinzième
16	seize	seizième
17	dix-sept	dix-septième
18	dix-huit	dix-huitième
19	dix-neuf	dix-neuvième
20	vingt	vingtième
21	vingt et un	vingt et unième
22	vingt-deux	vingt-deuxième
29	vingt-neuf	vingt-neuvième
30	trente	trentième
40	quarante	quarantième
50	cinquante	cinquantième
60	soixante	soixantième
70	soixante-dix	soixante-dixième
71	soixante et onze	soixante et onzième
73	soixante-treize	soixante-treizième
80	quatre-vingts	quatre-vingtième
81	quatre-vingt-un	quatre-vingt-unième
90	quatre-vingt-dix	quatre-vingt-dixième
91	quatre-vingt-onze	quatre-vingt-onzième
100	cent	centième
101	cent un	cent unième
110	cent dix	cent dixième
200	deux cents	deux centième
220	deux cent vingt	deux cent vingtième
600	six cents	six centième
1 000	mille	millième
2 000	deux mille	deux millième
100 000	cent mille	cent millième
1 000 000	un million	millionième
1 000 000 000	un milliard	milliardième

R. Sur les nombres ordinaux, on forme, avec le suffixe *-ment,* des adverbes qui servent à énumérer ou à classer : *premièrement, deuxièmement, troisièmement,* etc.

	FRACTIONS	MULTIPLES (multiplié par)	QUANTITÉ APPROXIMATIVE
		× 2 (le) double (adv. : doublement)	une huitaine (de jours)
$\frac{1}{2}$	un demi ; la moitié	× 3 (le) triple (adv. : triplement)	une dizaine
$\frac{1}{3}$	un (le) tiers	× 4 (le) quadruple	une douzaine
$\frac{1}{4}$	un (le) quart	× 5 (le) quintuple	une vingtaine
$\frac{1}{5}$	un (le) cinquième	× 6 (le) sextuple	une (la) trentaine
$\frac{1}{6}$	un (le) sixième	× 10 (le) décuple	une (la) quarantaine
$\frac{2}{3}$	(les) deux tiers	× 100 (le) centuple	une (la) cinquantaine
$\frac{3}{4}$	(les) trois quarts		une (la) soixantaine
$\frac{4}{5}$	(les) quatre cinquièmes, etc.		une (la) centaine ou un cent
			un (le) millier

nominal, nominatif, nomination, nommer → *nom.*

non adv. sert à nier, à refuser, à s'opposer : *Veux-tu venir ? — Non (≠ oui). Nous nous sommes séparés non sans regret,* avec regret. *Pierre ne viendra pas souper et moi non plus,* moi aussi je ne viendrai pas.

R. *Non* se place avec un trait d'union devant certains mots pour indiquer leur contraire *(non-sens).* → *nom.*

nonagénaire adj. et n. *Mon arrière-grand-père est nonagénaire,* il a quatre-vingt-dix ans ou plus.

non-agression → *agression.*

nonante adj. est employé pour *quatre-vingt-dix* en Belgique et en Suisse.

nonce n.m. Un *nonce* est un ambassadeur du pape.

nonchalant, e adj. *Marie est nonchalante,* elle agit mollement (≠ actif, énergique).

■ **nonchalance** n.f. *Pierre fait son travail avec nonchalance* (= négligence ; ≠ zèle).

■ **nonchalamment** adv. *Elle feuilletait nonchalamment un album* (= négligemment, paresseusement).

non-lieu n.m. *L'accusé a bénéficié d'un non-lieu,* le juge a décidé d'arrêter les poursuites contre lui.

R. Noter le pluriel : des *non-lieux.*

nonne n.f. se disait autrefois pour *religieuse.*

non-sens → *sens.*

non-violence, non-violent → *violence.*

728

nord n.m. et adj.inv. 1. *La Belgique est au nord de la France,* plus près du pôle Nord et plus loin de l'équateur (≠ sud). *Le pôle Nord est une région très froide. Aimerais-tu faire une expédition dans le Grand Nord ?,* dans les régions situées près du pôle Nord. 2. *Tu perds le nord en ce moment !,* tu ne sais plus ce que tu fais.

294

■ **nordet** n.m. SENS 1 *Il est important de protéger un mur exposé au nordet,* au vent du nord-est.

■ **noroît** n.m. Le *noroît* est le vent du nord-ouest.

■ **nordique** adj. *La Suède et le Québec sont situés dans des régions nordiques,* du nord de l'Europe pour la Suède et de l'Amérique pour le Québec.

■ **nordicité** n.f. *Le professeur Hamelin donne un cours sur la nordicité,* les caractéristiques des régions nordiques et de leurs habitants.

R. *Nord* se place avec un trait d'union devant *est (nord-est)* et *ouest (nord-ouest)* pour indiquer les directions intermédiaires entre ces points cardinaux. → *septentrional.*

normal, e, aux adj. 1. *La température normale de notre corps est d'environ 37°* (= ordinaire, habituel ; ≠ anormal, exceptionnel). *C'est normal que tu sois triste,* naturel. 2. *Une école normale prépare les jeunes gens au métier d'instituteur.*

■ **normale** n.f. SENS 1 *Les températures sont inférieures à la normale pour un mois d'août,* au niveau normal, habituel.

■ **normalement** adv. SENS 1 *Normalement, elle rentre chez elle à pied* (= ordinairement).

■ **normalien, enne** n. SENS 2 Un *normalien* est un élève d'une école normale.

■ **anormal, e, aux** adj. SENS 1 *Le moteur fait un bruit anormal* (= inhabituel).

■ **anormalement** adv. SENS 1 *Il fait anormalement chaud pour un mois de mars.*

norme n.f. *Ce travail ne correspond pas aux normes prévues,* à ce qui avait été décidé (= règle).

nos → *notre.*

nostalgie n.f. *J'ai la nostalgie des dernières vacances,* je suis triste en y pensant.

■ **nostalgique** adj. *Un chant nostalgique* est triste, mélancolique.

notable 1. adj. *Tu as fait à l'école des progrès notables,* dignes d'être remarqués

(= considérable, important). **2.** n.m. *Le maire, l'avocate, le directeur de l'usine sont les* **notables** *de cette petite ville,* les gens importants (= personnalité).
■ **notablement** adv. SENS 1 *Son travail à l'école s'est* **notablement** *amélioré* (= considérablement).

notaire n. *Quand on vend ou qu'on achète une maison, on va chez un* **notaire,** quelqu'un qui est chargé de ces formalités administratives.

notamment adv. *Claire est une bonne élève,* **notamment** *en français* (= en particulier, spécialement).

note n.f. **1.** « *Do* », « *ré* », « *mi* », « *fa* », « *sol* », « *la* », « *si* » *sont les sept* **notes** *de la gamme,* les sons et les signes servant à composer la musique, à l'écrire. **2.** *Regarde la* **note** *au bas de la page,* la remarque explicative. **3.** *Pendant la conférence, on a pris des* **notes,** on a écrit des remarques sur ce qu'on entendait. **4.** *Jean a eu 6 sur 20 en français, c'est une mauvaise* **note,** une appréciation de son travail. **5.** *La décoratrice nous a envoyé sa* **note,** un papier qui indique ce que nous devons payer pour son travail (= facture). **6.** *La présence de Laurence a donné une* **note** *de gaieté à la fête,* un peu de gaieté (= touche).
■ **noter** v. **1.** SENS 3 *As-tu* **noté** *ce que le professeur a dit ?* (= écrire). SENS 4 *L'enseignante a* **noté** *les devoirs,* elle leur a mis une note. **2.** *On a* **noté** *qu'il est arrivé en retard* (= remarquer, observer).
■ **notation** n.f. SENS 1 *La* **notation** *musicale est la représentation des sons par des notes.* SENS 4 *Ma professeure a adopté une* **notation** *sur 100,* une manière de noter.
■ **annoter** v. SENS 3 *La directrice a* **annoté** *le rapport qu'on lui a remis,* elle y a porté des remarques.
■ **annotation** n.f. SENS 3 *J'ai lu les* **annotations** *en marge du rapport* (= remarque, note).

notice n.f. *Cet appareil est vendu avec une* **notice,** un texte qui explique comment s'en servir.

notifier v. *Il m'a* **notifié** *sa décision,* il me l'a fait connaître (= annoncer).

notion n.f. *Je n'ai aucune* **notion** *sur ce sujet* (= connaissance, idée).

notoire adj. *Sa vanité est* **notoire,** tout le monde la connaît (= connu, évident).
■ **notoriété** n.f. *Cette pianiste jouit d'une grande* **notoriété,** elle est très connue (= réputation, célébrité).

notre, nos adj.possessifs indiquent ce qui est à nous, ce qui nous concerne : *Notre père,* **nos** *parents.*
■ **nôtre (le, la), nôtres (les)** pron. possessifs *Voici vos affaires et voilà* **les nôtres,** celles qui sont à nous. *Ils seront* **des nôtres** *pour le souper,* avec nous.

nouer, noueux → **nœud.**

nougat n.m. *Marie aime le* **nougat,** une pâte plus ou moins dure faite d'amandes et de miel.

nouille n.f. **1.** *Nous avons mangé des* **nouilles** *à la sauce tomate* (= pâtes). **2.** Fam. *Quelle* **nouille !** (= sot).

nourrir v. **1.** *La mère* **nourrit** *son bébé,* elle lui donne son lait (= allaiter). **2.** *Il se* **nourrit** *surtout de légumes et de fruits* (= s'alimenter). *As-tu pensé à* **nourrir** *le chat ?,* à lui donner à manger. **3.** *Mme Scott a cinq personnes à* **nourrir,** elle doit leur procurer de quoi vivre (= entretenir). **4.** *Il* **nourrissait** *l'espoir d'être reçu à l'examen,* il avait en lui cet espoir.
■ **nourrice** n.f. **1.** SENS 1 *Une* **nourrice** *est une femme qui nourrit un bébé autre que le sien.* **2.** *Maman emmène chaque matin ma petite sœur chez la* **nourrice,** la personne qui garde des bébés chez elle quand les parents travaillent. **3.** *Une* **épingle de nourrice** *est une épingle à deux tiges parallèles.*
■ **nourricier, ère** adj. SENS 3 *Les parents* **nourriciers** *d'un enfant sont ses parents adoptifs.*

■ **nourrissant, e** adj. SENS 2 *Le beurre est un aliment nourrissant,* qui nourrit bien.

■ **nourrisson** n.m. SENS 1 Un *nourrisson* est un bébé.

■ **nourriture** n.f. SENS 2 *Cette nourriture est immangeable* (= aliments).
R. → *nutritif.*

nous pron.pers. s'emploie pour représenter la personne qui parle *(moi)* et une ou plusieurs autres personnes *(toi, lui, vous, eux).*
R. *Nous* se prononce [nu] comme [*je*] *noue* (de *nouer*).

nouveau, nouvelle adj. 1. *Cette machine à laver est un modèle nouveau,* qui n'existait pas auparavant (= récent ; ≠ ancien). 2. *Bianca a acheté une nouvelle voiture,* une voiture pour remplacer celle qu'elle avait.

■ **nouveau, nouvelle** n. SENS 1 *Un nouveau vient d'arriver dans notre classe,* un nouvel élève.

■ **nouveau** n.m. SENS 1 *As-tu du nouveau ?,* des choses récentes, nouvelles à raconter.

■ **nouveau (de** ou **à)** adv. *Pierre est de nouveau en retard,* encore une fois.

■ **nouveauté** n.f. SENS 1 *J'aime la nouveauté,* les choses nouvelles (= changement). *Les dernières nouveautés sont dans la vitrine du libraire,* les produits, les ouvrages nouveaux.
R. *Nouveau* devient *nouvel* devant une voyelle ou un *h* muet : *mon nouvel ami, un nouvel hôpital.*

nouveau-né → *naître.*

nouvelle n.f. 1. *Connais-tu la nouvelle ? Jacques se marie,* ce qu'on vient d'apprendre. 2. (au plur.) *On est sans nouvelles de Lori,* sans renseignements sur elle. 3. (au plur.) *As-tu écouté les nouvelles hier soir ?,* les informations à la radio ou à la télévision. 4. *Une nouvelle* est un récit moins long qu'un roman.

novateur, trice adj. *Karin est un esprit novateur,* elle aime les idées nouvelles (= audacieux).

novembre n.m. *Il pleut souvent en novembre.*

novice adj. et n. *Yasmina est encore novice dans son métier,* elle n'a pas d'expérience (= débutant, inexpérimenté).

noyade → *noyer* 1.

noyau n.m. 1. *La pêche, la prune, la cerise sont des fruits à noyau,* contenant une partie dure au centre. 2. *L'ennemi a rencontré des noyaux de résistance,* des groupes qui résistaient.

■ **dénoyauter** v. SENS 1 *Elle dénoyaute des olives,* elle en ôte les noyaux.

1. noyer v. 1. *Trois personnes se sont noyées dans cet étang,* sont mortes asphyxiées dans l'eau. 2. *Tu nous as noyés dans des explications invraisemblables* (= embrouiller).

■ **noyade** n.f. SENS 1 *On l'a sauvée de la noyade,* de la mort dans l'eau.

■ **noyé, e** n. SENS 1 *On a repêché un noyé.*

2. noyer → *noix.*

nu, e adj. 1. *Pierre s'est mis tout nu pour se laver,* il a enlevé ses vêtements (≠ habillé). 2. *Lise se promène pieds nus,* sans chaussures ni chaussettes. 3. *Les murs de cette chambre sont nus,* sans ornements. 4. *Les microbes ne sont pas visibles à l'œil nu,* il faut un instrument pour les voir. 5. *Elle a mis à nu tout ce qu'elle avait sur la conscience* (= découvrir, dévoiler). *L'électricien a mis à nu le fil électrique,* il a enlevé ce qui le recouvre.

■ **nudisme** n.m. SENS 1 *Faire du nudisme,* c'est vivre nu en plein air.

■ **nudiste** n. SENS 1 *Les nudistes préfèrent vivre nus.*

■ **nudité** n.f. SENS 1 *Tu as mis une chemise pour cacher ta nudité,* ton corps nu.

■ **dénuder** v. SENS 1 *Il s'est dénudé pour se baigner,* il s'est mis nu. SENS 5 *Dénuder du fil électrique,* c'est enlever la gaine isolante qui le recouvre (= mettre à nu).

nuage n.m. 1. *Le ciel est couvert de nuages gris,* il va pleuvoir. 2. *Un nuage de fumée s'échappe de la cheminée,* une

masse. **3.** *Ils ont connu un bonheur sans* **nuages,** sans difficultés. **4.** *Céline* **est** *souvent* **dans les nuages,** *elle est rê-veuse, distraite.*
■ **nuageux, euse** adj. SENS 1 *Le ciel est* **nuageux** *aujourd'hui* (≠ clair).

nuance n.f. **1.** *Le bleu clair, le bleu ma-rine, le bleu roi sont des* **nuances** *de la couleur bleue,* des degrés. **2.** *Il y a des* **nuances** *entre leurs opinions,* de légères différences.
■ **nuancer** v. SENS 2 *Il faut* **nuancer** *ce jugement,* l'exprimer plus délicatement.

nucléaire adj. *L'énergie* **nucléaire** *est celle qui existe dans les atomes* (= atomique).

nudisme, nudiste, nudité → *nu.*

nuée n.f. *Une* **nuée** *de gens a pénétré dans la salle,* un très grand nombre (= foule, multitude).

nues n.f. pl. **1.** *Ce n'est pas vrai ! je* **tombe des nues,** *je suis très surprise.* **2.** *Cet écrivain* **a été porté aux nues** *par la critique,* ses qualités ont été vantées d'une façon très élogieuse.

nuire v. *On a cherché à me* **nuire,** à me faire du tort. *La sécheresse* **nuit** *aux cultures* (= abîmer, faire tort).
■ **nuisance** n.f. *La pollution des eaux est une* **nuisance** *pour l'homme,* elle nuit à sa santé.
■ **nuisible** adj. *Ce climat est* **nuisible** *à la santé* (= mauvais ; ≠ favorable). *L'araignée n'est pas un insecte* **nuisible** (= néfaste, dangereux ; ≠ utile)
■ **nocif, ive** adj. *La fumée de cigarette est* **nocive,** dangereuse pour la santé (≠ inoffensif).
■ **nocivité** n.f. *Quelle est la* **nocivité** *de ces produits ?,* leur caractère nocif.
R. → Conj. n° 69.

nuit n.f. *En hiver, les* **nuits** *sont plus lon-gues,* les périodes d'obscurité entre le coucher et le lever du soleil. *Elle travaille* **de nuit,** pendant la nuit (≠ de jour).

■ **nocturne** adj. *Les voisins ont fait du tapage* **nocturne,** pendant la nuit.

nul, nulle **1.** adj. et pron. indéfini *Je n'ai* **nul** *besoin de toi* (= aucun). **Nul** *n'a le droit d'entrer ici* (= personne). *Où vas-tu ?* **Nulle part,** en aucun lieu. **2.** adj. *Les deux équipes ont fait match* **nul,** le match s'est terminé sans vainqueur ni vaincu. **3.** adj. *Pierre est* **nul** *en maths,* très mauvais (≠ brillant).
■ **nullement** adv. SENS 1 *Tu n'es* **nulle-ment** *coupable,* pas du tout.
■ **nullité** n.f. SENS 3 *Cet élève est une* **nullité,** il est nul.
■ **annuler** v. SENS 2 *Comme j'étais ma-lade, j'ai* **annulé** *mon rendez-vous* (= supprimer).

numéraire n.m. *On a tout payé en* **numé-raire,** avec de l'argent (≠ chèque).

numéral, numérateur, numéra-tion, numérique, numéro, nu-méroter → *nombre.*

nuptial, e, aux adj. *Nous avons assisté à la cérémonie* **nuptiale,** du mariage.
R. On prononce [nypsjal].

nuque n.f. *Cléa a mis un coussin sous sa* **nuque,** l'arrière de son cou.

nutritif, ive adj. *La viande est un aliment* **nutritif** (= nourrissant).
■ **nutrition** n.f. *La malade souffre de troubles de la* **nutrition,** son système digestif fonctionne mal.
■ **dénutrition** n.f. *Ces populations sont dans un état d'épuisement causé par la* **dénutrition,** le manque de nourriture.
■ **malnutrition** n.f. *La* **malnutrition** *est une alimentation mal adaptée aux besoins.*

nylon n.m. *Pierre a une chemise en* **nylon,** une sorte de tissu synthétique.
R. C'est un nom de marque.

nymphe n.f. *Chez les anciens Grecs, les* **nymphes** *étaient des déesses des bois et des fontaines.*

O

oasis n.f. *Dans les déserts, les oasis sont les seuls lieux cultivés et habités, parce qu'il y a de l'eau.*
R. On prononce [ɔazis].

obéir v. *Pierre obéit à ses parents,* il fait ce qu'ils lui disent.
■ **obéissant, e** adj. *Marie est une fillette obéissante,* disciplinée, docile.
■ **obéissance** n.f. *Ce soldat a été puni pour refus d'obéissance* (= soumission).
■ **désobéir** v. *C'était défendu de sortir, mais tu as désobéi* (≠ obéir). *Il ne faut pas désobéir au règlement* (= enfreindre).
■ **désobéissant, e** adj. *Paule est désobéissante* (= indocile).
■ **désobéissance** n.f. *Sa désobéissance a été punie* (= indiscipline).

obélisque n.m. Un *obélisque* est une grande pierre dressée en forme de colonne et terminée en pointe.

obèse adj. et n. *M. Dupont est obèse,* il est très gros.
■ **obésité** n.f. *Il suit un régime contre l'obésité* (≠ maigreur).

objecter, objecteur → objection.

1. objectif, ive n.m. 1. *Tu as atteint ton objectif,* le but que tu t'étais fixé. **2.** *L'objectif d'un appareil photo,* ce sont ses lentilles.

2. objectif, ive adj. *Ce journal est objectif,* il raconte les faits tels qu'ils se sont passés (= impartial ; ≠ tendancieux).

■ **objectivement** adv. *Décris-moi objectivement la situation* (= honnêtement).
■ **objectivité** n.f. *Tu as parlé avec objectivité,* sans parti pris.

objection n.f. *Elle a fait plusieurs objections à mes demandes,* elle s'y est opposée (= critique). *Si tu n'y vois pas d'objection,* je t'accompagnerai, d'argument contre.
■ **objecter** v. *Tu n'as rien objecté contre nos projets,* tu n'as rien dit contre.
■ **objecteur** n.m. Les *objecteurs de conscience* refusent de faire leur service militaire.

objectivement, objectivité → objectif 2.

objet n.m. **1.** *J'ai des tas d'objets dans mes poches* (= chose). **2.** *Quel est l'objet de ta visite ?* (= but, sujet). **3.** *Dans la phrase « Laura regarde Paul »,* « *Paul* » est le *complément d'objet* du verbe.

obliger v. **1.** *On m'a obligé à partir,* m'a forcé à le faire. **2.** *Vous m'obligeriez en me prêtant ce livre,* vous me feriez plaisir.
■ **obligation** n.f. SENS 1 *Je suis dans l'obligation d'aller à ce rendez-vous,* il faut que j'y aille (= nécessité).
■ **obligatoire** adj. SENS 1 *Votre présence est obligatoire* (= indispensable ; ≠ facultatif).
■ **obligatoirement** adv. SENS 1 *Il faut obligatoirement avoir un passeport pour aller dans ce pays* (= nécessairement).

■ **obligeance** n.f. SENS 2 *Ayez l'obligeance de parler moins fort !* (= amabilité).

■ **obligeant, e** adj. SENS 2 *Pierre est un garçon très obligeant,* aimable et serviable.

■ **désobliger** v. SENS 2 *Elle m'a désobligé en ne venant pas* (= contrarier).

■ **désobligeant, e** adj. *Je n'ai pas apprécié ses réflexions désobligeantes* (= blessant, injurieux).

oblique adj. *Une ligne est oblique par rapport à une autre ligne quand elle s'en écarte.*

■ **obliquer** v. *Vous allez jusqu'au pont, puis vous obliquez à droite,* vous ne continuez pas en ligne droite.

oblitérer v. *Quand un timbre a été oblitéré il ne peut plus servir,* marqué par le cachet de la poste.

oblong, ongue adj. *Les dattes ont une forme oblongue,* allongée.

obnubiler v. *Mme Joannis est obnubilée par ses soucis d'argent,* elle ne pense qu'à cela (= obséder).

obole n.f. *J'ai donné mon obole à la quête,* une petite somme d'argent.

obscène adj. *Une phrase obscène était écrite sur le mur,* une phrase très grossière.

■ **obscénité** n.f. *Arrête de dire des obscénités,* des mots orduriers.

obscur, e adj. 1. *Cette rue est très obscure,* il n'y a pas de lumière (= sombre ; ≠ éclairé). 2. *Il y a dans ce livre des passages obscurs,* difficiles à comprendre (≠ clair). 3. *Quel est cet écrivain obscur ?,* peu connu (≠ célèbre).

■ **obscurcir** v. SENS 1 *La nuit s'obscurcit de plus en plus,* elle devient de plus en plus noire.

■ **obscurément** adv. SENS 2 *Je sentais obscurément qu'un danger nous menaçait* (= confusément, vaguement).

■ **obscurité** n.f. SENS 1 *La maison est plongée dans l'obscurité* (= noir, nuit).

obséder v. *Maïté est obsédée par son échec à l'examen,* elle y pense sans cesse (= obnubiler).

■ **obsédant, e** adj. *Ce souvenir est obsédant.*

■ **obsession** n.f. *Tu as l'obsession de ne pas grossir,* cette pensée ne te quitte pas.

obsèques n.f.pl. *Les obsèques de son grand-père ont lieu demain* (= enterrement).

obséquieux, euse adj. *Tu as des manières obséquieuses,* tu es d'une politesse exagérée (= servile).

■ **obséquiosité** n.f. *On a accueilli le visiteur avec obséquiosité* (= servilité, platitude).

observer v. 1. *J'aime observer les fourmis,* les regarder attentivement pour les étudier (= examiner). 2. *Vous êtes priée d'observer le règlement,* de vous y conformer (= respecter, obéir).

■ **observable** adj. SENS 1 *L'éclipse sera observable de Moncton* (= visible).

■ **observateur, trice** 1. adj. SENS 1 *Marie est très observatrice,* elle sait observer. 2. n. *Un observateur assiste à une réunion sans participer aux décisions.*

■ **observation** n.f. 1. SENS 1 *Tu as l'esprit d'observation,* tu sais observer. *Il se livre à l'observation de fourmis* (= étude). 2. *Je lui ai fait des observations sur sa conduite* (= reproche, critique). 3. *Ton observation est excellente* (= remarque).

■ **observatoire** n.m. SENS 1 *Un observatoire sert à observer le ciel, les étoiles.*

■ **inobservation** n.f. SENS 2 *L'accident est dû à l'inobservation des règles de priorité,* au fait que les règles de priorité n'ont pas été respectées.

obsession → obséder.

obstacle n.m. *Tu n'as pas rencontré d'obstacle dans tes études,* de difficulté t'empêchant de continuer.

obstiner v. 1. *Elle s'obstine à continuer malgré les difficultés,* elle continue quand même (= s'entêter, s'acharner).

2. *As-tu fini de m'obstiner ?* (= contredire).

■ **obstination** n.f. SENS 1 *J'ai réussi à force d'obstination* (= acharnement, persévérance, ténacité).

■ **obstiné, e** SENS 1 **1.** adj. et n. *Marcel est (un) obstiné* (= entêté). **2.** adj. *Un travail obstiné* (= acharné).

■ **obstinément** adv. SENS 1 *Je refuse obstinément de partir* (= absolument).

■ **obstineur, euse** ou **obstineux, euse** n. SENS 2 *Je ne l'aime pas, c'est une obstineuse,* elle me contredit tout le temps.

obstruer v. *Le passage est obstrué par la foule,* on ne peut pas passer (= boucher).

■ **obstruction** n.f. *Pierre fait de l'obstruction,* il empêche les autres de parler, d'agir.

obtempérer v. *Les ordres sont formels, il faut obtempérer* (= obéir).

obtenir v. *En discutant beaucoup, j'ai pu obtenir une réduction,* réussir à l'avoir.

■ **obtention** n.f. *Elle étudie pour l'obtention de son diplôme,* pour l'avoir.
R. → Conj. n° 22.

obturer v. *Obturer un trou,* c'est le boucher.

■ **obturation** n.f. *Le dentiste m'a fait une obturation,* il a bouché une cavité dans ma dent.

obtus, e adj. **1.** *Un angle obtus est plus ouvert qu'un angle droit,* il mesure plus de 90 degrés (≠ aigu). **2.** *Jeanne a l'esprit obtus,* elle est peu intelligente (≠ fin).

obus n.m. *Un obus a explosé sur la maison,* un projectile lancé par un canon.

oc n.m. *La langue d'oc est parlée dans le midi de la France,* l'ensemble des langues ou des dialectes de cette région, sauf le basque.

■ **occitan, e** **1.** n.m. *L'occitan est la langue d'oc.* **2.** adj. *Nous avons écouté des chansons occitanes,* en langue d'oc.

occasion n.f. **1.** *Je profite de l'occasion pour vous faire ce cadeau,* de la circonstance qui se présente. *À l'occasion, passez chez nous,* si cela se présente. **2.** *À l'occasion de l'Ascension, il y a eu deux jours de congé* (= pour, à cause de). **3.** *On a acheté une voiture d'occasion,* qui a déjà servi (≠ neuf). **4.** *Cet appareil est une occasion,* son prix est intéressant.

■ **occasionnel, elle** adj. SENS 1 *Je fais un travail occasionnel,* qui s'est présenté par hasard (≠ habituel, durable).

■ **occasionnellement** adv. SENS 1 *Elle va occasionnellement au théâtre,* quand cela se présente (≠ habituellement).

■ **occasionner** v. SENS 2 *Qui a occasionné l'accident ?* (= causer, provoquer).

occident n.m. **1.** *Occident est un équivalent ancien de ouest* (= couchant). **2.** *On appelle Occident les pays de l'Europe de l'Ouest et de l'Amérique du Nord* (≠ Orient).

■ **occidental, e, aux** adj. et n. SENS 1 ET 2 *La Bretagne est la partie la plus occidentale de la France,* la plus à l'ouest (≠ oriental). *Le monde occidental regroupe les pays de l'Occident. Les Occidentaux sont les habitants des pays de l'Occident.*

occitan → oc.

occulte adj. **1.** *Cette personne a un pouvoir occulte,* secret et mystérieux. **2.** *L'astrologie, l'alchimie, la magie sont des sciences occultes,* qui s'occupent de choses mystérieuses.

■ **occultisme** n.m. SENS 2 *Mme Mage s'intéresse à l'occultisme,* aux sciences occultes.

occuper v. **1.** *C'est le jardinier qui s'occupe des fleurs,* qui en prend soin, qui leur consacre son temps, son activité. *J'occupe mon temps libre comme il me plaît,* je l'utilise, l'emploie. **2.** *Ils occupent tout le premier étage de cette maison,* ils y habitent. **3.** *La table occupe*

762

le milieu de la pièce, elle s'y trouve. **4.** *Pendant la guerre, les Allemands **ont occupé** la France,* ils y sont restés par la force.

■ **occupant** n.m. SENS 2 *Comment s'appellent les **occupants** de cet appartement ? — Les Dupont.* SENS 4 *Les **occupants** ont été chassés du pays,* les ennemis qui l'occupaient.

■ **occupation** n.f. SENS 1 *Ma principale **occupation** est la lecture,* je passe mon temps à lire. SENS 4 *L'armée d'**occupation** a été vaincue,* celle qui occupait le pays.

■ **occupé, e** adj. SENS 1 *Laissez-moi, je suis très **occupée**,* je n'ai pas le temps (= pris). SENS 3 *Désolé, ce fauteuil est **occupé**,* il y a déjà quelqu'un qui l'a pris (≠ libre). SENS 4 *Les troupes ennemies ont été chassées de la zone **occupée**,* la zone qu'elles occupaient de force (≠ libre).

■ **inoccupé, e** adj. SENS 1 *Pour le moment, je suis **inoccupé**,* je n'ai rien à faire. SENS 2 *Cette maison est **inoccupée**,* il n'y a pas d'habitants dedans.

occurrence n.f. *On a gagné le premier prix, **en l'occurrence** une automobile,* dans le cas présent, en cette circonstance.

océan n.m. *L'**océan** Atlantique sépare l'Europe de l'Amérique,* une mer très étendue.

■ **océanique** adj. *Le climat **océanique** est celui des régions proches de l'océan.*

■ **océanographie** n.f. *L'**océanographie** est la science des océans.*

ocre adj.inv. et n. *Dans cette région, la terre est **ocre**,* d'une couleur entre le jaune et le brun.

octave n.f. *En musique, une **octave** est l'intervalle entre les deux notes extrêmes d'une gamme.*

octobre n.m. *Les feuilles tombent en **octobre**, c'est l'automne.*

octogénaire adj. et n. *Son grand-père est **octogénaire**,* il a entre quatre-vingts et quatre-vingt-dix ans.

octogone n.m. *Un **octogone** est une figure de géométrie à huit côtés.*

octroi n.m. **1.** *Autrefois, il y avait des **octrois** aux portes des villes,* des douanes pour les marchandises. **2.** *La direction a décidé l'**octroi** d'une prime au personnel* (= attribution).

■ **octroyer** v. SENS 2 *On nous **a octroyé** deux jours de congé,* on nous les a donnés par faveur (= accorder).

oculaire, oculiste → œil.

ode n.f. *Une **ode** est un long poème.*

odeur n.f. *Sens-tu cette **odeur** de fumée ?*

■ **odorat** n.m. *Ce chien a un **odorat** très développé,* il sent bien les odeurs avec son nez.

■ **odorant, e** adj. *Ces fleurs sont **odorantes**,* elles ont une bonne odeur (= parfumé).

■ **désodorisant** n.m. **1.** *On a mis un **désodorisant** dans les toilettes,* un produit qui chasse les odeurs désagréables. **2.** *Paul se met du **désodorisant**,* un produit qui chasse les odeurs corporelles de transpiration.

■ **inodore** adj. *L'eau pure est **inodore**,* sans odeur.

■ **malodorant, e** adj. *Cette poubelle est **malodorante**,* elle sent mauvais.

odieux, euse adj. *Tu as un caractère **odieux*** (= détestable ; ≠ charmant).

■ **odieusement** adv. *On nous a **odieusement** menti.*

odorant, odorat → odeur.

odyssée n.f. *Elle m'a raconté son **odyssée**,* son voyage plein d'aventures.

œcuménique adj. *Le mouvement **œcuménique** veut rapprocher les différentes religions.*
R. On prononce [ekymenik].

œdème n.m. *Paul s'est cogné fortement, il a un **œdème**,* une enflure sous la peau.

œil n.m., **yeux** n.m.pl. **1.** *Je ne vois pas de l'**œil** gauche. Tu as les **yeux** bleus.* **2.** *J'ai jeté un **coup d'œil** sur son travail,* un regard rapide. **3.** Fam. *Il travaille à l'œil,* gratuitement. **4.** *Il faut avoir l'œil à tout,* être attentif à tout. **5.** *Vous ne semblez pas voir ce projet d'un bon œil,* y être favorable. **6.** *Je n'ai pas fermé l'œil de la nuit,* je n'ai pas pu dormir. **7.** *À mes yeux, tu n'es pas coupable,* selon moi, à mon point de vue. **8.** *Je veux bien fermer les yeux sur vos erreurs passées,* ne pas en tenir compte. **9.** *Ces chaussures coûtent les yeux de la tête,* très cher.

■ **œillade** n.f. SENS 2 *Pierre a lancé une œillade à Marie,* un coup d'œil aimable.

■ **œillère** n.f. **1.** SENS 1 Les *œillères* sont des pièces de cuir qui empêchent les chevaux de regarder de côté. **2.** *On dit de quelqu'un qu'il a des œillères* quand il a des préjugés qui l'empêchent de comprendre certaines choses.

■ **oculaire** SENS 1 **1.** adj. *J'ai été témoin oculaire de l'accident,* je l'ai vu. **2.** n.m. *L'oculaire d'une longue-vue* est l'endroit où l'on met l'œil.

■ **oculiste** n. SENS 1 Un *oculiste* est un médecin qui soigne les maladies des yeux (= ophtalmologiste).
R. On prononce *un œil* [œ̃nœj], *des yeux* [dezjø]. → *optique.*

œil-de-bœuf n.m. Un *œil-de-bœuf* est une petite fenêtre ronde ou ovale.
R. Noter le pluriel : des *œils-de-bœuf.*

œillère → *œil.*

œillet n.m. **1.** *Ces œillets sentent très bon,* des fleurs. **2.** *On passe le lacet de la chaussure dans des œillets,* des trous cerclés de métal.
R. On prononce [œjɛ].

œsophage n.m. *Les aliments passent par l'œsophage avant d'arriver à l'estomac.*
R. On prononce [ezɔfaʒ].

œuf n.m. *La poule a pondu un œuf et Pierre l'a mangé à la coque. Les œufs de Pâques sont des œufs en chocolat.*
R. On prononce *un œuf* [œ̃nœf], *des œufs* [dezø].

œuvre n.f. **1.** *Regarde ce dessin, c'est mon œuvre,* c'est moi qui l'ai fait (= tra-

vail). **2.** *J'ai lu plusieurs œuvres de Marie-Claire Blais,* des livres écrits par elle (= ouvrage). **3.** *Il faut tout mettre en œuvre pour réussir* (= employer, utiliser). **4.** *La pause est terminée, il faut se mettre à l'œuvre,* travailler.

■ **œuvrer** v. *Œuvrer pour la paix,* c'est agir en faveur de la paix, y travailler.

■ **désœuvré, e** adj. et n. SENS 1 *Dans les grandes cités, les jeunes sont souvent désœuvrés,* ils n'ont rien à faire, ne savent pas quoi faire (= oisif ; ≠ occupé).

■ **désœuvrement** n.m. SENS 1 *Il feuilletait un catalogue par désœuvrement* (= inaction ; ≠ activité).

offense n.f. se dit parfois pour *injure, insulte.*

■ **offenser** v. *Vous l'avez offensé sans le vouloir* (= blesser, froisser).

■ **offensant, e** adj. *Ces soupçons sont offensants* (= injurieux, blessant).

offensif, ive adj. *Les armes offensives servent à attaquer* (≠ défensif).

■ **offensive** n.f. *L'ennemi a lancé une offensive,* une attaque.

■ **inoffensif, ive** adj. *N'aie pas peur, ce chien est inoffensif* (≠ dangereux).

■ **contre-offensive** n.f. *Notre contre-offensive a surpris l'ennemi* (= contre-attaque).
R. Noter le pluriel : des *contre-offensives.*

office n.m. **1.** *Adressez-vous à l'Office du tourisme,* à l'organisation qui renseigne les touristes. **2.** *En l'absence de Mme Chang, M. Dubois fait office de directeur,* il remplit cette fonction. **3.** *On a assisté à l'office de 10 heures,* à la cérémonie religieuse. **4.** *Tu as eu recours à nos bons offices,* à nos services. **5.** *Luce a été désignée d'office,* sans qu'on lui demande son avis.

officiel, elle **1.** adj. *Cette décision est officielle,* elle a été prise par les autorités, elle est reconnue publiquement (≠ officieux). *Une délégation officielle,* est formée des représentants, des autorités d'un pays. **2.** adj. et n. *Les officiels* sont sur la tribune, les gens importants (= autorité).

■ **officiellement** adv. SENS 1 *On a averti officiellement ses parents,* de manière officielle.

■ **officialiser** v. SENS 1 *Sa nomination n'est pas encore officialisée,* rendue officielle.

officier, ère n. 1. *Un lieutenant, un capitaine, un colonel sont des officiers,* ils ont un grade élevé dans l'armée.

■ **sous-officier, ère** n. *Un sergent, un adjudant sont des sous-officiers,* des militaires de grade peu élevé.

officieux, euse adj. *La démission du gouvernement est encore officieuse,* elle n'a pas été confirmée par les autorités (≠ officiel).

■ **officieusement** adv. *Elle me l'a dit officieusement,* de façon non officielle (≠ officiellement).

officinal, e, aux adj. *Les plantes officinales* sont celles qu'on utilise en pharmacie.

offrir v. 1. *Mes parents m'ont offert une montre,* ils m'en ont fait cadeau (= donner). 2. *Tu as offert de nous aider,* tu nous l'as proposé. 3. *Cette solution offre de nombreux avantages* (= présenter).

■ **offrande** n.f. SENS 1 *Les offrandes recueillies à cette fête de charité aideront à soulager des misères* (= don, cadeau).

■ **offre** n.f. SENS 2 *Tu as refusé mon offre,* ce que je te proposais.
R. → Conj. n° 16.

offusquer v. *Sa conduite nous a tous offusqués,* elle nous a beaucoup déplu (= choquer).

ogive n.f. 1. *Les fenêtres des cathédrales gothiques sont en ogive,* en forme d'arc brisé. 2. *Une ogive nucléaire* est l'extrémité pointue d'un projectile nucléaire.

■ **ogival, e, aux** adj. SENS 1 *Cette église est de style ogival,* les voûtes et les vitraux sont en ogives.

ogre n.m., **ogresse** n.f. *Tu manges comme un ogre,* un géant cruel des contes de fées.

oh ! interj. sert à marquer la joie, la douleur, l'impatience, l'indignation.

oie n.f. 1. *La fermière élève des oies,* de gros oiseaux de basse-cour. 2. *Il y a beaucoup d'oies sauvages au Cap Tourmente,* de grands oiseaux, telles les bernaches. 3. *Jeanne est une oie* (= sotte). 362

oignon n.m. 1. *Nous avons mangé une soupe à l'oignon,* un légume. 2. *L'oignon d'une tulipe,* c'est sa racine. 3. *Les enfants avancent en rang d'oignons,* les uns derrière les autres, sur une ligne. 4. Fam. *Occupe-toi de tes oignons,* mêle-toi de ce qui te regarde.
R. On prononce [ɔɲɔ̃]. 367

oïl n.m. *Autrefois, on parlait la langue d'oïl,* dans la partie nord de la France (≠ langue d'oc).
R. On prononce [ɔjl].

oindre v. *L'évêque oint le front des enfants à qui il administre le sacrement de confirmation,* il le touche avec de l'huile bénite.

■ **onction** n.f. *Les rois de France recevaient l'onction du sacre,* un évêque leur oignait le front.
R. → Conj. n° 82.

oiseau n.m. 1. *Le moineau, le merle, la poule, l'aigle sont des oiseaux,* des animaux munis d'ailes. 2. *À vol d'oiseau, il y a 10 km d'ici au village,* en ligne droite. 435

■ **oiseau-mouche** n.m. *Oiseau-mouche* est l'autre nom du colibri.

■ **oisillon** n.m. SENS 1 *Il y a quatre oisillons dans le nid,* quatre petits oiseaux.
R. Noter le pluriel : des *oiseaux-mouches.*

oiseux, euse adj. *Tu poses des questions oiseuses,* sans intérêt.

oisif, ive adj. *M. Durand mène une vie oisive, c'est un oisif,* il ne travaille pas (= désœuvré, inactif ; ≠ actif).

■ **oisiveté** n.f. *Je n'aime pas rester dans l'oisiveté,* sans rien faire.

O.K. ! interj. se dit familièrement pour d'accord.
R. On prononce [ɔke].

oléagineux, euse adj. et n.m. *L'ara-chide, l'olive, le colza sont des plantes oléagineuses (des oléagineux),* on en tire de l'huile.
365

oléoduc n.m. Un *oléoduc* est un pipeline.
577

olfactif, ive adj. *Le nez est un organe olfactif,* il sert à percevoir les odeurs.

olibrius n.m. Fam. *Qu'est-ce que c'est que cet olibrius ?,* cette personne bizarre.
R. On prononce [ɔlibrijys].

oligarchie n.f. Une *oligarchie* est un groupe de personnes qui accaparent le pouvoir.

olive n.f. 1. *En Italie, on fait la cuisine à l'huile d'olive,* un petit fruit ovale de couleur verte ou noire. 2. *L'olive de la lampe est cassée,* le petit interrup-teur qui se trouve sur le fil électrique.
578

290

■ **olivâtre** adj. SENS 1 *Le malade avait un teint olivâtre* (= verdâtre).

■ **olivier** n.m. SENS 1 *Il y a des oliviers dans le midi de la France.*
578

■ **oliveraie** n.f. SENS 1 Une *oliveraie* est une plantation d'oliviers.

olympique adj. Les *jeux Olympiques* sont une compétition sportive internatio-nale qui a lieu tous les quatre ans. *Une piscine olympique,* dont les dimensions sont conformes aux règles des jeux Olympiques.

■ **olympiade** n.f. Une *olympiade* est une période de 4 ans qui s'écoule entre deux jeux olympiques.

ombilical, e, aux adj. *La coupure du cordon ombilical laisse une cicatrice sur le ventre qu'on appelle le nombril (ou ombilic),* du cordon qui reliait le fœtus à la mère.

ombre n.f. 1. *Mets-toi à l'ombre de cet arbre,* ne reste pas au soleil. 2. *La lumière*

de la lampe dessine des **ombres** sur le mur, des silhouettes sombres. 3. *Pierre n'aime pas rester dans l'ombre,* il aime qu'on parle de lui (= obscurité). 4. *C'est lui que j'ai vu, il n'y a pas l'ombre d'un doute,* le plus petit doute.

■ **ombrage** n.m. 1. SENS 1 *Ce chêne donne un bel ombrage* (= ombre). 2. *Il a pris ombrage de mes paroles,* il s'en est vexé.

■ **ombragé, e** adj. SENS 1 *Un chemin om-bragé mène à la rivière,* bordé d'arbres qui donnent de l'ombre.

■ **ombrageux, euse** adj. 1. SENS 2 *Un cheval ombrageux* peut prendre peur d'une ombre qui bouge. 2. *Une personne ombrageuse* se vexe facilement.

■ **ombrelle** n.f. SENS 1 *Marie se protège du soleil avec une ombrelle.*

omelette n.f. *Nous avons mangé une omelette aux champignons,* un plat fait avec des œufs battus et cuits dans une poêle.

omettre v. *Tu as omis de me dire ton nom,* tu ne l'as pas fait, volontaire-ment ou non (= oublier).

■ **omission** n.f. *Il y a plusieurs omissions dans votre compte rendu,* plusieurs choses omises (= oubli, négligence).
R. → Conj. n° 57.

omni- placé au début d'un mot signifie « tout » : *Être omniscient,* c'est tout savoir.

omnibus adj. et n.m. *Un (train) omnibus s'arrête à toutes les gares* (≠ rapide, express).
R. On prononce [ɔmnibys].

omnisports adj.inv. *Dans un stade om-nisports,* on pratique toute sorte de sports.

omnivore adj. *L'homme est omnivore,* il peut manger à la fois de la viande (comme les carnivores) et des végétaux (comme les herbivores).

omoplate n.f. Les *omoplates* sont les os plats des épaules.

on pron.indéfini **1.** *On me l'a dit* (= quelqu'un, des gens). **2.** *On doit penser aux autres* (= chacun, tout le monde).

once n.f. **1.** L'*once* est une ancienne mesure de masse (environ 30 grammes). **2.** *Il n'y a pas une once de vérité dans ses paroles,* la plus petite partie.

oncle n.m. *M. Durand est l'oncle de Cléa,* il est le frère ou le beau-frère de son père ou de sa mère.

onction → *oindre.*

onctueux, euse adj. *Cette sauce est onctueuse,* d'une consistance douce (= velouté, lié).

onde n.f. **1.** *Quand on jette un caillou dans l'eau, il se produit des ondes,* l'eau s'élève et s'abaisse en formant des cercles. **2.** *Le son, l'électricité, la lumière sont constitués par des ondes,* des sortes de vibrations. **3.** *Quelle est la longueur d'onde de cette station de radio ?,* le chiffre qui permet de la trouver sur le cadran du poste. (Au plur.) *La nouvelle a été annoncée sur les ondes,* à la radio. *Nous ne sommes pas sur la même longueur d'onde,* nous ne parlons pas de la même chose.

■ **ondoyer** v. SENS 1 *Les hautes herbes ondoient au vent,* elles font des sortes de vagues (= onduler).

■ **ondoyant, e** adj. SENS 1 *Hélène a une démarche ondoyante* (= souple, dansant).

■ **onduler** v. SENS 1 *Les hautes herbes ondulent* (= ondoyer). *Mais tes cheveux ondulent ?* (= friser, boucler). *Sur la cabane, il y a un toit en tôle ondulée,* dont la surface présente comme des plis en creux et en relief.

■ **ondulation** n.f. SENS 1 *Les ondulations de la route empêchent qu'on aille vite,* l'alternance des creux et des bosses.

ondée n.f. *Nous avons été surpris par une ondée,* une pluie soudaine et courte (= averse).

on-dit n.m.inv. *Il ne faut pas se fier à ces on-dit* (= rumeur, racontar).

ondoyant, ondoyer, ondulation, onduler → *onde.*

onéreux, euse adj. *Ces travaux sont très onéreux* (= coûteux, cher ; ≠ bon marché).

ongle n.m. *Elle m'a griffé avec ses ongles trop longs !,* la partie dure qui recouvre l'extrémité des doigts. *La manucure fait les ongles des clientes du Salon de coiffure,* elle les coupe, les lime, y met du vernis.

■ **onglée** n.f. *Avoir l'onglée,* c'est avoir mal au bout des doigts à cause du froid.

onguent n.m. *Un onguent* est une sorte de pommade pharmaceutique.

onomatopée n.f. *« Coucou », « boum » sont des onomatopées,* des mots imitant par leur son ce qu'ils représentent.

O.N.U. *C'est l'abréviation de « Organisation des Nations Unies »,* organisation internationale qui a pour mission de maintenir la paix entre les nations.

onyx n.m. *Cette broche est en onyx,* une pierre rare.

onze adj. *Pierre va avoir onze ans. 10 + 1 = 11.*

■ **onzième** adj. et n. SENS 1 *Ce coureur est arrivé onzième.*

opale n.f. *Marie a une bague avec une opale,* une pierre précieuse à reflets changeants.

opaque adj. *Le bois, le fer, le carton sont des matières opaques,* qui ne laissent pas passer la lumière (≠ transparent).

opéra n.m. **1.** *Nous avons écouté un opéra de Wagner,* une pièce de théâtre chantée. **2.** *L'Opéra de Paris était plein,* le théâtre où l'on joue des opéras.

■ **opéra-comique** n.m. SENS 1 *Dans un opéra-comique,* il y a des passages chantés et des passages parlés.

33

563

563

■ **opérette** n.f. SENS 1 Une *opérette* est un petit opéra à sujet amusant.
R. Noter le pluriel : des *opéras-comiques*.

opération n.f. **1.** *Vous pouvez essayer de réparer la voiture, mais c'est une* **opération** *difficile* (= travail, action). **2.** *On a fait une mauvaise* **opération** *financière* (= affaire). **3.** *J'ai subi l'* **opération** *de l'appendicite, une chirurgienne m'a enlevé l'appendice.* **4.** *L'addition, la soustraction, la multiplication et la division sont les quatre* **opérations. 5.** *Les* **opérations** *se sont terminées par la victoire de nos troupes* (= combats).
■ **opérer** v. SENS 1 *Elle rangeait ses papiers et* **opérait** *avec rapidité* (= agir, travailler). SENS 3 *Jean* **a été opéré** *à l'hôpital de la ville.*
■ **opérable** adj. SENS 3 *La malade est trop faible : elle n'est pas* **opérable** *actuellement.*
■ **opérateur, trice** n. SENS 1 Une *opératrice* est une personne qui fait fonctionner un appareil.
■ **opérationnel, elle** adj. SENS 1 *L'appareil n'est pas encore au point, mais il sera bientôt* **opérationnel,** *en état de fonctionner.*
■ **opératoire** adj. SENS 3 *Le malade a bien résisté au choc* **opératoire,** *causé par l'opération.*
■ **inopérant, e** adj. SENS 1 *Tous les remèdes sont restés* **inopérants,** *sans efficacité* (= inefficace).

opérette → *opéra.*

ophtalmie n.f. *Je souffre d'une* **ophtalmie,** *d'une maladie des yeux.*
■ **ophtalmologie** n.f. *L'* **ophtalmologie** *est une spécialité médicale qui s'occupe des maladies des yeux.*
■ **ophtalmologiste** n. *J'irai chez l'* **ophtalmologiste,** *un médecin spécialiste des yeux* (= oculiste).

opiner → *opinion.*

opiniâtre adj. *On a réussi au prix d'un travail* **opiniâtre** (= acharné).

■ **opiniâtreté** n.f. *Par son* **opiniâtreté,** *elle est venue à bout des difficultés* (= acharnement, obstination).

opinion n.f. **1.** *Tout le monde a donné son* **opinion,** *a dit ce qu'il pensait* (= avis, idée). **2.** *Ce meurtre a indigné l'* **opinion** *(publique),* la majorité des gens.
■ **opiner** v. SENS 1 *Tout le monde* **a opiné** *dans le même sens,* a donné son opinion.

opium n.m. *L'* **opium** *est une drogue dangereuse qui provoque une sorte d'assoupissement.*
■ **opiomane** n. *Les* **opiomanes** *sont des drogués qui ne peuvent plus se passer d'opium.*
R. *Opium* se prononce [ɔpjɔm].

opportun, e adj. *On a choisi le moment* **opportun** *pour partir,* le moment qui convenait (= propice, approprié, bon ; ≠ déplacé, importun).
■ **opportunément** adv. *Tu arrives* **opportunément** (= à propos).
■ **opportunisme** n.m. *On lui reproche son* **opportunisme,** *d'agir sans scrupule en suivant ses seuls intérêts du moment.*
■ **opportuniste** n. et adj. *Cet homme politique est un* **opportuniste.**
■ **opportunité** n.f. *Je ne vois pas l'* **opportunité** *de cette démarche* (= utilité).
■ **inopportun, e** adj. *Ton arrivée a été* **inopportune** (= malencontreux, fâcheux).

opposer v. **1.** *Dans la discussion, Pierre* **s'est opposé** *à moi,* il est entré en lutte contre moi (= affronter). **2.** *Je m'* **oppose** *à ce que tu partes demain,* je ne le veux pas, je suis contre (≠ permettre). **3.** *Tu n'as rien pu* **opposer** *à mes arguments,* tu n'as rien pu dire contre eux. **4.** *Dans son devoir, Paul* **a opposé** *la ville et la campagne,* il a dit en quoi elles sont différentes (≠ rapprocher).
■ **opposant, e** n. SENS 1, 2 ET 3 *Le ministre a essayé de convaincre les* **opposants,** ceux qui sont contre sa politique.
→ p. 585

39

806

éolienne
pale
pompe

ballots
chamelier

oasis
camion
dune

palmier (dattier)
dattes
épines
cactus

puits de pétrole
derrick
torchère
réservoir
oléoduc

tente
burnous

criquet
dard
rpion
vipère des sables
fennec

bosses
dromadaire
chameau

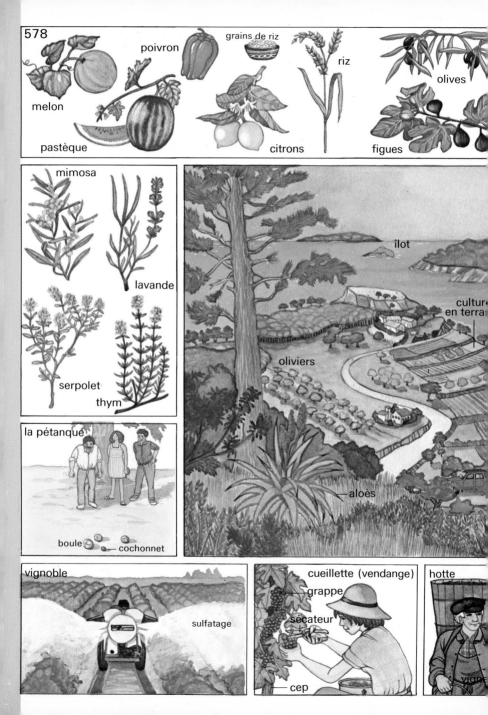

578

melon
poivron
grains de riz
riz
olives
pastèque
citrons
figues

mimosa
lavande
serpolet
thym

la pétanque
boule — cochonnet

îlot
culture en terrasses
oliviers
aloès

vignoble
sulfatage

cueillette (vendange)
grappe
sécateur
cep

hotte

anchois

on

up

rouget   rascasse

sardine

hirondelle

aigrette

flamant
rose

grue   pieds
palmés

presqu'île

ruines

corniche

cyprès

arc de
triomphe

fronton

amphithéâtre

arcades

cercle   barrique

bouteille   jarre

bouchon

goulot

étiquette

cannelle

bonde

pressoir

tonneau

amphore

580

régime de bananes

banane

bananier

grains de café

cacaoyer   caféier

arachide

cacahouète

noix de coco

cocotier

baobab

forêt équatoriale

lianes

girafe

zèbre

antilope

termites

reine

soldat   ouvrière

python

crocodile

chimpanzé   gorille

troupeau de buffles

pasteur

grenier ou réserve lacustre

pilotis

pirogue

pagaie

éruption

coulée de lave

volcan

savane

feu de brousse

éléphants

rhinocéros

buffles

chacal

lion

hyène

lionne

gazelle

exploitation forestière

grume

roues jumelées

mine de diamants

excavatrice

diamant brut   diamant taillé

autruche

ibis

perroquet

papillon

éléphant

défense

trompe

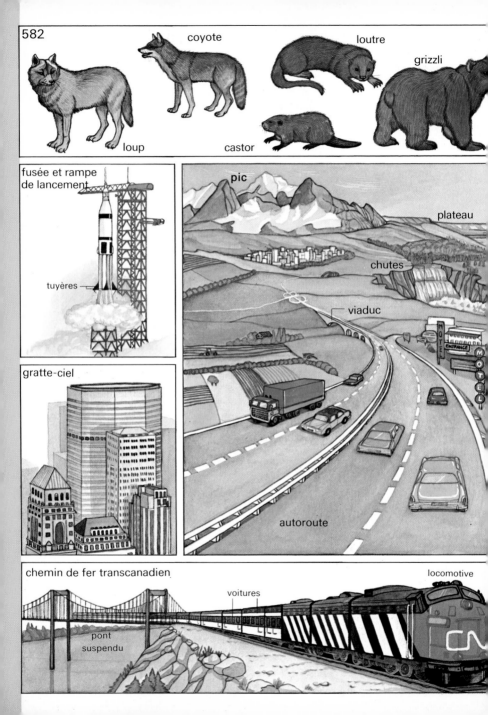

582

coyote

loutre

grizzli

loup

castor

fusée et rampe de lancement

tuyères

pic

plateau

chutes

viaduc

gratte-ciel

autoroute

chemin de fer transcanadien

locomotive

voitures

pont suspendu

puma

bison

alligator

flottage du bois

piton

cañon

geyser

silos à grains

lac

embarcadère

panneau publicitaire

conifères

Far West

ranch

cow-boy

bœufs

grande culture

récolte du blé (moisson)

e d'érable   cabane à sucre

lumeau

érablière

feuille d'érable

coton

soja

gousse

épi

maïs

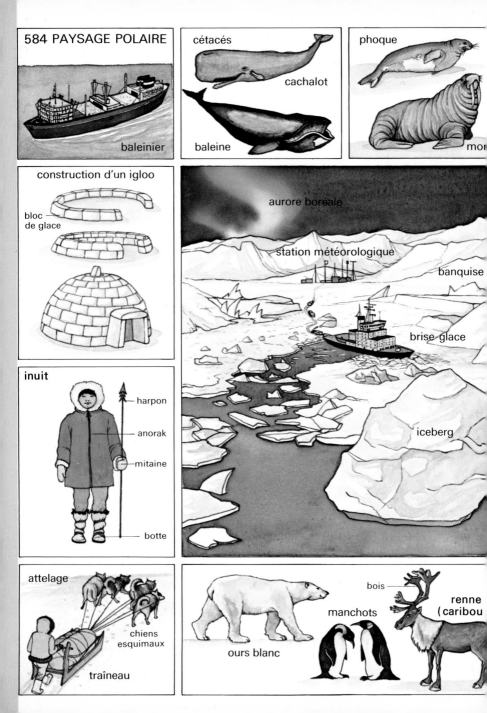

584 PAYSAGE POLAIRE

baleinier

cétacés

cachalot

baleine

phoque

mor[se]

construction d'un igloo

bloc de glace

aurore boréale

station météorologique

banquise

brise-glace

inuit

harpon

anorak

mitaine

botte

iceberg

attelage

chiens esquimaux

traîneau

ours blanc

manchots

bois

renne (caribou)

■**opposé, e** adj. et n.m. SENS 4 *Aïcha et Saïd sont d'avis opposés,* très différents (= contraire). *L'opposé du nord est le sud,* la direction contraire.

■**opposition** n.f. SENS 1, 2 ET 3 *Elle a fait opposition à mes projets,* elle s'y est opposée. *L'opposition a voté contre le gouvernement,* ceux qui sont contre sa politique. SENS 4 *L'opposition entre leurs caractères est totale* (= différence, contraste).

oppression n.f. 1. *Le peuple s'est révolté contre l'oppression,* l'abus d'autorité. 2. *Le malade a de l'oppression,* de la difficulté à respirer.

■**oppresser** v. SENS 2 *Catherine est oppressée par la chaleur,* elle respire difficilement.

■**oppresseur** n.m. SENS 1 *Les oppresseurs ont été chassés du pouvoir* (= tyran).

■**oppressif, ive** adj. SENS 1 *On a protesté contre ces mesures oppressives* (= injuste).

■**opprimé, e** adj. et n. SENS 1 *Une révolte des opprimés,* de ceux qui sont injustement ou violemment traités.

■**opprimer** v. SENS 1 *Opprimer des gens,* c'est les soumettre à une autorité injuste, les empêcher de s'exprimer.

opprobre n.m. *De tels individus sont l'opprobre de l'humanité,* la honte, le déshonneur.

opter → *option.*

opticien → *optique.*

optimiste adj. et n. *Pierre est un (garçon) optimiste,* il voit les choses du bon côté (≠ pessimiste).

■**optimisme** n.m. *Tu vois l'avenir avec optimisme* (= confiance ; ≠ pessimisme).

■**optimal, e, aux** adj. *L'expérience a eu lieu dans des conditions optimales,* dans les meilleures conditions. (On dit aussi *des conditions* optimums.)

option n.f. *Tu as le choix entre plusieurs options,* tu peux choisir.

■**optionnel, elle** adj. *À cet examen, le latin est une matière optionnelle,* une matière qu'on a le droit de choisir ou de laisser.

■**opter** v. *Francesca a opté pour la nationalité anglaise,* elle l'a choisie.

optique n.f. 1. *Les jumelles, la loupe, le microscope sont des instruments d'optique,* permettant de mieux voir. 2. *Tu as une optique différente de la mienne,* une manière de voir les choses (= point de vue).

■**optique** adj. SENS 1 *Le nerf optique relie l'œil et le cerveau.*

■**opticien, enne** n. SENS 1 *Seydou est allé se faire faire des lunettes chez l'opticien.*

R. Ne pas confondre l'*oculiste* et l'*opticien.*

opulent, e adj. *Être opulent,* c'est être très riche.

■**opulence** n.f. *Nous vivons dans l'opulence* (≠ misère).

opuscule n.m. *Un opuscule est un petit livre.*

1. or n.m. 1. *Pierre a un bracelet en or,* en métal précieux jaune. 2. *Myriam a un cœur d'or,* elle est très généreuse. 3. Fam. *Ces gens roulent sur l'or,* ils sont très riches. 4. *En vendant cette voiture j'ai fait une affaire d'or* (ou *en or*), très avantageuse.

R. *Or* se prononce [ɔr] comme *hors.*

2. or conj. relie les idées dans un raisonnement, en soulignant une opposition : *Nous devons partir, or nous ne sommes pas prêts.*

oracle n.m. *Tout le monde t'écoute comme un oracle,* comme si tu annonçais la volonté d'un dieu.

orage n.m. 1. *On entend du tonnerre, un orage va éclater,* une pluie avec des éclairs et du vent. 2. *Le directeur est furieux, il y a de l'orage dans l'air,* sa colère va éclater.

■**orageux, euse** adj. SENS 1 *L'été a été orageux,* il y a eu beaucoup d'orages.

365

SENS 2 *Nous avons eu une discussion orageuse* (= agité ; ≠ calme).

oraison n.f. *Le prêtre lit des oraisons,* des prières.

oral, e, aux adj. *On m'a donné une promesse orale,* en paroles, non écrite (= verbal).
■ **oral** n.m. *Sandra a été collée aux oraux de son examen,* aux épreuves orales (≠ écrit).
■ **oralement** adv. *Répondez oralement* (≠ par écrit).

orange 1. n.f. *J'ai épluché une orange,* un fruit des pays chauds dont la peau a une couleur jaune proche du rouge. **2.** adj.inv. *Marie a une robe orange,* de la couleur de l'orange.
■ **orangé, e** adj. et n.m. SENS 2 *Cette peinture a une teinte orangée,* qui se rapproche de l'orange.
■ **orangeade** n.f. SENS 1 *Une orangeade est une boisson faite de jus d'orange, de sucre et d'eau.*
■ **oranger** n.m. SENS 1 *Les orangers poussent dans les pays chauds.*
■ **orangeraie** n.f. SENS 1 *Une orangeraie est un lieu planté d'orangers.*
■ **orangerie** n.f. SENS 1 *Nous avons visité l'orangerie de Versailles,* un bâtiment où l'on cultive des orangers.

orang-outan ou **orang-outang** n.m. *Au zoo, nous avons vu un orang-outan,* un très grand singe.
R. On prononce [ɔrãutã]. Noter le pluriel : des *orangs-outans.*

orateur, trice n. *Laissez parler l'orateur,* celui qui prononce un discours.
■ **oratoire** adj. *Cette avocate aime les effets oratoires,* les effets d'éloquence.

orbite n.f. **1.** *L'orbite d'un œil,* c'est la cavité où il se trouve. **2.** *La Terre décrit une orbite autour du Soleil,* une trajectoire courbe.
■ **exorbité, e** adj. SENS 1 *Tu me regardes avec des yeux exorbités,* très grands

ouverts, comme s'ils allaient sortir de leur orbite.

orchestre n.m. **1.** *Nous sommes allés écouter un orchestre de jazz,* un groupe de musiciens. **2.** *Au théâtre, nous avions des fauteuils d'orchestre,* près de la scène (≠ balcon).
■ **orchestrer** v. *Sa campagne électorale a été très bien orchestrée,* elle a été organisée, conduite méthodiquement.
R. On prononce [ɔrkɛstr].

orchidée n.f. *On lui a offert une gerbe d'orchidées,* de fleurs rares.
R. On prononce [ɔrkide].

ordinaire adj. **1.** *Tu n'as pas aujourd'hui ta gaieté ordinaire* (= habituel, coutumier, normal ; ≠ exceptionnel). **2.** *Les Dupont sont des gens ordinaires,* ils ne se distinguent pas des autres (= banal ; ≠ distingué).
■ **ordinaire** n.m. SENS 2 *Ce livre sort de l'ordinaire,* il est supérieur aux autres. SENS 1 *D'ordinaire, je me lève à 7 heures* (= habituellement).
■ **ordinairement** adv. SENS 1 *Ordinairement, je viens le jeudi* (= d'ordinaire, généralement).
■ **extraordinaire** adj. SENS 1 *Le parti a tenu un congrès extraordinaire* (= exceptionnel). SENS 2 *Tu as une mémoire extraordinaire,* très bonne (= remarquable). *Quelle aventure extraordinaire !* (= fantastique, incroyable).
■ **extraordinairement** adv. *Cette question est extraordinairement compliquée* (= incroyablement, formidablement).

ordinal, e, aux adj. *Premier, second, dixième, centième sont des nombres ordinaux* (≠ cardinal).

ordinateur n.m. *Les ordinateurs sont des machines électroniques pouvant faire toutes sortes de calculs.*

ordre n.m. **1.** *Les chiffres 6, 9, 7, 4 ne sont pas dans l'ordre,* ils ne sont pas rangés régulièrement, ils ne se suivent pas. **2.** *Voici l'ordre du jour de la réunion,* les points dont on discutera les uns après les autres. **3.** *Josée a mis de l'ordre dans ses affaires,* elle les a rangées. **4.** *Pierre a de l'ordre,* il range toujours ses affaires. **5.** *La police a rétabli l'ordre,* elle a fait cesser les troubles. **6.** *Elle m'a donné l'ordre de partir,* elle m'a dit qu'il fallait le faire (= commandement ; ≠ interdiction). *Continuez, jusqu'à nouvel ordre,* en attendant une nouvelle décision. **7.** *Elle a plusieurs personnes sous ses ordres,* à son service, à sa disposition. **8.** *À quel ordre appartient ce moine ?* (= congrégation). *L'ordre des médecins regroupe tous les médecins* (= association). **9.** *L'ordre est un sacrement que l'on reçoit pour devenir prêtre catholique.*

■ **ordonnance** n.f. **1.** SENS 1, 3 ET 4 *Elle a troublé l'ordonnance de la cérémonie,* elle y a mis du désordre (= organisation, arrangement). SENS 6 *Le médecin a fait une ordonnance,* elle a indiqué sur une feuille de papier (qui s'appelle aussi *ordonnance*) les médicaments à prendre. **2.** *Les officiers ont une ordonnance,* un soldat qui leur sert de domestique.

■ **ordonné, e** adj. SENS 3 ET 4 *Lori est une fille ordonnée,* elle a de l'ordre.

■ **ordonner** v. SENS 1, 3 ET 4 *Claude ne sait pas ordonner ses idées,* les mettre en ordre (= classer). SENS 6 *Je vous ordonne de sortir* (= commander). *La pédiatre a ordonné plusieurs médicaments,* elle les a prescrits. SENS 9 *Le séminariste a été ordonné prêtre par l'évêque,* il a reçu le sacrement de l'ordre.

■ **ordination** n.f. SENS 9 *Les prêtres reçoivent l'ordination,* le sacrement de l'ordre.

■ **contrordre** n.m. SENS 6 *Un contrordre nous a empêchés de partir,* un ordre contraire.

■ **désordre** n.m. SENS 1, 3 ET 4 *La maison est en désordre,* il faudrait la ranger.

■ **désordonné, e** adj. SENS 1, 3 ET 4 *Cette maison est désordonnée* (≠ rangé). *Ses*

pensées sont **désordonnées,** elles n'ont pas d'ordre logique.

ordures n.f.pl. *Le dépôt d'ordures sent mauvais* (= saletés, déchets). |217

■ **ordurier, ère** adj. *Il a un langage ordurier,* il dit des gros mots.

orée n.f. *On a trouvé des champignons à l'orée du bois* (= bordure, lisière).

oreille n.f. **1.** *Il y avait tellement de bruit qu'il fallait se boucher les oreilles. Lise a l'oreille fine,* elle entend bien. *Grand-père est dur d'oreille,* il entend mal. **2.** *Faire la sourde oreille,* c'est faire semblant de ne pas entendre. **3.** *Tu me casses les oreilles avec ta musique,* elle est trop forte et me dérange. **4.** *Notre télévision fonctionne grâce à des oreilles de lapin,* une antenne posée sur l'appareil. |33

oreiller n.m. *Marie aime mieux dormir sur un oreiller que sur un traversin,* une sorte de coussin pour la tête. |77, 38

oreillette n.f. *Les oreillettes sont les compartiments supérieurs du cœur.*

oreillons n.m.pl. *Mon petit frère a eu les oreillons,* une maladie contagieuse qui fait enfler le cou, sous les oreilles.

d'ores et déjà adv. *Je peux d'ores et déjà vous prédire un échec,* dès maintenant.

orfèvre n. *Les orfèvres fabriquent des objets en métal précieux.*

■ **orfèvrerie** n.f. *Ce vase d'argent est un travail d'orfèvrerie.*

organdi n.m. *J'ai reçu une écharpe d'organdi,* un tissu très léger.

organe n.m. **1.** *Les yeux sont les organes de la vue, les oreilles sont les organes de l'ouïe,* les parties du corps qui servent à voir, à entendre. **2.** *Ce journal est l'organe du parti socialiste,* il exprime les idées de ce parti.

■ **organique** adj. SENS 1 *Les matières organiques proviennent des êtres vivants* (≠ chimique).

■ **organisme** n.m. **1.** SENS 1 *L'ensemble des organes constitue l'organisme* (= corps). **2.** *Je travaille dans un organisme de tourisme,* une association qui s'occupe de tourisme.

organisation n.f. **1.** *L'organisation de ton travail n'était pas bonne,* la manière dont tu l'organises. *Qui se charge de l'organisation de la fête ?,* (= préparation). **2.** *Les partis sont des organisations politiques* (= association, groupement).

■ **organiser** v. SENS 1 *Cette agence organise des voyages à l'étranger,* elle les prépare pour qu'ils se passent bien. *Laisse-moi faire, je m'organise très bien toute seule* (= s'arranger).

■ **organisé, e** adj. SENS 1 *M. Muller est très organisé,* il règle très bien sa vie, ses affaires (= ordonné). *Cet été, nous avons fait un voyage organisé,* un voyage en groupe, préparé d'avance.

■ **organisateur, trice** n. et adj. SENS 1 *Mme Durand est l'organisatrice de la fête,* elle l'a préparée. *Le comité organisateur a été formé.*

■ **désorganiser** v. SENS 1 *Il est venu désorganiser notre travail,* y mettre du désordre (= déranger).

■ **désorganisation** n.f. SENS 1 *La désorganisation de l'équipe leur a fait perdre le match.*

■ **réorganiser** v. SENS 1 *Il faut réorganiser ce bureau,* y remettre de l'ordre.

organisme → *organe.*

organiste → *orgue.*

364 | **orge** n.f. *L'orge sert à alimenter le bétail et à fabriquer la bière,* une sorte de céréale.

orgelet n.m. *Un orgelet est un petit furoncle sur le bord de la paupière.*

orgie n.f. *La fête s'est terminée par une orgie,* les gens mangeaient, buvaient trop et se tenaient mal.

148 | **orgue** n.m. *Dans cette église, il y a un orgue magnifique,* un grand instrument de musique à vent.

■ **organiste** n. *L'organiste s'est assis devant son clavier,* le joueur d'orgue.
R. On emploie aussi *orgue* au féminin pluriel : *Elle a joué une fugue aux grandes orgues.*

orgueil n.m. *Son orgueil l'a fait détester par tout le monde,* sa trop grande fierté (≠ modestie).

■ **orgueilleux, euse** adj. et n. *C'est une personne orgueilleuse* (= prétentieux ; ≠ humble).

■ **s'enorgueillir** v. *Pierre s'enorgueillit de son succès,* il en est fier (= se vanter).
R. *S'enorgueillir* se prononce [sãnɔrgœjir]. Attention à l'orthographe : le *u* est avant le *e*.

orient n.m. **1.** *Orient* se dit quelquefois pour *est* (= levant ; ≠ occident). **2.** *L'Orient,* ce sont les pays d'Asie, les pays à l'est de l'Europe.

■ **oriental, e, aux** adj. et n. SENS 1 ET 2 *New York est sur la côte orientale des États-Unis* (≠ occidental). *Les Orientaux ont des coutumes différentes des Occidentaux.*

orienter v. **1.** *Il est difficile de s'orienter dans l'obscurité,* de trouver la bonne direction (= se diriger). *Oriente la lampe vers moi* (= tourner, diriger). **2.** *On a orienté les recherches vers une nouvelle piste,* on les a poussées de ce côté.

■ **orientable** adj. SENS 1 *Le mât de la planche à voile est orientable,* on peut l'orienter.

■ **orientation** n.f. SENS 1 *Quelle est l'orientation de cette maison ?,* comment est-elle disposée par rapport aux points cardinaux ? *Louise se perd tout le temps, elle n'a pas le sens de l'orientation,* elle ne sait pas trouver son chemin.

■ **désorienter** v. SENS 1 *Elle a été désorientée par mes paroles,* elle ne savait plus quoi faire (= déconcerter, dérouter).

orifice n.m. *L'orifice de la canalisation est bouché,* son ouverture vers l'extérieur.

oriflamme n.f. *Une oriflamme est un drapeau long et étroit fixé au haut d'un mât.*

originaire → *origine.*

original, e, aux 1. adj. *Tu as des idées originales,* qui sortent de l'ordinaire (= personnel, nouveau ; ≠ banal, ordinaire). **2.** adj. et n.m. *Ce dessin ressemble exactement à l'original (au dessin original),* à celui qui a servi de modèle (≠ copie). **3.** n. *M. Durand est un original,* un personnage bizarre, excentrique. ■ **originalité** n.f. SENS 1 *Dominique manque d'originalité* (= personnalité).

origine n.f. **1.** *Pour trouver l'erreur, on a repris les calculs à l'origine,* au point de départ (= début). **2.** *Son travail est à l'origine de sa réussite,* il en est la cause. **3.** *Ses parents sont d'origine anglaise,* ils sont nés anglais.
■ **originaire** adj. SENS 3 *Carlos est originaire d'Espagne,* il y est né (= natif).
■ **originel, elle** adj. SENS 1 *Le péché originel* est le premier péché commis par l'homme, selon la Bible.

orignal n.m. *Es-tu capable d'imiter le cri de l'orignal ?,* un élan d'Amérique.

oripeaux n.m.pl. *Des oripeaux* sont de vieux habits de mauvais goût.

orme n.m. *L'allée est bordée d'ormes,* de grands arbres.

ormeau n.m. *L'ormeau* est un coquillage de mer.

orner v. *Ce livre est orné de belles photos,* celles-ci l'embellissent (= décorer).
■ **ornement** n.m. *Marie porte une robe sans aucun ornement,* sans bijou, sans élément décoratif.
■ **ornemental, e, aux** adj. *Marie a des plantes ornementales sur son balcon,* servant à l'orner.

ornière n.f. *Le chemin est plein d'ornières,* de trous, de sillons creusés par des roues de voitures.

ornithologie n.f. *L'ornithologie* est la science qui étudie les oiseaux.

■ **ornithologue** n. *L'ornithologue a enregistré les cris des oiseaux dans la forêt.*

oronge n.f. *L'oronge* est un type de champignon.

orphelin, e n. *Karim est orphelin,* ses parents sont morts.
■ **orphelinat** n.m. *Un orphelinat* est un établissement où l'on élève les orphelins.

orteil n.m. *Les orteils* sont les doigts des pieds. *Le gros orteil* est le plus gros doigt de pied.

orthodoxe 1. adj. *Des idées orthodoxes sont conformes à la doctrine officielle* (≠ hérétique). **2.** n. et adj. *Les orthodoxes* sont les chrétiens d'Orient qui n'obéissent pas au pape.

orthographe n.f. *Si tu hésites sur l'orthographe d'un mot, regarde dans le dictionnaire,* sur la manière de l'écrire.
■ **orthographier** v. *Tu as mal orthographié ce mot,* tu as fait une faute d'orthographe.
■ **orthographique** adj. *Cette dictée contient plusieurs difficultés orthographiques.*

orthopédique adj. *Jean boite et il doit porter un appareil orthopédique,* qui lui permet de mieux marcher.

orthophoniste n. *Une orthophoniste* est une spécialiste qui corrige les défauts de prononciation.

ortie n.f. *Lori s'est piquée en arrachant une ortie,* une plante.

ortolan n.m. *Les ortolans* sont de petits oiseaux à la chair très appréciée.

orvet n.m. *Un orvet* est un petit lézard sans pattes.

os n.m. *L'ensemble des os forme le squelette.*
■ **ossature** n.f. *Anne a une solide ossature,* l'ensemble de ses os.
■ **osselet** n.m. *Un osselet* est un petit os.

33

■ **ossements** n.m.pl. Les *ossements* sont les os décharnés d'un cadavre.

■ **osseux, euse** adj. *J'ai une maladie osseuse,* des os. *Le casoar porte un casque osseux au-dessus de la tête,* en os, constitué par de l'os.

■ **ossuaire** n.m. *On conserve les ossements des morts dans un ossuaire,* un local spécial.

■ **désosser** v. *Le cuisinier a désossé le poulet,* il a enlevé les os.
R. On prononce *des os* [dezo] au pluriel.

osciller v. *Le fauteuil à bascule oscille d'avant en arrière,* il a un mouvement de va-et-vient (= se balancer).

■ **oscillation** n.f. *Les oscillations du bateau l'ont rendue malade,* les mouvements de va-et-vient.

oseille n.f. *J'aime bien la soupe à l'oseille,* un légume acide.

oser v. *Il a osé dire ce qu'il pensait,* il en a eu le courage (≠ craindre).

■ **osé, e** adj. *Ses plaisanteries sont parfois osées,* elles sont hardies, lestes.

osier n.m. *Je fais mon marché avec un panier d'osier,* fait de tiges souples tressées.

osselet, ossements, osseux, ossuaire → *os.*

ostensible adj. *Elle est partie de façon ostensible,* sans se cacher (≠ discret).

■ **ostensiblement** adv. *Tu as ostensiblement refusé de lui serrer la main,* sans te cacher, de façon voyante.

ostensoir n.m. *L'hostie consacrée par le prêtre est dans l'ostensoir,* un vase sacré.

ostentation n.f. *Ils étalent avec ostentation leur luxe* (≠ discrétion).

otage n.m. *Les pirates de l'air ont gardé les passagers comme otages,* ils les ont gardés prisonniers pour obtenir quelque chose en échange.

otarie n.f. *Une otarie* est une sorte de phoque.

ôter v. **1.** *Il a ôté ses gants pour me dire bonjour* (= enlever, retirer ; ≠ garder). **2.** *La fatigue m'ôte tout mon courage* (= enlever ; ≠ laisser).

otite n.f. *Marie a une otite,* une maladie des oreilles.

oto-rhino-laryngologiste n. *Une oto-rhino-laryngologiste* (ou une *oto-rhino*) est un médecin qui soigne les maladies des oreilles, du nez et de la gorge.

ou conj. sert à indiquer soit un choix, soit une équivalence : *Que préfères-tu : la pêche ou la poire ? Je partirai demain ou bien après-demain.*
R. *Ou* se prononce [u] comme *août, houe, houx* et *où.*

où 1. adv. sert à interroger sur le lieu, la direction : *Où es-tu ? Où va-t-il ?* **2.** pron.relatif sert à représenter un complément de lieu : *La ville où j'habite est Sudbury ;* ou de temps : *Il part à l'heure où j'arrive.*
R. *Où* se distingue de *ou* par l'accent grave.

ouailles n.f.pl. *Les ouailles d'un curé,* ce sont les fidèles de sa paroisse.

ouananiche n.f. *La ouananiche* est un saumon d'eau douce.

ouaouaron n.m. *Il y a un ouaouaron dans l'étang,* une grenouille géante qui vit en Amérique du Nord.

ouate n.f. *À la pharmacie, on a acheté un paquet d'ouate,* de coton pour faire des pansements.
R. On peut dire : *de la ouate* ou *de l'ouate.*

oublier v. **1.** *J'ai oublié le nom de cette dame,* il m'est sorti de la mémoire (≠ se rappeler, se souvenir). **2.** *Il a oublié de porter cette lettre à la poste,* il n'a pas pensé à le faire (= négliger).

■ **oubli** n.m. SENS 1 ET 2 *J'ai commis un oubli fâcheux* (= étourderie, négligence).

Ce grand comédien est tombé dans l'oubli, on n'entend plus parler de lui.

■ **oubliettes** n.f.pl. SENS 1 ET 2 *Autrefois, on laissait des prisonniers dans des oubliettes,* des cachots.

■ **oublieux, euse** adj. SENS 2 *Jean est oublieux de ses devoirs,* il les oublie.

■ **inoubliable** adj. SENS 1 *Nous avons passé une journée inoubliable,* nous nous en souviendrons.

oued n.m. *Un oued est un cours d'eau qui s'assèche à certaines périodes dans des régions arides.*

ouest n.m. et adj.inv. *Aujourd'hui, le vent vient de l'ouest. Le Manitoba est à l'ouest de l'Ontario. Nous avons passé nos vacances sur la côte ouest* (≠ est). R. → *occident.*

ouf ! interj. exprime le soulagement : *Ouf ! c'est fini !*

oui adv. sert à affirmer, à accepter : *Tu viens ? — Oui.*

ouïe n.f. **1.** *Lise a une bonne ouïe,* elle perçoit bien les sons, elle a l'oreille fine. **2.** (au plur.) *J'ai pris le poisson par les ouïes,* les trous qui sont de chaque côté de la tête. **3.** (au plur.) *Les ouïes d'un violon, d'un violoncelle sont les deux ouvertures en forme de S de chaque côté des cordes.*

■ **ouï-dire** n.m.inv. SENS 1 *J'ai su la nouvelle par ouï-dire,* pour l'avoir entendu dire.

■ **ouïr** v. SENS 1 se disait autrefois pour *entendre.*

ouistiti n.m. *Un ouistiti est un tout petit singe.*

oukase → *ukase.*

ouragan n.m. *Un ouragan a dévasté la côte,* une très violente tempête (= cyclone, typhon).

ourdir v. *Ils avaient ourdi un complot contre le gouvernement* (= préparer, organiser).

ourlet n.m. *L'ourlet de ta robe est décousu,* la partie repliée et cousue sur le bord. | 296

■ **ourler** v. *Tu sais ourler les mouchoirs ?,* leur faire un ourlet.

ours n.m. **1.** *Nous avons vu les ours du zoo,* des animaux sauvages au corps massif. **2.** *M. Ronchon est un ours,* il a mauvais caractère. | 584

■ **ourse** n.f. SENS 1 *L'ourse est la femelle de l'ours.*

■ **ourson** n.m. SENS 1 *L'ourson est le petit de l'ours.*

oursin n.m. *Les oursins sont des animaux marins dont la carapace est couverte de piquants.* | 722

ourson → *ours.*

oust ! ou **ouste !** interj. sert à chasser quelqu'un : *Allez oust !*

outarde n.f. *L'outarde ou bernache du Canada est une sorte d'oie sauvage.*

outil n.m. *Le marteau, la pioche, la pelle sont des outils,* des objets servant à travailler. | 367, 289

■ **outillage** n.m. *La truelle et le fil à plomb font partie de l'outillage du maçon,* de ses outils.

■ **outiller** v. *Je suis mal outillée pour faire ce travail,* je n'ai pas les outils qu'il faut. R. *Outil* se prononce [uti].

outrage n.m. *Je ne lui pardonnerai jamais cet outrage,* cette grave injure (= offense).

■ **outrager** v. *Ces accusations l'ont outragé,* gravement offensé, insulté.

outrance n.f. **1.** *Ruth s'est excusée de ses outrances de langage* (= excès). **2.** *Il faudra travailler à outrance pour achever à temps* (= intensément, beaucoup).

■ **outrancier, ère** adj. SENS 1 *Ses propos outranciers ont scandalisé tout le monde* (= excessif).

1. outre 1. prép. *Outre leur chien, ils ont deux chats* (= en plus de). *Je ne m'inquiète pas outre mesure* (= plus qu'il ne faut). **2.** adv. *Elle est arrivée en retard, et en outre elle ne s'est pas excusée* (= de plus). **3.** adv. *Je lui ai dit mon avis, mais il a passé outre,* il n'en a pas tenu compte.
R. Placé devant un nom avec un trait d'union, *outre* signifie « au-delà de » *(outre-Atlantique, outre-Rhin).*

2. outre n.f. *Il ne reste plus d'eau dans l'outre,* un sac en peau de bouc.

outrecuidance n.f. *Sa réponse est d'une outrecuidance insupportable,* elle fait preuve d'une excessive confiance en soi (= présomption, suffisance).

outremer n.m. et adj. *L'outremer est une nuance de bleu. Un bleu outremer.*

outre-mer → *mer.*

outrepasser v. *Joyce a outrepassé ses droits,* elle n'avait pas le droit d'agir ainsi, elle a dépassé la limite de ses droits.

outrer v. *Les paroles de Jean m'ont outré* (= indigner, scandaliser). *Je suis outrée d'un tel sans-gêne !*
R. Ce verbe ne s'emploie qu'aux temps composés.

ouvert, e adj. **1.** *Il fait froid, ne laisse pas la fenêtre ouverte* (≠ fermé). **2.** *La chasse est ouverte depuis hier,* la période de la chasse a commencé hier. **3.** *Jean est un garçon ouvert,* il est franc et cordial (≠ renfermé, secret).
■ **ouvertement** adv. SENS 3 *Dominique agit toujours ouvertement,* sans se cacher (≠ secrètement).
■ **ouverture** n.f. **1.** SENS 1 *L'ouverture de ce magasin a lieu à 8 heures,* il ouvre à 8 heures. SENS 2 *L'ouverture de la pêche a lieu demain* (= début). **2.** *Il y a trois ouvertures dans ce mur* (= passage, trou).
■ **ouvrir** v. **1.** SENS 1 *On frappe, va ouvrir la porte* (≠ fermer). *Ce magasin n'ouvre*

pas le lundi, il ne reçoit pas les clients. SENS 2 *La police a ouvert une enquête* (= commencer). **2.** *Le clown ouvrira le défilé,* il marchera en premier.
■ **ouvre-boîtes** n.m.inv. SENS 1 *Un ouvre-boîtes sert à ouvrir les boîtes de conserve.*
■ **ouvre-bouteilles** n.m.inv. *Ouvre-bouteilles est un autre mot pour décapsuleur.*
■ **entrouvrir** v. SENS 1 *Marie a entrouvert la fenêtre,* elle l'a ouverte un petit peu.
■ **rouvrir** v. SENS 1 *Rouvrez votre livre à la page 10.*
■ **réouverture** n.f. SENS 1 *La réouverture du magasin est prévue début septembre.*
R. *Ouvrir, entrouvrir, rouvrir* → conj. n° 16.

ouvrable adj. *Les jours ouvrables,* ce sont les jours de travail (≠ férié).

ouvrage n.m. **1.** *Maria a terminé un ouvrage difficile* (= travail, tâche). **2.** *As-tu le dernier ouvrage de cet écrivain ?* (= livre, œuvre). **3.** *Plus personne n'a le cœur à l'ouvrage,* n'a envie de travailler.
■ **ouvragé, e** adj. SENS 1 *Ce buffet est très ouvragé,* travaillé avec beaucoup de soin.

ouvre-boîtes, ouvre-bouteilles → *ouvert.*

ouvreuse n.f. *L'ouvreuse est la personne qui place les spectateurs.*

ouvrier, ère adj. et n. *La classe ouvrière est formée par l'ensemble des ouvriers,* de ceux qui travaillent de leurs mains. *M. Sanchez est ouvrier dans une usine.*
■ **ouvrière** n.f. *Chez les abeilles, les fourmis, les termites, les ouvrières travaillent activement,* les femelles qui ont pour fonction de travailler.

ouvrir → *ouvert.*

ovaire n.m. *L'ovaire d'une fleur est la partie du pistil qui contient les ovules.*

ovale adj. et n.m. *On joue au football avec un ballon ovale,* en forme d'œuf. *Ce n'est pas un rond, c'est un ovale.*

ovation n.f. *Les acteurs ont reçu une ovation du public,* ils ont été acclamés.
■ **ovationner** v. *On a ovationné ce chanteur populaire* (= acclamer).

ovidés n.m.pl. Les *ovidés* regroupent les moutons, les mouflons et les chèvres.

ovin, e adj. et n.m. *La race ovine,* c'est la race des moutons. *Les brebis et les moutons sont des ovins.*

ovipare adj. *Les oiseaux sont ovipares,* ils se reproduisent en pondant des œufs (≠ vivipare).

ovni n.m. *Tu prétends avoir vu un ovni dans le ciel ?,* un engin volant d'origine mystérieuse.

ovule n.m. L'*ovule* d'une fleur est l'organe qui se transformera en graine.

oxyde n.m. *Dans ce garage fermé, ne fais pas marcher le moteur de la voiture, on risque de respirer de l'oxyde de carbone,* un mélange d'oxygène et de carbone.
■ **oxyder** v. *Le fer s'oxyde à l'humidité,* il s'abîme quand il est en contact avec l'oxygène de l'air (= rouiller).
■ **oxydation** n.f. *Le minium protège le fer de l'oxydation* (= rouille).
■ **inoxydable** adj. *Ce couteau est en acier inoxydable,* il ne peut pas s'oxyder.

oxygène n.m. *Les êtres vivants respirent de l'oxygène,* un gaz contenu dans l'air.
■ **oxygéné, e** adj. *On met de l'eau oxygénée sur les écorchures,* un produit désinfectant.

38,
152

p

pacan, e n.f. *Aimes-tu la tarte aux pacanes ?,* une espèce de noix, appelée aussi **noix de pécan**

pacha n.m. *Ce gros paresseux se fait servir comme un pacha,* comme un noble de l'ancienne Turquie.

pachyderme n.m. *L'éléphant, l'hippopotame, le rhinocéros sont des pachydermes,* des animaux à la peau épaisse.

pacifier, pacifique, pacifiste → **paix.**

pacotille n.f. *Tu t'es acheté une montre de pacotille,* de mauvaise qualité.

pacte n.m. *Les deux pays ont signé un pacte,* ils ont décidé de s'allier (= traité, accord).
■ **pactiser** v. *On l'accuse d'avoir pactisé avec l'adversaire,* d'avoir trahi son pays, son parti.

pactole n.m. *Elle a trouvé le pactole,* une source de grand enrichissement.

paella n.f. *La paella est un plat de riz, de poissons, de crustacés et de viandes.*
R. On prononce [paela] ou [paelja].

pagaie n.f. *On fait avancer un canoë avec une pagaie,* une sorte de rame, qui n'est pas fixée au bord de l'embarcation.
■ **pagayer** v. *Dominique pagaie énergiquement* (= ramer).

pagaille n.f. Fam. *Qui a mis cette pagaille dans mes affaires ?* (= désordre). *J'ai reçu des lettres en pagaille,* en grand nombre.

paganisme → **païen.**

pagayer → **pagaie.**

1. page n.f. **1.** *Ouvrez votre livre à la page 100,* à la feuille marquée du numéro 100. *Il manque une page dans le livre,* un feuillet complet. **2.** *Martine est toujours à la page,* à la toute dernière mode ou au courant de ce qui se passe, se fait.
■ **paginer** v. SENS 1 *Paginer un cahier,* c'est en numéroter les pages.
■ **pagination** n.f. SENS 1 *On passe de la page 25 à la page 28, il y a une erreur de pagination.*

2. page n.m. *Autrefois, les seigneurs avaient des pages,* des jeunes gens qui les escortaient.

pagne n.m. *À Tahiti, on porte des pagnes,* des sortes de jupes.

pagode n.f. *En Extrême-Orient, les pagodes sont les temples des dieux.*

paie, paiement → **payer.**

païen, enne adj. et n. *Les païens de l'Antiquité adoraient de nombreux dieux* (≠ chrétien).
■ **paganisme** n.m. *Le christianisme a remplacé le paganisme dans de nombreuses régions,* les croyances des païens.

paille n.f. **1.** *Quand on bat le blé, on sépare le grain de la paille.* **2.** *Je bois ma limonade avec une paille,* un petit tuyau.
■ **paillasse** n.f. SENS 1 *Les réfugiés ont couché sur des paillasses,* des sacs remplis de paille.

223

581

■ **paillasson** n.m. SENS 1 *Essuie tes pieds sur le paillasson avant d'entrer,* le tapis de paille ou de fibre tressée.

■ **paillote** n.f. SENS 1 *Une paillote est une cabane de paille.*

■ **empailler** v. SENS 1 *Pour empailler un animal, on remplit sa peau de paille.*

■ **rempailler** v. SENS 1 *Rempailler une chaise,* c'est la garnir d'une nouvelle paille.

paillette n.f. *Marie a une robe à paillettes d'argent,* décorée de lamelles brillantes.

pain n.m. **1.** *Va acheter du pain chez le boulanger.* **2.** *Prends un pain et une baguette.* **3.** *Le pain d'épice est un gâteau au miel.* **4.** *Tout ce linge à repasser, j'ai du pain sur la planche !,* beaucoup de travail à faire. **5.** *Ce goudron est impossible à étendre, il est pris en pain,* coagulé. *À la sortie du cinéma, je fus pris en pain dans la foule,* coincé, incapable de m'éloigner. **6.** *Cette famille a mangé son pain noir,* connu la misère. **7.** *Il ambitionne sur le pain bénit,* il exagère.

■ **pané, e** adj. SENS 1 *Nous avons mangé des escalopes panées,* recouvertes de chapelure.
R. *Pain* se prononce [pɛ̃] comme *pin* et [*il*] *peint* (de *peindre*).

1. pair, e adj. *2, 4, 6, 10 sont des nombres pairs,* divisibles par deux.

■ **impair, e** adj. *3, 7, 11 sont des nombres impairs.*
R. *Pair* se prononce [pɛr] comme *paire, père* et [*je*] *perds* (de *perdre*).

2. pair n.m. **1.** *Autrefois, les nobles étaient jugés par leurs pairs,* leurs égaux. **2.** *M. Dubois est un menuisier hors (de) pair,* sans égal (= supérieur). **3.** *Mme Legrand a pris une jeune fille au pair,* une jeune fille, en général étrangère, qui fait un peu de ménage et s'occupe des enfants en échange du logement et de la nourriture.
R. → *pair* 1.

paire n.f. **1.** *Une paire de chaussures est formée de deux chaussures qui vont*

ensemble. **2.** *Une paire de lunettes est constituée de deux parties symétriques.*
R. → *pair* 1.

paisible, paisiblement → *paix.*

paître v. *On fait paître les vaches dans le pré,* manger l'herbe (= brouter).
R. → Conj. n° 80. → *paix.*

paix n.f. **1.** *La paix est rétablie entre les deux pays,* il n'y a plus de guerre. *On fait la paix ?* (= se réconcilier). **2.** *Je voudrais bien dormir en paix,* dans le calme (≠ agitation). **3.** Fam. *Fiche-moi la paix,* laisse-moi tranquille.

■ **pacifier** v. SENS 1 *L'armée a pacifié la région,* elle y a ramené l'ordre.

■ **pacifique** adj. SENS 1 *Ce pays a une politique pacifique,* il veut la paix (≠ guerrier). SENS 2 *Pierre est un garçon pacifique* (= tranquille).

■ **pacifiste** n. et adj. SENS 1 *Les pacifistes ont manifesté contre les fusées nucléaires,* les partisans de la paix. *Un projet pacifiste.*

■ **paisible** adj. SENS 2 *Je mène une vie paisible* (= calme ; ≠ agité).

■ **paisiblement** adv. SENS 2 *Marie s'est endormie paisiblement* (= tranquillement).

■ **apaiser** v. SENS 2 *Sa colère s'est enfin apaisée,* elle s'est calmée.

■ **apaisant, e** adj. SENS 2 *Cette musique est apaisante,* elle calme.

■ **apaisement** n.m. SENS 2 *On lui a donné des apaisements,* des promesses pour le calmer.
R. *Paix* se prononce [pɛ] comme [*il*] *paît* (de *paître*) et [*il*] *paie* (de *payer*).

palabres n.f.pl. *Ces palabres m'ennuient,* ces longues discussions sans intérêt.

■ **palabrer** v. *Ils palabrent depuis deux heures* (= discuter, discourir).

palace n.m. *Dominique passe ses vacances dans un palace,* un hôtel de luxe.

paladin n.m. *Les paladins du Moyen Âge* étaient d'héroïques chevaliers.

palais n.m. **1.** *Cette maison est un véritable* **palais,** *elle est grande et luxueuse* (= château). **2.** *En mangeant son potage, Pierre s'est brûlé le* **palais,** *l'intérieur de la bouche.* **3.** *Le procès aura lieu au* **Palais de justice,** *l'édifice où se trouvent les tribunaux.*
R. → *palet.*

palan n.m. *Un* **palan** *sert à soulever des charges.*

577 **pale** n.f. *Une hélice est formée de* **pales.**

pâle adj. **1.** *Pierre vient d'être malade, il est tout* **pâle,** *son visage est blanc.* **2.** *Marie a une robe bleu* **pâle** (= clair ; ≠ vif).
■ **pâleur** n.f. SENS 1 *Ta* **pâleur** *m'inquiète, ton teint pâle* (≠ couleurs).
■ **pâlir** v. SENS 1 *Tu* **as pâli** *de colère* (= blêmir). SENS 2 *Les couleurs* **pâlissent** *au soleil* (= ternir).
■ **pâlot, otte** ou **pâlichon, onne** adj. SENS 1 *Marie est* **pâlotte** (= pâle).

802 **palefrenier** n.m. *Le métier de* **palefrenier** *consiste à s'occuper des chevaux.*

paléontologie n.f. *La* **paléontologie** *est la science des fossiles.*

294 **palet** n.m. *J'ai envoyé le* **palet** *près du but,* *une pierre plate et ronde qui sert à jouer.*
R. *Palet se prononce* [palε] *comme palais.*

paletot n.m. *Mets ton* **paletot** *sur un cintre,* *un manteau court.*

437 **palette** n.f. **1.** *Le peintre étale ses couleurs sur sa* **palette,** *une plaque de bois.* **2.** *Ce peintre a une agréable* **palette,** *un ensemble de couleurs qu'il a l'habitude d'employer.* **3.** *Veux-tu lécher la* **palette ?,** *une petite pièce de bois plate qui sert à remuer le sirop d'érable.* **4.** *Grand-père vidait toujours sa pipe sur la* **palette** *du poêle,* *la tablette située à la base du four ou du fourneau.*

palétuvier n.m. *Le* **palétuvier** *est un grand arbre des pays tropicaux.*

pâleur, pâlichon → *pâle.*

palier n.m. *Leurs appartements donnent sur le même* **palier,** *la plate-forme qui est à chaque étage.*
R. *Palier se prononce* [palje] *comme pallier.*

pâlir → *pâle.*

palissade n.f. *Le chantier est entouré d'une* **palissade,** *une clôture de planches.*

palissandre n.m. *Chez cette antiquaire, on trouve des meubles en* **palissandre,** *un bois exotique très dur.*

pallier v. *Il faudrait* **pallier** *ces inconvénients par des mesures correctes,* y remédier.
■ **palliatif** n.m. *Cette solution n'est qu'un* **palliatif,** *une mesure insuffisante.*
R. *Pallier à est familier.* → *palier.*

palmarès n.m. *Tu figures au* **palmarès** *du championnat,* *sur la liste de ceux qui ont eu un prix.*

palme n.f. **1.** *Les feuilles du palmier s'appellent des* **palmes.** **2.** *Ce film a obtenu la* **palme** *d'or,* *la plus haute récompense.* **3.** *Aïcha nage avec des* **palmes,** *des nageoires de caoutchouc qui s'adaptent aux pieds.*
■ **palmé, e** adj. SENS 3 *Les canards ont les pattes* **palmées,** *en forme de nageoire.*
■ **palmeraie** n.f. SENS 1 *Une* **palmeraie** *est une plantation de palmiers.*
■ **palmier** n.m. SENS 1 *Les* **palmiers** *du Sahara donnent des dattes.*
■ **palmipède** n.m. et adj. SENS 3 *Les canards, les cygnes, les mouettes sont des* **palmipèdes,** *ils ont les pattes palmées.*

pâlot → *pâle.*

palourde n.f. *Nous avons mangé des* **palourdes,** *des coquillages vivant dans le sable.*

palper v. *Le médecin* **a palpé** *le bras de Pierre,* *il l'a touché avec la main* (= tâter).
■ **impalpable** adj. *Une poussière* **impalpable** *nous suffoque,* *elle est si fine qu'on ne peut pas la saisir entre les doigts.*

palpiter v. *Mon cœur palpite de joie,* il bat très fort.

■ **palpitant, e** adj. *Marie a vu un film palpitant,* très intéressant.

■ **palpitations** n.f.pl. *Dominique a des palpitations,* son cœur bat trop fort.

paludisme n.m. *Le paludisme est une maladie des pays chauds causée par la piqûre d'un moustique* (= malaria).

se pâmer v. se disait autrefois pour *s'évanouir.*

pampa n.f. *On élève du bétail dans les pampas d'Argentine,* de vastes prairies.

pamphlet n.m. *M. Duval a écrit un pamphlet contre le gouvernement,* un petit livre qui l'attaque et s'en moque.

■ **pamphlétaire** n. *M. Duval est un pamphlétaire,* il écrit des pamphlets.

pamplemousse n.m. *Marie mange un pamplemousse à son petit déjeuner,* un fruit jaune pâle qui ressemble à une grosse orange.

1. pan n.m. **1.** *Claude m'a retenu par un pan de mon manteau,* sa partie flottante. **2.** *Le tableau occupe un pan de mur,* une partie du mur.

2. pan ! interj. *Pan ! Pan ! Elle a tiré sur le lièvre avec son fusil.*
R. *Pan* se prononce [pã] comme *paon* et [*il*] *pend* (de *pendre*).

panacée n.f. *Ce médicament n'est pas une panacée,* il ne guérit pas toutes les maladies.

panache n.m. **1.** *Un panache ornait le casque des chevaliers,* un assemblage de plumes. **2.** *Un panache de fumée sort de la cheminée,* une masse épaisse.

panaché, e adj. *Une glace panachée est faite de plusieurs parfums.*

panaris n.m. *J'ai un panaris au pouce,* un gros bouton douloureux, situé près de l'ongle.·
R. On prononce [panari].

pancarte n.f. *Qu'est-ce qui est écrit sur cette pancarte ? — Entrée interdite* (= écriteau, plaque).

pancréas n.m. *Le pancréas est une glande située près du foie.*
R. On prononce le *s* final: [pãkreas].

panda n.m. *Le panda est une sorte d'ours noir et blanc qui vit dans l'Himālaya.*

pané → *pain.*

panégyrique n.m. *Jean m'a fait le panégyrique de son amie,* il m'en a dit beaucoup de bien (= éloge, apologie).

panier n.m. **1.** *M. Mertens met ses achats dans un panier d'osier,* un récipient à anses. **2.** *Au basket-ball, il faut envoyer le ballon dans le panier,* le filet sans fond. *Linda a réussi un panier* (= but). **3.** *Ma sœur est un panier percé,* elle dépense tout son argent. **4.** *Je ne te raconte pas mes secrets, tu es un vrai panier percé,* tu racontes tout ce que l'on te confie.

222, 363

35

panique n.f. *L'explosion a provoqué la panique,* tout le monde a eu très peur (= affolement, terreur).

■ **paniquer** v. *Il est paniqué à l'idée de l'examen,* il a très peur.

1. panne n.f. *Notre voiture est en panne,* elle ne fonctionne plus. *Zut ! Plus de lumière ! Il y a une panne d'électricté.*
■ **dépanner** v. **1.** *La garagiste a dépanné la voiture,* elle l'a remise en route (= réparer). **2.** *Je n'ai plus d'argent, peux-tu me dépanner ?,* m'en prêter pour me rendre service.

■ **dépannage** n.m. *Un ouvrier fera le dépannage du réfrigérateur.*

■ **dépanneur, euse** n. *Le téléviseur ne marche plus : nous attendons le dépanneur.* *Va chercher du lait au dépanneur,* une petite épicerie qui ouvre très tôt et ferme très tard.

■ **dépanneuse** n.f. *Le mécanicien est arrivé avec sa dépanneuse,* une voiture pouvant remorquer un véhicule en panne.

2. panne n.f. La *panne* est de la graisse de porc.

panneau n.m. **1.** *Les portes de l'armoire sont formées de deux panneaux,* des surfaces planes entourées d'une bordure. **2.** *Les panneaux indicateurs portent des indications, les panneaux publicitaires portent des publicités.* **3.** *Serge est tombé dans le panneau,* il s'est fait prendre au piège.

806, 294

507, 506

583

panonceau n.m. *Un panonceau indique l'entrée de l'hôtel,* une enseigne, une plaque.

panoplie n.f. *Pauline a reçu comme jeu une panoplie de pompier,* l'ensemble des objets qui forment l'équipement du pompier.

147

panorama n.m. *De la colline, on découvre un vaste panorama,* une belle vue générale (= paysage).
■ **panoramique** adj. *Du sommet, on a une vue panoramique* (= d'ensemble).

panse n.f. Fam. *Ce goinfre est encore en train de se remplir la panse* (= ventre, estomac).

panser v. **1.** *Le médecin a pansé ma blessure,* il m'a fait un pansement. **2.** *Le palefrenier panse les chevaux,* il les soigne, leur brosse le poil.
■ **pansement** n.m. SENS 1 *Maman a mis un pansement sur ma blessure,* un coton, une compresse ou une bande.
R. *Panser* se prononce [pɑ̃se] comme *penser.*

39

pantagruélique adj. *On a fait un repas pantagruélique,* très abondant.

pantalon n.m. *Ton pantalon est déchiré aux genoux,* ta culotte longue.

765, 36

pantelant, e adj. *Les rescapés étaient tout pantelants d'émotion,* ils respiraient difficilement (= haletant, palpitant).

panthère n.f. *Nous avons vu la panthère du zoo,* un animal féroce à la fourrure tachetée.

434

pantin n.m. *Tu t'agites comme un pantin,* un jouet articulé (= marionnette).

pantographe n.m. *En frottant sur la caténaire, le pantographe capte le courant,* une sorte de bras articulé sur les trains, les trolleybus.

pantois, e adj. *Ses paroles m'ont laissé pantois* (= stupéfait).

pantomime → *mime.*

pantoufle n.f. *Le soir, on met ses pantoufles,* ses chaussures d'intérieur (= chausson).

pantouflard, e adj. et n. Fam. *Manuel est pantouflard,* il aime rester chez lui.

paon n.m. *Il y a des paons magnifiques dans le parc du château,* de grands oiseaux qui étalent leur queue.
R. → *pan.*

papa n.m. *Bonjour ! Papa ! Comment s'appelle ton papa ?* (= père).

papal, papauté → *pape.*

papaye n.f. *Une papaye est un fruit des pays chauds ressemblant à un melon et produit par un papayer.*
R. On prononce [papaj].

pape n.m. *Le pape est le chef de l'Église catholique* (= souverain pontife).
■ **papal, e, aux** adj. *On a écouté le discours papal,* du pape.
■ **papauté** n.f. *La papauté de Jean XXIII a duré cinq ans,* ses fonctions de pape (= pontificat).

papier n.m. **1.** *Prenez une feuille de papier et écrivez votre nom.* **2.** *J'ai perdu un papier important* (= document). **3.** *Dominique colle du papier peint sur les murs de sa chambre,* des bandes de papier pour tapisser le mur. **4.** (au plur.) *L'agent m'a demandé mes papiers (d'identité),* ma carte d'identité, mon permis de conduire, etc. **5.** *Benoît prend du papier ciré ou du papier d'aluminium pour envelopper la viande,* un papier imprégné de cire ou fait d'une mince feuille d'aluminium. **6.** *Le papier hygiénique ou papier de toilette est vendu en rouleaux ou en feuilles.*

■ **paperasse** n.f. SENS 2 *Marie a jeté des paperasses à la poubelle,* des papiers sans valeur.

■ **paperasserie** n.f. SENS 2 *Il se perd dans la paperasserie,* l'accumulation de papiers.

■ **papeterie** n.f. SENS 1 *Lucie est allée à la papeterie acheter un cahier,* à la boutique du papetier. *Claire travaille dans une papeterie,* une usine où l'on fabrique du papier.

■ **papetier, ère** n. SENS 1 *Le papetier vend du papier, des cahiers, des crayons, des stylos, etc.*

papille n.f. *La langue est recouverte de papilles,* de petits points en saillie.

papillon n.m. **1.** *Maria fait collection de papillons,* d'insectes aux grandes ailes colorées. **2.** *M. Durand a trouvé un papillon sur son pare-brise,* un avis de contravention. **3.** *Le clown avait mis un gros nœud papillon,* une sorte de cravate dont le nœud imite la forme des ailes de papillon.

■ **papillonner** v. SENS 1 *Tu papillonnes d'un sujet à l'autre,* tu vas de l'un à l'autre sans te fixer.

■ **papillote** n.f. SENS 1 *Jeanne s'amuse à faire des papillotes,* à plier des morceaux de papier en forme d'ailes.

■ **papilloter** v. SENS 1 *Tu es fatigué, tes yeux papillotent,* ils se ferment et s'ouvrent très vite, comme un battement d'ailes de papillon (= clignoter).

papoter v. *Jean et Marie passent leur temps à papoter* (= bavarder).

papyrus n.m. *Les anciens Égyptiens écrivaient sur du papyrus,* une sorte de papier fabriqué avec une plante portant ce nom.

R. On prononce [papirys].

pâque n.f. *La pâque est une fête de la religion juive.*

R. Ne pas confondre la *pâque* et *Pâques*.

paquebot n.m. *Autrefois, on traversait l'Atlantique sur un paquebot,* un grand navire.

pâquerette n.f. *La pelouse est couverte de pâquerettes,* des petites fleurs blanches à cœur jaune.

Pâques n.m. *Cette année, Pâques tombe en mars,* la fête chrétienne qui rappelle la résurrection du Christ. *Mon frère a fait ses Pâques,* il s'est confessé et a communié durant la période pascale.

■ **pascal, e, als** adj. *Les vacances pascales ont duré quinze jours,* les vacances de Pâques.

R. → *pâque.*

paquet n.m. **1.** *Vite, défais le paquet !,* un ou plusieurs objets enveloppés dans un emballage (= colis). *Ces crayons se vendent par paquets de dix,* dix à la fois. **2.** Fam. *J'ai mis le paquet pour te plaire,* j'ai fait tout ce que j'ai pu.

■ **paquetage** n.m. *Le soldat prépare son paquetage,* ses affaires.

■ **dépaqueter** v. *Il faudrait dépaqueter ces livres,* défaire le paquet qui les contient.

■ **empaqueter** v. *La vendeuse a empaqueté tous mes achats,* elle en a fait un paquet.

par prép. **1.** indique un lieu : *Il est passé par la fenêtre ;* un moyen : *Je voyage par le train ;* un retour périodique, une répartition : *Il gagne 600 dollars par mois ;* un complément d'agent : *Elle est aimée par ses amis.* **2.** Fam. *Il est venu par après,* après. *Il est allé par affaires,* pour.

R. *Par* se prononce [par] comme *part,* [*il*] *pare* (de *parer*) et [*je*] *pars* (de *partir*).

1. parabole n.f. *L'Évangile contient de nombreuses paraboles,* des histoires renfermant un enseignement, une morale.

2. parabole n.f. *Une parabole est une courbe géométrique.* 385

parachever → *achever.*

parachute n.m. *Les soldats ont sauté de l'avion en parachute,* avec un appareil de toile servant à ralentir leur chute. 766

■**parachuter** v. *Des troupes ont été parachutées en pays ennemi,* lancées d'un avion.

■**parachutage** n.m. *Un parachutage de médicaments a été réalisé.*

■**parachutisme** n.m. *Claude a peur de faire du parachustisme,* de sauter en parachute.

■**parachutiste** n. *Mélina est parachutiste,* elle saute en parachute.

1. parade → *parer.*

2. parade n.f. **1.** *À la citadelle, il y a une parade militaire* (= défilé, revue). **2.** *Et maintenant, voici la grande parade du cirque !,* le défilé de tous les gens qui ont participé au spectacle de cirque. **3.** *Elle fait parade de son savoir,* elle en fait étalage par vanité (= étaler).

■**parader** v. SENS 3 *Il parade pour attirer l'attention,* il se montre (= se pavaner).

paradis n.m. **1.** Selon la religion chrétienne, le *paradis* est le bonheur parfait de vivre pour toujours avec Dieu et les saints (= ciel ; ≠ enfer). **2.** *Ce petit village est un paradis,* un endroit très beau, très agréable.

■**paradisiaque** adj. SENS 2 *Ils ont passé leurs vacances dans un endroit paradisiaque,* très agréable (= enchanteur ; ≠ infernal).

paradoxe n.m. *Tu aimes soutenir des paradoxes,* des idées bizarres, inattendues.

■**paradoxal, e, aux** adj. *Ses idées paradoxales ont étonné tout le monde* (= bizarre ; ≠ normal).

parafe, parafer → *paraphe.*

paraffine n.f. *La paraffine sert à fabriquer les bougies.*

parages n.m.pl. *Est-ce que Dominique est dans les parages ?,* près d'ici (= environs, voisinage).

paragraphe n.m. *Ce texte contient trois paragraphes,* on va trois fois à la ligne (= division, partie).

paraître v. **1.** *Le soleil paraît à l'horizon,* il se montre (= apparaître ; ≠ disparaî-

tre). **2.** *Cette revue paraît tous les mois,* elle est mise en vente. **3.** *Cela paraît facile* (= avoir l'air, sembler). **4.** *Il paraît que l'essence va augmenter,* on le dit.

■**parution** n.f. SENS 2 *Dès sa parution, ce livre a connu un grand succès* (= publication).

■**reparaître** v. SENS 1 *Depuis sa maladie, Paul n'a pas reparu à l'école.*

R. → Conj. n° 64.

parallèle **1.** adj. et n.f. *Deux (lignes) parallèles ne se croisent jamais.* **2.** n.m. *On peut établir un parallèle entre leurs deux vies,* les comparer point par point.

■**parallèlement** adv. SENS 1 *Les arbres sont alignés parallèlement à la route.*

■**parallélisme** n.m. SENS 1 *La mécanicienne vérifie le parallélisme des roues de la voiture.*

■**parallélépipède** n.m. SENS 1 *Une boîte à chaussures est un parallélépipède,* un objet ayant six faces parallèles deux à deux.

■**parallélogramme** n.m. SENS 1 *Un parallélogramme est une figure qui a quatre côtés parallèles deux à deux.*

paralyser v. **1.** *Cette personne est paralysée,* elle est atteinte de paralysie. **2.** *L'usine est paralysée par la grève,* elle ne fonctionne plus (= bloquer).

■**paralysie** n.f. SENS 1 *M. Dupont est atteint de paralysie,* d'une maladie qui l'empêche de bouger.

■**paralytique** adj. et n. SENS 1 *Lori est (une) paralytique.*

parapet n.m. *Pierre s'est accoudé au parapet du pont,* au petit mur qui empêche de tomber.

paraphe ou **parafe** n.m. *Mme Scott a mis son paraphe à la fin de la lettre,* sa signature simplifiée.

■**parapher** ou **parafer** v. *On a paraphé le contrat* (= signer).

parapluie n.m. *Il commence à pleuvoir, ouvre ton parapluie.*

parasite n.m. **1.** *Le gui est un parasite des arbres,* il pousse sur les arbres et se nourrit de leur sève. **2.** *M. Duval est un **parasite**, il vit sans travailler, aux dépens des autres.* **3.** *(au plur.) Les paroles de la journaliste étaient couvertes par des **parasites**,* des bruits, des crissements troublant l'émission.

parasol n.m. *Il y a des **parasols** à la terrasse du café,* des sortes de parapluies protégeant du soleil.

paratonnerre n.m. *On a mis un **paratonnerre** sur le toit,* une grande aiguille protégeant de la foudre.

paravent n.m. *La chambre est divisée en deux par un **paravent**,* une petite cloison mobile faite de plusieurs panneaux.

parbleu !, pardi ! interj. servent à renforcer une affirmation : *Tu es contente ? — **Parbleu !** oui* (= bien sûr !).

parc n.m. **1.** *Nous nous sommes promenés dans le **parc** du château,* le très grand jardin avec des pelouses, des arbres. *Le **parc** de la Mauricie est magnifique,* une réserve naturelle accessible au public. **2.** *Le berger a enfermé ses moutons dans un **parc**,* un terrain fermé par une clôture. **3.** *Il n'y avait plus de place dans le **parc** de stationnement* (= parcautos). **4.** *Ils élèvent les huîtres dans un **parc** à huîtres,* un grand bassin.
■ **parc-autos** n.m. *Un **parc-autos** est un terrain ou un bâtiment réservé au stationnnement des véhicules.*
■ **parcmètre** ou **parcomètre** n.m. SENS 3 *Mets 25 cents dans le **parcomètre**,* dans l'appareil qui mesure le temps de stationnement.
■ **parquer** v. SENS 2 *Des vaches sont parquées dans le pré* (= enfermer).

parcelle n.f. **1.** *Mme Lévy cultive une **parcelle** de terrain,* une petite surface. **2.** *Il n'y a pas une **parcelle** de vérité dans ses paroles,* la plus petite partie.

parce que conj. indique la cause : *Pourquoi êtes-vous rentrés ? — **Parce qu'**il pleuvait.*

parchemin n.m. *Autrefois, on écrivait sur des **parchemins**,* des peaux de moutons spécialement préparées.
■ **parcheminé, e** adj. *Son grand-père a un visage **parcheminé**,* qui a l'aspect du parchemin (= ridé).

parcimonie n.f. *Mme Brown prête son argent avec **parcimonie**,* elle en prête peu (≠ générosité).
■ **parcimonieux, euse** adj. *M. Dupont est un homme **parcimonieux**,* un peu avare.

par-ci par-là adv. *J'ai trouvé quelques fautes **par-ci par-là** dans ce texte,* dans quelques endroits dispersés.

parcmètre → *parc.*

parcourir v. **1.** *Nous **avons parcouru** l'Italie,* nous l'avons traversée d'un bout à l'autre. **2.** *On **a parcouru** 10 kilomètres à pied,* on a fait cette distance. **3.** *Je n'ai fait que **parcourir** ce livre,* l'examiner rapidement.
■ **parcours** n.m. SENS 1 ET 2 *Le **parcours** de l'autobus passe devant la maison,* le chemin qu'il suit (= trajet).
R. → Conj. n° 29.

pardessus n.m. *Un **pardessus** est un manteau d'homme.*

pardi → *parbleu.*

pardon **1.** n.m. *Greta est venue demander **pardon** de son retard,* demander qu'on l'excuse. **2.** interj. *Tu m'as dérangée. — Oh ! **pardon !**,* excuse-moi !
■ **pardonner** v. SENS 1 *Veuillez me **pardonner** cet oubli* (= excuser).
■ **pardonnable** adj. SENS 1 *Son erreur n'est pas **pardonnable*** (= excusable).
■ **impardonnable** adj. SENS 1 *Tu as commis une faute **impardonnable**,* très grave.

pare-brise, pare-chocs → *parer.*

pareil, eille adj. **1.** *Ces deux statues sont **pareilles**,* elles se ressemblent exactement (= semblable, identique ; ≠ différent). **2.** *Pourquoi arrives-tu à une heure **pareille** ?* (= tel). **3.** n. *Au squash, tu n'as*

806

pas **ton pareil,** tu es le meilleur. **4.** n.f. *Si vous me frappez, je vais vous* **rendre la pareille,** vous traiter de la même façon.

■**pareillement** adv. SENS 1 *Portez-vous bien ! Et vous* **pareillement !** *Ils sont* **pareillement** *satisfaits,* également.

parent, e 1. n.m.pl. *Fatima aime ses* **parents,** son père et sa mère. **2.** adj. et n. *Mon père est le frère du tien, nous sommes* **parentes,** de la même famille.

■**parenté** n.f. SENS 2 *Il y a un lien de* **parenté** *entre Jeanne et Marie,* elles sont parentes. *Nous attendons la* **parenté** *à Noël,* la famille, les grands-parents, frères, sœurs, oncles, tantes, cousins, cousines, etc.

■**apparenté, e** adj. SENS 2 *Ils ont le même nom, mais ils ne sont pas* **apparentés,** ils ne sont pas parents.

■**apparenter** v. *L'aspect de la grenouille* **s'apparente** *à celui du crapaud,* elle a des traits communs avec lui.

parenthèse n.f. **1.** *(Cette phrase est mise entre* **parenthèses),** entre les signes ( ). **2.** *Je reviens d'Italie où,* **entre parenthèses,** *il faisait un temps affreux* (= soit dit en passant).

parer v. **1.** *On a* **paré** *la princesse de sa plus belle toilette,* on la lui a mise comme ornement (= habiller, vêtir). **2.** *Le boxeur n'arrivait pas à* **parer** *les coups,* à s'en protéger (= éviter).

■**parade** n.f. SENS 2 *Il a trouvé une bonne* **parade** *contre ces ennuis,* un moyen pour les éviter.

■**parure** n.f. SENS 1 *Mme Dupont portait une* **parure** *de diamants,* des bijoux.

■**pare-balles** adj. inv. et n.m. inv. SENS 2 *Un gilet* **pare-balles** *protège contre les balles.*

■**pare-brise** n.m.inv. SENS 2 *Le* **parebrise** *de la voiture est sale,* la plaque de verre qui protège du vent.

■**pare-chocs** n.m.inv. SENS 2 *Les* **parechocs** *d'une auto servent à la protéger des chocs.*

■**pare-étincelles** n.m.inv. SENS 2 *Devant*

la cheminée, on met un **pare-étincelles,** un écran qui empêche les étincelles de tomber sur le plancher.

■**pare-feu** n.m. inv. SENS 2 *Les* **pare-feu** *empêchent le feu de se propager.*

■**pare-soleil** n.m. inv. SENS 2 *Un* **paresoleil** *est un écran qui protège du soleil.*

■**déparer** v. SENS 1 *Ce tas d'ordures* **dépare** *le paysage,* il le rend moins beau (= enlaidir).

■**imparable** adj. SENS 2 *Le but a été marqué par un tir* **imparable,** impossible à parer.

R. → par.

paresse n.f. *Pierre a des habitudes de* **paresse,** il n'aime pas travailler, faire des efforts (≠ énergie, courage).

■**paresseux, euse** adj. et n. *Marie est très* **paresseuse** (= fainéant ; ≠ travailleur).

■**paresser** v. *Dominique aime* **paresser** *dans son lit,* ne rien faire.

parfait, e adj. **1.** *Voilà un travail* **parfait,** sans défaut (= excellent ; ≠ mauvais). **2.** *Cette réponse est d'un* **parfait** *ridicule* (= complet).

■**parfaitement** adv. **1.** SENS 1 *Tu joues* **parfaitement** *du violon,* très bien, à la perfection. **2.** *Tu penses avoir raison ?* **Parfaitement,** bien sûr.

■**parfaire** v. SENS 1 *Voici dix dollars pour* **parfaire** *la somme promise* (= compléter).

■**perfection** n.f. SENS 1 *Tu parles l'anglais* **à la perfection,** très bien.

■**perfectionner** v. SENS 1 *Il faudrait* **perfectionner** *ton français,* le rendre meilleur (= améliorer).

■**perfectionnement** n.m. SENS 1 *Marie suit des cours de* **perfectionnement,** pour se perfectionner.

■**imparfait, e 1.** adj. SENS 1 *J'ai une connaissance* **imparfaite** *de l'italien* (= incomplet). **2.** n.m. *Dans « je partais »,* le verbe est à l'**imparfait,** un temps du passé.

■**imparfaitement** adv. SENS 1 *Je parle* **imparfaitement** *l'italien.*

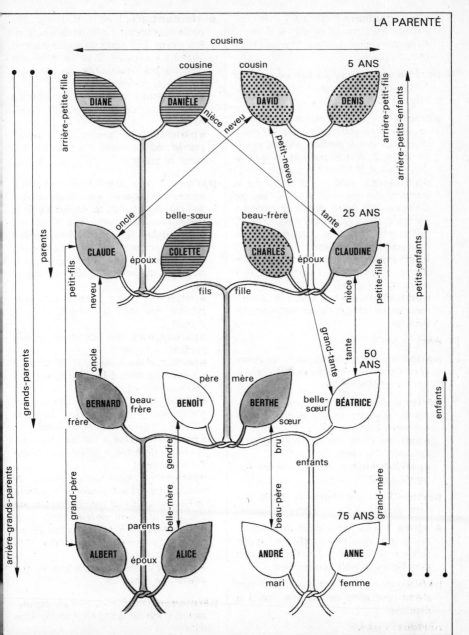

LA PARENTÉ

■**imperfection** n.f. SENS 1 *Il y a des imperfections dans ce travail* (= défaut).
R. *Parfaire* s'emploie surtout à l'infinitif et au participe passé.

parfois adv. *J'arrive parfois en retard à l'école,* de temps en temps (= quelquefois ; ≠ souvent).

parfum n.m. 1. *Ces roses ont beaucoup de parfum,* une odeur agréable. 2. *Dominique s'est mis du parfum,* un produit qui sent bon. 3. *À quel parfum veux-tu ta glace ? — À la fraise* (= goût, arôme).
■**parfumer** v. SENS 1, 2 ET 3 *Jeanne a parfumé son mouchoir avec de l'eau de Cologne,* elle lui a donné une odeur agréable. *Tu t'es parfumé aujourd'hui ?,* tu t'es mis du parfum. *J'adore le dentifrice parfumé à la fraise.*
■**parfumerie** n.f. SENS 2 *Dans une parfumerie,* on achète des parfums et des produits de beauté.
■**parfumeur, euse** n. SENS 2 *Un parfumeur* est un fabricant ou un marchand de parfums.

pari → *parier.*

paria n.m. *Autrefois, certains ouvriers étaient traités comme des parias,* comme des hommes méprisés.

parier v. *Je te parie 2 dollars que cette équipe gagnera,* si elle gagne, tu me donneras 2 dollars.
■**pari** n.m. *Cette équipe n'a pas gagné, j'ai perdu mon pari.*
■**parieur, euse** n. *On a payé les parieurs gagnants.*

parité n.f. *Ils ont obtenu la parité des salaires pour tous les employés,* l'égalité.

parjure 1. n.m. *Kathy a fait un parjure,* elle a juré une chose fausse ou n'a pas respecté son serment. 2. n. *Kathy est une parjure,* elle a violé son serment.

parka n.m. ou f. *Il fait froid, mets ton parka,* une sorte de manteau court à capuche.

parlant → *parler.*

parlementaire 1. adj. et n. *Les débats parlementaires ont duré toute la nuit,* du Parlement. *Les parlementaires se sont réunis* (= député). 2. n. *Le général a reçu les parlementaires,* les gens envoyés pour parlementer.
■**parlement** n.m. SENS 1 *Le Parlement a voté le projet de loi,* l'Assemblée nationale.
■**parlementer** v. SENS 2 *On a parlementé pour se mettre d'accord* (= discuter, négocier).

parler v. 1. *Mon petit frère a deux ans, il commence à parler,* à exprimer sa pensée par des paroles. 2. *Mélina parle le français et l'allemand,* elle s'exprime dans ces deux langues. 3. *As-tu parlé à Marie de nos projets ?,* lui as-tu dit quelque chose à ce sujet ? 4. *De quoi parle ce livre ?,* quel en est le sujet (= traiter de).
■**parler** n.m. SENS 2 *Il existe différents parlers régionaux* (= langue, dialecte, patois).
■**parlant, e** adj. SENS 1 *Ce dessin est très parlant* (= expressif).
■**parleur, euse** n. SENS 1 *M. Durand est un beau parleur,* il fait des beaux discours trompeurs.
■**parloir** n.m. SENS 3 *Les prisonniers reçoivent leur famille au parloir,* dans une salle où on parle avec les visiteurs.
■**parlote** n.f. SENS 3 *Ils passent leur temps en parlotes,* à parler inutilement (= bavardage).
■**parlure** n.f. SENS 1 *Cette émission de télévision rend bien compte de la parlure des anciens,* de leur manière de s'exprimer, de leur accent, de leur vocabulaire.
■**pourparlers** n.m.pl. SENS 3 *Les adversaires ont entamé des pourparlers,* ils se sont mis à discuter.
■**reparler** v. SENS 3 *On reparlera de cette affaire une autre fois.*

parmesan n.m. *Bianca met du parmesan râpé sur ses spaghettis,* un fromage italien.

parmi prép. indique que quelque chose ou quelqu'un appartient à un ensemble : *On l'a choisi parmi eux.*

parodie n.f. *Ce procès était une parodie de justice,* une imitation grossière (= caricature).
■ **parodier** v. *Sandra parodie la voix de Jean,* elle l'imite pour s'en moquer.

paroi n.f. **1.** *Cet immeuble a des parois de verre* (= mur). *La paroi de la falaise est à pic.* **2.** *Les parois de ce récipient sont étanches* (= côté).

paroisse n.f. *Le curé a invité à la fête tous les habitants de la paroisse,* du territoire dont il a la charge.
■ **paroissial, e, aux** adj. *L'église paroissiale est sur la place du village.*
■ **paroissien, enne** n. *Un paroissien est un chrétien d'une paroisse.*

parole n.f. **1.** *Les animaux ne sont pas doués de la parole,* ils ne peuvent pas parler (= langage). **2.** *Dis-moi une parole aimable,* un mot ou une phrase. *Je vous passe la parole,* je vous invite à parler. *Je ne t'adresse plus la parole,* je ne te parle plus. **3.** (au plur.) *Je ne connais pas les paroles de cette chanson,* le texte. **4.** *J'ai demandé la parole,* le droit de parler. *Tu m'as coupé la parole,* tu m'as interrompu. **5.** *Elle m'a donné sa parole qu'elle viendrait demain,* elle me l'a promis.
■ **parolier, ère** n. *Lucie est parolière,* elle écrit les paroles des chansons.
■ **porte-parole** n.m.inv. SENS 2 ET 4 *Tu es le porte-parole de tes camarades auprès des professeurs,* tu parles en leur nom.

paronyme n.m. *« Allocution » et « allocation » sont des paronymes,* des mots qui se ressemblent.

paroxysme n.m. *La tempête a atteint son paroxysme,* son moment le plus violent.

parpaing n.m. *Un parpaing est une sorte de brique moulée en ciment.*

parquer → *parc.*

parquet n.m. **1.** *M. Durand cire le parquet de la chambre,* les lames de bois constituant le sol (= plancher). **2.** *Le parquet est en train de délibérer,* l'ensemble des juges.

parrain n.m. Au moment du baptême, le *parrain* s'engage à veiller sur son filleul (ou sa filleule) et à l'aider dans la vie.
■ **parrainer** v. *Une grande avocate parraine cette association,* elle lui sert de garant, de répondant (= patronner).

parricide **1.** n. *La police a arrêté un parricide,* quelqu'un qui a tué son père ou sa mère. **2.** n.m. *L'accusée a commis un parricide,* le crime de tuer son père ou sa mère.

parsemer v. *La pelouse est parsemée de fleurs,* elle en est couverte çà et là.

part n.f. **1.** *Chacun a eu une part de la tarte* (= morceau, portion, partie). **2.** *Line a pris part à la réunion,* elle y a participé. **3.** *Pierre m'a fait part de ses projets,* il me les a fait connaître. **4.** *On a mis vos affaires à part,* on les a séparées du reste. **5.** *À part toi, tout le monde était content* (= excepté, sauf). **6.** *Voilà un livre de la part de Lori,* venant d'elle. **7.** *Je ne peux pas t'aider : d'une part je n'y connais rien, d'autre part je n'ai pas le temps,* d'abord..., et puis aussi... **8.** *As-tu vu mon manteau ? — Oui, je l'ai vu quelque part* (= à un certain endroit). *Dans l'armoire ? — Non, autre part* (= dans un autre endroit, ailleurs). *Je ne le vois nulle part* (= en aucun endroit ; ≠ partout). **9.** *Les nouvelles arrivent de toute(s) part(s),* de tous les côtés. *On a fait des concessions de part et d'autre,* des deux côtés. *La balle a traversé la cloison de part en part,* d'un côté à l'autre. **10.** *Pour ma part, je ne viendrai pas,* en ce qui me concerne. **11.** *Il a pris ma part,* ma défense, mon partie.
■ **partager** v. SENS 1 *Mme Durand a partagé le gâteau,* elle en a fait des parts (= diviser). SENS 2 *Je partage votre tristesse,* j'y prends part, je m'y associe.

148

649

■**partage** n.m. SENS 1 *Ce partage n'est pas égal* (= division, répartition).
R. → *par.*

partance → *partir.*

partenaire n. *Qui était ta partenaire au double de tennis ?,* celle qui jouait avec toi (≠ adversaire).

parterre n.m. **1.** *Ce parterre de fleurs est magnifique,* cette partie de jardin. **2.** *Du balcon, on voit bien les spectateurs du parterre,* la partie d'une salle de spectacle située au rez-de-chaussée (≠ balcon, loge).

parti n.m. **1.** *Les partis présentent des candidats aux élections,* les groupes politiques. **2.** *On a pris parti pour moi,* on m'a soutenu. *Pierre a un parti pris contre moi,* il m'est hostile (= préjugé). **3.** *En cuisine, il faut savoir tirer parti des restes,* les utiliser. **4.** *J'ai dû prendre mon parti de cet échec,* m'y résigner.
■**partial, e, aux** adj. SENS 2 *Cet arbitre est partial,* il a des préférences injustifiées pour une des deux équipes (= injuste).
■**partialité** n.f. SENS 2 *On l'a jugée avec partialité* (= injustice, parti pris).
■**impartial, e, aux** adj. SENS 2 *Ce journal est impartial,* il n'a pas de parti pris (= objectif).
■**impartialité** n.f. SENS 2 *J'ai confiance en votre impartialité.*
R. *Parti* se prononce [parti] comme *partie* et [il] *partit* (de *partir*).

participant, participation → *participer.*

participe n.m. *« Aimant » est un participe présent, « aimé » est un participe passé,* des formes du verbe.

participer v. *Zara et Jean ont participé à la course,* ils l'ont faite avec d'autres (= prendre part à).
■**participant, e** n. *Il y avait quinze participants à l'excursion,* quinze personnes y ont participé.
■**participation** n.f. *Je vous remercie de votre participation* (= collaboration).

particule → *partie.*

particulier, ère adj. **1.** *Gita a une manière particulière de parler,* elle ne parle pas comme les autres (= personnel, spécial ; ≠ ordinaire). **2.** *On a examiné les cas particuliers* (= individuel ; ≠ général). **3.** *J'aime les fruits, en particulier les poires* (= surtout, spécialement).
■**particulier** n.m. SENS 1 *M. Durand est un simple particulier,* une personne comme les autres (≠ personnalité).
■**particulièrement** adv. **1.** SENS 3 *J'aime lire, particulièrement des romans* (= en particulier). **2.** *Cette affaire est particulièrement intéressante* (= très, spécialement).
■**particulariser** v. SENS 1 *Myriam aime se particulariser,* ne pas faire comme les autres.
■**particularité** n.f. SENS 1 *Cette maison a plusieurs particularités,* des caractères particuliers.

partie n.f. **1.** *Je consacre une partie de mon temps à la musique* (= part ; ≠ totalité, tout). **2.** *Je fais partie d'un club sportif,* j'en suis membre (= appartenir à). **3.** *Nous avons fait une partie de tennis,* nous avons joué à ce jeu. **4.** *Le juge a renvoyé les deux parties,* les adversaires en présence. **5.** *On a été pris à partie par des voyous* (= attaquer). **6.** *Je ne peux pas sortir avec toi ce soir mais ce n'est que partie remise,* ce sera pour la prochaine fois.
■**particule** n.f. **1.** SENS 1 *Cette eau contient des particules de calcaire,* de très petits éléments. **2.** *« De Monzie » est un nom à particule,* précédé de *de.*
■**partiel, elle** adj. SENS 1 *Je n'ai en Claude qu'une confiance partielle* (= incomplet ; ≠ total).
■**partiellement** adv. SENS 1 *Tu as partiellement réussi,* en partie (≠ totalement).
R. → *parti.*

partir v. **1.** *Maïté veut partir demain pour Paris,* s'en aller (≠ arriver ou rester).

2. *Vous prenez la rue qui part de l'église* (= commencer ; ≠ aboutir). **3.** *Si vous appuyez sur la détente, le coup part* (= se déclencher). **4.** *Cette affaire part mal* (= s'engager, débuter). **5.** *Cette tache partira au lavage* (= disparaître).

■ **à partir de** prép. SENS 2 *On habitera ici à partir de demain,* en commençant demain.

■ **partance** n.f. SENS 1 *Le train en partance pour Sidney est en gare,* celui qui va partir.

■ **départ** n.m. SENS 1 *Le départ de l'avion aura lieu dans une heure* (≠ arrivée). SENS 4 *Dès le départ, il savait que je mentais,* dès le début.

■ **repartir** v. SENS 1 *Arrivés à midi, nous sommes repartis à 2 heures.*

R. → Conj. n° 26. *Partir se conjugue avec être.* → *parti* et *par.*

partisan, e n. **1.** *Le candidat est applaudi par tous ses partisans,* ceux qui sont du même avis que lui (≠ adversaire). **2.** *Des partisans ont attaqué un convoi ennemi* (= maquisard).

■ **partisan, e** adj. SENS 1 *Je suis partisane de rester,* c'est mon avis.

partitif, ive adj. *Dans la phrase « Veux-tu du chocolat ? », « du » est un article partitif.*

partition n.f. *La pianiste étudie sa partition,* la feuille où est noté le morceau de musique qu'elle doit jouer.

partout adv. *On l'a cherché partout,* dans tous les endroits (≠ nulle part).

parure → *parer.*

parution → *paraître.*

parvenir v. **1.** *John ne parvient pas à se faire comprendre* (= réussir, arriver). **2.** *Ce télégramme lui parviendra demain,* arrivera.

■ **parvenu, e** n. *M. Richard est un parvenu,* il s'est rapidement enrichi (= nouveau riche).

R. → Conj. n° 22. *Parvenir se conjugue avec être.*

parvis n.m. *Le parvis d'une église* est l'espace qui est devant la façade.

1. pas n.m. **1.** *Sur la glace, on marche à petits pas. J'entends des pas dans le couloir,* quelqu'un qui marche. *Il y a des pas sur la neige,* les traces de quelqu'un qui a marché. **2.** *Les soldats marchent au pas,* ils avancent le même pied tous en même temps. **3.** *Le pas d'une porte* est l'espace qui est devant. **4.** *Le pas d'une vis* est l'espace entre deux rainures d'une vis. **5.** *Chut ! Avancez à pas de loup,* sans faire de bruit. *Marchons pas à pas,* avec précaution. *La maison est à deux pas,* tout près. *J'y vais de ce pas,* à l'instant même. *Lori fait les cent pas dans la pièce,* elle va et vient sans arrêt. *On était fâchés, j'ai fait les premiers pas pour me réconcilier,* j'ai pris l'initiative de la réconciliation. *Je suis dans un mauvais pas,* dans une situation difficile.

2. pas adv. s'emploie avec *ne (n')* pour marquer la négation : *Il n'est pas venu.*

pascal → *Pâques.*

passable adj. *10 sur 20, c'est une note passable,* ni bonne ni mauvaise (= moyen).

■ **passablement** adv. *J'ai vu un film passablement ennuyeux* (= assez).

passage, passager, passant, passe, passé → *passer.*

passe-droit n.m. *C'était interdit, mais tu as eu un passe-droit* (= faveur).

R. Noter le pluriel : *des passe-droits.*

passe-montagne n.m. *Un passe-montagne* est un bonnet en tricot entourant la tête et le cou (= cagoule).

R. Noter le pluriel : *des passe-montagnes.*

passe-partout 1. n.m.inv. *Le serrurier a ouvert avec un passe-partout,* une clef pouvant ouvrir plusieurs serrures. **2.** adj. inv. *C'est une formule de politesse passe-partout,* que l'on peut utiliser en toutes occasions.

passe-passe n.m.inv. *Le prestidigitateur a fait un tour de passe-passe,* il a fait disparaître un objet, il l'a escamoté.

passeport n.m. *À la frontière, on nous a demandé nos **passeports,** nos papiers pour aller à l'étranger.*

passer v. 1. *Nous n'avons pas pu **passer,** continuer à avancer.* 2. *Je suis **passé** te voir* (= aller, venir). 3. *Pour aller de Montréal à Ottawa, il faut **passer** par Hull* (= traverser). 4. *Nous avons **passé** la frontière, nous sommes allés de l'autre côté.* 5. *Le temps **passe** vite,* il s'écoule. 6. *Où **as**-tu **passé** tes vacances?,* où étais-tu pendant ce temps? 7. *Tout s'est bien **passé*** (= se dérouler). 8. *Jean est **passé** en sixième,* il y a été admis. 9. *Marie **a passé** une visite médicale,* elle l'a subie. 10. *Ce film **passe** au cinéma voisin,* on le joue. 11. ***Passe**-moi le sel,* donne-le-moi. 12. *Il faut **passer** le thé,* le filtrer. 13. *La douleur va **passer*** (= s'arrêter). 14. *Yaelle est arrivée à se **passer** de tabac* (= s'abstenir, se priver). 15. *Tout son argent **passe** dans l'achat des livres* (= être utilisé, dépensé). 16. *Pierre **passe** pour un spécialiste,* on le considère ainsi. 17. *Ce tissu **a passé** au soleil,* il a perdu sa couleur.

■ **passage** n.m. 1. SENS 1, 2, 3 ET 4 *On attend le **passage** de l'autobus,* que celui-ci passe. *Je suis **de passage** à Québec,* je n'y suis que pour quelque temps. *Tu bouches le **passage,*** l'endroit par où l'on passe. *Ce panneau annonce un **passage à niveau,*** un croisement entre une route et une voie ferrée. *Il faut traverser dans le **passage pour piétons*** (ou ***passage clouté**),* l'endroit de la rue marqué par deux bandes blanches. SENS 8 *J'ai raté mon examen de **passage,*** celui qui me permet de passer dans la classe supérieure. 2. *J'ai lu un **passage** du livre,* un extrait.

■ **passager, ère** 1. adj. SENS 5 *C'était un malaise **passager,** qui a vite passé* (= momentané; ≠ durable). 2. n. *Les*

passagers sont montés dans l'avion (= voyageur).

■ **passant, e** n. et adj. SENS 1 *Josefa a demandé l'heure à un **passant,** à quelqu'un qui passait dans la rue. Cette rue est très **passante,** beaucoup de monde l'emprunte.*

■ **passe** n.f. 1. SENS 1 *Connais-tu le mot de **passe**?,* le mot convenu pour qu'on te laisse passer. SENS 11 *Jean a fait une **passe** au gardien de but,* il lui a passé le ballon. 2. *Je suis dans une mauvaise **passe*** (= situation). *Marie est **en passe** de gagner* (= sur le point de).

■ **passé** n.m. SENS 5 *L'imparfait est un temps du **passé*** (≠ présent ou futur).

■ **passeur, euse** n. SENS 1 *Un **passeur** nous a fait traverser la rivière.*

■ **passoire** n.m. SENS 12 *Une **passoire** sert à filtrer les liquides.*

■ **passe-temps** n.m.inv. SENS 5 *La lecture est mon **passe-temps** favori* (= occupation).

R. *Passer* se conjugue tantôt avec *être,* tantôt avec *avoir.*

passereau n.m. *Le moineau est un **passereau,** un petit oiseau.*

passerelle n.f. 1. *On traverse cette rivière sur une **passerelle,** un petit pont.* 2. *Kathy est sur la **passerelle** du navire,* une plate-forme à l'avant de la cheminée.

passe-temps, passeur → *passer.*

passible adj. *L'accusée est **passible** d'une amende,* elle l'a méritée.

passif, ive 1. adj. *Pourquoi es-tu aussi **passif**?,* sans énergie (= indifférent, apathique; ≠ actif). 2. adj. et n.m. *« Il est aimé » est à la forme **passive,** le **passif** de « il aime »* (≠ actif).

■ **passivement** adv. SENS 1 *Dominique obéit **passivement,** sans réagir.*

passion n.f. 1. *M. Durand aime sa femme avec **passion,** d'un amour très fort.* 2. *J'ai la **passion** des échecs,* je m'y intéresse beaucoup.

■**passionné, e** n. et adj. SENS 2 *Sophie est une passionnée de théâtre. Un regard passionné.*

■**passionnel, elle** adj. SENS 1 *Un crime passionnel est inspiré par la passion.*

■**passionner** v. SENS 2 *Ce roman m'a passionnée,* il m'a beaucoup intéressée. *Elle se passionne pour la musique.*

■**passionnant, e** adj. SENS 2 *J'ai vu un film passionnant* (= captivant).

■**passionnément** adv. SENS 1 *Je l'aime passionnément,* avec passion.

■**dépassionner** v. SENS 2 *Cette proposition conciliante a dépassionné le débat* (= calmer, apaiser).

passivement → *passif.*

passoire → *passer.*

pastel 1. n.m. *Ce dessin est fait au pastel,* avec une sorte de crayon de couleur. 2. adj.inv. *Des couleurs pastel sont pâles, douces.*

pastèque n.f. *La pastèque est rafraîchissante,* une espèce de gros melon à chair rouge (= melon d'eau).

pasteur n.m. 1. *Un pasteur est un gardien de troupeaux dans certains pays.* 2. *Chez les protestants, le pasteur est celui qui dirige le culte.*

pasteuriser v. *Ils n'achètent que du lait pasteurisé,* purifié de ses microbes par une température élevée (= stériliser).

pastiche n.m. *Cette fantaisiste a fait un pastiche amusant d'un discours politique,* elle en a imité le style (= imitation).

■**pasticher** v. *Il a pastiché un discours politique.*

pastille n.f. *Nous suçons des pastilles de menthe,* des petits bonbons de forme aplatie.

pastis n.m. *Le pastis est un apéritif parfumé à l'anis.*
R. On prononce le *s* final : [pastis].

patate n.f. Fam. 1. *Pierre et Marie épluchent les patates* (= pomme de terre). *Je fais des patates pilées,* des pommes de terre en purée. *Xavier adore les patates frites,* les frites. 2. *Il est dans les patates,* il divague, il est dans l'erreur. 3. *Il a fait patate,* il a échoué lamentablement.

patatras interj. Fam. *Le plateau était en équilibre instable : patatras ! tout est tombé par terre !*
R. On prononce [patatra].

pataud, e adj. *Jacques est un gros garçon pataud* (= empoté, maladroit).

patauger v. 1. *Les enfants pataugent dans la boue,* ils y marchent. 2. *Elise patauge dans son exposé,* elle s'embrouille.

pâte n.f. 1. *Je fais une pâte à tarte,* je mélange et pétris de la farine avec de l'eau. 2. *Les pâtes de fruits, la pâte dentifrice, la pâte à modeler sont des matières molles.* 3. (au plur.) *Les macaronis, les spaghettis, etc., sont des variétés de pâtes,* des aliments préparés à partir de semoule de blé dur (= nouilles).

■**pâteux, euse** adj. 1. SENS 2 *Ce gâteau est pâteux,* trop mou. 2. *Il a la bouche pâteuse ce matin,* il ne parle pas clairement, parce qu'il a trop bu la veille.

pâté n.m. 1. *J'ai préparé un pâté de lapin,* du lapin haché cuit dans une terrine. *Le pâté chinois est un plat composé de viande hachée, de maïs et de pommes de terre disposés en étages, que l'on fait cuire au four. Le pâté en croûte est un hachis de viande recouvert d'une pâte et cuit au four.* 2. *On habite dans ce pâté de maisons* (= groupe). 3. *Les enfants font des pâtés de sable avec un seau,* ils remplissent le seau de sable mouillé et le démoulent.

pâtée n.f. *Le chien mange sa pâtée,* sa nourriture.

1. patelin, e adj. *M. Tartuffe m'a parlé d'un ton patelin,* doux mais hypocrite.

2. patelin n.m. Fam. *Comment s'appelle ce patelin ?* (= village).

patent, e adj. *Tu as menti, c'est un fait patent* (= évident ; ≠ douteux).

patente n.f. Fam. *J'ai reçu une drôle de patente,* quelque chose dont j'ignore le nom.
■ **patenter** v. Fam. *J'ai patenté un nouvel ouvre-boîtes,* je l'ai bricolé, inventé.
■ **patenteux, euse** ou **patenteur, euse** n. Fam. *Ma sœur est une vraie patenteuse,* une personne qui invente, qui bricole des choses.

295 **patère** n.f. *Accrochez vos manteaux à la patère,* au porte-manteau fixé au mur.

paternalisme, paternel, paternité → *père.*

pâteux → *pâte.*

pathétique adj. *Ce film d'aventures est pathétique,* très émouvant.

pathologie n.f. *La pathologie* est la science qui étudie les maladies.
■ **pathologique** adj. *Ses migraines sont pathologiques,* elles tiennent de la maladie, ne sont pas normales.

patibulaire adj. *Cet individu a une mine patibulaire,* il n'inspire pas confiance (= louche).

patient, e 1. adj. *Marie a un caractère patient,* elle est calme, persévérante (≠ irritable, emporté). **2.** n. *Le médecin visite ses patients,* ses malades, ses clients.
■ **patience** n.f. **1.** SENS 1 *Voilà deux heures que j'attends, ma patience a des limites* (= persévérance, calme). *Le film était mauvais mais j'ai pris mon mal en patience,* je l'ai supporté calmement sans me plaindre. **2.** *Fais un jeu de patience en m'attendant,* un jeu de cartes qui se joue tout seul.
■ **patiemment** adv. SENS 1 *Paul attendait patiemment,* sans s'énerver.
■ **patienter** v. SENS 1 *Voulez-vous patienter quelques instants ?,* attendre calmement.
■ **impatient, e** adj. SENS 1 *Pierre est im-*

patient de te voir, il veut te voir le plus vite possible.
■ **impatience** n.f. SENS 1 *Marie a eu un mouvement d'impatience* (= énervement).
■ **impatiemment** adv. SENS 1 *Nous attendons impatiemment votre arrivée.*
■ **impatienter** v. SENS 1 *Dépêche-toi, je commence à m'impatienter,* à perdre patience.
R. On prononce [pasjã, pasjamã, etc.].

patiner v. **1.** *Pierre apprend à patiner,* à se servir de patins. **2.** *Les roues patinent dans la boue,* elles tournent sans avancer. **3.** *Le manche de ce marteau est patiné,* la couleur montre qu'il a servi.
■ **patin** n.m. **1.** SENS 1 *Marie a des patins (à glace) blancs,* des bottines sous lesquelles est fixée une lame métallique pour glisser sur la glace. *Pierre a des patins (à roulettes) neufs,* des bottines ou des semelles munies de roulettes pour glisser sur le sol. *Faire du patin,* c'est se déplacer sur la glace ou le sol avec des patins. SENS 2 *Un patin de frein sert à ralentir une roue.* **2.** *Ce joueur de hockey a accroché ses patins,* il a décidé d'arrêter le hockey. **3.** *Audrey n'est pas vite sur ses patins,* elle réagit lentement.
■ **patinage** n.m. SENS 1 *Nous avons vu un spectacle de patinage.*
■ **patine** n.f. SENS 3 *Sur cette armoire, on voit la patine du temps,* une couleur foncée qui montre son ancienneté.
■ **patinette** n.f. *Aïcha fait de la patinette,* un jouet composé d'une planche montée sur deux roues et d'un guidon, qu'on fait avancer en poussant du pied (= trottinette).
■ **patineur, euse** n. SENS 1 *C'est une patineuse suédoise qui a gagné la course.*
■ **patinoire** n.f. SENS 1 *Les patineurs s'entraînent sur la patinoire,* sur un endroit aménagé pour patiner. *Le trottoir est comme une vraie patinoire,* il est très glissant.

pâtir v. est un équivalent rare de *souffrir.*

pâtisserie n.f. **1.** *En passant devant la pâtisserie, on n'a pas pu résister au plaisir d'acheter des gâteaux,* la boutique du pâtissier. **2.** *Nous avons mangé de la pâtisserie,* des gâteaux. *Les choux à la crème, les éclairs au café et les tartelettes sont des pâtisseries françaises,* des petits gâteaux individuels joliment garnis. ■ **pâtissier, ère** n. *Mme Durand est bonne pâtissière,* elle fait bien les gâteaux. *M. Duval est pâtissier,* il tient une pâtisserie.

patois n.m. *Les paysans du village parlent le patois auvergnat,* une langue particulière d'une région.

patraque adj. Fam. *Marie se sent patraque,* un peu malade.

pâtre n.m. se disait pour *berger.*

patriarche n.m. *Abraham est un patriarche de la Bible,* un chef d'une vaste famille, qui a vécu très longtemps.

patricien, enne n. *Les patriciens étaient les nobles de la Rome antique.* **R.** Ne pas confondre *patricien* et *praticien.*

patrie n.f. *Pierre est français, la France est sa patrie,* son pays natal. ■ **patriote** adj. et n. *Zara est patriote,* elle aime sa patrie. ■ **patriotique** adj. *Le « Ô Canada » est un chant patriotique,* exprimant l'amour de la patrie. ■ **patriotisme** n.m. *Le patriotisme est l'amour de la patrie.* ■ **apatride** adj. *Cet homme est apatride,* il n'a pas de patrie. ■ **compatriote** n. *En Italie, nous avons rencontré des compatriotes,* des gens du même pays que nous. ■ **expatrié, e** n. *Pierre est un expatrié,* il ne vit pas dans son pays. ■ **s'expatrier** v. *Elle s'est expatriée à cause de ses idées politiques,* elle a quitté son pays (= s'exiler). ■ **rapatrier** v. *Les prisonniers ont été rapatriés,* ramenés dans leur pays.

patrimoine n.m. *Le patrimoine national,* c'est l'ensemble des richesses de la nation.

patriote, patriotique, patriotisme → *patrie.*

patron, onne n. **1.** *Carita est la patronne de l'usine,* elle la dirige. **2.** *Sainte Catherine est la patronne des couturières,* la sainte qui les protège. **3.** n.m. *Tu as fait cette robe d'après un patron ?,* un modèle en papier. ■ **patronage** n.m. **1.** SENS 2 *Être sous le patronage de quelqu'un,* c'est être protégé par lui. **2.** *Un patronage est une organisation de loisirs pour les enfants.* ■ **patronal, e, aux** adj. SENS 1 *Le syndicat patronal défend les intérêts patronaux.* SENS 2 *Une fête patronale est dédiée à un saint.* ■ **patronat** n.m. SENS 1 *Les représentants du patronat ont été reçus par le ministre,* les représentants de l'ensemble des patrons. ■ **patronner** v. SENS 2 *Ce rallye est patronné par une grande marque de voitures,* il est organisé grâce à son aide.

patrouille n.f. *Le bandit a été arrêté par une patrouille de police,* un petit groupe de policiers effectuant une ronde. ■ **patrouiller** v. *Des soldats patrouillent dans les rues,* ils circulent par groupes pour surveiller. ■ **patrouilleur** n.m. *Un patrouilleur est un navire ou un avion chargé de surveiller les côtes, les convois, etc.*

patte n.f. **1.** *Les hommes ont des bras et des jambes, les animaux ont des pattes,* des membres. **2.** *Une patte est une languette ou une petite bande de tissu.*

pâturage n.m. *La Beauce est une région de pâturages,* de champs couverts d'herbe (= prairie). ■ **pâture** n.f. *Le chien cherche sa pâture dans la poubelle,* sa nourriture.

paume n.f. **1.** *Marie m'a montré un insecte dans la paume de sa main,* le dedans (≠ dos). **2.** *Le jeu de paume*

296

765

294

364,
368

33

consiste à se renvoyer une balle avec une raquette (autrefois, avec la paume de la main), un peu comme au tennis.

paupière n.f. *Les cils bordent les **paupières,** les replis de la peau qui protègent l'œil.*

paupiette n.f. *Les **paupiettes** de veau sont des tranches roulées et farcies.*

pause n.f. *Nous ferons une **pause** à 10 heures,* nous nous arrêterons (= interruption).
R. *Pause se prononce* [poz] *comme pose.*

pauvre adj. et n. **1.** *M. Dupont est un (homme) **pauvre,** il a peu d'argent (≠ riche).* **2.** *Ayez pitié de ce **pauvre** homme !* (= malheureux). *La **pauvre,** elle a encore perdu !*
■ **pauvrement** adv. SENS1 *Les Dupont vivent **pauvrement.***
■ **pauvresse** n.f. SENS 1 *Une **pauvresse** demandait l'aumône,* une femme pauvre.
■ **pauvreté** n.f. SENS 1 *Ce pays est d'une grande **pauvreté** (≠ richesse).*
■ **appauvrir** v. SENS 1 *La guerre a **appauvri** le pays,* elle l'a rendu pauvre (= ruiner ; ≠ enrichir).
■ **appauvrissement** n.m. SENS 1 *la crise a entraîné un **appauvrissement** du pays.*

se pavaner v. *Le ministre **se pavane** au salon,* il se donne des airs importants.

pavé n.m. *Attention ! les **pavés** sont glissants,* les blocs de pierre qui recouvrent la rue. *Le **pavé** est très abimé,* la chaussée.
■ **paver** v. *On a **pavé** la terrasse avec des dalles* (= recouvrir). *Ils **ont pavé** la rue,* l'ont recouverte d'asphalte.
■ **pavage** n.m. *On refait le **pavage** de la chaussée,* on change les pavés. *On refait le **pavage** de notre rue,* on la recouvre d'asphalte.

pavillon n.m. **1.** *Le bateau avait un **pavillon** anglais* (= drapeau). **2.** *Les Dupont habitent un **pavillon** en banlieue,* une petite maison. **3.** *Mes cours se donnent au **pavillon** de la faculté de droit,* le bâtiment où elle est installée.

pavoiser v. *On **pavoise** les édifices publics, le jour de la fête nationale,* on les orne de drapeaux.

pavot n.m. *Le coquelicot est une sorte de **pavot,** une fleur.*

payer v. **1.** *Jean a **payé** ce livre 8 dollars,* il a donné cette somme pour l'avoir. **2.** *As-tu **payé** le boucher ?,* lui as-tu versé l'argent que tu lui devais ? **3.** *Lori a été mal **payée** de ses efforts* (= récompenser). **4.** *Tu as dévoilé mon secret, tu me le **payeras,*** je me vengerai.
■ **payable** adj. SENS 1 *Vos achats sont **payables** à la sortie,* ils doivent être payés.
■ **payant, e** adj. **1.** SENS 1 *Ce spectacle est **payant** (≠ gratuit).* **2.** *C'est une affaire **payante,*** qui rapporte de l'argent (= rentable).
■ **paye** ou **paie** n.f. SENS 2 *M. Durand touche sa **paye** à la fin du mois,* il est payé de son travail (= salaire).
■ **paiement** n.m. SENS 2 *Mme Dubois fait ses **paiements** par chèques,* elle paie (= versement).
■ **payeur, euse** n. SENS 2 *M. Dupont est un mauvais **payeur,*** il ne paie pas ce qu'il doit.
■ **impayé, e** adj. SENS 2 *Plusieurs factures sont restées **impayées,*** elles n'ont pas été payées.
R. → Conj. n° 4. → **paix.**

pays n.m. **1.** *La France est un **pays** d'Europe* (= nation, territoire). *Tout le **pays** a été marqué par la mort du Premier ministre,* les habitants. **2.** *La Colombie britannique est un **pays** de montagnes* (= région). **3.** *Il aime le sucre de **pays,*** le sucre d'érable.

paysage n.m. *De la colline, on découvre un beau **paysage,*** une vue d'ensemble sur la région.
■ **paysagiste** n. **1.** *Un **paysagiste** est un spécialiste en aménagement de jardins.* **2.** *Ce peintre est un **paysagiste,*** il ne peint que des paysages.

paysan, e n. et adj. *J'ai passé mes vacances chez des **paysans**,* des gens qui travaillent la terre (= cultivateur, agriculteur). *Les luttes **paysannes**,* des paysans.

■ **paysannerie** n.f. *La **paysannerie** est* l'ensemble des paysans.

P.-D.G. n.inv. *P.-D.G.* est l'abréviation de président-directeur général.

péage n.m. **1.** *Nous avons pris une autoroute à **péage**,* sur laquelle il faut payer. **2.** *Il y avait beaucoup de monde au **péage** de l'autoroute,* à l'endroit où l'on paie.

peau n.f. **1.** *Tu as la **peau** brunie par le soleil.* **2.** *Ce chien **n'a que la peau sur les os**,* il est très maigre, *Carole **est bien dans sa peau**,* elle est heureuse, épanouie. **3.** *Mme Durand a un manteau en **peau** de mouton* (= cuir). **4.** *Avant de manger cette pêche, enlève la **peau**,* l'enveloppe extérieure. **5.** *Marie déteste la **peau** du lait,* la couche qui se forme à la surface du lait bouilli.

■ **peler** v. SENS 1 *Après son coup de soleil, son dos **a pelé**,* la peau est partie. SENS 4 *Jean **a pelé** son orange avec un couteau,* il a enlevé la peau (= éplucher).

■ **pelé, e** adj. SENS 3 *Ce chien a le cou **pelé**,* sans poils.

■ **pellicule** n.f. SENS 1 *J'ai des **pellicules** dans les cheveux,* des petits morceaux de peau desséchée. SENS 4 *Les grains de raisin sont recouverts d'une **pellicule**,* d'une peau très mince. **2.** *Maria a mis une **pellicule** dans son appareil photo,* un film.

■ **pelure** n.f. SENS 4 *Jette à la poubelle ces **pelures** de pommes de terre* (= épluchure).

R. *Peau se prononce* [po] *comme* pot. *Peler* → *conj. n° 5.* → ***pelle**.*

peccadille n.f. *Marie a été grondée pour une **peccadille**,* une très petite faute.

1. pêche n.f. *Cette **pêche** est très juteuse,* un fruit.

■ **pêcher** n.m. *M. Dupont a un **pêcher** dans son jardin,* un arbre qui donne des pêches.

R. → *péché.*

2. pêche n.f. *Jessica va à la **pêche** tous les dimanches,* elle va essayer de prendre du poisson. *Elle a fait une bonne **pêche** aujourd'hui,* elle a pris beaucoup de poissons.   728, 721

■ **pêcher** v. *M. Durand **a pêché** deux truites,* il les a prises.

■ **pêcheur, euse** n. *Des **pêcheuses** à la ligne sont assises au bord de l'eau,* des personnes qui pêchent.   723, 721

■ **repêcher** v. **1.** *On a **repêché** un noyé,* on l'a retiré de l'eau. **2.** *Pierre **a été repêché** à l'examen,* il a été reçu malgré des notes insuffisantes.

R. → *péché.*

péché n.m. *L'orgueil, la colère, la paresse sont des **péchés**,* des fautes selon la religion.

■ **pécher** v. *Yaelle **a péché** par ignorance,* elle a commis une faute.

■ **pécheur, pècheresse** n. *Les **pécheurs** doivent se repentir,* ceux qui ont péché.

R. Ne pas confondre *pêcher* et *pécher, pêcheur* et *pécheur.* (→ ***pêche** 1 et 2.*)

pécher → *péché.*

pêcher → *pêche 1 et 2.*

pécheur → *péché.*

pêcheur → *pêche 2.*

pécore n.f. *Ne t'en laisse pas imposer par cette **pécore** !,* cette fille sotte et prétentieuse.

pectoral, e, aux adj. et n.m. *Tu as des (muscles) **pectoraux** très forts,* des muscles de la poitrine.

pécule n.m. *On a amassé un petit **pécule**,* on a épargné une petite somme d'argent.

pécuniaire adj. *Nous avons des ennuis **pécuniaires**,* d'argent.

■ **pécuniairement** adv. *Je peux vous aider **pécuniairement**,* en ce qui concerne l'argent (= financièrement).

pédagogie n.f. La *pédagogie* est la science de l'éducation des enfants.

■ **pédagogique** adj. *Dans cette classe, on essaie de nouvelles méthodes pédagogiques,* d'enseignement.

■ **pédagogue** n. *Ce professeur est un bon pédagogue,* il enseigne bien.

148, 505, 512

pédale n.f. 1. *La pédale d'embrayage est à gauche,* le levier manœuvré avec le pied. 2. Fam. *À l'examen, j'ai perdu les pédales,* je ne savais plus ce que je faisais.

■ **pédaler** v. SENS 1 *Marie essayait de pédaler plus vite,* de manœuvrer les pédales de sa bicyclette.

■ **pédalier** n.m. SENS 1 *Le pédalier d'une bicyclette* est le mécanisme actionné par les pédales.

723

■ **pédalo** n.m. SENS 1 *Un pédalo* est une embarcation à pédales montée sur des flotteurs.

R. *Pédalo* est un nom de marque.

pédant, e adj. et n. *Jacques a pris un ton pédant pour me répondre ; c'est un pédant* (= prétentieux).

■ **pédantisme** n.m. *Son pédantisme m'agace,* ses manières pédantes (≠ simplicité).

pédestre → *pied.*

pédiatre n. *Une pédiatre est un médecin spécialiste des enfants.*

pédicure n. *Ruth s'est fait enlever un cor au pied par un pédicure,* un spécialiste des soins des pieds.

pedigree n.m. *Ce chien a un bon pedigree,* il est de bonne race.

R. On prononce [pedigre] ou [pedigri].

pègre n.f. *Ce café est fréquenté par des gens de la pègre,* des voleurs et des bandits.

79

peigne n.m. 1. *Pierre se donne un coup de peigne dans les cheveux avant de sortir.* 2. *Les policiers ont passé le quartier au peigne fin,* ils l'ont examiné en détail.

■ **peigner** v. SENS 1 *Marie se peigne de-*

vant la glace, *elle arrange ses cheveux avec un peigne* (= se coiffer).

■ **dépeigner** v. SENS 1 *Le vent m'a dépeignée* (= décoiffer).

peignoir n.m. *En sortant du bain, Julie met un peignoir,* un vêtement en tissu-éponge.

peindre v. 1. *On a peint en jaune les murs de la chambre,* on les a recouverts d'une matière colorante. 2. *Connais-tu l'artiste qui a peint ce tableau ?,* qui l'a fait.

■ **peintre** n. SENS 1 *M. Durand est peintre en bâtiment,* il peint les murs. SENS 2 *Léonard de Vinci fut un grand peintre,* un artiste peignant des tableaux.

■ **peinture** n.f. 1. SENS 1 ET 2 *Il aimerait apprendre la peinture,* la technique pour peindre. *On a acheté des pots de peinture,* de couleur pour peindre. SENS 2 *Nous avons visité une exposition de peinture moderne,* de tableaux. 2. Fam. *Je ne peux pas le voir en peinture,* je ne peux pas le supporter.

■ **peinturer** v. *Nous avons peinturé ma bibliothèque,* recouverte de peinture.

■ **peinturlurer** v. SENS 1 Fam. *Mary se promène dans une vieille voiture, toute peinturlurée,* barbouillée de peinture.

■ **pictural, e, aux** adj. SENS 2 *L'art pictural* est l'art de la peinture.

■ **repeindre** v. SENS 1 *On a repeint la salle de bains.*

R. *Peindre* → conj. n° 55. → *pain.*

peine n.f. 1. *Jean a de la peine à se lever le matin,* il le fait difficilement, avec effort (= mal). 2. *Il n'est que 8 heures, ce n'est pas la peine de se presser,* ce n'est pas utile. *Je ne le retrouverai pas, c'est peine perdue,* c'est inutile. 3. *La mort de Jeanne nous a causé beaucoup de peine* (= chagrin, douleur ; ≠ plaisir). 4. *L'accusé a été condamné à une peine de prison,* à subir cette punition. *Affichage interdit, sous peine d'amende,* sinon vous risquez d'avoir une amende. 5. *On y voit à peine,* presque pas, très peu. 6. *Ne soyez pas (ne vous mettez pas) en peine pour si peu,* ne vous inquiétez pas.

■ **peiner** v. SENS 1 *Les coureurs peinaient dans la côte,* ils faisaient des efforts. SENS 3 *Cette nouvelle nous a beaucoup peinés* (= attrister ; ≠ réjouir).

■ **pénal, e, aux** adj. SENS 4 *Le Code pénal* fixe les peines applicables quand on enfreint la loi.

■ **pénaliser** v. SENS 4 *Ce joueur de tennis a été pénalisé pour avoir insulté l'arbitre* (= sanctionner, punir).

■ **pénalité** n.f. SENS 4 *Ceux qui font cela s'exposent à des pénalités* (= sanction, punition).

■ **pénible** adj. SENS 1 *Vous faites un travail pénible,* difficile et fatigant. *Serge a un caractère pénible,* difficile à supporter. SENS 3 *Maria m'a aidé dans cette période pénible* (= triste, douloureux).

■ **péniblement** adv. SENS 1 *Mon grand-père marche péniblement,* avec peine.

R. *Peine* se prononce [pɛn] comme *pêne* et *penne.*

peintre, peinture, peinturlurer → **peindre.**

péjoratif, ive adj. *« Chauffard » est un mot péjoratif,* il exprime une idée défavorable.

pelage n.m. *Ce chat a un beau pelage* (= poil).

pelé → *peau.*

pêle-mêle → *mêler.*

peler → *peau.*

pèlerinage n.m. *Lourdes est un lieu de pèlerinage célèbre,* on y va dans un but religieux.

■ **pèlerin** n.m. *À Pâques, il y avait beaucoup de pèlerins à Sainte-Anne de Beaupré,* de personnes venues en pèlerinage.

pèlerine n.f. *Une pèlerine est un manteau sans manches.*

pélican n.m. *Les pélicans sont des oiseaux avec un gros bec,* où ils mettent de la nourriture en réserve pour leurs petits.

pelisse n.f. *M. Vladimir a une pelisse à col de mouton,* un manteau fourré.

pelle n.f. *Les ouvriers déchargent le camion de sable avec des pelles,* des outils à long manche.   723, 150

■ **pelletée** n.f. *Mets une pelletée de charbon dans le feu,* le contenu d'une pelle.

■ **pelleter** v. *Il faudrait pelleter ce tas de terre,* le déplacer avec des pelles.

■ **pelleteuse** n.f. *Une pelleteuse est une machine qui sert à pelleter la terre.*   151

R. *Pelle* se prononce [pɛl] comme *[je] pèle* (de *peler*). *Pelleter* → conj. n° 8.

pellicule → *peau.*

pelote n.f. 1. *J'ai acheté une pelote de laine,* de la laine roulée en boule. 2. *Les élèves se lancent des pelotes de neige,* des boules (= motte). 3. *Maïka m'apprend à jouer à la pelote basque,* un sport où les joueurs envoient une balle contre un mur (le *fronton*), puis la rattrapent.   296

peloton n.m. 1. *Un coureur s'est échappé du peloton,* du groupe formé par les autres coureurs. 2. *Un peloton de soldats monte la garde* (= groupe).   512

se pelotonner v. *Le chat s'est pelotonné dans le fauteuil,* il s'est roulé sur lui-même.

pelouse n.f. *Il est interdit de marcher sur la pelouse,* sur le terrain couvert de gazon.   73, 75

peluche n.f. 1. *Le bébé joue avec son ours en peluche,* un ours fait d'une sorte d'étoffe épaisse et douce. 2. *Ma petite sœur a eu une peluche pour Noël,* un animal en peluche. 3. *Son torchon nettoie mal, il laisse des peluches,* des petits résidus de tissu.

■ **pelucheux, euse** adj. SENS 3 *Ce torchon est pelucheux,* poilu et duveteux.

pelure → *peau.*

pénal, pénaliser, pénalité → *peine.*

pénates n.m.pl. *Nous allons rejoindre nos pénates,* rentrer chez nous.

penaud, e adj. *Pris en faute, Jean était tout penaud* (= honteux, confus ; ≠ fier).

penchant n.m. *Pierre a un penchant à la paresse,* il a tendance à être paresseux. *Benoît a un certain penchant pour moi,* il est attiré par moi.

pencher v. **1.** *Regarde l'arbre comme il penche !,* il est incliné, oblique. **2.** *Ne te penche pas par la fenêtre* (= s'incliner, se baisser). **3.** *On va se pencher sur ce problème,* on va l'examiner, l'étudier.

pendable adj. *Tu m'as joué un tour pendable,* un mauvais tour.

pendaison → *pendre.*

1. pendant → *pendre.*

835 **2. pendant 1.** prép. indique le moment où se passe une action : *Il est arrivé pendant la nuit.* **2.** conj. *Je suis partie pendant qu'il dormait* (= alors que, tandis que).

pendre v. **1.** *Des fruits pendent aux branches de l'arbre,* sont suspendus. *Ses longs cheveux lui pendent dans le dos,* retombent dans son dos. **2.** *Laura a pendu son manteau* (= accrocher, suspendre). **3.** *Autrefois, on pendait les condamnés à mort,* on les suspendait par le cou. **4.** Fam. *Patricia est sans cesse pendue au téléphone,* elle téléphone tout le temps.
■ **pendaison** n.f. SENS 3 *Elle est morte par pendaison,* on l'a pendue ou elle s'est pendue.
■ **pendant, e** adj. SENS 1 *Le chien a la langue pendante,* qui pend.
■ **pendant** n.m. SENS 1 *Ce sont de jolis pendants d'oreilles* (= boucles d'oreilles).
■ **pendentif** n.f. SENS 1 *On m'a offert un pendentif en argent,* un bijou suspendu à une chaîne.
■ **penderie** n.f. SENS 2 *Une penderie est un placard où l'on pend des vêtements.*
■ **pendu, e** n. SENS 3 *Cette histoire de pendu est horrible,* de personne qu'on a pendue ou qui s'est pendue.
R. → Conj. n° 50. → *pan.*

1. pendule n.m. *Certains recherchent des sources au moyen d'un pendule,* un poids suspendu à un fil.
■ **pendulaire** adj. *Une balançoire a un mouvement pendulaire,* elle oscille de part et d'autre de la verticale.

2. pendule n.f. *La pendule s'est arrêtée, il faut la remonter,* une sorte de petite horloge.
■ **pendulette** n.f. *Grand-mère a une pendulette auprès de son lit,* une petite pendule.

pêne n.m. *Le pêne d'une serrure,* c'est la partie qui sert à la bloquer.
R. → *peine.*

pénétrer v. **1.** *Il est interdit de pénétrer dans cette pièce,* d'entrer dedans. **2.** *Je n'ai pas réussi à pénétrer ses intentions,* à les comprendre.
■ **pénétrant, e** adj. SENS 2 *Tu as un regard pénétrant, un esprit pénétrant* (= perçant, clairvoyant).
■ **pénétration** n.f. SENS 2 *Tu as montré beaucoup de pénétration,* de facilité à comprendre (= intelligence).
■ **pénétré, e** adj. *Pierre est pénétré de son importance,* il a le sentiment d'être important (= convaincu, imprégné).
■ **impénétrable** adj. SENS 1 *Cette forteressse est impénétrable,* on ne peut y entrer. SENS 2 *Marie a eu un sourire impénétrable,* qui ne permet pas de comprendre ce qu'elle pense (= mystérieux).

pénible, péniblement → *peine.*

péniche n.f. *Les péniches servent à transporter les marchandises sur les fleuves et les canaux,* de longs bateaux.

péninsule n.f. *La Gaspésie forme une péninsule,* une grande presqu'île.

pénitence n.f. **1.** *Pour faire pénitence, un chrétien doit se repentir de ses fautes.* **2.** *Tu as encore cassé un verre ! Comme pénitence, tu vas ramasser tous les morceaux,* pour ta peine (= punition).
■ **pénitencier** n.m. SENS 2 *Un pénitencier est une prison, un bagne.*

77

■ **pénitent, e** n. SENS 1 Une *pénitente* est une personne qui va se confesser pour recevoir l'absolution.

■ **pénitentiaire** adj. SENS 2 *L'organisation pénitentiaire,* c'est l'organisation des prisons.

■ **impénitent, e** adj. SENS 1 *Pierre est un menteur impénitent,* il continue à mentir sans se repentir.

penne n.f. *Les pennes d'un oiseau* sont les longues plumes de ses ailes et de sa queue.

R. → *peine.*

pénombre n.f. *La chambre est dans la pénombre,* la lumière y est faible.

pense-bête → *penser.*

1. pensée → *penser.*

2. pensée n.f. Les *pensées* sont des fleurs ressemblant un peu à des violettes.

penser v. **1.** *On ne sait si les animaux pensent,* s'ils forment des idées dans leur esprit (= réfléchir). **2.** *Je pense que tu as raison,* c'est mon idée, mon opinion (= croire). **3.** *Je pense souvent à toi,* je ne t'oublie pas (= songer). **4.** *Marie pense venir demain,* elle en a l'intention (= compter).

■ **pensant, e** adj. SENS 1 *Je suis un être pensant,* qui pense.

■ **pense-bête** n.m. Fam. SENS 3 *Faire un nœud à son mouchoir me sert de pense-bête,* d'indication pour me faire penser à quelque chose. *On a mis un pense-bête au mur de la cuisine,* un papier sur lequel on note ce qu'on a à faire.

■ **pensée** n.f. SENS 1 *Cela m'est venu à la pensée* (= esprit). SENS 2 *Sarah m'a confié ses pensées* (= idée, opinion).

■ **penseur** n.m. **1.** SENS 1 *Einstein fut un grand penseur,* un homme très intelligent. **2.** *Les libres penseurs pensent que Dieu n'existe pas.*

■ **pensif, ive** adj. SENS 1 *Pia me regarde d'un air pensif,* elle a l'air de réfléchir (= songeur).

■ **arrière-pensée** n.f. SENS 2 *En faisant cela, vous aviez des arrière-pensées,* des idées cachées.

■ **impensable** adj. SENS 2 *Ce que tu me dis est impensable* (= incroyable, inconcevable, inimaginable).

■ **repenser** v. SENS 1 *Tout ce projet doit être repensé,* être examiné d'un point de vue nouveau (= revoir, reconsidérer).

R. Noter le pluriel : des *pense-bêtes.*

→ *panser.*

pension n.f. **1.** *Quel est le tarif de la pension complète dans cet hôtel ?,* de la chambre et des deux repas. *J'aime bien loger dans les pensions de famille,* une sorte d'hôtel familial. **2.** *Ses parents l'ont mis en pension,* dans une école où les élèves sont logés et nourris. **3.** *Ma grand-mère touche une pension de retraite,* une somme d'argent (= allocation).

■ **pensionnaire** n. SENS 1 *Les pensionnaires de l'hôtel sont très satisfaits,* les gens qui y sont en pension. SENS 2 *Dominique est pensionnaire dans cette école* (= interne).

■ **pensionnat** n.m. SENS 2 *Je suis élève dans un pensionnat,* une école qui reçoit des pensionnaires (= internat).

■ **pensionner** v. SENS 1 *Il a pensionné à l'hôtel pendant deux ans,* il a été logé et nourri. SENS 3 *Mon grand-père est pensionné par le gouvernement,* il en reçoit une pension.

■ **demi-pension** n.f. SENS 1 **1.** *Nous sommes en demi-pension dans cet hôtel,* nous n'y prenons qu'un repas par jour. **2.** *Au collège, Carole est inscrite à la demi-pension,* elle déjeune à l'école.

■ **demi-pensionnaire** n. SENS 1 *Les demi-pensionnaires sont priés d'apporter leur serviette de table à l'école,* les élèves qui y prennent leur repas de midi.

R. Noter le pluriel : des *demi-pensions.*

pensum n.m. *Ce devoir, quel pensum !,* quel travail ennuyeux !

R. On prononce [pɛ̃sɔm].

pentagone n.m. Un *pentagone* est une figure géométrique à cinq côtés.

R. On prononce [pɛ̃tagɔn].

385

pente n.f. **1.** *La route est en pente,* elle est inclinée, elle monte (ou descend). *Les skieurs dévalent la pente. La pente est raide* (= côte). **2.** *Sylvie est sur la mauvaise pente,* elle se laisse aller à faire des bêtises. **3.** *J'ai eu du mal à remonter la pente,* à me remettre, à aller mieux.

Pentecôte n.f. *Chez les chrétiens, la fête de la Pentecôte est célébrée cinquante jours après Pâques.*

pénurie n.f. *Il y avait une pénurie de pétrole,* on en manquait (≠ abondance).

pépier v. *Les moineaux pépient sur le balcon,* ils poussent leurs petits cris.

pépin n.m. **1.** *Les pommes et les poires ont des pépins,* des petites graines. **2.** Fam. *Georges a encore des pépins avec son ordinateur,* des ennuis.

pépinière n.f. *Dans une pépinière, on fait pousser des arbres jeunes.*
■ **pépiniériste** n. *Nous avons acheté des plants de rosiers chez une pépiniériste.*

pépite n.f. *Le chercheur d'or a trouvé une pépite,* un morceau d'or pur.

440, 804

péplum n.m. Chez les Romains, le *péplum* était un vêtement féminin.
R. On prononce [peplɔm].

péquiste n. et adj. *Les péquistes préparent la campagne électorale,* les membres et les partisans du parti québécois. *Le gouvernement péquiste a fait voter plusieurs lois importantes.*

percepteur, perceptible, perception → *percevoir.*

percer v. **1.** *On a percé le mur pour faire une fenêtre,* on y a fait un trou. **2.** *Ce bruit nous perce les oreilles,* il est très aigu (= déchirer). **3.** *On n'a pas réussi à percer le mystère* (= comprendre, pénétrer). **4.** *Le bébé a sa première dent qui perce,* qui pousse, qui commence à sortir de la gencive.
■ **perçant, e** adj. **1.** SENS 2 *Ce sifflet pro-*

duit un son *perçant* (= aigu). **2.** *Le lynx a une vue perçante,* il voit au loin.
■ **percée** n.f. **1.** SENS 1 *Le chemin fait une percée dans la forêt* (= ouverture, trouée). **2.** *Le joueur a réussi une belle percée,* il a franchi la défense adverse. **3.** *Ce chanteur a fait une percée,* il s'est fait connaître très rapidement.
■ **perceuse** n.f. SENS 1 *Une perceuse est un outil pour faire des trous.*
■ **perce-neige** n.m. ou f.inv. SENS 1 *Le perce-neige est une fleur qui pousse à travers la neige.*
■ **perce-oreille** n.m. *En juin, il y a beaucoup de perce-oreilles dans la cuisine,* des petits insectes qui ont une paire de pinces à l'abdomen.
■ **transpercer** v. SENS 1 ET 2 *La pluie a transpercé la toile de tente* (= traverser). *La balle a transpercé l'animal,* elle est passée au travers de son corps.

percevoir v. **1.** *Je perçois les battements de ton cœur,* je les sens. **2.** *L'État perçoit des taxes sur l'essence,* il les reçoit.
■ **percepteur, trice** n. SENS 2 *Le percepteur est chargé de percevoir les impôts.*
■ **perceptible** adj. SENS 1 *Le bateau n'est plus perceptible à l'œil nu* (= visible).
■ **perception** n.f. SENS 1 *Les yeux, les oreilles, le nez sont des organes de la perception,* des sens. SENS 2 *Mme Truong est allée payer ses impôts à la perception,* au bureau du percepteur.
■ **imperceptible** adj. SENS 1 *Il y a une différence imperceptible entre ces deux couleurs* (= insensible, minime, infime).
■ **imperceptiblement** adv. SENS 1 *La fissure s'est élargie imperceptiblement,* un tout petit peu.
R. → Conj. n° 34. → *précepteur.*

perchaude → *perche 2.*

1. perche n.f. **1.** *Je pratique le saut à la perche,* avec un long bâton. **2.** *Par sa question, le journaliste lui a tendu la perche,* il l'a aidé à sortir d'embarras.
■ **perchiste** n. SENS 1 *Norma est perchiste,* elle fait du saut à la perche.

2. perche n.f. La *perche* est un poisson d'eau douce.

■ **perchaude** n.f. La *perchaude* est la perche canadienne.

percher v. *Le moineau est allé se percher sur la branche* (= se poser). *Il y a une maison* **perchée** *sur le haut de la montagne,* placée à un endroit élevé.

■ **perchoir** n.m. *Les poules dorment sur un* **perchoir,** un endroit où elles se perchent.

perchiste → *perche* 1.

perclus, e adj. *Mon grand-père est* **perclus** *de rhumatismes,* immobilisé par ceux-ci.

percuter v. *La voiture a percuté (contre) un mur,* elle l'a heurté violemment.

■ **percutant, e** adj. *C'est cet argument* **percutant** *qui a emporté la décision* (= frappant, convaincant, péremptoire).

■ **percussion** n.f. *Le tambour, les cymbales sont des instruments à* **percussion,** on en joue en les frappant.

■ **percussionniste** n. *Denis est un excellent* **percussionniste,** il joue très bien d'un instrument à percussion.

perdre v. 1. *Jean a* **perdu** *son stylo,* il ne l'a plus (≠ retrouver). 2. *Notre équipe a* **perdu** *(le match),* elle a été vaincue (≠ gagner). 3. *Yasmina vient de* **perdre** *son père,* celui-ci est mort. 4. *En restant ici, on* **perd** *son temps,* on ne l'utilise pas bien (= gaspiller). 5. *Paul a* **perdu** *de l'argent à la Bourse,* il a cessé de l'avoir (≠ gagner). 6. *Ils ont attendu longtemps, mais ils n'ont pas* **perdu** *patience,* ils n'ont pas cessé d'être patients. 7. *Nous* **nous sommes perdus** *dans la forêt,* nous n'avons pas trouvé le bon chemin (= s'égarer). 8. *Tu m'as fait* **perdre le fil de mes idées,** je ne sais plus ce que je disais. 9. *Tu vas voir,* **tu ne perds rien pour attendre,** tu auras la punition que tu mérites.

■ **perdant, e** adj. et n. SENS 2 ET 5 *Dans cette affaire, nous avons été* **perdants** (≠ gagnant).

■ **perdition** n.f. SENS 3 *Le navire est* **en perdition,** il va faire naufrage.

■ **perdu, e** adj. SENS 3 *Le malade est* **perdu,** il va mourir. SENS 6 *J'habite dans un village* **perdu,** difficile à atteindre.

■ **perte** n.f. 1. SENS 1 *Lori est désolée par la* **perte** *de son stylo.* SENS 3 *L'ennemi a eu de nombreuses* **pertes,** des soldats tués. SENS 4 *Ce commerce fonctionne à* **perte,** il perd de l'argent (≠ gain). *Tout ce travail a été fait* **en pure perte,** sans profit, pour rien. 2. *Ce champ s'étend* **à perte de vue,** aussi loin qu'il est possible de voir.

■ **déperdition** n.f. SENS 1 ET 4 *On a posé un double vitrage pour éviter une* **déperdition** *de chaleur* (= perte).

R. → Conj. n° 52. → *pair* 1.

perdrix n.f. *La chasseuse a abattu une* **perdrix** *qui s'envolait,* un oiseau gris.

■ **perdreau** n.m. *Un* **perdreau** *est une jeune perdrix.*

perdu → *perdre.*

père n.m. 1. *M. Durand est* **père** *de trois enfants.* 2. *Graham Bell est le* **père** *du téléphone,* il l'a inventé. 3. *J'ai rencontré le* **père** *François,* un vieil homme nommé François. 4. *On dit « mon* **père** *» à certains religieux.*

■ **paternel, elle** adj. SENS 1 *Le professeur a eu pour Jean des paroles* **paternelles,** dignes d'un père (= gentil).

■ **paternellement** adv. SENS 1 *Cet homme accueille* **paternellement** *les enfants réfugiés,* avec la bienveillance d'un père.

■ **paternalisme** n.m. SENS 1 *Cette directrice traite ses employés avec* **paternalisme,** elle se montre bienveillante pour renforcer son autorité.

■ **paternité** n.f. SENS 1 *Pierre est en congé de* **paternité,** il ne travaille pas car sa femme a eu un bébé. SENS 2 *Qui a la* **paternité** *de ce projet ?,* qui en est l'auteur ?

R. → *pair* 1.

pérégrination n.f. *Marie m'a raconté ses* **pérégrinations,** ses déplacements, ses voyages.

péremptoire adj. *Tu m'as répondu d'un ton péremptoire,* sans réplique (= tranchant).

perfection, perfectionnement, perfectionner → *parfait.*

perfide adj. *On a été victime d'une machination perfide* (= déloyal).
■ **perfidie** n.f. *On lui a reproché sa perfidie* (= fourberie, traîtrise).

perforer v. *Cette machine perfore automatiquement les billets,* elle y fait un trou.
■ **perforateur** n.m. ou **perforatrice** n.f. *Avec un perforateur, on peut faire des trous sur le bord d'une feuille de papier pour pouvoir la classer ensuite.*
■ **perforation** n.f. *Il est mort d'une perforation intestinale,* quelque chose lui a percé l'intestin.

performance n.f. *La nageuse a battu le record, c'est une belle performance* (= résultat, exploit). *La skieuse a réussi la meilleure performance,* le meilleur résultat en compétition.
■ **contre-performance** n.f. *Le sauteur n'a pas égalé son précédent record : cette contre-performance est due à une fatigue passagère* (= échec).

perfusion n.f. *On a fait une perfusion de sang à la malade,* on a fait passer du sang dans son corps à l'aide d'un appareil spécial.

pergola n.f. *Nous avons mangé sous la pergola,* sous un petit abri dans le jardin.

péricliter v. *L'économie de ce pays est en train de péricliter,* elle va à la ruine (≠ prospérer).

péril n.m. *La tempête a mis le navire en péril,* en danger. *Il est venu au péril de sa vie,* en risquant sa vie.
■ **périlleux, euse** adj. *Attention, le virage est périlleux !* (= dangereux). *Les acrobates font des sauts périlleux,* ils sautent en faisant des tours complets sur eux-mêmes.

périmé, e adj. *Ces billets de métro sont périmés,* ils ne sont plus valables.

périmètre n.m. *Le périmètre de mon jardin est de 100 mètres,* la somme de ses côtés, la longueur de son pourtour.

période n.f. *Cela s'est passé pendant la période des vacances* (= temps, durée).
■ **périodique** adj. *Marie a des crises périodiques de bronchite,* à intervalles plus ou moins réguliers.
■ **périodique** n.m. *Un périodique est un journal ou une revue qui paraît régulièrement.*
■ **périodiquement** adv. *Les hirondelles reviennent périodiquement* (= régulièrement).

péripétie n.f. *Notre voyage a été marqué par de nombreuses péripéties,* des événements imprévus.
R. On prononce [peripesi].

périphérie n.f. *La banlieue se trouve à la périphérie de la ville,* tout autour.
■ **périphérique** adj. et n.m. *Il y a un encombrement sur le (boulevard) périphérique,* celui qui fait le tour de la ville.

périphrase n.f. *« Le plus fidèle ami de l'homme » est une périphrase désignant le chien,* une expression, un groupe de mots.

périple n.m. *Les Durand ont fait un périple en Italie,* un long voyage.

périr v. *L'automobiliste a péri dans l'accident* (= mourir). *Un si beau souvenir ne peut pas périr* (= disparaître, mourir).
■ **périssable** adj. *On met les produits périssables au réfrigérateur,* ceux qui risquent de pourrir.
■ **impérissable** adj. *Cet écrivain a laissé une œuvre impérissable,* dont le souvenir ne peut pas disparaître.

périscope n.m. *Le périscope d'un sous-marin permet de regarder à la surface de la mer,* un appareil composé d'un tube et de miroirs.

périssable → *périr.*

293

périssoire n.f. Une *périssoire* est un long canot manœuvré à la pagaie.

péristyle n.m. *Les temples grecs étaient entourés d'un **péristyle**,* d'une galerie à colonnes.

perle n.f. **1.** *Admirez ce joli collier de **perles**,* de petites boules brillantes. **2.** *Ce tableau est la **perle** de ma collection,* une chose très précieuse.

■ **perler** v. SENS 1 *La sueur **perle** sur son front,* elle forme des gouttes.

■ **perlière** adj.f. SENS 1 *Dans les huîtres **perlières**, on trouve des perles précieuses.*

permanent, e adj. *Cette machine fait un bruit **permanent**,* qui ne cesse pas (= continu ; ≠ provisoire).

■ **permanente** n.f. *Marie est allée chez le coiffeur se faire faire une **permanente**,* un traitement qui donne une ondulation durable aux cheveux.

■ **permanence** n.f. **1.** *Le spectacle continue **en permanence**,* sans s'arrêter. **2.** *Un employé tient une **permanence** pour renseigner les visiteurs,* il reste à la même place.

perméable adj. *Un terrain sablonneux est **perméable**,* il laisse passer l'eau.

■ **perméabilité** n.f. *La **perméabilité** de ce tissu est parfaite,* le fait d'être perméable.

■ **imperméable** adj. et n.m. *La toile cirée est un tissu **imperméable**. Il pleut, prends ton **imperméable**,* ton manteau de pluie.

■ **imperméabiliser** v. *Je ne crains pas la pluie, mon blouson **a été imperméabilisé**,* il a été rendu imperméable par un traitement spécial.

■ **imperméabilité** n.f. *L'**imperméabilité** de la tente nous évitera d'être mouillés.*

permettre v. **1.** *Le médecin m'**a permis** de sortir,* il m'en a donné l'autorisation (≠ défendre, interdire). **2.** *Mon travail ne me **permet** pas de sortir,* il ne m'en donne pas la possibilité (≠ empêcher).

3. *Je **me permets** de vous faire une observation,* je prends cette liberté.

■ **permis** n.m. SENS 2 *Gita a passé son **permis** de conduire,* elle a le droit de conduire.

■ **permission** n.f. SENS 1 *Pierre est venu sans **permission*** (= autorisation).

■ **permissionnaire** n.m. SENS 1 *Un **permissionnaire** est un soldat qui a la permission de sortir de la caserne.* **R.** → Conj. n° 57.

permuter v. *En recopiant, Lori **a permuté** deux mots,* elle les a mis l'un à la place de l'autre (= intervertir).

■ **permutation** n.f. *« Gare » devient « rage » par la **permutation** de deux lettres.*

pernicieux, euse adj. *Dominique m'a donné des conseils **pernicieux*** (= mauvais, nuisible ; ≠ salutaire).

péroné n.m. *Le **péroné** est un os de la jambe.*

40

péronnelle n.f. Fam. *Jeanne est une petite **péronnelle**,* elle est sotte et prétentieuse.

pérorer v. *M. Durand **pérore** devant ses invités,* il parle d'une manière prétentieuse.

perpendiculaire adj. et n.f. *Deux lignes sont **perpendiculaires** quand elles se coupent à angle droit.*

385

■ **perpendiculairement** adv. *Les baguettes du cerf-volant sont placées **perpendiculairement**,* en angle droit.

perpétrer v. *L'accusé **avait perpétré** un crime horrible,* il l'avait commis.

perpétuel, elle adj. *Cette affaire nous a causé des ennuis **perpétuels**,* sans fin (= continuel, incessant, constant ; ≠ momentané).

■ **perpétuellement** adv. *Tu es **perpétuellement** triste* (= toujours, constamment).

■ **perpétuer** v. *__Perpétuer__ une tradition,* c'est la faire durer (= maintenir, poursuivre).

■**perpétuité** n.f. *L'accusé a été condamné à la prison à perpétuité,* pour toute sa vie.

perplexe adj. *Marie a l'air perplexe* (= inquiet, embarrassé).
■**perplexité** n.f. *Ta question nous a plongés dans une grande perplexité* (= embarras).

perquisition n.f. *La police a fait une perquisition chez la suspecte,* elle a fouillé son logement.
■**perquisitionner** v. *Le juge a ordonné de perquisitionner chez M. Duval* (= fouiller).

74 **perron** n.m. *Le perron d'une maison* est un petit escalier se terminant par une plate-forme sur laquelle donne la porte d'entrée.

581 **perroquet** n.m. **1.** *Les perroquets peuvent imiter la voix humaine,* des oiseaux très colorés. **2.** *Le perroquet est une des voiles d'un voilier.*
■**perruche** n.f. SENS 1 *Une perruche est un oiseau ressemblant à un perroquet,* mais plus petit.

805 **perruque** n.f. *Je porte une perruque blonde,* de faux cheveux.

persécuter v. *Jean est persécuté par ses camarades,* ceux-ci le tourmentent, le martyrisent.
■**persécuteur, trice** n. *Le chien a mordu ses persécuteurs.*
■**persécution** n.f. *Les premiers chrétiens furent victimes de persécutions,* de cruautés.

persévérer v. *Ne te décourage pas, persévère !,* continue ton action (= s'obstiner ; ≠ abandonner, renoncer).
■**persévérant, e** adj. *Elle a réussi grâce à un effort persévérant.*
■**persévérance** n.f. *Sa persévérance a été récompensée* (= ténacité, obstination).

74 **persienne** n.f. *La nuit tombe, il faut fermer les persiennes,* les volets.

persifler v. *Elle s'est permis de persifler son professeur,* de s'en moquer de façon ironique.

persil n.m. *M. Durand met du persil dans la salade de tomates,* une plante odorante.
R. On prononce [pɛrsi].

persister v. *Ruth persiste à penser qu'elle a raison* (= continuer, s'obstiner ; ≠ cesser). *Un malaise persiste entre nous,* demeure.
■**persistant, e** adj. *Le froid est persistant,* il continue (= durable, tenace). *Le pin et le sapin sont des arbres à feuilles persistantes* (≠ caduc).
■**persistance** n.f. *La radio annonce la persistance du mauvais temps* (≠ arrêt).

personne n.f. **1.** *Il y avait cinq personnes dans le compartiment,* cinq êtres humains (hommes ou femmes). **2.** *Il est venu en personne,* lui-même. **3.** *« Nous allons »* est une phrase à la première *personne du pluriel.*
■**personne** pron.indéfini SENS 1 *As-tu vu quelqu'un ? — Non, je n'ai vu personne,* aucun être humain.
■**personnage** n.m. SENS 1 *Cléopâtre est un personnage historique,* une personne importante. *Dans cette pièce de théâtre, il n'y a que trois personnages,* trois personnes imaginées par l'auteur.
■**personnalité** n.f. SENS 1 *Luce a une forte personnalité,* c'est une personne de caractère. *Le maire est une personnalité officielle,* une personne importante.
■**personnel, elle** adj. SENS 2 *Jean ne pense qu'à son intérêt personnel* (= individuel, privé ; ≠ commun). SENS 3 *L'indicatif est un mode personnel,* qui a des personnes.
■**personnel** n.m. SENS 1 *Cette usine engage du personnel,* des personnes pour y travailler.
■**personnellement** adv. SENS 2 *Je connais Marie personnellement,* en personne.

■**personnaliser** v. SENS 2 *Ces accessoires permettent de* **personnaliser** *votre voiture,* de lui donner un caractère personnel, distinctif.

■**personnifier** v. SENS 1 *Dans son tableau, le peintre a* **personnifié** *le printemps,* il l'a représenté par une personne.

■**impersonnel, elle** adj. SENS 1 *Tu parlais d'un ton* **impersonnel,** sans caractère (≠ original). SENS 3 *L'infinitif est un mode* **impersonnel,** sans personnes.

personne-ressource n.f. *Avant de rédiger son article en informatique, Marc consultera une* **personne-ressource,** un spécialiste du domaine (= expert).
R. Noter le pluriel : des *personnes-ressources.*

perspective n.f. **1.** *Cette maison est dessinée en* **perspective,** telle qu'elle apparaît aux yeux (≠ plan, schéma). **2.** *Tes* **perspectives** *de réussite sont faibles* (= espérance). *Louise a un contrat* **en perspective,** en vue.

perspicace adj. *Tu as deviné ? Tu es* **perspicace** (= clairvoyant, pénétrant).

■**perspicacité** n.f. *Ta réponse fait preuve de* **perspicacité,** de finesse d'esprit.

persuader v. *M. Durand nous a* **persuadés** *qu'il avait raison,* il nous a amenés à l'admettre (= convaincre).

■**persuasif, ive** adj. *M. Durand est un homme* **persuasif,** il sait persuader.

■**persuasion** n.f. *Tu as parlé avec une grande force de* **persuasion** (= conviction).

perte → perdre.

pertinent, e adj. *Bianca a posé une question* **pertinente,** qui montre son intelligence (= judicieux).

■**pertinemment** adv. *Je sais* **pertinemment** *que cette histoire est fausse,* de façon certaine.

perturber v. *Vous* **perturbez** *la classe en bavardant,* vous mettez du désordre (= troubler).

■**perturbateur, trice** n. *Les* **perturbateurs** *ont été expulsés de la salle.*

■**perturbation** n.f. *La grève des douaniers a causé des* **perturbations** *aux postes frontières* (= trouble, dérangement).

■**imperturbable** adj. *Zara est restée* **imperturbable,** *elle ne s'est pas troublée* (= calme ; ≠ ému).

■**imperturbablement** adv. *Il a poursuivi* **imperturbablement** *son discours malgré les protestations.*

pervenche n.f. *Les* **pervenches** *sont des petites fleurs bleues.* 654

pervers, e adj. *Une personne* **perverse** *aime faire le mal* (≠ bon).

■**perversité** n.f. *Tu as agi avec* **perversité** (= méchanceté).

■**pervertir** v. *Les mauvais exemples l'ont* **perverti,** ils l'ont poussé à faire le mal.

peser v. **1.** *Un litre d'eau* **pèse** *1 kg,* il a cette masse. **2.** *Le boulanger a* **pesé** *le pain sur sa balance,* il en a mesuré la masse. *Diane se* **pèse** *régulièrement,* elle mesure son poids. **3.** *Ce sac me* **pèse** *sur les épaules,* il est lourd (= appuyer). **4.** *Elle a longuement* **pesé** *sa décision,* elle a tout examiné avec attention. *Avant de se décider, il faut* **peser** *le pour et le contre,* examiner les avantages et les inconvénients. **5.** *Son mensonge lui* **pèse,** il est pénible à supporter. **6.** *Son intervention n'a guère* **pesé** *sur la décision,* n'a eu de l'importance, du poids.

■**pesage** n.m. SENS 2 *Avant la course, on procède au* **pesage** *des jockeys.*

■**pesamment** adv. SENS 3 *Tu marches* **pesamment** (= lourdement).

■**pesant, e** adj. SENS 1 *Tous les corps sont* **pesants,** ils ont une masse. SENS 3 *Je porte un sac* **pesant** (= lourd ; ≠ léger).

■**pesant** n.m. SENS 1 *Cette maison vaut son* **pesant** *d'or aujourd'hui,* elle a une grande valeur.

■**pesanteur** n.f. SENS 1 *La* **pesanteur** *est une force qui entraîne les corps*

292

vers le bas et qui fait qu'ils ont une masse.

■ **pesée** n.f. SENS 2 *On fait une **pesée** avec une balance,* on pèse les objets. SENS 3 *Line a exercé une **pesée** sur le levier,* elle a appuyé dessus (= poussée).

■ **pèse-lettre** n.m. SENS 2 *À la poste, le **pèse-lettre** sert à peser les lettres.*

■ **pèse-personne** n.m. SENS 2 *Tous les matins je monte sur le **pèse-personne**,* une petite balance pour se peser.

■ **apesanteur** n.f. SENS 1 *Les astronautes s'exercent en **apesanteur**,* dans un endroit sans pesanteur.

■ **s'appesantir** v. SENS 3 *Je ne veux pas m'**appesantir** sur ce sujet* (= appuyer, insister).

R. Attention : *s'appesantir* a deux *p, apesanteur* n'en a qu'un. Noter les pluriels : des *pèse-lettres,* des *pèse-personnes.*

peseta n.f. La *peseta* est la monnaie espagnole.
R. On prononce [pezeta].

pessimiste adj. et n. *M. Dupont est un (homme) **pessimiste**,* il pense que tout va mal (≠ optimiste).

■ **pessimisme** n.m. *Yaelle voit l'avenir avec **pessimisme**,* elle n'a pas confiance.

peste n.f. 1. *Autrefois, les épidémies de **peste** faisaient beaucoup de morts.* 2. *Marie est une petite **peste**,* elle est insupportable.

■ **pestiféré, e** n. SENS 1 *On le fuit comme un **pestiféré**,* comme on fuyait autrefois un malade de la peste.

pester v. *M. Durand **peste** contre le mauvais temps,* il parle avec colère (= jurer, grogner).

pesticide n.m. *Elle ne met pas de **pesticide** dans son jardin,* un produit chimique qui élimine les insectes nuisibles.

pestiféré → *peste.*

pestilentiel, elle adj. *Il y a ici une odeur **pestilentielle*** (= infect).

pet → *péter.*

pétale n.m. *Les marguerites ont des **pétales** blancs, les coquelicots ont des **pétales** rouges.*

pétanque n.f. *Ruth et Pierre font une partie de **pétanque**,* de jeu de boules.

pétarade n.f. *On entend dans la rue une **pétarade** de motos,* une suite de détonations.

■ **pétarader** v. *L'auto est partie en **pétaradant**.*

pétard n.m. *Pour s'amuser, les enfants font éclater des **pétards**,* des petites charges explosives.

péter v. Fam. *Ça sent mauvais : quelqu'un a **pété**,* a laissé échapper un gaz de son derrière.

■ **pet** n.m. Fam. *Lâcher un **pet**,* c'est péter.
R. *Pet* se prononce [pɛ].

pétiller v. 1. *Le feu **pétille** dans la cheminée,* il fait des petits bruits. 2. *Le champagne **pétille**,* il fait des petites bulles. 3. *Ses yeux **pétillent** d'impatience* (= briller).

petit, e adj. 1. *Jean est plus **petit** que Sonia,* sa taille est inférieure (≠ grand). 2. *Kathy est encore trop **petite** pour aller à l'école* (= jeune). 3. *Qu'est-ce qui fait ce **petit** bruit ?* (= faible, léger ; ≠ fort). 4. *M. Durand est un **petit** commerçant,* peu important (≠ gros). 5. Fam. *Quand on arrive en retard, mieux vaut se faire tout **petit** !,* s'efforcer de passer inaperçu. 6. *Il s'est fait levé au **petit** matin,* très tôt. 7. *C'est notre **petit** dernier,* l'enfant dernier né.

■ **petit, e** n. SENS 2 *Jeannot est dans la classe des **petits**,* des plus jeunes (≠ grand). *La chatte a eu des **petits**,* des chatons.

■ **petit à petit** adv. *L'eau s'est évaporée **petit à petit*** (= peu à peu, insensiblement).

■ **petitesse** n.f. SENS 1 ET 3 *Elle se plaint de la **petitesse** de son salaire* (= faiblesse).

■ **rapetisser** v. SENS 1 *Mon pantalon a*

rapetissé au lavage (= diminuer, rétrécir ; ≠ s'agrandir).

petit-beurre n.m. Les *petits-beurre* sont des petits biscuits plats faits de crème et de beurre.

petit-fils n.m., **petite-fille** n.f., **petits-enfants** n.m.pl. *M. Durand a trois petits-enfants : deux petits-fils et une petite-fille,* il est leur grand-père.

■ **arrière-petit-fils** n.m., **arrière-petite-fille** n.f., **arrière-petits-enfants** n.m.pl. *Les petits-enfants de M. Durand ont eu chacun un enfant, cet arrière-petit-fils et cette arrière-petite-fille sont ses arrière-petits-enfants.*

petit four → *four.*

pétition n.f. *Les employées ont signé une pétition pour l'augmentation des salaires,* une demande écrite.

petit-lait → *lait.*

petits-enfants → *petit-fils.*

petit-suisse n.m. Les *petits-suisses* sont des petits fromages blancs en forme de cylindre.

pétoncle n.m. Le *pétoncle* est un mollusque comestible.

pétrel n.m. Le *pétrel* est un oiseau marin.

pétrifier v. 1. *La sorcière a pétrifié la grenouille,* elle l'a changée en pierre. 2. *Kathy était pétrifiée par l'émotion,* elle ne bougeait plus (= immobiliser, figer).

pétrir v. *Le pâtissier pétrit la pâte pour faire sa tarte,* il la presse et la remue avec ses mains.

■ **pétrin** n.m. 1. *Un pétrin est un grand récipient où les boulangers pétrissent le pain.* 2. Fam. *Veux-tu m'aider ?, je suis dans le pétrin,* j'ai des ennuis.

pétrole n.m. *Le Canada importe beaucoup de pétrole,* un liquide qui sert de source d'énergie.

■ **pétrolier, ère** adj. et n.m. *L'essence, le mazout sont des produits pétroliers,* à base de pétrole. *Un pétrolier a fait naufrage,* un bateau transportant du pétrole.

■ **pétrolifère** adj. *Un puits pétrolifère contient du pétrole.*

pétulant, e adj. *Pierre est un garçon pétulant* (= vif, dynamique ; ≠ mou).

pétunia n.m. *Dominique a des pots de pétunias sur son balcon,* une sorte de fleur.

peu adv. 1. *Il y a peu d'élèves dans la classe* (≠ beaucoup). *Veux-tu un peu de pain ?,* un petit morceau. *Paul est peu attentif* (≠ très). 2. *Aimes-tu les carottes ? — Un peu* (≠ beaucoup). 3. *Peu à peu, tu fais des progrès* (= lentement, petit à petit). 4. *Nous arriverons sous peu,* très bientôt. 5. *Ton travail est à peu près correct,* presque correct.
R. *Peu se prononce* [pø] *comme* [je] *peux,* [il] *peut (de pouvoir).*

peuple n.m. 1. *Le peuple italien va voter dimanche,* l'ensemble des habitants du pays. 2. *M. Durand est issu du peuple,* de la partie la plus nombreuse et la moins riche de la population (≠ bourgeoisie).

■ **peuplade** n.f. SENS 1 *Une peuplade est un groupe de gens qui vivent en tribus.*

■ **peupler** v. SENS 1 *Cette région est peuplée par des émigrés* (= habiter).

■ **peuplement** n.m. SENS 1 *Le peuplement de ce pays est très faible,* le nombre des habitants.

■ **populace** n.f. SENS 2 *Populace est un terme de mépris pour parler du peuple.*

■ **populaire** adj. 1. SENS 2 *Les ouvriers et les paysans forment les classes populaires* (≠ bourgeois, privilégié). 2. *Ruth est très populaire dans sa classe,* elle est connue et aimée de tout le monde.

■ **populariser** v. SENS 2 *Les journaux ont popularisé son nom,* ils l'ont fait connaître très largement.

■ **popularité** n.f. *Ce parti politique a une grande popularité,* il est populaire (au sens 2) [= célébrité].

■ **population** n.f. SENS 1 *La population du Canada dépasse 25 millions d'habitants,* le nombre des habitants.

■ **populeux, euse** adj. SENS 1 *Nous habitons un quartier populeux, très peuplé.*

■ **dépeupler** v. SENS 1 *Les campagnes se dépeuplent, elles perdent leur population.*

■ **dépeuplement** n.m. ou **dépopulation** n.f. SENS 1 *Cette région souffre d'un grave dépeuplement, d'une diminution de sa population.*

■ **impopulaire** adj. SENS 2 *Ce pays a un gouvernement impopulaire, qui ne plaît pas à la majorité du peuple.*

■ **impopularité** n.f. SENS 2 *En annonçant ce nouvel impôt, le gouvernement savait qu'il s'exposait à l'impopularité.*

■ **repeupler** v. SENS 1 *Depuis la guerre, le pays s'est repeuplé, il s'est peuplé de nouveau.*

■ **sous-peuplé, e** adj. SENS 1 *Cette région est sous-peuplée, la population est insuffisante.*

■ **surpeuplé, e** adj. SENS 1 *Ils habitent un quartier surpeuplé, trop peuplé.*

■ **surpeuplement** n.m. ou **surpopulation** n.f. SENS 1 *On craint en l'an 2000 un surpeuplement de la Terre, une population trop nombreuse.*

655, 218

peuplier n.m. *Les arbres qui bordent cette route sont des peupliers.*

peur n.f. 1. *Jean a peur dans le noir, il est inquiet, effrayé. Tu m'as fait peur, tu m'as inquiété, effrayé. J'ai pu surmonter ma peur (= crainte).* 2. Fam. *Il adore conter des peurs, dire des blagues.* 3. Fam. *Souvent, il se réveille en peur, en sursaut.*

■ **peureux, euse** adj. *Cette chatte est peureuse (= craintif ; ≠ brave).*

■ **apeuré, e** adj. *Tu as eu un geste apeuré, causé par la peur.*

■ **épeurant, e** adj. *Ce masque est épeurant, il fait peur (= effrayant).*

peut-être adv. indique une possibilité : *Tu viendras ? — Peut-être.*

phalange n.f. *Linda s'est cassé une phalange du pouce, l'un des os.*

pharaon n.m. *Les pharaons étaient les rois de l'ancienne Égypte.*

phare n.m. 1. *Il y a un phare à l'entrée du port, une tour lumineuse pour guider les navires.* 2. *J'ai été ébloui par les phares d'une voiture, ses lumières placés à l'avant.*

R. *Phare se prononce [far] comme fard.*

pharmacie n.f. 1. *Je fais des études de pharmacie, j'apprends à connaître les médicaments.* 2. *Va à la pharmacie acheter des médicaments, à la boutique qui en vend.* 3. *Maman a fait un tri dans la pharmacie, l'armoire où l'on met les médicaments chez soi.*

■ **pharmacien, enne** n. *M. Dupont est pharmacien, c'est son métier.*

■ **pharmaceutique** adj. *L'aspirine est un produit pharmaceutique, un médicament.*

pharynx n.m. *Le pharynx se trouve au fond de la bouche (= gosier).*

phase n.f. 1. *Le combat s'est déroulé en plusieurs phases (= période).* 2. *Les phases de la Lune sont ses divers aspects (pleine lune, quartier).*

phénomène n.m. 1. *Les marées sont des phénomènes naturels, des faits naturels.* 2. Fam. *Dominique est un phénomène, un personnage bizarre, peu ordinaire.*

■ **phénoménal, e, aux** adj. SENS 2 *Tu es d'une force phénoménale (= extraordinaire).*

philanthrope n. *Cet hôpital a été fondé par une philanthrope, une personne généreuse.*

■ **philanthropie** n.f. *M. Dupont agit par philanthropie, par amour des autres hommes.*

philatélie n.f. *Je m'intéresse à la philatélie, à la collection des timbres.*

■ **philatéliste** n. *Je fais des échanges avec un autre philatéliste, un collectionneur de timbres.*

philosophale adj.f. *Les alchimistes du Moyen Âge cherchaient la pierre philosophale, une substance qui devait, pensaient-ils, transformer le plomb en or.*

philosophie n.f. **1.** La *philosophie* est une réflexion sur les grands problèmes de l'homme et de l'univers (Dieu, l'âme, le bien et le mal, etc.). **2.** *Claude supporte sa maladie avec philosophie,* avec calme et fermeté.

■ **philosophe** SENS 1 n. *Platon et Aristote sont de grands philosophes grecs.* SENS 2 adj. *Elle ne se plaint jamais, elle est très philosophe,* elle est résignée et courageuse.

■ **philosophique** adj. SENS 1 *On a acheté un ouvrage philosophique,* de philosophie.

philtre n.m. Un *philtre* est une boisson magique.
R. *Philtre* se prononce [filtr] comme *filtre.*

phlegmon n.m. Un *phlegmon* est une sorte d'abcès.

phobie n.f. *J'ai la phobie du feu,* une peur irraisonnée.

phonétique 1. n.f. La *phonétique* est l'étude scientifique des sons du langage. **2.** adj. *Les signes phonétiques servent à transcrire les sons.*

phono ou **phonographe** n.m. *Claude nous a passé des disques sur un vieux phono.*
R. Aujourd'hui, on dit *électrophone.*

phoque n.m. *Nous avons vu les phoques du zoo,* des animaux à fourrure venant des mers froides.

phosphate n.m. *Les phosphates sont de bons engrais,* des produits chimiques.

phosphore n.m. Le *phosphore* est un corps qui émet une lueur bleuâtre dans l'obscurité.

■ **phosphorescent, e** adj. *Dominique a une montre phosphorescente,* qui est lumineuse dans l'obscurité.

photo ou **photographie** n.f. **1.** *Pour faire de la photo, il faut un appareil contenant une pellicule sensible à la lumière.* **2.** *Claude regarde les photos des vacances* (= image, vue).

■ **photographe** n. *Rita est photographe,* elle fait de la photo.

■ **photographier** v. *Jean a photographié ses amis,* il les a pris en photo.

■ **photographique** adj. *J'ai acheté des pellicules photographiques pour mon appareil photographique (ou appareil photo).*

■ **photocopie** n.f. Une *photocopie* est une reproduction photographique d'un document.

■ **photocopier** v. *Faites photocopier ce certificat* (= reproduire).

■ **photocopieuse** n.f. La *photocopieuse* est l'appareil de photocopie.

■ **photogénique** adj. *Cette personne est très photogénique,* elle paraît toujours belle sur les photos.

photo-électrique adj. *Une cellule photo-électrique* sert à mesurer l'intensité de la lumière.

phrase n.f. *« Viendras-tu demain ? »* est une *phrase* interrogative, une suite de mots ayant un sens et finissant par un point.

phylloxéra n.m. Le *phylloxéra* est un insecte qui détruit la vigne.

physicien → *physique.*

physiologie n.f. La *physiologie* est la science qui étudie le fonctionnement des organes des êtres vivants.

■ **physiologique** adj. *Claude a des troubles physiologiques,* du corps.

physionomie n.f. **1.** *Marie a une physionomie intelligente,* un visage. **2.** *La physionomie de Montréal a beaucoup changé en trente ans* (= aspect).

■ **physionomiste** adj. SENS 1 *Pierre est très physionomiste,* il reconnaît bien les visages.

physique adj. **1.** *Le son, l'électricité, la lumière sont des phénomènes physiques,* de la nature. **2.** *Je ressentais une grande fatigue physique* (= corporel ; ≠ intellectuel ou moral). *Tous les matins, nous faisons de la culture physique,* de la gymnastique.

■**physique** n.f. SENS 1 La *physique* est la science qui étudie les lois de la nature.
■**physique** n.m. SENS 2 *Tu as un physique agréable,* une apparence extérieure (≠ esprit).
■**physiquement** adv. SENS 2 *Physiquement, il est très beau,* par son physique.
■**physicien, enne** n. SENS 1 *Les physiciens et les chimistes étudient la matière.*

piaffer v. 1. *Les chevaux piaffent* quand ils frappent le sol avec leur pied. 2. *Il avait hâte de te voir, il piaffait d'impatience,* il était très impatient.

piailler ou **piauler** v. 1. *Le poussin piaille,* il pousse son cri. 2. Fam. *Les enfants piaillent dans la cour,* ils poussent des cris.
■**piaillement** n.m. SENS 1 *On entend les piaillements des poules* (= cri).

piano n.m. *J'apprends à jouer du piano,* d'un instrument de musique à clavier.
■**pianiste** n. *Nous sommes allés écouter une grande pianiste.*
■**pianoter** v. *Qui pianote une valse ?,* qui la joue maladroitement.

piastre n.f. 1. *La piastre* est la monnaie de certains pays d'Orient. 2. *La piastre* est le nom familier du dollar au Canada français.

piauler → *piailler.*

pic n.m. 1. *Le maçon démolit le mur avec un pic,* un outil pointu. 2. *Les pics des Rocheuses apparaissent au loin,* les sommets pointus. 3. *Le pic frappe les troncs d'arbres de son bec pointu,* une sorte d'oiseau. 4. *La falaise tombe à pic dans la mer,* verticalement. 5. *La barque a coulé à pic,* elle est allée directement au fond. 6. Fam. *Pia est tombée à pic pour nous voir,* très bien (= à propos). 7. Fam. *Ce commis est à pic,* susceptible, irritable.
■**pivert** ou **picvert** n.m. SENS 3 *Le pivert* est un oiseau de la famille des pics.
R. *Pic* se prononce [pik] comme *pique* et [il] *pique* (de *piquer*).

pichenette n.f. *Tu lui as donné une pichenette sur le nez ?* (= chiquenaude).

pichet n.m. *On a bu un pichet de vin,* un petit broc.

pickpocket n.m. *Un pickpocket lui a volé son portefeuille,* un voleur habile. **R.** On prononce [pikpɔkɛt].

picorer v. 1. *Les moineaux picorent des miettes de pain,* ils les mangent en les piquant de leur bec. 2. *Elle a peu d'appétit, elle picore,* elle mange peu.

picosser v. Fam. *Mon grand-père aime bien picosser,* taquiner.

picote n.f. *A-t-il attrapé la petite picote* (= varicelle) *ou la grosse picote* (= variole) ?

picoter v. *Les yeux me picotent,* ils me piquent légèrement.
■**picotement** n.m. *Je sens un picotement sous les pieds* (= démangeaison).

picotin n.m. *Le cheval a eu son picotin d'avoine,* sa ration.

picouille n.f. *Quelle picouille !,* un cheval de peu de valeur.

pictural → *peindre.*

picvert → *pic.*

pie n.f. *Cette personne est bavarde comme une pie,* un oiseau noir et blanc.
■**pie** adj.inv. *Un cheval pie* est noir et blanc.

pièce n.f. 1. *Marie a un maillot de bain deux pièces,* formé de deux parties. 2. *Une pièce de bois, de tissu* est un morceau de bois, de tissu. *Le vase a été mis en pièces par le choc,* il a été brisé. *On a mis en pièces son projet* (= démolir). *Ce garçon est tout d'une pièce,* il est simple, sans façons. *Son programme est fait de pièces et de morceaux,* il manque d'unité, il est disparate. *Cette histoire est inventée de toutes pièces,* en totalité, sans aucun fondement dans la réalité. 3. *Le jeu d'échecs contient 32 pièces*

(= figurine). **4.** *Ces fruits coûtent 10 cents pièce,* chacun. **5.** *L'agent nous a demandé nos pièces d'identité* (= document, papier). **6.** *Nous habitons un appartement de quatre pièces,* de quatre chambres ou salles. **7.** *On m'a rendu la monnaie en pièces de 5 cents* (≠ billet). **8.** *J'ai une pièce à mon pantalon,* un morceau de tissu cousu. **9.** *Au théâtre, nous avons vu une pièce de Michel Tremblay* (= œuvre).

■ **piécette** n.f. SENS 7 *J'ai dans ma poche quelques piécettes de 5 cents,* des petites pièces.

■ **rapiécer** V. SENS 8 *Je porte des vêtements qu'on a rapiécés,* réparés avec des pièces.

pied n.m. **1.** *Claude s'est tordu le pied gauche en courant.* **2.** *On a fait 10 kilomètres à pied,* en marchant. **3.** *Un des pieds de la table est cassé,* une des parties par laquelle elle s'appuie sur le sol. **4.** *Nous nous sommes reposés au pied de la montagne,* en bas (= base). **5.** *Le pied est une ancienne mesure qui valait 12 pouces.* **6.** *L'alexandrin est un vers de 12 pieds* (= syllabe). **7.** *Un pied à coulisse* est un instrument qui sert à mesurer des objets. **8.** *Si tu t'écartes davantage du rivage, tu n'auras plus pied,* tu ne pourras plus toucher le fond avec tes pieds en gardant la tête hors de l'eau. *Attention, tu vas perdre pied!,* couler. **9.** *J'attends les critiques de pied ferme,* sans crainte, prêt à résister. **10.** *Nos troupes se sont défendues pied à pied,* en ne reculant que peu à peu. **11.** *Il a fallu faire des pieds et des mains pour réussir,* employer tous les moyens possibles. **12.** *Nous avons mis sur pied un nouveau projet,* nous l'avons préparé, élaboré. **13.** *Elle ne passe pas son temps à rêver, elle a les pieds sur terre,* elle est réaliste. *Tu as les deux pieds dans la même bottine,* tu es maladroit. **14.** *Paul ne travaille plus, il a été mis à pied,* renvoyé. **15.** *Il est en pieds de bas,* il a mis ses bas mais non ses chaussures.

16. Fam. *Il n'est pas à pied,* il a tout ce qu'il lui faut, particulièrement une belle voiture.

■ **pédestre** adj. SENS 2 *Une randonnée pédestre* est une randonnée à pied.

■ **piétiner** V. **1.** SENS 2 *Attention, tu vas piétiner les fleurs,* marcher dessus. **2.** SENS 1 *Les gens piétinent devant l'entrée du cinéma,* ils remuent les pieds en avançant peu ou sans avancer. *L'affaire piétine,* elle ne fait pas de progrès.

■ **piéton** n.m. SENS 2 *Le trottoir est réservé aux piétons,* à ceux qui vont à pied.

■ **piéton, onne** ou **piétonnier, ère** adj. *Une rue piétonne* (ou *piétonnière*) est réservée aux piétons.

pied-à-terre n.m.inv. *Les Dupont ont un pied-à-terre à la campagne,* une petite maison ou un petit appartement.

R. On prononce [pjetater].

piédestal n.m. **1.** *La statue repose sur un piédestal* (= support). **2.** *Diane met Claude sur un piedestal,* elle l'admire.

R. Noter le pluriel : des *piédestaux*.

piège n.m. **1.** *On a posé des pièges à souris dans la cuisine,* des engins pour les attraper. **2.** *Fais attention, sa question cache un piège,* elle cherche à te tromper.

■ **piéger** V. SENS 1 *Une voiture piégée* comporte un dispositif qui provoque l'explosion si on y entre. SENS 2 *La question était habile, mais je ne me suis pas laissé piéger,* prendre à ce piège.

pierre n.f. **1.** *Cette maison est construite en pierre.* **2.** *Quelqu'un a jeté une pierre : le carreau est cassé* (= caillou). **3.** *Les diamants et les rubis sont des pierres précieuses.* **4.** *Tout le monde lui a jeté la pierre,* l'a accusé.

■ **pierreux, euse** adj. SENS 2 *Ce chemin est pierreux,* couvert de pierres.

■ **pierreries** n.f.pl. SENS 3 *Ce coffret est orné de pierreries,* de pierres précieuses.

■ **empierrer** V. SENS 2 *On a empierré le chemin,* on l'a recouvert d'une couche de pierres.

piété → *pieux*.

piétiner, piéton, piétonnier → *pied*.

piètre adj. *Rita est une piètre chanteuse* (= médiocre).

pieu n.m. *Le cheval est attaché à un pieu,* à un morceau de bois enfoncé dans le sol (= piquet).
R. → *pieux*. Noter le pluriel : des *pieux*.

724 **pieuvre** n.f. La *pieuvre* est un animal marin possédant huit tentacules.

pieux, euse adj. *Cette personne est très pieuse,* très attachée à la religion.
■ **pieusement** adv. *Je conserve pieusement les souvenirs d'autrefois,* avec un respect presque religieux.
■ **piété** n.f. *Tu es d'une grande piété* (= dévotion).
■ **impie** adj. *Des paroles impies sont* contraires à la religion.
■ **impiété** n.f. *Tu avais scandalisé les voisins par ton impiété.*
R. *Pieux se prononce* [pjø] *comme pieu.*

pige n.f. *Cette journaliste travaille à la pige,* elle est payée par article, elle n'a pas d'emploi régulier.
■ **pigiste** n. *Elle est pigiste,* elle travaille à la pige.

362 **pigeon** n.m. Les *pigeons* sont des oiseaux assez gros, au vol rapide.
362 ■ **pigeonnier** n.m. Un *pigeonnier* est un bâtiment pour les pigeons.

1. piger v. est un équivalent familier de *comprendre.*

2. piger v. *C'est l'heure du tirage, pige un numéro dans le chapeau,* prends le au hasard (= tirer).

pigment n.m. *La chlorophylle est le pigment des feuilles,* la substance qui les colore.

75 **pignon** n.m. **1.** *Le pignon d'une maison* est la partie supérieure du mur formant un angle à cause des deux pentes du toit.
512 **2.** *Le pignon d'une roue de bicyclette est* une roue dentée qui est entraînée par la chaîne.

pile n.f. **1.** *Il y a une pile de livres sur la table,* des livres entassés (= tas). **2.** *Les piles d'un pont* sont les piliers qui le soutiennent. **3.** *J'ai acheté des piles pour mon poste de radio,* des appareils donnant de l'électricité. **4.** adj. *Le côté pile d'une pièce de monnaie* est celui où est indiquée sa valeur (≠ face). *Pour savoir lequel de nous deux va rester, jouons à pile ou face,* laissons tomber une pièce de monnaie et regardons sur quel côté le hasard la fera tomber. **5.** adv. Fam. *La voiture s'est arrêtée pile* (= brusquement). *Il est 3 heures pile* (= exactement).
■ **empiler** v. SENS 1 *Les maçons ont empilé des briques,* ils les ont entassées.

piler v. *On pile des amandes dans un mortier,* on les écrase avec un pilon.
■ **pilon** n.m. Un *pilon* est un instrument à bout arrondi servant à écraser.
■ **pilonner** v. *Les canons ont pilonné la ville,* ils l'ont écrasée sous les obus.

pileux, euse adj. *Le système pileux est formé des poils,* des cheveux, de la barbe.

pilier n.m. *Le toit du hangar est soutenu par quatre piliers de béton* (= poteau, colonne).

piller v. *Des voleurs ont pillé l'appartement,* ils ont tout emporté.
■ **pillage** n.m. *Autrefois, les villes conquises étaient souvent livrées au pillage,* les soldats les pillaient.
■ **pillard, e** adj. et n. *Des (soldats) pillards ont tout saccagé.*

pilon, pilonner → *piler*.

pilori n.m. *Autrefois, certains condamnés étaient attachés au pilori,* à un poteau sur la place publique.

pilote **1.** n. *Le pilote de l'avion a réussi à se poser,* celui qui le conduit. **2.** adj. *C'est une école pilote,* qui sert de lieu d'expérimentation.
■ **piloter** v. SENS 1 *Cette voiture est difficile à piloter* (= conduire).

■ **pilotage** n.m. SENS 1 *Le poste de pilotage se trouve à l'arrière du bateau,* l'endroit d'où on le pilote.

■ **copilote** n. SENS 1 Le *copilote* est le pilote en second.

pilotis n.m. *La maison est construite sur pilotis,* sur de gros piliers de bois.

pilule n.f. *Antonio prend des pilules contre la toux,* des médicaments en forme de petites boules.

pimbêche n.f. *Marie est une pimbêche,* elle est prétentieuse et désagréable.

piment n.m. *On met du piment rouge dans certains plats pour leur donner un goût piquant.*

■ **pimenter** v. *Cette sauce est trop pimentée,* trop piquante.

pimpant, e adj. *Quelle allure pimpante !,* élégante, coquette.

pin n.m. *Nous nous sommes promenés dans un bois de pins,* des arbres qui ont des épines et qui produisent de la résine.

■ **pinède** n.f. *Des pinèdes ont brûlé cet été,* des bois de pins.

R. → *pain.*

pinacle n.m. *Ses amis la portent au pinacle,* ils disent beaucoup de bien d'elle.

pinailler v. Fam. *On ne va pas pinailler pour quelques cents,* discuter, critiquer sur de menus détails (= ergoter).

pince, pincé → *pincer.*

pinceau n.m. *Le peintre nettoie ses pinceaux avec de l'essence,* les instruments faits de poils au bout d'un manche et lui servant à peindre.

pincer v. 1. *Jean m'a pincé le bras,* il m'a serré la peau avec les doigts. 2. *Marie pince les lèvres, quand elle est en colère,* elle les serre. 3. Fam. *La voleuse s'est fait pincer par la police* (= prendre, arrêter).

■ **pince** n.f. SENS 1 *Une pince est un instrument qui sert à serrer. On fixe le linge à sécher sur la corde avec des pinces à linge,* un petit instrument à ressort (= épingle à linge). *Les crabes, les homards, les écrevisses ont des pinces,* des pattes qui peuvent serrer.

■ **pince-monseigneur** n.f. SENS 1 *Les cambrioleurs ont forcé la porte avec une pince-monseigneur,* un levier court.

■ **pincé, e** adj. SENS 2 *Tu as pris un air pincé pour me répondre* (≠ souriant).

■ **pincée** n.f. SENS 1 *Jean a pris une pincée de sel entre ses doigts,* une petite quantité.

■ **pincettes** n.f.pl. 1. SENS 1 *On attise le feu avec des pincettes,* de longues pinces. 2. *Tu n'es pas à prendre avec des pincettes aujourd'hui !,* tu es de très mauvaise humeur.

■ **pinçon** n.m. SENS 1 *Tu as un pinçon noir sur le bras,* une marque faite en pinçant.

■ **pince-sans-rire** n.inv. SENS 2 *Jeanne est une pince-sans-rire,* elle plaisante sans sourire.

R. Noter le pluriel : des *pinces-monseigneur.*

pinède → *pin.*

pingouin n.m. *Les pingouins sont des oiseaux des régions froides qui se tiennent dressés verticalement et qui ressemblent aux manchots.*

ping-pong n.m. *On joue au ping-pong sur une table avec une balle légère et des raquettes* (= tennis de table).

R. On prononce [piŋpɔ̃g]. Noter le pluriel : des *ping-pongs.*

pingre adj. et n. *M. Duval est (un) pingre,* il est très avare.

pinson n.m. *Marie chante comme un pinson, elle est gaie comme un pinson,* un oiseau.

pintade n.f. *Nous avons mangé une pintade aux choux,* une volaille.

pinte n.f. 1. *La pinte est une ancienne mesure de capacité pour les liquides équivalant à un peu plus d'un litre.* 2. *Il déguste une pinte de bière,* un grand verre.

piocher v. 1. *Les terrassiers piochent la chaussée,* ils la creusent avec une

224

218

362

pioche. **2.** Fam. *Brenda pioche son examen,* elle y travaille avec ardeur.

■**pioche** n.f. SENS 1 *Les ouvriers ont défoncé le sol à coups de pioche,* avec un outil fait pour creuser.

piolet n.m. *Un piolet est une sorte de canne utilisée par les alpinistes.*

pion n.m. *On joue aux dames avec des pions,* de petites pièces rondes. *Au jeu d'échecs, il y a 8 pions,* 8 petites figurines.

pionnier, ère n. **1.** *Des pionniers ont défriché cette région déserte,* des gens qui s'y sont installés les premiers (= colon). **2.** *Les frères Wright furent des pionniers de l'aviation,* parmi les premiers aviateurs.

pipe n.f. *Je ne fume ni la cigarette ni la pipe,* un objet servant à fumer.
■**pipée** n.f. *Le temps d'une pipée,* de fumer le contenu d'une pipe.

pipeau n.m. *J'apprends à jouer du pipeau,* d'une sorte de petite flûte.

pipeline ou **pipe-line** n.m. *Un pipeline est une canalisation pour le transport du pétrole.*
R. On prononce [pajplajn] ou [piplin]. Noter le pluriel : des *pipe-lines* (ou *pipelines*).

piper v. **1.** *Cléa n'a pas pipé,* elle n'a rien dit. **2.** *On l'accuse d'avoir pipé les cartes* (= truquer).

pipette n.f. *Une pipette est un tube de verre servant à prélever des liquides.*

pipi n.m. Fam. *Bébé a fait pipi dans ses couches,* il a uriné.

piquant, pique, piqué → *piquer.*

pique-assiette n.inv. *Un pique-assiette est une personne qui cherche toujours à se faire inviter chez les autres.*

pique-nique n.m. *Nous avons fait un pique-nique sur la plage,* un repas en plein air.
■**pique-niquer** v. *Les Durand vont pi-que-niquer le dimanche,* manger en plein air.
R. Noter le pluriel : des *pique-niques.*

piquer v. **1.** *Jean s'est piqué le doigt avec un clou,* il s'est enfoncé la pointe dedans. *Marie a été piquée par une guêpe.* **2.** *Pierre a été piqué contre la grippe,* on lui a fait une piqûre. **3.** *Je pique à la machine* (= coudre). **4.** *La fumée pique les yeux,* elle produit une sensation désagréable (= irriter). **5.** *Paul a piqué une crise de colère,* il s'est mis brusquement en colère. **6.** *L'avion pique vers le sol,* il descend rapidement. **7.** Fam. *Qui est-ce qui m'a piqué mon stylo ?* (= voler, chiper). *Le voleur s'est fait piquer,* il s'est fait prendre. **8.** *Jeanne se pique de tout savoir,* elle le prétend. **9.** *Tes paroles l'ont piqué au vif* (= vexer). **10.** *Il a piqué à travers la cour du voisin,* il est passé à travers. **11.** *Pour piquer au plus court,* pour en finir au plus tôt.
■**piquant, e** SENS 1 n.m. *Les roses ont des piquants* (= épine). SENS 4 adj. *Cette sauce est trop piquante,* elle pique la langue.
■**pique 1.** n.f. SENS 1 *Une pique est une arme ancienne à bout pointu.* **2.** n.m. *J'ai joué l'as de pique,* une des couleurs aux cartes.
■**piqué** n.m. SENS 6 *L'avion descend en piqué,* il pique vers le sol.
■**piquette** n.f. SENS 4 *Ce vin, c'est de la piquette,* c'est un vin médiocre, qui pique la langue.
■**piqûre** n.f. SENS 1 *Marie gratte ses piqûres de moustique.* SENS 2 *L'infirmière a fait une piqûre au malade,* une injection de médicament. SENS 3 *La piqûre de ton pantalon se découd* (= couture).
R. → *pic.*

piquet n.m. **1.** *Ne reste pas là planté comme un piquet !,* un pieu enfoncé dans le sol. **2.** *Pierre a été mis au piquet,* debout dans un coin comme punition. **3.** *Un piquet de grève,* ce sont des grévistes qui surveillent l'exécution des

150

649

436

652

294

506

consignes de grève (= ligne de piquetage).

■ **piquetage** n.m. SENS 3 *Les employés
sont en grève, ils font du piquetage,
ils manifestent devant le lieu de travail.
Il fait partie de la ligne de piquetage*
(= piquet de grève).

■ **piqueter** v. SENS 3 *Les grévistes piquet-
tent,* ils font la grève.

■ **piqueteur, euse** n. SENS 3 *Il y a beaucoup de piqueteurs devant cette usine,*
d'employés qui manifestent.

piqueter v. *Ta chemise est piquetée de
taches* (= parsemer).

piquette, piqûre → *piquer.*

piranha n.m. *Il y a un piranha dans cet
aquarium,* un petit poisson vorace des
fleuves d'Amérique du Sud.

pirate n.m. **1.** *Autrefois, les navires pouvaient être attaqués par des pirates,* des
bandits. *Des pirates de l'air ont détourné
un avion sous la menace de leurs armes.*
2. adj. *Une émission pirate* ne respecte
pas les règlements.

■ **pirater** v. SENS 2 *Pirater une cassette,*
c'est en faire une reproduction illégale.

■ **piratage** n.m. SENS 2 *Le piratage d'une
cassette* est sa reproduction illégale.

■ **piraterie** n.f. SENS 1 *La flotte royale
combattait la piraterie,* le brigandage sur
mer. *La piraterie aérienne est sévèrement punie.*

pire adj. et n.m. *Ce vin est mauvais, mais
celui-là est encore pire,* plus mauvais
(≠ meilleur). *C'est la pire chose qui
pouvait nous arriver. On a réussi à éviter
le pire,* la plus mauvaise solution.

■ **empirer** v. *L'état du malade a empiré*
(≠ s'améliorer).

pirogue n.f. *Les indigènes d'Océanie naviguent sur des pirogues,* des embarcations légères allongées.

pirouette n.f. *Kathy fait des pirouettes
sur le sable,* elle tourne vivement sur
elle-même.

1. pis n.m. *Les pis d'une vache ou d'une
chèvre,* ce sont ses mamelles. 368

2. pis adv. *Les choses vont de mal en pis,*
de plus en plus mal.

pis-aller n.m.inv. *Il a fallu recourir à un
pis-aller,* à une solution adoptée faute de
mieux.
R. On prononce [pizale].

pisciculture n.f. *La pisciculture* est
l'élevage des poissons.

■ **pisciculteur, trice** n. *Marie est pisci-
cultrice,* elle s'occupe de pisciculture.

piscine n.f. *Les enfants sont partis se
baigner à la piscine.* 218

pisé n.m. *Le mur de cette chaumière est
en pisé,* en terre sèche.

pissenlit n.m. *Nous avons mangé une
salade de pissenlits,* des plantes à fleurs
jaunes dont les graines volent légèrement au vent.

pisser v. Fam. *Le chien a pissé sur le tapis*
(= uriner).

■ **pisseux, euse** adj. Fam. *Ce papier
peint est d'un jaune pisseux* (= terne).

pistache n.f. *Les glaces à la pistache
sont parfumées avec les fruits du* pista-
chier (un arbuste).

piste n.f. **1.** *Le chien a trouvé la piste du
lapin,* la trace de son passage. **2.** *Une
piste de ski* est un terrain sur lequel on
skie, *une piste d'atterrissage* est un endroit où atterrissent les avions. **3.** *La
caravane suit la piste dans le désert,* un
vague chemin marqué seulement par les
traces de passage. **4.** *Les clowns entrent
sur la piste du cirque,* l'espace qui sert de
scène.
35,
652,
653,
511
802

433

■ **dépister** v. SENS 1 *Les policiers ont
dépisté le voleur,* ils ont découvert sa
piste. *Le lièvre a dépisté les chiens,* il leur
a fait perdre sa piste.

pistil n.m. *Le pistil d'une fleur* est l'endroit
où se trouve le pollen. 294

pistole n.f. *La pistole* est une ancienne
monnaie.

763 **pistolet** n.m. **1.** *Les gangsters ont tiré plusieurs coups de **pistolet*** (= revolver). **2.** *Je vais repeindre ma moto au **pistolet**,* un pulvérisateur de peinture.

505 **piston** n.m. **1.** Dans un moteur, le *piston* est une pièce qui se déplace dans le cylindre. **2.** Fam. *Graziella a obtenu son poste par **piston**,* grâce à des protections.
■ **pistonner** v. SENS 2 Fam. *M. Durand s'est fait **pistonner** pour obtenir son poste* (= recommander, appuyer).

pitance n.f. *Le chien réclame sa **pitance*** (= nourriture).

piteux, euse adj. *Après l'accident, la voiture était en **piteux** état* (= mauvais, pitoyable).
■ **piteusement** adv. *Ces beaux projets ont **piteusement** échoué* (= lamentablement, pitoyablement).

pitié n.f. *J'ai eu **pitié** de ce malheureux chien,* j'ai été ému par ses souffrances (= compassion).
■ **pitoyable** adj. *Ces réfugiés sont dans une situation **pitoyable**,* ils font pitié.
■ **pitoyablement** adv. *L'affaire s'est achevée **pitoyablement*** (= piteusement, lamentablement).
■ **apitoyer** v. *Vous avez réussi à m'**apitoyer**,* à me faire pitié (= attendrir).
■ **apitoiement** n.m. *Il ne suffit pas de verser des larmes d'**apitoiement** sur le sort des sinistrés* (= pitié).
■ **impitoyable** adj. *Le jury a été **impitoyable** pour l'accusée,* il n'a pas eu de pitié.
■ **impitoyablement** adv. *L'accusé a été condamné **impitoyablement**.*

289, 649
583
piton n.m. **1.** *J'ai planté un **piton** dans le mur,* un clou ou une vis coudés. **2.** *À l'île de la Réunion, il y a de nombreux **pitons**,* des sommets de montagne pointus (= pic). **3.** *Appuie sur le **piton**,* le bouton.
■ **pitonner** v. SENS 3 *Il **pitonne** constamment avec sa télécommande,* il appuie sur les touches, les pitons pour changer de chaîne.
■ **pitonnage** n.m. *Arrêtez de faire du **pitonnage** avec la télécommande !*

pitoyable → pitié.

pitre n.m. *Tu fais le **pitre** en classe,* tu fais rire les autres (= clown).
■ **pitrerie** n.f. *Tu te fais remarquer par tes **pitreries**.*

pittoresque adj. *Ce village est très **pittoresque**,* il attire l'attention par son originalité (≠ banal).

pivert → pic.

pivoine n.f. *La **pivoine** est une grosse fleur rouge, rose ou blanche.*

pivot n.m. *L'aiguille d'une boussole repose sur un **pivot**,* une pointe qui lui permet de tourner.
■ **pivoter** v. *Claude a **pivoté** sur ses talons* (= tourner).

pizza n.f. *Nous avons mangé une **pizza** dans un restaurant italien,* une sorte de tarte aux tomates.
■ **pizzeria** n.f. *Une **pizzeria** est un restaurant qui sert principalement des pizzas.*
R. On prononce [pidza], [pidzerja].

placard n.m. **1.** *Le balai est dans le placard de la cuisine,* l'armoire aménagée dans le mur. **2.** *Nous avons fait paraître un **placard** publicitaire dans plusieurs journaux,* une annonce très voyante.
■ **placarder** v. SENS 2 *Des affiches ont été **placardées** sur les murs* (= mettre, coller).

place n.f. **1.** *Ce livre n'est pas à la bonne **place*** (= endroit). **2.** *Il y a huit **places** assises dans le compartiment,* huit endroits pour s'asseoir. *Veuillez **prendre place**,* vous installer. **3.** *Pierre a eu la première **place** en français,* il a été classé premier (= rang). **4.** *Tu as perdu ta **place** ?* (= emploi, poste). **5.** *Il y a une statue sur la **place** du village.* **6.** *Cette ville est une **place forte**,* elle est fortifiée.

7. *Aïcha viendra **à la place de** Jean,* pour le remplacer. **8.** *La pluie a **fait place** au soleil,* la pluie a cessé et il y a du soleil. **9.** *Il faut **faire place nette**,* débarrasser cet endroit de ce qui l'encombre. **10.** *Manuel est excité, il **ne tient pas en place**,* il bouge tout le temps. **11.** *Essaye de **te mettre à ma place**,* de t'imaginer dans ma situation. **12.** Fam. *La cycliste **fait du sur place**,* elle reste en équilibre sur son vélo sans avancer.

■ **placer** v. **1.** SENS 1 *J'avais **placé** mon stylo sur la table,* je l'avais mis à cette place (= poser). SENS 2 *L'ouvreuse nous a **placés**,* nous a montré nos places. SENS 3 *Ruth **s'est placée** première* (= se classer). **2.** ***Placer** de l'argent,* c'est le prêter pour qu'il rapporte des intérêts. **3.** *Quel bavard, je n'ai pas pu **placer un mot**,* dire quelque chose, parler.

■ **placement** n.m. **1.** SENS 4 *Un **bureau de placement*** est chargé de fournir des emplois. **2.** *J'ai fait un mauvais **placement**,* j'ai mal placé mon argent.

■ **placier** n.m. SENS 2 *Les **placiers**, les ouvreuses placent les spectateurs.*

■ **déplacer** v. SENS 1 *Qui a **déplacé** mes affaires ?,* les a changées de place (= déranger). SENS 2 *Nicole **se déplace** toujours en vélo,* elle circule en vélo.

■ **déplacé, e** adj. *Tu as eu des paroles **déplacées*** (= inconvenant).

■ **déplacement** n.m. SENS 1 *M. Dupont a fait un **déplacement** à Ottawa,* il s'est déplacé (= voyage).

■ **emplacement** n.m. SENS 1 ET 2 *Je cherche un **emplacement** pour garer ma voiture* (= place).

■ **replacer** v. SENS 1 *As-tu **replacé** le livre au bon endroit ?* (= remettre, reposer, ranger).

placide adj. *Ce paysan est un homme **placide**,* calme.

■ **placidité** n.f. *Rien ne trouble sa **placidité*** (= calme).

placoter v. **1.** *Sophie **placote** avec son amie,* elle bavarde. **2.** *Xavier **placote** en attendant le souper,* il passe le temps.

3. *Ils **ont placoté** sur son compte* (= médire).

■ **placotage** n.m. *Cessez ce **placotage** !* (= bavardage). *Je n'aime pas ces **placotages**,* ces médisances.

■ **placoteur, euse** ou **placoteux, euse** n. *Ce sont des racontars de **placoteurs**.*

plafond n.m. **1.** *Des guirlandes sont suspendues au **plafond** de la salle* (≠ plancher). **2.** *Les prix ont atteint un **plafond**,* une limite supérieure.   76

■ **plafonner** v. SENS 2 *Cette voiture **plafonne** à 120 kilomètres à l'heure,* c'est sa plus grande vitesse.

■ **plafonnier** n.m. *Éteins le **plafonnier** de la voiture,* la lampe qui éclaire d'en haut.   76

plage n.f. *Les enfants font des pâtés de sable sur la **plage**.*   725, 723, 722

plagiat n.m. *Ce livre est un **plagiat**,* une imitation sans scrupule d'un autre livre.

■ **plagier** v. *On l'accuse d'avoir **plagié** cet écrivain* (= copier).

plaider v. *L'accusé s'est adressé à une avocate pour **plaider** sa cause,* pour la défendre en justice.

■ **plaideur, euse** n. *Les **plaideurs** ne se sont pas mis d'accord,* les adversaires en justice.

■ **plaidoirie** n.f. ou **plaidoyer** n.m. *L'avocat a fait une longue **plaidoirie**,* un discours devant le tribunal.

plaie n.f. **1.** *Yaelle s'est coupée, et sa **plaie** s'est infectée* (= blessure). **2.** *Elle a fait une bêtise, d'accord, ça ne sert à rien de lui **retourner le fer dans la plaie**,* d'insister lourdement en revenant sur ce sujet.

plaindre v. **1.** *Marc est malade, je le **plains**,* j'ai pitié de lui. **2.** *Marie **se plaint**, elle a mal,* elle exprime sa souffrance (= se lamenter, gémir). **3.** *Les voisins **se sont plaints** du bruit,* ils ont fait savoir qu'ils n'étaient pas contents (= protester, réclamer).

■ **plaignant, e** n. SENS 3 *Le **plaignant** a perdu son procès,* celui qui avait déposé une plainte.

■**plainte** n.f. SENS 2 *Le blessé pousse des plaintes* (= gémissement). SENS 3 *M. Durand a déposé une plainte contre Mme Scott,* il l'a accusée devant la justice.

■**plaintif, ive** adj. SENS 2 *On entend des cris plaintifs,* qui sont comme des plaintes
R. → Conj. n° 55. → *plein* et *plinthe.*

plaine n.f. *Le Manitoba est une région de plaine,* le sol y est plat.
R. → *plein.*

de plain-pied adv. *La cuisine et la salle à manger ne sont pas de plain-pied,* au même niveau.

plainte, plaintif → *plaindre.*

plaire v. 1. *Est-ce que tes vacances t'ont plu ?,* en es-tu contente ? (= satisfaire). *Jean ne se plaît pas à la campagne,* il n'est pas content d'y être. 2. *S'il te (vous) plaît, passe(z)-moi le pain* (formule de politesse). 3. *Carole et Robert se plaisent,* ils sont attirés l'un par l'autre.

■**plaisir** n.m. SENS 1 *J'ai eu le plaisir de faire la connaissance de Claude* (= joie, bonheur, agrément). *Sa bonne mine fait plaisir à voir,* elle est agréable. *Il se fera un plaisir d'aller vous chercher,* il ira avec joie. *Paul prend un malin plaisir à me faire mal,* il aime cela.

■**plaisance** n.f. SENS 1 *Christina pratique la navigation de plaisance,* elle navigue pour son plaisir.

■**plaisancier** n.m. SENS 1 Les *plaisanciers* sont ceux qui font de la navigation de plaisance.

■**plaisant, e** adj. SENS 1 *Quel voyage plaisant !* (= agréable).

■**déplaire** v. SENS 1 *Ce film m'a beaucoup déplu,* il m'a été désagréable.

■**déplaisant, e** adj. SENS 1 *Quel caractère déplaisant !* (= désagréable, antipathique).
R. → Conj. n° 77. Attention : *plu* peut être le participe de *plaire* ou de *pleuvoir.*

plaisanter v. *Tu étais d'humeur à plaisanter,* à dire des choses drôles pour amuser les autres.

■**plaisant, e** adj. et n.m. *On m'a raconté une histoire plaisante* (= drôle, amusant). *Jean est un mauvais plaisant,* il fait ou dit des plaisanteries de mauvais goût.

■**plaisamment** adv. *Ingrid m'a plaisamment appelé « Monsieur le Président »,* pour plaisanter.

■**plaisanterie** n.f. *Sa plaisanterie a fait rire tout le monde* (= blague).

■**plaisantin** n.m. *Ne l'écoutez pas, c'est un plaisantin,* il n'est pas sérieux (= farceur).

plaisir → *plaire.*

plan n.m. 1. *L'architecte a fait le plan de la maison,* un dessin simplifié qui en représente la disposition. 2. *Claude a un plan pour réussir,* un projet. 3. *Quel est le plan de ton devoir ?,* la disposition des différentes parties. 4. *Sur cette photo, tu vois Marie au premier plan et Ruth au deuxième plan,* Marie est devant Ruth. *Voici un gros plan de la maison,* elle occupe toute la photo. 5. *Ces deux affaires ne sont pas sur le même plan,* l'une est plus importante que l'autre, ou d'une nature différente (= niveau). 6. *Le toit forme un plan incliné,* une surface unie.

■**plan, e** adj. SENS 6 *Cette table est une surface plane* (= uni, plat).

■**planifier** v. SENS 2 *On a planifié la production d'acier,* on a prévu ce qu'elle devra être.

■**planification** n.f. SENS 2 *La planification de l'économie peut éviter des crises.*

■**aplanir** v. 1. SENS 6 *On a aplani le terrain pour faire une route,* on l'a rendu uni (= niveler). 2. *Les difficultés ont été aplanies,* elles ont été supprimées.

■**arrière-plan** n.m. SENS 4 ET 5 *Ce projet est à l'arrière-plan de nos préoccupations,* il est secondaire.
R. *Plan* se prononce [plã] comme *plant.* Noter le pluriel : des *arrière-plans.*

planche n.f. **1.** *Le menuisier rabote des planches pour faire une table,* de longues plaques de bois. **2.** *Ce livre contient de belles planches en couleurs,* des illustrations. **3.** *M. Durand cultive une planche de salades,* une partie de son jardin. **4.** *Je sais faire la planche,* flotter sur le dos à la surface de l'eau. **5.** *Au bord de la mer, on fait de la planche à voile,* un sport qui consiste à faire de la voile en se maintenant debout sur une planche dont on actionne le mât mobile. **6.** *Pierre fait de la planche à roulettes,* un sport qui consiste à se déplacer sur une courte planche à roulettes. **7.** (au plur.) *Cette comédienne rêve de monter sur les planches,* sur la scène d'un théâtre pour y jouer.
■ **plancher** n.m. SENS 1 *On a recouvert le plancher d'un tapis,* le sol en planches (= parquet).
■ **planchette** n.f. SENS 1 *M. Durand découpe la viande sur une planchette,* une petite planche.
■ **planchiste** ou **véliplanchiste** n. SENS 5 Un *planchiste* est un sportif qui pratique la planche à voile.

plancton n.m. *Le plancton sert de nourriture aux poissons,* un ensemble d'animaux microscopiques vivant dans la mer.

planer v. **1.** *Un épervier plane dans le ciel,* il vole sans agiter les ailes. **2.** *Maïté plane au-dessus de ces détails,* elle les voit superficiellement. **3.** *Un mystère plane toujours sur cette affaire,* il subsiste.
■ **planeur** n.m. SENS 1 *Kathy apprend à piloter un planeur,* un avion sans moteur qui plane dans l'air.

planète n.f. *La Terre est une des planètes du Soleil,* elle tourne autour de lui.
■ **planétaire** adj. *Une guerre planétaire pourrait détruire la Terre* (= mondial).
■ **interplanétaire** adj. *Les voyages interplanétaires sont-ils pour demain ?,* entre les planètes.

planeur → *planer.*

planification, planifier → *plan.*

planisphère n.m. Un *planisphère* est une carte qui représente la Terre entière.

plant, plantation → *planter.*

plante n.f. **1.** *Les plantes sont fixées au sol par des racines,* les végétaux. **2.** *J'ai tellement marché que j'ai mal à la plante des pieds,* la face inférieure. | 365, 38 | 33 |
■ **plantaire** adj. SENS 2 *La voûte plantaire* est le dessous du pied.
■ **plantigrade** n.m. SENS 2 *L'ours est un plantigrade,* il marche en posant sur le sol la plante des pieds.

planter v. **1.** *M. Dupont a planté des salades,* il les a mises en terre pour qu'elles poussent. **2.** *Qui plante des clous dans le mur ?* (= enfoncer). **3.** *Gita est plantée devant la fenêtre,* elle reste debout, immobile. **4.** *Il faut planter la tente,* mettre les piquets (= installer). **5.** Fam. *Il m'a planté là,* il m'a laissé soudainement.
■ **plant** n.m. SENS 1 *Lori a acheté des plants de tomate,* des tomates jeunes pour les transplanter.
■ **plantation** n.f. SENS 1 *Ses plantations ont gelé,* ce qu'il a planté. *M. Diallo possède une plantation de bananiers,* une exploitation agricole.
■ **planteur, euse** n. SENS 1 *Les planteurs possédaient des plantations dans les colonies.*
■ **plantoir** n.m. SENS 1 *Le plantoir est un instrument qui sert à planter.* | 366 |
■ **transplanter** v. SENS 1 *Transplanter un rosier,* c'est le déterrer pour le planter ailleurs.
■ **transplantation** n.f. *Ce chirurgien a fait une transplantation cardiaque,* il a greffé à une malade le cœur d'une personne décédée (= greffe).
R. → *plan.*

plantigrade → *plante.*

plantureux, euse adj. *Nous avons fait un repas plantureux* (= abondant ; ≠ maigre).

plaque n.f. **1.** *J'ai mis des photos sous une plaque de verre,* une feuille plate, mince et rigide. **2.** *Toutes les voitures doivent avoir une plaque d'immatriculation,* une pièce de métal portant leur numéro. **3.** *Tu as des plaques rouges sur la figure* (= tache). **4.** *Ce port est une plaque tournante pour le commerce international,* un lieu d'échange.

■ **plaquer** v. **1.** SENS 1 *Ce bracelet est plaqué avec de l'or,* recouvert d'une couche d'or. **2.** *J'ai plaqué Pierre contre le sol,* je l'y ai jeté et appuyé avec force.

■ **plaquette** n.f. SENS 1 *Les plaquettes de freins sont usées,* des petites plaques.

plastic n.m. Le *plastic* est un explosif puissant.

■ **plastiquer** v. *Des inconnus ont plastiqué une maison,* ils l'ont fait sauter avec du plastic.

R. → *plastique.*

plastique adj. **1.** *L'argile est plastique,* on peut la pétrir, la modeler (= malléable). **2.** *Les arts plastiques sont la peinture, la sculpture et l'architecture.* **3.** adj. et n.m. *Le nylon est une matière plastique,* un produit fabriqué artificiellement par des procédés chimiques. *Ces assiettes sont en plastique.*

■ **plastifier** v. SENS 3 *Ce livre a une couverture plastifiée,* recouverte d'une mince couche de plastique.

R. Ne pas confondre *plastique* et *plastic* : [plastik].

plastiquer → *plastic.*

plastron n.m. *Autrefois les chemises avaient un plastron,* un devant rigide.

plat, e adj. **1.** *Le Manitoba est une région plate,* sans creux ni bosse (= uni ; ≠ accidenté). **2.** *On met les assiettes plates sous les assiettes à soupe* (≠ creux). **3.** *La sole est un poisson plat* (≠ épais). **4.** *Claude écrit mal, son style est plat* (= banal ; ≠ original). **5.** *M. Duval est plat devant ses supérieurs* (= soumis, obséquieux). **6.** *Je n'aime pas l'eau gazeuse, je voudrais de l'eau plate.*

■ **plat** n.m. **1.** SENS 1 *J'aime marcher sur le plat* (≠ côte). SENS 2 *On a apporté le rôti sur un plat,* une sorte de grande assiette. **2.** *La tourtière est un plat du Québec,* on en mange au Québec (= mets). *Un plat garni* est une viande ou un poisson servis avec des légumes, des frites, etc. **3.** *Le plat d'un livre,* c'est chacun des deux côtés de la couverture. **4.** Fam. *Elle a fait tout un plat de cette histoire,* elle lui a donné une importance exagérée.

■ **à plat** adv. **1.** SENS 1 *Le livre est posé à plat sur l'étagère,* sur une face plate (= horizontalement). *Je m'étends à plat ventre,* sur le ventre. **2.** *Le pneu est à plat,* il est dégonflé. *La batterie est à plat,* elle est déchargée. Fam. *Je me sens à plat,* très fatiguée (= épuisé).

■ **plateau** n.m. **1.** SENS 2 *Le garçon apporte les boissons sur un plateau,* une sorte de grand plat. SENS 1 *De la vallée, nous sommes montés sur le plateau,* une région haute mais plate. **2.** *Les plateaux de la balance sont les deux supports sur lesquels on met les objets à peser ou les poids.* **3.** *Au théâtre, les acteurs évoluent sur le plateau* (= scène). *Les techniciens s'affairent sur le plateau du studio,* le lieu où se trouvent les décors et où les acteurs jouent.

■ **plate-bande** n.f. SENS 1 *Il est interdit de marcher sur les plates-bandes,* les parties cultivées du jardin.

■ **plate-forme** n.f. SENS 1 Une *plate-forme* est une surface plate sur laquelle on peut se tenir ou installer quelque chose.

■ **platitude** n.f. SENS 5 *Dominique s'adresse à ses supérieurs avec platitude* (= obséquiosité). SENS 4 *Tu ne dis que des platitudes,* des choses sans intérêt (= banalité).

■ **aplatir** v. SENS 1 *On a aplati la terre avec une pelle* (= écraser). SENS 5 *Dominique s'aplatit devant ses supérieurs* (= s'humilier).

R. Noter le pluriel : des *plates-bandes,* des *plates-formes.*

platane n.m. *Les arbres de la place sont des platanes.*

plateau, plate-bande, plate-forme → *plat.*

1. platine n.m. *On m'a offert un bracelet en platine,* un métal précieux de couleur grise.

2. platine n.f. *Mets un disque sur la platine de l'électrophone,* la plaque qui porte le disque.

platitude → *plat.*

plâtre n.m. **1.** Le *plâtre* est une poudre blanche qui, mélangée à l'eau, forme une pâte qui durcit. *Le plafond est en plâtre.* **2.** (au plur.) *Les plâtres de la maison sont finis,* les parties recouvertes de plâtre. **3.** *Marie s'est cassé la jambe, on lui a mis un plâtre,* un bandage rigide en plâtre.
■ **plâtras** n.m. SENS 1 *Des plâtras se détachent du plafond,* des morceaux de plâtre.
■ **plâtrer** v. SENS 1 *Les ouvriers ont plâtré les murs,* ils les ont recouverts de plâtre. SENS 3 *On a plâtré la jambe de Claude.*
■ **plâtrier, ère** n. SENS 1 *Un plâtrier* est un ouvrier qui sait travailler le plâtre.
■ **replâtrer** v. SENS 1 *Il faudrait replâtrer la cloison,* la réparer avec du plâtre.

plausible adj. *On a donné une explication très plausible de ce phénomène* (= acceptable, vraisemblable).

play-boy n.m. *Ne prends pas un air de play-boy,* de garçon qui veut paraître élégant et séduisant.
R. Noter le pluriel : *des play-boys.*

plèbe n.f. *Dans la Rome antique, la plèbe* était la classe populaire.
■ **plébéien, enne** n. et adj. *Les plébéiens s'opposaient aux patriciens.*

plébiscite n.m. *La dictatrice a organisé un plébiscite,* un vote populaire pour se faire confier le pouvoir absolu.
■ **plébisciter** v. *Le général a été plébiscité,* il a été élu par plébiscite.

pléiade n.f. *Il y a ici une pléiade de jeunes talents,* un groupe.

plein, e adj. **1.** *Cette bouteille est pleine de vin* (= rempli ; ≠ vide). **2.** *Le ministre a reçu les pleins pouvoirs* (= total, complet ; ≠ partiel). *Louise travaille à temps plein* (≠ à temps partiel, à mi-temps). **3.** *Ta chemise est pleine de taches,* il y en a beaucoup. **4.** *La voiture s'est arrêtée en plein milieu de la place,* juste au milieu.
■ **plein** n.m. SENS 1 *Mélina a fait le plein d'essence,* elle a rempli le réservoir. SENS 2 *La fête bat son plein,* elle est à son point maximum.
■ **plein** prép. **1.** SENS 3 *J'ai des billes plein les poches,* j'en ai beaucoup. **2.** Fam. *Elle en a plein le dos,* elle en a assez. Fam. *Tu m'en mets plein la vue,* tu m'impressionnes.
■ **plein-air** ou **plein air** n.m. inv. *Cet hiver on organisera des activités de plein-air,* qui se dérouleront à l'extérieur.
■ **pleinement** adv. SENS 2 *La monitrice était pleinement satisfaite* (= tout à fait, totalement).
■ **plénier, ère** adj. SENS 2 *Dans une réunion plénière, tout le monde est présent.*
■ **plénipotentiaire** n.m. SENS 2 *Le gouvernement a envoyé des plénipotentiaires,* des gens ayant les pleins pouvoirs.
■ **plénitude** n.f. SENS 2 *Ce vieillard a gardé la plénitude de ses facultés intellectuelles.*
■ **trop-plein** n.m. SENS 1 *On a vidé le trop-plein du réservoir,* le liquide qui était en trop. *Un trop-plein évite que la baignoire déborde,* un dispositif d'écoulement.
R. *Plein* se prononce [plɛ̃] comme *[je] plains* (de *plaindre*) ; *pleine* se prononce [plɛn] comme *plaine.* Noter le pluriel : *des trop-pleins.*

pléonasme n.m. *« Monter en haut » est un pléonasme,* on exprime la même idée avec plusieurs mots sans nécessité.

79

pléthore n.f. *Il y a pléthore de raisin cette année,* il y en a trop (= surabondance ; ≠ manque).

pleurer v. 1. *Jean s'est fait mal, il pleure,* il verse des larmes. 2. *Kanta pleure la mort de son père,* elle la regrette.
■ **pleurs** n.m.pl. SENS 1 *Je l'ai trouvée en pleurs,* en larmes.
■ **pleurard, e** adj. SENS 1 Fam. *Jean parle d'une voix pleurarde* (= plaintif).
■ **pleurnicher** v. SENS 1 *Pourquoi pleurniches-tu sans arrêt ?* (= pleurer, geindre).
■ **éploré, e** adj. SENS 1 *Son visage éploré m'a fait pitié,* en larmes (= désolé).

pleurésie n.f. *La pleurésie est une maladie des poumons.*

pleurnicher, pleurs → *pleurer.*

pleutre adj. et n.m. se disait pour *lâche.*

pleuvoir → *pluie.*

plexiglas n.m. *La vitre est en plexiglas,* en matière plastique transparente.
R. C'est un nom de marque. On prononce le *s* final : [plɛksiglas].

plexus n.m. *J'ai reçu un coup de poing dans le plexus solaire,* au creux de l'estomac.
R. On prononce le *s* final : [plɛksys].

plier v. 1. *Marie a plié une feuille de papier,* elle a rabattu une partie sur l'autre. 2. *On peut plier ce lit, il tiendra moins de place,* rapprocher les éléments qui le constituent. 3. *Il est si fort qu'il arrive à plier cette barre de fer,* à la rendre courbe. *Attention, la branche plie !,* elle se courbe (= fléchir). 4. *Lori est têtue, tu n'arriveras pas à la faire plier* (= céder). *Il a dû se plier aux ordres du directeur* (= se soumettre, obéir).
■ **pli** n.m. 1. SENS 1 *Peux-tu repasser le pli de mon pantalon ?,* l'endroit où le tissu a été plié. SENS 3 *Le terrain fait des plis* (= ondulation). 2. *J'ai fait tous les plis de la partie,* j'ai ramassé tous les petits paquets de cartes de chaque tour du jeu

(= levée). 3. *J'ai reçu un pli recommandé* (= lettre).
■ **pliable** ou **pliant, e** adj. SENS 2 *Ce lit est pliable,* on peut le plier.
■ **pliant** n.m. SENS 2 *Un pliant est un petit siège que l'on peut plier.*
■ **plisser** v. SENS 1 *On a plissé du papier pour faire un éventail,* on a fait des plis. SENS 2 *Jean plisse les yeux,* il les ferme à demi. SENS 3 *Les Apalaches sont une région plissée,* le terrain fait des plis que les géographes appellent des **plissements.**
■ **pliure** n.f. SENS 1 *La carte routière se déchire à la pliure,* à l'endroit des plis.
■ **déplier** v. SENS 1 *Noémie déplie son journal,* elle l'ouvre.
■ **dépliant** n.m. SENS 1 *On nous a remis un dépliant publicitaire,* une feuille pliée plusieurs fois.
■ **replier** v. 1. SENS 1 *Pierre replie sa serviette,* il la plie après l'avoir dépliée. SENS 2 *Les campeurs ont replié leur tente* (= ranger). 2. *Les soldats se sont repliés devant l'ennemi,* ils ont reculé.
■ **repli** n.m. 1. SENS 3 *On s'est caché dans un repli du terrain* (= pli, ondulation). 2. *Le général a donné l'ordre de repli,* de replier.

plinthe n.f. 1. *Les fils électriques passent derrière les plinthes,* les planchettes posées au bas des cloisons. 2. *On a fait installer une plinthe électrique,* un appareil de chauffage long et mince que l'on fixe au bas des murs.
R. *Plinthe* se prononce [plɛ̃t] comme *plainte.*

plissement, plisser, pliure → *plier.*

plomb n.m. 1. *Le plomb est un métal très lourd qui sert à fabriquer des poids, des tuyaux, des cartouches.* 2. *Le perdreau que le chasseur a tué était plein de plombs,* des grains de plomb (au sens 1) qui servent de projectiles dans le fusil chargé. 3. *Il y a eu un court-circuit, les plombs ont sauté,* les fusibles électriques. 4. *Il dort d'un sommeil de plomb,* très profond. 5. Fam. *Il a du plomb dans* *l'aile,* il est en mauvais état physique ou moral.

■ **plomber** v. **1.** SENS 1 *Plomber un objet,* c'est l'alourdir avec du plomb. **2.** *Plomber une dent gâtée,* c'est la boucher, en y mettant un alliage spécial. **3.** *Il fait chaud, le soleil* **plombe,** il dégage une chaleur écrasante.

■ **plombage** n.m. *La dentiste m'a fait un* **plombage,** elle m'a plombé une dent.

plombier, ère n. *Il y a une fuite d'eau, il faut appeler le* **plombier,** l'ouvrier qui répare les tuyaux.

■ **plomberie** n.f. *J'aimerais apprendre la* **plomberie,** le métier de plombier. *La* **plomberie** *est en mauvais état,* les tuyaux d'eau et de gaz.

plonger v. **1.** *Yaelle* **a plongé** *dans la piscine,* elle a sauté dans l'eau. **2.** *Marie* **a plongé** *son bras dans l'eau,* elle l'y a mis (= enfoncer, tremper). **3.** *Pierre* **est plongé** *dans la lecture de son livre* (= absorber). **4.** *Cette nouvelle nous* **a plongés** *dans la tristesse,* elle nous a rendus très tristes.

■ **plongeant, e** adj. SENS 1 *D'ici, on a une vue* **plongeante,** de haut en bas.

■ **plongée** n.f. SENS 2 *Le sous-marin est en* **plongée,** il est sous l'eau. *Line fait de la* **plongée** **sous-marine,** elle va sous la surface de l'eau pour explorer, pour pêcher, etc.

■ **plongeoir** n.m. SENS 1 *J'ai sauté du* **plongeoir** *de 3 mètres* (= tremplin).

■ **plongeon** n.m. SENS 1 *Pierre a fait un beau* **plongeon,** il a plongé.

■ **plongeur, euse** n. **1.** SENS 1 *Pierre est un bon* **plongeur.** SENS 2 *Des* **plongeurs** *sous-marins travaillent au fond de la mer.* **2.** *Cet été, je serai* **plongeuse** *dans un restaurant,* je laverai la vaisselle.

■ **replonger** v. SENS 3 *Anne s'est replongée dans sa lecture.*

ployer v. *Attention, la planche ploie sous ton poids !* (= plier, fléchir, se courber).

pluie n.f. **1.** *J'ai été toute trempée par cette* **pluie** *qui tombe à verse.* **2.** *Les*

pluies acides *contiennent des polluants qui détruisent la végétation.* **3.** *Une* **pluie** *de balles s'est abattue sur les attaquants,* un très grand nombre.

■ **pleuvoir** v. SENS 1 *L'été,* **il pleut** *rarement dans cette région.* SENS 2 *Les coups* **pleuvaient** *sur lui* (= tomber).

■ **pluvial, e, aux** adj. SENS 1 *Les eaux* **pluviales** *sont les eaux de pluie.*

■ **pluvieux, euse** adj. SENS 1 *Nous avons eu un automne* **pluvieux,** avec beaucoup de pluie.

■ **pluviomètre** n.m. *Le* **pluviomètre** *a enregistré la quantité de pluie qui est tombée hier soir,* un appareil de mesure. **R.** *Pleuvoir* → conj. n° 47. → *plaire.*

plume n.f. **1.** *Les oiseaux ont le corps couvert de* **plumes.** **2.** *Aline a cassé la* **plume** *de son stylo.* **3.** *Ce boxeur est un* **poids plume,** il est de la catégorie des boxeurs les plus légers.

■ **plumage** n.m. SENS 1 *Le* **plumage** *du corbeau est noir,* ses plumes.

■ **plumeau** n.m. SENS 1 *On enlève la poussière avec un* **plumeau,** un ustensile formé de plumes.

■ **plumer** v. **1.** SENS 1 *Le cuisinier* **a plumé** *deux poulets,* il leur a enlevé les plumes. **2.** Fam. *Caroline s'est fait* **plumer** *par un voyou* (= voler).

■ **plumet** n.m. SENS 1 *Certains soldats ont un* **plumet** *à leur coiffure,* une touffe de plumes.

■ **plumier** n.m. SENS 2 Un *plumier* est une petite boîte où les écoliers mettent leurs crayons, leur stylo.

■ **porte-plume** n.m.inv. SENS 2 *Les stylos sont plus pratiques que les* **porte-plume** *pour écrire.*

la plupart n.f. *La* **plupart** *des enfants aiment les bonbons,* la plus grande partie (≠ peu ou tous). *La* **plupart** *du temps, c'est Claude qui gagne,* le plus souvent, habituellement.

pluri- placé au début d'un mot signifie « plusieurs ».

651

292

pluriel n.m. *On met un nom au **pluriel** ordinairement quand il désigne plusieurs êtres ou plusieurs choses* (≠ singulier).

plus adv. **1.** *Marie est **plus** jeune que Jeanne. Marie est **la plus** jeune* (≠ moins). *Pierre travaille beaucoup, mais Jean travaille encore **plus*** (= davantage). *Elle devient **de plus en plus** belle.* **2.** *Il y a une heure **au plus** qu'il est parti* (= au maximum). *J'ai 5 pommes **de plus** que toi. Tu dois sortir, raison **de plus** pour te laver,* une autre raison qui justifie de le faire. **3.** *Sept **plus** deux font neuf* (7 + 2 = 9). **4.** Précédé de *ne*, **plus**, indique qu'une action ne continue pas : *Il ne bouge **plus**. Il ne viendra pas, moi **non plus**.*
R. *Plus* se prononce [plys] au sens 3 et [ply] au sens 4. Aux sens 1 et 2, on prononce [ply] devant une consonne, [plyz] devant une voyelle et [plys] en fin de phrase.

plusieurs adj. indéfini pl. *On a invité **plusieurs** amis,* plus d'un (= quelques).

plus-que-parfait n.m. *« J'avais aimé » est le **plus-que-parfait** du verbe « aimer »,* un des temps du verbe.

plutonium n.m. *Le **plutonium** sert à faire les bombes atomiques,* une sorte de métal.
R. On prononce [plytɔnjɔm].

plutôt adv. **1.** *Viens demain **plutôt** qu'aujourd'hui,* de préférence à aujourd'hui. **2.** *Ici, il fait **plutôt** beau* (= assez).

pluvial, pluvieux, pluviomètre → pluie.

pneu n.m. *Dominique a fait gonfler les **pneus** de sa voiture,* les tubes de caoutchouc des roues.
▪ **pneumatique** adj. *Claude pêche dans son canot **pneumatique*** (= gonflable). *Un marteau **pneumatique** fonctionne grâce à de l'air comprimé.*

pneumonie n.f. *La **pneumonie** est une maladie des poumons.*

poche n.f. **1.** *Jean met son portefeuille dans la **poche** gauche de sa veste.* **2.** *Tu as des **poches** sous les yeux,* des replis de la peau. **3.** *Il y a plusieurs **poches** dans cette valise* (= compartiment). **4.** *Un mouchoir **de poche**, un livre **de poche** sont des objets de petites dimensions, qu'on peut glisser dans une poche.* **5.** *Est-ce que tes parents te donnent de l'**argent de poche** ?,* de l'argent destiné à tes dépenses personnelles.
▪ **pochette** n.f. **1.** SENS 1 *Une **pochette** est un mouchoir ou un foulard que l'on laisse dépasser de la poche d'une veste qui se trouve près du revers.* **2.** *Remets le disque dans sa **pochette**,* l'enveloppe qui le protège.
▪ **empocher** v. SENS 1 *On a **empoché** une grosse somme,* on l'a reçue.

pocher v. **1.** *Le cuisinier fait **pocher** des œufs,* il les fait cuire sans leur coquille dans l'eau bouillante. **2.** *J'ai eu un œil **poché** dans la bagarre,* mon œil est bleu et enflé, par suite d'un coup.

pochette → poche.

pochoir n.m. *Un dessin au **pochoir** est fait avec un carton à trous sur lequel on passe un pinceau.*

podium n.m. *Les vainqueurs sont montés sur le **podium*** (= estrade).
R. On prononce [pɔdjɔm].

1. poêle n.m. *La chambre est chauffée par un **poêle** à mazout,* un appareil servant à faire brûler du mazout.
R. → poêle 2.

2. poêle n.f. *Maman fait frire les poissons dans la **poêle**.*
▪ **poêlée** n.f. *On a fait cuire une **poêlée** de marrons,* le contenu d'une poêle.
▪ **poêlon** n.m. *Un **poêlon** est une sorte de casserole.*
R. On prononce [pwal] comme *poil*.

poésie n.f. **1.** *La **poésie** est l'art d'émouvoir en faisant des vers.* **2.** *Pierre nous a récité une jolie **poésie**,* un texte en vers. **3.** *Marie aime la **poésie** des soirs d'automne* (= beauté).

505

726,
723

649

■ **poème** n.m. SENS 2 *J'apprends un* **poème** *de Victor Hugo* (= poésie).

■ **poète** n. SENS 1 ET 2 *Victor Hugo est un grand* **poète,** *il a écrit des poésies.*

■ **poétique** adj. SENS 1 *J'ai acheté les œuvres* **poétiques** *de Victor Hugo, ses poèmes.* SENS 3 *Ce paysage est très* **poétique** (= émouvant).

R. Le féminin de *poète* est une *poète* ou une *poétesse.*

poids n.m. 1. *Le* **poids** *de cette table est de 50 kg,* c'est ce qu'elle pèse. 2. *L'épicière met un* **poids** *sur le plateau de la balance,* une masse métallique servant à peser. 3. *Je m'exerce à lancer le* **poids,** une boule de métal. 4. *Le* **poids** *d'une horloge* est un morceau de métal suspendu à une chaîne qui assure le mouvement du mécanisme de l'horloge. 5. *J'ai un* **poids** *sur la conscience,* une charge pénible, un souci. 6. *Mme Truong est une personne de* **poids,** importante, influente. 7. Fam. *Je ne discute pas, je ne* **fais pas le poids** *face à ses personnes,* je ne suis pas compétent. 8. *Il y avait beaucoup de* **poids lourds** *sur l'autoroute* (= camion).

■ **contrepoids** n.m. SENS 2 *Il faut un* **contrepoids** *pour équilibrer le bateau,* un objet lourd.

R. *Poids* se prononce [pwa] comme *pois, poix* et *pouah !*

poignant, e adj. *Claude m'a raconté une histoire* **poignante,** très émouvante.

poignard n.m. *La victime a reçu un coup de* **poignard,** d'une sorte de couteau.

■ **poignarder** v. *Henri IV est mort* **poignardé,** d'un coup de poignard.

poignée n.f. 1. *Claude m'a donné une* **poignée** *de bonbons,* ce que peut contenir la main fermée. 2. *Je lui ai donné une* **poignée de main,** il m'a serré la main. 3. *La* **poignée** *de la valise est cassée,* la partie qui sert à la tenir. 4. *Il n'y avait dans la salle qu'une* **poignée** *de personnes,* un petit nombre.

■ **poigne** n.f. 1. SENS 2 *Tu as de la* **poigne,**

de la force dans les mains. 2. *Carole* **a de la poigne,** de l'autorité.

■ **poing** n.m. 1. SENS 1 *J'ai reçu un coup de* **poing** *sur le nez,* un coup avec la main fermée. 2. *L'enfant* **dort à poings fermés** (= profondément).

■ **empoigner** v. 1. SENS 1 ET 2 *Jacques* **m'a empoigné** *le bras,* il l'a saisi fortement avec la main. 2. *Ce livre m'a empoigné,* il m'a beaucoup émue. 3. *Les deux adversaires* **se sont empoignés,** ils se sont battus, ou ils se sont querellés.

■ **empoignade** n.f. *La discussion a failli finir en* **empoignade** (= bagarre).

R. *Poing* se prononce [pwɛ̃] comme *point* et [il] *point* (de *poindre*).

poignet n.m. 1. *Je me suis cassé le* **poignet,** l'articulation entre la main et le bras. 2. *Les* **poignets** *de ta chemise sont sales,* le bout des manches.

33

poil n.m. 1. *Dominique a des* **poils** *sur les jambes. Les* **poils** *du pinceau sont usés. Ce chat a le* **poil** *brillant* (= pelage). 2. Fam. *Jocelyne* **est de bon, de mauvais poil,** de bonne, de mauvaise humeur. 3. *Pierre va mieux, il* **reprend du poil de la bête,** il se rétablit. 4. Fam. *Ne reste pas* **à poil,** toute nue.

289

■ **poilu, e** adj. SENS 1 *Claude a les jambes* **poilues** (= velu).

R. → *poêle* 2.

poinçon n.m. *Le cordonnier perce le cuir avec un* **poinçon,** une tige pointue.

■ **poinçonner** v. *Le contrôleur* **a poinçonné** *nos billets,* il y a fait un trou.

poindre v. *Le jour commence à* **poindre,** à se lever.

R. → Conj. n° 82.

poing → *poignée.*

1. point adv. *Ne... point* se dit parfois au lieu de *ne... pas : Je* **ne** *la vois* **point.**

R. → *poignée.*

2. point n.m. 1. *Le bateau n'était plus qu'un* **point** *au loin,* une petite tache. 2. *On met un* **point** *sur le « i » et sur le « j ».*

807

3. *Une phrase finit par un* **point. 4.** *Nous sommes revenus à notre* **point** *de départ* (= endroit, lieu). *Il y a un* **point** *d'eau là-bas,* un endroit où se trouve de l'eau. **5.** *Le capitaine fait le* **point,** il calcule l'endroit où se trouve le navire. **6.** *Dans son discours, elle a abordé plusieurs* **points** (= question, problème). **7.** *Je ne l'ai jamais vu en colère à ce* **point** (= degré). *La discussion en est toujours au même* **point,** elle n'avance pas (= degré). **8.** *Il est colérique, c'est son* **point faible,** son défaut. **9.** *Pierre a eu 9 sur 20, il lui manque un* **point** *pour avoir la moyenne.* **10.** *J'ai gagné la partie de ping-pong par 21* **points** *à 12.* **11.** *Les* **points** *de cet ourlet sont espacés,* les piqûres faites avec une aiguille et du fil. **12.** *Nous sommes partis au* **point du jour,** au moment où le jour se lève. **13.** *Elle est arrivée* **à point,** au bon moment. *Le rôti est* **à point,** bien cuit. **14.** *Notre projet est* **au point,** bien organisé. **15.** *Je suis* **mal en point,** malade. **16.** *Je suis* **sur le point de** *partir,* je vais le faire. **17.** *Elle était triste* **au point de pleurer,** si triste qu'elle a pleuré.

■ **pointage** n.m. SENS 10 *Quel est le pointage du match de hockey ?* (= résultat).

■ **pointeur, euse** n. SENS 10 *Marc est le pointeur de la partie,* c'est lui qui inscrit les points.

■ **point de vue** n.m. **1.** SENS 4 *D'ici, nous avons un beau* **point de vue,** un spectacle vu d'un endroit qui domine. **2.** *Nous n'avons pas le même* **point de vue** *sur cette question* (= opinion, avis).

■ **pointillé** n.m. SENS 1, 2 ET 3 *Découpez en suivant le* **pointillé,** la ligne de petits points rapprochés.

R. → *poignée.*

pointage → *point* et *pointer.*

pointe n.f. **1.** *Je taille la* **pointe** *de mon crayon,* le bout pointu. **2.** *Chut ! Marchez sur la* **pointe** *des pieds,* le bout formé par les orteils. **3.** *Dominique a acheté un paquet de* **pointes** *chez le quincaillier* (= clou). **4.** *Il y a un phare sur la* **pointe**

(= cap). **5.** *Il y avait une* **pointe** *de malice dans ses paroles,* un peu. **6.** *Aux heures* **de pointe,** *il y a du monde sur l'autoroute,* aux heures où la circulation atteint son maximum. **7.** *Nous sommes à la* **pointe** *du progrès,* à l'avant-garde. *Cette entreprise utilise des techniques de* **pointe,** au premier rang par rapport aux autres. **8.** *Une fois à Boston, on pourra* **pousser une pointe** *jusqu'à la mer,* faire un supplément de parcours (= faire un saut). **9.** (au plur.) *La danseuse* **fait des pointes,** elle danse sur l'extrémité de ses chaussons.

■ **pointu, e** adj. SENS 1 *Attention, ce couteau est* **pointu,** il pique (= acéré ; ≠ arrondi).

pointer v. **1.** *La monitrice* **pointe** *chaque nom de la liste,* elle marque un signe devant. **2.** *M. Durand* **pointe** *à l'entrée de l'usine,* il déclare son heure d'arrivée. **3.** *Pierre* **a pointé** *son doigt vers la porte,* il l'a dirigé vers la porte. **4.** *Le chien* **pointe** *les oreilles,* il les dresse. *Le phare* **pointe** *à l'horizon,* il se dresse.

■ **pointage** n.m. SENS 1 *Le professeur a fait un* **pointage** *des élèves,* il a contrôlé leur présence.

pointeur → *point.*

pointillé → *point* 2.

pointilleux, euse adj. *Mme Durand est très* **pointilleuse,** elle est minutieuse et exigeante (= tâtillon).

point-virgule n.m. *Le* **point-virgule** *est un signe de ponctuation.*

R. Noter le pluriel : des *points-virgules.*

pointu → *pointe.*

pointure n.f. *Quelle* **pointure** *chausses-tu, du 10 ou du 10½ ?,* quelle est la taille de tes chaussures ?

poire n.f. *Au dessert, nous avons mangé des* **poires,** des fruits.

■ **poirier** n.m. **1.** *Ce* **poirier** *donne beaucoup de poires,* un arbre. **2.** *Pour* **faire le poirier,** *Lise met ses pieds en l'air et se tient en équilibre sur la tête.*

poireau n.m. **1.** *Je n'aime pas la soupe aux poireaux,* des légumes. **2.** Fam. *Dépêche-toi, je n'aime pas faire le poireau,* attendre.

■ **poireauter** v. SENS 2 *Ils nous ont fait poireauter toute la journée* (= attendre).

poirier → *poire.*

pois n.m. **1.** *Les pois sont des plantes grimpantes cultivées pour leurs graines (ou pois). Les petits pois sont des légumes verts à grains ronds.* **2.** *Aimes-tu cette cravate à pois ?,* décorée de petits ronds.
R. → *poids.*

poison n.m. **1.** *L'arsenic, l'opium, la nicotine sont des poisons,* des substances dangereuses. **2.** Fam. *C'est encore toi ? Quel poison !* (= ennui).

■ **contrepoison** n.m. SENS 1 *Dans certains cas, le lait est un contrepoison,* il combat l'effet des poisons.

■ **empoisonner** v. **1.** SENS 1 *On peut s'empoisonner avec certains champignons,* tomber malade ou mourir (= s'intoxiquer). *J'ai empoisonné les souris qui se trouvaient dans le chalet,* je leur ai donné du poison. SENS 2 Fam. *Paul m'a empoisonnée toute la journée* (= ennuyer, assommer). **2.** *Ce tas de fumier empoisonne l'atmosphère,* il sent très mauvais.

■ **empoisonnement** n.m. SENS 1 *On le soigne pour un empoisonnement à l'arsenic* (= intoxication).

■ **empoisonneur, euse** n. SENS 1 *Le tribunal juge les crimes d'une empoisonneuse.*

poisse n.f. Fam. *C'est encore raté ? Tu as vraiment la poisse !* (= malchance, guigne).

poisser v. *Jean s'est poissé les mains avec de la confiture,* ses mains sont collantes.

■ **poisseux, euse** adj. *Tu as les mains poisseuses de confiture.*

■ **poix** n.f. *La poix est une substance collante.*
R. → *poids.*

poisson n.m. **1.** *La truite, l'anguille, le requin, le thon sont des poissons,* des animaux qui vivent dans l'eau et qui ont des branchies au lieu de poumons. **2.** *Ce n'est pas vrai, c'est un poisson d'avril !,* une fausse nouvelle qu'on annonce pour faire une farce le 1er avril. | 721, 728

■ **poissonnerie** n.f. SENS 1 *Dans une poissonnerie, on vend du poisson.* | 222

■ **poissonneux, euse** adj. *Cette rivière est très poissonneuse,* elle contient beaucoup de poissons.

■ **poissonnier, ère** n. *Les poissonniers vendent du poisson, des coquillages, des crustacés.*

poitrine n.f. **1.** *La poitrine contient le cœur et les poumons.* **2.** *Cette dame a une grosse poitrine,* des seins. | 33

■ **poitrail** n.m. SENS 1 *Ce cheval a un large poitrail,* le devant de son corps. | 368
R. → *pectoral.*

poivre n.m. **1.** *Tu a mis trop de poivre dans cette sauce, ça pique,* une épice produite par un arbuste appelé **poivrier**. **2.** *Papa a les cheveux poivre et sel,* bruns mêlés de blanc.

■ **poivrer** v. SENS 1 *J'ai oublié de poivrer la sauce,* d'y mettre du poivre.

■ **poivrière** n.f. SENS 1 *La poivrière et la salière sont sur la table,* un récipient pour le poivre. **2.** *Une poivrière est un abri placé en surplomb d'une muraille où prenait place le guetteur d'un château fort.* | 78 ... 146

poivron n.m. *Le poivron est une sorte de piment doux.* | 578

poix → *poisser.*

poker n.m. **1.** *Ils passent leur temps à jouer au poker,* un jeu de cartes. **2.** *Cette décision soudaine de la directrice, c'est un coup de poker,* un choix plein de risque.
R. On prononce [pɔkɛr].

polaire, polariser → *pôle.*

polaroïd n.m. *Mon polaroïd développe immédiatement les photos,* un type d'appareil photo.
R. C'est un nom de marque.

polatouche n.m. *Hier soir, j'ai vu des polatouches,* des écureuils volants qui sortent la nuit.

polder n.m. *Les Hollandais ont mis en valeur de nombreux polders,* des régions conquises sur la mer.
R. On prononce [pɔldɛr].

294 **pôle** n.m. **1.** *Les pôles sont des régions très froides,* les parties de la Terre le plus au nord et le plus au sud. **2.** *Québec est un pôle d'attraction pour les touristes,* un endroit qui les attire.

584 ■ **polaire** adj. SENS 1 *Un paysage polaire est un paysage caractéristique des pôles. L'étoile polaire indique la direction du pôle Nord.*

■ **polariser** v. SENS 2 *L'attention était polarisée sur elle* (= attirer, concentrer).

polémique n.f. *Ces politiciens ont engagé une polémique,* une violente discussion.

■ **polémiquer** v. *Cessons de polémiquer et essayons de travailler ensemble.*

poli, e adj. **1.** *Cette table est en bois poli,* on l'a frotté pour le rendre lisse et brillant. **2.** *Pierre est un garçon poli,* bien élevé (≠ insolent, grossier).

■ **poliment** adv. SENS 2 *Claude m'a répondu poliment.*

■ **polir** v. SENS 1 *On polit le verre pour le rendre transparent* (= frotter).

■ **politesse** n.f. SENS 2 *« Merci », « s'il vous plaît »* sont des formules de *politesse* (= courtoisie).

■ **dépolir** v. SENS 1 *Cette vitre est en verre dépoli* (= translucide ; ≠ clair, transparent).

■ **impoli, e** adj. et n. SENS 2 *Marie est impolie* (= insolent, impertinent).

■ **impoliment** adv. SENS 2 *Tu as refusé impoliment.*

■ **impolitesse** n.f. SENS 2 *On lui a reproché son impolitesse.*

■ **malpoli, e** adj. et n. SENS 2 *Tais-toi, petit malpoli !*

police n.f. **1.** *Après le vol, on a appelé la police,* ceux qui sont chargés de faire respecter la loi. **2.** *Mme Scott a souscrit une police d'assurance pour sa voiture,* un contrat.

■ **policier, ère** n. SENS 1 *Les policiers ont arrêté un suspect,* les gens de la police.

■ **policier, ère** adj. SENS 1 *J'aime les films policiers,* qui parlent de policiers et de bandits. *Les chiens policiers sont dressés pour aider la police.*

polichinelle n.m. **1.** *Claire a eu un polichinelle pour Noël,* une marionnette, un pantin caractérisé par une bosse devant et une bosse dans le dos. **2.** *C'est un secret de polichinelle ce que tu me racontes,* tout le monde est au courant.

policier → *police.*

poliment → *poli.*

poliomyélite n.f. *Il a eu la poliomyélite, il est infirme des jambes,* une maladie qui peut causer une paralysie.

polir → *poli.*

polisson, onne adj. et n. *Veux-tu obéir, petit polisson !,* enfant désobéissant.

■ **polissonnerie** n.f. *J'en ai assez de tes polissonneries* (= bêtise).

politesse → *poli.*

politique n.f. *Janet s'intéresse à la politique,* à la manière dont le pays est gouverné.

■ **politique** adj. *Les députés, les ministres constituent le personnel politique,* les personnes qui s'occupent des intérêts du pays, de la façon dont il est dirigé, gouverné. *Un parti politique est une organisation qui veut gouverner.*

■ **politicien, enne** n. *Bien des gens se méfient des politiciens,* des personnes engagées en politique.

■ **politiser** v. *Ce débat qui devait être technique, a été vite politisé,* il a été marqué par des objectifs politiques.

■ **apolitique** adj. *Cette organisation est apolitique,* sans buts politiques.

polka n.f. *La polka est une danse polonaise.*

pollen n.m. *Le pollen des fleurs est une fine poussière qui sert à leur reproduction.*
R. On prononce [pɔlɛn].

polluer v. *Cette plage est polluée par du mazout, elle est salie, rendue malsaine.*
■ **polluant, e** adj. et n.m. *Les insecticides sont des (produits) polluants, qui polluent.*
■ **pollueur, euse** n.m. et adj. *Cette industrie déverse tous ses (déchets) pollueurs dans le fleuve.*
■ **pollution** n.f. *Près de l'usine, la pollution de l'air est inquiétante (≠ pureté).*

polo n.m. **1.** *Les joueurs de polo sont à cheval et poussent une balle avec un maillet.* **2.** *Je cherche mon polo bleu,* une sorte de chemise.

polochon n.m. est un équivalent familier de *traversin.*

poltron, onne adj. et n. *Jacques est (un) poltron,* il manque de courage (= froussard ; ≠ brave).
■ **poltronnerie** n.f. *On s'est moqué de sa poltronnerie* (= lâcheté ; ≠ courage).

poly-, au début d'un mot, indique qu'il y a plusieurs choses : *la polycopie est une reproduction en plusieurs copies.*

polyclinique n.f. *La polyclinique du quartier regroupe des médecins spécialisés dans différents domaines.*

polycopie, polycopier → *copie.*

polyculture n.f. *Ce cultivateur pratique la polyculture,* il cultive des produits différents sur ses terres.

polyester n.m. *Mon chandail est en polyester,* une fibre synthétique.

polygamie → *monogamie.*

polyglotte adj. et n. *M. Dubois est polyglotte,* il sait parler plusieurs langues.

polygone n.m. *Un polygone est une figure de géométrie qui a plusieurs côtés.* | 385

polype n.m. **1.** *Les polypes sont des animaux marins.* **2.** *J'ai été opéré d'un polype dans le nez,* d'une tumeur molle.

polystyrène n.m. *Mon ordinateur était entouré de polystyrène,* une matière plastique isolante.

polytechnicien, enne n. *Jessica est une ancienne polytechnicienne,* élève d'une grande école scientifique appelée Polytechnique.

polyvalent, e adj. et n.f. *Les (écoles) polyvalentes sont des écoles secondaires qui dispensent à la fois l'enseignement général et professionnel. Un professeur polyvalent enseigne plúsieurs matières.*

pommade n.f. *On a mis de la pommade sur sa brûlure,* un médicament gras.

pomme n.f. **1.** *Les pommes sont des fruits sphériques à pépins.* **2.** *La pomme de pin est le fruit du pin.* **3.** *La pomme d'Adam est un endroit en relief que les hommes ont sur la gorge.* **4.** *La pomme d'arrosoir est le bout arrondi et percé de trous de l'arrosoir.* **5.** Fam. ***Tomber dans les pommes,*** c'est s'évanouir. | 363, 367, 654, 655, 33, 366
■ **pommé, e** adj. SENS 1 *Cette laitue est bien pommée,* arrondie comme une pomme.
■ **pommier** n.m. SENS 1 *Au Québec, il y a beaucoup de pommiers,* des arbres. | 363

pommeau n.m. *Le pommeau d'une épée est le bout arrondi de sa poignée. Le cavalier s'accroche au pommeau de sa selle.* | 368

pomme de terre n.f. *M. Durand épluche des pommes de terre pour faire des frites,* un légume (= patate). | 367

pommelé, e adj. *Le ciel est pommelé,* couvert de petits nuages ronds.

pommette n.f. **1.** *Tu as les pommettes toutes rouges,* le haut des joues. **2.** *Ma mère fait de la gelée de pommettes,* des petites pommes acides qui poussent sur un arbre, le **pommetier.**

pommier → *pomme.*

512

1. pompe n.f. **1.** *Je gonfle mon pneu avec une pompe,* un appareil qui envoie de l'air. **2.** *Une pompe à eau envoie de l'eau, une pompe à essence envoie de l'essence.* **3.** Fam. *J'ai un coup de pompe tout d'un coup,* je me sens fatigué.

219,
506,
761

■ **pomper** v. SENS 2 *On a pompé l'eau de l'étang,* on l'a évacuée avec une pompe.

801

■ **pompage** n.f. SENS 2 *La station de pompage puise l'eau.*

■ **pompiste** n. SENS 2 *La pompiste a fait le plein de ma voiture,* l'employée de la pompe à essence.

2. pompe n.f. **1.** *Le mariage a été célébré en grande pompe,* la cérémonie a eu beaucoup d'éclat (= solennité). **2.** (au plur.) *Les pompes funèbres sont chargées d'organiser les enterrements.*

■ **pompeux, euse** adj. SENS 1 *La mairesse a fait un discours pompeux* (= solennel ; ≠ simple).

■ **pompeusement** adv. SENS 1 *Cette maison bourgeoise est pompeusement appelée « le château ».*

761

pompier, ère n. *On a appelé les pompiers pour éteindre l'incendie,* des spécialistes du feu, des inondations, etc.

pompiste → *pompe 1.*

652

pompon n.m. *Pierrot a une belle tuque à pompon rouge,* ornée d'une boule de laine.

pomponner v. *Je me pomponne devant la glace,* je soigne ma toilette.

poncer v. *Avant de peindre, il faut bien poncer le mur,* le frotter ou le gratter pour le rendre lisse et propre.

■ **ponce** adj.f. *Je me récure les mains avec une pierre ponce,* une pierre dure et rugueuse.

■ **ponceuse** n.f. *Le peintre utilise la ponceuse pour poncer le mur,* une machine.

poncho n.m. *On m'a rapporté un poncho du Mexique,* un vêtement formé d'une couverture fendue au milieu pour y passer la tête.

ponction n.f. **1.** *En médecine, une ponction consiste à retirer du corps un liquide avec une seringue.* **2.** *Cette dépense représente une grosse ponction sur notre budget,* un prélèvement d'argent.

ponctuation → *ponctuer.*

ponctuel, elle adj. **1.** *Irène est ponctuelle à ses rendez-vous,* elle arrive à l'heure (= exact ; ≠ négligent). **2.** *Le rapport contient des critiques ponctuelles,* portant sur des points précis.

■ **ponctualité** n.f. SENS 1 *On lui a reproché son manque de ponctualité* (= exactitude).

■ **ponctuellement** adv. SENS 1 *Il arrive ponctuellement à 8 heures.*

ponctuer v. *Claude ne sait pas ponctuer ses devoirs,* mettre les signes de ponctuation.

■ **ponctuation** n.f. *Le point, la virgule, le point-virgule, les parenthèses sont des signes de ponctuation.*

pondération n.f. *Mme Gascon agit toujours avec pondération,* avec modération et prudence.

■ **pondéré, e** adj. *M. Dupont est un esprit pondéré* (= calme ; ≠ violent, impulsif).

pondre v. *Les oiseaux, les poissons, les insectes pondent des œufs,* ils les produisent.

■ **pondeuse** n.f. *Cette poule est une bonne pondeuse.*

■ **ponte** n.f. *La poule chante après la ponte,* après avoir pondu.

R. → Conj. n° 51. → *pont.*

poney n.m. *Luce se promène à dos de poney,* une sorte de petit cheval.

pont n.m. **1.** *Les passagers se promènent sur le pont du paquebot,* le plancher.

→ p. 657

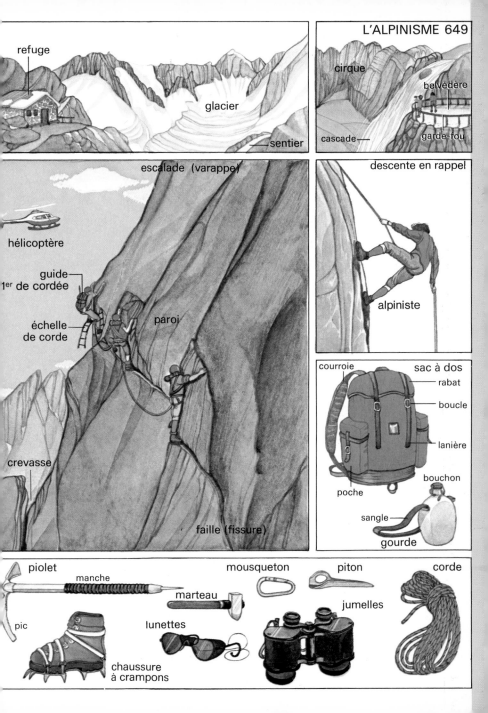

refuge

glacier

sentier

cirque

belvédère

cascade

garde-fou

escalade (varappe)

hélicoptère

guide
1er de cordée

échelle
de corde

paroi

crevasse

faille (fissure)

descente en rappel

alpiniste

courroie

sac à dos

rabat

boucle

lanière

bouchon

poche

sangle

gourde

piolet

manche

mousqueton

piton

corde

marteau

jumelles

pic

lunettes

chaussure
à crampons

650 rapaces

vautour
buse
chouette
aigle
serres

mélèze
épicéa (épinette)

grotte
stalactites
stalagmites

neiges éternelles
sommet
arête
plateau
versa
falaise
troupeau
vallée
chalet
chèvre
alpage

minéraux
schiste
malachite
cristaux
de quartz
soufre
mica
améthyste
granite

aile

plumes

épervier

marmotte

aiguille

glacier

dôme

col

route
en lacet

téléphérique

lac

barrage

tentes

torrent

tunnel

éboulis

mouflon

cornes

chamois

aubépine

bleuet
(myrtille)

cyclamen

clochettes

campanule

chardon

652 patinage artistique

hockey sur glace

but

bâton

patins

rondelle

bonhomme de neige

pompon

'tuque

balai

pipe

cha...

couloir
d'avalanche

téléphérique

statio...

câble

pylône

piste
de slalom

patinoire

flocons de neige

télésiège

télécabine

chasse-neige

...anc de neige

traîneau
(carriole)

patin

skieur de fond

patinage de vitesse

bobsleigh

bonnet de fourrure

cagoule

montagnes

tremplin de saut

perche

piste de descente

remonte-pente

luge

cristaux de neige

skieur

casque

anorak

gant

position de chasse-neige

ski alpin

ski de fond

rondelle

bâton

chaussure de ski

attaches

654

hêtre

bouleau

chêne

glands

faine

charme

frêne

futaie

fourche

branche

sapin

fourrés

taillis

pomme

humus

digitale

chemin
forestier

tige

muguet

liseron

ancolie

fougère

able

orme

tronçonneuse

bûches

coin — cognée

rondin — masse

écorce

sous-bois

bûcheron

bourgeon

chatons

peuplier

pin

pomme

aiguilles

anémone

violette

primevère

noisetier

nervures — chaton

noisettes

feuille

656 LA FORÊT 2

moufette

belette

hermine

raton-laveur

lièvre

chevreuil

bois

écureuil

porc-épic

clairière

racines

orignal

renard

rejeton

souche

champignons comestibles

truffe

morille

girolle

cèpes (bolets)

champignons vénéneux

amanite tue-mouche

amanite phalloïde (mortel)

2. *On traverse la rivière sur un pont de bois.* **3.** *Pour faire la vidange, le garagiste lève la voiture à l'aide du pont,* un appareil qui élève la voiture à hauteur d'homme. **4.** *Un pantalon à pont* se boutonne par devant à droite et à gauche. **5.** *À l'Ascension, nous avons fait le pont,* nous avons eu un jour de congé supplémentaire entre deux jours fériés. **6.** *Es-tu capable de faire le pont ?,* de te renverser en arrière de façon à ce que tes mains touchent le sol. **7.** *Il n'y a pas de pont aérien entre ces deux îles,* de liaison par avion.

■ **ponté, e** adj. SENS 1 *Ce bateau n'est pas ponté,* il n'a pas de pont.

■ **pont-levis** n.m. SENS 2 *Les châteaux forts avaient un pont-levis,* un pont que l'on pouvait lever.

■ **ponton** n.m. SENS 2 *On traverse le fleuve en crue sur des pontons,* des bateaux accolés formant un pont.

■ **pontonnier** n.m. SENS 2 *Les pontonniers sont des soldats chargés de construire des ponts.*

■ **entrepont** n.m. SENS 1 *Il y a des cabines dans l'entrepont,* sous le pont du navire.

R. *Pont* se prononce [pɔ̃] comme [*il*] *pond* (de *pondre*). Noter le pluriel : des *ponts-levis.*

ponte → *pondre.*

ponté → *pont.*

pontife n.m. **1.** *Le souverain pontife* est le pape. **2.** *Tu parles comme un pontife !,* comme un personnage important.

■ **pontifical, e, aux** adj. SENS 1 *L'État pontifical* est le Vatican.

■ **pontificat** n.m. SENS 1 *Le pontificat de Jean-Paul II a commencé en 1978,* sa fonction de pape.

■ **pontifier** v. SENS 2 *Les Brière pontifient devant leurs invités,* ils parlent d'un ton prétentieux.

pont-levis, ponton, pontonnier → *pont.*

pop adj.inv. *Edith aime la musique pop,* une sorte de musique moderne.

pop-corn n.m.inv. *Les pop-corn sont des grains de maïs gonflés et grillés.*

pope n.m. *Les popes ont le droit de se marier,* les prêtres de l'Église orthodoxe.

popeline n.f. *Cléa a un imperméable en popeline,* un tissu.

popote n.f. Fam. *Les campeurs font leur popote sur un réchaud,* ils cuisent leur nourriture.

populace, populaire, populariser, popularité, population, populeux → *peuple.*

porc n.m. *Mon voisin fait l'élevage des porcs,* des cochons. *Nous avons mangé un rôti de porc* (= cochon). *Des chaussures en porc* sont en peau de porc.   361

■ **porcelet** n.m. *La truie est suivie de ses porcelets,* de ses petits.   361

■ **porcher** n.m. *Autrefois, les porcs étaient gardés par des porchers.*

■ **porcherie** n.f. *Cette porcherie répand une odeur infecte,* cette étable pour les porcs.   363

■ **porcin, e** adj. *L'élevage porcin* est l'élevage des porcs.

■ **pourceau** n.m. *Il est sale comme un pourceau* (= porc).

R. *Porc* se prononce [pɔr] comme *port* et *pore.*

porcelaine n.f. *Mme Wong vend des assiettes en porcelaine,* en une matière précieuse et fragile.

porcelet → *porc.*

porc-épic n.m. *Les porcs-épics ont le corps recouvert de piquants.*   656

R. On prononce [pɔrkepik].

porche n.m. *Le porche d'une église* est la partie couverte qui est à l'entrée.   148, 362

porcher, porcherie, porcin → *porc.*

pore n.m. *Pierre transpire par tous les pores,* les trous minuscules de la peau.

■ **poreux, euse** adj. *Cette roche est poreuse,* elle a des trous minuscules qui laissent passer l'eau (= perméable).

R. → *porc.*

pornographique ou, fam. **porno** adj. *Les films **pornographiques** sont ceux qui montrent des spectacles obscènes.*

porphyre n.m. *Certaines églises italiennes ont des colonnes en **porphyre**, une roche rouge.*

721, 724, 727 **1. port** n.m. 1. *Halifax est un **port** maritime, Montréal est un **port** fluvial, un endroit où s'arrêtent les navires.* 2. *Leur voyage s'est bien passé, ils **sont arrivés à bon port**, sans accident.*

■ **portuaire** adj. SENS 1 *Les grues, les hangars, les docks font partie de l'équipement **portuaire**, d'un port.*

726 ■ **avant-port** n.m. *L'**avant-port** est la partie du port située vers le large.*
R. → *porc.* Noter le pluriel : des *avant-ports.*

2. port → *porter.*

portable → *porter.*

portage → *porter.*

portail → *porte.*

portant, portatif → *porter.*

508, 146, 74 **porte** n.f. 1. *On frappe, va ouvrir la **porte**.* 2. *Thérèse **a été mise à la porte**, elle a été renvoyée de son travail (= congédier).* 3. *Si on tolère cela, c'est **la porte ouverte à tous les abus**, on ne pourra plus s'y opposer.* 4. *Si tu veux obtenir de l'argent, il faut **frapper à la bonne porte**, s'adresser à qui il convient.* 5. *Ce skieur a raté **une porte**, un espace entre deux piquets dans un slalom.*

■ **porte-à-porte** n.m. SENS 1 *Ce vendeur fait du **porte-à-porte**, il va d'une porte à l'autre pour vendre ses produits.*

75 ■ **porte-fenêtre** n.f. SENS 1 *Une **porte-fenêtre** est une fenêtre qui descend jusqu'au sol et qui sert de porte.*

148, 73 ■ **portail** n.m. SENS 1 *Le **portail** de la cathédrale est ouvert, la grande porte.*

■ **portier, ère** n. SENS 1 *On a donné un pourboire au **portier** de l'hôtel, à l'employé qui garde la porte.*

802, 505 ■ **portière** n.f. SENS 1 *Ne passe pas la tête par la **portière** !, la porte de la voiture.*

■ **portillon** n.m. SENS 1 *On entre dans le jardin par un **portillon**, une petite porte.*
R. *Porte* se prononce [pɔʀt] comme [*je*] *porte* (de *porter*). Noter le pluriel : des *portes-fenêtres.*

en porte-à-faux adv. *Le colis a basculé parce qu'il était **en porte-à-faux**, en équilibre instable.*

porte-avions → *avion.*

porte-bagages → *bagage.*

porte-bonheur → *bonheur.*

porte-cartes → *carte.*

porte-clefs → *clef.*

porte-documents → *document.*

portée → *porter.*

portefeuille n.m. 1. *Jocelyne a sorti des billets de son **portefeuille**.* 2. *Dans le nouveau gouvernement, ce député a reçu le **portefeuille** des Finances, il est devenu ministre des Finances.*

portemanteau → *manteau.*

porte-monnaie → *monnaie.*

porte-ordures → *poussière.*

porte-parole → *parole.*

porte-plume → *plume.*

porte-poussière → *poussière.*

porter v. 1. *Luce **porte** un paquet sur son dos, elle en supporte le poids (= transporter).* 2. *Il **porte** une lourde responsabilité dans cette affaire (= supporter).* 3. *Mireille **porte** de l'argent à la banque (= apporter, amener).* 4. *Marie **porte** une jupe bleue et un pull vert, elle les a sur elle.* 5. *M. Dupont **porte** la barbe, il en a une.* 6. *Quel nom **porte-t-il** ? (= avoir).* 7. ***Porter** secours, c'est secourir, **porter** plainte, c'est se plaindre, **porter** bonheur (malheur), c'est causer un bonheur (ou un malheur).* 8. *La discussion **a porté sur** le match de hockey, elle a eu ce sujet.* 9. *Le coup **a porté**, il a atteint son but.* 10. *Sa voix **porte** loin, elle* s'entend de loin. **11.** *La chatte porte ses petits deux mois,* elle les a dans son ventre. **12.** *Claude se porte bien,* sa santé est bonne (= aller).

■ **port** n.m. SENS 3 *Il faut payer le port de cette lettre,* le prix de son transport. SENS 4 ET 5 *Avoir un port d'armes,* c'est avoir la permission d'en porter une.

■ **portable** adj. SENS 1 *Un téléviseur portable peut être facilement transporté.* SENS 4 *Cette jupe n'est plus portable,* elle est trop usée.

■ **portage** n.m. **1.** SENS 1 *Paul et Marie sont épuisés, ils ont dû faire un long portage,* transporter sur leurs épaules leur canot et leur équipement. **2.** *Le portage de Témiscouata est toujours fréquenté,* le sentier ou le chemin utilisé pour contourner les obstacles d'un cours d'eau ou pour aller d'un cours d'eau à l'autre.

■ **portant, e** adj. SENS 9 *Tirer un coup de feu à bout portant,* c'est le tirer de très près. SENS 12 *Jean est bien portant,* il est en bonne santé.

■ **portatif, ive** adj. SENS 1 *Cléa a un poste de radio portatif,* que l'on peut transporter.

■ **portée** n.f. **1.** SENS 9 ET 10 *Quelle est la portée de ce fusil ?,* à combien porte-t-il ? *Tu ne mesures pas la portée de tes paroles* (= effet, force). SENS 11 *La portée d'une chienne,* c'est le nombre de ses petits. **2.** *Ce livre est à la portée de ta main,* tu peux le prendre avec la main. *Ce travail n'est pas à la portée de tout le monde,* tout le monde n'est pas capable de le faire. **3.** *On écrit les notes de musique sur une portée,* des lignes.

■ **porteur, euse** n. et adj. SENS 1 *Ces valises sont trop lourdes, va chercher un porteur,* un homme pour les porter. SENS 4 *L'assassin était porteur d'un couteau,* il l'avait sur lui.

R. → *porc* et *porte.*

porte-savon → *savon.*

porte-serviettes → *serviette.*

porte-voix → *voix.*

portier, portière, portillon → *porte.*

portion n.f. **1.** *Veux-tu une autre portion de gâteau ?* (= part, morceau). **2.** *Une portion de la population est mécontente* (= partie, fraction).

portique n.m. *La balançoire est accrochée à un portique,* une barre soutenue par des poteaux.

73, 508

porto n.m. *Le porto est un vin renommé du Portugal.*

portrait n.m. **1.** *On te reconnaît très bien sur ce portrait,* ce dessin, cette peinture ou cette photo représentant ton visage. **2.** *Tu es le portrait de ton père,* tu lui ressembles beaucoup.

■ **portrait-robot** n.m. *Les journaux ont diffusé un portrait-robot de l'assassin,* un portrait reconstitué à partir des descriptions de témoins.

R. Noter le pluriel : des *portraits-robots.*

portuaire → *port 1.*

poser v. **1.** *Pose le livre sur la table* (= mettre, placer, déposer). **2.** *L'oiseau s'est posé sur une branche* (= se mettre ; ≠ s'envoler). **3.** *On a fait poser de nouveaux rideaux* (= installer). **4.** *Leïla m'a posé une question,* elle m'a interrogée. **5.** *Marie pose devant le photographe,* elle reste immobile. **6.** *Jean pose devant ses amies,* il prend des airs prétentieux. **7.** *Marie a posé sa candidature à ce poste,* elle s'est présentée comme candidate.

■ **pose** n.f. SENS 3 *Le plombier est venu pour la pose d'un chauffe-eau* (= installation). SENS 5 *Pour cette photo, il faudra une pose de trois secondes,* rester immobile pendant ce temps. SENS 6 *Claude prend des poses prétentieuses* (= attitude).

■ **posé, e** adj. SENS 5 *C'est une personne posée* (= calme, sérieux).

■ **posément** adv. SENS 5 *Il m'a répondu posément* (= calmement).

■ **poseur, euse** adj. et n. SENS 6 *Jean est (un) poseur* (= prétentieux).

R. *Pose* se prononce [poz] comme *pause*.

positif, ive adj. **1.** *M. Vandamme m'a donné une réponse positive,* il m'a dit oui (= affirmatif ; ≠ négatif). **2.** *Le résultat de ses démarches est positif,* elle a réussi. **3.** *Mlle Baril est un esprit positif,* elle a du sens pratique (= réaliste ; ≠ abstrait). **4.** *Trois est un chiffre positif,* il est plus grand que zéro (≠ négatif).

■ **positivement** adv. **1.** SENS 1 *On m'a répondu positivement* (= affirmativement). **2.** SENS 2 *Son influence s'est exercée positivement,* dans un sens favorable. **3.** *Ce n'est pas positivement indispensable* (= vraiment, absolument).

position n.f. **1.** *Dans quelle position dors-tu ? — Sur le ventre* (= attitude). **2.** *Ce coureur est arrivé en cinquième position* (= place). **3.** *On lui a demandé de préciser sa position* (= opinion, point de vue). **4.** *Le navire a fait connaître sa position,* l'endroit où il se trouve.

positivement → *positif.*

posologie n.f. *La pharmacienne m'indique la posologie de ce médicament,* la manière et le moyen de le prendre.

posséder v. **1.** *Vous possédez une maison de campagne ?,* elle vous appartient (= avoir). **2.** *Sophie possède mieux le français que l'anglais,* elle le connaît mieux.

■ **possesseur** n.m. SENS 1 *Qui est le possesseur de ce bois ?* (= propriétaire).

■ **possessif, ive** adj. SENS 1 *« Mon », « ton », « son » sont des adjectifs possessifs.*

■ **possession** n.f. SENS 1 *Est-ce que tu as ces livres en ta possession ?,* est-ce que tu les possèdes ?

■ **déposséder** v. SENS 1 *M. Durand a été dépossédé de sa fortune,* il l'a perdue.

possible adj. **1.** *Il est possible de faire ce travail en deux heures,* on peut le faire

(= réalisable). **2.** *Est-ce que tu viendras demain ? — C'est possible,* cela se peut (≠ certain). **3.** *Autant que possible,* essaye d'arriver tôt, si tu le peux. *J'en ai ramassé le plus possible,* autant que je pouvais.

■ **possible** n.m. SENS 1 *Julie a fait tout son possible,* ce qu'elle pouvait.

■ **possibilité** n.f. SENS 1 *Je n'ai pas la possibilité de venir,* je ne peux pas venir. SENS 2 *Il faut envisager toutes les possibilités,* tous les cas possibles.

■ **impossible** adj. **1.** SENS 1 ET 2 *Je peux pas aller plus vite, c'est impossible.* **2.** *Cet enfant est impossible* (= insupportable ; ≠ sage).

■ **impossible** n.m. SENS 1 *On a fait l'impossible pour arriver à l'heure.*

■ **impossibilité** n.f. SENS 1 *Je suis dans l'impossibilité de partir,* je ne peux pas partir.

post- au début d'un mot signifie « après » : *des soins postopératoires.*

postdater → *date.*

1. poste n.f. **1.** *La Société canadienne des Postes (ou la Poste)* est un service public chargé de distribuer le courrier. **2.** *La poste est à côté de l'hôtel de ville,* le bureau de poste (au sens 1) **3.** *Autrefois, les voitures de poste transportaient les voyageurs et le courrier.*

■ **postal, e, aux** adj. SENS 1 ET 2 *Qui m'a écrit cette carte postale ?,* envoyée par la poste. *Elle a écrit son code postal sur l'enveloppe,* un code formé de trois lettres et de trois chiffres inscrits en alternance.

■ **poster** v. SENS 1 ET 2 *As-tu posté la lettre pour Agnès ?,* l'as-tu mise à la poste ?

■ **postier, ère** n. SENS 1 ET 2 *M. Lavergne est postier,* il travaille au bureau de poste.

■ **postillon** n.m. **1.** SENS 3 *Le postillon conduisait les voitures de poste.* **2.** Fam. *M. Durand envoie des postillons quand il parle,* des gouttes de salive.

2. poste n.m. **1.** *Le soldat n'est pas resté à son poste,* à l'endroit où il devait rester.

2. *Un* **poste** *de police est un endroit où se trouvent des policiers,* un **poste** *de pilotage est l'endroit où se trouve le pilote.* **3.** *Germaine occupe un* **poste** *important* (= emploi, charge, fonction). **4.** *Les Durand ont un* **poste** *de radio et un* **poste** *de télévision,* un appareil.
■ **poster** v. SENS 1 *Il* **s'est posté** *à la fenêtre pour m'attendre,* il s'est mis à cet endroit.

1. poster → *poste* 1 et 2.

2. poster n.m. *Ruth a mis des* **posters** *sur les murs de sa chambre,* de grandes photos.
R. On prononce [pɔstɛr].

postérieur, e adj. **1.** *Mon arrivée est* **postérieure** *à la tienne,* elle a eu lieu après (≠ antérieur). **2.** *Jean a reçu un coup sur la partie* **postérieure** *de la tête,* sur l'arrière.
■ **postérieur** n.m. SENS 2 Fam. *Une guêpe lui a piqué le* **postérieur,** le derrière, les fesses.
■ **postérité** n.f. SENS 1 *Tu travailles pour la* **postérité,** les gens qui vivront après toi.

posthume adj. *J'ai lu un roman* **posthume** *de cet écrivain,* un roman publié après sa mort.

postiche adj. et n.m. *Pour se déguiser, Cléa a mis une barbe* **postiche,** une fausse barbe. *Le bandit avait un* **postiche,** de faux cheveux (= perruque).

postier, postillon → *poste* 1.

post-scriptum n.m.inv. *Il y a un* **post-scriptum** *à la fin de sa lettre,* quelques mots après la signature.
R. On prononce [pɔstskriptɔm]. On écrit aussi P.-S.

postuler v. *Mlle Cyr* **postule** *un emploi,* elle le demande.
■ **postulant, e** n. *Il y a plusieurs* **postulants** *pour ce poste* (= candidat).

posture n.f. **1.** *Tu es couché ! ce n'est pas une* **posture** *pour travailler !,* une posi-

tion du corps. **2.** *Si notre équipe perd encore un match, elle sera en mauvaise* **posture** *pour le classement* (= position, situation).

pot n.m. **1.** *Mme Sandoz met des* **pots** *de fleurs sur son balcon,* des récipients. **2.** *Le* **pot d'échappement** *d'une voiture,* c'est le dispositif par où sortent les gaz brûlés. **3.** *Bébé est sur le* **pot (de chambre),** le récipient où il fait ses besoins. **4.** *On a découvert le* **pot aux roses,** le secret de l'affaire. **5.** *Dis ce que tu as à dire, ne* **tourne** *pas* **autour du pot,** ne parle pas autour du sujet, aborde-le directement.
R. → *peau.* 289

potable adj. *Attention, eau non* **potable** *!,* elle n'est pas bonne à boire (= buvable).

potage n.m. *Ce soir, il y a un* **potage** *au vermicelle* (= soupe).

potager, ère **1.** adj. *Les pommes de terre, les carottes, les haricots sont des plantes* **potagères** (= légume). **2.** n.m. et adj. *Claude cultive son* **(jardin) potager,** un jardin pour les légumes. 367

potasse n.f. *La* **potasse** *est un bon engrais,* un produit chimique.

potasser v. Fam. *J'ai eu une bonne note parce que j'***avais potassé** *ma leçon,* je l'avais bien apprise.

pot-au-feu n.m.inv. *Nous avons mangé un bon* **pot-au-feu,** de la viande de bœuf et des légumes bouillis.

pot-de-vin n.m. *L'architecte avait reçu des* **pots-de-vin,** des sommes d'argent illégales.

pote n.m. Très fam. *Saïd, c'est mon* **pote,** mon camarade, mon ami.

poteau n.m. *La route est bordée par des* **poteaux** *électriques,* des piliers soutenant des fils. 803

potée n.f. La **potée** *est un plat de charcuterie et de légumes cuits ensemble.*

potelé, e adj. *Le bébé a des bras potelés* (= dodu ; ≠ maigre).

potence n.f. *Autrefois, on pendait les condamnés à mort à une potence,* un support fait de plusieurs poutres (= gibet).

potentiel n.m. *Ce pays renforce son potentiel militaire,* ses forces, ses capacités.

437 | **poterie** n.f. **1.** *Andrée fait de la poterie,* elle fabrique et cuit des objets en terre. **2.** *Nous avons vu une exposition de poteries,* des vases, des assiettes, des plats (= terre cuite).
■ **potier, ère** n. *Le potier met un vase dans son four.*

147 | **poterne** n.f. *Une poterne est une petite porte dans une fortification.*

potiche n.f. *Qui a cassé la potiche du salon ?,* le grand vase décoratif.

potier → *poterie.*

potin n.m. Fam. **1.** *Il y a du potin dans la rue* (= bruit, vacarme). **2.** (au plur.) *Ces gens aiment raconter des potins* (= commérages, ragots).

potion n.f. *Le médecin lui a prescrit une potion pour calmer sa toux,* un médicament à boire.

potiron n.m. *Nous avons mangé une soupe au potiron,* une grosse citrouille.

pot-pourri n.m. *Les élèves ont chanté un pot-pourri,* une chanson faite d'un assemblage de plusieurs airs connus.
R. Noter le pluriel : des *pots-pourris.*

pou n.m. *Ces enfants se grattent, ils ont attrapé des poux,* des insectes qui vivent dans les cheveux.
R. → *pouls.*

pouah ! interj. marque le dégoût : *Pouah ! que c'est mauvais !*
R. → *poids.*

78, 217 | **poubelle** n.f. *Tous les matins, les éboueurs ramassent les ordures des poubelles* (= boîte à ordures).

pouce n.m. **1.** *Claire suce encore son pouce,* le doigt le plus gros. **2.** *Le pouce* est une ancienne mesure de longueur d'environ 2,5 centimètres. **3.** *Louise ne veut pas bouger d'un pouce,* d'un tout petit espace. **4.** *Donner un coup de pouce à quelqu'un,* c'est intervenir pour l'aider à réussir. **5.** *J'étais très pressé, j'ai déjeuné sur le pouce,* à la hâte. **6.** *Julie se tourne les pouces,* elle reste sans rien faire. **7.** *Céline fait du pouce,* elle se met sur le bord de la route et fait de l'auto-stop. *On est allés à Munich sur le pouce,* en auto-stop. **8.** interj. *Pouce ! je ne joue plus !,* arrête.
■ **pouceur, euse** ou **pouceux, euse** n. SENS 7 *J'ai fait monter une pouceuse dans ma voiture,* une auto-stoppeuse.
R. *Pouce* se prononce [pus] comme *pousse* et [je] *pousse* (de *pousser*).

poudre n.f. **1.** *Jean met du sucre en poudre dans son yogourt,* du sucre moulu très fin. **2.** *Pour éviter d'avoir la peau brillante, mettez-vous de la poudre sur les joues,* un produit de beauté. **3.** *Dans les cartouches, il y a une charge de poudre,* de substance explosive. **4.** *Je n'ai plus de poudre à pâte,* une levure chimique pour faire la pâtisserie.
■ **poudrer** v. SENS 1 *À Québec, il a poudré toute la nuit,* une neige légère a tourbillonné dans le vent. SENS 2 *Marie se poudre le visage,* elle met de la poudre.
■ **poudrerie** n.f. SENS 1 *Le vent souffle, quelle poudrerie !,* quelle neige fine et sèche que le vent soulève en tourbillons.
■ **poudreux, euse** adj. et n.f. SENS 1 *On a skié dans la (neige) poudreuse,* fine comme de la poudre.
■ **poudrier** n.m. SENS 2 *Mme Durand sort son poudrier de son sac,* sa boîte à poudre.
■ **poudrière** n.f. SENS 3 *Cet endroit est aussi dangereux qu'une poudrière,* qu'un entrepôt de poudre.

1. pouf ! interj. exprime un bruit sourd.

2. pouf n.m. *Jean s'est assis sur un pouf,* un siège bas et rembourré.

pouffer v. *Tout le monde a pouffé de rire,* a éclaté de rire malgré soi.

pouilleux, euse adj. *Ils habitent un quartier pouilleux,* très sale et misérable.

poulailler → *poule.*

poulain n.m. *La jument galope suivie de son poulain,* son petit.
■ **pouliche** n.f. *Une pouliche est une jument jeune.*

poulaine n.f. *Les poulaines étaient des chaussures au bout très allongé.*

poule n.f. 1. *Les poules picorent dans la basse-cour,* une sorte de volaille. 2. *Pierre n'est qu'une poule mouillée,* il n'est pas courageux. 3. *Brrr ! J'ai la chair de poule,* je frissonne (de froid ou de peur).
■ **poularde** n.f. SENS 1 *Une poularde est une poule jeune et grasse.*
■ **poulet** n.m. SENS 1 *À midi, il y a du poulet rôti,* une jeune poule ou un jeune coq.
■ **poulailler** n.m. 1. SENS 1 *La fermière a enfermé les poules dans le poulailler,* le local où elles logent. 2. *Au théâtre, nous étions placés au poulailler,* aux places du haut.

pouliche → *poulain.*

poulie n.f. *On s'est servi d'une poulie pour monter les caisses,* d'une roue sur laquelle passe une corde, une courroie.

poulpe n.m. *Le poulpe a de longs tentacules* (= pieuvre).

pouls n.m. *Pierre a couru, son pouls est très rapide,* le battement de ses artères qu'on peut sentir au poignet.
R. *Pouls* se prononce [pu] comme *pou.*

poumon n.m. *Respire à pleins poumons le bon air de la campagne !*
■ **pulmonaire** adj. *La tuberculose est une maladie pulmonaire,* des poumons.
■ **s'époumoner** v. *Tu t'époumones en criant comme ça* (= s'essouffler).

poupe n.f. *Le navire a le vent en poupe,* le vent souffle sur l'arrière (≠ proue).

poupée n.f. *Marie habille et déshabille sa poupée,* un jouet à forme humaine.

poupon n.m. 1. *Il porte un poupon dans ses bras,* un bébé. 2. *J'ai eu un poupon pour Noël,* une poupée qui représente un bébé.
■ **poupin, e** adj. SENS 1 *Une figure poupine est ronde et jouflue comme celle d'un poupon.*
■ **pouponner** v. SENS 1 *Alain pouponne sa petite sœur* (= dorloter).
■ **pouponnière** n.f. SENS 1 *Une pouponnière est un établissement où l'on garde les bébés.*

pour prép. indique le but : *Elle est partie tôt pour arriver à l'heure, pour que tout soit prêt à midi ;* le temps : *Il faut faire cela pour demain ;* la cause : *Mme Dion a eu une amende pour excès de vitesse ;* l'échange : *Il m'a offert cent dollars pour mon auto. J'en ai eu pour mon argent ;* la comparaison : *Elle est petite pour son âge ;* la conséquence : *Il est assez grand pour travailler ;* le remplacement : *Tu as payé pour moi. Elle m'a pris pour un autre ;* le choix : *Il a voté pour moi.*
■ **pour** n.m.inv. *On a pesé le pour et le contre* (= avantage).

pourboire n.m. *Mme Baez a donné un pourboire au garçon,* une somme d'argent en plus du prix.

pourceau → *porc.*

pourcentage → *cent.*

pourchasser → *chasser.*

pourparlers → *parler.*

pourpoint n.m. *Autrefois, les hommes pouvaient porter un pourpoint,* une sorte de veste.

pourpre 1. adj. *De honte, Pierre est devenu pourpre,* très rouge. 2. n. *La pourpre est un colorant rouge tiré d'un coquillage, le pourpre.*
■ **s'empourprer** v. *Son visage s'est empourpré de colère* (= rougir).

76

805

pourquoi adv. sert à interroger sur la cause : *Pourquoi es-tu partie ? — Parce que j'étais pressée.*

■**c'est pourquoi** conj. explique la cause : *La planche était pourrie, c'est pourquoi elle s'est cassée.*

pourrir v. **1.** *Ces fruits commencent à pourrir,* à devenir mauvais (= se gâter, se décomposer). **2.** Fam. *Sa grand-mère le pourrit,* elle le gâte trop.

■**pourri, e** adj. SENS 1 ET 2 *Une pomme pourrie.* Fam. *Un enfant pourri,* très gâté.

■**pourriture** n.f. SENS 1 *Il y a dans cette cuisine une odeur de pourriture,* de choses pourries.

poursuivre v. **1.** *Ce chien m'a poursuivi pour me mordre,* il a couru derrière moi. **2.** *Line poursuit ses efforts* (= continuer). **3.** *M. Durand a poursuivi sa voisine en justice,* il a porté plainte contre elle.

■**poursuite** n.f. SENS 1 *On a couru à la poursuite du voleur.* SENS 2 *La poursuite des négociations.* SENS 3 *Des poursuites ont été engagées contre toi* (= procès).

■**poursuivant, e** n. SENS 1 *Le malfaiteur a échappé à ses poursuivants.*

R. → Conj. n° 62.

pourtant adv. marque une opposition : *Il est malade, pourtant il est venu,* malgré cela (= cependant, néanmoins).

pourtour → *tour* 2.

pourvoir v. **1.** *T'es-tu pourvue d'argent ?,* en as-tu en ta possession ? (= se munir). **2.** *Sophie pourvoit à mes besoins* (= subvenir).

■**dépourvu, e 1.** adj. SENS 1 *Ce livre est dépourvu d'intérêt,* il n'en a pas. **2.** n.m. *Elle m'a pris au dépourvu, quand je ne m'y attendais pas* (= à l'improviste).

R. → Conj. n° 43.

pourvu que conj. indique un souhait : *Pourvu qu'il fasse beau ! ;* une condition : *Tu peux partir, pourvu que tu sois rentrée avant midi.*

pousser v. **1.** *Anne pousse de toutes ses forces contre la porte,* elle appuie dessus

(≠ tirer). **2.** *Hugo est tombé quand Sylvie l'a poussé* (= bousculer). **3.** *La pluie nous a poussés à partir,* elle est la cause de notre départ (= engager, inciter ; ≠ empêcher). **4.** *Jacques m'a poussé à bout,* il m'a mis en colère, exaspéré. **5.** *Marie a poussé un hurlement de terreur,* elle a hurlé. **6.** *Mme Da Silva fait pousser des fleurs sur son balcon,* elle les cultive.

■**pousse** n.f. SENS 6 *Au printemps, les arbres ont des jeunes pousses,* de nouvelles branches qui poussent (= bourgeon).

■**poussée** n.f. **1.** SENS 1 ET 2 *D'une poussée, il m'a envoyé par terre,* en me poussant. **2.** *Pierre a eu une poussée de fièvre,* une fièvre brutale.

■**poussette** n.f. SENS 1 *Les Durand promènent bébé dans une poussette,* une voiture légère que l'on pousse à la main.

R. → *pouce.*

poussière n.f. *Le vent soulevait des nuages de poussière,* de la terre en grains très fins.

■**porte-poussière** ou **porte-ordures** n.m.inv. *Il a fini de balayer, apporte-lui le porte-poussière,* une petite pelle qui sert à ramasser la poussière et les balayures (= pelle).

■**poussier** n.m. Le *poussier,* c'est de la poussière de charbon.

■**poussiéreux, euse** adj. *Cet appartement est poussiéreux,* plein de poussière, sale.

■**dépoussiérer** v. *M. Durand dépoussière les tapis,* il enlève la poussière.

■**épousseter** v. *Il faudrait épousseter ces meubles,* enlever la poussière avec un plumeau.

■**époussetage** n.m. *Paul fait l'époussetage du salon.*

R. *Épousseter* → conj. n° 8.

poussif, ive adj. *M. Dupont est un gros homme poussif,* il s'essouffle vite.

poussin n.m. *La poule est suivie de ses poussins,* ses petits.

poutre n.f. *Le toit est soutenu par des poutres,* des grosses pièces de bois.

■ **poutrelle** n.f. *Une poutrelle est une petite poutre en métal.*

1. pouvoir n.m. **1.** *Les muets n'ont pas le pouvoir de parler* (= faculté, possibilité). **2.** *Cette femme a beaucoup de pouvoir* (= puissance, autorité). **3.** *Dans ce pays, l'armée a pris le pouvoir,* elle gouverne. **4.** (au plur.) *Les pouvoirs publics,* c'est l'ensemble des gens qui gouvernent. **5.** *Les Durand ont un faible pouvoir d'achat,* ils gagnent peu d'argent (= revenu).

2. pouvoir v. **1.** *Peux-tu venir demain ?,* en as-tu la possibilité ? **2.** *Je peux me tromper, mais je ne crois pas,* c'est possible. *Il se peut que je me trompe.* **3.** *Agnès peut nager très longtemps,* elle en est capable. **4.** *Si tu es sage, tu pourras aller au cinéma,* tu en auras la permission.
R. → Conj. n° 38. On dit *je peux* ou *je puis,* mais toujours *puis-je ?* → **peu, puits** et **pus.**

praire n.f. *Mme Durand a acheté des huîtres et des praires,* des coquillages vivant enfoncés dans le sable.

prairie n.f. *Le Manitoba est une région de prairies,* de terrains couverts d'herbe (= pré).

praline n.f. *Hugo aime beaucoup les pralines,* des amandes cuites dans du sucre.

■ **praliné, e** adj. *Le chocolat praliné a un goût de praline.*

pratique n.f. **1.** *M. Weber a la pratique des affaires,* il en a l'expérience (≠ théorie). *Il faut mettre en pratique vos belles résolutions,* les appliquer dans la vie. **2.** *Elle est indignée par les pratiques de ses adversaires,* par ce qu'ils font (= agissements). **3.** *La messe, les sacrements sont des pratiques de la religion catholique.*

■ **pratique** adj. **1.** SENS 1 *Pierre a du sens pratique,* il sait se débrouiller dans la vie (≠ théorique). *Pour mieux comprendre la chimie, il faut faire des travaux pratiques,* des exercices mettant en pratique

ce que nous avons appris. **2.** *Cet outil est très pratique* (= efficace, commode).

■ **praticable** adj. **1.** SENS 1 *Ce projet n'est pas praticable* il ne peut être mis en pratique (= réalisable). **2.** *Malgré la neige, la route est praticable,* on peut y circuler.

■ **praticien, enne** n. **1.** SENS 1 *Mme Durand est allée consulter un grand praticien* (= médecin).

■ **pratiquant, e** adj. et n. SENS 3 *M. Dupont n'est pas pratiquant,* il n'observe pas les pratiques religieuses.

■ **pratiquement** adv. **1.** SENS 1 *Théoriquement, ça a l'air facile, mais pratiquement, c'est difficile.* **2.** *Il est pratiquement 8 heures* (= à peu près, presque).

■ **pratiquer** v. SENS 1 *Je pratique le tennis et la natation,* je m'exerce à ces sports. SENS 2 *On a pratiqué un trou dans le mur,* on l'a fait. SENS 3 *M. Dupont est catholique, mais il ne pratique pas,* il ne suit pas les pratiques de la religion.

■ **impraticable** adj. SENS 1 *Ce chemin est impraticable,* inutilisable.
R. Ne pas confondre le *praticien* et le *patricien.*

pré n.m. *Les vaches broutent dans le pré* (= prairie). | 364

pré- au début d'un mot signifie « d'avance » : *préfabriqué, préétabli.*

préalable **1.** adj. *Elle est partie sans avis préalable,* sans l'avoir dit à l'avance. **2.** n.m. *Au préalable, il faut remplir ce questionnaire,* avant de faire autre chose (= d'abord, auparavant).

■ **préalablement** adv. SENS 2 *Pour participer au concours, il faut préalablement se faire inscrire,* au préalable.

préambule n.m. *Après un long préambule, il a abordé le point principal* (= introduction).

préau n.m. *Les enfants jouent sous le préau,* la partie couverte de la cour de récréation.

préavis → *avis.*

précaire adj. *Avec les menaces de chômage, les ouvriers sont dans une situa-*

tion **précaire,** incertaine (= fragile ; ≠ solide, stable).

précaution n.f. *Il faut manipuler ce vase avec **précaution,*** en faisant attention (= prudence).

précéder v. 1. *Sa mort **a été précédée** par une longue maladie,* la maladie a eu lieu avant (≠ suivre). 2. *Irène me **précède** de quelques pas,* elle marche devant moi.

■ **précédent, e** adj. SENS 1 *Julie est née en 1978, et Luce, l'année **précédente,** en 1977* (= d'avant ; ≠ suivant).

■ **précédent** n.m. SENS 1 *Cette catastrophe est sans **précédent,*** sans exemple auparavant.

■ **précédemment** adv. SENS 1 *Cette question a déjà été examinée **précédemment*** (= auparavant, antérieurement).

précepte n.m. *« Aimez-vous les uns les autres » est un **précepte** de l'Évangile* (= leçon, prescription).

précepteur, trice n. *Autrefois, un certain nombre d'enfants de familles riches avaient un **précepteur,*** un professeur particulier.
R. Ne pas confondre le *précepteur* et le *percepteur.*

prêcher v. 1. *Dimanche, le curé **a prêché** sur l'Évangile,* il a fait un sermon à ce sujet. 2. *Mes grands-parents me **prêchent** l'obéissance,* ils me recommandent d'être obéissant.

■ **prêche** n.m. SENS 1 ET 2 *Quel **prêche** ennuyeux !* (= sermon).

■ **prédicateur** n.m. SENS 1 *Le **prédicateur** a fini son sermon,* celui qui prêche.

précieux, euse adj. 1. *L'or et l'argent sont des métaux **précieux,*** d'un grand prix, d'une grande valeur. 2. *Jean m'a donné de **précieux** conseils,* très utiles. 3. *Marie parle d'une manière **précieuse,*** un peu prétentieuse (≠ simple, naturel).

■ **précieusement** adv. SENS 1 *Conserve cette clé **précieusement,*** comme une chose de valeur (= soigneusement).

■ **préciosité** n.f. SENS 3 *Marc parle avec **préciosité*** (≠ naturel).

précipice n.m. *L'autocar s'est écrasé au fond du **précipice,*** un trou très profond (= ravin, gouffre).

précipiter v. 1. *Un ouragan **a précipité** la voiture dans un ravin,* il l'a jetée en bas. *Un homme **s'est précipité** du cinquième étage* (= se jeter). 2. *Les gens **se sont précipités** vers le lieu de l'accident,* ils ont accouru. 3. *Mme Gagnon a dû **précipiter** son départ* (= hâter, accélérer ; ≠ retarder).

■ **précipitamment** adv. SENS 3 *Caroline est partie **précipitamment*** (= brusquement ; ≠ doucement).

■ **précipitation** n.f. SENS 1 (au plur.) *La pluie, la neige, la grêle sont des **précipitations** (atmosphériques).* SENS 3 *Tu as agi avec **précipitation,*** trop vite (= irréflexion).

précis, e adj. 1. *Jean m'a donné des renseignements **précis,*** exacts et détaillés (≠ vague). 2. *La séance commence à 8 heures **précises,*** ni avant ni après.

■ **précis** n.m. SENS 1 *Un **précis** est un livre qui donne des indications précises.*

■ **précisément** adv. 1. SENS 1 *Décrivez **précisément** les circonstances de l'accident* (= exactement). 2. *Vous n'avez rien fait ? C'est **précisément** ce qu'on vous reproche* (= justement).

■ **préciser** v. SENS 1 ***Précise-**moi ce que tu veux faire,* dis-le moi de façon précise. *Notre projet de voyage **se précise,*** il prend forme.

■ **précision** n.f. SENS 1 *On m'a demandé des **précisions,*** des détails. SENS 2 *Paul a une montre **de précision,*** très exacte.

■ **imprécis, e** adj. SENS 1 *J'ai un souvenir **imprécis** de cette journée* (= incertain, confus).

■ **imprécision** n.f. SENS 1 *Il y a des **imprécisions** dans ton récit.*

précoce adj. *L'hiver est **précoce,** cette année,* il arrive tôt (≠ tardif). *Louise sait* *déjà lire, c'est une enfant **précoce**,* en avance pour son âge.

■ **précocité** n.f. *Cet enfant est d'une grande **précocité**,* il est en avance pour son âge.

préconçu → concevoir.

préconiser v. *Je **préconise** cette solution* (= recommander).

précurseur 1. n.m. *Les **précurseurs** sont souvent incompris,* ceux qui lancent une idée ou un mouvement très en avance par rapport à l'époque. **2.** adj.m. *Ces gros nuages sont les signes **précurseurs** d'un orage,* ils l'annoncent.

prédateur, trice adj. et n.m. *Le renard est un (animal) **prédateur**,* il se nourrit de proies.

prédécesseur n.m. *La nouvelle directrice a fait l'éloge de son **prédécesseur**,* de celui qui l'a précédée dans les fonctions qu'elle exerce (≠ successeur).

prédicateur → prêcher.

prédiction → prédire.

prédilection n.f. **1.** *Voilà mon livre de **prédilection**,* celui que je préfère. **2.** *Nicole a une **prédilection** pour le sport,* un goût particulier.

prédire v. *On lui a **prédit** de grandes difficultés,* on les lui a annoncées à l'avance.

■ **prédiction** n.f. *Tes **prédictions** ne se sont pas réalisées,* ce que tu prédisais (= prophétie).

R. → Conj. n° 72, sauf au participe passé : *prédit.*

prédisposer → disposer.

prédominer → dominer.

prééminence n.f. *La **prééminence** de cette équipe sur les autres est indiscutable* (= supériorité).

■ **prééminent, e** adj. *Les questions économiques ont occupé une place **prééminente** dans les discussions,* une place de premier plan (= prépondérant).

préexister → exister.

préfabriqué → fabriquer.

préface n.f. *Dans sa **préface**, l'auteure indique le plan de son livre,* le texte de présentation placé au début.

■ **préfacer** v. *Ce roman est **préfacé** par un académicien,* un académicien en a écrit la préface.

préfectoral, préfecture → préfet.

préférer v. *Je **préfère** les pommes aux poires,* j'aime mieux les pommes. *Si tu **préfères**, nous irons au cinéma,* si cela te convient mieux.

■ **préférable** adj. *Partez demain, c'est **préférable**,* cela vaut mieux.

■ **préféré, e** adj. et n. *Écoute, c'est ma chanson **préférée**,* celle que j'aime le mieux.

■ **préférence** n.f. **1.** *M. Durand a une **préférence** pour la musique classique,* il la préfère aux autres musiques. **2.** *Quand je peux, je prends le train de **préférence** à la voiture,* plutôt que la voiture.

préfet, ète n. *En France, le **préfet** est le représentant de l'État dans le département.*

■ **préfecture** n.f. *Bourg-en-Bresse est la **préfecture** de l'Ain,* une division administrative de la France (= chef-lieu).

■ **sous-préfet, ète** n. *En France, le **sous-préfet** est le représentant de l'État dans l'arrondissement.*

préfigurer v. *Cette invitation **préfigure** peut-être un changement dans leurs relations,* elle permet peut-être de s'en faire une idée.

préfixe n.m. *« Pré- » dans « prédire », « sur- » dans « surgeler » sont des **préfixes**,* des éléments placés au début d'un mot et servant à former un autre mot.

préhistoire, préhistorique → histoire.

préjudice n.m. *Votre retard m'a causé un grave **préjudice**,* il m'a fait du tort. *Le divorce s'est fait à mon **préjudice**,* il m'a été défavorable.

■ **préjudiciable** adj. *Cette erreur m'a été préjudiciable* (≠ avantageux).

préjugé, préjuger → *juger.*

prélart n.m. *Il faut changer le **prélart** de la cuisine,* un revêtement imperméable qu'on peut facilement laver (= linoléum).

se prélasser v. *Pierre **se prélasse** dans son lit,* il y reste sans rien faire.

prélat n.m. *Les évêques, les archevêques, les cardinaux sont des **prélats**,* des hauts personnages de l'Église catholique.

prélever v. *Cette somme **sera prélevée** sur votre compte en banque* (= enlever, retrancher). *Le médecin m'a **prélevé** du sang pour en faire l'analyse* (= prendre). ■ **prélèvement** n.m. *On a fait un **prélèvement** de l'eau du puits,* on en a pris un peu.

préliminaire 1. adj. *Vous ne pouvez pas comprendre sans une explication **préliminaire**,* donnée auparavant. 2. n.m.pl. *Après de longs **préliminaires**, elle a abordé le point principal* (≠ conclusion).

prélude n.m. 1. *Ils se sont insultés, ce fut le **prélude** d'une violente bagarre* (= commencement). 2. *Claude joue un **prélude** de Chopin,* un morceau de musique. ■ **préluder** v. SENS 1 *Des affiches publicitaires **ont préludé** à la sortie de ce film,* elles l'ont annoncée.

prématuré, e 1. adj. *Votre départ est **prématuré**,* il se produit trop tôt. 2. adj. et n. *Un (enfant) **prématuré** est né avant la date prévue. ■ **prématurément** adv. *Tu t'es réjouie **prématurément*** (≠ tardivement).

préméditation, préméditer → *méditer.*

prémices n.f.pl. *Ces bons résultats sont les **prémices** du succès,* les premiers signes.

premier, ère adj. et n. 1. *Demain, c'est le **premier** jour du mois,* celui qui commence le mois (≠ dernier). 2. *Prends la **première** porte à droite* (= prochain). 3. *Cette actrice a le **premier** rôle dans le film,* le plus important. *Qui est le **premier** en français ?,* le meilleur. 4. *Le bois, le fer, le charbon sont des **matières premières**,* ils servent à fabriquer des objets. 5. *Connais-tu des **nombres premiers** ?,* des nombres que l'on ne peut diviser que par eux-mêmes (par ex. 1, 3, 5, 7, 9, 11, 13, etc.) ■ **premièrement** adv. SENS 1 *Tu iras **premièrement** à l'épicerie, deuxièmement à la boucherie* (= d'abord ; ≠ enfin).

prémolaire → *molaire.*

prémonition n.f. *Tu prétends avoir eu une **prémonition** de l'accident,* avoir eu une sorte d'avertissement mystérieux qu'il se produirait (= pressentiment).

prémunir v. *Prends ton imperméable pour **te prémunir** contre la pluie* (= se protéger).

prendre v. 1. *Jean **a pris** un couteau dans le tiroir,* il l'a saisi et le tient dans sa main. 2. *En 1759, les Anglais **ont pris** Québec* (= s'emparer de). 3. *Le pêcheur **a pris** un poisson,* il l'a attrapé. 4. *Je **prendrais** bien un peu de lait* (= boire). 5. *Maria **prend** l'autobus pour aller à l'école* (= utiliser). 6. *Prenez la première rue à droite* (= suivre, emprunter). 7. *Tu **as pris** un mauvais exemple* (= choisir). 8. *Prendre un bain,* c'est se baigner, *prendre une photo,* c'est photographier, *prendre la fuite,* c'est s'enfuir, etc. 9. *Qui **a pris** mon stylo ?* (= enlever ; ≠ rendre). 10. *Le menuisier nous **a pris** 500 dollars,* il nous a demandé cette somme. 11. *Tu me **prends** pour une imbécile ?,* tu me considères ainsi ? 12. *Ce travail m'**a pris** deux heures,* j'ai mis ce temps. 13. *Je **suis** très **pris** en ce moment* (= être occupé, absorbé). 14. *Le feu ne veut pas **prendre**,* commencer à brûler. 15. *La mayonnaise **a** bien **pris**,*

elle s'est durcie. **16.** *Fernando s'est pris les doigts dans la porte* (= se coincer). **17.** *Tu t'y es mal pris,* tu as agi avec maladresse. **18.** *Pourquoi t'en prends-tu à moi ?* (= critiquer, attaquer).
■ **prenant, e** adj. SENS 12 ET 13 *Ce livre est très prenant* (= intéressant).
■ **preneur, euse** n. SENS 10 *Cette paysanne n'a pas trouvé preneur pour sa vache* (= acheteur).
■ **prise** n.f. **1.** SENS 1 *Pierre a lâché prise,* il a lâché ce qu'il tenait. *Anne m'a fait une prise de judo,* elle m'a saisi d'une certaine manière. SENS 3 *Le pêcheur a fait une belle prise,* il a pris un beau poisson. SENS 9 *On m'a fait une prise de sang,* on m'en a enlevé un peu. SENS 17 *Marie est aux prises avec des difficultés,* elle doit les affronter (= être en lutte). *Mme Durand n'a plus prise sur sa fille,* elle n'a plus d'autorité sur elle, n'a plus de moyen d'agir. **2.** *Branche la lampe à la prise (de courant),* là où arrive le courant électrique.
■ **imprenable** adj. SENS 9 *Cette maison a une vue imprenable sur la mer,* aucune construction ne peut lui ôter la vue sur la mer.
R. → Conj. n° 54. → *prix.*

prénom → *nom.*

préoccuper v. *Sa santé la préoccupe,* lui cause du souci (= inquiéter).
■ **préoccupation** n.f. *Mlle Verra a de graves préoccupations* (= souci, inquiétude).

préparer v. **1.** *Je prépare mes bagages pour partir en vacances,* je les arrange pour qu'ils soient prêts. **2.** *Fatima se prépare à partir,* elle va le faire (= se disposer). **3.** *Pierre prépare un examen,* il y travaille.
■ **préparatifs** n.m.pl. SENS 1 ET 2 *Les préparatifs du départ sont terminés,* ce qu'il faut faire pour le préparer.
■ **préparation** n.f. SENS 1, 2 ET 3 *La préparation du repas n'a pas été longue.*
■ **préparatoire** adj. SENS 1 ET 2 *Il a fallu faire un travail préparatoire.*

prépondérance n.f. *Ce pays a la prépondérance économique dans la région,* le rôle le plus important.
■ **prépondérant, e** adj. *Les États-Unis jouent un rôle prépondérant dans le monde,* supérieur au rôle des autres pays (= prééminent).

préposé, e n. *Donne ton manteau à la préposée au vestiaire* (= employé). 768

préposition n.f. *« De », « dans », « chez », « sur », « pour », « contre », « vers » sont des prépositions,* des mots placés devant un complément.

prérogative n.f. *Ratifier chaque nouvelle loi est une prérogative du gouverneur général,* cela n'appartient qu'à lui.

près adv. **1.** *Odile habite tout près,* dans un endroit proche (= à côté ; ≠ loin). **2.** *Il est à peu près 10 heures* (= environ).
■ **près de** prép. SENS 1 *Maria est près de moi* (≠ loin de). SENS 2 *Il est près de 8 heures* (= presque).
R. *Près* se prononce [prɛ] comme *prêt.*

présage n.m. *Crois-tu aux présages ?,* aux signes qui annoncent l'avenir.
■ **présager** v. *Ces gros nuages ne présagent rien de bon,* ils ne laissent rien prévoir de bon (= annoncer).

presbyte adj. *Ma grand-mère est presbyte,* elle voit mal de près.

presbytère n.m. *Le presbytère est derrière l'église,* la maison du curé (= cure).

prescrire v. *Après sa maladie, on lui a prescrit un long repos* (= ordonner).
■ **prescription** n.f. **1.** SENS 1 *Il faut suivre les prescriptions du médecin,* ce qu'il a prescrit (≠ interdiction). **2.** *Après un certain temps, il y a prescription,* la justice ne peut plus poursuivre le coupable.
R. → Conj. n° 71.

préséance n.f. *On a placé les invités par ordre de préséance,* selon leur rang, leur importance.

présent, e 1. adj. et n. *Il y a quinze (élèves) présents dans la classe,* ils sont là (≠ absent). **2.** adj. et n.m. *Le (temps) présent s'oppose au passé et à l'avenir. À présent, tu peux partir* (= maintenant). **3.** n.m. *Pierre m'a fait un présent* (= cadeau).
■ **présence** n.f. **1.** SENS 1 *Ta présence est indispensable* (≠ absence). **2.** *Elle a eu la présence d'esprit de jeter de l'eau sur le feu,* elle a réagi rapidement.

présenter v. **1.** *Pierre a présenté Paul à Marie,* il la lui a fait connaître. **2.** *Qui présente le journal télévisé aujourd'hui ?,* qui annonce les titres de l'actualité et les commente ? *Présenter un spectacle,* c'est en annoncer les numéros et les commenter. **3.** *Veuillez présenter vos papiers* (= montrer). **4.** *Andrée se présente à un examen,* elle est candidate. *Vous êtes prié de vous présenter au poste de police,* d'y venir. **5.** *Si l'occasion se présente, passez nous voir* (= se produire, survenir).
■ **présentable** adj. SENS 1 ET 3 *Dans cette tenue, il n'est pas présentable,* digne d'être présenté, de se présenter.
■ **présentateur, trice** n. SENS 2 *La présentatrice du journal télévisé est nouvelle.*
■ **présentation** n.f. SENS 1 (au plur.) *Tu as fait les présentations ?,* tu as présenté les gens. SENS 2 *Nous avons assisté à une présentation de mode.*
■ **présentoir** n.m. SENS 3 *Il y a de nombreux livres sur le présentoir,* le support sur lequel on expose les objets dans un magasin.

préserver v. *Ce manteau te préservera du froid,* il te mettra à l'abri (= protéger).
■ **préservation** n.f. *Veillez à la préservation de vos droits* (= sauvegarde).

présider v. *La réunion est présidée par Mme Wong,* c'est elle qui dirige les débats.
■ **président, e** n. *Le président du tribunal a demandé le silence,* celui qui préside.

■ **présidence** n.f. *Les élections à la présidence des États-Unis auront lieu dans un mois,* pour la fonction de président.
■ **présidentiel, elle** adj. *Il y avait cinq candidats aux élections présidentielles.*
■ **vice-président, e** n. *Aux États-Unis, le vice-président est chargé de seconder le président.*
R. Noter le pluriel : des *vice-présidents.*

présomption, présomptueux → *présumer.*

presque adv. *Il est presque 10 heures,* pas tout à fait (= à peu près).

presqu'île → *île.*

pressant, presse, pressé, presse-citron → *presser.*

pressentir v. *Paule avait pressenti la vérité,* elle l'avait sentie à l'avance (= deviner, prévoir).
■ **pressentiment** n.m. *J'ai eu le pressentiment d'un malheur,* la pensée qu'il se produirait (= prémonition).
R. → Conj. n° 19.

presser v. **1.** *Pierre me presse de terminer ce travail,* il me dit de le faire vite. **2.** *Presse-toi, nous sommes en retard* (= se dépêcher). **3.** *Le temps presse,* il faut se dépêcher, se hâter. **4.** *Luce presse des citrons pour faire une citronnade,* elle les comprime pour en faire sortir le jus. **5.** *Tu m'as pressé la main avec force,* tu as appuyé dessus (= serrer).
■ **pressant, e** adj. SENS 1, 2 ET 3 *J'ai un pressant besoin d'argent* (= urgent).
■ **pressé, e** adj. SENS 1, 2 ET 3 *Ce travail n'est pas pressé, il peut attendre demain* (= urgent).
■ **presse** n.f. **1.** SENS 5 *Une presse est une machine qui sert à serrer, à comprimer, à écraser.* **2.** *Une presse typographique est une machine à imprimer.* **3.** *La presse a annoncé un tremblement de terre en Orient,* l'ensemble des journaux.
■ **pression** n.f. SENS 1 *Elle a fait pression sur moi pour me décider à partir,* elle m'a pressé de partir. SENS 5 *D'une pression du*

doigt, j'ai refermé la boîte, en appuyant avec le doigt. *La pression atmosphérique diminue avec l'altitude,* le poids de l'air. *Une pression* (ou *un bouton-pression*) est une sorte de bouton qu'on attache en appuyant dessus.

■ **pressoir** n.m. SENS 4 *Le vigneron apporte son raisin au pressoir,* à l'endroit où on le presse.

■ **pressurer** v. SENS 5 *Le peuple était pressuré,* il était accablé d'impôts.

■ **presse-citron** n.m.inv. SENS 4 *Un presse-citron sert à préparer des citronnades et des orangeades.*

■ **presse-papiers** n.m.inv. SENS 5 *Je me sers d'un morceau de plomb comme presse-papiers.*

pressurisé, e adj. *L'avion est pressurisé,* à l'intérieur, l'air est maintenu à la pression atmosphérique du sol.

prestance n.f. *M. Durand est un homme de belle prestance,* il est grand et élégant (= allure, apparence).

preste adj. *Marie a des mouvements prestes,* rapides et adroits.

prestidigitateur, trice n. *Le prestidigitateur a fait sortir un lapin de son chapeau* (= illusionniste).

■ **prestidigitation** n.f. *Mehdi sait faire quelques tours de prestidigitation* (= escamotage).

prestige n.m. *Cette artiste a un grand prestige,* elle est connue et admirée.

■ **prestigieux, euse** adj. *Rome est une ville prestigieuse* (= magnifique).

présumer v. 1. *Pierre a présumé de ses forces,* il s'est cru plus fort qu'il ne l'est. 2. *Je présume que Pia a raison* (= penser, supposer).

■ **présumé, e** adj. SENS 2 *L'inspecteur a interrogé la coupable présumée,* celle qu'on croit coupable.

■ **présomption** n.f. SENS 1 *Aline est pleine de présomption,* elle a trop confiance en elle (= prétention ; ≠ modestie).

■ **présomptueux, euse** adj. SENS 1 *Pierre est trop présomptueux* (= prétentieux).

1. prêt, e adj. 1. *Je serai prêt à partir dans cinq minutes,* j'aurai fini de me préparer et je pourrai partir. 2. *Je suis prêt à tout pour t'aider,* je ferais n'importe quoi.
R. → *près.*

2. prêt → *prêter.*

prétendre v. 1. *Tu prétends que tu sais tout,* tu l'affirmes, mais c'est douteux (= soutenir). 2. *Jean prétend se faire respecter,* il en a l'intention (= vouloir).

■ **prétendant** n.m. SENS 2 *Ce prince était prétendant au trône,* il voulait monter sur le trône. *Cette jeune fille a de nombreux prétendants,* des hommes qui souhaitent l'épouser.

■ **prétendu, e** adj. SENS 1 *Comment s'appelle ce prétendu médecin ?,* cet homme qui se prétend médecin.

■ **prétention** n.f. SENS 1 *Je n'ai pas la prétention de tout savoir,* je ne prétends pas cela. *Vous êtes plein de prétention !* (= vanité, suffisance). SENS 2 (au plur.) *Il faudra diminuer vos prétentions* (= désirs, exigences).

■ **prétentieux, euse** adj. et n. SENS 1 *Vous êtes trop prétentieux !* (= orgueilleux, vaniteux ; ≠ modeste).

■ **prétentieusement** adv. SENS 1 *Jean parle prétentieusement.*
R. → Conj. n° 50.

prêter v. 1. *J'ai prêté mon stylo à Lucie,* je le lui ai donné à condition qu'elle me le rende (≠ emprunter). 2. *Prêter serment,* c'est jurer, *prêter de l'importance à quelque chose,* c'est lui en donner, *prêter son aide,* c'est aider. 3. *On me prête des paroles que je n'ai pas dites* (= attribuer).

■ **prêt** n.m. SENS 1 *On a demandé un prêt pour acheter une maison,* qu'on nous prête de l'argent (≠ emprunt).

■ **prêteur, euse** adj. et n. SENS 1 *Pierre n'est pas prêteur,* il n'aime pas prêter.
R. → *près.*

prétexte n.m. *Il a dit qu'il était malade, mais c'était un **prétexte** pour ne pas venir,* une fausse raison. *Elle ne vient jamais **sous prétexte** qu'elle n'a pas le temps,* en donnant comme raison.
■ **prétexter** v. *J'ai **prétexté** un mal de tête pour partir,* j'ai pris ce prétexte.

prétoire n.m. *L'accusé est introduit dans le **prétoire**,* la salle du tribunal.

prêtre n.m. *Les **prêtres** catholiques célèbrent la messe.*
■ **prêtresse** n.f. *Les vestales étaient des **prêtresses** chargées du culte du feu sacré.*
■ **prêtrise** n.f. *La **prêtrise** est la fonction du prêtre.*

preuve → *prouver.*

preux n.m. *Les **preux** du Moyen Âge étaient de vaillants chevaliers.*

prévaloir v. **1.** *C'est son opinion qui **a prévalu**,* qui a eu le plus d'importance (= l'emporter). **2.** *Mme Cyr aime **se prévaloir** de ses diplômes,* les faire remarquer (= se vanter).
R. → Conj. n° 40.

prévenir v. **1.** *Marthe m'**a prévenue** de son arrivée,* elle me l'a fait savoir à l'avance (= avertir, informer). **2.** *On dit qu'il vaut mieux **prévenir** que guérir,* prendre des précautions. **3.** *Quand il était malade, sa mère **prévenait** tous ses désirs,* elle allait au-devant d'eux. **4.** *On l'a **prévenue contre** moi,* on lui a dit du mal de moi.
■ **prévenance** n.f. SENS 3 *Pierre est plein de **prévenances** pour sa grand-mère* (= attention, gentillesse).
■ **prévenant, e** adj. SENS 3 *C'est une personne gentille et **prévenante*** (≠ indifférent).
■ **préventif, ive** adj. SENS 2 *On a pris des mesures **préventives**,* destinées à éviter des accidents.
■ **préventivement** adv. SENS 2 *On vaccine **préventivement** les enfants.*
■ **prévention** n.f. SENS 2 *La **prévention** routière consiste à prévenir les accidents de la route.* SENS 4 *Pourquoi as-tu des **préventions** contre moi ?* (= préjugé).
■ **préventorium** n.m. SENS 2 *Dans un **préventorium**,* on suit un traitement préventif contre la tuberculose.
R. → Conj. n° 22. *Préventorium se prononce* [prevɑ̃tɔrjɔm].

prévenu, e n. *Un **prévenu** est une personne inculpée par la police.*

prévoir v. **1.** *Il était facile de **prévoir** qu'il raterait son examen,* de le savoir d'avance (= deviner). **2.** *Qu'est ce que tu **as prévu** pour ce soir ?,* organisé à l'avance, préparé.
■ **prévisible** adj. SENS 1 *Son échec était **prévisible**.*
■ **prévision** n.f. SENS 1 *Nicole écoute les **prévisions** météorologiques à la radio,* le temps prévu.
■ **prévoyant, e** adj. SENS 1 ET 2 *Josiane est **prévoyante*** (= prudent).
■ **prévoyance** n.f. SENS 1 ET 2 *Tu as manqué de **prévoyance**,* tu n'as pas su prévoir.
■ **imprévisible** adj. SENS 1 *L'accident était **imprévisible**,* on ne pouvait pas s'y attendre.
■ **imprévoyant, e** adj. SENS 1 ET 2 *Marie a été **imprévoyante** en dépensant tout son argent.*
■ **imprévoyance** n.f. SENS 1 ET 2 *Tu as fait preuve d'**imprévoyance**.*
■ **imprévu, e** adj. SENS 1 **1.** *Son arrivée était **imprévue*** (= inattendu). **2.** n.m. *S'il y a un **imprévu**, je te téléphonerai,* quelque chose que l'on n'avait pas prévu.
R. → Conj. n° 42.

prier v. **1.** *On va à la messe pour **prier** Dieu,* pour s'adresser à lui et l'adorer. **2.** *Pierre m'**a prié** de venir demain,* il me l'a demandé avec insistance. **3.** *Donnez-moi ce livre, je vous **prie**,* s'il vous plaît.
■ **prière** n.f. SENS 1 *Je récite mes **prières**,* les textes par lesquels je m'adresse à Dieu. SENS 2 ***Prière** de ne pas marcher sur les pelouses,* on est prié de ne pas le faire.

■ **prie-Dieu** n.m.inv. SENS 1 *Jean s'est agenouillé sur le **prie-Dieu**, une sorte de chaise basse.*
R. → *prix.*

prieur, e n. *Le **prieur** (ou la **prieure**) d'une communauté religieuse est la personne qui la dirige.*

primaire adj. *Jusqu'à la fin de la sixième, on est dans l'enseignement **primaire**, l'enseignement du premier degré (≠ secondaire).*
R. → *ère.*

primate n.m. *Un singe est un **primate**, un animal proche de l'homme.*

primauté n.f. *Ce pays possède la **primauté** économique, le premier rang (= supériorité).*

1. prime adj. *De **prime** abord, je ne vous avais pas reconnu, d'abord.*

2. prime n.f. **1.** *À la fin de l'année, les employés reçoivent une **prime**, une somme d'argent en plus de leur salaire.* **2.** *Si vous payez d'un coup, on vous donne un livre **en prime**, en supplément.*
■ **primer** v. **1.** SENS 1 *Le jury a **primé** le plus beau dessin, il l'a récompensé par une prime.* **2.** *Ce qui **prime** chez elle, c'est le courage (= dominer).*

primesautier, ère adj. *Hugo est un jeune homme **primesautier**, il suit son premier mouvement (= spontané).*

primeur n.f. **1.** *J'ai eu la **primeur** de cette nouvelle, je l'ai apprise le premier.* **2.** (au plur.) *On cultive des **primeurs** dans ces serres, des légumes ou des fruits qui mûrissent avant la saison.*

primevère n.f. *Les **primevères** poussent au printemps, une sorte de fleur.*

primitif, ive adj. **1.** *On a remis la maison dans son état **primitif**, celui où elle était au début (= ancien, initial).* **2.** *Les sociétés **primitives** ne connaissent pas l'écriture ni l'agriculture (≠ civilisé).*
■ **primitivement** adv. SENS 1 *Cette auberge était **primitivement** un moulin, (= anciennement, à l'origine).*

primo adv. *J'ai acheté cette voiture **primo** parce qu'elle consomme moins, ensuite parce qu'elle est plus confortable (= d'abord).*

primordial, e, aux adj. *Cet événement est d'une importance **primordiale**, il est très important (= capital ; ≠ secondaire).*

prince n.m., **princesse** n.f. **1.** *Monaco est gouverné par un **prince**. La fille d'un souverain ou la femme d'un prince est une **princesse**.* **2.** *Je pourrais exiger la réparation des dégâts, mais **je suis bon prince**, n'en parlons plus, je veux me montrer généreux.*
■ **princier, ère** adj. SENS 1 *M. Herrera est d'une élégance **princière**, digne d'un prince.*
■ **princièrement** adv. SENS 1 *Nous avons été reçues **princièrement**, avec beaucoup d'égards (= magnifiquement).*
■ **principauté** n.f. SENS 1 *Monaco est une **principauté**, un État gouverné par un prince.*

principal, e, aux adj. et n.m. *Quelle est l'actrice **principale** de ce film ?, la plus importante (≠ secondaire). On a presque fini, le **principal** est fait (= essentiel).*
■ **principalement** adv. *Il faut **principalement** faire ce travail (= surtout).*

principauté → *prince.*

principe n.m. **1.** *Claude ne boit pas d'alcool, c'est contraire à ses **principes**, ses règles de vie (= idée).* **2.** *Je vais t'expliquer le **principe** d'Archimède, la loi scientifique.* **3.** *En **principe**, je serai là demain, selon les prévisions (= théoriquement ; ≠ pratiquement).*

printemps n.m. *Les arbres fleurissent, c'est le **printemps**.*
■ **printanier, ère** adj. *Les violettes sont des fleurs **printanières**, du printemps.*

priori → *a priori.*

125

priorité n.f. *Au croisement, les voitures venant de la droite ont la priorité,* elles passent les premières. *Nous examinerons ce dossier en priorité,* avant les autres.
■ **prioritaire** adj. *Une ambulance est un véhicule prioritaire,* les autres doivent la laisser passer.

prise → *prendre.*

priser → *prix.*

385 **prisme** n.m. *Un prisme de verre décompose la lumière du soleil,* un objet ayant des faces planes et des arêtes parallèles.

prison n.f. *La coupable a été condamnée à dix ans de prison,* à être enfermée, privée de liberté.
■ **prisonnier, ère** n. *À l'armistice, les prisonniers de guerre ont été libérés,* ceux que l'ennemi avait enfermés.
■ **emprisonner** v. *Le meurtrier a été emprisonné,* il a été mis en prison (= enfermer ; ≠ libérer).
■ **emprisonnement** n.m. *Son emprisonnement a duré dix ans,* sa peine de prison.

privation → *priver.*

privé, e adj. 1. *Défense d'entrer, chemin privé* (≠ public). 2. *Je n'aime pas qu'on s'occupe de ma vie privée* (= personnel, intime). 3. *M. Durand est professeur dans l'enseignement privé,* celui qui ne dépend pas de l'État (≠ public).

priver v. 1. *Les soldats punis ont été privés de permissions,* les permissions leur ont été supprimées. 2. *Un accident l'a privée de sa jambe,* il la lui a enlevée. 3. *Je ne me suis pas privé de lui dire ce que j'en pensais,* je l'ai fait abondamment (= ne pas se faire faute).
■ **privation** n.f. SENS 1 *Pendant la guerre, on a souffert de privations,* de ne pas avoir certaines choses.

privilège n.m. *Autrefois, les nobles avaient de nombreux privilèges,* des droits que les autres n'avaient pas (= avantage).
■ **privilégié, e** n. et adj. *Cet hôtel de luxe est réservé à des privilégiés* (≠ défavorisé).

prix n.m. 1. *Le prix du pain a encore augmenté,* ce qu'il coûte (= valeur). *Ce tailleur est hors de prix,* beaucoup trop cher. 2. *Je veux venir à tout prix* (= absolument, coûte que coûte). 3. *Ce film a obtenu le premier prix au concours,* la plus haute récompense. 4. *Ton amitié n'a pas de prix,* elle est inestimable.
■ **priser** v. SENS 1 *Je prise beaucoup l'honnêteté,* je lui donne une grande valeur (= apprécier, estimer).
R. *Prix* se prononce [pri] comme [*il*] *prit* (de *prendre*) et [*il*] *prie* (de *prier*).

pro- au début d'un mot signifie « favorable à » : *Une politique proaméricaine* est favorable aux américains.

probable adj. *Il est probable qu'il fera beau demain,* ce n'est pas sûr mais presque (= vraisemblable ; ≠ certain).
■ **probablement** adv. *Nicole viendra probablement* (= sans doute).
■ **probabilité** n.f. *La probabilité qu'il réussisse est faible,* les chances.
■ **improbable** adj. *Il est improbable qu'il pleuve demain* (= douteux).

probant → *prouver.*

probe adj. se dit parfois pour *honnête.*
■ **probité** n.f. *La caissière est d'une grande probité* (= honnêteté, droiture).

problème n.m. 1. *Jean doit faire un problème d'arithmétique,* trouver la solution des questions posées. 2. *Il y a des problèmes de circulation dans cette ville* (= difficulté).
■ **problématique** adj. SENS 2 *Son succès à l'examen est problématique* (= douteux ; ≠ certain).

procédé n.m. 1. *Pour pêcher la truite, il y a plusieurs procédés,* plusieurs manières d'agir (= méthode, façon). 2. *Ses* *procédés* à mon égard m'ont choqué, sa manière de se conduire.

■ **procéder** v. SENS 1 *Il faut* **procéder** *au nettoyage de la maison*, faire cette action. *Comment va-t-on* **procéder ?** (= agir, s'y prendre).

procédure n.f. 1. *La* **procédure** *est l'ensemble des règles qu'il faut appliquer en justice.* 2. *On peut arriver au même résultat par une* **procédure** *différente* (= méthode, procédé).

procès n.m. *Mme Cyr a gagné un* **procès** *contre son voisin*, une action en justice où quelqu'un est mis en accusation.

procession n.f. *La* **procession** *est allée de l'église au cimetière*, le défilé religieux.

processus n.m. *L'affaire a suivi un* **processus** *compliqué* (= marche, développement).
R. On prononce [prɔsɛsys].

procès-verbal n.m. 1. *En France, la contravention que donne un policier s'appelle un* **procès-verbal.** 2. *Après la réunion, on a relu le* **procès-verbal,** *le résumé écrit de la réunion* (= compte rendu).
R. Noter le pluriel : *des procès-verbaux.*

prochain, e adj. 1. *Nous nous reverrons la semaine* **prochaine,** celle qui vient après celle où nous sommes (≠ dernier). 2. *Au* **prochain** *carrefour, tournez à droite,* au plus proche.

■ **prochain** n.m. *Chacun doit aimer son* **prochain,** les autres hommes.

■ **prochainement** adv. SENS 1 *Esther reviendra* **prochainement** (= bientôt).

proche adj. 1. *Ce village est* **proche** *de la mer,* il en est près (= voisin ; ≠ éloigné). 2. *Les vacances sont* **proches,** elles vont bientôt arriver. 3. *Le français est* **proche** *de l'italien,* ces langues se ressemblent. 4. *Nous n'avons invité que les* **proches** *parents à notre mariage* (≠ éloigné).

■ **approcher** v. SENS 1 *Approche ta chaise de la table,* mets-la plus près (≠ éloigner). *Il ne faut pas s'approcher de Lucie, elle a la rougeole,* venir près d'elle. SENS 2 *La nuit* **approche,** *il faut rentrer,* elle va arriver.

■ **approchable** adj. *Les oiseaux sont difficilement* **approchables,** on ne peut pas les approcher.

■ **approchant** adj.m. SENS 3 *Il s'appelle Durand, ou quelque chose d'approchant,* qui y ressemble.

■ **approche** n.f. SENS 1 *Elle s'est enfuie à mon* **approche,** quand je me suis approché. (au plur.) *Aux* **approches** *de la côte, la mer devient moins profonde* (= près de).

■ **rapprocher** v. SENS 1 *Rapproche-toi,* je ne t'entends pas, mets-toi plus près (≠ s'éloigner). SENS 2 *Chaque jour nous rapproche des vacances.* SENS 3 *Ils ont des idées qui se rapprochent,* qui se ressemblent (≠ s'opposer).

■ **rapprochement** n.m. SENS 3 *La juge a essayé un* **rapprochement** *des adversaires* (= conciliation).

proclamer v. 1. *Napoléon a été proclamé empereur en 1804,* il a été déclaré solennellement empereur. 2. *L'accusé* **proclamait** *qu'il n'était pas coupable* (= crier, affirmer).

■ **proclamation** n.f. SENS 1 *Un groupe d'intellectuels a lancé une* **proclamation** *dans la presse* (= déclaration).

procuration n.f. *Je serai absente, mais j'ai laissé une* **procuration** *à mon voisin,* un papier l'autorisant à agir à ma place.

procurer v. *Pourrais-tu me* **procurer** *ce livre ?,* me le faire obtenir (= fournir). *La musique me* **procure** *une grande détente* (= apporter, offrir).

procureur, eure n. *Le* **procureur** *a demandé un an de prison pour l'accusée,* le magistrat chargé de l'accusation.

prodigalité → prodiguer.

prodige n.m. 1. *L'ascension de cette montagne a été un* **prodige** *d'endurance,* une action extraordinaire (= miracle).

2. *Mozart fut un petit prodige,* une personne extraordinaire (= génie).

■ **prodigieux, euse** adj. SENS 1 *Ce livre a eu un succès prodigieux* (= extraordinaire, incroyable).

■ **prodigieusement** adv. SENS 1 *Elle est prodigieusement riche* (= extrêmement).

R. → *prodiguer.*

prodiguer v. *Mon père m'a prodigué ses recommandations,* il m'en a donné beaucoup.

■ **prodigue** adj. *Mme Scott est prodigue avec ses amis,* elle dépense sans compter (≠ avare).

■ **prodigalité** n.f. *Sa prodigalité l'a ruiné,* ses dépenses excessives (= gaspillage).

R. Ne pas confondre *prodige* et *prodigue.*

produire v. **1.** *Certains acides produisent des brûlures sur la peau* (= causer, provoquer). **2.** *Comment s'est produit l'accident ?* (= avoir lieu, arriver). **3.** *Le Canada produit beaucoup de blé* (= fournir ; ≠ consommer). **4.** *Ses amis l'ont aidé à produire son film,* à trouver l'argent et tout ce qui était nécessaire pour le réaliser.

■ **producteur, trice** n. SENS 3 *Les producteurs de blé sont mécontents de la baisse des prix* (≠ consommateur). SENS 4 *Rachel est productrice (de cinéma),* elle finance et supervise la réalisation de films.

■ **productif, ive** adj. SENS 3 *Ce sol est peu productif,* il rapporte peu.

■ **production** n.f. SENS 3 *Il faut augmenter la production de riz,* en produire plus. SENS 4 *Ce film est une production canadienne.*

■ **produit** n.m. **1.** SENS 3 *Le blé est un produit agricole, l'acier est un produit industriel.* **2.** *12 est le produit de 6 par 2,* le résultat de la multiplication.

■ **coproduction** n.f. SENS 4 *Une coproduction franco-italienne* est un film produit en commun par des Français et des Italiens.

■ **improductif, ive** adj. SENS 3 *Les marais sont des terres improductives* (= stérile).

■ **sous-produit** n.m. SENS 3 *Le goudron est un sous-produit de la fabrication du gaz,* un produit secondaire.

■ **superproduction** n.f. SENS 4 *Une superproduction* est un film à grand spectacle.

■ **surproduction** n.f. SENS 3 *Il y a une surproduction d'acier,* on en produit trop.

R. → Conj. n° 70. Noter le pluriel : des *sous-produits.*

proéminent, e adj. *M. Dupont a un nez proéminent,* qui dépasse beaucoup le reste du visage (= saillant).

profanation → *profaner.*

profane adj. **1.** *La musique profane, l'art profane,* c'est la musique, l'art non religieux. **2.** adj. et n. *Excusez-moi, je suis profane en géographie,* je n'y connais rien (= incompétent ; ≠ savant).

■ **profaner** v. SENS 1 *Profaner une chose sacrée,* c'est ne pas la respecter.

■ **profanation** n.f. SENS 1 *La profanation des sépultures est punie par la loi* (= violation).

proférer v. *Il est parti en proférant des menaces,* en les disant violemment.

professer → *profession.*

professeur, eure n. *M. Durand est professeur de français, Mme Dupont est une jeune professeure de maths,* ils enseignent ces matières.

■ **professoral, e, aux** adj. *Tu parles d'un ton professoral* (= doctoral, grave).

■ **professorat** n.m. *Pierre se destine au professorat* (= enseignement).

profession n.f. **1.** *Mme Lamer est avocate, c'est sa profession* (= métier). **2.** *M. Dubois fait profession d'idées socialistes,* il les déclare ouvertement.

■ **professer** v. SENS 2 *Tu professes des opinions bizarres* (= déclarer).

■ **professionnel, elle** adj. et n. SENS 1 *M. Durand a commis une faute profes-sionnelle, dans son métier. Cette équipe de football est composée de profession-nels, le football est leur métier* (≠ ama-teur).

■ **professionnellement** adv. SENS 1 *Je ne m'occupe pas de sa vie privée, mais professionnellement, elle est irrépro-chable.*

professoral, professorat → *profes-seur.*

profil n.m. *Sur cette photo, on te voit de profil,* de côté (≠ de face).

■ **se profiler** v. *Les montagnes se profil-ent à l'horizon* (= se découper, se détacher).

profit n.m. 1. *Ce commerçant a fait des profits,* il a gagné de l'argent (= béné-fice ; ≠ perte). *Ce spectacle sera donné au profit des orphelins* (= au bénéfice de). 2. *Son voyage en Allemagne lui a été d'un grand profit,* il lui a été utile. *J'ai mis tes idées à profit* (= utiliser, tirer parti de).

■ **profiter** v. SENS 2 *La prisonnière a pro-fité de la nuit pour s'enfuir,* elle a saisi cette occasion.

■ **profitable** adj. SENS 2 *On a fait un voyage profitable* (= avantageux, utile).

■ **profiteur, euse** n. SENS 1 *À bas les profiteurs !,* ceux qui font des profits en faisant tort aux autres.

profond, e adj. 1. *Ici la mer est pro-fonde de 1 000 mètres,* le fond est à 1 000 mètres sous la surface. 2. *Tu as un profond amour pour ta mère,* très grand (≠ faible). 3. *Mme Renaud est un esprit profond,* elle va au fond des choses (= pénétrant ; ≠ superficiel).

■ **profondément** adv. SENS 1 *Le couteau a pénétré profondément.* SENS 2 *Pierre est profondément ému* (= très).

■ **profondeur** n.f. SENS 1 *Quelle est la profondeur de ce puits ?,* sa dimension de haut en bas.

■ **approfondir** v. SENS 1 *On a approfondi*

le fossé, on a augmenté sa profondeur. SENS 3 *Il faut approfondir cette question,* l'étudier plus soigneusement.

■ **approfondissement** n.m. SENS 3 *Cet échange de vues a permis un approfon-dissement de nos connaissances.*

profusion n.f. *Cette année, il y a une profusion de fruits,* une grande quantité. *Il y a des pommes à profusion,* en abondance.

progéniture n.f. *La progéniture d'un animal,* ce sont ses petits. *La progéniture d'une personne,* ce sont ses enfants.

programme n.m. 1. *Nous achetons tou-tes les semaines le programme de la télévision,* la liste des émissions. 2. *Cette candidate aux élections a annoncé son programme* (= plan, projets). 3. *Cette question n'est pas au programme de l'examen,* dans la liste des questions à étudier. 4. *Les informaticiens ont créé un nouveau programme d'ordinateur,* un ensemble d'instructions destinées à faire exécuter quelque chose à l'ordinateur.

■ **programmer** v. SENS 1 *Ce cinéma pro-gramme de beaux films,* il les met à son programme. SENS 4 *J'ai programmé le cycle « casseroles » de ma machine à laver,* j'ai déclenché cette opération en sélectionnant un programme.

■ **programmation** n.f. SENS 1 *Cette chaîne nous a présenté la programma-tion de ses émissions,* le moment où elles seront diffusées.

■ **programmeur, euse** n. SENS 4 *Benoît est programmeur,* il met au point des programmes d'ordinateur.

progresser v. 1. *L'inondation progresse de plus en plus,* elle va plus loin (= avancer, augmenter ; ≠ reculer). 2. *Tu as progressé en français,* tu as fait des progrès.

■ **progrès** n.m. 1. SENS 2 *Élise fait des progrès,* elle se perfectionne, s'améliore. 2. *M. Durand croit au progrès,* il croit que les hommes sont de plus en plus heureux.

■ **progressif, ive** adj. SENS 1 *Ces exercices sont de difficulté **progressive**,* ils sont de plus en plus difficiles.

■ **progression** n.f. SENS 1 *La **progression** des troupes n'a pu être arrêtée,* la marche en avant.

■ **progressiste** adj. et n. SENS 2 *Mme Genest est **progressiste**,* elle est partisane de l'amélioration des conditions d'existence.

■ **progressivement** adv. SENS 1 *La chaleur diminue **progressivement**,* peu à peu.

prohiber v. *Le trafic de la drogue est **prohibé** par la loi* (= interdire ; ≠ autoriser).

■ **prohibitif, ive** adj. *Le prix de ces fruits est **prohibitif**,* si élevé qu'on ne peut les acheter.

proie n.f. 1. *Le tigre s'est jeté sur sa **proie**,* sur l'animal qu'il chassait. 2. *L'aigle, le vautour, le faucon sont des **oiseaux de proie**,* qui se nourrissent d'autres animaux. 3. *La maison est la **proie** des flammes,* les flammes sont en train de la détruire. 4. *Pierre est **en proie à** l'inquiétude,* il est inquiet.

projeter v. 1. *Le choc nous **a projetés** en avant,* il nous a jetés avec force. 2. *On **projette** de partir demain,* on en a l'intention. 3. *Nous **projetterons** des photos,* nous les ferons apparaître sur un écran grâce à un projecteur.

■ **projecteur** n.m. SENS 3 *La lumière du **projecteur** est très forte,* de l'appareil qui projette des rayons lumineux.

■ **projectile** n.m. SENS 1 *Les gamins envoyaient toutes sortes de **projectiles**,* d'objets qu'on lance suivant une direction donnée. *Les balles, les plombs de carabine sont des **projectiles**.*

■ **projection** n.f. SENS 3 *Toute la classe a assisté à la **projection** du film.*

■ **projet** n.m. SENS 2 *Quels sont tes **projets** pour les vacances ?,* qu'est-ce que tu comptes faire ? (= intention, plan).

R. → Conj. n° 8.

prolétaire n. *Un **prolétaire** est une personne qui vit modestement de son seul salaire* (≠ capitaliste, propriétaire, bourgeois).

■ **prolétariat** n.m. *Le **prolétariat** est l'ensemble des prolétaires.*

proliférer v. *Avec cette chaleur, les mouches se sont mises à **proliférer**,* à devenir très nombreuses (= se multiplier).

■ **prolifération** n.f. *La **prolifération** des bombes atomiques est dangereuse.*

■ **prolifique** adj. *Le lapin est un animal **prolifique**,* il se reproduit rapidement.

prolixe adj. *Tu es très **prolixe** ce soir,* tu parles beaucoup (= bavard).

■ **prolixité** n.f. *Elle est intarissable : quelle **prolixité** !*

prologue n.m. *Dans son **prologue**, l'écrivain remercie ceux qui l'ont aidé* (= introduction, préface).

prolonger v. 1. *On **a prolongé** la réunion d'une heure,* on l'a fait durer une heure de plus. 2. *La route **a été prolongée** de 2 kilomètres* (= allonger, continuer).

■ **prolongé, e** adj. SENS 1 *Nous avons eu une sécheresse **prolongée**,* qui a duré longtemps.

■ **prolongation** n.f. SENS 1 *La **prolongation** du match a duré dix minutes,* le temps en plus du temps fixé. *J'ai obtenu la **prolongation** de mon contrat,* qu'il soit prolongé.

■ **prolongement** n.m. SENS 2 *La maison est dans le **prolongement** de la rue,* dans la direction qui la prolonge.

promener v. 1. *M. Dumas **promène** son chien,* il le fait marcher dehors avec lui. *Odile est partie **se promener** à pied,* marcher pour son plaisir (= faire un tour ; fam. se balader). 2. Fam. *Si ce raseur vient encore t'embêter, **envoie**-le **promener**,* débarrasse-toi de lui, renvoie-le.

■ **promenade** n.f. SENS 1 *Nous avons fait une longue **promenade** dans les bois* (= fam. balade).

34,
440,
762,
805

440

■ **promeneur, euse** n. SENS 1 *Par ce beau temps, il y a beaucoup de **promeneurs** dans les parcs.*

promettre v. 1. *Anne m'a promis de venir demain, elle m'a dit qu'elle le ferait* (= jurer, s'engager à). *Je lui ai promis un ours en peluche, je lui ai dit que je le lui donnerais.* 2. *Pierre s'est promis de travailler, il a décidé de le faire.* 3. *Cette fille est une bonne pianiste, elle promet, on peut espérer qu'elle sera une grande musicienne.*
■ **promesse** n.f. SENS 1 *Claude n'a pas tenu sa **promesse*** (= parole, serment).
■ **prometteur, euse** adj. SENS 3 *Voilà des débuts **prometteurs** !,* qui laissent espérer de beaux résultats.
R. → Conj. n° 57.

promiscuité n.f. *Les Durand n'aiment pas la **promiscuité** du métro,* le voisinage désagréable d'autres gens.

promontoire n.m. *Il y a un phare sur le **promontoire**,* sur le cap qui domine la mer.

promouvoir v. 1. *Mme Dion a été promue directrice,* on l'a élevée à ce poste. 2. *Cette actrice passe à la télévision pour **promouvoir** son film,* favoriser son développement en le faisant connaître.
■ **promoteur, trice** n. SENS 2 *Un **promoteur** ou une **promotrice** est un homme ou une femme d'affaires qui finance la construction des immeubles et les vend.*
■ **promotion** n.f. 1. SENS 1 *Mme Dion a été nommée à ce poste, c'est une **promotion*** (= avancement). SENS 2 *On a fait beaucoup de publicité pour la **promotion** de ce nouveau savon. Un article en **promotion** est,* pour un certain temps, vendu à un prix réduit. 2. *Lise n'est pas de la même **promotion** que Jean,* l'ensemble des élèves, des candidats qui sont de la même année.
■ **promotionnel, elle** adj. SENS 2 *Cet article est en vente à un prix **promotionnel**,*

un prix avantageux pour augmenter la vente.
R. → Conj. n° 36.

prompt, e adj. est un équivalent rare de *rapide.*
■ **promptitude** n.f. *Tu as répondu avec **promptitude*** (= rapidité).
R. On ne prononce pas le 2e *p* : [prɔ̃, prɔ̃tityd].

promulguer v. *Les règlements devraient toujours être **promulgués** par la « Gazette officielle » du Québec,* rendus publics (= publier).
■ **promulgation** n.f. *De quand date la **promulgation** de cette loi ?*

prôner v. *Tu oses **prôner** de pareilles idées ?* (= recommander, louer).

pronom n.m. *« Je », « tu », « il », « se » sont des **pronoms** personnels ; « on », « chacun » sont des **pronoms** indéfinis.*
■ **pronominal, e, aux** adj. *« Regarder » est à la forme active, « se regarder » est à la forme **pronominale**.*

prononcé, e adj. *Ce beurre a un goût de rance très **prononcé**,* très net (= marqué, accusé).

prononcer v. 1. *Mme Genest a prononcé un discours,* elle l'a dit. 2. *Dans « sculpteur », le « p » ne se **prononce** pas,* on ne le dit pas (= s'articuler). 3. *Le tribunal s'est **prononcé** en faveur de M. Martin,* il a pris parti pour lui (= se décider).
■ **prononciation** n.f. SENS 2 *« Pan » et « paon » ont la même **prononciation**.*
■ **imprononçable** adj. SENS 2 *Certains noms étrangers nous paraissent **imprononçables**.*

pronostic n.m. *Judith ne s'est pas trompée dans ses **pronostics**,* quand elle a annoncé ce qui allait se passer (= prévision).
■ **pronostiquer** v. *Les spécialistes ont **pronostiqué** la victoire de ce boxeur,* ils l'ont annoncée à l'avance.

propager v. *La nouvelle s'est propagée très vite,* elle s'est répandue dans le public (= se diffuser).

■ **propagande** n.f. *Avant les élections, les partis font de la propagande,* ils propagent leurs idées.

■ **propagation** n.f. *Les médecins luttent contre la propagation de l'épidémie* (= développement).

■ **propagateur, trice** n. *Méfiez-vous des propagateurs de fausses nouvelles.*

propane n.m. *Cette cuisinière fonctionne au propane,* une sorte de gaz.

propension n.f. *Vous avez une propension à vous moquer de tout,* un penchant naturel (= tendance, inclination).

prophète n.m. **1.** *Mahomet est le prophète de la religion musulmane,* il l'a prêchée comme messager divin. **2.** *M. Durand est un prophète de malheur,* il annonce des événements malheureux.

■ **prophétie** n.f. SENS 2 *Je ne crois pas à tes prophéties* (= prédiction, oracle).

■ **prophétique** adj. SENS 2 *On s'aperçoit aujourd'hui que ses paroles étaient prophétiques,* ce qu'elles annonçaient s'est réellement produit.

■ **prophétiser** v. SENS 2 *Cette journaliste avait prophétisé les événements* (= annoncer, prédire).

R. *Prophétie* se prononce [prɔfesi].

propice adj. *Claude a agi au moment propice,* quand il le fallait (= bon, favorable, opportun ; ≠ fâcheux).

proportion n.f. **1.** *Au concours, la proportion des reçus était de dix pour cent,* le rapport entre les reçus et le total (= pourcentage). **2.** *Cette voiture a de belles proportions,* le rapport entre ses dimensions est harmonieux. **3.** *Le travail est mal payé en proportion des risques* (= par rapport à). **4.** (au plur.) *Ce château a des proportions gigantesques* (= dimensions, taille).

■ **proportionné, e** adj. SENS 2 *Voilà un athlète admirablement proportionné,* dont les membres ont des proportions harmonieuses.

■ **proportionnel, elle** adj. SENS 1 *Le prix de cet objet est proportionnel au temps passé à le fabriquer* (= en rapport).

■ **proportionnellement** adv. SENS 1 *Ces deux maisons sont au même prix, mais la plus grande est proportionnellement plus avantageuse,* par rapport à la taille.

■ **disproportion** n.f. SENS 2 *Il y a une disproportion de taille entre Jeanne et Marie,* une trop grande différence.

■ **disproportionné, e** adj. SENS 2 *Paul a des bras disproportionnés,* trop grands par rapport à son corps.

proposer v. **1.** *On m'a proposé de m'accompagner à la gare* (= offrir). **2.** *Je me propose de partir demain,* j'en ai l'intention (= projeter).

■ **propos** n.m. **1.** SENS 2 *Mon propos n'est pas de vous ennuyer* (= intention). **2.** *Tu as eu des propos blessants à mon égard* (= parole, mot). **3.** *Ils se sont disputés à propos d'argent* (= au sujet de). **4.** *Paul est arrivé à propos,* au bon moment.

■ **proposition** n.f. **1.** SENS 1 *J'ai refusé la proposition de Luce,* ce qu'elle me proposait (= offre). **2.** *La phrase « je crois qu'il vient » contient deux propositions,* deux parties ayant chacune un verbe.

■ **contre-proposition** n.f. SENS 1 *Dans la discussion, nous avons rejeté les propositions de nos adversaires et présenté des contre-propositions.*

propre adj. **1.** *M. Dupont possède sa propre voiture,* une voiture qui lui appartient personnellement, particulièrement. **2.** *« Montréal », « Lise », « Dupont » sont des noms propres,* ils désignent un être ou une chose particuliers (≠ nom commun). **3.** *Ce bateau n'est pas propre à la navigation lointaine,* il ne convient pas pour cela. *Il faut employer le terme propre,* le mot qui convient exactement. **4.** *Ta chemise n'est pas propre, il faut la laver* (≠ sale).

■ **propre** n.m. SENS 1 *On dit que le rire est le propre de l'homme,* son caractère particulier.

■ **proprement** adv. SENS 3 *À proprement parler, on n'en sait rien,* pour être précis (= à vrai dire). *Ce n'est pas une faute proprement dite,* une vraie faute. SENS 4 *Essaie de manger proprement,* sans te salir.

■ **propreté** n.f. SENS 4 *J'aime la propreté* (≠ saleté, crasse).

■ **impropre** adj. SENS 3 *Vous êtes impropres à ce travail,* vous n'êtes pas capables de le faire. *Cette expression est impropre,* elle ne convient pas.

■ **improprement** adv. SENS 3 *La baleine est parfois improprement appelée un poisson.*

■ **impropriété** n.f. SENS 3 *Le mot « poisson » appliqué à une baleine est une impropriété.*

■ **malpropre** adj. SENS 4 *Cet appartement est malpropre* (= sale).

■ **malpropreté** n.f. SENS 4 *Ils vivent dans la malpropreté* (= saleté).

propriété n.f. **1.** *Les Durand ont une propriété à la campagne,* une maison ou une terre qui leur appartient. *Cette voiture est ma propriété,* elle m'appartient. **2.** *L'eau a la propriété de bouillir à 100 degrés,* c'est son caractère particulier.

■ **propriétaire** n. SENS 1 *Qui est propriétaire de cette maison ?,* à qui appartient-elle ?* (= possesseur).

■ **copropriété** n.f. SENS 1 *Notre immeuble est en copropriété,* il appartient en commun à plusieurs personnes.

■ **copropriétaire** n. SENS 1 *Les copropriétaires se sont réunis,* ceux qui sont propriétaires en commun.

■ **exproprier** v. SENS 1 *On a exproprié plusieurs personnes pour construire la route,* on leur a pris leur propriété en les indemnisant.

propulser v. *Les bateaux sont propulsés par des hélices,* des hélices les font avancer.

■ **propulsion** n.f. *Un sous-marin à propulsion nucléaire avance grâce à l'énergie nucléaire.*

au prorata de prép. *Les victimes seront indemnisées au prorata de leurs pertes* (= selon, proportionnellement à).

proroger v. *La date limite a été prorogée de deux jours* (= prolonger, repousser).

prosaïque adj. *Les Auger ont des goûts prosaïques,* sans élégance (= commun ; ≠ original).

prosateur → *prose.*

proscrire v. *Il faut proscrire cette mauvaise habitude* (= chasser, condamner).

■ **proscription** n.f. *Les autorités ont décidé la proscription du tabac dans certains lieux publics* (= interdiction).

■ **proscrit, e** n. *Un proscrit est une personne chassée de son pays.*
R. → Conj. n° 71.

prose n.f. *Les romans sont écrits en prose* (≠ en vers).

■ **prosateur** n.m. *Un prosateur est un écrivain qui s'exprime en prose* (≠ poète).

prosélyte n. *Le zèle des militants a fait de nombreux prosélytes,* il a attiré beaucoup de personnes à leur cause (= adepte).

■ **prosélytisme** n.m. *Cette religion fait du prosélytisme,* elle cherche à convertir les gens.

prospecter v. *On prospecte dans la région pour trouver du pétrole,* on étudie le terrain, on fait des recherches.

■ **prospection** n.f. *Cette société fait de la prospection géologique* (= recherche).

prospectus n.m. *Au courrier, il n'y avait que des prospectus,* des feuilles publicitaires.
R. On prononce [prɔspɛktys].

prospère adj. *Cette région est prospère,* très riche (= florissant ; ≠ misérable).

■ **prospérer** v. *Le blé prospère sur cette terre,* il pousse bien (= réussir).
■ **prospérité** n.f. *La crise a mis fin à la prospérité* (= succès, richesse).

se prosterner v. *Les pèlerins se prosternent devant la statue du saint,* ils se courbent jusqu'à terre.

se prostituer v. *C'est la misère qui pousse les pauvres à se prostituer,* à accepter des relations déshonorantes en se faisant payer.
■ **prostitution** n.f. *Cette personne se livre à la prostitution.*

prostré, e adj. *Jean est resté prostré sur sa chaise* (= accablé, effondré).
■ **prostration** n.f. *Depuis ta maladie, tu restes dans un état de prostration,* d'abattement profond.

protagoniste n.m. *Dans cette affaire, M. Durand est le principal protagoniste,* il y a joué le rôle principal.

protéger v. 1. *La chatte a protégé ses petits contre les attaques du chien* (= défendre, secourir). *Le parapluie nous protège de la pluie* (= mettre à l'abri). 2. *Prends un manteau pour te protéger du froid* (= se préserver).
■ **protégé, e** n. SENS 1 *C'est le neveu de la directrice, il est son protégé,* la personne que quelqu'un prend sous sa protection.
■ **protège-cahier** n.m. SENS 1 *Mon cahier est protégé par un protège-cahier,* une couverture souple.
■ **protecteur, trice** adj. et n. SENS 1 *La Société protectrice des animaux les défend et les protège. Son chef est sa protectrice.*
■ **protection** n.f. SENS 1 *Son chef l'a pris sous sa protection* (= aide, soutien, faveur). SENS 2 *Ce bonnet offre une bonne protection contre la pluie et le froid.*
■ **protectorat** n.m. *Le Maroc et la Tunisie ont été des protectorats français,* des sortes de colonies.
R. Noter le pluriel : des *protège-cahiers.*

protéine n.f. *La viande et le fromage contiennent des protéines,* des substances nourrissantes.

protestant, e n. et adj. *Au Canada, il y a beaucoup de protestants,* de chrétiens qui ne reconnaissent pas l'autorité religieuse du pape. (Ce sont les anglicans, les calvinistes, les luthériens, les presbytériens, etc.).
■ **protestantisme** n.m. *Elle s'est convertie au protestantisme,* à la religion protestante.

protester v. 1. *Les paysans protestent contre ces impôts,* ils s'y opposent (≠ approuver). 2. *L'accusé a protesté de son innocence,* il l'affirme.
■ **protestataire** n. SENS 1 *Sophie est une protestataire.*
■ **protestation** n.f. SENS 1 *Cette décision a provoqué de nombreuses protestations.* SENS 2 *J'ai été très touchée de ses protestations d'amitié* (= déclaration).

prothèse n.f. *Une prothèse dentaire est un appareil qui remplace une ou plusieurs dents.*

protocole n.m. *La cérémonie s'est déroulée selon un protocole très strict,* des règles officielles (= cérémonial).
■ **protocolaire** adj. *J'ai assisté à une réception très protocolaire,* conforme à des règles officielles, solennelle.

prototype n.m. *Cet avion est un prototype,* un modèle unique qui n'est pas encore fabriqué en série.

protubérance n.f. *La pomme d'Adam forme une protubérance sur le cou,* elle est en relief (= saillie).

proue n.f. *La proue des bateaux est pointue pour fendre la mer,* l'avant (≠ poupe).

prouesse n.f. *Vous vous vantez de vos prouesses sportives* (= exploit).

prouver v. *Line m'a prouvé qu'elle avait raison,* j'ai reconnu que c'était vrai (= démontrer). *Comment vous prouver ma reconnaissance ?* (= témoigner).

■ **preuve** n.f. *L'accusé a apporté la* **preuve** *de son innocence* (= démonstration). *Cléa* **a fait preuve** *d'un grand courage,* elle l'a montré. *Ce musicien* **a fait ses preuves,** il a montré ses capacités, sa valeur.

■ **probant, e** adj. *Tes arguments sont* **probants** (= convaincant).

provenir v. **1.** *Ces marchandises* **proviennent** *d'Amérique,* elles en viennent. **2.** *Cet accident* **provient** *d'un manque de surveillance,* il en est la conséquence (= résulter, découler).

■ **provenance** n.f. SENS 1 *Quelle est la* **provenance** *de ces poissons ?,* l'endroit d'où il viennent. *Le train en* **provenance** *de Toronto entre en gare,* le train qui en vient.

R. → Conj. n° 22.

proverbe n.m. *« L'argent ne fait pas le bonheur »* est un **proverbe,** une vérité générale (= sentence, maxime).

■ **proverbial, e, aux** adj. *M. Durand est d'une avarice* **proverbiale,** bien connue (= légendaire).

providence n.f. *Les chrétiens croient à la* **providence** *divine,* que Dieu est bon et gouverne sagement le monde.

■ **providentiel, elle** adj. *J'ai fait une rencontre* **providentielle,** très heureuse (= inespéré).

province n.f. **1.** *Le Canada est une fédération qui regroupe dix* **provinces,** des territoires qui ont chacun leur propre gouvernement. **2.** *Il vit en* **province,** hors de la capitale.

■ **provincial, e, aux** adj. SENS 1 *La police* **provinciale** *est responsable de la surveillance des autoroutes,* celle qui appartient à la province. SENS 2 *Il a un petit air* **provincial,** campagnard.

proviseur n.m. En France, le *proviseur* est le directeur d'une école secondaire appelée lycée.

provision n.f. **1.** *Les Durand font* **provision** *de sucre,* ils en achètent pour en

avoir en réserve. **2.** (au plur.) *Les Durand vont faire leurs* **provisions,** acheter ce qu'il leur faut (= commissions). **3.** *J'ai fait un chèque sans* **provision,** sans avoir assez d'argent en réserve à la banque.

■ **approvisionner** v. SENS 1, 2 ET 3 *Mme Dupont* **a approvisionné** *son compte en banque,* elle y a mis de l'argent en réserve.

■ **approvisionnement** n.m. SENS 1, 2 ET 3 *Pendant la guerre, il y avait des difficultés d'* **approvisionnement,** pour se fournir en choses nécessaires (= ravitaillement).

provisoire adj. *Les adversaires ont conclu un accord* **provisoire** (= temporaire ; ≠ définitif).

■ **provisoirement** adv. *Ils habitent* **provisoirement** *à Hull,* pour quelque temps.

provoquer v. **1.** *Son insolence* **a provoqué** *ma colère* (= causer, entraîner, susciter). **2.** *Ne* **provoquez** *pas les gens coléreux,* ne les poussez pas à des actes de violence (= défier, exciter).

■ **provocant, e** adj. SENS 2 *Claude avait une attitude* **provocante** (= agressif ; ≠ apaisant).

■ **provocateur, trice** adj. et n. SENS 2 *Un (agent)* **provocateur** *est une personne qui pousse les autres à la violence.*

■ **provocation** n.f. SENS 2 *Ne réponds pas à ses* **provocations** (= défi).

R. Ne pas confondre *provocant* (adj.) et *provoquant* (participe).

proximité n.f. *La poste est à* **proximité** *de l'hôtel de ville,* elle en est proche (≠ distance).

prude adj. *Une personne est* **prude** *quand elle montre trop de pudeur.*

■ **pruderie** n.f. *Tu pousses la* **pruderie** *jusqu'à éviter de regarder une statue de personnage nu.*

prudent, e adj. *Sois* **prudent** *en traversant la rue,* fais attention.

■ **prudemment** adv. *M. Durand ne conduit pas* **prudemment** (= sagement).

■ **prudence** n.f. *Claudine avait eu la **pru-dence** de s'assurer contre le vol* (= précaution).

■ **imprudent, e** adj. *Tu as prononcé des paroles **imprudentes*** (= imprévoyant, risqué).

■ **imprudemment** adv. *N'agis pas **imprudemment,** sans réfléchir.*

■ **imprudence** n.f. *Beaucoup d'accidents sont dus à l'**imprudence**.*

367 **prune** n.f. *Les mirabelles sont des **prunes** jaunes, les quetsches sont des **prunes** violettes, des fruits.*

■ **prunier** n.m. *Les **pruniers** ont des fleurs blanches.*

■ **pruneau** n.m. *Un **pruneau** est une prune séchée.*

■ **prunelle** n.f. **1.** *Les **prunelles** sont de petites prunes bleu foncé qu'on trouve souvent dans les haies.* **2.** *La **prunelle** est le petit rond noir au centre de l'œil* (= pupille).

P.-S. → *post-scriptum.*

psaume n.m. *Un **psaume** est un chant religieux.*

pseudo- *au début d'un mot signifie « faux », « mensonger » : Un **pseudo-savant** est un faux savant.*

pseudonyme n.m. *Ce poète écrit sous un **pseudonyme**, un faux nom.*

psychanalyse n.f. *La **psychanalyse** est une méthode pour guérir certaines maladies mentales.*

■ **psychanalyser** v. *Je me fais **psychanalyser**, soigner par une psychanalyste.*

■ **psychanalyste** n. *Un **psychanalyste** est un médecin spécialiste de psychanalyse.*

R. Dans ces mots, ainsi que dans ceux qui suivent, *ch* se prononce [k] : [psikanaliz, psikjatri, psikɔlɔʒi, etc.].

psychiatrie n.f. *La **psychiatrie** est la partie de la médecine qui s'occupe des maladies nerveuses et mentales.*

■ **psychiatre** n. *Certains **psychiatres** sont en même temps psychanalystes.*

■ **psychiatrique** adj. *M. Magnon a été interné dans un hôpital **psychiatrique**, réservé aux malades mentaux.*

psychologie n.f. **1.** *La **psychologie** étudie scientifiquement la vie de l'esprit.* **2.** *Tu manques de **psychologie**, tu ne comprends pas l'état d'esprit des autres* (= intuition, finesse).

■ **psychologue** SENS 1 n. *Mme Dupuis est **psychologue** scolaire, elle s'occupe des difficultés psychologiques des élèves.* SENS 2 adj. *Tu n'es pas très **psychologue**, tu manques de psychologie, de finesse.*

■ **psychologique** adj. SENS 1 *La défaite de notre championne a des causes plus **psychologiques** que physiques, dues à son état d'esprit* (= mental, moral).

■ **psychothérapie** n.f. SENS 1 *Lise suit une **psychothérapie**, un traitement psychologique.*

psychose n.f. *Le sentiment d'insécurité tourne parfois à la **psychose**, à la peur maladive.*

puanteur → *puer.*

puberté n.f. *Au moment de la **puberté**, la voix des garçons devient plus grave, à la fin de l'enfance et au début de l'adolescence.*

public n.m. **1.** *Ce chemin est interdit au **public**, à l'ensemble des gens. Je n'aime pas chanter **en public**, devant tout le monde.* **2.** *À la fin de la pièce, le **public** a applaudi, les spectateurs.*

■ **public, ique** adj. SENS 1 *Tout le monde peut se promener dans un jardin **public*** (≠ privé).

■ **publiquement** adv. SENS 1 *La ministre a annoncé **publiquement** sa démission, en public* (≠ secrètement, en privé).

■ **publicité** n.f. SENS 1 *Cette marque de voiture fait beaucoup de **publicité** à la radio, elle veut se faire connaître du public.*

■ **publicitaire** adj. SENS 1 *Des affiches **publicitaires** sont collées sur de grands panneaux.*

■ **publier** v. SENS 1 *Ce livre a été publié en 1985,* il a été répandu dans le public (= éditer). *Le résultat du tirage sera publié dans le journal,* indiqué.

■ **publication** n.f. SENS 1 **1.** *La publication de ce livre a eu lieu en 1985.* **2.** *Les livres, les journaux, les revues sont des publications.*

puce n.f. **1.** *Le chien gratte ses puces,* de petits insectes bruns qui vivent sur lui. **2.** *Sa remarque m'a mis la puce à l'oreille,* m'a alerté, a éveillé ma méfiance. **3.** *J'ai acheté ce vieux meuble au marché aux puces,* un endroit où l'on vend toutes sortes de vieilles choses (= brocante).

puceron n.m. Les *pucerons* sont des insectes très petits qui vivent en parasites sur les plantes.

pudeur n.f. *Ce spectacle de débauche blesse la pudeur,* il provoque un sentiment de gêne ou de honte.

■ **pudique** adj. *Hugo est pudique,* il montre beaucoup de retenue (= décent, réservé).

■ **pudibond, e** adj. *Une personne pudibonde* est trop pudique (= prude).

puer v. *Ce vieux fromage pue,* il sent très mauvais.

■ **puanteur** n.f. *Les œufs pourris dégagent une puanteur insupportable.*

R. → *pus.*

puéril, e adj. *Jacques a des idées puériles* (= enfantin, naïf ; ≠ sérieux).

■ **puérilité** n.f. *Jacques a un raisonnement d'une puérilité déconcertante* (= naïveté).

■ **puériculture** n.f. *Je suis des cours de puériculture,* j'apprends à m'occuper des jeunes enfants.

pugilat n.m. *La dispute s'est terminée par un pugilat,* une bagarre à coups de poing.

puis adv. *Ruth a fait ses devoirs, puis elle est allée jouer* (= ensuite, après).

R. → *puits.*

puiser v. *Julie est allée puiser de l'eau à la source,* en prendre en y plongeant un récipient.

puisque conj. indique une cause : *Puisque tu sors, rapporte du pain* (= comme).

puissance n.f. **1.** *Napoléon voulut soumettre l'Europe à sa puissance* (= pouvoir, autorité). **2.** *Cet athlète donne une impression de puissance,* de très grande force. **3.** *La puissance de cette voiture est de 10 chevaux* (= force). **4.** *L'U.R.S.S. et les États-Unis sont les deux plus grandes puissances du monde* (= pays, État).

■ **puissant, e** adj. SENS 1 *Cette banquière est une femme riche et puissante,* elle a du pouvoir. SENS 3 *L'éclairage n'est pas assez puissant* (= fort).

■ **puissamment** adv. *Cette personne est puissamment riche* (= extrêmement).

■ **impuissance** n.f. SENS 1 ET 2 *Les sauveteurs étaient réduits à l'impuissance,* ils ne pouvaient plus rien faire.

■ **impuissant, e** adj. SENS 1 ET 2 *Les pompiers sont restés impuissants devant l'incendie* (= désarmé).

■ **tout-puissant, toute-puissante** adj. SENS 1 *Louis XIV fut un roi tout-puissant,* il avait tout le pouvoir.

■ **toute-puissance** n.f. SENS 1 *On accusait la politique de ce parti d'être soumise à la toute-puissance de l'argent.*

R. Noter les pluriels : des rois *tout-puissants,* des reines *toutes-puissantes,* des *toutes-puissances.*

puits n.m. *Un puits* est un trou dans le sol, d'où l'on tire de l'eau, du pétrole *(puits de pétrole),* du minerai *(puits de mine).*

R. *Puits* se prononce [pɥi] comme *puis* et [je] *puis* (de *pouvoir*).

pull-over ou **pull** n.m. *Il fait froid, mets un pull,* un tricot de laine qu'on enfile par la tête (= chandail).

R. On prononce [pylɔvɛr] et [pyl]. Noter le pluriel : des *pull-overs,* des *pulls.*

pulluler v. *Avec cette chaleur, les mouches* **pullulent**, *elles sont très nombreuses* (= grouiller).
■ **pullulement** n.m. *Ce pullulement d'insectes est dû à la chaleur.*

pulmonaire → *poumon.*

pulpe n.f. *La pulpe de ces pêches est très juteuse* (= chair).

pulsation n.f. *La fièvre accélérait ses pulsations,* les battements de son cœur.

pulvériser v. 1. *Marie* **pulvérise** *de l'insecticide sur les plantes,* elle le projette en fines gouttelettes. 2. *La voiture a été* **pulvérisée** *par le choc,* détruite complètement. 3. *Il a* **pulvérisé** *le record du 100 mètres nage libre,* il l'a dépassé largement.
■ **pulvérisation** n.f. SENS 1 *Il faut faire plusieurs* **pulvérisations** *d'insecticide pour protéger ces plantes.*
■ **pulvérisateur** n.m. SENS 1 *Ce produit insecticide est vendu dans un* **pulvérisateur,** *un appareil pour le pulvériser.*

362

puma n.m. *Le* **puma** *est un carnassier d'Amérique de la taille d'une panthère.*

punaise n.f. 1. *Dans cet hôtel sordide, j'ai été piqué par des* **punaises,** *des insectes parasites.* 2. *Lise fixe un poster au mur avec des* **punaises,** *des sortes de clous à tête très large.*

295

1. punch n.m. *Le* **punch** *est une boisson faite avec du rhum et du sirop de sucre.* **R.** On prononce [pɔ̃ʃ].

2. punch n.m. *Ce boxeur a du* **punch,** *il est efficace, dynamique.* **R.** On prononce [pœnʃ].

punir v. *Jean a été* **puni** *de son insolence,* il a subi un châtiment (= châtier, sanctionner).
■ **punition** n.f. *Le professeur a infligé une* **punition** *générale* (≠ récompense).
■ **punitif, ive** adj. *Une expédition* **punitive** *est destinée à punir des révoltés.*

■ **impuni, e** adj. *Le crime est resté* **impuni,** *la coupable n'a pas été punie.*
■ **impunément** adv. *Tu ne feras pas cela* **impunément,** *sans être punie.*

pupille 1. n. *Un* **pupille** *est un enfant orphelin dont s'occupe un tuteur.* 2. n.f. *Les* **pupilles** *des yeux se rétrécissent face à la lumière* (= prunelle).

3

pupitre n.m. 1. *Un* **pupitre** *est un petit meuble sur lequel on écrit ou sur lequel on pose le livre qu'on lit ou la musique qu'on joue.* 2. *La technicienne actionne les manettes de son* **pupitre,** *le meuble qui rassemble les moyens de commande et de contrôle visuel d'un appareil.*

76
43

80

pur, e adj. 1. *Je n'aime pas le vin* **pur,** *qui n'est pas mélangé à de l'eau. Respirons l'air* **pur** *des montagnes,* non pollué. 2. *On m'a assuré que ses intentions étaient* **pures** *(= honnête, désintéressé). 3. Je suis ici par un* **pur** *hasard,* uniquement par hasard.
■ **purement** adv. SENS 3 *C'est un conseil* **purement** *désintéressé* (= totalement). *Elle m'a dit « non »,* **purement et simplement,** *sans rien de plus, tout simplement* (= vraiment).
■ **pureté** n.f SENS 1 *À la montagne, la* **pureté** *de l'air est très grande* (≠ pollution, saleté).
■ **purifier** v. SENS 1 *Il faudrait* **purifier** *cette eau,* enlever ce qui la pollue.
■ **pur-sang** adj. et n.m.inv. SENS 1 *Un (cheval)* **pur-sang** *est de race pure.*
■ **épurer** v. SENS 1 *On* **épure** *les eaux d'égout* (= purifier).
■ **épuration** n.f. SENS 1 *Une station d'* **épuration** *filtre les eaux du fleuve.*
■ **impur, e** adj. SENS 1 *L'eau de cette mare est* **impure.**
■ **impureté** n.f. SENS 1 *En le filtrant, on débarrasse l'air des* **impuretés** *qu'il contient* (= saleté).

purée n.f. 1. *On a mangé une* **purée** *de pommes de terre,* des pommes de terre cuites et écrasées. 2. *On dit qu'à Londres, il y a souvent de la* **purée de pois,** *un brouillard très épais.*

purement, pureté → *pur.*

purger v. 1. *Purger quelqu'un,* c'est lui donner un médicament purgatif. 2. *Le voleur purge une peine d'un an de prison,* il la subit.

■ **purgatif, ive** adj. et n.m. SENS 1 *Un (médicament) purgatif est destiné à lutter contre la constipation.*

■ **purge** n.f. SENS 1 *Une purge est un médicament purgatif.*

■ **purgatoire** n.m. SENS 2 Dans la religion catholique, le *purgatoire* est un lieu où les âmes des morts subissent des peines en réparation de leurs péchés.

purifier → *pur.*

purin n.m. Le *purin* est le liquide qui s'écoule des tas de fumier.

puritain, e adj. *C'est une personne très puritaine,* qui a une morale très rigoureuse (= austère).

pur-sang → *pur.*

pus n.m. *Ton bouton s'est infecté, il est plein de pus,* d'un liquide jaunâtre.

■ **purulent, e** adj. *Tu as une plaie purulente au bras,* pleine de pus.

R. *Pus* se prononce [py] comme [*il*] *pue* (de *puer*) et [*il a*] *pu,* [*il*] *put* (de *pouvoir*).

pustule n.f. *Cette maladie se manifeste par des pustules,* des boutons pleins de pus.

putois n.m. *Arrête de crier comme un putois !,* un petit animal sauvage qui sent très mauvais.

se putréfier v. *Le tas de feuilles mortes commence à se putréfier* (= pourrir, se décomposer).

■ **putréfaction** n.f. *Une odeur de putréfaction s'échappe de la poubelle* (= pourriture).

■ **putride** adj. *Il y a ici une odeur putride,* très mauvaise.

■ **imputrescible** adj. *Les matières plastiques sont imputrescibles,* elles ne pourrissent pas.

putsch n.m. *Les militaires ont fait un putsch et pris le pouvoir,* un coup d'État.

R. On prononce [putʃ].

puzzle n.m. *Je m'amuse à reconstituer un puzzle,* une sorte de jeu de patience (= casse-tête).

R. On prononce [pœzl].

pygmée n. Les *Pygmées* sont des hommes et des femmes très petits vivant en Afrique.

pyjama n.m. *Claude dort en pyjama,* un vêtement de nuit, composé d'une veste et d'un pantalon.

pylône n.m. *La route est bordée par des pylônes électriques* (= poteau).

pyramide n.f. *Les Égyptiens ont construit de gigantesques pyramides,* de grands monuments à sommet pointu.

■ **pyramidal, e, aux** adj. *Une construction pyramidale* à la forme d'une pyramide.

pyrex n.m. *Je fais cuire le rôti dans un plat en pyrex,* en verre très résistant.

R. C'est un nom de marque.

pyrogravure n.f. *Faire de la pyrogravure,* c'est dessiner sur du bois avec un fer rouge.

pyromane n. *Les policiers ont arrêté un pyromane,* quelqu'un qui a la manie d'allumer des incendies.

python n.m. Le *python* est un très grand serpent d'Asie ou d'Afrique qui étouffe ses proies.

q

quadragénaire adj. et n. *M. Dupont est (un) quadragénaire,* il a entre quarante et cinquante ans.
R. On prononce [kwadraʒenɛr].

quadri- ou **quadru-** au début d'un mot signifie « quatre » : *Un quadriréacteur est un avion à quatre réacteurs.*

quadriennal, e, aux adj. *Les jeux Olympiques sont quadriennaux,* ils ont lieu tous les quatre ans.
R. On prononce [kwadrijenal] ou [kadrijenal].

385

quadrilatère n.m. *Le carré, le rectangle, le losange sont des quadrilatères,* des figures à quatre côtés.
R. On prononce [kwadrilatɛr] ou [kadrilatɛr].

quadrillage → quadriller.

quadrille n.m. *Autrefois, on dansait le quadrille,* une danse à quatre couples.

quadriller v. 1. *Le papier de mon cahier est quadrillé,* divisé en carreaux. 2. *Les policiers quadrillent le quartier,* ils y sont répartis partout (= contrôler).
■ **quadrillage** n.m. SENS 1 *Sur le plan, les rues de la ville forment un quadrillage,* des carrés. SENS 2 *La police a effectué un quadrillage du quartier.*

quadrimoteur → moteur.

quadriréacteur → réaction.

quadrupède n.m. *Le chien, le cheval, le lion sont des quadrupèdes,* ils ont quatre pattes.
R. On prononce [kwadrypɛd] ou [kadrypɛd].

563

quadruple n.m. *12 est le quadruple de 3,* il vaut quatre fois plus.

■ **quadrupler** v. *La production d'acier a quadruplé,* elle a été multipliée par quatre.

■ **quadruplés, ées** n.pl. *Elle a mis au monde des quadruplés,* quatre enfants nés d'un même accouchement.
R. On prononce [kwadrypl, kwadryple] ou [kadrypl, kadryple].

quai n.m. 1. *Nous attendons Claude sur le quai de la gare,* le bord de la voie où le train arrive. 2. *Nous nous sommes promenés sur les quais,* la maçonnerie construite le long de la rivière.

qualifier v. 1. *Noémie qualifie d'imbéciles ceux qui ne sont pas de son avis,* elle leur donne ce nom (= traiter). 2. *M. Duval n'est pas qualifié pour faire ce travail,* il n'en est pas capable, n'a pas les compétences voulues. 3. *L'équipe du Canada s'est qualifiée pour la finale,* elle a gagné les épreuves qui lui permettent de participer à la finale.
■ **qualificatif, ive** 1. n.m. SENS 1 « *Imbécile* » *est un qualificatif injurieux* (= terme). 2. adj. *L'adjectif qualificatif précise le nom.*
■ **qualification** n.f. SENS 2 *Léona a acquis sa qualification dans une école d'ingénieurs.* SENS 3 *L'équipe du Canada a gagné le match de qualification.*
■ **disqualifier** v. SENS 3 *Le coureur a été disqualifié,* il n'a plus le droit de continuer parce qu'il n'a pas respecté le règlement (= éliminer).

■ **disqualification** n.f. SENS 3 *Cette faute entraîne la* **disqualification.**

■ **inqualifiable** adj. SENS 1 *Tu as eu une conduite* **inqualifiable,** *il n'y a pas de mots assez durs pour la qualifier* (= scandaleux).

qualité n.f. 1. *Ces meubles sont de bonne* **qualité,** *ils sont bons, solides.* 2. *Sa principale* **qualité** *est son honnêteté* (= mérite, vertu ; ≠ défaut). 3. *Mélina a agi* **en qualité de** *directrice, du fait qu'elle est directrice* (= comme, en tant que).

quand 1. adv. *sert à interroger sur le temps :* **Quand** *viendras-tu ?,* à quel moment. 2. conj. *indique le temps :* **Je viendrai** *quand j'aurai fini* (= lorsque, au moment où).
R. *Quand* se prononce [kɑ̃] comme *camp.*

quand même adv. *Elle est venue* **quand même,** *malgré tout.*

quant à prép. *Faites ce que vous voulez ;* **quant à** *moi, je m'en vais,* en ce qui me concerne, pour ma part.
R. On prononce [kɑ̃ta].

quant-à-soi n.m.inv. *Pierre se tient sur son* **quant-à-soi,** *il ne dit pas ce qu'il pense* (= réserve).
R. On prononce [kɑ̃taswa].

quantité n.f. 1. *Quelle est la* **quantité** *de vin contenue dans cette bouteille ?,* combien y en a-t-il ? 2. *Je lis des* **quantités** *de livres,* un grand nombre, beaucoup. *J'ai des pommes* **en quantité,** en grand nombre.
■ **quantième** n.m. SENS 1 *Il y a une erreur de* **quantième** *: nous ne sommes pas le 10, mais le 11,* une erreur de jour du mois.

quarante adj. *Il y a* **quarante** *élèves dans la classe.* $10 \times 4 = 40.$
■ **quarantaine** n.f. 1. *Mme Truong a une* **quarantaine** *d'années,* environ quarante ans. 2. *Ses camarades l'ont mis en* **quarantaine,** *ils le tiennent à l'écart sans lui parler.*

■ **quarantième** adj. et n. *M. Durand est dans sa* **quarantième** *année.* 563

quart n.m. 1. *25 est le* **quart** *de 100,* il est quatre fois plus petit (≠ quadruple). 2. *Les campeurs boivent dans un* **quart,** un gobelet. 3. *Il est 5 heures* **et quart** *(ou 5 heures* **un quart**), 5 heures et 15 minutes. 4. *J'ai pris le* **quart,** je suis de garde pour quatre heures. 5. *Ma voiture démarre* **au quart de tour,** tout de suite. 563 763
■ **quart d'heure** n.m. 1. *Je m'absente un* **quart d'heure,** quinze minutes. 2. *Si tu désobéis, tu risques de passer un* **mauvais quart d'heure,** de te faire vivement réprimander.
R. *Quart* se prononce [kar] comme *car.*

quartette n.m. *Un* **quartette** *à vent,* est un groupe de quatre instruments de musique à vent.
R. On prononce [kwartɛt].

quartier n.m. 1. *Le boucher transporte un* **quartier** *de bœuf,* un gros morceau. 2. *Dans quel* **quartier** *de Québec habite Anne ?,* quelle partie de la ville. 3. *Le* **quartier général** *de l'armée se trouve dans ce château,* l'endroit d'où l'armée est commandée. 4. *La Lune est dans son premier (ou son dernier)* **quartier,** *elle n'apparaît pas encore (ou n'apparaît plus) toute ronde.* 5. *Les vainqueurs* **n'ont pas fait de quartier,** *ils ont tué tout le monde.*

quartier-maître n.m. *Dans la marine française, le* **quartier-maître** *a le* 1er *grade au-dessus du matelot.*
R. Noter le pluriel : des *quartiers-maîtres.*

quartz n.m. *Le sable contient des morceaux de* **quartz,** *d'une roche très dure.* 650
R. On prononce [kwarts].

quasi adv. *C'est* **quasi** *impossible,* à peu près, pour ainsi dire.
■ **quasiment** adv. *On m'a* **quasiment** *conseillé de partir* (= presque).

quaternaire → ère.

quatorze adj. *J'ai quatorze ans. 10 + 4 = 14.*

■ **quatorzième** adj. et n. *Elle est arrivée au quatorzième rang. Ce coureur est le quatorzième à l'arrivée.*

quatre adj. 1. *Il y a quatre saisons dans l'année. 2 + 2 = 4.* 2. *Il s'est mis en quatre pour nous faire plaisir,* il a fait beaucoup d'efforts. *Paule mange comme quatre,* énormément.

■ **quatrième** adj. et n. SENS 1 *Nous habitons au quatrième étage* (ou *au quatrième*).

■ **quatrain** n.m. SENS 1 Un *quatrain* est un groupe de quatre vers.

■ **quatuor** n.m. SENS 1 Un *quatuor* est un groupe de quatre musiciens qui jouent ensemble.

R. On prononce [katr] mais [kwatɥɔr].

quatre-quarts n.m.inv. Un *quatre-quarts* est un gâteau fait de farine, de beurre, d'œufs et de sucre en quantités égales.

quatre-vingts adj. *Tu me dois quatre-vingts cents. 20 × 4 = 80.*

R. Suivi d'un autre nombre, *quatre-vingts* ne prend pas d's : *quatre-vingt-dix.*

quatrième, quatuor → **quatre.**

que 1. pron.relatif est complément : *Le film que j'ai vu.* 2. pron.interrogatif : *Que se passe-t-il ?* 3. conj. relie deux propositions ou deux mots : *Elle a dit qu'elle viendrait. Il est plus grand que moi. Je n'ai qu'un livre,* seulement un. 4. adv. d'exclamation : *Que tu es sage !* (= comme).

québécisme n.m. Un *québécisme* est une locution, un mot ou une façon de s'exprimer propres au français parlé au Québec.

quel, quelle adj. sert pour l'interrogation : *Quel livre lis-tu ? ;* pour l'exclamation : *Quelle jolie maison !*

quelconque 1. adj.indéfini *On a refusé en donnant un prétexte quelconque,* n'importe lequel. 2. adj. *Ce livre est quelconque,* sans intérêt (= médiocre).

quelque 1. adj.indéfini sing. *J'ai eu quelque difficulté à comprendre,* une certaine difficulté. *Elle a dû avoir quelque empêchement* (= tel ou tel). 2. adj.indéfini plur. *Il a dit quelques mots et il est parti,* des mots peu nombreux.

■ **quelque chose** pron.indéfini m. *Veux-tu manger quelque chose ? J'ai vu quelque chose d'étonnant,* une chose étonnante.

■ **quelquefois** adv. *Je vais quelquefois chez ma grand-mère,* de temps en temps (= parfois ; ≠ souvent).

■ **quelqu'un** pron.indéfini m. *Quelqu'un m'a conseillé de venir,* une personne (= on).

■ **quelques-uns, quelques-unes** pron. indéfini pl. *Quelques-uns des dessins ont été exposés,* un petit nombre.

quémander v. *Je n'aime pas être obligé de quémander ce qui m'est dû,* de le demander humblement, comme une faveur.

qu'en-dira-t-on n.m.inv. *Mme Dupont se moque du qu'en-dira-t-on,* de ce que les gens disent d'elle.

quenelle n.f. *Nous avons mangé des quenelles de volaille,* des sortes de boulettes allongées à la viande de volaille.

quenotte n.f. Fam. *Bébé a mal à ses quenottes* (= dent).

1. quenouille n.f. *Autrefois, on filait la laine en la plaçant sur une quenouille.*

2. quenouille n.f. *Il y a des quenouilles dans ce marécage,* une plante à longue tige.

querelle n.f. *J'ai eu une querelle avec Claude* (= dispute). *Caroline me cherche querelle,* elle me provoque.

■ **se quereller** v. *Pierre et Lise se sont querellés* (= se disputer, se chamailler).

■ **querelleur, euse** adj. *Pierre est un garçon querelleur* (= batailleur, bagarreur ; ≠ doux).

quérir v. se disait pour *chercher.*
R. *Quérir* ne s'emploie qu'à l'infinitif.

question n.f. **1.** *Il est difficile de répondre à cette question* (= demande, interrogation). **2.** *On a déjà parlé de cette question* (= sujet, affaire, problème). **3.** *Il est question de partir demain,* on en parle. **4.** *Je m'occuperai de l'affaire en question,* de l'affaire dont nous avons parlé. **5.** *Ce qui est en question, c'est le maintien ou la fermeture de l'entreprise,* ce qui va être décidé (= en jeu).
■ **questionnaire** n.m. SENS 1 *Veuillez remplir ce questionnaire,* cette liste de questions.
■ **questionner** v. SENS 1 *Sonia m'a questionnée sur mes vacances,* elle m'a posé des questions (= interroger).

quétaine adj. *Ta robe est quétaine,* d'un goût douteux.
■ **quétainerie** n.f. *Il n'y a que des quétaineries dans ce magasin* (= pacotille).

quête n.f. **1.** *Une quête pour les aveugles a été faite dans la rue,* on a demandé de l'argent aux gens (= collecte). **2.** *M. Durand s'est mis en quête d'un logement,* il s'est mis à le rechercher.
■ **quêter** v. SENS 1 *On quête pour les pauvres,* on fait la quête. *Louise a la manie de quêter des cigarettes,* d'en demander à son entourage.
■ **quêteur, euse** n. SENS 1 *Les quêteurs de la Croix-Rouge ont sonné à ma porte.*
■ **quêteux, euse** n. et adj. **1.** SENS 1 *C'est le banc du quêteux,* mendiant. **2.** *Nos voisins sont de vrais quêteux,* ils sont très pauvres.

quetsche n.f. Les *quetsches* sont de grosses prunes violettes.
R. On prononce [kwɛtʃ].

queue n.f. **1.** *Les chiens, les chats, les vaches, les chevaux ont une queue au bas du dos.* **2.** *La queue de la casserole est cassée,* la partie qui dépasse (= manche). **3.** *Une queue de billard*

est une longue tige de bois avec laquelle on pousse les boules. **4.** *Amina s'est fait une queue de cheval,* une coiffure où les cheveux sont tirés en arrière et tenus par un élastique ou une barrette. **5.** Une *queue-de-pie* est un habit de cérémonie pour les hommes. **6.** *Il y a une longue queue devant le cinéma,* une file de personnes qui attendent. *Mettez-vous à la queue,* au dernier rang de la file. **7.** *Ce wagon est en queue du train,* à l'arrière. **8.** *Ce que tu me racontes n'a ni queue ni tête,* n'a aucun sens, est incohérent. **9.** *Ce chauffard nous a fait une queue de poisson,* il nous a doublés en se rabattant brusquement devant nous. **10.** Fam. *Ce film finit en queue de poisson,* il se termine brusquement, sans véritable conclusion. **11.** *Les enfants marchent à la queue leu leu,* l'un derrière l'autre.

qui 1. pron.relatif est sujet du verbe : *L'homme qui est venu est M. Durand.* **2.** pron.interrogatif : *Qui est là ? Qui cherchez-vous ?,* quelle personne.

quiche n.f. *Nous avons mangé une quiche,* une sorte de tarte au lard recouverte d'un mélange de crème et d'œufs.

quiconque pron.indéfini *Je sais cela mieux que quiconque,* n'importe qui. *Quiconque pense cela se trompe,* tous ceux qui pensent cela.

quidam n.m. *Qui est ce quidam ?,* cette personne dont je ne sais pas le nom.
R. On prononce [kidam] ou [kɥidam].

quiétude n.f. *Tu peux partir en toute quiétude* (= tranquillité).
R. On prononce [kjetyd].

quignon n.m. *J'ai emporté un quignon de pain pour mon goûter* (= morceau).

quille n.f. **1.** *Brenda et Jean jouent aux quilles,* à renverser avec une boule des morceaux de bois placés debout. **2.** *Le voilier s'est renversé la quille en l'air,* la partie inférieure.

804

218

803,
766

727

■**quilleur, euse** n. SENS 1 *Julie est une bonne quilleuse,* elle joue bien aux quilles.

quincaillerie n.f. 1. *Les outils, les clous, les vis, les écrous sont des articles de quincaillerie.* 2. *Il y a une quincaillerie dans la rue voisine,* un magasin qui vend des clous, des vis, etc.

221

■**quincaillier, ère** n. *Va chez le quincaillier* acheter une boîte de clous.

quinconce n.m. *Les arbres sont plantés en quinconce,* par groupes de cinq, dont quatre aux angles d'un carré et un au milieu.
R. On prononce [kɛ̃kɔ̃s].

quinine n.f. La *quinine* est un médicament qui calme la fièvre.

quinquagénaire adj. et n. *Mme Martin est (une) quinquagénaire,* elle a entre cinquante et soixante ans.
R. On prononce [kɛ̃kwaʒenɛr] ou [kɛ̃kaʒenɛr].

quinquennal, e, aux adj. *Un plan quinquennal* est un plan qui dure cinq ans.

quintal n.m. *Le fermier a récolté 20 quintaux de blé,* vingt fois 100 kg.

quinte n.f. *Tu as souvent des quintes de toux,* tu te mets à tousser brusquement et longtemps (= accès).

quintessence n.f. *Tu as résumé la quintessence de ce livre,* ce qu'il y a de plus important dedans.

quintette n.m. *Un quintette* est un groupe de cinq musiciens qui jouent ensemble.
R. On prononce [kɛ̃tɛt] ou [kwɛ̃tɛt].

563 **quintuple** n.m. *100 est le quintuple de 20,* il est cinq fois plus grand.
■**quintuplés, ées** n.pl. *Il existe peu de quintuplés,* cinq enfants issus d'une même grossesse.
■**quintupler** v. *Le prix des fruits a quintuplé,* il a été multiplié par cinq.

quinze adj. *J'aurai la réponse dans quinze jours. 10 + 5 = 15.*
■**quinzaine** n.f. *Nous nous reverrons dans une quinzaine (de jours),* environ quinze jours.
■**quinzième** adj. et n. *Jessica habite au quinzième étage.*

quiproquo n.m. *Je parlais de M. Dupont, et lui de M. Durand : c'était un quiproquo* (= erreur, malentendu, méprise).

quittance n.f. *Après avoir payé, demandez une quittance,* un papier prouvant que vous avez payé.

quitte adj. 1. *Je te rends les 10 dollars que tu m'as prêtés, nous sommes quittes,* nous ne nous devons plus rien. 2. *La voiture s'est retournée dans le fossé, nous en avons été quittes pour la peur,* à côté de tout ce qui aurait pu nous arriver de grave, nous n'avons eu à subir que la peur. 3. *Fais vérifier les pneus, quitte à arriver en retard,* au risque de.

quitter v. 1. *Les Durand ont quitté la France,* ils en sont partis. *Gaël a quitté son emploi* (= abandonner). 2. *Yaelle et Jean se sont quittés sans se dire au revoir* (= se séparer).

qui-vive n.m.inv. *Elle est restée toute la nuit sur le qui-vive,* en faisant attention, sur ses gardes.

quoi 1. pron.interrogatif : *Je voudrais quelque chose. — Quoi ? De quoi parliez-vous ?,* de quelle chose. 2. pron. relatif : *Je n'ai pas de quoi m'habiller,* ce qu'il faut pour m'habiller.

quoique conj. exprime l'opposition : *Elle est venue, quoiqu'on le lui ait défendu* (= bien que).

quolibet n.m. *Son discours a été interrompu par les quolibets des auditeurs* (= raillerie, moquerie).
R. On prononce [kɔlibɛ].

quorum n.m. *La réunion ne peut pas avoir lieu, il n'y a pas le **quorum**,* pas assez de personnes présentes.

R. On prononce [kwɔrɔm] ou [kɔrɔm].

quote-part n.f. *Chacun a payé sa **quote-part**,* ce qu'il devait.

R. Noter le pluriel : des *quote-parts.*

quotidien, enne 1. adj. *Il faut que je fasse mon travail **quotidien**,* de chaque jour. **2.** n.m. *Ce journal est un **quotidien** du matin,* il paraît tous les jours (≠ hebdomadaire).

■ **quotidiennement** adv. *De tels incidents se produisent **quotidiennement**,* chaque jour.

quotient n.m. *Le **quotient** de 20 par 5 est 4,* le résultat de la division.

r

rabâcher v. *Son arrière-grand-père rabâche ses souvenirs,* il les répète sans arrêt (= ressasser).
■ **rabâchage** n.m. *Tu m'ennuies avec tes rabâchages* (= radotage).

rabais, rabaisser → *bas* 1.

rabattre v. 1. *Pour fermer la boîte, rabattez le couvercle* (= abaisser). 2. *La vendeuse n'a pas voulu rabattre un cent de la somme qu'elle réclamait* (= diminuer). *Elle était pleine d'assurance, mais elle en a bien rabattu,* elle a perdu ses illusions. 3. *Faute de viande, on s'est rabattu sur du poisson,* on a accepté d'en manger. 4. *Les chiens rabattent le gibier vers les chasseurs,* ils le font aller dans cette direction. *Le camion s'est rabattu vers la gauche,* il a brusquement changé de direction après un dépassement.
■ **rabat** n.m. SENS 1 *La poche se ferme par un rabat,* une pièce qui se replie dessus.
■ **rabatteur, euse** n. SENS 4 *Les rabatteurs battent les fourrés avec des bâtons pour faire partir le gibier.*
■ **rabat-joie** n.inv. SENS 2 *Carole est une rabat-joie* (= trouble-fête).
R. → Conj. n° 56.

rabbin n.m. *Le rabbin célèbre les cérémonies de la religion juive.*

râble n.m. *On a mangé du lièvre, j'ai eu un morceau de râble,* dans le bas du dos.
■ **râblé, e** adj. *M. Dupont est un homme râblé,* il a le dos large et musclé.

rabot n.m. *Le menuisier aplanit une planche avec son rabot,* un outil.

■ **raboter** v. *Le bas de la porte frotte, il faut la raboter.*

raboteux, euse adj. *Le sol du sentier est raboteux* (= inégal, rugueux).

rabougri, e adj. *Au bord de la mer, les arbres sont rabougris,* peu développés (= chétif).

rabrouer v. *Quand j'ai présenté ma demande, je me suis fait rabrouer,* renvoyer rudement (= rembarrer).

racaille n.f. *Ne fréquente pas cette racaille !,* ces gens malhonnêtes, peu estimables.

raccommoder v. 1. *La chaise est cassée, je vais essayer de la raccommoder* (= réparer). *Peux-tu raccommoder mon pantalon ?* (= recoudre, repriser). 2. Fam. *Pierre et Lise se sont raccommodés* (= réconcilier ; ≠ fâcher).
■ **raccommodage** n.m. SENS 1 *Ce raccommodage est très bien fait.*
R. Attention à l'orthographe : 2 *c,* 2 *m.*

raccompagner → *accompagner.*

raccorder v. *Un passage souterrain raccorde les deux bâtiments* (= relier). *Nicole a raccordé les deux tuyaux,* elle les a reliés l'un à l'autre.
■ **raccord** n.m. 1. *On a fait des raccords de peinture,* on en a remis là où elle manquait. 2. *Le raccord de ma pompe à vélo est crevé,* le tuyau de caoutchouc qui se fixe à l'extrémité. 3. *On a fixé un raccord à chaque bout du tuyau,* une pièce qui permet de les raccorder.

raccordement n.m. *Une voie de raccordement relie les deux autoroutes* (= liaison).

raccourci, raccourcir → *court* 1.

raccrocher → *accrocher.*

race n.f. 1. *Il y a beaucoup de gens de race noire aux États-Unis d'Amérique,* des gens ayant la peau noire et un type physique particulier. 2. *Ce chien n'est pas de race pure,* son père et sa mère sont des chiens de types différents.
■ **racé, e** adj. SENS 2 *Ce cheval est racé,* de race pure. *Mme Durand est une femme racée,* elle est fine (physiquement et intellectuellement).
■ **racial, e, aux** adj. SENS 1 *Tu as des préjugés raciaux,* tu n'aimes pas les gens de certaines races.
■ **racisme** n.m. SENS 1 *Le racisme est contraire à la dignité humaine,* le mépris pour les autres races.
■ **raciste** adj. et n. SENS 1 *Certains pays mènent une politique raciste.*
■ **antiraciste** adj. SENS 1 *Une manifestation antiraciste a rassemblé une foule nombreuse,* une manifestation contre le racisme.
■ **multiracial, e, aux** adj. SENS 1 *Dans une société multiraciale,* des gens de plusieurs races vivent ensemble.

rachat, racheter → *acheter.*

rachitique adj. *Cet enfant est rachitique,* sa croissance est très insuffisante, il est mal développé (= chétif, malingre).

racial → *race.*

racine n.f. 1. *Ce chêne a des racines énormes,* les parties qui s'enfoncent dans le sol. 2. *La racine du mot « indestructible » est « struct- »,* la partie commune à une série de mots de la même famille. 3. *Cet intrus semblait vouloir prendre racine chez nous* (= s'installer, s'incruster). 4. *Le dentiste a touché à la racine de ma dent,* la partie qui se trouve dans la gencive.

■ **déraciner** v. 1. SENS 1 *La tempête a déraciné plusieurs arbres* (= arracher). 2. *Ces vietnamiens ont été déracinés,* arrachés à leur pays.
■ **enraciner** v. SENS 1 1. *L'arbre a du mal à s'enraciner sur les rochers,* à développer ses racines. 2. *Cette mauvaise habitude est enracinée en lui,* elle est fixée profondément.
■ **indéracinable** adj. SENS 1 *C'est là une erreur indéracinable,* qu'on ne peut pas supprimer, extirper.

racisme, raciste → *race.*

racket n.m. *On a arrêté un individu qui exerçait un racket sur certains commerçants,* qui leur extorquait de l'argent par des menaces.
■ **racketteur, euse** n. *Les racketteurs ont été arrêtés.*
R. On prononce le *t* final : [rakεt], comme dans *raquette.*

raclée n.f. Fam. *Pierre a reçu une raclée,* des coups (= volée).

racler v. *André racle le fond de la casserole,* il le gratte pour le nettoyer.
■ **raclette** n.f. SENS 1 *Une raclette est un outil servant à racler. En Suisse, on mange de la raclette,* un fromage que l'on fait fondre à la chaleur et que l'on racle au fur et à mesure qu'il fond pour le manger.

racoler v. *Dominique essaie de racoler des clients,* de les attirer par tous les moyens.
■ **racolage** n.m. *À force de racolage, on a réussi à recruter quelques adhérents.*

racontar, raconter → *conte.*

racornir → *corne.*

radar n.m. *Par temps de brouillard, le bateau se dirige au radar,* un appareil qui signale les obstacles. *Les policiers contrôlent la vitesse des voitures à l'aide d'un radar.* 726, 711

rade n.f. 1. *Le bateau a jeté l'ancre dans la rade,* un grand bassin abrité. 2. Fam. 726

La voiture est restée en rade sur la route, en panne.

radeau n.m. *Nous avons traversé la rivière en radeau,* une embarcation faite de morceaux de bois assemblés.

radiateur n.m. **1.** *Le radiateur de la voiture est percé,* l'appareil qui refroidit le moteur. **2.** *Il y a deux radiateurs dans cette pièce,* deux appareils de chauffage.

1. radiation n.f. *Les corps radioactifs émettent des radiations,* des rayons invisibles.

2. radiation → *radier.*

radical, e, aux 1. adj. *J'ai proposé un changement radical* (= complet, total). **2.** adj. et n.m. *Les radicaux (le parti radical) ont voté contre le gouvernement,* un parti politique. **3.** n.m. *« Chant » est le radical du verbe chanter,* la partie du mot qui ne change pas.
■ **radicalement** adv. SENS 1 *Elle a refusé radicalement* (= totalement, absolument).

radier v. *On l'a radiée de la liste des participants* (= barrer, rayer).
■ **radiation** n.f. *Sa radiation est due à une faute professionnelle,* on l'a radié.

radieux, euse adj. **1.** *Il fait un soleil radieux* (= brillant, éclatant ; ≠ pâle). **2.** *Elle m'a fait un sourire radieux* (= rayonnant, joyeux, épanoui ; ≠ triste).

radin, e adj. et n. Fam. *Il économise sur tout sans nécessité : quel radin !* (= avare, pingre).

radio- est un préfixe qui indique une idée de rayonnement et désigne : **1.** un système de transmission des sons à distance ; **2.** un système qui permet de voir à l'intérieur du corps ; **3.** la propriété qu'ont certains corps d'émettre des rayons dangereux.
■ **radio** n.f. SENS 1 *Line écoute la radio,* une émission transmise par les ondes qui diffusent des sons à grande distance. *Qui a cassé la radio ?,* le poste. SENS 2

Esther a passé une radio des poumons, on a examiné ses poumons.
■ **radio** n. SENS 1 *La radio de l'avion appelle la tour de contrôle,* celle qui est chargée des communications par radio.
■ **radioactif, ive** adj. SENS 3 *Les déchets radioactifs sont très dangereux,* ils émettent des rayons dangereux.
■ **radioactivité** n.f. SENS 3 *La radioactivité de l'uranium a été découverte au XXᵉ siècle.*
■ **radiocassette** n.f. SENS 1 *Une radiocassette* est un appareil de radio combiné à un magnétophone à cassette.
■ **radiodiffuser** v. SENS 1 *Ce concert sera radiodiffusé demain,* il sera transmis par la radio.
■ **radiodiffusion** n.f. est un équivalent savant de *radio* (au sens 1).
■ **radiographie** et **radioscopie** n.f. sont des équivalents savants de *radio* (au sens 2) selon qu'il y a photographie (radiographie) ou simple examen (radioscopie).
■ **radiologue** n. SENS 2 *Un(e) radiologue* est un médecin spécialiste de radio.
■ **radiophonique** adj. SENS 1 *Les programmes radiophoniques se sont améliorés,* les programmes de radio.

radis n.m. *Comme hors-d'œuvre, il y avait des radis avec du pain beurré,* une plante dont on mange la racine à peau rose et blanche ou rouge.

radium n.m. *Le radium est un métal radioactif.*

radius n.m. *Le radius est un os du bras.* **R.** On prononce le *s* final : [radjys].

radoter v. *À ton âge, tu radotes déjà,* tu dis des bêtises comme certaines vieilles personnes.
■ **radotage** n.m. *Ses radotages sont ennuyeux.*

radoucir → *doux.*

rafale n.f. **1.** *Le vent souffle par rafales,* par coups brusques. **2.** *Les bandits ont tiré une rafale de mitraillette,* une série de coups très rapprochés.

raffermir → *ferme* 2.

raffiner v. **1.** *L'essence est du pétrole raffiné,* rendu plus pur. **2.** *Ces jeunes gens raffinent sur leur toilette,* ils en prennent un soin extrême.
■ **raffinage** n.m. SENS 1 *Le raffinage du sucre le rend blanc.*
■ **raffiné, e** adj. SENS 2 *Mme Dupont est une femme raffinée* (= élégant, distingué ; ≠ simple).
■ **raffinement** n.m. SENS 2 *Jean s'exprime avec raffinement,* il choisit soigneusement ses mots.
■ **raffinerie** n.f. SENS 1 *La raffinerie de pétrole se trouve au bord du fleuve,* une usine.

raffoler v. *Marie raffole du chocolat,* elle l'aime beaucoup.

raffut n.m. Fam. *Le chien a fait du raffut toute la nuit,* beaucoup de bruit (= vacarme, tapage).

rafiot n.m. *Fam.* Un *rafiot* est un petit bateau en mauvais état.

rafistoler v. Fam. *On a essayé de rafistoler cette vieille chaise,* de la réparer tant bien que mal.

rafler v. Fam. *Qui a raflé ce qui était sur la table ?,* qui l'a pris et emporté ?
■ **rafle** n.f. *La police a fait une rafle dans ce café,* elle a emmené tout le monde.

rafraîchir, rafraîchissant, rafraîchissement → *frais* 1.

ragaillardir → *gaillard* 1.

rage n.f. **1.** *Cette nouvelle l'a mis en rage,* dans une grande colère (= fureur). **2.** *Pierre a une rage de dents,* un violent mal de dents. **3.** *La tempête fait rage,* elle se déchaîne. **4.** *Pasteur a inventé un vaccin contre la rage,* une grave maladie.
■ **rager** v. SENS 1 *Échouer si près du but, ça me fait rager,* ça me met en colère.
■ **rageur, euse** adj. SENS 1 *Tu m'as répondu d'un ton rageur* (= furieux, hargneux).
■ **rageusement** adv. SENS 1 *Il a refusé rageusement.*

■ **enrager** v. SENS 1 *Ne fais pas enrager ta sœur,* ne la mets pas en colère (= agacer, irriter).
■ **enragé, e** adj. **1.** SENS 4 *On a dû tuer le chien enragé,* malade de la rage. **2.** *C'est une joueuse enragée* (= passionné).

ragot n.m. Fam. *N'écoute pas ces ragots !,* ces bavardages malveillants (= médisance, racontar).

ragoût n.m. *Nous avons mangé un ragoût de mouton,* de la viande cuite avec des légumes et mijotée dans une sauce. *Veux-tu du râgout de boulettes ou du râgout de pattes (de cochon) ?*

ragoûtant, e adj. *Ce plat est peu ragoûtant,* on n'a pas envie de le manger (= appétissant).

rai → *rayon.*

raid n.m. *L'aviation a fait un raid en territoire ennemi,* une attaque par surprise. **R.** *Raid* se prononce [rɛd] comme *raide.*

raide adj. **1.** *Mon poignet foulé est raide,* difficile à plier (= rigide ; ≠ souple). **2.** *Le sentier est raide,* il monte beaucoup (= abrupt). **3.** *L'équilibriste marche sur la corde raide,* une corde bien tendue. **4.** *Ils sont tombés raides morts* (= brusquement).
■ **raideur** n.f. SENS 1 *J'ai une raideur au genou,* il est engourdi.
■ **raidillon** n.m. SENS 2 *On a monté péniblement le raidillon,* la pente raide.
■ **raidir** v. **1.** SENS 1 *Le cheval raidit ses muscles* (= tendre, contracter). **2.** *Les deux adversaires se sont raidis dans leur opposition* (= affermir).
■ **raidissement** n.m. **1.** SENS 1 *Une crampe provoque un raidissement des muscles* **2.** *On observe un raidissement de leur position* (= renforcement).
R. → *raid.*

1. raie n.f. **1.** *Jean a une chemise blanche à raies bleues* (= bande, ligne, rayure). **2.** *Esther a une raie sur le côté,* une ligne séparant ses cheveux.

■ **rayer** v. SENS 1 *La carrosserie de la voiture **est rayée,** abîmée par des raies. Il **a rayé** deux mots dans son devoir,* il les a barrés d'un trait.

■ **rayure** n.f. SENS 1 *Les zèbres ont des **rayures** sur le corps* (= raie).

728

2. raie n.f. *La **raie** se mange souvent au beurre noir,* un poisson de mer plat.

803, 509

rail n.m. 1. *Les trains roulent sur des **rails,*** des barres d'acier. 2. *La cloison se déplace sur un **rail,*** une barre de métal qui guide son mouvement.

■ **dérailler** v. SENS 1 *Un train **a déraillé,*** il est sorti des rails.

■ **déraillement** n.m. SENS 1 *Le **déraillement** a fait de nombreux morts.*

512

■ **dérailleur** n.m. SENS 2 *Le **dérailleur** d'un vélo sert à faire passer la chaîne d'une roue dentée sur une autre.*

railler v. *Arrête de la **railler,*** de te moquer d'elle.

■ **raillerie** n.f. *Tu ne supportes pas les **railleries,*** qu'on se moque de toi (= moquerie, plaisanterie, sarcasme).

■ **railleur, euse** adj. *On m'a répondu d'un ton **railleur*** (= ironique, moqueur).

rainette n.f. *Entends-tu le chant des **rainettes ?,*** de petites grenouilles.

R. *Rainette* se prononce [rɛnɛt] comme *reinette.*

rainure n.f. *L'épingle est tombée dans une **rainure** du parquet,* une mince fente.

raisin n.m. *On a fait le vin avec le jus du **raisin,*** le fruit de la vigne.

raison n.f. 1. *L'être humain est doué de **raison*** (= esprit, intelligence, pensée, bon sens). 2. *M. Magron a perdu la **raison,*** il est devenu fou. 3. *Julie a l'**âge** de raison,* l'âge où l'on distingue le bien du mal. *Carole ne veut pas **entendre raison,*** reconnaître ce qui est juste, sage. 4. *Je pense que tu **as raison,*** que tu ne te trompes pas (≠ tort). 5. *Connais-tu la **raison** de son absence ?* (= cause, motif). *En **raison** du mauvais temps, la fête n'aura pas lieu en plein air* (= à cause

de). 6. *Tes **raisons** ne m'ont pas convaincu* (= argument, explication, excuse). *J'ai de **bonnes raisons** d'être fatigué* (= excuse). 7. *Elle est payée **à raison** de 500 dollars par pièce,* au prix de 500 dollars, en comptant sur cette base. 8. *Il faut **se faire une raison,** les vacances seront reportées,* il faut accepter les choses, se résigner. 9. *Ce magasin a une nouvelle **raison sociale,*** un nom sous lequel il opère.

■ **raisonnable** adj. SENS 1, 2 ET 3 *Voilà une décision **raisonnable** !* (= sage, sensé ; ≠ excessif, fou).

■ **raisonnablement** adv. SENS 1, 2 ET 3 *Tu as agi **raisonnablement*** (= bien).

■ **raisonnement** n.m. SENS 1 *Un **raisonnement** simple te donnera la solution,* l'activité de ton intelligence.

■ **raisonner** v. SENS 1 *Tu **as** bien **raisonné*** (= penser). SENS 3 *Il fait des bêtises, il faut le **raisonner,*** lui dire d'être raisonnable. SENS 6 *Quand on lui fait des reproches, elle **raisonne,*** elle donne des arguments (= discuter).

■ **raisonneur, euse** adj. et n. SENS 6 *Jacques est un insupportable **raisonneur,*** il discute toujours et veut avoir raison.

■ **rationnel, elle** adj. SENS 1 *Ton projet n'est pas **rationnel,*** conforme au bon sens.

■ **rationnellement** adv. SENS 1 *Il organise son travail **rationnellement*** (= intelligemment, méthodiquement).

■ **déraisonnable** adj. SENS 1, 2 ET 3 *Ta conduite est **déraisonnable*** (= absurde, bête).

■ **déraisonner** v. SENS 2 *Qu'est-ce que tu dis ? tu **déraisonnes !,*** ce que tu dis est absurde.

■ **irraisonné, e** adj. SENS 5 *Il a eu une peur **irraisonnée,*** sans raison.

■ **irrationnel, elle** adj. SENS 1 *Ses actes sont **irrationnels,*** contraires à la raison.

R. Ne pas confondre *raisonner* [rɛzɔne] et *résonner* [rezɔne].

rajeunir, rajeunissement → *jeune.*

rajouter → *ajouter.*

rajustement, rajuster → *ajuster.*

râle → *râler.*

ralenti, ralentir, ralentissement → *lent.*

râler v. **1.** *Les mourants râlent,* ils font entendre un bruit rauque. **2.** Fam. *Arrête de râler !* (= rouspéter, grogner).
■ **râle** n.m. SENS 1 *Le râle est un bruit produit par les poumons.*
■ **râleur, euse** n. Fam. SENS 2 *Léon est un râleur,* il est toujours mécontent.

rallier v. **1.** *Le discours de la ministre a rallié certains opposants,* elle les a amenés à l'approuver (= convaincre, gagner). **2.** *On s'est rallié à cette solution,* on l'a approuvée. **3.** *Rallier des gens dispersés,* c'est les regrouper, les rassembler.
■ **ralliement** n.m. SENS 1 *Son ralliement à ce parti est récent* (= adhésion). SENS 3 *On a fixé un point de ralliement* (= rassemblement).

rallonge, rallonger → *long.*

rallumer → *allumer.*

rallye n.m. *Jacques a participé à un rallye automobile,* une compétition où les concurrents doivent se retrouver à un endroit précis après une série d'épreuves.

ramadan n.m. *Le ramadan est un mois consacré au jeûne dans la religion musulmane.*

ramage n.m. **1.** *Entends-tu le ramage des oiseaux ?* (= chant). **2.** *Du tissu à ramages est orné de broderies en arabesques.*

ramancher v. *Elle a trouvé quelqu'un pour lui ramancher l'épaule,* la remettre en place.
■ **ramancheur, euse** n. *C'est un ramancheur très populaire,* un rebouteux.

ramasser v. **1.** *Ramasse ce que tu as laissé tomber !,* prends-le par terre. **2.** *Le bus ramasse les enfants pour les emme-*

ner à l'école, il les prend à divers endroits. **3.** *Le chien se ramasse pour sauter,* il se met en boule.
■ **ramassé, e** adj. SENS 3 *Julien est un petit bonhomme ramassé* (= trapu, massif).
■ **ramassage** n.m. SENS 1 ET 2 *C'est le moment du ramassage des pommes de terre* (= récolte).
■ **ramassis** n.m. SENS 1 *Il y a ici un ramassis de vieux papiers,* un ensemble confus.

rambarde n.f. *Attention ! la rambarde du pont est cassée* (= rampe, garde-fou).   75

1. rame n.f. *On manœuvre une barque avec des rames,* des barres de bois aplaties et élargies à une extrémité (= aviron).   802, 721, 437
■ **ramer** v. *Il faut ramer en cadence,* manœuvrer les rames.
■ **rameur, euse** n. *Après la course, les rameurs étaient très fatigués.*

2. rame n.f. *Une rame de métro,* c'est la file des voitures de métro attachées ensemble.   803, 509, 508

3. rame n.f. *Une rame de papier,* c'est un ensemble de 500 feuilles.   290

4. rame n.f. *Les haricots poussent le long des rames qu'on a plantées en terre,* le long des branches ou des perches destinées à les soutenir (= tuteur).   366

rameau n.m. *Une branche porte des rameaux et un rameau porte des brindilles ou des feuilles.*
■ **ramifier** v. *Les nervures de la feuille sont ramifiées,* elles se divisent en rameaux qui se divisent à leur tour.
■ **ramification** n.f. *Les vaisseaux sanguins forment des ramifications.*

ramener → *amener.*

ramer, rameur → *rame 1.*

rameuter v. *Le lieutenant rameute ses soldats* (= regrouper, rassembler).

ramier n.m. *Les ramiers roucoulent sur la branche,* des pigeons sauvages.

ramification, ramifier → *rameau.*

ramollir → *mou.*

ramoner v. *Il faut faire ramoner la cheminée* (= nettoyer).
■ **ramonage** n.m. *Le ramonage consiste à enlever la suie.*
■ **ramoneur, euse** n. *Le ramoneur est monté sur le toit.*

511

221,
75

440

582

rampe n.f. 1. *On accède au garage par une rampe,* une surface en pente (= plan incliné). 2. *La rampe de l'escalier est en fer forgé,* une sorte de balustrade ou de barre pour se retenir. 3. *La scène du théâtre est éclairée par une rampe,* une rangée de lampes. 4. *La fusée est installée sur la rampe de lancement,* l'installation qui sert à la lancer dans l'espace.

ramper v. 1. *Les serpents rampent,* ils avancent en se traînant sur le ventre. 2. *Tu rampes devant tes chefs,* tu te conduis servilement.

rancart n.m. *On a mis ces vieux meubles au rancart,* on s'en est débarrassé (= au rebut).

rance adj. et n.m. *Ce beurre est rance, il a un goût de rance,* il a pris un mauvais goût en vieillissant.
■ **rancir** v. *Le lard a ranci,* son odeur et son goût sont mauvais.

583

ranch n.m. *Le soir, les cow-boys rentrent au ranch,* à la ferme.
R. On prononce [rãt ʃ]. Noter le pluriel : *des ranchs.*

rancir → *rance.*

rancœur n.f. *J'ai de la rancœur contre toi,* je t'en veux de m'avoir déçu (= rancune).

rançon n.f. 1. *Les ravisseurs de l'enfant ont demandé une rançon,* de l'argent en échange. 2. *Cette artiste n'a plus de vie privée, c'est la rançon de la gloire,* l'inconvénient entraîné par son succès.
■ **rançonner** v. SENS 1 *Autrefois, les pirates rançonnaient les navires marchands,* ils ne les relâchaient que contre une rançon.

rancune n.f. *Depuis que tu l'as trompé, il a de la rancune contre toi,* il veut se venger (= ressentiment, rancœur).
■ **rancunier, ère** adj. *Je ne la savais pas si rancunière* (= vindicatif ; ≠ indulgent).

randonnée n.f. *Nous avons fait une randonnée dans la campagne,* une longue promenade.

ranger v. 1. *Les soldats se sont rangés par 10,* ils se sont mis en rangs par 10. 2. *Il faudrait ranger tous ces papiers,* les mettre en ordre. 3. *M. Dupont se range le long du trottoir,* il se met sur le côté (= se garer).
■ **rang** n.m. 1. SENS 1 *Mettez-vous en rangs !,* sur une même ligne. *Au théâtre, nous étions au cinquième rang,* à la cinquième ligne de sièges. *J'ai encore un rang à tricoter,* une série de mailles qui forment une ligne sur l'aiguille. 2. *Il faut la traiter avec les honneurs dus à son rang,* à sa situation sociale, à sa position. 3. *Ce pays est au premier rang des producteurs de pétrole* (= en tête). 4. *Un rang est un alignement de fermes ou de lots le long d'un chemin. Mon père a fréquenté l'école de rang,* une petite école à la campagne. *Ils habitent un rang double,* un chemin bordé de maisons de chaque côté.
■ **rangée** n.f. SENS 1 *Il y a 5 rangées de tables dans la classe* (= rang).
■ **rangement** n.m. SENS 2 *Ce placard sert au rangement des vêtements,* à les ranger.
■ **déranger** v. 1. SENS 2 *Qui a dérangé mes affaires ?,* les a mises en désordre (= déplacer ; ≠ ordonner). 2. *Si je vous dérange, je reviendrai demain,* si je vous gêne dans vos occupations (= ennuyer, importuner).

29

■ **dérangement** n.m. **1.** *Excusez-moi du dérangement !* **2.** *Le téléphone est* **en** *dérangement,* il ne fonctionne pas.

ranimer → *animer.*

rapace 1. adj. *Ces Dubois sont des gens* **rapaces,** ils aiment l'argent (= avide, cupide). **2.** n.m. *L'aigle, le vautour, le faucon sont des* **rapaces,** des oiseaux de proie.
■ **rapacité** n.f. sens 1 *Sa* **rapacité** *a fait bien des victimes* (= avidité, cupidité).

rapatrier → *patrie.*

râper v. **1.** *Pour le hors-d'œuvre, on va* **râper** *des carottes,* les frotter avec une râpe pour les réduire en petits morceaux. **2.** *Ta veste* **est râpée** *au coude* (= user).
■ **râpe** n.f. sens 1 *Le menuisier se sert d'une* **râpe,** un instrument rugueux.
■ **râpeux, euse** adj. sens 1 *La fermière a les mains* **râpeuses** (= rugueux, rêche ; ≠ doux).

rapetisser → *petit.*

râpeux → *râper.*

raphia n.m. *Jean a tissé un sac en* **raphia,** une fibre tirée du palmier de ce nom.

rapide adj. **1.** *Ce cheval va gagner, c'est le plus* **rapide,** il va le plus vite (≠ lent). **2.** *Il faut prendre une décision* **rapide,** sans tarder (= prompt).
■ **rapide** n.m. **1.** sens 1 *Jacqueline a pris le* **rapide** *Montréal-Toronto,* le train le plus rapide. **2.** *J'ai descendu les* **rapides** *en canot,* un tronçon de rivière à très fort courant.
■ **rapidement** adv. *Marche plus* **rapidement !** (= vite ; ≠ lentement).
■ **rapidité** n.f. *Le lièvre est parti avec une* **rapidité** *extraordinaire* (= vitesse).

rapiécer → *pièce.*

rapière n.f. *Une* **rapière** *était une longue épée.*

rapines n.f.pl. *Les pirates vivaient de* **rapines** (= vol, pillage).

rappeler v. **1.** *Je l'ai* **rappelé** *pour lui demander un renseignement,* je l'ai appelé de nouveau. **2.** *Je ne* **me rappelle** *plus votre nom* (= se souvenir de ; ≠ oublier). **Rappelez-moi** *votre nom,* reditesle-moi. *Ce gâteau me* **rappelle** *mon enfance,* m'y fait penser.
■ **rappel** n.m. **1.** sens 1 *Le gouvernement a décidé le* **rappel** *de l'ambassadeur,* de le faire revenir. *Les comédiens ont eu droit à plusieurs* **rappels,** le public les a fait revenir sur scène par ses applaudissements.* sens 2 *J'ai reçu une lettre de* **rappel,** pour me rappeler que je devais payer. **2.** *Les alpinistes descendent en* **rappel,** avec une corde double.
R. → Conj. n° 6.

rapporter v. **1.** *N'oublie pas de me* **rapporter** *mon livre,* de me l'apporter pour me le rendre. *Caroline m'a* **rapporté** *un cadeau de son voyage* (= apporter). **2.** *Ce travail* **rapporte** *beaucoup,* il fait gagner de l'argent. **3.** *On m'a* **rapporté** *que vous aviez été malade* (= dire, répéter). **4.** *Les élèves qui* **rapportent** *sont mal vus,* ceux qui dénoncent leurs camarades. **5.** *Ta réponse ne* **se rapporte** *pas à ma question,* elle n'est pas en rapport avec elle (= correspondre, s'appliquer).
■ **rapport** n.m. **1.** sens 2 *Cette terre est d'un bon* **rapport** (= profit, rendement). sens 3 *La ministre a fait un* **rapport** *sur la situation économique* (= exposé, compte rendu). sens 5 *Quel est le* **rapport** *entre ces deux faits ?,* le lien qui les unit (= relation, point commun, ressemblance). **2.** (au plur.) *Je suis en bons* **rapports** *avec Paule,* je m'entends bien avec elle (= relations). **3.** *Pierre est petit* **par rapport à** *Jean,* en comparaison de lui.
■ **rapporteur, euse 1.** n. sens 3 *Ce député est le* **rapporteur** *du budget,* il a fait un rapport à ce sujet. **2.** adj. et n. sens 4 *Les* **rapporteurs** *ne sont pas de bons camarades.* **3.** n.m. *Un* **rapporteur** *sert à mesurer les angles,* un instrument de géométrie en forme de demi-cercle gradué.

649

rapprochement, rapprocher → proche.

rapt → ravir.

raquetball n.m. *Joues-tu au raquetball ?,* un sport qui se joue à deux ou à quatre et qui consiste à envoyer une petite balle sur un mur à l'aide d'une raquette au manche court.

raquette n.f. **1.** *On joue au tennis avec une balle et une raquette.* **2.** *Les trappeurs se déplacent sur la neige avec des raquettes,* de larges semelles à claire-voie. *Elise aime faire de la raquette,* se promener avec des raquettes.
■ **raquetteur, euse** SENS 2 *Elise est une raquetteuse,* elle fait de la raquette.

rare adj. *J'ai trouvé un timbre rare,* qu'on ne voit pas souvent (≠ courant, fréquent).
■ **rarement** adv. *Mehdi arrive rarement en retard* (≠ souvent).
■ **raréfier** v. *Ces animaux se raréfient,* ils deviennent plus rares.
■ **rareté** n.f. *Ce livre est très cher à cause de sa rareté.*
■ **rarissime** adj. *Ce vase est rarissime,* très rare.

rascasse n.f. *Dans la bouillabaisse, on met des rascasses,* des poissons qui ont des épines sur le corps.

raser v. **1.** *M. Dupont se rase tous les matins,* il coupe les poils de sa barbe. **2.** *La maison a été rasée,* elle a été détruite totalement. **3.** *Le ballon m'a rasé la tête,* il est passé tout près (= frôler). **4.** Fam. *Tu me rases avec tes questions* (= ennuyer).
■ **rasant, e** adj. SENS 3 *Un éclairage rasant passe au ras des choses.* SENS 4 Fam. *Ce livre est rasant* (= ennuyeux).
■ **ras, e** adj. SENS 1 *Yaelle porte les cheveux ras,* coupés très court. SENS 2 *Il faut faire table rase de ces préjugés,* les rejeter complètement. SENS 3 *Le verre est rempli à ras bord,* au niveau du bord. *L'avion est passé au ras du sol,* très près.

Ils se sont fait attaquer en rase campagne, en terrain découvert.
■ **rasade** n.f. SENS 3 *Elle m'a servi une rasade de bière,* un verre rempli à ras bord.
■ **rase-mottes** n.m.inv. SENS 3 *L'avion vole en rase-mottes,* tout près du sol.
■ **raseur, euse** n. SENS 4 Fam. *Ce Paul, quel raseur !,* il est ennuyeux.
■ **rasoir** n.m. SENS 1 *Tu te sers d'un rasoir électrique ou d'un rasoir à main ?,* un appareil pour se raser.

rassasier v. *Nous sommes sortis rassasiés du restaurant,* nous n'avions plus faim.

rassemblement, rassembler → assembler.

rasseoir → asseoir.

rasséréner v. *Quand il a vu la nouvelle, il en a été rasséréné* (= tranquilliser, rassurer ; ≠ troubler).

rassis, e adj. *Ce pain est rassis,* un peu dur (≠ frais).

rassurer v. *Ta lettre nous a rassurés* (= tranquilliser ; ≠ inquiéter, effrayer).
■ **rassurant, e** adj. *Ces bonnes nouvelles sont rassurantes.*

rat n.m. **1.** Fam. *Il y a des rats dans la cave,* des petits animaux rongeurs. **2.** *Ils sont faits comme des rats,* ils sont pris au piège. **3.** *Le rat musqué est un petit animal d'Amérique du Nord chassé pour sa fourrure.*
■ **raton** n.m. *Le raton laveur est un petit animal d'Amérique qui ressemble au rat.*

se ratatiner v. *Les pommes de terre se ratatinent en vieillissant,* elles deviennent petites et ridées.

ratatouille n.f. *Une ratatouille est un plat d'aubergines, de tomates et de courgettes mijotées longuement.*

rate n.f. *La rate est une glande située à gauche de l'estomac.*

raté → rater.

râteau → *ratisser.*

râtelier n.m. **1.** *La fermière met du foin dans le **râtelier** du cheval,* une sorte d'échelle posée en biais. **2.** *Dans son atelier, M. Legrand dispose ses outils sur un **râtelier**,* une tringle au-dessus de l'établi. **3.** *M. Martin n'est pas très scrupuleux, il **mange à tous les râteliers**,* il tire avantage de toutes les situations en profitant des uns et des autres.

rater v. **1.** *Le chasseur **a raté** le lapin,* il ne l'a pas atteint (= manquer). **2.** *Lise **a raté** son coup,* elle n'a pas réussi.

■ **raté** n.m. *Le moteur a des **ratés**,* il fait des bruits anormaux.

■ **raté, e** SENS 2 Fam. *Cet homme est un **raté**,* il n'a pas réussi dans sa vie, dans sa carrière.

ratifier v. *Les traités importants doivent **être ratifiés** par le Parlement* (= approuver, confirmer).

■ **ratification** n.f. *Ce contrat ne sera valable qu'après sa **ratification*** (= confirmation).

ration n.f. *Les soldats ont emporté des **rations** pour huit jours,* des portions de nourriture.

■ **rationner** v. *À une époque, l'essence **a été rationnée**,* chacun n'en a eu qu'une quantité limitée.

■ **rationnement** n.m. *Le gouvernement a pris des mesures de **rationnement**.*

rationnel, rationnellement → *raison.*

ratisser v. **1.** *Louise **ratisse** les allées du jardin,* elle les nettoie avec un râteau. **2.** *Les policiers **ont ratissé** le quartier* (= fouiller).

■ **ratissage** n.m. SENS 1 ET 2 *Le **ratissage** des allées du jardin est fatigant. Le voleur s'est fait prendre au cours d'un **ratissage**.*

■ **râteau** n.m. SENS 1 *On ramasse les feuilles mortes avec un **râteau**,* un outil à dents.

R. *Râteau* a un accent circonflexe, *ratisser* et *ratissage* n'en ont pas.

raton → *rat.*

rattachement, rattacher → *attacher.*

rattraper v. **1.** *Les policiers **ont rattrapé** le voleur* (= reprendre, rejoindre). **2.** *Lise n'a pas pu **rattraper** son retard* (= regagner, compenser). **3.** *Elle a failli tout gâcher, mais elle **s'est rattrapée** à temps,* elle a évité au dernier moment de le faire (= se ressaisir).

■ **rattrapage** n.m. SENS 2 *Jean va suivre des cours de **rattrapage**,* pour rattraper son retard.

rature n.f. *Ton devoir est plein de **ratures**,* de mots barrés.

■ **raturer** v. *Tu **as raturé** une phrase* (= rayer).

rauque adj. *Une voix **rauque** est grave et voilée.*

ravage n.m. **1.** *La tempête a fait des **ravages**,* des dégâts importants (= destruction). **2.** *Cette compagnie forestière a reçu l'ordre de protéger tous les **ravages** de chevreuils,* les chemins battus dans les bois par des mammifères ruminants.

■ **ravager** v. SENS 1 *Les oiseaux **ont ravagé** les récoltes* (= détruire, saccager).

ravaler v. *Les maçons **ont ravalé** le mur de la maison,* ils ont nettoyé la maçonnerie.

■ **ravalement** n.m. *Cette façade a besoin d'un **ravalement**.*

ravauder v. **1.** *Cet étranger **ravaude** dans le village,* il va çà et là, il rôde. **2.** *Les chiens **ont ravaudé** toute la nuit,* ils se sont promenés en faisant du bruit.

rave n.f. *La betterave, le navet sont des **raves**,* des racines comestibles.

ravier n.m. *On sert les hors-d'œuvre dans des **raviers**,* des petits plats creux et allongés.

ravigoter v. Fam. *Nous étions épuisés : ce bon repas nous **a ravigotés**,* il nous a redonné des forces (= revigorer, ragaillardir).

ravin n.m. *Le ruisseau coule au fond d'un ravin*, d'une vallée étroite et très profonde.

■ **raviner** v. *Les torrents ravinent les pentes*, ils y creusent de profonds sillons.

ravioli n.m. *Chez les Tremblay, on mange beaucoup de raviolis*, des pâtes carrées remplies de viande.

ravir v. 1. *Je suis ravie de vous rencontrer*, j'en suis très heureuse (= enchanter). *Ce chapeau te va à ravir*, très bien. 2. *Ravir quelqu'un* s'emploie parfois pour signifier « l'enlever par la force ».

■ **rapt** n.m. SENS 2 *On recherche cet homme pour le rapt d'un enfant* (= enlèvement).

■ **ravissant, e** adj. SENS 1 *Ce chapeau est ravissant*, très joli.

■ **ravissement** n.m. SENS 1 *Ce spectacle nous a plongés dans le ravissement* (= enchantement).

■ **ravisseur, euse** n. SENS 2 *Les ravisseurs ont demandé une rançon*, les auteurs du rapt.

se raviser v. *On s'est ravisé au dernier moment*, on a changé d'avis.

ravissant, ravissement, ravisseur → *ravir*.

ravitailler v. *Un avion a ravitaillé les naufragés*, il leur a fourni de quoi vivre.

■ **ravitaillement** n.m. *Un Mirage IV assure le ravitaillement en vol du bombardier*, il le ravitaille en essence. *Nous avons du ravitaillement pour huit jours*, des provisions.

raviver → *vif*.

rayer → *raie*.

rayon n.m. 1. *Un rayon de lumière passe sous la porte*, une ligne de lumière. 2. *Les corps radioactifs émettent des rayons*, des phénomènes physiques invisibles. 3. *Le rayon de ce cercle mesure 5 centimètres*, la ligne qui va du centre au bord. 4. *Les roues de bicyclette ont des rayons*, des tiges d'acier qui partent du centre.

5. *Cet avion a un grand rayon d'action*, il peut aller loin. 6. *Le livre est sur le rayon du haut de la bibliothèque*, la planche du haut. 7. *M. Durand fait ses achats au rayon d'alimentation*, dans une partie du magasin. 8. *Dans la ruche, les abeilles emmagasinent le miel dans des rayons*, des gâteaux de cire.

■ **rai** n.m. se disait pour *rayon* (au sens 1).

■ **rayonnage** n.m. SENS 6 *On a rangé les livres sur des rayonnages* (= étagère).

■ **rayonner** v. 1. SENS 3 *Les rues rayonnent à partir de la place*, elles partent dans toutes les directions. SENS 5 *Nous avons rayonné à partir de Québec*, nous nous sommes promenés dans la région. 2. *Son visage rayonne de joie*, il exprime vivement ce sentiment.

■ **rayonnement** n.m. 1. SENS 1 ET 2 *Le rayonnement solaire est source d'énergie*. 2. *Ces œuvres contribuent au rayonnement de notre culture* (= propagation, diffusion).

rayure → *raie*.

raz de marée n.m. inv. *Un raz de marée a inondé la côte*, une vague énorme et très violente.

razzia n.f. *Des brigands ont fait une razzia dans le village*, une expédition de pillage.

re-, ré-, r- au début d'un mot indique la répétition, le retour : *recommencer*, c'est commencer de nouveau, *réélire*, c'est élire une nouvelle fois, *raccompagner quelqu'un*, c'est l'accompagner quand il repart.

ré n.m. est la deuxième note de la gamme.

réaction n.f. 1. *Si tu l'ennuies, tu vas voir sa réaction*, comment il va répondre à ton action (= attitude, comportement). 2. *Un avion à réaction avance grâce à des moteurs à réaction*, qui projettent des gaz derrière eux. 3. *Ce parti lutte contre la réaction*, ceux qui s'opposent au progrès (= droite).

■ **réacteur** n.m. SENS 2 *La pilote a mis les réacteurs en marche,* les moteurs à réaction.

■ **réactionnaire** adj. SENS 3 *Le gouvernement a pris des décrets réactionnaires* (= conservateur).

■ **réagir** v. SENS 1 *Quand tu as su la nouvelle, tu as réagi violemment,* tu as pris à la suite de cela une attitude violente. *Il faut réagir contre cette tendance au découragement* (= lutter, résister).

■ **biréacteur** n.m. SENS 2 *Un biréacteur* est un avion à deux réacteurs.

■ **quadriréacteur** n.m. SENS 2 *Un quadriréacteur* est un avion à quatre réacteurs.

réadapter → *adapter.*

réajustement, réajuster → *ajuster.*

réaliser v. 1. *Cette athlète a réalisé un exploit* (= accomplir, faire). *Ce qu'on avait annoncé ne s'est pas réalisé* (= se produire). 2. Fam. *Je n'ai pas réalisé comment tu as pu faire* (= comprendre, saisir).

■ **réalisable** adj. SENS 1 *Ce projet n'est pas réalisable* (= possible, faisable).

■ **réalisateur, trice** n. SENS 1 *Qui est la réalisatrice de ce film ?,* celle qui a dirigé les opérations.

■ **réalisation** n.f. SENS 1 *La réalisation de ses projets demandera beaucoup d'argent* (= exécution). *Qui a assuré la réalisation de ce film,* les opérations de mise en scène.

■ **irréalisable** adj. SENS 1 *Tes souhaits sont irréalisables* (= impossible).

réaliste, réalité → *réel.*

réanimation → *animer.*

réapparaître, réapparition → *apparaître.*

rébarbatif, ive adj. *M. Duval a un visage rébarbatif* (= désagréable, revêche ; ≠ affable).

rebattre v. *Arrête de me rebattre les oreilles avec tes récriminations !,* de les répéter sans arrêt.

■ **rebattu, e** adj. *C'est un sujet rebattu,* dont on a beaucoup parlé (= usé).
R. → Conj. n° 56.

rebelle 1. n. et adj. *Les rebelles se sont emparés du pouvoir,* des gens qui s'étaient révoltés. 2. adj. *Une fièvre rebelle* résiste aux médicaments (= tenace).

■ **se rebeller** v. SENS 1 *Les prisonniers se sont rebellés contre la discipline* (= se révolter).

■ **rébellion** n.f. SENS 1 *La rébellion a été vaincue* (= révolte).

se rebiffer v. *Quand on embête le chat, il se rebiffe* (= regimber, se défendre).

reboisement, reboiser → *bois.*

rebond, rebondir, rebondissement → *bond.*

rebondi, e adj. *Des joues rebondies sont bien rondes.*

rebord → *bord.*

reboucher → *boucher* 1.

à rebours adv. *Sais-tu compter à rebours ? — Oui : 10, 9, 8, 7, 6,* dans le sens contraire, à l'envers.

rebouter v. *Il lui a rebouté le poignet,* remis en place (= ramancher).

■ **rebouteux, euse** ou **rebouteur, euse** n. *Un rebouteux est quelqu'un qui, sans être médecin, soigne des entorses et diverses maladies.*

rebrousser v. 1. *Le vent lui a rebroussé les cheveux,* il les lui a relevés dans le sens contraire. 2. *On a rebroussé chemin,* on est reparti dans le sens inverse.

■ **à rebrousse-poil** adv. SENS 1 *Ne caresse pas le chat à rebrousse-poil,* il va te griffer, en rebroussant ses poils.

rebuffade n.f. *Jean a reçu une rebuffade,* un refus méprisant.

rébus n.m. *Peux-tu trouver ce rébus ?,* cette devinette en images.
R. On prononce [rebys].

rebut n.m. *On a mis ces vieux meubles au* **rebut,** on s'en est débarrassé.

rebuter v. *Son accueil désagréable m'a* **rebuté** (= décourager, dégoûter).
■ **rebutant, e** adj. *Ce travail monotone est* **rebutant** (≠ attrayant).

récalcitrant, e adj. *Lise a un caractère* **récalcitrant,** elle ne se laisse pas faire (= indiscipliné ; ≠ docile).

recaler v. Fam. *Lucie* **a été recalée** *à l'examen,* elle a échoué (= refuser).

récapituler v. *Récapitulons la suite des événements !,* répétons-la en résumant.
■ **récapitulation** n.f. *À la fin de son discours, il a fait une* **récapitulation** (= résumé).
■ **récapitulatif, ive** adj. *Avant l'examen d'histoire, je lirai le tableau* **récapitulatif** *de la matière,* qui la résume.

receler v. 1. *Cette boîte* **recèle** *un secret* (= contenir, renfermer). 2. *Receler des objets volés,* c'est les garder illégalement.
■ **recel** n.m. SENS 2 *Le* **recel** *d'objets volés est une complicité de vol.*
■ **receleur, euse** n. SENS 2 *Les policiers ont arrêté un* **receleur.**
R. → Conj. n° 5.

récemment → *récent.*

recenser v. *On* **a recensé** *la population de la province* (= compter, dénombrer).
■ **recensement** n.m. *Le* **recensement** *de la population a lieu périodiquement.*

récent, e adj. *Cet immeuble est une construction* **récente** (= nouveau ; ≠ ancien).
■ **récemment** adv. *J'ai vu Anne* **récemment,** il y a peu de temps.

récépissé n.m. *J'ai versé de l'argent pour payer mes impôts et on m'a donné un* **récépissé,** *un papier signé qui reconnaît ce versement* (= reçu).

récepteur, réception → *recevoir.*

récession n.f. *La* **récession** *est une diminution de l'activité économique d'un pays* (≠ expansion).

recette n.f. 1. *La commerçante compte ses dépenses et ses* **recettes,** *l'argent qu'elle a reçu.* 2. *Quelle est la* **recette** *de ce pâté ?,* comment le prépare-t-on ?

recevoir v. 1. *J'ai reçu une lettre de Paul,* elle m'a été remise. 2. *Pierre* **a reçu** *un coup de poing,* on le lui a donné. 3. *On* **reçoit** *des invités,* on les accueille à la maison. 4. *Jean* **a été reçu** *à l'examen,* il a été admis (≠ refuser ; fam. coller, recaler).
■ **récepteur** n.m. SENS 1 *Un* **récepteur** *radiophonique permet de recevoir des émissions.*
■ **réception** n.f. SENS 1 *La* **réception** *de cette lettre m'a réjoui.* SENS 3 *Nous avons donné une* **réception,** *nous avons reçu des amis. On vous attend à la* **réception** *de l'hôtel,* à l'endroit où l'on reçoit les gens.
■ **recevable** adj. SENS 1 *Ta demande n'est pas* **recevable** (= acceptable, admissible).
■ **recevant, e** adj. SENS 3 *Marie n'est pas très* **recevante** (= accueillant).
■ **receveur, euse** n. 1. SENS 1 *On paie ses impôts au* **receveur,** à celui qui est chargé de les recevoir. 2. *Au base-ball, le* **receveur** *est placé derrière le frappeur.*
■ **reçu** n.m. SENS 1 *La postière m'a fait signer un* **reçu,** *un papier prouvant que j'ai reçu quelque chose.*
R. → Conj. n° 34.

rechange → *changer.*

réchapper → *échapper.*

recharge, recharger → *charge.*

réchaud, réchauffement, réchauffer → *chaud.*

rêche adj. *Ce tissu est* **rêche,** rude au toucher (= rugueux ; ≠ doux).

recherche, rechercher → *chercher.*

rechigner v. *Tu* **rechignes** *à travailler,* tu y mets de la mauvaise volonté.

835

rechute n.f. *La malade a fait une rechute, sa maladie s'est de nouveau aggravée.*
■ **rechuter** v. *Sois prudent, tu risques de rechuter,* de faire une rechute.

récidiver v. *Si tu récidives, tu seras puni,* si tu recommences la même faute.
■ **récidive** n.f. *La récidive aggrave la faute.*
■ **récidiviste** n. *L'accusée est une récidiviste,* elle avait déjà commis cette faute.

récif n.m. *Le bateau s'est échoué sur des récifs,* des rochers à fleur d'eau.

récipient n.m. *Les bidons, les bouteilles, les vases sont des récipients,* tout ce qui sert à recevoir un liquide, un gaz, etc.

réciproque adj. et n.f. *Leur amour est réciproque,* ils s'aiment l'un l'autre (= mutuel). *Si tu as confiance en moi, la réciproque est vraie,* l'inverse.
■ **réciproquement** adv. *Je l'ai aidée et, réciproquement, elle m'a aidé,* à son tour (= vice versa).

récit n.m. *Fais-nous le récit de ton voyage,* raconte-le nous (= relation, compte rendu).

récital n.m. *La chanteuse a donné un récital,* une représentation, un spectacle. **R.** Noter le pluriel : des *récitals.*

réciter v. *Jean récite sa leçon,* il la dit de mémoire à haute voix.
■ **récitation** n.f. *On a appris une récitation,* un texte qu'on doit savoir par cœur.

réclamation → *réclamer.*

réclame n.f. **1.** *Cette commerçante fait de la réclame,* elle fait connaître ses produits pour les vendre (= publicité). **2.** *Ce produit est en réclame,* il est vendu à un prix réduit (= en promotion).

réclamer v. **1.** *Pierre m'a réclamé ce qu'il m'avait prêté,* il l'a demandé avec insistance (= exiger). **2.** *Ces quêteurs se réclamaient d'une organisation de bienfaisance,* ils disaient qu'ils venaient avec l'accord de cette organisation.

■ **réclamation** n.f. SENS 1 *On n'a pas tenu compte de mes réclamations* (= demande, revendication, plainte).

reclassement, reclasser → *classer.*

réclusion n.f. *L'accusé a été condamné à la réclusion perpétuelle* (= emprisonnement).
■ **reclus, e** adj. *Elle vit recluse dans sa maison,* enfermée, isolée.

recoiffer → *coiffer.*

recoin → *coin.*

recoller → *colle.*

récolter v. *Nous avons récolté beaucoup de raisin* (= ramasser, cueillir).
■ **récolte** n.f. *La récolte de blé a été bonne,* l'ensemble du blé récolté. 363, 583

recommander v. **1.** *On m'a recommandé la prudence,* on m'a dit d'être prudent (= conseiller). **2.** *M. Durand est recommandé par le ministre,* celle-ci a dit du bien de lui pour lui rendre service (= appuyer). **3.** *Recommander une lettre,* c'est payer un supplément pour qu'elle soit remise personnellement au destinataire. 768
■ **recommandable** adj. SENS 2 *Cette personne n'est pas recommandable* (= estimable).
■ **recommandation** n.f. SENS 1 *Il n'a pas tenu compte de mes recommandations* (= conseil, exhortation). SENS 2 *Ma professeure m'a donné une lettre de recommandation* (= appui, protection).

recommencer → *commencer.*

récompenser v. *Voilà un cadeau pour te récompenser de ton aide* (≠ punir).
■ **récompense** n.f. *Une récompense est promise à qui retrouvera le chien perdu* (= gratification ; ≠ châtiment).

réconciliation, réconcilier → *concilier.*

reconduire → *conduire.*

réconforter v. **1.** *Ton amitié nous a réconfortés,* elle nous a redonné du cou-

rage (= soutenir ; ≠ décourager). **2.** *Ce repas m'a réconforté,* il m'a redonné des forces (= ragaillardir ; fam. ravigoter, retaper ; ≠ affaiblir).
■ **réconfort** n.m. SENS 1 *Je suis triste, j'ai besoin de réconfort* (= encouragement, consolation).
■ **réconfortant, e** adj. SENS 1 *Ta présence est réconfortante.*

reconnaître v. **1.** *Tu as tellement changé que je ne t'ai pas reconnu,* je n'ai pas pu me rendre compte que c'était bien toi (= identifier). **2.** *Cette école a changé, je ne m'y reconnais plus,* je ne m'y retrouve plus. **3.** *Je reconnais que je me suis trompée* (= admettre, avouer ; ≠ nier). **4.** *Les soldats reconnaissent le terrain,* ils y vont pour l'examiner. **5.** *Ce nouveau gouvernement a été reconnu par le Canada,* il a été admis officiellement.
■ **reconnaissable** adj. SENS 1 *Michel est reconnaissable par ses longs cheveux roux,* on peut le reconnaître facilement.
■ **reconnaissance** n.f. **1.** SENS 1 *Marie m'a fait un signe de reconnaissance,* qui montre qu'elle me reconnaît. SENS 3 *Les soldats font une reconnaissance en pays ennemi* (= exploration). **2.** *J'éprouve de la reconnaissance pour les services que tu m'as rendus* (= gratitude).
■ **reconnaissant, e** adj. *Je lui suis très reconnaissante de son aide,* j'ai de la reconnaissance (au sens 3) [≠ ingrat].
R. → Conj. n° 64.

reconquérir, reconquête → *conquérir.*

reconstituer, reconstitution → *constitution.*

reconstruction, reconstruire → *construire.*

reconvertir v. *Paul s'est reconverti dans l'hôtellerie,* il a changé de métier, d'activité (= se recycler).
■ **reconversion** n.f. *La reconversion de Paul a été difficile.*

recopier → *copie.*

record n.m. *Le record du monde de saut en hauteur a été battu,* la meilleure performance.

recoucher → *coucher.*

recoudre → *coudre.*

recoupement, recouper → *couper.*

recourber → *courbe.*

recourir v. *Elle a recouru à mes services,* elle m'a demandé mon aide (= faire appel).
■ **recours** n.m. *On pourra faire cela en dernier recours,* comme dernière solution.
R. → Conj. n° 29.

recouvrer v. **1.** *Elle voudrait recouvrer l'argent qu'on lui doit* (= reprendre, récupérer). **2.** *Benoît a recouvré l'usage de ses mains* (= retrouver).
■ **recouvrement** n.m. SENS 1 *Le percepteur est chargé du recouvrement des impôts* (= perception).
R. Ne pas confondre *recouvrer* et *recouvrir.*

recouvrir → *couvrir.*

récréation n.f. *Les enfants jouent dans la cour de récréation,* l'endroit prévu pour s'amuser.
■ **récréatif, ive** adj. *On organise des soirées récréatives,* qui divertissent.

se récrier v. *Quand on l'a accusé, il s'est récrié,* il a protesté.

récriminer v. *Elle passe son temps à récriminer contre moi* (= protester, se plaindre).
■ **récrimination** n.f. *Tu m'ennuies avec tes récriminations* (= réclamation, plainte).

se recroqueviller v. *Le chat s'est recroquevillé dans un coin,* il s'est replié sur lui-même (= se tasser).

recru, e adj. *Après une nuit de travail acharné, les sauveteurs étaient recrus de fatigue,* épuisés, harassés.

recrudescence n.f. *La radio annonce une **recrudescence** du froid* (= augmentation, reprise).

recruter v. *Cette entreprise **recrute** des employés* (= engager, embaucher).
■ **recrue** n.f. *Les jeunes **recrues** sont les soldats récemment engagés. Marc est la nouvelle **recrue** de l'équipe de hockey,* le nouveau joueur.
■ **recrutement** n.m. *Le **recrutement** des nouveaux collaborateurs est terminé.*

recta adv. Fam. *C'est une bonne cliente, elle paie toujours **recta**,* exactement, ponctuellement.

rectal → *rectum.*

rectangle n.m. *Notre jardin forme un **rectangle** de 12 mètres de large sur 25 mètres de long.*
■ **rectangulaire** adj. *Les pages de ce livre sont **rectangulaires**.*

recteur, trice n. *La **rectrice** de l'université est la personne qui la dirige.*
■ **rectorat** n.m. *Adressez-vous au **rectorat**,* aux bureaux où sont regroupés les services du recteur.

rectifier v. *As-tu **rectifié** tes erreurs ?* (= corriger).
■ **rectificatif, ive** n.m. et adj. *Le journal a publié un **rectificatif** (ou une note **rectificative**),* une note qui rectifie ce qui avait été publié.
■ **rectification** n.f. *Ce travail demande quelques **rectifications*** (= correction).

rectiligne adj. *Les allées du parc sont **rectilignes**,* en ligne droite.

recto n.m. *Remplissez le **recto** du questionnaire !,* la page du devant (≠ verso).

rectum n.m. Le ***rectum*** est la partie terminale du gros intestin.
■ **rectal, e, aux** adj. *La température **rectale** est celle qui est prise dans le rectum.*
R. On prononce [rɛktɔm].

reçu → *recevoir.*

recueillir v. 1. *Elle **a recueilli** des documents pour écrire son livre* (= rassembler, réunir). 2. *Lise **a recueilli** un chien abandonné,* elle s'en est chargée. 3. *Les croyants **se recueillent** pour prier,* ils restent immobiles et silencieux.
■ **recueil** n.m. SENS 1 *Ce livre est un **recueil** de poésies,* un ensemble.
■ **recueillement** n.m. SENS 3 *Cléa écoute avec **recueillement**,* avec beaucoup d'attention.
R. → Conj. n° 24.

reculer v. 1. ***Recule** un peu ta chaise !,* mets-la plus loin en arrière. *Jean **a reculé** d'un mètre,* il est allé en arrière. 2. *On a **reculé** la date du départ,* on l'a remise à plus tard (= reporter). 3. *Ce sont des gens décidés, qui ne **reculent** pas devant l'effort* (= renoncer, abandonner, se dérober).
■ **recul** n.m. 1. SENS 1 *Jean a eu un mouvement de **recul**,* un mouvement en arrière. 2. *Je dois prendre un certain **recul** avant de donner ma réponse,* me détacher de la situation pour mieux la juger.
■ **reculade** n.f. SENS 3 *On a accepté après des **reculades*** (= hésitation, dérobade).
■ **à reculons** adv. SENS 1 *Lucie s'est éloignée **à reculons**,* en marchant en arrière.

récupérer v. 1. *As-tu **récupéré** ce que tu lui avais prêté ?* (= retrouver, reprendre). 2. *Le chiffonnier **récupère** des vieux papiers pour les vendre* (= recueillir, ramasser). 3. *Après son effort, il a mis une heure à **récupérer**,* à retrouver des forces.
■ **récupération** n.f. SENS 2 *La cabane était faite de matériaux de **récupération**.*
■ **irrécupérable** adj. *Après l'accident, la voiture était **irrécupérable**,* on ne pouvait plus rien en tirer.

récurer v. *Jacques **récure** des casseroles,* il les nettoie en les frottant.

récuser v. *Nous **récusons** ce témoignage,* nous n'admettons pas sa valeur. *On lui a offert ce poste, mais elle **s'est récusée**,* elle a refusé.

■**irrécusable** adj. *On a apporté des preuves* **irrécusables** *de son innocence, qu'on ne peut refuser* (= incontestable).

recycler v. *Des cours sont organisés pour* **recycler** *les ingénieurs de l'entreprise, pour leur donner un complément de formation adapté à la situation actuelle. Carole veut* **se recycler** *dans l'informatique* (= se reconvertir).

■**recyclage** n.m. *M. Dubois a suivi un stage de* **recyclage**.

rédacteur, rédaction → *rédiger*.

reddition → *rendre*.

rédemption n.f. *Le dogme chrétien de la* **Rédemption** *enseigne que le Christ a sauvé les hommes*.

■**rédempteur** n.m. *Le Christ est appelé le* **Rédempteur**, *le sauveur du genre humain*.

redescendre → *descendre*.

redevable, redevance → *devoir*.

807 | **rédiger** v. *La journaliste* **rédige** *son article, elle l'écrit*.

■**rédaction** n.f. *On a fait une* **rédaction** *où on raconte nos vacances* (= narration).

807 | ■**rédacteur, trice** n. *Mme Durand est* **rédactrice** *dans un journal, elle y écrit*.

804 | **redingote** n.f. *La* **redingote** *est une longue veste que les hommes portaient autrefois*.

redire, redite → *dire*.

redoublant, redoublement, redoubler → *doubler*.

redoute n.f. *Une* **redoute** *était un petit ouvrage de fortification*.

redouter v. *Il ne faut pas* **redouter** *l'avenir, en avoir peur* (= craindre).

■**redoutable** adj. *Jean est un joueur de tennis* **redoutable**, *très fort* (= dangereux ; ≠ inoffensif).

redresser v. 1. *Jean a ramassé la balle et il* **s'est redressé**, *il s'est remis droit* (= relever ; ≠ incliner, renverser). *Julie a* **redressé** *le piquet de la tente, elle l'a remis droit*. 2. *Caroline* **a redressé** *la situation, elle l'a remise en meilleur état* (= rétablir).

■**redressement** n.m. SENS 2 *Après la guerre, le* **redressement** *de l'Allemagne a été rapide* (= relèvement).

■**redresseur** n.m. SENS 2 *Les* **redresseurs de torts** *veulent rétablir le droit et la justice*.

réduire v. 1. *Il faudrait* **réduire** *nos dépenses* (= diminuer, restreindre, limiter). 2. *Mes arguments l'*ont réduit* au silence* (= contraindre, forcer). 3. *Le bois* **s'est réduit en** *cendres* (= transformer).

■**réduit, e** adj. SENS 1 *Je voyage à tarif* **réduit**, *inférieur au tarif normal*.

■**réduction** n.f. SENS 1 *Cette carte est une* **réduction** *de celle qui est au mur, c'est la même en plus petit* (≠ agrandissement). *La commerçante m'a fait une* **réduction**, *un prix plus bas*.

■**irréductible** adj. SENS 2 *Son opposition à ce projet est irréductible*, *impossible à forcer*.

R. → Conj. n° 70.

réduit n.m. *Cette chambre est un* **réduit**, *elle est très petite*.

rééditer → *éditer*.

rééducation, rééduquer → *éducation*.

réel, elle adj. *L'histoire que je te raconte est* **réelle**, *elle s'est passée* (= vrai ; ≠ inventé).

■**réellement** adv. *Que penses-tu* **réellement** *?* (= vraiment, en fait).

■**réalité** n.f. 1. *Les rêves n'ont pas de* **réalité**, *ce ne sont pas des faits réels* (= existence). 2. *Il prétendait avoir vu un fantôme,* **en réalité** *c'était un rideau agité par le vent* (= en fait).

■**réaliste** 1. adj. *Ce film contient des scènes très* **réalistes**, *qui risquent de choquer* (= cru, osé). 2. adj. et n. *Patricia est (une)* **réaliste**, *elle s'intéresse aux choses réelles* (≠ rêveur).

■ **réalisme** n.m. SENS 2 *Cessez de vivre dans l'illusion, il faut voir la situation avec réalisme,* comme elle est réellement.

■ **irréel, elle** adj. *Dans le brouillard, le paysage a un aspect irréel* (= imaginaire, fantastique).

réélection, réélire → *élire.*

refaire, réfection → *faire.*

réfectoire n.m. *Les demi-pensionnaires mangent au réfectoire du collège,* une grande salle à manger.

référence n.f. **1.** *Les dictionnaires sont des ouvrages de référence,* que l'on consulte pour se renseigner. **2.** (au plur.) *Je cherche une gardienne avec de bonnes références,* des papiers ou des témoignages qui prouvent sa compétence.

■ **se référer** v. *Pour comprendre ce mot, réfère-toi au dictionnaire,* regarde-le (= se reporter).

référendum n.m. *La Constitution a été modifiée par un référendum,* un vote de tous les électeurs sur une question précise.
R. On prononce [referɛ̃dɔm].

se référer → *référence.*

refermer → *fermer.*

réfléchir v. **1.** *Réfléchis bien avant de répondre !,* pense à ce que tu vas dire. **2.** *Les miroirs réfléchissent les objets,* ils en renvoient l'image.

■ **réfléchi, e** adj. SENS 1 *Pierre est un garçon réfléchi* (= prudent, sage ; ≠ étourdi). *Tout bien réfléchi, je pars avec toi,* après avoir tout bien considéré.

■ **reflet** n.m. SENS 2 *Le soleil fait des reflets sur la mer,* sa lumière s'y reflète.

■ **refléter** v. **1.** SENS 2 *Son image se reflète dans l'eau du lac,* elle s'y réfléchit. **2.** *Ses paroles reflètent son mauvais caractère* (= exprimer, traduire).

■ **réflexion** n.f. **1.** SENS 1 *Laisse-moi le temps de la réflexion !,* de réfléchir (= méditation). *Réflexion faite, je ne viens pas.* SENS 2 *L'écho est causé par la réflexion du son sur les parois,* celles-ci renvoient le son. **2.** *Anne m'a fait des réflexions désagréables* (= remarque, observation).

■ **irréfléchi, e** adj. SENS 1 *Tu as eu un geste irréfléchi* (= étourdi ; ≠ raisonnable).

refleurir → *fleur.*

réflexe n.m. *Tu as freiné à temps, tu as de bons réflexes,* tu réagis vite et bien.

réflexion → *réfléchir.*

refluer v. *À la fin du match, les spectateurs refluent vers la sortie,* ils s'y dirigent en masse pour repartir (≠ affluer).

■ **reflux** n.m. *Le reflux de la mer commence à midi,* la marée descendante (≠ flux).

refondre v. *Ce livre a été refondu,* il a été entièrement refait.
R. → Conj. n° 51.

réforme n.f. **1.** *Ce parti propose une réforme de la société,* un changement profond pour l'améliorer. **2.** *Jacques est passé devant une commission de réforme,* des médecins l'ont examiné pour voir s'il était apte au service militaire. **3.** *La Réforme,* c'est le mouvement religieux des protestants.

■ **réformateur, trice** adj. et n. SENS 1 *Ce parti a un esprit réformateur,* il veut des réformes. *Cette ministre a été une grande réformatrice,* elle a fait de grandes réformes.

■ **réformé, e** adj. SENS 3 *La religion réformée* est la religion protestante.

■ **réformer** v. SENS 1 *Cette loi a été réformée par un vote de l'Assemblée* (= changer). SENS 2 *Jacques a été réformé à cause de sa myopie,* il a été dispensé du service militaire.

■ **réformiste** adj. SENS 1 *Ce parti est réformiste,* il veut des réformes, mais non une révolution.

refouler v. 1. *La police **a refoulé** les curieux,* elle les a fait reculer (= repousser). 2. *J'ai tenté de **refouler** mes larmes,* de ne pas pleurer (= réprimer, retenir). 3. *Mes pantalons **ont refoulé*** (= rétrécir). 4. *Elle prétend que les gens **refoulent** avec les années,* rapetissent.

réfractaire adj. 1. *Jean est **réfractaire** à toute autorité,* il la refuse (= rebelle ; ≠ docile). 2. *La brique **réfractaire** supporte des températures très élevées.*

refrain n.m. 1. *Tout le monde a repris le **refrain** de la chanson,* les paroles qui se répètent après chaque couplet. 2. Fam. *Tu m'embêtes, **change de refrain**,* arrête de répéter la même chose.

réfréner v. *Antonio n'arrive pas à **réfréner** son impatience* (= contenir, retenir).

réfrigérer v. 1. *On **réfrigère** la viande pour la conserver,* on abaisse sa température (= frigorifier). 2. *L'accueil que nous avons reçu nous **a réfrigérés,*** il nous a mis à l'aise par sa froideur. ■ **réfrigération** n.f. SENS 1 *La viande se conserve par **réfrigération.*** ■ **réfrigérant, e** adj. SENS 1 *Un **réfrigérant** sert à produire du froid.* SENS 2 *La directrice est une femme **réfrigérante,*** très froide (≠ aimable, affable). ■ **réfrigérateur** n.m. SENS 1 *Remets le beurre au **réfrigérateur** !,* l'appareil qui produit du froid (= frigo [fam.]).

refroidir, refroidissement → *froid.*

refuge n.m. 1. *Nous avons cherché un **refuge** contre l'orage,* un endroit pour nous protéger. 2. *Les alpinistes ont couché dans un **refuge,*** une maison servant d'abri en haute montagne. ■ **se réfugier** v. SENS 1 *Les opposants au dictateur **se sont réfugiés** à l'étranger,* ils s'y sont mis en sécurité. ■ **réfugié, e** n. SENS 1 *Ce pays accueille les **réfugiés** politiques,* des gens qui ont quitté leur pays, où ils étaient en danger.

refuser v. 1. *Jean **a refusé** mon invitation* (= repousser ; ≠ accepter). 2. *Je **refuse** de (je **me refuse à**) partir,* je ne veux pas le faire. ■ **refus** n.m. *Quel est le motif de ton **refus** ?* (≠ accord, consentement).

réfuter v. *J'ai **réfuté** ses arguments,* j'ai prouvé qu'ils étaient faux. ■ **réfutation** n.f. *Ma **réfutation** de ses arguments a convaincu tout le monde.* ■ **irréfutable** adj. *Cette preuve est **irréfutable*** (= inattaquable).

regagner → *gagner.*

regain n.m. 1. *Cette entreprise, qui déclinait, connaît aujourd'hui un **regain** d'activité,* un nouvel élan (= renouveau, recrudescence). 2. *Les paysans ont fauché le **regain,*** l'herbe qui a repoussé après que la prairie a été fauchée.

régal n.m. *Le chocolat est pour moi un **régal,*** je l'aime beaucoup. ■ **se régaler** v. *Nous **nous sommes régalés,*** nous avons mangé quelque chose de bon.

regarder v. 1. *Nous **avons regardé** le match à la télé,* nous l'avons vu. 2. *Cette maison **regarde** vers le nord,* elle est tournée dans cette direction. 3. *Mes affaires ne te **regardent** pas,* tu n'as pas à t'en mêler (= concerner, intéresser). 4. *Tu **regardes** trop à la dépense,* tu y fais trop attention. 5. *Après cette sécheresse, on **regarde** la pluie **comme** une aubaine,* on la considère comme une aubaine. ■ **regardant, e** adj. SENS 4 *Hélène est très **regardante*** (= parcimonieux). *Je viens même si le ménage n'est pas fait, je ne suis pas **regardante*** (= exigeant). ■ **regard** n.m. SENS 1 *Je l'ai suivi du **regard,*** des yeux.

regarnir → *garnir.*

régate n.f. *Une **régate** est une course de bateaux.*

régence n.f. *Quand un roi est trop jeune, un **régent** est nommé pour exercer la **régence,*** le gouvernement provisoire.

régenter v. *La directrice **régente** son entourage,* elle le dirige avec autorité.

régie n.f. 1. *La régie du logement tranche les litiges qui surviennent entre propriétaires et locataires.* 2. *La régie veille au bon déroulement de l'émission,* les personnes chargées du contrôle des caméras, des micros, etc. et qui sont dans un local à proximité du studio.

regimber v. *Tout le monde a obéi sans regimber,* sans protester (= se rebiffer).

1. régime n.m. 1. *Les États-Unis ont un régime républicain,* une forme de gouvernement (= institution). 2. *On me fait suivre un régime,* je ne peux manger que certains aliments. 3. *Le régime d'un moteur,* c'est la vitesse à laquelle il tourne.

2. régime n.m. *Il y a un seul régime de bananes par bananier,* des bananes en grappes.

régiment n.m. *Un régiment est commandé par un colonel,* une unité militaire composée de plusieurs bataillons.

région n.f. 1. *On habite dans la région montréalaise,* dans le territoire qui entoure Montréal (= zone). 2. *Où habites-tu ? — J'habite dans la région* (= environs).
■ **régional, e, aux** adj. SENS 1 *Connais-tu cette coutume régionale ?,* d'une certaine région.
■ **régionaliste** adj. SENS 1 *Un écrivain régionaliste* décrit une région et ses coutumes.

registre n.m. *La trésorière note ses dépenses et ses recettes dans un registre,* un gros cahier.

réglage → *régler.*

règle n.f. 1. *On trace des traits droits avec une règle,* une barre bien droite. 2. *Lise ne connaît pas les règles de la politesse,* ce qu'il faut faire pour être polie (= principe, convention, prescription). *Apprends-moi la règle de ce jeu !,* comment il faut jouer. 3. *Tes papiers ne*

sont pas *en règle,* en accord avec les lois. 4. *En règle générale, le travail est bien fait* (= généralement).
■ **règlement** n.m. SENS 2 ET 3 *Ta conduite est contraire au règlement du collège,* à l'ensemble des règles qu'il faut appliquer.
■ **réglementaire** adj. SENS 2 ET 3 *Ce que tu fais n'est pas réglementaire,* conforme au règlement (= régulier).
■ **réglementairement** adv. SENS 2 ET 3 *Cette décision a été prise réglementairement,* en respectant le règlement.
■ **réglementer** v. SENS 2 ET 3 *La circulation est réglementée,* soumise à certains règlements.
■ **réglementation** n.f. SENS 2 ET 3 *La réglementation sur l'alcool est très stricte* (= législation).
R. → *régulier.*

règlement → *règle* et *régler.*

régler v. 1. *Cette montre a besoin d'être réglée,* d'être mise au point. 2. *Il faut régler cette affaire,* la terminer. 3. *Tu as réglé le montant de tes impôts ?* (= payer).
■ **réglable** adj. SENS 1 *Le fauteuil du dentiste est réglable,* il peut se mettre dans différentes positions.
■ **réglage** n.m. SENS 1 *Le mécanicien a fait le réglage du moteur.*
■ **règlement** n.m. SENS 2 ET 3 *Peux-tu t'occuper du règlement de cette affaire ?* (= arrangement). *M. Hernandez a fait un règlement par chèque* (= paiement).
■ **dérégler** v. SENS 1 *Cette machine est déréglée,* son fonctionnement est mauvais (= détraquer).

réglisse n.f. *Jean suce un bonbon de réglisse,* fait avec le suc de la racine de cette plante.

règne n.m. 1. *Cela s'est passé pendant le règne d'Élizabeth,* pendant qu'elle était reine. 2. *Le singe fait partie du règne animal, les plantes du règne végétal,* de cette division des sciences naturelles.

■ **régner** v. **1.** SENS 1 *Louis XIV a régné de 1643 à 1715*, il a été roi. **2.** *La confiance règne entre nous* (= exister, durer).

regonfler → gonfler.

regorger v. *Cette rivière regorge de poissons,* elle en contient beaucoup.

régresser v. *La production a régressé par rapport à l'année dernière* (= reculer ; ≠ progresser).
■ **régression** n.f. *La production est en régression.*

regret n.m. **1.** *Je suis partie sans regret,* sans tristesse de quitter un lieu ou des gens. **2.** *Sur la tombe était écrit : « Regrets éternels »* (= douleur, peine). **3.** *J'ai été méchante et j'en ai du regret* (= remords, repentir). **4.** *J'y vais, mais à regret* (= à contrecœur).
■ **regretter** v. SENS 1 ET 3 *Je regrette de ne pas pouvoir venir,* j'en suis triste, mécontent. *Je regrette d'avoir dit ça* (= se repentir).
■ **regrettable** adj. SENS 3 *Tu as fait une erreur regrettable,* c'est dommage que tu l'aies faite (= fâcheux ; ≠ souhaitable).

regrouper → groupe.

régulier, ère adj. **1.** *Ses papiers ne sont pas en situation régulière,* conformes à la règle, à la loi (≠ anormal, illégal). *Les verbes réguliers sont conformes aux règles générales des conjugaisons* (≠ irrégulier). **2.** *Le train roule à une vitesse régulière,* toujours la même (= constant ; ≠ inégal). **3.** *Lise me fait des visites régulières* (= habituel). **4.** *Cette personne a un visage régulier* (= symétrique ; ≠ difforme). **5.** *Isabelle est régulière dans son travail* (= exact, ponctuel ; ≠ négligent).
■ **régularité** n.f. SENS 2 ET 3 *Ce bruit se répète avec régularité.* SENS 5 *Elle montre une grande régularité dans ses habitudes.*
■ **régulariser** v. SENS 1 *Passez à la mairie pour faire régulariser votre situation.*

SENS 2 *Ce barrage a régularisé le fleuve,* il a rendu son courant plus régulier.
■ **régulièrement** adv. SENS 1 *Régulièrement, tu n'as pas le droit de t'absenter,* selon la loi, le règlement. SENS 2 ET 3 *M. Dupont paie régulièrement son loyer* (= ponctuellement).
■ **irrégulier, ère** adj. SENS 1 *« Œil » a un pluriel irrégulier,* qui ne suit pas la règle générale (= anormal). *Ces procédures sont irrégulières,* elles ne respectent pas la loi. SENS 2 *Les résultats sont irréguliers* (= variable, inégal).
■ **irrégulièrement** adv. SENS 2 *Tu travailles irrégulièrement,* pas toujours de la même façon.
■ **irrégularité** n.f. SENS 1 *L'élection est annulée à cause d'une irrégularité.*

réhabiliter v. *Par sa conduite exemplaire, il s'est réhabilité,* il a retrouvé l'estime des gens.

rehausser v. **1.** *Les maçons ont rehaussé le mur,* ils l'ont rendu plus haut (= surélever). **2.** *La présence de grands artistes rehaussait l'éclat de la cérémonie* (= relever).

réimpression, réimprimer → impression.

rein n.m. **1.** *M. Vandamme a dû être opéré d'un rein,* un des deux organes qui sécrètent l'urine. **2.** *J'ai mal aux reins,* au bas du dos.

reine → roi.

reine-claude n.f. *Les reines-claudes sont des prunes rondes de couleur verte.*

reine-marguerite n.f. *Les reines-marguerites sont des fleurs blanches, rouges ou bleues proches des marguerites.*

reinette n.f. *Les reinettes du Canada sont les pommes que je préfère.*
R. *Reinette* se prononce [rɛnɛt] comme *rainette.*

réintégrer v. **1.** *Le chien a réintégré sa niche,* il y est retourné. **2.** *On m'a réinté-*

gré dans mes fonctions, on m'a redonné le poste que j'occupais.

réitérer v. *Il a dû réitérer sa question,* la répéter.

rejaillir v. *Le scandale a rejailli sur plusieurs personnes,* il les a atteintes indirectement (= retomber).

rejeter v. **1.** *Ce poisson est trop petit, il faut le rejeter à l'eau,* l'y remettre. **2.** *M. Dupont a rejeté ma demande* (= repousser ; ≠ admettre). **3.** *Faute de viande, on se rejetait sur les légumes* (= se rabattre). **4.** *Ils ont rejeté cette faute sur Pierre,* ils l'ont tenu responsable.
■ **rejet** n.m. **1.** SENS 2 *Le rejet de son plan l'a attristé.* **2.** *Il y a plusieurs rejets sur cet arbre,* de nouvelles pousses.
R. → Conj. n° 8.

rejeton n.m. Fam. *Voilà M. Durand et ses deux rejetons* (= enfant).

rejoindre → *joindre.*

réjouir v. *Je me réjouis de ton arrivée,* j'en suis joyeuse (≠ désoler).
■ **réjouissance** n.f. *La victoire fut suivie de réjouissances,* de manifestations de joie (= fête).
■ **réjouissant, e** adj. *Ce résultat n'est pas réjouissant* (= gai ; ≠ triste, désolant).

relâcher v. **1.** *Le prisonnier a été relâché,* il a été remis en liberté. **2.** *La discipline se relâche,* elle devient moins sévère (≠ renforcer). **3.** *Les ficelles du paquet se sont relâchées* (= desserrer). **4.** *Le navire a relâché dans le port,* il y a fait escale.
■ **relâche** n.f. **1.** SENS 2 *Anne travaille sans relâche,* sans s'arrêter, sans trêve. **2.** *Le théâtre fait relâche au mois d'août,* il ferme. SENS 4 *Le voilier fait relâche dans le port* (= s'arrêter).
■ **relâchement** n.m. SENS 2 *Le professeur n'admet aucun relâchement* (= négligence, laisser-aller).

relais n.m. **1.** *Autrefois, on s'arrêtait dans des relais pour remplacer les chevaux fatigués,* des sortes d'auberges. **2.** *Notre équipe a gagné le relais quatre fois 100 mètres,* quatre coureurs ont couru à tour de rôle 100 mètres. **3.** *Qui prendra le relais de Lise ?,* qui la remplacera ? **4.** *Il y a un relais de télévision sur la colline,* un dispositif qui retransmet les images.
■ **relayer** v. SENS 2 *Nous nous sommes relayés pour porter la valise,* nous l'avons portée à tour de rôle.

relance, relancer → *lancer.*

relater v. *On m'a relaté ce qui s'était passé,* on me l'a raconté en détail (= rapporter).

relatif, ive adj. **1.** *Je lis un livre relatif à la vie des poissons,* qui concerne ce sujet. **2.** *Mes connaissances en anglais sont relatives* (= incomplet, imparfait, limité). **3.** adj. et n. *« Qui », « lequel », « dont » sont des (pronoms) relatifs ;* ils introduisent une (proposition) *relative.*
■ **relativement** adv. *Ruth est relativement grande pour son âge* (= assez).

relation n.f. **1.** *Le Canada a rompu les relations diplomatiques avec ce pays* (= rapport, lien). **2.** (au plur.) *J'ai des relations,* je connais des gens importants.

relativement → *relatif.*

se relaxer v. *Jean se relaxe après l'effort* (= se reposer, se détendre, se décontracter).
■ **relaxation** n.f. *Le soir j'ai besoin d'un moment de relaxation* (= repos).
■ **relax** adj.inv. Fam. *Elle nous a parlé d'un ton très relax* (= détendu, décontracté).

relayer → *relais.*

reléguer v. *On va reléguer ces vieux meubles au grenier,* les y mettre pour se débarrasser.

relent n.m. *Sens-tu ces relents de friture ?,* ces mauvaises odeurs.

relever v. 1. *Jean est tombé et il s'est relevé aussitôt,* il s'est remis debout. 2. *Il fait froid, relève ton col !,* mets-le plus haut (= remonter ; ≠ abaisser, rabattre). 3. *Jacqueline veut qu'on relève son salaire* (= augmenter, hausser ; ≠ diminuer). 4. *J'ai relevé plusieurs fautes dans ton devoir* (= remarquer, noter). 5. *Il faudrait du sel pour relever la sauce,* lui donner plus de goût. *Ce succès inespéré a relevé son courage* (≠ abattre). 6. *On relève les sentinelles toutes les quatre heures* (= remplacer). 7. *On l'a relevé de ses fonctions,* on les lui a enlevées. 8. *Cette affaire relève des tribunaux,* elle est de leur compétence, appartient à leur domaine.
■ **relève** n.f. SENS 6 *La sentinelle attend la relève,* elle attend qu'on la remplace.
■ **relevé** n.m. SENS 4 *J'ai fait un relevé de mes dépenses,* je les ai notées par écrit.
■ **relèvement** n.m. 1. SENS 3 *Le gouvernement a décidé un relèvement du salaire minimum* (= augmentation ; ≠ baisse). 2. *Le relèvement d'un pays* (= redressement).

relief n.m. 1. *Le relief des Rocheuses est montagneux,* la forme du terrain. 2. *Il y a au plafond des sculptures en relief,* qui dépassent, qui sont en saillie (≠ en creux). 3. *Sa réponse met en relief son ignorance,* elle la fait apparaître.
■ **bas-relief** n.m. SENS 2 *Un bas-relief est une sorte de sculpture sur un fond uni.*
■ **haut-relief** n.m. SENS 2 *Dans les hauts-reliefs, la sculpture se détache davantage du fond que dans les bas-reliefs.*
R. Noter le pluriel : *des bas-reliefs.*

relier v. 1. *Ce livre est relié en cuir rouge,* son dos et sa couverture sont en cuir rouge. 2. *Ce chemin relie les deux villages,* il fait le lien entre eux (= joindre).
■ **reliure** n.f. SENS 1 *Tes livres ont de belles reliures,* des couvertures rigides.
■ **relieur, euse** n. SENS 1 *Ce relieur est un artiste,* cet artisan qui relie les livres.

religion n.f. *Le christianisme, l'islām, le bouddhisme sont des religions,* des croyances en un dieu ou des dieux et des règles de vie correspondantes.
■ **religieux, euse** adj. et n. *La messe est une cérémonie religieuse. Les moines sont des religieux, les sœurs sont des religieuses,* des membres d'un ordre ou d'une congrégation qui consacrent leur vie à Dieu.
■ **religieusement** adv. *Ce couple s'est marié religieusement,* en respectant les règles de sa religion. *Pierre écoute religieusement la musique,* avec recueillement.
■ **antireligieux, euse** adj. *Des propos antireligieux* sont hostiles à la religion.
■ **irréligieux, euse** adj. *Cette personne scandalise ses voisins par son attitude irrréligieuse,* choquante à l'égard de la religion.

reliquat n.m. *As-tu payé le reliquat de tes dettes ?,* ce qui te restait à payer (= reste).

relique n.f. *Il y a dans cette chapelle des reliques d'un saint,* ce qui reste de son corps, ou ce qui lui a appartenu.
■ **reliquaire** n.m. *Un reliquaire* est un coffret ou un cadre dans lequel on conserve des reliques.

relire → *lire* 2.

reliure → *relier.*

reluire → *luire.*

remâcher v. *C'est une rancunière, elle a longtemps remâché sa vengeance,* elle y a songé sans cesse (= ruminer).

remanier → *manier.*

remarier → *marier.*

remarquer v. 1. *As-tu remarqué sa nouvelle robe ?,* y as-tu fait attention ? (= observer). 2. *Clara aime se faire remarquer,* attirer l'attention, les regards sur elle.
■ **remarquable** adj. SENS 1 *Tu as accompli un exploit remarquable* (= notable, extraordinaire ; ≠ banal, médiocre).

221

■**remarquablement** adv. SENS 1 *Marie chante remarquablement*, très bien.

■**remarque** n.f. SENS 1 *Lise m'a fait des remarques désagréables* (= observation, réflexion). *Il y a des remarques après certains articles de ce dictionnaire,* des indications auxquelles il faut faire attention (= note).

remballer → *emballer.*

rembarquer → *embarquer.*

rembarrer v. Fam. *Quand je lui ai présenté ma demande, elle m'a rembarré,* elle m'a mal reçu (= rabrouer).

remblai, remblayer → *déblayer.*

rembourrer, rembourreur → *bourre.*

remboursement, rembourser → *bourse.*

se rembrunir v. *Quand il a su la nouvelle, son visage s'est rembruni,* il est devenu soucieux (= s'attrister).

remède n.m. **1.** *Ce sirop est un bon remède contre la toux,* il la soigne (= médicament). **2.** *Je ne vois pas de remède à ton désespoir* (= solution).

■**remédier** v. SENS 2 *Il faut remédier à cet inconvénient,* y trouver une solution.

■**irrémédiable** adj. SENS 2 *La mort de cette savante est une perte irrémédiable* (= irréparable).

■**irrémédiablement** adv. SENS 2 *La bibliothèque a été irrémédiablement détruite par l'incendie.*

remembrement n.m. *Une opération de remembrement consiste à reconstituer des propriétés d'un seul tenant par échange de parcelles dispersées.*

remémorer → *mémoire.*

remerciement, remercier → *merci.*

remettre v. **1.** *Remets ce livre à sa place !,* mets-l'y de nouveau (= replacer). **2.** *On m'a remis un paquet pour vous* (= laisser, donner). **3.** *La réunion a été remise à la semaine prochaine,* elle

a été renvoyée à cette date (= reporter). **4.** *Jean s'est remis à parler,* il a recommencé à le faire. **5.** *Après ma maladie, j'ai mis longtemps à me remettre,* à retrouver la santé (= se rétablir). **6.** *Je m'en remets à vous,* je vous laisse faire (= faire confiance).

■**remise** n.f. **1.** SENS 2 *La remise des décorations a eu lieu dans la cour d'honneur,* on les a remises. **2.** *Le libraire m'a fait une remise,* une diminution du prix (= réduction, rabais). **3.** *La jardinière met ses outils dans la remise,* un local de rangement.

■**remiser** v. *Le tracteur est remisé dans le hangar* (= ranger).

R. *Remettre* → conj. n° 57.

réminiscence n.f. *Je n'ai qu'une lointaine réminiscence de ces événements,* des souvenirs très vagues.

rémission n.f. **1.** *La rémission des péchés,* c'est le pardon. **2.** *La coupable devra payer sans rémission,* sans possibilité d'y échapper. **3.** *Juste avant de mourir, la patiente a connu une période de rémission,* une diminution temporaire des symptômes de sa maladie.

remontant, remontée, remonte-pente, remonter, remontoir → *monter.*

remontrer v. *Elle a voulu m'en remontrer,* me donner des leçons.

■**remontrances** n.f.pl. *Le professeur m'a fait des remontrances* (= reproches, blâmes).

remords n.m. *J'ai des remords d'avoir agi ainsi,* je le regrette (= repentir).

R. Attention au *s* final.

remorque n.f. **1.** *La dépanneuse a pris la voiture en remorque,* elle l'a remorquée. **2.** *Une remorque est accrochée à l'arrière du camion,* un véhicule sans moteur. **3.** *Jean est à la remorque de son frère,* il l'imite, le suit.

■**remorquer** v. SENS 1 ET 2 *La voiture remorque une caravane,* elle la tire derrière elle.

365

■**remorqueur** n.m. SENS 1 *Le bateau en détresse a été secouru par un **remorqueur,** un bateau à moteur puissant qui l'a tiré.*

■**semi-remorque** n.m. SENS 2 *Le routier conduit un énorme **semi-remorque,** un camion formé d'une remorque et d'un tracteur.*
R. Noter le pluriel : des *semi-remorques.*

rémoulade n.f. *On mange souvent le céleri à la **rémoulade,** une sauce composée de mayonnaise et de moutarde.*

rémouleur, euse n. *Le métier du **rémouleur** est d'aiguiser les couteaux, les ciseaux, etc.*

remous n.m. **1.** *À cet endroit, la rivière fait des **remous,** l'eau est agitée* (= tourbillon). **2.** *Pendant son discours, il y a eu des **remous** dans l'assemblée* (= agitation).

rempailler → *paille.*

rempart n.m. **1.** *La ville est entourée de **remparts,** de murailles fortifiées.* **2.** *Tu m'as fait un **rempart** de ton corps,* tu m'as protégé en te mettant devant moi.

remplacer v. **1.** *Pendant sa maladie, son adjointe l'a **remplacé,** elle a fait le travail à sa place.* **2.** *Il faudrait **remplacer** le carreau cassé,* en mettre un autre à la place.

■**remplaçant, e** n. SENS 1 *On lui a désigné un **remplaçant,** quelqu'un pour le remplacer.*

■**remplacement** n.m. SENS 1 *M. Durand fait un **remplacement,*** il remplace quelqu'un. SENS 2 *Prends mon collier en **remplacement** du tien,* pour le remplacer.

■**irremplaçable** adj. SENS 1 *La directrice est **irremplaçable,** personne ne peut la remplacer.*

remplir v. **1.** *Veux-tu **remplir** d'eau cette carafe ?* (= emplir ; ≠ vider). **2.** *Il faut **remplir** ce questionnaire,* répondre aux questions. **3.** *Cette nouvelle m'a rempli*

de joie, elle m'a rendu très joyeux. *Mes vacances **sont** toujours bien **remplies,** bien occupées.* **4.** *Estelle **remplit** la fonction de directrice* (= exercer, occuper).

■**remplissage** n.m. SENS 1 *Le **remplissage** de la citerne demande deux heures.*

se **remplumer** v. Fam. *La maladie l'avait beaucoup affaibli, mais il **s'est** bien **remplumé,** il a repris des forces, du poids.*

remporter → *emporter.*

remuer v. **1.** *Arrête de **remuer** sans arrêt !,* de te déplacer (= bouger). **2.** *Cette table est difficile à **remuer*** (= déplacer, soulever). **3.** *Anne **a remué** ciel et terre pour venir,* elle s'est agitée, s'est démenée. **4.** *Tu n'as rien fait aujourd'hui, **remue-toi !,** fais des efforts, agite-toi.*

■**remuant, e** adj. SENS 1 *Pierre est un garçon **remuant*** (= agité ; ≠ calme).

■**remue-ménage** n.m.inv. SENS 1 *Ce **remue-ménage** nous a réveillés* (= agitation, mouvement).

rémunérer v. *Ce travail est mal **rémunéré*** (= payer, rétribuer).

■**rémunérateur, trice** adj. *On fait un métier **rémunérateur,** bien payé.*

■**rémunération** n.f. *On lui a offert une grosse **rémunération** pour ses services,* de l'argent pour le payer ou le récompenser (= rétribution).

renâcler v. *Jean a accepté de partir en **renâclant*** (= rechigner, maugréer, bougonner, grogner).

renaissance, renaître → *naître.*

renard n.m. **1.** *Le **renard** vit dans les bois,* un animal carnassier qui ressemble un peu à un chien, à oreilles pointues et à queue touffue. **2.** *Cet homme est un vieux **renard,** il est très rusé.*

■**renardeau** n.m. *Le **renardeau** est le petit du renard.*

renchérir v. *Quand j'ai fait cette proposition, elle **a renchéri,** elle l'a appuyée en insistant encore plus que moi.*

rencontrer v. *J'ai **rencontré** Jacques dans la rue, je me suis trouvée en sa* présence. *Notre équipe de soccer **rencontrera** celle de Montréal,* jouera contre. *Nous **nous sommes rencontrés** chez des amis,* nous avons fait connaissance.

■ **rencontre** n.f. *Vous ici ! quelle **rencontre** inattendue ! Il est venu à ma **rencontre**,* au-devant de moi. *J'ai une **rencontre** de squash demain* (= match).

rendement → *rendre.*

rendez-vous n.m.inv. *J'ai **rendez-vous** avec Judith à 8 heures devant la gare,* je dois la rencontrer.

rendormir → *dormir.*

rendre v. **1.** *Rends-moi l'argent que je t'ai prêté !* (= redonner, restituer ; ≠ garder). **2.** *Jean **a rendu** son repas* (= vomir). **3.** *Ces oranges **rendent** beaucoup de jus* (= produire). **4.** *Ce repas m'**a rendu** malade,* il m'a fait devenir malade. **5.** *Jean m'**a rendu** visite,* il est venu me voir. **6.** *Nous **nous sommes rendues** à Calgary,* nous y sommes allées. **7.** *Les soldats **se sont rendus**,* ils ont abandonné le combat (= capituler).

■ **reddition** n.f. SENS 7 *L'ennemi a exigé une **reddition** immédiate* (= capitulation).

■ **rendement** n.m. SENS 3 *Les engrais améliorent le **rendement** des terres,* ils font qu'elles produisent plus. *Il faudrait augmenter le **rendement**,* la quantité de travail fourni, d'objets fabriqués.

R. → Conj. n° 50.

rêne n.f. *La cavalière tire sur les **rênes** de son cheval,* les courroies qui servent à le diriger.

R. *Rêne* se prononce [rɛn] comme *reine* et *renne.*

renégat → *renier.*

renfermer v. **1.** *Cette valise **renferme** toutes mes affaires* (= contenir). **2.** *Jean **se renferme** sur lui-même,* il cache ses sentiments.

■ **renfermé, e 1.** adj. SENS 2 *Line est très **renfermée**,* elle ne parle pas beaucoup

(≠ communicatif, expansif, ouvert). **2.** n.m. *Ça sent le **renfermé** ici,* une mauvaise odeur de pièce fermée.

renfiler → *fil.*

renflé, e adj. *Ce vase a une forme **renflée**,* bombée.

renflouer v. **1.** *Renflouer un navire échoué,* c'est le remettre à l'eau. **2.** *La banque a pu **renflouer** cette société,* lui fournir l'argent nécessaire pour qu'elle ne soit plus endettée.

renfoncer v. *Elle a renfoncé son chapeau sur sa tête,* elle l'a enfoncé encore plus.

■ **renfoncement** n.m. *Le chat s'est caché dans un **renfoncement*** (= coin, recoin).

renforcer v. **1.** *On a renforcé le mur qui menaçait de tomber,* on l'a rendu plus résistant (= consolider). **2.** *Il faudra renforcer les effectifs,* les augmenter.

■ **renfort** n.m. **1.** SENS 2 *Le général a demandé des **renforts**,* de nouveaux soldats pour renforcer l'armée. **2.** *Un nouveau savon à lessive a été lancé **à grand renfort** de publicité,* en recourant abondamment à la publicité.

se renfrogner v. *Le visage de Claude s'est renfrogné* (= s'assombrir).

■ **renfrogné, e** adj. *Pourquoi as-tu cet air **renfrogné** ?* (= mécontent, fâché, maussade).

rengaine n.f. *Elle chante toujours la même **rengaine**,* la même chanson très connue.

se rengorger v. *Quand on lui fait des compliments il **se rengorge**,* il prend un air fier de lui.

renier v. *M. Dupont a renié ses idées,* il en a changé (= désavouer).

■ **reniement** n.m. *On lui a reproché son reniement.*

■ **renégat, e** n. *On l'a traité de **renégat*** (= traître).

renifler v. *Arrête de **renifler**, mouche-toi !,* de faire du bruit avec ton nez en inspirant fortement.

584 **renne** n.m. *Les **rennes** vivent dans les pays froids,* des grands animaux ressemblant à des cerfs.
R. → *rêne.*

renom n.m. ou **renommée** n.f. *La re-nommée de ce restaurant est très grande, il est très connu* (= célébrité, réputation).
■ **renommé, e** adj. *La Bourgogne est **renommée** pour ses vins* (= célèbre).

renoncer v. *Lise **a renoncé** à tous ses projets,* elle les a abandonnés.
■ **renoncement** n.m. *Mener une vie de **renoncement**,* c'est vivre en renonçant volontairement aux biens terrestres.
■ **renonciation** n.f. *On a signé une **re-nonciation** à cet héritage,* une déclaration selon laquelle on y renonce.

renoncule n.f. *Le bouton-d'or est une sorte de **renoncule**,* une fleur.

renoter v. Fam. *Richard **renote** toujours les mêmes histoires* (= rabâcher, radoter).

renouer → *nœud.*

renouveler v. 1. *On a **renouvelé** les membres de l'assemblée,* on les a remplacés par des membres nouveaux (= changer). *As-tu **renouvelé** ton abonnement ?,* demandé qu'il continue. 2. *Jean a **renouvelé** sa question,* il l'a posée une deuxième fois (= recommencer). *Que cette erreur ne **se renouvelle** pas !* (= se reproduire).
■ **renouveau** n.m. SENS 2 *Ce livre connaît un **renouveau** de succès,* un nouveau succès (= regain).
■ **renouvellement** n.m. SENS 1 *J'ai demandé le **renouvellement** de mon passe-port,* qu'on me donne un nouveau passe-port (= changement).
■ **renouvelable** adj. SENS 1 *Ce passeport est **renouvelable** tous les trois ans,* il doit être renouvelé.
R. → Conj. n° 6.

rénover v. *Ce magasin **a été rénové**,* remis à neuf.
■ **rénovation** n.f. *On a entrepris des travaux de **rénovation*** (= modernisation).

renseigner v. *Peux-tu me **renseigner** sur l'heure du train ?,* me la faire connaî-tre (= informer).
■ **renseignement** n.m. *Demande le **renseignement** à la gare* (= indication, information).

rentable adj. *Cette affaire est **rentable**,* elle rapporte de l'argent (= payant).
■ **rentabilité** n.f. *La **rentabilité** de cette entreprise est insuffisante,* ses bénéfices (= rendement).

rente n.f. *Mathilde vit de ses **rentes**,* de revenus que lui rapporte un capital qu'elle a placé.
■ **rentier, ère** adj. et n. *M. Durand est **rentier**,* il vit de ses rentes.

rentrer v. 1. *Après l'école, Saïd **rentre** chez lui* (= revenir, retourner). 2. *Il faut **rentrer** la voiture au garage,* l'y remettre (≠ sortir). 3. Fam. *L'auto **est rentrée** dans un arbre,* elle s'est jetée violemment dessus. 4. *Cette clef ne **rentre** pas dans la serrure* (= pénétrer, s'enfoncer).
■ **rentrée** n.f. 1. SENS 1 *La **rentrée** des classes a lieu en septembre,* le moment où on retourne à l'école. 2. *M. Dupont attend une **rentrée** d'argent,* de l'argent que l'on reçoit.
R. *Rentrer se conjugue avec **être**,* sauf au sens 2.

renverser v. 1. *Jean **a renversé** son verre,* il l'a fait tomber en le faisant basculer (≠ redresser). 2. *Le gouverne-ment **a été renversé**,* il a dû démission-ner. 3. *Un piéton **a été renversé** par une voiture,* il a été jeté à terre. 4. *Voilà une nouvelle qui me **renverse**,* qui me stupéfie.
■ **renversant, e** adj. SENS 4 *Voilà une nouvelle **renversante** !,* très étonnante.
■ **à la renverse** adv. SENS 1 *J'ai failli tomber **à la renverse**,* sur le dos.

→ p. 729

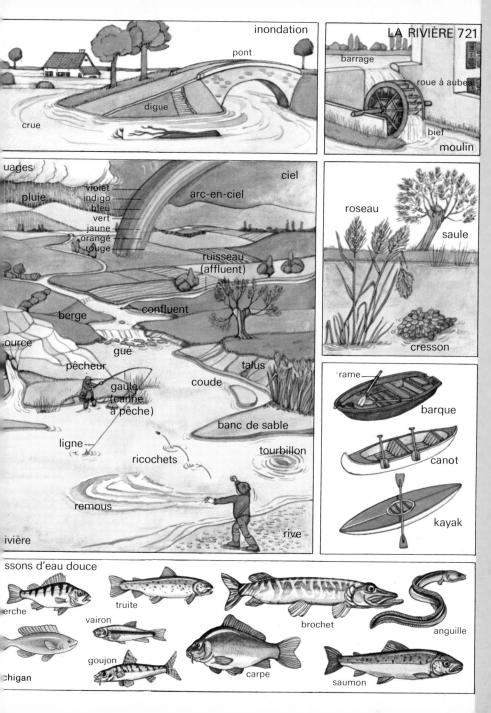

inondation

pont

barrage

roue à aubes

digue

crue

bief

moulin

uages

ciel

pluie

arc-en-ciel

violet
indigo
bleu
vert
jaune
orangé
rouge

roseau

saule

ruisseau
(affluent)

confluent

berge

ource

gué

cresson

pêcheur

talus

gaule
(canne
à pêche)

coude

rame

banc de sable

barque

ligne

tourbillon

ricochets

canot

remous

kayak

ivière

rive

ssons d'eau douce

erche

truite

vairon

brochet

anguille

goujon

chigan

carpe

saumon

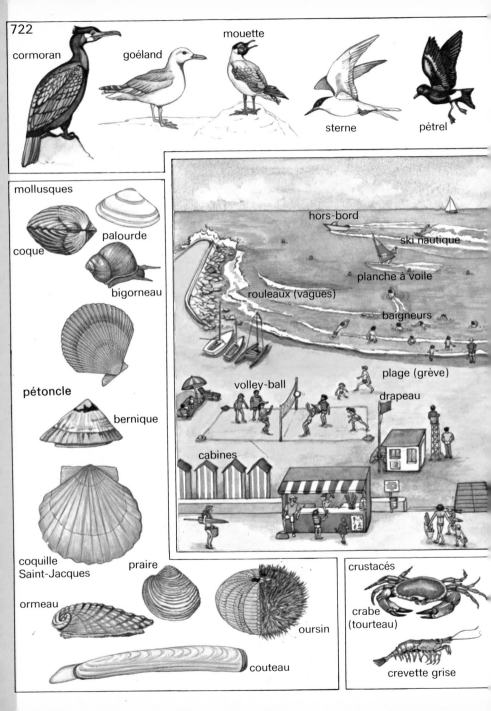

722

cormoran

goéland

mouette

sterne

pétrel

mollusques

coque

palourde

bigorneau

pétoncle

bernique

coquille
Saint-Jacques

praire

ormeau

oursin

couteau

hors-bord

ski nautique

planche à voile

rouleaux (vagues)

baigneurs

plage (grève)

volley-ball

drapeau

cabines

crustacés

crabe
(tourteau)

crevette grise

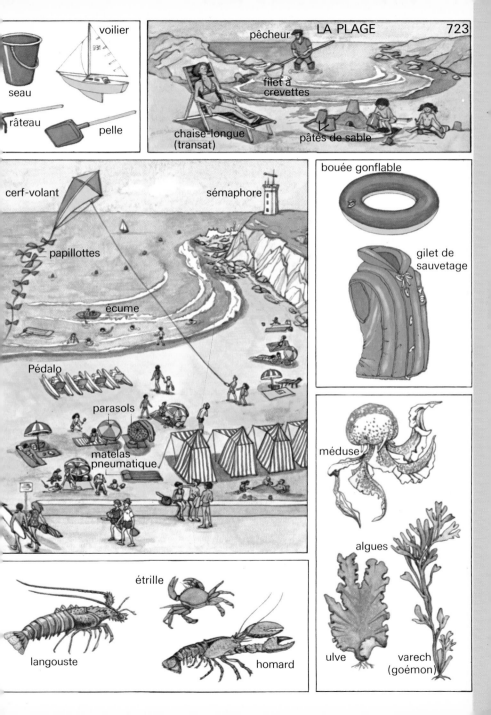

seau

voilier

râteau

pelle

pêcheur

filet à crevettes

chaise-longue (transat)

pâtés de sable

cerf-volant

sémaphore

papillottes

écume

Pédalo

parasols

matelas pneumatique

bouée gonflable

gilet de sauvetage

méduse

algues

ulve

varech (goémon)

étrille

langouste

homard

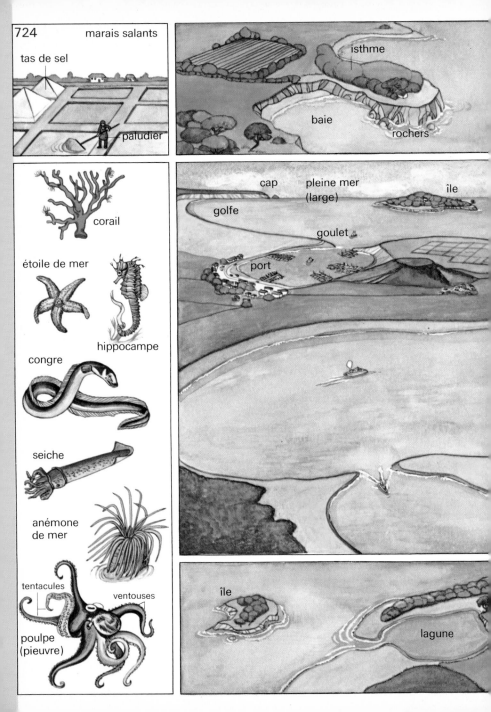

724

marais salants

tas de sel

paludier

isthme

baie

rochers

corail

étoile de mer

hippocampe

congre

seiche

anémone de mer

tentacules

ventouses

poulpe (pieuvre)

cap

pleine mer (large)

île

golfe

goulet

port

île

lagune

littoral

fleuve
côtier

éboulis

falaise

...lets

estuaire

batture

embouchure

ligne d'horizon

îlot

archipel

promontoire

...éninsule

détroit

presqu'île

...ivage

crique

écueils (brisants)

marée basse

anse

...plage
...grève)

marée haute

fjord

marécages

fleuve

bras

d e l t a

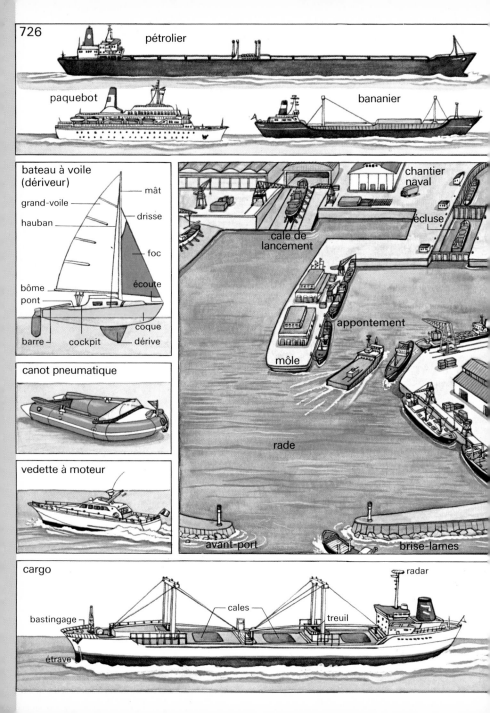

726

pétrolier

paquebot

bananier

bateau à voile (dériveur)

grand-voile

hauban

bôme
pont

barre

cockpit

mât

drisse

foc

écoute

coque

dérive

canot pneumatique

vedette à moteur

chantier naval

écluse

cale de lancement

appontement

môle

rade

avant-port

brise-lames

cargo

radar

bastingage

cales

treuil

étrave

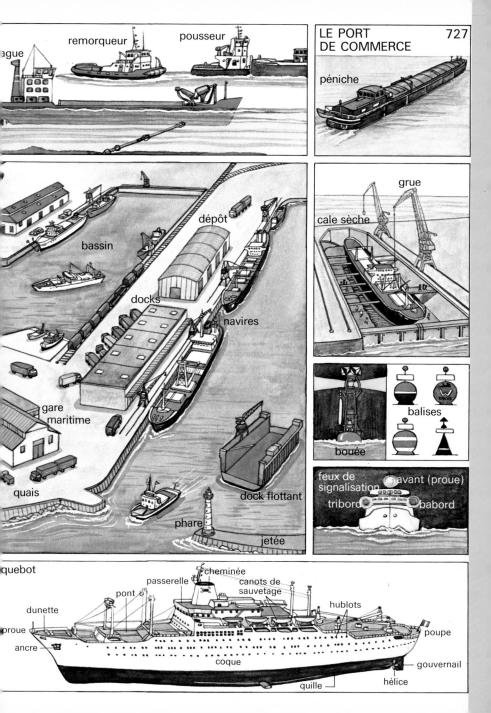

remorqueur

pousseur

ague

péniche

dépôt

grue

cale sèche

bassin

docks

navires

balises

bouée

gare
maritime

feux de
signalisation avant (proue)

tribord babord

quais

dock flottant

phare

jetée

quebot

cheminée

passerelle

canots de
sauvetage

pont

hublots

dunette

proue

poupe

ancre

coque

gouvernail

quille

hélice

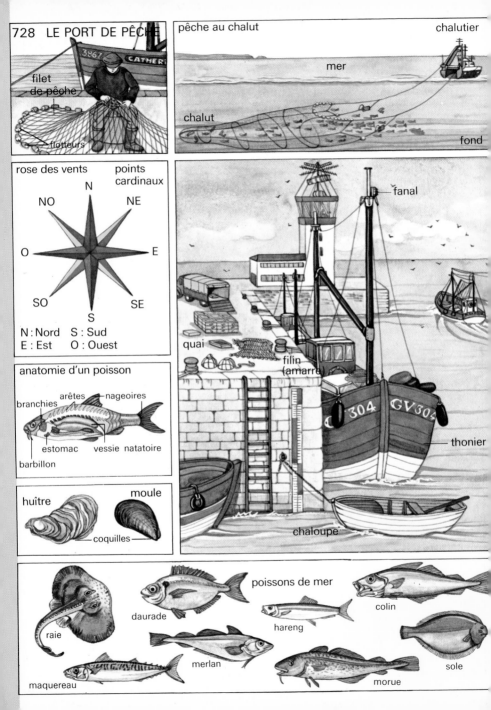

728 LE PORT DE PÊCHE

filet de pêche

flotteurs

pêche au chalut

chalutier

mer

chalut

fond

rose des vents — **points cardinaux**

N
NO · NE
O · E
SO · SE
S

N : Nord S : Sud
E : Est O : Ouest

anatomie d'un poisson

branchies
arêtes — nageoires
estomac — vessie natatoire
barbillon

huître **moule**

coquilles

fanal

quai

filin (amarre)

304 GV 304

thonier

chaloupe

poissons de mer

raie

daurade

hareng

colin

merlan

sole

maquereau

morue

■**renversement** n.m. *Elle a réussi un* **renversement** *de la situation,* un changement complet (= retournement).

renvoyer v. **1.** *On m'a renvoyé chez moi,* on m'a fait y retourner. **2.** *Des employés* **ont été renvoyés,** mis à la porte (= congédier). **3.** *Jean m'a renvoyé la balle* (= relancer). **4.** *On a renvoyé la réunion à la semaine prochaine,* on l'a remise à plus tard (= reporter, remettre). **5.** *Les adversaires* **se renvoient la balle,** ils s'accusent mutuellement.

■**renvoi** n.m. **1.** SENS 1 *Son* **renvoi** *de l'école a été décidé* (= expulsion). SENS 4 *Dans un livre, un* **renvoi** *indique qu'il faut se reporter à une autre page.* **2.** *Jean a eu un* **renvoi,** il a rejeté par la bouche des gaz de l'estomac.

réorganiser → *organisation.*

réouverture → *ouvert.*

repaire n.m. *Voici le* **repaire** *du renard* (= tanière). *On a surpris les bandits dans leur* **repaire,** dans le lieu qui leur servait de refuge.
R. *Repaire se prononce* [rəpɛr] *comme repère.*

se repaître v. *Le chien* **se repaît** *des restes du repas,* il les mange (= se nourrir).
■**repu, e** adj. *Après ce bon dîner, je suis* **repue** (= rassasié).
R. → Conj. n° 80.

répandre v. **1.** *Le contenu de la bouteille* **s'est répandu** *sur la table,* il y a coulé. **2.** *Ce fromage* **répand** *une odeur forte* (= produire, dégager). **3.** *La nouvelle* **s'est répandue** *rapidement* (= s'étendre, se propager, se divulguer). *L'assassin a répandu la terreur,* il l'a provoquée, suscitée (= jeter, semer).
R. → Conj. n° 50.

reparaître → *paraître.*

réparer v. **1.** *La garagiste* **a réparé** *la voiture,* elle l'a remise en bon état (= arranger). **2.** *Je voudrais* **réparer** *ma négligence,* en supprimer les conséquences

(= corriger). **3.** **Réparer** *ses forces,* c'est les retrouver, se rétablir.

■**réparable** adj. SENS 1 *Ces chaussures ne sont pas* **réparables.** SENS 2 *Vous avez commis une petite erreur facilement* **réparable.**

■**réparateur, trice 1.** adj. SENS 3 *Il s'est endormi d'un sommeil* **réparateur,** qui a réparé ses forces. **2.** n. SENS 1 *Le téléviseur est en panne, nous attendons le* **réparateur.**

■**réparation** n.f. SENS 1 *La* **réparation** *de la voiture nous a coûté cher.* SENS 2 *Je réclame des dommages et intérêts en* **réparation** *des dégâts subis.*

■**irréparable** adj. SENS 1 *Vous pouvez jeter cette montre, elle est* **irréparable.** SENS 2 *Sa mort est une perte* **irréparable.**

reparler → *parler.*

repartie n.f. *Ta* **repartie** *est très spirituelle,* ta réponse vive (= réplique, riposte).
R. On prononce [reparti] comme *réparti.*

repartir → *partir.*

répartir v. *On a* **réparti** *le travail entre tous les présents* (= partager, distribuer).
■**répartition** n.f. *Cette* **répartition** *est injuste* (= partage).
R. Ne pas confondre *répartir* et *repartir.*

repas n.m. *Nous avons fait un bon* **repas,** nous avons bien mangé. *Viens me voir à l'heure du* **repas,** où l'on mange.

repasser v. **1.** *Je* **repasserai** *demain à la même heure,* je passerai de nouveau (= revenir). **2.** *Jean* **repasse** *ses leçons,* il les apprend une nouvelle fois (= réviser). **3.** *On* **repasse** *le linge avec un fer à* **repasser,** on ôte les plis du linge (≠ froisser). **4.** *Les couteaux ont besoin d'être* **repassés** (= aiguiser).
■**repassage** n.m. SENS 3 *Le* **repassage** *de tes chemises m'a pris une heure.*

repêcher → *pêche* 2.

repeindre → *peindre.*

727, 728

79

repenser → *penser.*

se repentir v. *Il se repent d'être arrivé trop tard* (= regretter).
■ **repentir** n.m. *Tu as montré un repentir sincère,* un regret de tes fautes (= remords).
R. → Conj. n° 19.

répercuter v. 1. *La hausse des prix se répercute sur le niveau de vie,* elle a des conséquences. 2. *Le bruit du tonnerre se répercute dans la montagne,* est renvoyé et prolongé.
■ **répercussion** n.f. SENS 1 *Sa décision a eu de graves répercussions* (= conséquence).

repère n.m. *On a pris le clocher comme point de repère,* comme endroit pour ne pas se perdre. *Avant de clouer. la planche, trace des repères,* des marques pour te guider.
■ **repérer** v. *J'ai repéré un bon coin pour la pêche* (= découvrir, remarquer). *Si tu fais du bruit, on te repèrera,* on saura où tu es. *Je n'arrive pas à me repérer dans cette forêt,* à me retrouver, à m'orienter.
■ **repérage** n.m. *Sur ce plan, des numéros facilitent le repérage des monuments.*
R. → *repaire.*

293

répertoire n.m. 1. *J'ai écrit ton adresse dans mon répertoire,* un carnet alphabétique. 2. *Cette troupe de théâtre a un vaste répertoire,* une liste de pièces qu'elle joue.

répéter v. 1. *Ne répète pas cela, c'est un secret,* ne le dis pas aux autres. 2. *On répète le refrain après chaque couplet,* on le dit de nouveau. 3. *Tu as répété les mêmes erreurs* (= refaire). 4. *Les acteurs sont en train de répéter,* de s'entraîner à jouer leur rôle.
■ **répétition** n.f. SENS 2 *Il y a des répétitions dans ton devoir,* tu dis plusieurs fois la même chose. SENS 3 *Une arme à répétition peut tirer plusieurs fois de*

suite sans être rechargée. SENS 4 *Les acteurs ont fait de nombreuses répétitions avant de jouer en public. La répétition générale* est la dernière répétition d'une pièce.

repeupler → *peuple.*

repiquer v. *Le jardinier repique des salades* (= transplanter).

répit n.m. *Mon travail ne me laisse pas de répit* (= repos, détente).

replacer → *place.*

replâtrer → *plâtre.*

replet, ète adj. *M. Rondeau est un petit homme replet, il a une mine replète,* il est gros (= grassouillet, dodu).

repli, replier → *plier.*

réplique n.f. 1. *Jean a eu une réplique intelligente,* une réponse brève. 2. *L'actrice a oublié sa réplique,* la partie du dialogue qu'elle devait dire. 3. *Cette statue est une réplique de la statue de la Liberté à New York* (= reproduction).
■ **répliquer** v. SENS 1 *Je lui ai répliqué que ça ne le regardait pas* (= répondre).

replonger → *plonger.*

répondre v. 1. *Peux-tu répondre à cette question ?,* me dire ton avis (≠ interroger). 2. *Tu n'as pas répondu à ma lettre,* tu n'as pas écrit ou téléphoné en retour. 3. *Je réponds de l'honnêteté de Jean,* je garantis qu'il est honnête. 4. *Cet article ne répond pas à mes besoins* (= correspondre). 5. *Les freins de ma voiture répondent bien* (= obéir).
■ **répondant, e** n. SENS 3 *Je suis le répondant de Lise,* je réponds d'elle.
■ **réponse** n.f. SENS 1 *Elle m'a donné une réponse affirmative. Annie a réponse à tout,* elle n'est embarrassée par aucune question.
R. → Conj. n° 51.

1. reporter v. 1. *La séance a été reportée,* elle a été renvoyée à plus tard (= remettre). **2.** *Reportez-vous à l'introduction !,* allez la regarder. **3.** *Des électeurs ont reporté leur voix sur un autre candidat* (= orienter, tourner).

■**report** n.m. SENS 1 *On a décidé le report de la réunion* (= renvoi).

2. reporter n. *Le journal a envoyé une reporter sur les lieux du crime,* une journaliste chargée de l'information.

■**reportage** n.m. *As-tu lu le reportage sur l'accident ?,* le récit des événements. **R.** *Reporter se prononce* [rəpɔrtɛr].

reposer v. **1.** *J'ai bu et j'ai reposé mon verre,* je l'ai posé après l'avoir soulevé. *Veux-tu reposer ta question ?,* la poser de nouveau. **2.** *Ces quelques jours de vacances m'ont bien reposé* (= délasser ; ≠ fatiguer). *Reposez-vous un moment,* cessez de travailler, de vous fatiguer. **3.** *Je me repose sur toi pour faire ce travail,* je te fais confiance (= compter). **4.** *Tes arguments ne reposent sur rien* (= être fondé). **5.** *Il faut laisser reposer le mélange avant de continuer,* ne pas le brasser.

■**repos** n.m. SENS 2 *J'ai besoin d'un peu de repos* (= délassement ; ≠ fatigue).

■**reposant, e** adj. SENS 2 *Nous avons passé un week-end reposant* (≠ fatigant).

repousser v. **1.** *Tu as repoussé ta chaise pour te lever,* tu l'as écartée de toi. **2.** *Les soldats ont repoussé l'ennemi,* ils l'ont fait reculer. **3.** *On a repoussé sa demande* (= refuser ; ≠ accepter). **4.** *Ces fleurs repousseront au printemps,* elles pousseront de nouveau.

■**repoussant, e** adj. *Il est d'une saleté repoussante,* qui inspire du dégoût (= répugnant ; ≠ attirant).

répréhensible adj. *Jean a commis des actes répréhensibles* (= blâmable, condamnable).

reprendre v. **1.** *Reprends de la viande,* prends-en une seconde fois. **2.** *Le prisonnier a été repris,* il a été pris de nouveau. **3.** *Le garagiste me reprend ma*

voiture à un bon prix (= racheter). **4.** *J'ai repris le travail* (= recommencer). **5.** *Voyant qu'il s'était trompé, il s'est repris,* il a rectifié. **6.** *J'ai été très déçue ; on ne m'y reprendra plus,* je ne recommencerai pas.

■**reprise** n.f. **1.** SENS 3 *On m'offre une bonne reprise pour ma voiture,* un bon prix de rachat. SENS 4 *La reprise des cours a lieu en septembre.* **2.** *On s'est trompé à plusieurs reprises,* plusieurs fois. **3.** *Cette auto a de bonnes reprises,* elle accélère bien. **4.** *Un match de boxe se déroule en plusieurs reprises* (= partie).

■**repris** n.m. SENS 2 *Un repris de justice* est quelqu'un qui a déjà été condamné. **R.** → Conj. n° 54.

représailles n.f.pl. *À la suite de cet attentat, l'ennemi a fusillé des otages, par représailles,* pour se venger.

représenter v. **1.** *Cette photo représente la place Ville-Marie* (= montrer). **2.** *Les notes de la gamme représentent des sons,* ce sont des signes qui correspondent aux sons. **3.** *Cet achat représente une grosse dépense* (= constituer, entraîner). **4.** *Les ambassadeurs représentent le Canada à l'étranger,* ils agissent en son nom. **5.** *Les acteurs représentent une comédie* (= jouer). **6.** *Josée se représentera à l'examen de français,* elle se présentera de nouveau.

■**représentant, e** n. **1.** SENS 4 *Le président a envoyé une représentante* (= délégué). **2.** *Les commerçants sont visités par des représentants,* des gens qui viennent de la part de leurs fournisseurs.

■**représentatif, ive** adj. SENS 2 *La délégation est représentative des diverses opinions de l'assemblée,* elle est constituée de façon à représenter ces diverses opinions.

■**représentation** n.f. SENS 4 *Le Parlement assure la représentation du peuple.* SENS 5 *C'est la première représentation de cette pièce.*

répression → réprimer.

réprimande n.f. *On lui a fait une réprimande,* on l'a grondé, attrapé (= remontrance ; ≠ compliment).

■ **réprimander** v. *Pourquoi as-tu été réprimandé ?* (= gronder, attraper ; fam. disputer ; ≠ féliciter).

réprimer v. *Il n'a pas pu réprimer sa colère,* l'empêcher de se manifester.

■ **répression** n.f. *La police est chargée de la répression des crimes.*

repris → *reprendre.*

reprise → *reprendre* et *repriser.*

repriser v. *Julien reprise ses bas* (= raccommoder).

■ **reprise** n.f. *Peux-tu faire une reprise à mon pantalon ?,* le repriser.

réprobateur, réprobation → *réprouver.*

reproche n.m. *Sa conduite insouciante mérite des reproches* (= blâme ; ≠ compliment, félicitations).

■ **reprocher** v. *On lui a reproché son retard,* on l'a blâmée pour cela.

■ **irréprochable** adj. *Sa conduite est irréprochable,* sans reproche (= impeccable, parfait).

reproduire v. 1. *Cette erreur ne doit pas se reproduire,* se produire de nouveau (= recommencer, se renouveler). 2. *Un magnétophone reproduit les sons,* il les répète après les avoir enregistrés. 3. *Les êtres vivants se reproduisent,* ils donnent naissance à d'autres êtres vivants.

■ **reproducteur, trice** adj. SENS 3 *Le pistil est un des organes reproducteurs de la fleur.*

■ **reproduction** n.f. SENS 2 *Cette image est la reproduction d'un tableau* (= copie, imitation). SENS 3 *La reproduction des êtres vivants se fait de différentes manières selon les espèces.*

R. → Conj. n° 70.

réprouver v. *On a réprouvé sa conduite insolente* (= condamner, blâmer ; ≠ approuver).

■ **réprobateur, trice** adj. *Tu m'as lancé un regard réprobateur,* exprimant le reproche.

■ **réprobation** n.f. *Des actes semblables méritent la réprobation générale* (= blâme).

reptile n.m. *Les serpents, les lézards, les crocodiles sont des reptiles,* des animaux qui rampent.

repu → *repaître.*

république n.f. *La France est une république,* un État gouverné par des représentants élus par le peuple (≠ monarchie).

■ **républicain, e** adj. et n. *La France a un régime républicain. Les républicains s'opposaient aux royalistes.*

répudier v. *Elle a répudié ses engagements,* elle y a renoncé (= rejeter).

répugnance n.f. *J'ai avalé ce plat mal cuit avec répugnance* (= dégoût, répulsion).

■ **répugnant, e** adj. *Quelle est cette odeur répugnante ?,* écœurante, infecte.

■ **répugner** v. *Le mensonge me répugne* (= dégoûter). *Martin répugne à prêter de l'argent,* il n'aime pas le faire.

répulsion n.f. *De tels actes inspirent de la répulsion* (= répugnance, dégoût).

réputation n.f. *M. Durand a bonne réputation,* les gens pensent du bien de lui. *Cette cérémonie a la réputation d'être ennuyeuse,* elle passe pour être ennuyeuse.

■ **réputé, e** adj. *Ce restaurant est réputé* (= connu, célèbre).

requérir v. 1. *On a requis une lourde peine contre l'accusé* (= réclamer). 2. *Ce détail requiert toute votre attention,* elle est nécessaire pour bien le remarquer (= demander, réclamer, exiger).

■ **requis, e** adj. SENS 2 *Cette personne a toutes les qualités requises pour exercer ces fonctions,* les qualités voulues.

■ **requête** n.f. SENS 1 *Faites connaître votre requête !* (= demande, réclamation).
R. → Conj. n° 21.

requiem n.m. *Un requiem est un chant religieux en mémoire des morts.*
R. On prononce [rekɥiɛm].

requin n.m. *Il est dangereux de se baigner ici à cause des requins,* de grands poissons de mer très voraces.

réquisitionner v. *En cas de besoin, le gouvernement peut réquisitionner les choses et les gens,* les utiliser d'autorité.
■ **réquisition** n.f. *Le gouvernement avait décrété la réquisition de certaines voitures particulières.*

réquisitoire n.m. *Le procureur prononce le réquisitoire contre l'accusé,* le discours d'accusation.

rescapé, e n. *Un avion a secouru les rescapés du naufrage,* ceux qui ont échappé à la mort (= survivant ; ≠ victime).

à la rescousse adv. *Esther est arrivée à la rescousse,* pour nous secourir, nous aider.

réseau n.m. **1.** *Un réseau routier est un ensemble de routes, un réseau téléphonique est un ensemble de lignes téléphoniques.* **2.** *La police a découvert un réseau de trafiquants,* une organisation secrète.

réséda n.m. *Le réséda est une fleur jaune et parfumée.*

réserve n.f. **1.** *Les Durand ont fait des réserves de sucre,* ils en ont gardé pour plus tard (= provision). *J'ai des bonbons en réserve.* **2.** (au plur.) *On a fait des réserves sur son projet,* on ne l'a pas approuvé (= restrictions). *Je vous le dis, sous toutes réserves,* sans garantie. **3.** *Paul manque de réserve,* de modération dans son attitude (= retenue). **4.** *En cas de guerre, on fait appel à la réserve,* aux soldats qui ne sont pas en service actif. **5.** *Le Cap Tourmente est une ré-*

serve *d'oies sauvages,* celles-ci y sont protégées.
■ **réservé, e** adj. SENS 3 *Tu as un caractère très réservé* (= discret ; ≠ effronté).
■ **réserver** v. **1.** SENS 1 *Il s'est réservé la meilleure place,* il l'a gardée pour lui. **2.** *As-tu réservé les places de théâtre ?* (= retenir). **3.** *La voie de droite est réservée aux autobus,* ils ont seuls le droit d'y aller (= destiner). **4.** *L'avenir vous réservera des surprises* (= procurer).
■ **réservation** n.f. *As-tu fait une réservation ?,* as-tu retenu une place, une chambre, etc.
■ **réserviste** n. SENS 4 *On a fait appel aux réservistes,* aux personnes qui constituent la réserve.
■ **réservoir** n.m. SENS 1 *Le réservoir de la voiture est plein,* l'élément creux, le récipient où l'on met l'essence en réserve.

résider v. *Les Durand résident à Vancouver* (= habiter, demeurer).
■ **résidence** n.f. *Quel est votre lieu habituel de résidence ?* (= habitation, domicile). *Nous habitons dans une résidence,* un groupe d'immeubles situé dans un cadre agréable. *Ils ont une résidence secondaire à la campagne,* une maison en plus de leur habitation principale.
■ **résidentiel, elle** adj. *Ils habitent un ensemble résidentiel,* constitué seulement par des maisons d'habitation.

résidu n.m. *La cendre est le résidu du bois qui a brûlé,* ce qui en reste.

se résigner v. *Elle s'est résignée à abandonner son projet,* elle a accepté à contrecœur, mais sans protester.
■ **résignation** n.f. *Il accepte son malheur avec résignation* (= soumission ; ≠ révolte).

résilier v. *La locataire a résilié son contrat,* elle y a mis fin (= annuler).

résine n.f. *De la résine coule de l'écorce des pins,* une substance collante.

505, 511, 577, 801

219

■ **résineux, euse** adj. et n.m. *Le pin, le sapin sont des (arbres)* **résineux,** qui produisent de la résine.

résister v. **1.** *La branche pourrie n'a pas résisté à son poids,* elle ne l'a pas supporté et a cassé. **2.** *Les soldats ont résisté à l'ennemi,* ils ont combattu jusqu'au bout (≠ céder).

■ **résistant, e** adj. et n. SENS 1 *Ces enfants sont peu* **résistants** (= fort, robuste, endurant). SENS 2 *Les soldats de l'armée d'occupation ont fusillé des* **résistants,** des combattants qui leur résistaient.

■ **résistance** n.f. SENS 1 *La* **résistance** *de ce tissu est très grande* (= solidité). *Cet athlète manque de* **résistance** (= endurance). SENS 2 *Pendant la guerre, des mouvements de* **résistance** *se sont créés,* des mouvements d'opposition à l'occupant.

■ **irrésistible** adj. **1.** SENS 1 *J'ai une fatigue* **irrésistible,** je ne peux pas y résister (= insurmontable). **2.** *Son histoire est* **irrésistible,** elle est très drôle.

■ **irrésistiblement** adv. SENS 1 *Nous étions* **irrésistiblement** *entraînés par le courant.*

résolu, résolument, résolution → *résoudre.*

résonner v. *On entend des pas* **résonner** *dans le couloir,* faire du bruit (= retentir).

■ **résonance** n.f. *Quand on tape sur une cloche, elle entre en* **résonance,** elle résonne.
R. Attention, *résonner* a 2 *n*, *résonance* un seul. → *raison.*

résorber v. *Le gouvernement essaie de* **résorber** *le chômage,* de le faire disparaître progressivement.

résoudre v. **1.** *As-tu* **résolu** *ce problème difficile ?,* as-tu trouvé sa solution ? **2.** *Il s'est* **résolu** *à* (ou *il a* **résolu** *de*) *partir* (= décider).

■ **résolu, e** adj. SENS 2 *Henri est un garçon* **résolu** (= décidé, énergique).

■ **résolument** adv. SENS 2 *On s'est mis* **résolument** *au travail.*

■ **résolution** n.f. SENS 2 *Elle a pris la* **résolution** *de venir* (= décision). *Esther a agi avec* **résolution** (= fermeté, énergie).

■ **irrésolu, e** adj. SENS 2 *Jean est* **irrésolu** (= hésitant, indécis).

■ **irrésolution** n.f. SENS 2 *On lui a reproché son* **irrésolution** (= indécision, hésitation).
R. → Conj. n° 61.

respect n.m. **1.** *J'ai un grand* **respect** *pour M. Durand,* je le considère avec admiration, déférence (≠ mépris). **2.** *On m'a appris le* **respect** *de la vérité, de l'honnêteté,* à être sincère, honnête. **3.** (au plur.) *Je lui ai présenté mes* **respects,** des marques de politesse.

■ **respecter** v. SENS 1 *Respecte tes grands-parents !* (≠ mépriser). SENS 2 *Silence !* **Respectez** *le sommeil des autres !,* faites-y attention. *Il faut absolument* **respecter** *l'horaire,* ne pas y manquer.

■ **respectable** adj. SENS 1 *C'est une personne* **respectable** (= honorable).

■ **respectueux, euse** adj. SENS 1 *Il s'est montré* **respectueux** *envers moi* (≠ insolent).
R. On prononce [rɛspɛ].

respectif, ive adj. *Retournez à vos places* **respectives !,** chacun à la vôtre.

respectueux → *respect.*

respirer v. **1.** *La malade* **respire** *avec difficulté,* elle inspire et expire l'air. **2.** *Son visage* **respire** *la franchise* (= exprimer). **3.** *Arrête tes questions et laisse-moi le temps de* **respirer,** avoir un moment de répit.

■ **respiration** n.f. SENS 1 *On ne peut pas retenir longtemps sa* **respiration.**

■ **respiratoire** adj. SENS 1 *Faites quelques mouvements* **respiratoires !,** de respiration.

■ **irrespirable** adj. SENS 1 *L'air est* **irrespirable** *ici* (= étouffant, suffocant).

resplendir v. *Les vitres resplendissent au soleil,* elles brillent d'un vif éclat.
■ **resplendissant, e** adj. *Vous avez une mine resplendissante* (= magnifique).

responsable adj. et n. **1.** *Qui est (le) responsable de l'accident ?,* la personne qui l'a causé. **2.** *Les parents sont responsables de leurs enfants mineurs,* ils en sont chargés.
■ **responsabilité** n.f. *Chacun doit prendre ses responsabilités,* accepter les conséquences de ses actes.
■ **irresponsable** adj. *Tu es irresponsable,* tu agis sans réfléchir.

resquiller v. Fam. *Jean a resquillé dans l'autobus,* il a voyagé sans payer.

ressac n.m. *Entends-tu le bruit du ressac ?,* le choc des vagues contre la côte.

se ressaisir v. *Paul a failli tout abandonner, mais il s'est ressaisi,* il a repris courage, retrouvé son sang-froid.

ressasser v. *À force d'être ressassée, cette idée a pénétré dans les esprits,* d'être sans cesse répétée (= rabâcher).

ressembler v. **1.** *Maria ressemble à son père,* ils ont des traits communs (≠ différer de). **2.** *Cela ne te ressemble pas d'agir ainsi,* ce n'est pas dans tes habitudes.
■ **ressemblance** n.f. SENS 1 *As-tu remarqué leur ressemblance ?* (≠ différence).
■ **ressemblant, e** adj. SENS 1 *Ce portrait de Jean est très ressemblant,* on voit que c'est lui.

ressemeler → *semelle.*

ressentiment n.m. *Malgré cette petite méchanceté, je n'ai aucun ressentiment contre lui,* je ne lui en veux pas (= rancune).

ressentir → *sentir.*

resserrer → *serrer.*

resservir → *servir.*

ressort n.m. **1.** *La porte se ferme automatiquement grâce à un ressort,* un mé-canisme qui reprend sa position quand on le déforme. **2.** *Depuis sa maladie, Jeanne manque de ressort* (= force, énergie). **3.** *Cette affaire est du ressort de la police,* c'est à elle de s'en occuper (= compétence). **4.** *En dernier ressort, c'est moi qui déciderai,* en dernier lieu, finalement.

ressortir v. **1.** *On est ressorti de la maison,* on en est sorti après y être entré. **2.** *Marie a ressorti du grenier une vieille ombrelle,* elle l'en a extraite, ramenée. **3.** *Que ressort-il de ses paroles ?,* quelle en est la conséquence ? (= résulter). **4.** *Le jaune ressort bien sur le rouge,* il apparaît nettement, il est bien visible (= trancher).
R. → Conj. n° 28. *Ressortir* se conjugue avec l'auxiliaire *être* sauf en au sens 2.

ressortissant, e n. *Cette nouvelle concerne les ressortissants canadiens aux États-Unis d'Amérique,* les Canadiens qui sont là-bas.

ressouder → *souder.*

ressources n.f.pl. **1.** *Cette famille est sans ressources,* sans moyens d'existence. **2.** *Les ressources de la France en pétrole sont faibles,* elle a peu de pétrole. **3.** *C'est un homme plein de ressources,* habile, ingénieux.

ressusciter v. *L'Évangile raconte que le Christ est ressuscité,* est revenu à la vie.
■ **résurrection** n.f. *La résurrection du Christ a eu lieu, selon l'Évangile, le troisième jour après sa mort.*

restant → *rester.*

restaurer v. **1.** *Ce vieux château a été restauré,* il a été remis en bon état (= réparer). **2.** *Nous nous restaurons avant de continuer la promenade,* nous mangeons pour reprendre des forces.
■ **restaurant** n.m. SENS 2 *Nous avons mangé dans un bon restaurant,* un établissement qui sert des repas.

■ **restaurateur, trice** n. SENS 2 *Mes parents sont restaurateurs,* ils tiennent un restaurant.

■ **restauration** n.f. SENS 1 *Depuis leur restauration, ces fauteuils semblent neufs.* SENS 2 *Esther veut faire une école hôtelière pour travailler dans la restauration,* dans les restaurants.

rester v. 1. *Jean est resté huit jours en Angleterre,* il a été là-bas pendant ce temps (≠ partir). 2. *Il me reste 2 dollars,* je les ai encore. 3. *Cette histoire doit rester entre nous* (= demeurer). 4. *Cette querelle a assez duré, restons-en là,* n'allons pas plus loin.

■ **restant, e** 1. n.m. SENS 2 *Je prendrai le restant demain,* ce qui reste. 2. adj. SENS 1 *Écris-moi poste restante à Montréal,* la lettre restera à la poste jusqu'à ce que j'aille la chercher.

■ **reste** n.m. 1. SENS 2 *Peux-tu me rendre le reste de ce que tu me dois,* ce que tu me dois encore. (au plur.) *On a mangé des restes,* ce qui restait d'un repas précédent. 2. *Elle est partie, du reste* (ou *au reste*), *je m'y attendais* (= d'ailleurs). 3. *Je n'aime pas être en reste avec toi,* te devoir encore quelque chose.

R. *Rester se conjugue avec l'auxiliaire* être.

restituer v. 1. *Tu m'as restitué ce que tu me devais ?* (= rendre). 2. *Un magnétophone restitue les sons enregistrés* (= reproduire).

■ **restitution** n.f. SENS 1 *Le tribunal l'a condamné à la restitution des biens volés.* SENS 2 *Ce roman offre une bonne restitution de la vie au Moyen Âge.*

restreindre v. 1. *Il faut restreindre nos dépenses* (= diminuer, réduire). 2. *Jean n'aime pas se restreindre* (= se priver).

■ **restreint, e** adj. SENS 1 *Nous ne disposons que d'un espace restreint* (= limité, étroit).

■ **restriction** n.f. 1. SENS 2 *Pendant la guerre, il y avait des restrictions,* on mangeait moins (= privation). 2. *On a accepté son plan sans restriction,* on l'a accepté totalement (= condition, réserve).

R. → Conj. n° 55.

résultat n.m. 1. *Quel a été le résultat de votre démarche ?* (= effet, conclusion, conséquence). 2. *Quel est le résultat du match ?,* comment a-t-il fini ? 3. *Donne-moi le résultat de ton addition,* le total obtenu.

■ **résulter** v. SENS 1 *Il n'est rien résulté de mes efforts,* ils n'ont pas abouti.

résumer v. *Peux-tu me résumer ce livre ?,* me dire ce qu'il contient en peu de mots.

■ **résumé** n.m. *J'ai lu un résumé des nouvelles* (= abrégé).

résurrection → ressusciter.

rétablir v. 1. *La police a rétabli l'ordre,* elle l'a fait exister de nouveau (= ramener). 2. *Après sa maladie, il s'est vite rétabli,* il a retrouvé la santé.

■ **rétablissement** n.m. 1. SENS 1 *J'exige le rétablissement de la vérité.* SENS 2 *Je vous souhaite un rapide rétablissement* (= guérison). 2. *D'un rétablissement, je me suis hissée en haut du mur,* d'un effort des bras.

retaper v. 1. Fam. *J'ai acheté une vieille maison, je vais la faire retaper,* remettre en état (= réparer). 2. Fam. *Je vais me retaper à la montagne,* reprendre des forces (= se rétablir).

retarder v. 1. *La pluie nous a retardés,* elle nous a fait arriver plus tard. 2. *On a retardé notre départ,* on l'a remis à plus tard (= repousser ; ≠ hâter). 3. *Ma montre retarde de cinq minutes,* elle marque cinq minutes de moins que l'heure juste (≠ avancer).

■ **retard** n.m. 1. SENS 1, 2 ET 3 *J'ai dix minutes de retard, je suis en retard de dix minutes* (≠ avance). 2. *Ce garçon est en retard pour son âge,* son développement est moins avancé que celui des autres.

■ **retardataire** adj. et n. SENS 1 *Les (élèves) retardataires seront pénalisés.*

■ **retardement** n.m. SENS 1 *Les bombes à retardement explosent après un certain temps.*

retenir v. 1. *On m'a retenu dix minutes,* on m'a empêché de partir. 2. *Je me suis retenue à son bras,* je m'y suis accrochée pour ne pas tomber. 3. *J'ai retenu des places de théâtre* (= réserver, louer). 4. *Faisons l'addition : 7 et 5 font 12, je pose 2 et je retiens 1.* 5. *On lui retient une partie de son salaire pour payer ses dettes* (= garder). 6. *Je n'ai pas pu retenir son nom,* le garder dans ma mémoire (= se souvenir de). 7. *Je n'ai pas pu me retenir de rire* (= s'empêcher ; ≠ se laisser aller).

■ **retenue** n.f. SENS 1 *Line a eu deux heures de retenue,* on l'a retenue à l'école pour la punir (= consigne). SENS 4 *Si on oublie la retenue, l'addition est fausse.* SENS 5 *Il gagne 200 dollars, moins les retenues.* SENS 7 *Aïcha montre beaucoup de retenue dans ses paroles* (= discrétion, modération ; ≠ laisser-aller). R. → Conj. n° 22.

retentissant, e adj. 1. *La présidente a annoncé les résultats d'une voix retentissante,* très forte (= puissant, sonore). 2. *Ce film a eu un succès retentissant,* très grand (= éclatant).

■ **retentir** v. SENS 1 *Les cloches retentissent,* elles font beaucoup de bruit.

■ **retentissement** n.m. SENS 2 *Cette nouvelle a eu un grand retentissement,* on en a beaucoup parlé.

retenue → retenir.

réticence n.f. *Jean a accepté mon plan sans réticence* (= hésitation, réserve).

■ **réticent, e** adj. *Au début, le directeur était réticent devant ce projet, puis il a accepté.*

rétif, ive adj. 1. *Elle a cravaché son cheval rétif,* qui refusait d'avancer. 2. *Quel enfant rétif !* (= difficile).

rétine n.f. *Les images de ce que nous voyons se forment sur la rétine,* le fond de l'œil.

retirer v. 1. *Retire cette valise du passage !* (= enlever, ôter ; ≠ mettre). 2. *On lui a retiré son permis de chasse* (= enlever, reprendre). 3. *Jean m'a retiré sa confiance,* il ne me fait plus confiance (≠ accorder, donner). 4. *J'ai retiré du plaisir de mes vacances* (= obtenir, trouver). 5. *Mme Dupont s'est retirée à la campagne,* elle est allée y vivre. 6. *C'est l'heure où la mer se retire,* elle recule, la marée baisse.

■ **retiré, e** adj. *On habite dans un endroit retiré* (= éloigné, isolé).

■ **retrait** n.m. 1. SENS 2 *Cette infraction est punie par le retrait du permis de conduire.* 2. *Cette maison est en retrait,* en arrière des autres.

■ **retraite** n.f. 1. SENS 5 *M. Dupont a pris sa retraite,* il ne travaille plus et s'est retiré. *Elle touche une retraite,* de l'argent parce qu'elle a atteint l'âge voulu pour ne plus travailler. 2. *L'armée bat en retraite,* elle recule devant l'ennemi.

■ **retraité, e** n. SENS 5 *M. Dupont est un retraité,* il a pris sa retraite.

retombées, retomber → tomber.

rétorquer v. *Il m'a reproché une erreur, je lui ai rétorqué que c'était lui qui se trompait* (= répondre, répliquer).

retordre → tordre.

retors, e adj. *M. Duval est un homme retors,* très rusé.

retoucher v. *Cette photo a été retouchée,* corrigée pour l'améliorer. *J'ai fait retoucher ma robe,* je l'ai fait modifier pour la mettre à ma taille.

■ **retouche** n.f. *Le peintre a fait quelques retouches à son tableau. On a fait quelques retouches à ma robe.*

retourner v. 1. *Papa retourne le bifteck dans la poêle,* il le tourne de l'autre côté. 2. *Quand je l'ai appelée, elle s'est retournée,* elle s'est tournée vers moi. 3. *Jean est retourné chez lui,* il y est allé de nouveau (= repartir, rentrer). 4. *On lui a retourné sa lettre* (= renvoyer). 5. *Ce* restaurant était agréable, j'y **retournerai** (= revenir).

■ **retour** n.m. **1.** SENS 3 *À mon **retour**, je vous téléphonerai*, quand je reviendrai (≠ départ). SENS 4 *Réponds-moi par **retour** du courrier*, aussitôt après avoir reçu ma lettre. **2.** *Que veux-tu **en retour** de mes services ?*, en échange. **3.** *C'est une séparation **sans retour***, à jamais.

■ **retournement** n.m. *Avant la fin du match, il y a eu un **retournement** de situation* (= renversement).

retracer v. *Jean m'a **retracé** ses aventures* (= raconter).

rétracter v. **1.** *Elle m'avait promis son aide, puis elle **s'est rétractée***, elle est revenue en arrière (= se dédire). **2.** *Le chat **rétracte** ses griffes* (= rentrer).

retrait, retraite, retraité → retirer.

retrancher v. **1.** *Si on **retranche** 5 de 8, il reste 3* (= enlever, ôter, soustraire). **2.** *L'ennemi **s'est retranché** dans la montagne*, il s'y est mis à l'abri.

■ **retranchement** n.m. SENS 2 *Les troupes ont établi des **retranchements** solides* (= fortification, défense).

retransmettre, retransmission → transmettre.

rétrécir, rétrécissement → étroit.

rétribuer v. *Ce travail **est** mal **rétribué*** (= payer, rémunérer).

■ **rétribution** n.f. *Tu as reçu la **rétribution** de tes efforts* (= récompense, paiement, rémunération).

rétro adj. inv. *Clara s'est acheté une robe **rétro***, qui rappelle le style du début du siècle.

rétroactif, ive adj. *Ce décret s'applique avec effet **rétroactif** au 1ᵉʳ janvier*, il s'applique à une période qui précède sa publication.

rétrograde adj. **1.** *Un mouvement **rétrograde*** est un mouvement qui se fait vers l'arrière. **2.** *M. Dupont est un esprit **rétrograde***, opposé au progrès.

■ **rétrograder** v. **1.** SENS 1 *Ce coureur n'a cessé de **rétrograder** d'étape en étape* (= reculer, régresser). **2.** *Avant le virage, la conductrice **a rétrogradé** de quatrième en troisième*, elle est passée à la vitesse inférieure.

rétrospectif, ive adj. *J'ai fait une étude **rétrospective** des événements*, une étude portant sur le passé.

■ **rétrospective** n.f. *Nous avons vu une **rétrospective** des œuvres de Picasso*, une exposition présentant des œuvres anciennes.

■ **rétrospectivement** adv. ***Rétrospectivement**, j'ai eu peur*, après coup.

retrousser v. *Pierre **retrousse** ses manches pour se mettre au travail* (= replier, relever).

retrouvailles, retrouver → trouver.

rétroviseur n.m. *Avant de doubler, regarde dans le **rétroviseur***, le miroir qui montre la route vers l'arrière.

réunir v. **1.** *On **a réuni** de l'argent pour lui venir en aide* (= recueillir, rassembler). **2.** *Ils **se sont réunis** pour discuter du projet* (= se rencontrer, se rassembler ; ≠ se séparer).

■ **réunion** n.f. SENS 2 *Estelle est allée à une **réunion** électorale* (= assemblée).

réussir v. **1.** *Lise **a réussi** (à) son examen*, elle a eu un bon résultat (≠ échouer). **2.** *France **a réussi** à gagner la compétition* (= parvenir).

■ **réussite** n.f. **1.** *J'ai fêté ma **réussite*** (= succès ; ≠ échec). **2.** *Il passe le temps en faisant des **réussites***, en jouant tout seul aux cartes.

revaloir v. *Tu m'as rendu service et je te **revaudrai** cela*, je te rendrai service à mon tour.
R. → Conj. n° 50.

revaloriser → valoir.

revanche n.f. **1.** *Paul a agi par esprit de **revanche*** (= vengeance). **2.** *Marie a gagné une partie et perdu la **revanche**,* la deuxième partie. **3.** *Jean est médiocre en mathématiques,* **en revanche** *il est très bon musicien* (= mais).

rêvasser, rêve, rêvé → *rêver.*

revêche adj. *Elle m'a regardé d'un air* **revêche** (= hargneux ; ≠ aimable, doux).

réveiller v. **1.** *Un bruit m'a réveillé au milieu de la nuit,* il m'a tiré du sommeil (≠ endormir). **2.** *Cette odeur réveille en moi des souvenirs agréables* (= évoquer).
■ **réveil** n.m. **1.** *À son réveil, elle était de mauvaise humeur.* **2.** *Le réveil a sonné à 8 heures,* une petite pendule qui sonne à l'heure qu'on a choisie.

réveillon n.m. *Pour le réveillon de Noël, nous avons mangé une dinde,* le repas de fête au cours de la nuit.
■ **réveillonner** v. *Le 31 décembre, nous avons réveillonné chez Jacques,* nous avons fait un réveillon.

révéler v. *Pierre n'a pas voulu révéler ses projets,* les faire connaître (= dévoiler ; ≠ cacher).
■ **révélation** n.f. *L'accusée a fait des révélations au tribunal,* elle a donné des informations inattendues. *Ce détail a été pour moi une révélation,* il m'a mieux fait comprendre. *Cette comédienne est la révélation de l'année,* une personne en qui l'on découvre un grand talent.
■ **révélateur, trice** adj. *Cette lettre est révélatrice de ses intentions.*

revenant → *revenir.*

revendiquer v. *Les ouvriers ont revendiqué une augmentation de salaire* (= réclamer). *L'attentat a été revendiqué par un groupe hostile au gouvernement,* ils déclarent en être responsables.
■ **revendication** n.f. *Leurs justes revendications ont été satisfaites* (= demande, réclamation).
■ **revendicatif, ive** adj. *Les manifestants lançaient des slogans revendicatifs.*

revendeur, revendre, revente → *vendre.*

revenir v. **1.** *Après un an d'absence, elle est revenue chez elle* (= rentrer, retourner). **2.** *Le docteur m'a dit de revenir demain,* de venir une autre fois. **3.** *Le blessé est revenu à lui,* il a cessé d'être évanoui. **4.** *Je n'en reviens pas,* je suis très surpris. **5.** Fam. *Sa figure ne me revient pas,* elle ne m'inspire pas confiance (= plaire). **6.** *Cet argent me revient,* il doit m'être donné. **7.** *À combien revient cette voiture ?,* combien coûte-t-elle ? **8.** *Pierre fait revenir des oignons dans la poêle,* il les fait cuire dans la graisse ou du beurre. **9.** *Cela revient au même,* c'est la même chose.
■ **revenant** n.m. SENS 1 *On m'a raconté une histoire de revenants,* de morts qui reviennent (= fantôme).
■ **revenu** n.m. SENS 6 *Il faut chaque année déclarer ses revenus au fisc,* l'argent qu'on a reçu.
■ **revient** n.m. SENS 7 *Le prix de revient d'un objet,* c'est ce qu'il coûte en totalité. **R.** → Conj. n° 23. *Revenir se conjugue avec être.* → *retour.*

rêver v. **1.** *J'ai rêvé cette nuit que j'étais un oiseau,* je l'ai vu dans mon sommeil. **2.** *M. Dupont rêve de s'acheter une voiture,* il le désire vivement. **3.** *Jean rêve au lieu d'écouter,* il est distrait, dans la lune. **4.** Fam. *Tu rêves en couleurs !,* tu te fais des illusions.
■ **rêve** n.m. SENS 1 *Bonne nuit, fais de beaux rêves !* SENS 2 *Son rêve est de partir en vacances* (= désir).
■ **rêvé, e** adj. SENS 2 *Voilà le modèle rêvé !* (= souhaitable, idéal).
■ **rêvasser** v. SENS 3 *Tu passes ton temps à rêvasser* (= rêver).
■ **rêverie** n.f. SENS 3 *Cléa est perdue dans ses rêveries* (= songe).
■ **rêveur, euse** adj. et n. SENS 3 *Elle m'a regardé d'un air rêveur* (= distrait). *Jean est un rêveur.*

réverbère n.m. *Les réverbères de l'avenue sont allumés,* les lampes qui l'éclairent.

réverbérer v. *Les vitres réverbèrent le soleil,* elles renvoient sa lumière (= réfléchir).
■ **réverbération** n.f. *La réverbération du soleil sur la neige est aveuglante.*

reverdir → *vert.*

révérence n.f. *J'ai fait une révérence avant de partir,* un salut cérémonieux.

révérend, e adj. et n. *On dit « Mon révérend père »* à certains religieux comme titre d'honneur.

révérer v. *Les chrétiens révèrent Dieu,* ils le respectent profondément.

rêverie → *rêver.*

revers n.m. **1.** *Écris sur le revers de la feuille,* sur l'autre côté (= dos, verso ; ≠ face, recto). **2.** *Il a une décoration au revers de sa veste,* sur la partie rabattue qui fait un pli. *Il y a un revers de la médaille à tout événement heureux,* un aspect désagréable. **3.** *Tous ces revers l'ont démoralisé* (= échec, défaite ; ≠ succès). **4.** *La joueuse de tennis a fait un revers,* elle a renvoyé la balle par un coup de gauche à droite (si elle est droitière).

réversible adj. *Un mouvement réversible,* peut se produire en sens inverse.
■ **irréversible** adj. *L'évolution de cette maladie est irréversible,* on ne peut pas revenir dans le même état qu'auparavant.

revêtir v. **1.** *Tu as revêtu ton plus beau costume,* tu l'a mis. **2.** *On a revêtu le mur d'une couche de ciment* (= recouvrir).
■ **revêtement** n.m. SENS 2 *Le revêtement de la route est en mauvais état,* la couche de matériaux qui la recouvre.
R. → Conj. n° 27.

rêveur → *rêver.*

revient → *revenir.*

revigorer v. *Cette promenade au grand air m'a revigoré,* elle m'a redonné des forces (= revivifier).

revirement n.m. *Son revirement m'a étonnée,* son changement complet d'opinion.

réviser v. **1.** *Marie révise ses leçons,* elle les étudie de nouveau. **2.** *Il faut faire réviser la voiture,* la faire examiner et réparer s'il y a lieu.
■ **révision** n.f. SENS 1 *As-tu fini tes révisions ?* SENS 2 *Il procède à la révision de la voiture* (= vérification).

revivifier → *vivifier.*

revivre → *vie.*

révocation → *révoquer.*

revoir → *voir.*

révolter v. **1.** *Les gens se sont révoltés contre le tyran* (= se soulever). **2.** *Cette injustice me révolte* (= indigner).
■ **révoltant, e** adj. SENS 2 *Ce qu'elle a dit est révoltant* (= choquant, scandaleux).
■ **révolte** n.f. SENS 1 *Une révolte a éclaté dans ce pays* (= insurrection). SENS 2 *Un sentiment de révolte m'envahit* (= indignation).

révolu, e adj. *Patricia a dix-huit ans révolus* (= accompli, passé).

révolution n.f. **1.** *La Révolution française a renversé la royauté,* un changement brutal de régime politique. **2.** *Cette découverte est une révolution scientifique,* une nouveauté totale (= bouleversement). **3.** *La Terre accomplit une révolution autour du Soleil en 365 jours un quart,* un tour complet.
■ **révolutionnaire** adj. et n. SENS 1 *1789 est le début de la période révolutionnaire. Les révolutionnaires ont pris la Bastille.* SENS 2 *Cette auto est révolutionnaire,* très nouvelle.
■ **révolutionner** v. SENS 2 *L'invention de l'électricité a révolutionné le monde,* elle l'a beaucoup changé.

revolver n.m. *Le bandit a tiré un coup de revolver,* une arme à feu de petite taille. **R.** On prononce [revɔlvɛr].

révoquer v. *Le maire a été révoqué,* il a été chassé de son poste.
■**révocation** n.f. *Cette révocation est injuste* (= renvoi).
■**irrévocable** adj. *Ma décision est irrévocable,* je n'en changerai pas (= définitif).

revue n.f. **1.** *On a passé en revue tous les détails de l'affaire,* on les a examinés l'un après l'autre. **2.** *As-tu assisté à la revue du 1er Juillet ?,* au défilé des soldats. **3.** *On est abonné à plusieurs revues,* des publications périodiques.

se révulser v. *Ses yeux se sont révulsés,* on n'en voyait plus que le blanc.

rez-de-chaussée n.m.inv. *Les Durand habitent au rez-de-chaussée,* au niveau du sol.

rhabiller → *habiller.*

rhétorique n.f. *La rhétorique est l'art de bien parler.*

rhinocéros n.m. *Le rhinocéros d'Afrique a deux cornes sur le nez, celui d'Asie n'en a qu'une.*

rhododendron n.m. *Les rhododendrons en fleur sont magnifiques,* une sorte d'arbuste.

rhubarbe n.f. *Jean aime la compote de rhubarbe,* une plante au suc acide.

rhum n.m. *On met du rhum dans certains gâteaux,* de l'alcool de canne à sucre. **R.** On prononce [rɔm].

rhumatisme n.m. *Les vieilles personnes ont souvent des rhumatismes,* des douleurs aux articulations.
■**rhumatisant, e** n. *Mon grand-père est rhumatisant.*

rhume n.m. *Pierre a un gros rhume,* il éternue et il tousse, une maladie pas très grave.

■**s'enrhumer** v. *Couvre-toi, sinon tu vas t'enrhumer,* attraper un rhume.

ribambelle n.f. Fam. *Les Durand ont une ribambelle d'enfants,* un grand nombre (= trâlée).

ricaner v. *Tu devrais réfléchir au lieu de ricaner,* de rire bêtement.
■**ricanement** n.m. *Tes ricanements ne m'impressionnent pas.*

riche adj. et n. **1.** *M. Duval est riche,* il a de l'argent, des biens (≠ pauvre). *C'est une nouvelle riche,* elle est riche depuis peu. **2.** *Ce pays est riche en pétrole,* il en a beaucoup. **3.** *Sa maison possède un riche mobilier* (= luxueux, précieux).
■**richement** adv. SENS 3 *L'appartement est richement meublé.*
■**richesse** n.f. SENS 1 *Sa richesse est très grande* (= fortune ; ≠ pauvreté). SENS 2 *Les richesses naturelles d'un pays,* ce sont ses ressources.
■**richissime** adj. SENS 1 *Ce banquier est richissime,* extrêmement riche.
■**enrichir** v. SENS 1 *Le pétrole a enrichi ce pays,* il lui a fait gagner de l'argent. SENS 2 *On s'est enrichi au contact de cette personne,* on a appris beaucoup de choses.
■**enrichissement** n.m. SENS 1 *C'est une personne honnête, qui doit son enrichissement à son travail* (≠ appauvrissement). SENS 2 *Les remarques apportent un enrichissement au texte.*

ricocher v. *La balle a ricoché contre le mur* (= rebondir).
■**ricochet** n.m. *Jean fait des ricochets sur le lac,* il lance des pierres plates qui rebondissent à la surface de l'eau.

rictus n.m. *Il avait un rictus de souffrance sur son visage,* son visage était déformé (= grimace).

ride n.f. *En vieillissant, tu auras des rides,* des petits plis de la peau sur le visage.

■ **rider** v. *Quand elle est soucieuse son front se ride* (= plisser).

■ **dérider** v. *Sa plaisanterie a déridé ses amis,* ils ont quitté leur air soucieux (= égayer).

76, 440 **rideau** n.m. **1.** *Peux-tu fermer les rideaux ?,* les pièces de tissu placées devant la fenêtre. **2.** *Les cultures sont protégées par un rideau d'arbres,* une rangée.

rider → ride.

ridicule adj. et n.m. *Ce petit chapeau sur la grosse tête de Jacques est ridicule* (= risible, grotesque). *C'est ridicule de se fâcher pour si peu,* c'est absurde. *On l'a tourné en ridicule,* on s'est moqué de lui.

■ **ridiculement** adv. *Son chapeau est ridiculement petit.*

■ **ridiculiser** v. *Tu te ridiculises en t'habillant ainsi,* tu te rends ridicule.

rien 1. pron.indéfini *Il fait noir, je ne vois rien,* aucune chose (≠ quelque chose). *Il n'a rien,* il n'a aucune fortune. **2.** n.m. *Ils se sont fâchés pour un rien,* une chose sans importance.

rieur → rire.

rigide adj. **1.** *Ce livre a une couverture rigide,* qui ne plie pas (= raide ; ≠ mou). **2.** *La directrice est très rigide* (= sévère ; ≠ indulgent).

rigolade → rire.

368 **rigole** n.f. *Cette rigole permet l'évacuation des eaux de pluie,* ce petit canal.

rigoler, rigolo → rire.

rigueur n.f. **1.** *Les prisonniers ont été traités avec rigueur,* une grande sévérité. **2.** *La rigueur du froid a augmenté* (= dureté). **3.** *La rigueur de ses raisonnements est très grande* (= exactitude, précision). **4.** *Ici, la cravate est de rigueur* (= obligatoire). **5.** *À la rigueur, je peux venir demain,* si c'est indispensable.

■ **rigoureux, euse** adj. SENS 1 *Cette punition est trop rigoureuse* (= sévère).

SENS 2 *L'hiver a été rigoureux.* SENS 3 *Son analyse est rigoureuse.*

■ **rigoureusement** adv. SENS 4 *Il est rigoureusement interdit de fumer* (= absolument, formellement).

rillettes n.f.pl. *La charcutière vend des rillettes d'oie,* une sorte de pâté.

rimer v. **1.** *« Bonheur » rime avec « malheur »,* ces mots se terminent de la même manière. **2.** *Cela ne rime à rien,* n'a aucun sens.

■ **rime** n.f. SENS 1 *À la fin de chaque vers il y a une rime,* un son qui est répété à la fin d'un autre vers.

rincer v. *Rince bien les verres avant de les essuyer !,* passe-les dans l'eau propre. *As-tu bien rincé tes cheveux ?.*

■ **rinçage** n.m. *Un seul rinçage ne suffit pas,* il reste du savon dans le linge.

ring n.m. *Les boxeurs sont montés sur le ring,* sur l'estrade où a lieu le combat.

ripaille n.f. *À ce banquet, les convives ont fait ripaille,* ils ont beaucoup mangé.

riposter v. *Il a riposté à son adversaire par des injures* (= répondre, répliquer).

■ **riposte** n.f. *Quand on embête le chat, sa riposte est immédiate, il griffe* (= réaction, contre-attaque).

rire v. **1.** *Nous avons beaucoup ri de ses plaisanteries,* cela nous a rendus gais (≠ pleurer). **2.** *On a dit cela pour rire* (= plaisanter, s'amuser). **3.** *Je n'aime pas qu'on rie de moi* (= se moquer). **4.** *Il n'entend pas à rire,* il ne comprend pas la plaisanterie.

■ **rire** n.m. SENS 1 *On entend des éclats de rire à côté. Ces mots ont provoqué des rires dans l'assistance.*

■ **rieur, euse** adj. et n. SENS 1 *Marie a les yeux rieurs* (= gai). *Il a mis les rieurs de son côté,* ceux qui rient.

■ **rigoler** v. est un équivalent familier de *rire.*

■ **rigolade** n.f. SENS 1 Fam. *Quelle rigolade, quand elle raconte des histoires !,* on rit.

■ **rigolo, ote** adj. et n. SENS 1 Fam. *Elle est rigolote avec son chapeau* (= drôle).

■ **risée** n.f. SENS 3 *Il est la risée de ses camarades,* ils se moquent de lui.

■ **risette** n.f. *Le bébé fait des risettes,* il sourit.

■ **risible** adj. SENS 3 *Il est habillé de manière risible,* on rit de lui (= ridicule).
R. → Conj. n° 67. → *riz.*

ris n.m. *Nous avons mangé des ris de veau,* un morceau constitué par les glandes du cou.
R. → *riz.*

risée, risible → *rire.*

risquer v. **1.** *Elle a risqué sa vie pour me sauver,* elle l'a mise en danger (= exposer). **2.** *Attention, tu risques de tomber et de te faire mal,* cela pourrait t'arriver.
■ **risque** n.m. *Cette entreprise comporte des risques* (= danger). *Tu peux te baigner dans cette eau froide, mais c'est à tes risques et périls,* en en prenant sur toi toute la responsabilité.
■ **risqué, e** adj. *Voilà une entreprise bien risquée,* hasardeuse, téméraire.
■ **risque-tout** n.inv. *Ces alpinistes sont des risque-tout,* ils sont téméraires, imprudents.

rissoler v. *Julien fait rissoler des pommes de terre,* il les fait cuire dans l'huile à feu vif.

ristourne n.f. *La vendeuse m'a fait une ristourne de 10 pour 100* (= réduction, remise).

rite n.m. *Cette religion a des rites bizarres,* des pratiques religieuses, des cérémonies.
■ **rituel, elle** adj. *Il arrive toujours à 8 heures, c'est rituel,* cela se passe toujours ainsi (= réglé).
■ **rituellement** adv. *On a rituellement souhaité la bonne année aux oncles et tantes* (= traditionnellement).

ritournelle n.f. *Tu nous fatigues à répéter toujours la même ritournelle* (= refrain, chanson).

rituel, rituellement → *rite.*

rivage → *rive.*

rival, e, aux adj. et n. *Ce match va départager les deux équipes rivales,* qui se disputent la victoire (= concurrent). *Il y a eu de nombreux rivaux pour ce poste* (= concurrent). *Pour mon goût, ce fromage est sans rival* (= inégalable).
■ **rivaliser** v. *Tu ne peux rivaliser avec elle* (= se battre, lutter).
■ **rivalité** n.f. *Il y a une rivalité commerciale entre ces deux pays* (= opposition, lutte, concurrence).

rive n.f. *Nous habitons sur la rive droite du fleuve* (= côté, bord).   721
■ **rivage** n.m. *Le bateau s'éloigne du rivage,* du bord de la mer (= côte, littoral).   725
■ **riverain, e** n. **1.** *Les riverains ont fui devant l'inondation,* ceux qui habitent au bord de la rivière ou du fleuve. **2.** *Les riverains sont les personnes qui habitent une maison le long d'une rue, d'une route,* etc.

river v. **1.** *Les anneaux de la chaîne sont rivés,* attachés avec des rivets. **2.** *Il a les yeux rivés sur moi* (= attacher, fixer).
■ **rivet** n.m. *Un rivet est une sorte de clou dont les deux extrémités sont aplaties après la pose.*

riverain → *rive.*

rivière n.f. *Nous nous sommes baignés dans la rivière,* un cours d'eau.   152, 721, 801

rixe n.f. *Albert a été blessé dans une rixe,* une violente bagarre.

riz n.m. *Au restaurant chinois, nous avons naturellement mangé du riz,* une céréale.   578
■ **rizière** n.f. *Le riz pousse dans des rizières,* des terrains humides.
R. *Riz* se prononce [ri] comme *ris* et [i/] *rit* (de *rire*).

robe n.f. **1.** *Marie a une robe rouge,* un vêtement féminin. **2.** *Les magistrats portent des robes,* des vêtements d'apparat.   37, 805

3. *Quand il se lève le matin, Paul enfile sa robe de chambre,* un vêtement d'intérieur. **4.** *On a mangé des pommes de terre en robe de chambre (ou en robe des champs),* cuites avec leur peau.

79 **robinet** n.m. *L'eau coule sur l'évier, ferme le robinet !*

robineux, euse n. Fam. *Plusieurs robineux dorment dans le parc,* des clochards qui boivent de l'alcool, des ivrognes.

robot n.m. *Elle a des gestes mécaniques comme un robot,* une machine automatique pouvant faire le travail de l'homme.

robuste adj. *Ces enfants sont robustes* (= fort, résistant, vigoureux ; ≠ fragile, délicat).

roc n.m. *Marie est restée ferme comme un roc* (= rocher).
■ **rocaille** n.f. **1.** *Rien ne pousse dans cette rocaille,* ces cailloux. **2.** *Devant cette demeure, il y a une belle rocaille,* un décor de pierres entre lesquelles poussent des fleurs ou des plantes.
■ **rocailleux, euse** adj. **1.** *Ce sentier est rocailleux* (= caillouteux). **2.** *Une voix rocailleuse* est forte et rude.

rocambolesque adj. *Il m'est arrivé une aventure rocambolesque* (= extraordinaire, incroyable).

roche n.f. **1.** *Quand on creuse le sol, on arrive à la roche* (= pierre). **2.** *La craie est une roche tendre,* une matière minérale. **3.** *Xavier a plein de roches dans ses poches,* des cailloux.
■ **724, 434** **rocher** n.m. SENS 1 *Nous sommes montés sur un énorme rocher,* un bloc de pierre.
■ **rocheux, euse** adj. SENS 1 *La côte est rocheuse,* formée de rochers.

rock n.m. et adj. *Diane Dufresne est une bonne chanteuse de rock,* de musique très rythmée.

rodage n.m. *Ne va pas trop vite, la voiture est en rodage,* les pièces encore neuves seraient abîmées par des efforts trop violents.
■ **roder** v. **1.** *M. Durand met beaucoup de soin à roder son moteur,* à faire le rodage. **2.** *Ce spectacle n'est pas encore rodé,* au point.

rodéo n.m. *Ce cow-boy a remporté le rodéo,* un jeu qui consiste à tenir le plus longtemps possible sur un cheval sauvage.

roder → *rodage.*

rôder v. *Il y a des chiens qui rôdent dans la rue,* qui vont et viennent (= errer).
■ **rôdeur, euse** n. *La police a arrêté un rôdeur* (= vagabond).
R. Ne pas confondre *rôder* [rode] et *roder* [rɔde].

rodomontade n.f. *Ses menaces ne sont que des rodomontades,* de vaines paroles de quelqu'un qui fait l'important (= fanfaronnade, vantardise).

rogne n.f. Fam. *Elle se met en rogne à la moindre contrariété* (= en colère, de mauvaise humeur).

rogner v. **1.** *La photo est un peu trop grande pour le cadre, il faut rogner les bords,* les recouper, les réduire. **2.** *M. Dupont rogne sur la nourriture,* il ne veut pas dépenser beaucoup pour cela.
■ **rognure** n.f. SENS 1 *J'habille ma poupée avec des rognures de tissu,* des petits morceaux bons à jeter (= chute, déchet).

rognon n.m. *Je vous ai fait des rognons de veau à la crème,* un plat constitué par les reins de cet animal.

roi n.m. **1.** *Autrefois, la France était gouvernée par un roi,* un souverain héréditaire (= monarque). **2.** *Lise a joué le roi de cœur,* une des figures aux cartes.
■ **reine** n.f. **1.** SENS 1 *La reine d'Angleterre a rencontré le Premier ministre.* **2.** *Elle a été la reine de la fête,* celle qui

l'emporte sur les autres. **3.** *Dans la ruche, la* **reine** *pond les œufs.*

■ **royal, e, aux** adj. SENS 1 *Le pouvoir* **royal** *était sans limites légales. Ce collier est un cadeau* **royal,** *digne d'un roi* (= magnifique, somptueux).

■ **royalement** adv. *On nous a traités* **royalement,** *très bien.*

■ **royaliste** n. SENS 1 *Les* **royalistes** *veulent le renversement de la République.*

■ **royaume** n.m. SENS 1 *Le* **royaume** *de France s'est agrandi peu à peu,* le territoire gouverné par le roi.

■ **royauté** n.f. SENS 1 *La* **royauté** *était héréditaire,* la dignité de roi.

roitelet n.m. *Des* **roitelets** *se sont envolés de la haie,* des petits oiseaux.

rôle n.m. **1.** *M. Durand a joué un* **rôle** *important dans cette affaire,* il a eu une influence (= action, fonction). **2.** *L'actrice apprend son* **rôle,** ce qu'elle doit dire et faire sur scène.

romain, e adj. **1.** *Les antiquités* **romaines** *datent de l'ancien empire de Rome.* **2.** *I, V, X sont des chiffres* **romains. 3.** *Les synonymes et les contraires sont écrits en caractères* **romains,** en lettres d'imprimerie droites (≠ italique).

romaine n.f. *La* **romaine** *est une salade à feuilles croquantes.*

1. roman, e adj. **1.** *Le français, l'italien, l'espagnol sont des langues* **romanes,** qui viennent du latin. **2.** *Cette église est de style* **roman,** d'un style qui est caractéristique du milieu du Moyen Âge et qui a des voûtes arrondies.

2. roman n.m. *Ce* **roman** *est très intéressant,* ce livre qui raconte une histoire imaginée.

■ **romancier, ère** n. *Quel est le nom de la* **romancière** *?,* de l'auteure du roman.

■ **romanesque** adj. *On a eu des aventures* **romanesques,** dignes d'un roman (= fantastique).

romance n.f. *On a chanté une* **romance** *bretonne,* une chanson sentimentale.

romancier → roman 2.

romand, e adj. *La Suisse* **romande** *est la partie de la Suisse où l'on parle français.*

romanesque → roman 2.

romanichel, elle n. *Des* **romanichels** *campent à l'entrée du village,* des gens qui vivent dans des roulottes (= bohémien, gitan).

romantique adj. *Julien a une imagination* **romantique,** il est sentimental, exalté.

romarin n.m. *Albert a mis du* **romarin** *dans le civet,* une plante qui sent bon.

rompre v. **1.** *Jean s'est rompu une jambe en faisant du ski* (= casser, briser). **2.** *Marie a rompu le silence* (= interrompre, troubler). **3.** *M. Duval a rompu avec sa femme,* ils se sont séparés. **4.** *Je suis* **rompue** *à ce genre de travail,* j'y suis très exercée.

■ **rupture** n.f. SENS 1 *La* **rupture** *de la corde est due à l'usure.* SENS 3 *Quelle est la cause de leur* **rupture** *?* (= séparation, brouille).

R. → Conj. n° 53. → rond.

ronce n.f. *Jean s'est égratigné dans les* **ronces,** des plantes à épines.

ronchonner v. *Quel mauvais caractère, tu* **ronchonnes** *tout le temps !* (= protester ; fam. râler).

rond, e adj. **1.** *Nous mangeons autour d'une table* **ronde** (= circulaire). **2.** *La Terre est* **ronde** (= sphérique). **3.** *Cécile a un petit visage* **rond** (= arrondi ; ≠ anguleux). **4.** *M. Dubois est un homme tout* **rond,** gros et petit (≠ maigre). **5.** *Elle a avalé le morceau* **tout rond,** sans mâcher. **6.** *Voilà un tas de bois* **rond,** non fendu. **7.** *10 est un chiffre* **rond,** sans décimales. **8.** adv. *Le moteur tourne* **rond,** régulièrement.

■ **rond** n.m. **1.** SENS 1 *Fais des* **ronds** *avec ton compas* (= cercle). **2.** *Sophie n'a*

364

*rien à faire, elle **tourne en rond,*** elle va et vient sans but précis.

■ **ronde** n.f. **1.** SENS 1 *Les enfants dansent une **ronde,*** ils se tiennent par la main et tournent en rond. **2.** *Les soldats ont fait leur **ronde,*** leur tournée d'inspection. **3.** *Il n'y a personne à dix kilomètres **à la ronde,*** tout autour. **4.** La ***ronde*** est une note de musique prise comme unité.

■ **rondement** adv. SENS 6 *L'affaire a été menée **rondement*** (= vite).

■ **rondeur** n.f. SENS 4 *Tu as des **rondeurs,*** certaines parties de ton corps sont grosses.

■ **rondelet, ette** adj. SENS 4 *Cet enfant est **rondelet*** (= grassouillet).

■ **rondelle** n.f. **1.** SENS 1 *Veux-tu une **rondelle** de saucisson ?,* une tranche ronde. **2.** *Le joueur de hockey a lancé la **rondelle** dans le but,* un palet de caoutchouc durci.

■ **rondin** n.m. SENS 1 *Le bûcheron coupe la branche en **rondins,*** en morceaux ronds. *Il y a une cabane de **rondins** dans la forêt,* faite de troncs d'arbres.

■ **rond-point** n.m. SENS 1 *Au **rond-point,** tu tourneras à droite,* à la place ronde.

■ **arrondir** v. SENS 3 *L'ourlet de la robe n'est pas droit, il faut l'**arrondir,*** lui donner une forme ronde. SENS 5 *Vous me devez 101 dollars, 100 en **arrondissant,*** en donnant un chiffre rond.

R. *Rond* se prononce [rɔ̃] comme [je] *romps* (de *rompre*). Noter le pluriel : des *ronds-points.*

ronfler v. *Quand tu dors, tu **ronfles,*** tu fais un bruit en respirant.

■ **ronflement** n.m. *Entends-tu ce **ronflement** de moteur ?,* ce bruit sourd et continu.

■ **ronflant, e** adj. *Yaelle emploie des mots **ronflants*** (= pompeux ; ≠ simple).

ronger v. **1.** *Le chien **ronge** son os,* il le mord et le gratte avec ses dents. **2.** *La rouille **ronge** le fer* (= attaquer). **3.** *Estelle **est rongée** par le chagrin* (= tourmenter).

■ **rongeur** n.m. SENS 1 *Les rats, les lapins, les écureuils sont des **rongeurs,*** des animaux qui se nourrissent en rongeant leurs aliments.

ronronner v. *Le chat **ronronne** quand il est content,* il fait entendre un bruit spécial.

■ **ronronnement** n.m. *On se laisse bercer par le **ronronnement** du moteur,* le bruit sourd et continu.

roquefort n.m. Le ***roquefort*** est un fromage de brebis contenant des moisissures.

roquet n.m. *Encore ce sale **roquet** qui aboie !,* ce petit chien hargneux.

roquette n.f. Une ***roquette*** est un projectile employé particulièrement contre les chars.

rosace n.f. *La **rosace** de cette cathédrale est magnifique,* le grand vitrail rond.

rosâtre → rose.

rosbif n.m. *Le **rosbif** était trop cuit,* le rôti de bœuf.

rose n.f. **1.** *Ces **roses** embaument toute la pièce,* des fleurs. **2.** *La **rose** des vents permet de savoir d'où vient le vent,* une sorte d'étoile qui indique les points cardinaux sur le cadran d'un compas. **3.** adj. et n.m. *Luc porte une chemise **rose** ; il aime s'habiller en **rose*** (= rouge clair).

■ **rosâtre** adj. SENS 3 *Elle porte une robe d'une couleur **rosâtre,*** d'une couleur proche du rose.

■ **rosé, e** adj. et n.m. SENS 3 *Ce vigneron fait du (vin) **rosé,*** du vin d'un rouge clair.

■ **roseraie** n.f. SENS 1 *Il y a des roses de toutes les couleurs dans la **roseraie,*** dans la plantation de rosiers.

■ **rosier** n.m. SENS 1 *Ce **rosier** donne des roses rouges.*

roseau n.m. *Pierre s'est fait une flûte en **roseau,*** une plante à tige creuse.

rosée n.f. *Ce matin, le pré était couvert de **rosée,*** de gouttelettes d'eau ne provenant pas de la pluie.

roseraie → *rose.*

rosette n.f. *M. Paoli porte la **rosette** de la Légion d'honneur,* le petit insigne rond de cette décoration.

rosier → *rose.*

rosse adj. Fam. *Ne sois pas **rosse**, prête-moi 10 dollars* (= méchant).
■ **rosserie** n.f. Fam. *Tu m'as encore fait une **rosserie*** (= méchanceté).

rosser v. Fam. *Il s'est fait **rosser** par des voyous* (= battre, frapper).
■ **rossée** n.f. Fam. *On a reçu une **rossée**,* des coups.

rossignol n.m. *Marie a une voix de **rossignol**,* belle comme le chant de cet oiseau.

rostre n.m. *Le **rostre** servait à éventrer les navires ennemis,* l'éperon d'un navire de guerre.

rot → *roter.*

rotation n.f. *La **rotation** de la Terre autour du Soleil dure un an,* le mouvement tournant.
■ **rotatif, ive** adj. *Une pompe **rotative*** agit en tournant.
■ **rotative** n.f. *Le journal est sur la **rotative**,* la presse à imprimer.

roter v. Très fam. *Il est mal élevé de **roter** en public,* de laisser échapper avec bruit par la bouche les gaz de l'estomac.
■ **rot** n.m. *Tu as laissé échapper un **rot**,* tu as roté.
R. *Rot* se prononce [ro].

rôti → *rôtir.*

rotin n.m. *Les élèves tressent des objets en **rotin**,* avec les tiges d'une plante.

rôtir v. *Jean a mis un poulet à **rôtir**,* à cuire à la broche ou au four.
■ **rôti, e** adj. *Nous mangeons du poulet **rôti**. J'adore les patates **rôties**.*
■ **rôti** n.m. *Nous avons mangé un **rôti** de veau.*

■ **rôtie** n.f. *Ce matin je voudrais manger un œuf et une **rôtie**,* une tranche de pain grillée.
■ **rôtisserie** n.f. *Allons manger dans une **rôtisserie**,* un restaurant qui sert surtout du poulet rôti.
■ **rôtissoire** n.f. *On a mis le rôti dans la **rôtissoire** électrique* (= four).

rotonde n.f. *Une **rotonde** est la partie circulaire de certains bâtiments surmontée d'une coupole.

rotondité n.f. *La **rotondité** de la Terre,* c'est sa forme sphérique.

rotule n.f. *Ruth s'est cassé la **rotule** en tombant,* l'os du genou.   40

roturier, ère n. *Sous la royauté, les **roturiers** étaient défavorisés,* ceux qui n'étaient pas nobles.

rouage n.m. *Un **rouage** de ma montre est cassé,* un élément du mécanisme.

roublard, e n. Fam. *Méfie-toi de Jacques, c'est un **roublard**,* il est malin, rusé.
■ **roublardise** n.f. Fam. *On s'est laissé prendre à ses **roublardises**.*

rouble n.m. *Le **rouble** est la monnaie de l'U.R.S.S.

roucouler v. *Les pigeons **roucoulent**,* ils font entendre le bruit particulier de leur gosier.
■ **roucoulement** n.m. *On entend le **roucoulement** des pigeons.*

roue n.f. **1.** *Les autos ont quatre **roues**, les bicyclettes ont deux **roues**.* **2.** *Le paon fait la **roue**,* il déploie les plumes de sa queue en éventail. Fam. *Le directeur faisait la roue devant le ministre,* il faisait l'important (= se pavaner).   803, 721, 512, 506
■ **deux-roues** n.m.inv. *Les vélos, les cyclomoteurs, les motos sont des **deux-roues**.*

roué, e adj. *Julien est très **roué*** (= malin, rusé).
■ **rouerie** n.f. *On se méfie de sa **rouerie*** (= ruse).

rouet n.m. *Autrefois, on filait la laine avec un rouet,* un instrument à roue.

rouge adj. et n.m. **1.** *Le sang est rouge. Ne passe pas, le feu est au rouge !* **2.** *Je n'aime pas la couleur de ton rouge à lèvres,* un produit de maquillage pour les lèvres. **3.** *Les rouges ont gagné les élections,* les libéraux.

■**rouge** adv. *Voir rouge, c'est être très en colère.*

■**rougeâtre** adj. *Éric a des taches rougeâtres sur les bras,* un peu rouges.

■**rougeaud, e** adj. *M. Dupont est un gros homme rougeaud,* au visage rouge.

■**rouge-gorge** n.m. *Des rouges-gorges se sont posés sur ma fenêtre,* des petits oiseaux.

■**rougeole** n.f *Carole a la rougeole,* une maladie pendant laquelle des taches rouges apparaissent sur la peau.

■**rougeoyer** v. *Le feu rougeoie,* il est rouge.

■**rouget** n.m. *La poissonnière m'a vendu des rougets,* des poissons de mer de couleur rose.

■**rougeur** n.f. *Carole a des rougeurs sur la figure,* des taches rouges.

■**rougir** v. *Tu es timide, tu rougis souvent,* tu as le visage qui devient rouge.

rouille n.f. *Cette barre de fer est couverte de rouille,* d'une croûte brune.

■**rouiller** v. *L'humidité fait rouiller le fer et l'acier,* ils s'abîment en se couvrant de rouille.

■**dérouiller** v. **1.** *Avec de la toile émeri, on peut dérouiller des ciseaux,* en ôter la rouille. **2.** Fam. *Je vais me promener pour me dérouiller les jambes,* pour leur redonner de l'exercice.

rouler v. **1.** *La bille a roulé en bas de l'escalier,* elle a avancé en tournant. **2.** *Le train roule à 100 kilomètres à l'heure,* il avance sur ses roues. **3.** *On entend le tonnerre rouler au loin,* faire un bruit sourd et continu. **4.** *Veux-tu rouler la toile cirée,* la plier en rouleau (= enrouler). **5.** *On s'est roulé dans une couver-*ture (= s'envelopper). **6.** Fam. *Tu as payé 100 dollars ? Tu t'es fait rouler* (= tromper). **7.** *Claude roule sur l'or,* il est très riche. **8.** Fam. *J'ai roulé ma bosse à travers le monde,* j'ai beaucoup voyagé.

■**roulant, e** adj. SENS 2 *Mettez vos bagages sur le tapis roulant.* SENS 3 *Un feu roulant* est un tir continu d'armes à feu.

■**roulé, e** adj. SENS 4 *Papa porte un chandail à col roulé.*

■**rouleau** n.m. SENS 1 *Jules aplatit la pâte avec un rouleau à pâtisserie. On égalise la route avec un rouleau compresseur. La mer est agitée, il y a des rouleaux,* des grandes vagues qui déferlent. SENS 4 *Le papier peint se vend en rouleaux* (= cylindre).

■**roulement** n.m. **1.** SENS 1 *Un roulement à billes* sert à diminuer les frottements, un mécanisme contenant des billes qui roulent les unes sur les autres. SENS 3 *Entends-tu les roulements du tambour ?* **2.** *Les ouvrières travaillent par roulement,* elles se remplacent.

■**roulette** n.f. **1.** SENS 2 *Éric a des patins à roulettes,* des patins ayant des petites roues. **2.** *On a perdu une fortune à la roulette,* un jeu de hasard. **3.** *La roulette du dentiste fait du bruit* (= fraise).

■**roulis** n.m. *Le roulis du bateau me rend malade,* le mouvement d'un côté sur l'autre (≠ tangage).

■**dérouler** v. **1.** SENS 4 *Le chat a déroulé la pelote de laine* (≠ rouler). **2.** *L'action du film se déroule en Afrique* (= se passer).

■**déroulement** n.m. *Je ne comprends pas le déroulement des faits,* comment ils se sont déroulés (au sens 2) [= enchaînement].

■**enrouler** v. SENS 4 *Le boa s'est enroulé autour de l'arbre,* il s'est mis autour en spirale.

roulotte n.f. *Les gens du cirque habitent dans des roulottes,* de grandes voitures.

round n.m. *Le boxeur a abandonné au troisième* **round**, à la troisième partie du match.
R. On prononce [rund] ou [rawnd].

roupie n.f. *La* **roupie** *est la monnaie de l'Inde.*

roupiller v. Très fam. *Je vais me coucher, j'ai envie de* **roupiller**, de dormir.

rouquin → *roux*.

rouspéter v. Fam. *Tu* **rouspètes** *pour rien* (= protester, récriminer).
■ **rouspéteur, euse** n. Fam. *Laisse-le crier, c'est un éternel* **rouspéteur** *!* (= grincheux).

rousseur, roussi → *roux*.

route n.f. **1.** *Il y a des travaux sur cette* **route**, une voie large avec un revêtement uni (≠ chemin, sentier). **2.** *Jean n'a pas pu retrouver sa* **route**, la direction qu'il devait prendre (= chemin, itinéraire). *Le navire* **fait route** *vers le sud,* il se dirige. **3.** *Nous* **nous mettrons en route** *à 8 heures* (= partir). **4.** *Impossible de* **mettre en route** *ma voiture ce matin !* (= faire partir, faire démarrer). **5.** *Tu fais* **fausse route**, tu fais erreur.
■ **routier, ère** adj. et n. SENS 1 *Le dimanche, la circulation* **routière** *est intense. Nous avons déjeuné dans un restaurant de* **routiers**, de conducteurs de camions.

routine n.f. *Je voudrais bien échapper à la* **routine**, à la répétition des mêmes actes.
■ **routinier, ère** adj. *M. Dubois mène une vie* **routinière**, il fait tous les jours la même chose.

rouvrir → *ouvert*.

roux, rousse 1. adj. *Le renard a le poil* **roux**, d'un rouge teinté de jaune. **2.** adj. et n. *Claire est (une)* **rousse**, elle a les cheveux roux. **3.** n.m. *Pour lier la sauce, Julien a fait un* **roux**, une préparation à base de farine et de beurre.

■ **rouquin, e** adj. et n. Fam. SENS 2 *Sarah et Alex sont des* **rouquins**, ils ont les cheveux roux.
■ **rousseur** n.f. SENS 1 *Elle a des taches de* **rousseur** *sur la figure,* des taches rousses.
■ **roussi** n.m. *Ça sent le* **roussi** *dans la cuisine,* une odeur de brûlé.

royal, royalement, royaliste, royaume, royauté → *roi*.

ruade → *ruer*.

ruban n.m. *J'ai un* **ruban** *dans les cheveux,* une bande étroite de tissu. 763, 296

rubéole n.f. *Ne t'approche pas d'Aurélie, elle a la* **rubéole**, une maladie contagieuse qui ressemble à la rougeole.

rubicond, e adj. *M. Duval a un visage* **rubicond**, très rouge.

rubis n.m. *Jack a une bague de* **rubis**, une pierre précieuse rouge.

rubrique n.f. *Anna lit toujours la* **rubrique** *sportive du journal,* les articles sur le sport.

ruche n.f. *On élève les abeilles dans des* **ruches**, des sortes de petites cabanes. 362

rude adj. **1.** *L'hiver a été* **rude**, difficile à supporter (= froid, dur ; ≠ doux). **2.** *La montée au sommet est* **rude** (= difficile, pénible). **3.** *M. Martin a la voix* **rude**, brutale, dure.
■ **rudement** adv. **1.** SENS 3 *La directrice parle* **rudement** *à son personnel.* **2.** Fam. *Je suis* **rudement** *contente d'avoir gagné* (= très, fameusement).
■ **rudesse** n.f. SENS 3 *Je n'aime pas la* **rudesse** *de sa voix* (= brusquerie ; ≠ douceur).
■ **rudoyer** v. SENS 3 *Hélène* **rudoie** *son chat,* elle le traite avec rudesse.

rudiments n.m.pl. *Je ne connais que les* **rudiments** *de cette science,* les notions élémentaires.

■ **rudimentaire** adj. *Il a des connaissances* **rudimentaires** *en électronique,* très faibles.

rudoyer → *rude.*

803, 218, 217 **rue** n.f. *On habite dans la* **rue** *d'à côté,* une voie bordée de maisons. *Il y a eu un incendie cette nuit, les locataires* **sont** *tous* **à la rue**, ils n'ont plus de domicile.
■ **ruelle** n.f. *La fenêtre donne sur une* **ruelle**, une petite rue.

ruer v. 1. *Attention ! ce cheval* **rue**, il lance violemment ses pattes en arrière. 2. *Deux hommes* **se sont rués** *sur moi* (= se lancer, se jeter).
■ **ruade** n.f. SENS 1 *Le cheval a lancé une* **ruade**.
■ **ruée** n.f. SENS 2 *À 16 heures, c'est la* **ruée** *des élèves vers la sortie,* ils se précipitent.

rugby n.m. *Qui a gagné le match de* **rugby** *?,* un sport où l'on joue avec un ballon ovale.

rugir v. *Le lion* **rugit**, il pousse son cri.
■ **rugissement** n.m. *Cette enfant pousse des* **rugissements** *de colère.*

rugueux, euse adj. *Cet arbre a une écorce* **rugueuse**, elle est·dure au toucher (= râpeux, rêche ; ≠ lisse, uni).
■ **rugosité** n.f. *Je me suis écorchée aux* **rugosités** *du mur.*

ruine n.f 1. *La maison* **tombe en ruine**, elle s'écroule. *Après l'incendie, les sauveteurs ont fouillé les* **ruines**, ce qui reste du bâtiment détruit (= débris, décombres). 2. *M. Dupont est au bord de la* **ruine**, il va perdre tous ses biens.
■ **ruiner** v. SENS 2 *Les Dupont sont* **ruinés**, ils ont perdu leur fortune (≠ enrichir).
■ **ruineux, euse** adj. SENS 2 *Tu as des goûts* **ruineux**, très coûteux.

ruisseau n.m. *Les enfants pêchent dans le* **ruisseau**, le petit cours d'eau.
■ **ruisseler** v. *La pluie* **ruisselle** *sur·le mur* (= couler).

■ **ruissellement** n.m. *Le chemin a été raviné par le* **ruissellement** *des eaux.*
R. *Ruisseler* → conj. n° 6.

rumeur n.f. 1. *On dit qu'elle est morte, mais ce n'est qu'une* **rumeur**, une nouvelle peu sûre. 2. *Il y a des* **rumeurs** *de mécontentement dans la salle,* des bruits confus.

ruminer v. 1. *Les vaches* **ruminent** *dans le pré,* elles mâchent une deuxième fois l'herbe qu'elles ont mangée. 2. *Line* **rumine** *son échec à l'examen,* elle y pense et repense sans cesse (= remâcher).
■ **ruminant** n.m. SENS 1 *Les bœufs, les moutons, les chameaux sont des* **ruminants**, des animaux qui ruminent grâce à leur estomac spécial.

rupestre adj. *Ces grottes contiennent des gravures* **rupestres**, peintes sur la pierre.

rupture → *rompre.*

rural, e, aux adj. *Les Dupuis possèdent un domaine* **rural**, à la campagne (= agricole, campagnard ; ≠ urbain).

ruse n.f. *Éric a obtenu ce qu'il voulait par la* **ruse**, par un moyen habile, utilisé pour tromper.
■ **rusé, e** adj. *Éric est* **rusé** (= malin).
■ **ruser** v. *Tu sais* **ruser** *pour avoir ce que tu veux,* agir avec ruse (= manœuvrer).

rustaud, e adj. et n. Fam. *Albert est un peu* **rustaud**, il a des manières gauches, maladroites (= balourd).

rustine n.f *Cléa répare sa chambre à air avec une* **rustine**, une pastille de caoutchouc collant.
R. C'est un nom de marque.

rustique adj. *Les Durand ont des meubles* **rustiques**, de forme simple et de style campagnard.

rustre n.m. *Quel est ce* **rustre** *qui m'a bousculée ?,* cet homme mal élevé.

rutabaga n.m. *J'ai fait cuire du **rutabaga**,* un légume au goût proche du navet.

rutilant, e adj. *Les chromes de l'auto sont **rutilants**,* ils brillent vivement (= étincelant, flamboyant).

rythme n.m. **1.** *Les danseurs dansent au **rythme** de la musique,* en suivant le mouvement de la musique (= cadence). **2.** *Le **rythme** de sa respiration s'est accéléré* (= allure, vitesse, mouvement).

■ **rythmer** v. SENS 1 // *rythme sa chanson en tapant du pied,* il indique le rythme.

■ **rythmique** adj. et n.f. SENS 1 *Marie fait de la **rythmique**,* une sorte de gymnastique très rythmée, avec accompagnement musical.

S

s' → *se* et *si*.

sa → *son* 1.

sabbat n.m. **1.** *Chez les Juifs, le samedi est le jour du sabbat,* du repos sacré. **2.** *Dans certains contes, on décrit des sabbats,* des réunions de sorciers.

sable n.m. *La plage est couverte de sable fin,* une matière minérale formée de grains très fins.
▪ **sabler** v. **1.** *On sable les routes verglacées,* on y jette du sable. **2.** *Avant de vernir le meuble, il faut le sabler* (= poncer).
▪ **sablage** n.m. *Le sablage de la chaussée, d'un meuble.*
▪ **sableux, euse** adj. *Une eau sableuse contient du sable.*
▪ **sableuse** n.f *Le menuisier décape le meuble avec une sableuse,* un appareil qui projette sur sa surface un jet de sable.
▪ **sablonneux, euse** adj. *Nous campons sur un terrain sablonneux,* couvert de sable.
▪ **sablier** n.m. *Je mesure le temps de cuisson des œufs à la coque avec un sablier,* un petit appareil dans lequel le sable s'écoule régulièrement.
▪ **sablière** n.f. *Ce camion vient de la sablière,* du lieu où l'on extrait du sable.
▪ **ensabler** v. *L'entrée du port est ensablée,* le sable s'y est accumulé.

1. sabler → *sable.*

2. sabler v. *Pour fêter ce succès, on a sablé le champagne,* on a bu ensemble du champagne.

sabord n.m. *Les sabords étaient des ouvertures sur les flancs des anciens vaisseaux.*

saborder v. *Le capitaine a sabordé son navire,* il l'a coulé volontairement.

sabot n.m. **1.** *Les paysans portent parfois des sabots,* des chaussures de bois. **2.** *Les chevaux, les bœufs ont des sabots,* de la corne au bout de leurs pieds.

saboter v. **1.** *Le pylône de télévision a été saboté,* il a été abîmé ou cassé volontairement. **2.** *Ce travail est saboté,* il est mal fait.
▪ **sabotage** n.m. SENS 1 *L'accident de chemin de fer est dû au sabotage de la voie,* au fait que la voie a été sabotée.
▪ **saboteur, euse** n. SENS 1 *Le pont a été détruit par des saboteurs,* des gens qui l'ont saboté.

sabre n.m. *Autrefois, on se battait avec un sabre,* une sorte d'épée à un seul tranchant.

sabrer v. *Les journaux ont sabré de longs passages de son discours,* ils les ont supprimés.

1. sac → *saccager.*

2. sac n.m. **1.** *Les pommes de terre sont transportées dans des sacs de toile,* des récipients souples. *Les campeurs rangent leurs affaires dans leur sac à dos et dorment dans leur sac de couchage. Qu'y a-t-il dans ton sac à main ? — Mes papiers, mon argent, mes clés.* **2.** *Mon frère a plus d'un tour dans son sac,* il très astucieux, malin. **3.** Fam. *Allez, vide ton sac,* dis ce que tu as à dire.

■ **sachet** n.m. *Les bonbons se vendent en sachets de papier,* en petits sacs.

■ **sacoche** n.f. *Ma moto a des sacoches de cuir,* des sacs fermés suspendus au porte-bagages. *Grand-maman a rangé ses lunettes dans sa sacoche,* son sac à main.

saccade n.f. *La voiture avance par saccades,* par petits bonds (= à-coup, secousse).

■ **saccadé, é** adj. *Ses gestes sont saccadés,* ils se font par saccades (= brusque).

saccager v. *La ville a été saccagée par les ennemis,* pillée et dévastée.

■ **sac** n.m. *Les conquérants ont mis à sac plusieurs villes,* ils les ont pillées, dévastées.

■ **saccage** n.m. *Les voleurs ont fait un véritable saccage dans la maison,* ils ont tout cassé.

sacerdoce n.m. *Depuis vingt ans, ce prêtre exerce son sacerdoce,* ses fonctions religieuses.

■ **sacerdotal, e, aux** adj. *Les vêtements sacerdotaux* sont ceux que le prêtre met pour célébrer les offices.

sachet, sacoche → *sac* 2.

sacquer → *saquer.*

1. sacrer v. *Les rois et les reines de France étaient sacrés à Reims,* ils étaient déclarés rois ou reines au cours d'une cérémonie religieuse.

■ **sacre** n.m. *Le sacre des rois était fastueux,* la cérémonie au cours de laquelle ils étaient sacrés.

■ **sacré, e** adj. **1.** *Ce lieu est sacré,* il a un caractère religieux (= saint). **2.** *Pour Jeanne, l'amitié est sacrée,* on doit absolument la respecter. **3.** Fam. *Tu as eu une sacrée veine de t'en tirer,* une fameuse chance.

■ **sacro-saint, e** adj. Fam. *Tu ne veux rien changer à tes sacro-saintes habitudes* (= vénérable, intangible).

■ **sacrement** n.m. *Le baptême est un sacrement,* un acte de la religion catholique.

2. sacrer v. Fam. *Ton compagnon ne parle pas très bien, il sacre tout le temps,* il jure, il blasphème.

■ **sacre** n.m. *Cet homme est ivre, il n'a que des sacres à la bouche,* des noms d'objets sacrés qui sont déformés et servent de jurons.

sacrifice n.m. **1.** *Les Romains faisaient des sacrifices à leurs dieux,* des offrandes. **2.** *Ils font des sacrifices pour élever leurs enfants,* ils se privent.

■ **sacrifier** v. SENS 1 *Les Romains sacrifiaient des animaux,* ils les tuaient pour les offrir à leurs dieux. SENS 2 *Elle sacrifie ses loisirs à son travail,* elle se prive de loisirs pour travailler. *Ils se sacrifient à leurs enfants* (= se dévouer).

■ **sacrifié, e** adj. SENS 2 *Ce commerçant a quelques articles sacrifiés,* vendus à un prix très bas.

sacrilège n.m. **1.** *Voler des objets du culte dans une église est un sacrilège,* un crime contre une chose sacrée. **2.** *C'est un sacrilège de jouer aussi mal cette musique,* un manque de respect pour elle.

sacripant n.m. Fam. *Ce sacripant-là nous a encore joué un mauvais tour* (= chenapan, vaurien).

sacristie n.f. *Les objets du culte sont rangés dans la sacristie,* une partie de l'église.

■ **sacristain** n.m. *Le sacristain s'occupe de l'entretien de l'église.*

sacro-saint → *sacrer.*

sadique adj. et n. *Adolphe est sadique,* il prend plaisir à faire souffrir les autres.

■ **sadisme** n.m. *Adolphe agit par sadisme.*

safari n.m. *Ils participent à un safari en Afrique,* une expédition de chasse.

■ **safari-photo** n.m. *Nous avons fait un safari-photo au Kenya,* une excursion

pour photographier ou filmer des animaux sauvages dans une réserve.
R. Noter le pluriel : des *safaris-photos*.

safran n.m. *Nous avons mangé du riz au safran,* assaisonné d'une poudre jaune extraite de cette plante.

sagace adj. *C'est une personne sagace* (= perspicace, clairvoyant).
■ **sagacité** n.f. *Sa sagacité lui a fait deviner le piège* (= subtilité).

sagaie n.f. *Les chasseurs de cette tribu sont armés de sagaies,* une sorte de javelot.

sage 1. adj. et n. *Camille est un être sage,* plein de bon sens (= raisonnable, prudent, sérieux ; ≠ fou). 2. adj. *Éric est un enfant sage,* doux et obéissant (= docile).
■ **sagement** adv. SENS 1 *Vous avez agi sagement en évitant la querelle publique.*
■ **sagesse** n.f. SENS 1 *Cette décision est pleine de sagesse* (= bon sens). SENS 2 *Mon fils est d'une sagesse étonnante* (= obéissance, tranquillité).
■ **s'assagir** v. SENS 2 *Nous nous sommes assagis,* nous sommes devenus sages.

sage-femme n.f. *Les sages-femmes aident les mamans à accoucher,* c'est leur métier.

sagesse → *sage.*

sagouin, e n. Fam. *Ce sagouin-là a bâclé son travail,* cet individu grossier, peu soigneux.

saie n.f. *Les Gaulois et les Romains portaient une saie,* une sorte de manteau court.

saignant, saignée, saignement, saigner → *sang.*

saillir v. *L'athlète fait saillir ses muscles,* il les gonfle.
■ **saillant, e** 1. adj. *Le nez est une partie saillante du visage,* il dépasse (= proéminent). 2. *Quels sont les faits saillants de ce congrès* (= marquant).

■ **saillie** n.f. *Le balcon est en saillie sur la façade,* il dépasse de la façade.
R. → Conj. n° 33.

sain, e adj. 1. *Jean est sain de corps et d'esprit,* en bonne santé (≠ malade). 2. *L'air de la montagne est sain,* il est bon pour la santé (= salubre ; ≠ pollué). 3. *Tu as de saines lectures,* tu lis de bons livres.
■ **sainement** adv. SENS 1 *Tu juges sainement la situation,* d'une façon judicieuse (= raisonnablement).
■ **assainir** v. SENS 2 *Assainir l'air d'une pièce,* c'est le rendre sain (= purifier).
■ **assainissement** n.m. SENS 2 *On procède à l'assainissement des marais,* on les assainit.
■ **malsain, e** adj. SENS 2 *Tu travailles dans les mines, c'est un métier malsain,* dangereux pour la santé.
R. → *saint* et *scène.*

saindoux n.m. *Les rillettes sont couvertes de saindoux,* de graisse de porc fondue.

sainfoin n.m. *On a coupé le sainfoin,* une plante qui fournit du fourrage.

saint, e adj. 1. *La Bible et les Évangiles sont des livres saints,* consacrés à la religion (= sacré). 2. *M. Dupont est un saint homme,* il est bon et juste. 3. n. *Le calendrier donne la liste des saints,* des personnes qui, après leur mort, ont été reconnues par l'Église catholique dignes d'un culte.
■ **sainteté** n.f. *Cette personne est morte avec une réputation de sainteté* (= perfection).
R. *Saint* se prononce [sɛ̃] comme *sain, sein* et [il] *ceint* (de *ceindre*).

saint-bernard n.m.inv. *Les alpinistes égarés ont été retrouvés par des saint-bernard,* des gros chiens de montagne.

sainte-nitouche n.f. Fam. *Valérie est une petite peste sous son air de sainte-nitouche !,* son air hypocrite de sagesse.
R. Noter le pluriel : des *saintes-nitouches.*

sainteté → *saint.*

saint-honoré n.m.inv. Un *saint-honoré* est un gâteau garni de crème.

saisir v. 1. *Anne m'a saisi par le bras,* elle m'a attrapé le bras rapidement avec la main (= empoigner). *Le voleur s'est saisi de mon sac* (= s'emparer de). 2. *Je saisis mal votre explication* (= comprendre). 3. *On a été saisi par le froid,* le froid nous a fait un choc désagréable (= surprendre). 4. *Parce qu'ils ne payaient pas leurs dettes, la justice a saisi les meubles de ces gens,* elle les leur a pris.

■ **saisie** n.f. SENS 4 *La saisie d'un journal,* c'est la confiscation des exemplaires imprimés.

■ **saisissant, e** adj. SENS 3 *La tempête était un spectacle saisissant* (= frappant, surprenant).

■ **saisissement** n.m. SENS 3 *On est resté muet de saisissement,* parce qu'on était saisi.

■ **dessaisir** v. SENS 1 *Elle s'est dessaisie de ce document,* elle ne l'a plus (= se défaire de).

■ **insaisissable** adj. SENS 1 *Nous nous battons contre un ennemi insaisissable,* qu'on ne peut jamais attraper.

saison n.f. *Le printemps, l'été, l'automne, l'hiver sont les quatre saisons,* les quatre divisions de l'année. *La saison de ski commence bientôt,* l'époque de l'année où l'on fait du ski.

■ **saisonnier, ère** adj. *Elle fait un travail saisonnier,* qui ne se fait qu'à certaines saisons.

■ **arrière-saison** n.f. *Des fleurs d'arrière-saison* fleurissent jusqu'à la fin de l'automne.

■ **demi-saison** n.f. *Un vêtement de demi-saison* se porte au printemps ou en automne.

R. Noter les pluriels : des *arrière-saisons,* des *demi-saisons.*

salade n.f. 1. *La laitue est une salade,* un légume vert dont on mange les feuilles crues. 2. *Nous avons mangé une salade de tomates,* des tomates à la vinaigrette. 3. *Au dessert, il y avait une salade de fruits,* des fruits mélangés coupés et sucrés.

■ **saladier** n.m. *La salade est servie dans un saladier,* un plat grand et profond.

salaire n.m. *L'ouvrier reçoit son salaire à la fin du mois,* l'argent qui paie son travail.

■ **salarial, e, aux** adj. *Les charges salariales* sont des taxes établies sur le montant des salaires versés.

■ **salariat** n.m. *Des discussions ont opposé le patronat et le salariat,* l'ensemble des salariés.

■ **salarié, e** adj. et n. *Katia est (une) salariée,* elle reçoit un salaire.

salaisons → *sel.*

salamalecs n.m.pl. Fam. *Ne faites pas tant de salamalecs,* de politesses exagérées.

salamandre n.f. La *salamandre* est un batracien qui a la forme d'un lézard.

salami n.m. Le *salami* est un gros saucisson sec italien.

salant → *sel.*

salarié → *salaire.*

salaud ou **saligaud** ou **salopard** n.m. Très fam. *Ce type-là ne cherche qu'à nuire, c'est un salaud,* un être malfaisant, déloyal (= sale individu).

sale adj. 1. *Tu as les mains sales, lave-les,* elles sont couvertes de crasse, de poussière (≠ propre). 2. *Il fait un sale temps,* il fait mauvais (= vilain). 3. *Méfie-toi d'eux, ce sont de sales individus,* des êtres peu recommandables, ignobles.

■ **salement** adv. SENS 1 *Ne mange pas aussi salement !* (= malproprement ; ≠ proprement).

■ **saleté** n.f. SENS 1 *Tes chaussures sont d'une saleté repoussante,* elles sont très sales. *Le trottoir est plein de saletés,* de choses sales (= ordures).

■ **salir** v. SENS 1 *Tu vas salir tes gants,* les rendre sales (= tacher).

78

434

■**salissant, e** adj. SENS 1 *Le jaune est une couleur salissante,* qui se salit facilement. *Travailler la mécanique, c'est salissant,* cela rend sale.

R. *Sale* se prononce [sal] comme *salle* et [*il*] *sale* (de *saler*).

salé, saler, salière → *sel.*

saligaud → *salaud.*

salin → *sel.*

salive n.f. *J'ai mal à la gorge quand j'avale ma salive,* le liquide qu'on a dans la bouche.

■**saliver** v. *La lecture de ce menu me fait saliver,* sécréter de la salive.

■**salivaire** adj. *Les glandes salivaires produisent la salive.*

39,
77,
508,
801,
807,
808 **salle** n.f. **1.** *Les enfants sont dans la salle à manger,* la pièce où l'on mange. *Il y a deux salles de cinéma dans cette rue.* **2.** *Toute la salle applaudit les acteurs,* les spectateurs présents.

R. → *sale.*

salon n.m. **1.** *Nous prenons le café dans le salon,* la pièce où l'on reçoit les visiteurs. **2.** *On a ouvert un nouveau salon de thé,* une pâtisserie où l'on boit du thé et d'autres boissons. *Un salon de coiffure* est la boutique d'un coiffeur. **3.** *Quand a lieu le Salon de l'automobile ?,* l'exposition des nouvelles voitures. **4.** *Dans un salon funéraire* (ou *salon mortuaire)* on prépare les morts et on les expose afin que leur famille, leurs proches puissent se recueillir une dernière fois auprès d'eux.

salopard → *salaud.*

saloperie n.f. Très fam. **1.** *Il faut nettoyer cette pièce, elle est pleine de saloperies,* de choses sales ou à jeter (= cochonnerie). **2.** *Cette voiture, c'est une saloperie,* elle ne vaut rien (= camelote).

36,
289 **salopette** n.f. *Pour jardiner, je porte une salopette,* un vêtement constitué d'un pantalon et d'un haut à bretelles.

salpêtre n.m. *Sur les murs des pièces humides, il se forme du salpêtre,* une poudre blanche qui ressemble à de la moisissure.

salsifis n.m. *On a servi le rôti avec des salsifis,* un légume qui est la racine d'une plante.

saltimbanque n. *Le jour de la foire, il est venu des saltimbanques,* des gens qui font des tours d'adresse dans la rue.

salubre adj. *Le climat de cette région est salubre,* bon pour la santé (= sain).

■**salubrité** n.f. *Le ministère des Affaires sociales veille à la salubrité des hôpitaux.*

■**insalubre** adj. *Cette maison est insalubre* (= malsain).

■**insalubrité** n.f. *Ces habitations ont été démolies à cause de leur insalubrité.*

saluer v. **1.** *Lise m'a salué quand je l'ai rencontrée,* elle m'a dit bonjour ou bonsoir. **2.** *L'arrivée des coureurs est saluée par des cris* (= accueillir).

■**salut** n.m. **1.** SENS 1 *Elle m'a fait un salut de la main,* elle m'a salué. **2.** *Le lièvre a dû son salut à la fuite,* il a sauvé sa vie en fuyant.

■**salutations** n.f.pl. SENS 1 *Je vous adresse mes salutations,* je vous salue.

salutaire adj. *Ses vacances lui ont été salutaires,* elles lui ont redonné une bonne santé (= bienfaisant).

salutations → *saluer.*

salve n.f. *L'artillerie a tiré une salve,* un ensemble de coups de canon.

samba n.f. *La samba est une danse populaire d'origine brésilienne.*

samedi n.m. *Samedi prochain, nous allons à la campagne.*

sanatorium n.m. *Un sanatorium est un établissement où l'on soigne les tuberculeux.*

R. On prononce [sanatɔrjɔm].

sanction n.f. **1.** *Le projet de loi a obtenu la sanction du Parlement,* le Parlement l'a approuvé. **2.** *L'arbitre inflige une sanction à l'athlète,* une punition.

■**sanctionner** v. SENS 1 *La directrice a sanctionné le projet* (= approuver). SENS 2 *Plusieurs élèves ont été sanctionnés* (= punir).

sanctuaire n.m. *Lourdes est un sanctuaire,* un lieu saint.

sandale n.f. *L'été, je porte des sandales,* des chaussures plates et légères.
■**sandalette** n.f. *Je me suis acheté une paire de sandalettes,* des sandales légères.

sandwich n.m. *Je mange un sandwich,* deux tranches de pain entre lesquelles il y a de la viande, du pâté, du fromage, etc. **R.** On prononce [sɑ̃dwitʃ]. Au pluriel : des *sandwichs* ou des *sandwiches.*

sang n.m. **1.** *La blessée a perdu beaucoup de sang,* du liquide rouge qui circule dans les veines et les artères. **2.** *Si on a 5 minutes de retard tu te fais du mauvais sang,* tu t'inquiètes. **3.** *Des hordes d'envahisseurs mettaient tout à feu et à sang,* ils incendiaient et massacraient. **4.** Fam. *Quand j'ai entendu sa déclaration, mon sang n'a fait qu'un tour,* j'ai été bouleversé.
■**saigner** v. **1.** SENS 1 *Je saigne du nez,* du sang coule de mon nez. *La fermière saigne un poulet,* elle le vide de son sang. **2.** *Ils se saignent pour payer leur appartement,* ils donnent presque tout ce qu'ils gagnent. *Anne a été saignée à blanc dans cette histoire,* elle a été dépouillée de son argent, de ses biens.
■**saignant, e** adj. SENS 1 *J'aime le bifteck saignant,* à peine cuit.
■**saignée** n.f. SENS 1 *Autrefois, les médecins pratiquaient la saignée,* ils retiraient du sang au malade, pour le guérir.
■**saignement** n.m. SENS 1 *J'ai eu un saignement de nez,* j'ai saigné du nez.
■**sanglant, e** adj. SENS 1 *Tu as un pansement sanglant sur ta blessure,* taché de sang (= ensanglanté). *Le combat a été sanglant,* il a fait beaucoup de victimes (= meurtrier).

■**sanguin, e** adj. SENS 1 *Le sang circule dans les vaisseaux sanguins. Aimes-tu les oranges sanguines ?,* dont la chair est rouge.
■**sanguinaire** adj. SENS 1 *Le tigre est un animal sanguinaire,* qui aime tuer (= cruel).
■**sanguinolent, e** adj. SENS 1 *Sa plaie est sanguinolente,* il s'y mêle un peu de sang.
■**ensanglanté, e** adj. SENS 1 *Le boucher a les mains ensanglantées,* pleines de sang (= sanglant).
■**exsangue** adj. SENS 1 *Le blessé était exsangue,* il avait perdu beaucoup de sang et était très pâle.
R. → *sans.*

sang-froid n.m.inv. *La conductrice a conservé son sang-froid,* elle est restée maître d'elle-même (= calme, maîtrise de soi).

sanglant → *sang.*

sangle n.f. *La valise est entourée d'une sangle,* d'une bande de cuir ou de tissu qui la serre. | 649

sanglier n.m. *Les chasseurs ont tué un sanglier,* un porc sauvage. | 224

sanglot n.m. *L'enfant a éclaté en sanglots,* il s'est mis à pleurer très fort.
■**sangloter** v. *Paul sanglote,* il pleure fort.

sangsue n.f. *Dans les mares, il y a des sangsues,* des gros vers munis de ventouses et qui sucent le sang.
R. On prononce [sɑ̃sy].

sanguin, sanguinaire, sanguinolent → *sang.*

sanitaire adj. **1.** *Une équipe sanitaire comprend des médecins et des infirmiers.* **2.** *Les lavabos, les éviers sont des appareils sanitaires,* qui font partie de l'installation d'eau d'une maison.

sans prép. indique le manque, la privation. *Il est sorti sans son chapeau* (≠ avec).

■**sans que** conj. *Elle est partie sans qu'on s'en aperçoive,* on ne s'en est pas aperçu.

R. *Sans* se prononce [sã] comme *cent, sang* et [*il*] *sent* (de *sentir*).

sans-abri → *abri.*

sans-gêne → *gêne.*

sansonnet n.m. *L'étourneau s'appelle aussi le **sansonnet**,* un oiseau.

santé n.f. **1.** *Fais du sport, c'est bon pour la **santé**,* le bon état du corps (≠ maladie). **2.** *M. Dupré est en mauvaise **santé**,* il est souvent malade.

santon n.m. *La crèche de Noël est décorée de **santons**,* de petits personnages en plâtre peint.

saoul, saouler → *soûl.*

saper v. **1.** *La mer **sape** les falaises,* elle en creuse le bas et les détruit petit à petit. **2.** *Ce mauvais temps me **sape** le moral* (= détruire, ébranler, miner). **3.** *Il ne sait pas manger sans **saper**,* faire du bruit avec sa langue ou ses lèvres.

sapeur n.m. *Les soldats des unités du génie sont des **sapeurs**.*

sapeur-pompier n.m. est un équivalent de *pompier.*

R. Noter le pluriel : des *sapeurs-pompiers.*

saphir n.m. **1.** *Sa bague est ornée d'un **saphir**,* d'une pierre précieuse bleue. **2.** *Le bras de l'électrophone est muni d'un **saphir**,* d'une pointe très fine et dure.

sapin n.m. **1.** *Il y a, sur la montagne, une forêt de **sapins**,* des arbres résineux à aiguilles. **2.** Fam. *Je me suis fait passer un **sapin**,* on m'a trompé.

saquer ou **sacquer** v. Fam. *Il n'avait pas assez travaillé, il s'est fait **saquer** à l'examen,* noter sévèrement.

sarabande n.f. *Les enfants font la **sarabande**,* ils jouent en faisant beaucoup de bruit (= tapage).

sarbacane n.f. *Les enfants lancent des boulettes de papier avec leur **sarbacane**,* un petit tuyau dans lequel on souffle.

sarcasme n.m. *Ils ont accablé les vaincus de **sarcasmes**,* de moqueries méchantes.

■**sarcastique** adj. *Tu as eu un rire sarcastique,* moqueur et méchant (= sardonique).

sarcler v. *Katia **sarcle** son jardin,* elle arrache les mauvaises herbes.

sarcophage n.m. *Les momies égyptiennes sont dans des **sarcophages**,* des cercueils richement décorés.

sardine n.f. *Nous avons mangé des **sardines** grillées,* un petit poisson de mer.

■**sardinerie** n.f. *Les **sardineries** sont des usines où l'on fait des conserves de sardines.*

sardonique adj. *Je n'aime pas son rire **sardonique**,* ironique et méchant (= sarcastique).

sarment n.m. *Les **sarments** sont les jeunes tiges qui poussent chaque année sur la vigne.*

sarrasin n.m. *En Bretagne, on fait des crêpes à la farine de **sarrasin**,* une céréale appelée aussi « blé noir ».

sarrau n.m. *Le **sarrau** est une sorte de blouse.*

R. Noter le pluriel : des *sarraus.*

sarriette n.f. *La **sarriette** est une plante aromatique utilisée en cuisine.*

sas n.m. *La cosmonaute sort de la capsule en passant par un **sas**,* un espace fermé compris entre deux portes.

R. On prononce [sas].

satané, e adj. Fam. *C'est un **satané** farceur,* il est très farceur.

satanique adj. *Un rire **satanique** fait penser au diable* (= diabolique, démoniaque).

satellite n.m. **1.** *La Lune est le **satellite** de la Terre,* une planète qui tourne autour de la Terre. **2.** *Un **satellite** artificiel est un engin lancé de la Terre et qui tourne autour.* **3.** *Les voyageurs pour Londres sont priés d'embarquer au **satellite** nº 9,* le bâtiment qui communique avec l'aérogare et devant lequel les avions stationnent.

satiété n.f. *Mangez à **satiété**,* jusqu'à ce que vous n'ayez plus faim.
■ **insatiable** adj. *Ce chien est **insatiable**,* on ne peut pas le rassasier.
R. On prononce [sasjete], [ɛ̃sasjabl].

satin n.m. *La doublure de mon manteau est en **satin**,* une étoffe lisse et brillante.
■ **satiné, e** adj. *Cette peinture est **satinée**,* elle a un aspect légèrement brillant.

satire n.f. *Ce livre fait la **satire** de notre société,* il la critique en la ridiculisant.
■ **satirique** adj. *Un journal **satirique** fait de la satire.*

satisfaire v. **1.** *Son travail la **satisfait**,* elle en est contente. **2.** *As-tu **satisfait** ton appétit ?,* as-tu assez mangé ? (= assouvir). **3.** *Il a **satisfait** à ma demande* (= accepter).
■ **satisfaisant, e** adj. SENS 1 *Le résultat est **satisfaisant*** (= acceptable, convenable ; ≠ insuffisant).
■ **satisfait, e** adj. SENS 1 *Je suis **satisfaite** de son travail* (= content). SENS 2 *Ma curiosité est **satisfaite**,* je sais ce que je voulais savoir.
■ **satisfaction** n.f. SENS 1 *La lecture procure des **satisfactions*** (= joie, plaisir). SENS 3 *Les grévistes ont obtenu **satisfaction**,* ils ont reçu ce qu'ils demandaient.
■ **insatisfait, e** adj. et n. *Un client **insatisfait** a présenté une réclamation* (= mécontent).
■ **insatisfaction** n.f. *La cliente a exprimé son **insatisfaction**.*
■ **autosatisfaction** n.f. *Il a écouté ce compliment avec un sourire d'**autosatisfaction**,* de contentement de soi.
R. → Conj. nº 76.

saturé, e adj. **1.** *L'air est **saturé** d'humidité,* il y a un maximum d'humidité dans l'air. **2.** *Je suis **saturée** de cinéma,* je suis rassasiée, je n'ai plus envie d'y aller.
■ **saturation** n.f. *J'ai une **saturation** de cinéma.*

sauce n.f. *Cette **sauce** est trop salée,* le liquide qui sert à accompagner le plat.
■ **saucière** n.f. *On sert la sauce dans une **saucière**,* un récipient spécial.
■ **saucer** v. *Jean **sauce** son assiette avec du pain,* il éponge la sauce. *Cléa **sauce** son pain dans le plat,* elle trempe son pain dans la sauce du plat.

saucisse n.f. *J'ai mangé une **saucisse** avec des frites,* de la viande de porc hachée et placée dans un boyau. | 222
■ **saucisson** n.m. *Un **saucisson** est une grosse saucisse.* | 222

1. sauf, sauve adj. *Les otages ont eu la vie **sauve**,* ils ont échappé à la mort. *On est sorti **sain et sauf** de l'accident,* on n'est pas blessé.

2. sauf prép. *Tout le monde est venu, **sauf** deux personnes,* deux personnes ne sont pas venues (= excepté, à l'exception de, hormis).

sauge n.f. *La **sauge** est une plante dont certaines variétés peuvent servir d'assaisonnement, d'autres d'ornement.* | 80

saugrenu, e adj. *Tu as des idées **saugrenues*** (= bizarre, inattendu, absurde ; ≠ normal).

saule n.m. *Il y a des **saules** au bord de la rivière,* des arbres aux branches très souples. | 721, 73

saumâtre adj. *Dans cette petite île, l'eau du puits est **saumâtre**,* elle a un léger goût d'eau de mer (= salé).

saumon n.m. *Le **saumon** est un gros poisson à la chair rose, très estimée.* | 721

saumure n.f. *Le lard baigne dans la sau-mure,* un liquide très salé.

sauna n.m. Un *sauna* est un bain de chaleur sèche et de vapeur.

saupoudrer v. *Je saupoudre mon gâteau de sucre,* j'y répands du sucre en poudre.

saur adj. *Un hareng saur* est un hareng salé et fumé.
R. *Saur se prononce* [sɔr] *comme sort et* [je] *sors (de sortir).*

saurien n.m. *Les lézards, les orvets, les caméléons sont des sauriens,* des sortes de reptiles.

sauter v. 1. *L'oiseau saute de branche en branche* (= bondir). *La nageuse saute du plongeoir,* elle s'élance dans l'eau. *Le cheval saute l'obstacle,* il le franchit d'un saut. 2. *J'ai sauté un mot,* je l'ai oublié. 3. *Je fais sauter des pommes de terre,* je les fais cuire à feu vif en les remuant. 4. *Pendant la guerre, des trains ont sauté,* ils ont été détruits par des explosifs. 5. *Cette erreur saute aux yeux,* elle est évidente.
■ **saut** n.m. 1. SENS 1 *Le cheval franchit le fossé d'un saut,* d'un bond. 2. *Je fais un saut chez Paul et je reviens,* j'y vais rapidement.
■ **saute** n.f. SENS 1 *Il y a eu une saute de vent,* le vent a changé brusquement de direction. *Tes sautes d'humeur sont désagréables,* le fait que, subitement tu deviennes de mauvaise humeur alors que tu étais de bonne humeur.
■ **sauteur, euse** n. SENS 1 *Parmi les athlètes récompensés, il y avait un sauteur à la perche.*
■ **saute-mouton** n.m.inv. SENS 1 *Nous jouons à saute-mouton,* chaque joueur saute par-dessus un autre.
■ **sauterelle** n.f. SENS 1 *La sauterelle* est un insecte qui fait de grands bonds.
■ **sautiller** v. SENS 1 *L'oiseau sautille,* il fait des petits sauts.

34, 653

■ **sautoir** n.m. 1. SENS 1 Un *sautoir* est un endroit aménagé pour le saut en hauteur ou en longueur. 2. *Hier, je portais un bijou pendu à un sautoir,* une longue chaîne faisant collier.
R. → *sceller.*

sauvage adj. 1. *Le renard, la belette, le lièvre sont des animaux sauvages,* qui vivent en liberté dans la nature (≠ domestique, apprivoisé). 2. *Mon chat est sauvage,* il ne se laisse pas approcher facilement (= farouche ; ≠ sociable). 3. *Un prunier sauvage pousse librement,* sans être cultivé. 4. *Cette région est sauvage,* on ne l'a pas transformée (≠ civilisé). 5. adj. et n. *Il s'est conduit comme un sauvage,* comme un être barbare, cruel.
■ **sauvagement** adv. SENS 5 *Les victimes ont été sauvagement assassinées.*
■ **sauvagerie** n.f. SENS 5 *Ils ont traité leurs prisonniers avec sauvagerie* (= cruauté, barbarie).

sauvegarde n.f. *Cette réfugiée est sous la sauvegarde de la police,* la police la protège.
■ **sauvegarder** v. *Sauvegardons la forêt !,* défendons-la contre la destruction (= préserver).

sauver v. 1. *La monitrice a sauvé un nageur qui se noyait,* elle l'a mis hors de danger. 2. *Le chien se sauve, il faut le rattraper,* il s'enfuit à toute vitesse (= s'échapper).
■ **sauvetage** n.m. SENS 1 *Réussir un sauvetage,* c'est réussir à sauver quelqu'un. *Les bouées, les gilets de sauvetage sont dans le bateau.*
■ **sauveteur, euse** n. SENS 1 *Les alpinistes ont été retrouvés par les sauveteurs,* les gens partis pour les sauver.
■ **sauveur, euse** n. SENS 1 *Tu es mon sauveur,* tu m'as sauvé la vie.
■ **sauve-qui-peut** n.m.inv. SENS 2 *Quand l'incendie a éclaté, ça a été un sauve-qui-peut général,* une fuite désordonnée (= débandade).

→ p. 769

LES POMPIERS 761

...incteur

fourgon-pompe

véhicule de 1er secours

dévidoir

...cendie

flammes

toboggan d'évacuation

échelle mécanique

pompiers

secourisme

respiration artificielle bouche-à-bouche

lance

brasier

tuyau

décombres

raccord

tenues d'intervention

masque respiratoire

casque

hache

lampe électrique

bottes

marins-pompiers

fumée

bateau-pompe

...cendie d'un navire

prise d'eau

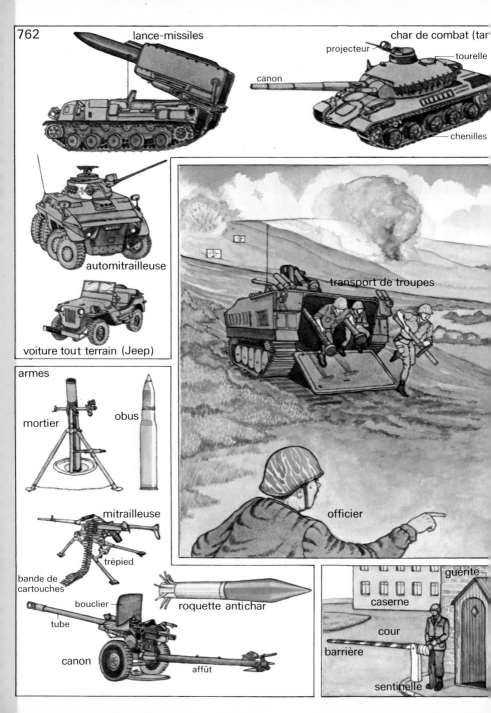

762

lance-missiles

char de combat (tar

projecteur

tourelle

canon

chenilles

automitrailleuse

voiture tout terrain (Jeep)

transport de troupes

armes

mortier

obus

mitrailleuse

trépied

bande de cartouches

bouclier

roquette antichar

tube

canon

affût

officier

guérite

caserne

cour

barrière

sentinelle

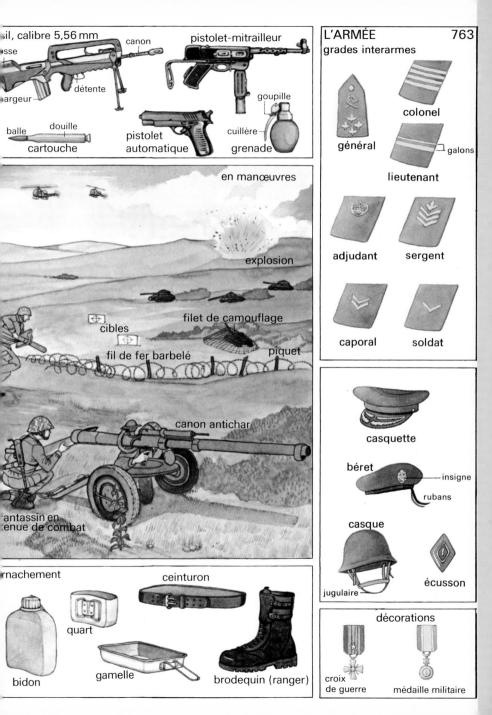

...il, calibre 5,56 mm

...sse

canon

...argeur

détente

balle

douille

cartouche

pistolet-mitrailleur

goupille

cuillère

pistolet
automatique

grenade

colonel

général

galons

lieutenant

adjudant

sergent

caporal

soldat

en manœuvres

explosion

cibles

filet de camouflage

fil de fer barbelé

piquet

canon antichar

...antassin en
...enue de combat

casquette

béret

insigne

rubans

casque

jugulaire

écusson

...nachement

ceinturon

quart

bidon

gamelle

brodequin (ranger)

décorations

croix
de guerre

médaille militaire

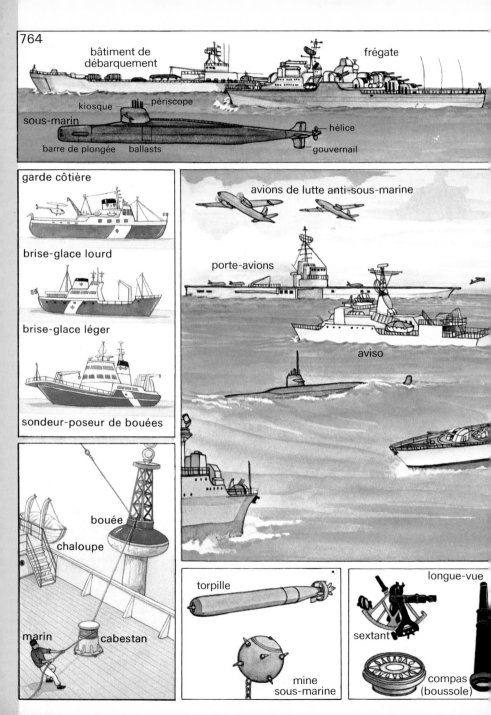

764

bâtiment de débarquement

frégate

kiosque — périscope

sous-marin

barre de plongée — ballasts

hélice

gouvernail

garde côtière

brise-glace lourd

brise-glace léger

sondeur-poseur de bouées

avions de lutte anti-sous-marine

porte-avions

aviso

bouée

chaloupe

marin — cabestan

torpille

mine sous-marine

longue-vue

sextant

compas (boussole)

escorteur

patrouilleur

chasseur de mines

M 765

dragueur côtier

l'escadre

hélicoptère

radar

frégate

passerelle

corvette

canon antiaérien

tourelle

personnel féminin
(tenue interármes)

vêtements du marin

caban

blouson

arre
ouvernail)

vareuse
pantalon à pont

766

avion-cargo

turbopropulseur

chasseur à réaction

avion d'observation

hélice

parachute

suspentes

harnais

parachutiste

nez

queue

dériv

aile

réservoir auxiliaire

13-ZE

cocarde -

figures de voltige aérienne

piqué

chandelle

looping (boucle)

tonneau

rase-mottes

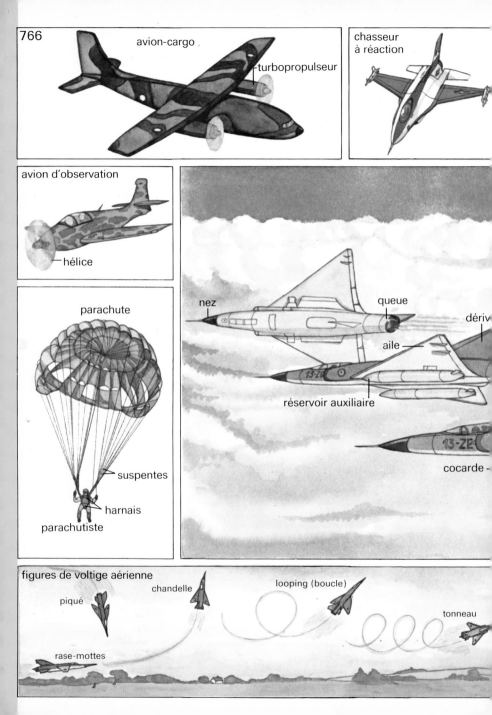

ravitaillement en vol

chasseur
bombardier

avion-citerne

avions-citernes "Canso"
de protection contre le feu

bombardier

hydravion

escadrille

casquette

insigne

visière

13-ZZ

siège éjectable   verrière   cockpit

pare-brise

fuselage   30-MF

carlingue

casque de
pilote

visière

masque à
oxygène

badge

768 LES COMMUNICATIONS

heures des levées

boîte à lettres

enveloppe timbrée

flamme cachet de la poste

expéditeur

timbre

destinataire

adresse

code postal

S. etL. Leroux
47. A Youville
Chateaugay 3634R3
Québec

Mme Clara Leroux
6e Rang Ouest
Malbaie - Québec
C2H 3V6

cabine téléphonique

TELEPHONE   TELEPHONE

bureau de poste

affiche

formulaires

contrôleur

guichet

commis

pupitre

usager

paquet

courrier électronique

INTELPOST

mandat   tampon

envoi recommandé

annuaire téléphonique

levée du cour

factrice
(préposée)

Postes Canada
Canada Post

telepost

fourgonnette

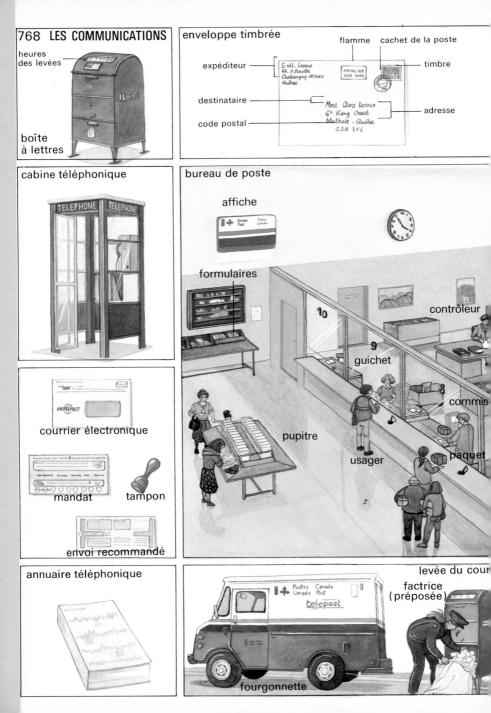

■**à la sauvette** adv. et adj. SENS 2 *La décision a été prise à la sauvette,* discrètement et avec une hâte excessive. *Les vendeurs à la sauvette vendent des articles dans les rues sans autorisation.*
R. → *sauf* 1 et *salut.*

savane n.f. **1.** *En Afrique, il y a de vastes savanes,* des prairies de hautes herbes avec des arbres. **2.** *Ce rang est bordé de savanes,* de terrains marécageux.

savamment, savant → *savoir.*

savarin n.m. *Un savarin est un gâteau imbibé de rhum ou de kirsch.*

savate n.f. *Le clochard marchait en traînant ses savates,* ses vieilles chaussures.

saveur n.f. *Les dattes ont une saveur sucrée* (= goût). *Ce bonbon est à la saveur de framboise,* il a le goût de la framboise.
■**savourer** v. *Je savoure mon gâteau,* je le mange lentement pour bien le goûter (= déguster).
■**savoureux, euse** adj. *Ce gâteau est savoureux* (= délicieux).

savoir v. **1.** *Sais-tu la nouvelle ?,* la connais-tu ? (= être au courant de). *Elle nous a fait savoir qu'elle était bien arrivée* (= annoncer, apprendre, communiquer). **2.** *Je sais ma leçon,* je l'ai apprise et peux la répéter. **3.** *Marie sait nager,* elle est capable de nager. *Paul sait l'anglais,* il peut le parler. **4.** *Serge ne sait pas ce qu'il veut,* il n'arrive pas à se décider. **5.** *Elle lui a fait de la peine sans le savoir,* sans s'en rendre compte.
■**savoir** n.m. SENS 2 *Cette personne a un vaste savoir,* elle sait beaucoup de choses.
■**savant, e** adj. et n. SENS 2 *Les découvertes scientifiques ont été faites par des savants,* des gens qui ont de grandes connaissances. *Un chien savant est dressé à faire des exercices difficiles. La pilote a réussi à atterrir grâce à une manœuvre savante,* habile, adroite.

■**savamment** adv. SENS 1 *Je parle savamment de cette question,* je suis tout à fait au courant. SENS 2 *Tout s'est déroulé selon un plan savamment établi* (= habilement, ingénieusement).
■**savoir-faire** n.m.inv. SENS 3 *Cette artisane a beaucoup de savoir-faire,* elle est très habile dans son métier (= adresse).
■**savoir-vivre** n.m.inv. SENS 1 *Cet individu manque de savoir-vivre,* il ne connaît pas les règles de la politesse (= éducation).
R. → Conj. n° 39. → *suer.*

savon n.m. **1.** *Je me lave avec du savon,* un produit qui nettoie. *J'achète un savon,* un morceau de savon dur. **2.** Fam. *On s'est fait passer un savon,* on s'est fait réprimander vivement.   223
■**savonner** v. SENS 1 *Je me savonne la figure,* je la frotte avec du savon.
■**savonnette** n.f. SENS 1 *Une savonnette est un petit savon parfumé.*
■**savonneux, euse** adj. SENS 1 *De l'eau savonneuse contient du savon dissous.*
■**savonnier** n.m. *J'ai acheté un savonnier pour la salle de bains* (= porte-savon).
■**porte-savon** n.m. SENS 1 *Un porte-savon est un ustensile dans lequel on met le savon.*   79
R. Noter le pluriel : des *porte-savon(s).*

savourer, savoureux → *saveur.*

saxophone ou **saxo** n.m. *Pierre joue du saxophone,* un instrument de musique à vent.   439
■**saxophoniste** n. *Marie est saxophoniste,* elle joue du saxophone.

scabreux, euse adj. **1.** *Une telle opération financière est scabreuse,* risquée, peu sûre. **2.** *On m'a raconté une histoire scabreuse,* qui peut choquer.

scalaire n.m. *Le scalaire est un poisson au corps aplati qu'on voit souvent dans les aquariums.*   434

scalp n.m. *Le scalp est la chevelure détachée du crâne avec la peau.*

■**scalper** v. *Sur cette image, l'indien scalpe son ennemi,* il détache le scalp avec un couteau.

scalpel n.m. *Le chirurgien utilise un scalpel,* un couteau très tranchant.

scalper → *scalp.*

scandale n.m. *Cette escroquerie a provoqué un scandale,* tout le monde en parle en la désapprouvant.
■**scandaleux, euse** adj. *Elle a fait des bénéfices scandaleux* (= honteux, révoltant).
■**scandaliser** v. *Je suis scandalisé par sa conduite,* très choqué.

scander v. *Les manifestantes scandent des slogans,* elles les crient en séparant les syllabes.

scaphandre n.m. *On explore le fond de la mer avec un scaphandre,* un équipement qui permet de respirer sous l'eau.
■**scaphandrier, ère** n. *Les travaux sous l'eau étaient exécutés par des scaphandriers,* des personnes équipées d'un scaphandre.

scarabée n.m. *Le scarabée* est un insecte voisin du hanneton.

scarlatine n.f. *À l'école, il y a plusieurs cas de scarlatine,* une maladie contagieuse qui se manifeste par des plaques rouges sur la peau.

scarole n.f. *L'épicière vend de la scarole,* une sorte de salade.

sceau → *sceller.*

scélérat, e n. et adj. *Ce trafiquant est un scélérat* (= bandit, criminel).

sceller v. **1.** *Nathalie scelle un crochet dans le mur,* elle le fixe avec du ciment. **2.** *L'enveloppe de la lettre est scellée,* elle porte un sceau sur sa fermeture afin que personne ne l'ouvre.

■**sceau** n.m. SENS 2 *Ce diplôme porte le sceau de l'université,* le cachet officiel imprimé dans la cire.
■**scellés** n.m.pl. SENS 2 *L'huissier met les scellés sur la porte de l'appartement,* il la scelle avec de la cire.
■**scellement** n.m. SENS 1 *Le maçon fait un scellement,* il scelle quelque chose.
■**desceller** v. SENS 1 *Fais attention, la balustrade s'est descellée !*
R. *Sceller* se prononce [sɛle] comme *seller. Sceau* se prononce [so] comme *saut, seau* et *sot.* → *sel.*

scénario n.m. **1.** *Le scénario de ce film est compliqué,* l'histoire que raconte le film. **2.** *L'entrevue a eu lieu selon un scénario compliqué,* un ensemble programmé d'actions.
■**scénariste** n. SENS 1 *C'est une scénariste habile qui est l'auteure de ce scénario.*

scène n.f. **1.** *Les acteurs sont sur la scène,* la partie du théâtre où ils jouent. **2.** *Chaque acte d'une pièce de théâtre est divisé en plusieurs scènes,* plusieurs parties marquées par l'entrée ou la sortie de personnages. **3.** *La scène se situe à Toronto,* l'action se déroule à Toronto. **4.** *J'ai assisté dans la rue à une scène comique,* un événement comique (= spectacle). **5.** *Jean m'a fait une scène,* il s'est mis en colère contre moi.
■**scénique** adj. SENS 1 *Le sujet de la pièce n'est pas très scénique,* il n'est pas propre à faire de l'effet sur une scène de théâtre.
R. *Scène* se prononce [sɛn] comme *saine,* féminin de *sain.*

sceptique adj. et n. *Tu me dis que nous serons à l'heure, je suis sceptique,* je ne le crois pas, j'en doute (= incrédule).
■**scepticisme** n. *Son visage exprimait son scepticisme* (= incrédulité).
R. *Sceptique* se prononce [sɛptik] comme *septique.*

sceptre n.m. *Le roi tient à la main son sceptre,* le bâton qui est l'insigne de la royauté.
R. Ne pas confondre *sceptre* et *spectre.*

schéma n.m. *Je fais le schéma d'un os,* le dessin simplifié.
■ **schématique** adj. *Un plan schématique* est simplifié.
■ **schématiquement** adv. *Tu nous as exposé schématiquement ton projet,* dans les grandes lignes.
■ **schématiser** v. *En schématisant, on peut résumer la situation d'un mot,* en ne retenant que l'essentiel.

schisme n.m. *Il y a eu un schisme dans ce parti politique,* il s'est divisé.

schiste n.m. *L'ardoise est du schiste,* une roche feuilletée.

scie n.f. *Pour couper le bois, le métal, j'ai une scie,* un outil d'acier muni de dents.
■ **scier** v. *Scier une planche,* c'est la couper avec une scie.
■ **scierie** n.f. *Une scierie* est une usine où le bois est débité en planches.
■ **sciure** n.f. *Sous la scie, il y a un tas de sciure,* de poussière tombée du bois qu'on scie.
R. *Scie* se prononce [si] comme *si, six* et *ci.*

sciemment adv. *J'ai employé ce mot sciemment,* volontairement (= exprès).
R. On prononce [sjamã].

science n.f. **1.** *La biologie est une science,* elle décrit avec précision ce qu'elle étudie. **2.** *La science fait des progrès,* les connaissances humaines. **3.** (au plur.) *Elle est douée pour les sciences,* pour les matières où le calcul et l'observation ont une grande part.
■ **scientifique** SENS 1 ET 2 adj. *Mme Dubois lit des revues scientifiques,* qui parlent de sciences. *Une méthode scientifique utilise l'observation et le calcul.* SENS 3 n. et adj. *Saïd est un scientifique,* il étudie les sciences.

■ **scientifiquement** adv. SENS 2 *Ce phénomène n'est pas explicable scientifiquement,* selon les connaissances scientifiques actuelles.

science-fiction → *fictif.*

scier, scierie → *scie.*

scinder v. *Le groupe s'est scindé,* il s'est divisé.
■ **scission** n.f. *La scission de ce parti politique l'a affaibli* (= division).
R. Ne pas confondre la *scission* et la *session.*

scintiller v. *Les étoiles scintillent,* elles brillent en lançant par moments des éclats (= étinceler).
■ **scintillement** n.m. *Un rayon de soleil provoque le scintillement des cristaux.*

scission → *scinder.*

sciure → *scie.*

sclérose n.f. **1.** *Grand-père souffre de sclérose des artères,* ses artères durcissent. **2.** *Il est atteint de sclérose intellectuelle,* il n'accepte pas les idées nouvelles.

scolaire, scolarité → *école.*

scoliose n.f. *Jacques a une scoliose,* sa colonne vertébrale est déformée.

scorbut n.m. *Autrefois, les marins attrapaient le scorbut,* une maladie qui fait tomber les dents.

score n.m. *Notre équipe a gagné par le score de trois buts à deux,* le nombre de points obtenus (= marque, pointage).

scories n.f.pl. *Quand on fait fondre du minerai, le métal se sépare des scories,* des déchets.

scorpion n.m. *La piqûre de certains scorpions est mortelle,* de petits animaux ayant une carapace, des pinces et un aiguillon.

577

scout, e adj. et n. *Le mouvement **scout** regroupe des jeunes pour des activités physiques dans la campagne, dans le cadre d'une formation morale. Une troupe de **scouts*** (ou *une troupe **scoute**) a campé près de la rivière.*
■**scoutisme** n.m. *Paul fait du **scoutisme**, il est scout. Claire est guide, elle fait partie d'une association de **scoutisme**.*

806 **scribe** n.m. *Dans l'Antiquité, les **scribes** gagnaient leur vie en écrivant pour les autres.*

scripte n. *Quand on tourne un film, la **scripte** note les détails techniques de chaque prise de vues.*

scrupule n.m. *J'ai des **scrupules** à mentir, j'hésite à le faire, car je sais que c'est mal.*
■**scrupuleux, euse** adj. *Elle est **scrupuleuse** dans son travail,* elle le fait le mieux possible (= consciencieux).
■**scrupuleusement** adv. *Il faut respecter **scrupuleusement** les proportions de la recette.*

scruter v. *Le marin **scrute** l'horizon,* il le parcourt du regard avec attention (= observer).

scrutin n.m. *Peu de candidats furent élus au premier tour du **scrutin**,* de l'opération électorale (= vote).

sculpter v. *Voici une statuette **sculptée** dans le bois,* taillée dans le bois.
■**sculpteur, eure** n. *Cette statue est l'œuvre d'un grand **sculpteur**,* d'un artiste qui sculpte.
■**sculpture** n.f. *Cette artiste fait de la **sculpture**,* elle sculpte. *La façade est ornée de **sculptures**,* de choses sculptées, de statues.
R. On ne prononce pas le *p* : [skylte], [skyltœr], [skyltyr].

se pron.pers. **1.** *Pierre **se** regarde dans la glace,* il regarde lui-même. **2.** *Aline et*

*Paul **se** regardent,* chacun regarde l'autre.
R. *Se* devient *s'* devant une voyelle ou un *h* muet : *il **s'**habille.*

séance n.f. **1.** *La **séance** est ouverte,* la réunion pour discuter. **2.** *La **séance** de cinéma commence à 8 heures,* le spectacle de cinéma (= représentation).

séant n.m. *Le chien est **sur son séant**,* il est assis.

seau n.m. *Elle transporte de l'eau dans un **seau**,* un récipient muni d'une anse.
R. → *sceller.*

sébile n.f. *Le mendiant tend sa **sébile**,* petit récipient dans lequel les passants mettent de l'argent.

sec, sèche adj. **1.** *Le linge est **sec**,* il ne contient pas d'eau (≠ humide, mouillé). **2.** *J'ai acheté des haricots **secs*** (≠ frais). **3.** *Il m'a fait une réponse **sèche**,* courte et peu aimable (= dur). **4.** *Mme Lepic est une personne au corps **sec**,* maigre.
■**sec** n.m. SENS 1 *Il faut garder ces fruits **au sec**,* dans un endroit sans humidité.
■**à sec** adv. Fam. *Peux-tu me prêter 100 dollars, je suis **à sec**,* sans ressources.
■**sèchement** adv. SENS 4 *Le jury a rejeté **sèchement** ma demande,* nettement et en peu de mots.
■**sécher** v. SENS 1 *Je me **sèche** les cheveux,* je les rends secs. *Le sol a **séché**,* il est devenu sec.
■**sécheresse** n.f. SENS 1 *Nous sommes dans une période de **sécheresse**,* où il ne pleut pas. SENS 3 *Elle m'a répondu avec **sécheresse*** (= brusquerie).
■**séchage** n.m. SENS 1 *Le temps de **séchage** d'une peinture* est celui qu'il lui faut pour sécher.
■**sécheuse** n.f. SENS 1 *Le linge est dans la **sécheuse**,* la machine à sécher le linge.

■**séchoir** n.m. SENS 1 *Je sèche mes cheveux avec un séchoir,* un appareil qui sèche.

■**assécher** v. SENS 1 *On a asséché cette région marécageuse,* on a enlevé l'eau du sol.

■**dessécher** v. SENS 1 *Le soleil dessèche la peau,* il lui fait perdre son humidité naturelle.

■**dessèchement** n.m. SENS 1 *La chaleur a provoqué le dessèchement de l'herbe.*

R. *Sèche* (féminin de *sec*), [*il*] *sèche* (de *sécher*) se prononcent [sɛʃ] comme *seiche.*

sécateur n.m. *Les vendangeurs coupent les grappes avec des sécateurs,* des sortes de gros ciseaux.

séchage, sèchement, sécher, sécheresse, séchoir → *sec.*

second, e adj. **1.** *J'habite au second étage,* au-dessus du premier (= deuxième). **2.** *Il est second vendeur,* il a un poste moins important que le premier vendeur. **3.** n.m. *Voici mon second,* celui qui m'aide (= assistant, collaborateur).

■**secondaire** adj. SENS 1 *L'enseignement secondaire* vient après le primaire. SENS 2 *Cette actrice n'a qu'un rôle secondaire,* peu important.

■**seconder** v. SENS 3 *Ma collaboratrice me seconde dans mon travail* (= aider).

R. On prononce [səgɔ̃], [səgɔ̃dɛr], [səgɔ̃de]. → *ère* (secondaire).

seconde n.f. **1.** *Dans une minute il y a 60 secondes.* **2.** *Attends une seconde !,* très peu de temps (= instant).

R. On prononce [səgɔ̃d].

seconder → *second.*

secouer v. **1.** *Il secoue le prunier pour en faire tomber les fruits* (= agiter). *Je secoue la poussière de mon chiffon,* j'agite le chiffon pour en chasser la pous-

sière. **2.** *Cette nouvelle nous a secoués,* elle nous a fait un choc (= ébranler). **3.** Fam. *Arrête de regarder la télévision, secoue-toi un peu,* fais quelque chose, bouge.

■**secousse** n.f. SENS 1 *Le train part sans secousse,* sans mouvement brusque.

secourir v. **1.** *On a secouru les blessés,* on leur a donné des soins urgents. **2.** *Secourir une personne dans la misère,* c'est l'aider.

■**secourable** adj. SENS 2 *C'est une personne secourable,* prête à secourir les autres.

■**secours** n.m. **1.** SENS 1 *Il faut porter secours aux blessés,* les secourir (= assistance). SENS 2 *Ma mémoire m'est d'un grand secours,* elle m'aide. **2.** *Une roue de secours* est destinée à remplacer une roue dont le pneu est crevé. **3.** *En cas d'incendie, dirigez-vous vers la sortie de secours,* la porte supplémentaire prévue pour sortir rapidement. | 761

506

■**secourisme** n.m. SENS 1 *Je suis des cours de secourisme,* j'apprends comment porter secours aux gens en danger. | 761

■**secouriste** n. SENS 1 *Une équipe de secouristes a pris soin des blessés.*

R. → Conj. n° 29.

secousse → *secouer.*

secret n.m. **1.** *Je vais te confier un secret,* une chose qu'il ne faut répéter à personne. *Nous avons acheté ce cadeau en secret* (= en cachette). *Cet ordinateur n'a pas de secret pour Benoît,* il le connaît bien. **2.** *Je vais te donner le secret pour réussir ce gâteau,* le moyen caché pour le faire (= truc, astuce).

■**secret, ète** adj. SENS 1 *Nous utilisons un code secret,* qui n'est connu que de nous. *Cette vente est secrète,* elle ne doit pas être rendue publique.

■**secrètement** adv. SENS 1 *Elles s'étaient secrètement mises d'accord avant la discussion.*

292

secrétaire 1. n. *Le directeur a un secré-taire,* une personne chargée du courrier, de prendre des rendez-vous, de ranger des dossiers, etc. **2.** n.m. *J'écris sur un*

77

secrétaire, une sorte de bureau.
■ **secrétariat** n.m. SENS 1 *Dans une école de secrétariat, on apprend le métier de secrétaire.*

secrètement → *secret.*

sécréter v. *Les glandes salivaires sécrè-tent la salive,* elles produisent ce liquide.
■ **sécrétion** n.f. *La résine est une sécré-tion du pin,* un liquide sécrété par le pin.

sectaire adj. et n. *Tu es bien sectaire !,* tu n'acceptes pas les idées des autres (= intolérant).
■ **sectarisme** n.m. *Les discussions ont échoué à cause du sectarisme des participants.*

secte n.f. *Une secte religieuse* est un groupe de personnes qui ont des croyances différentes de celles de la religion commune.

secteur n.m. **1.** *Ils n'habitent pas dans le même secteur,* le même endroit (= quar-tier, région). **2.** *Il y a une panne de secteur,* du courant électrique distribué dans une partie du réseau. **3.** *Carole travaille dans le secteur public,* dans l'une des entreprises qui relèvent de l'État, comme la Société canadienne des postes, la Société des alcools, etc. *Ma-man travaille dans le secteur privé,* dans l'une des entreprises qui ne relèvent pas de l'État.

section n.f. **1.** *Il y a une section syndicale dans cette entreprise,* un groupe de gens inscrits à un syndicat. **2.** *Dans l'armée, une section est commandée par un lieu-tenant,* un petit groupe d'hommes. **3.** *Il y a des travaux sur cette section de route,* sur cette partie du trajet.

sectionner v. *Sectionner un câble,* c'est le couper.

séculaire → *siècle.*

secundo adv. *Je n'ai pas aimé ce film : primo l'histoire est banale, secundo les acteurs jouent mal* (= en second lieu, deuxièmement).

sécurisant, sécuriser, sécurité → *sûr.*

sédentaire 1. adj. et n. *Cette tribu est sédentaire,* elle reste dans une région déterminée (≠ nomade). *Dans cette entreprise, le personnel est sédentaire,* il reste sur place, ne se déplace pas à l'extérieur. **2.** adj. *Un emploi sédentaire n'exige pas de déplacements.*

sédiment n.m. *Au fond de la mer, il y a des sédiments,* des débris qui s'y sont déposés.
■ **sédimentaire** adj. *Le calcaire, l'argile sont des roches sédimentaires,* formées de sédiments.

sédition n.f. *Une sédition* est une révolte (= insurrection, soulèvement).
■ **séditieux, euse** adj. *Des paroles sédi-tieuses* poussent à la révolte.

séduire v. *Ce projet me séduit,* il m'attire (= tenter, plaire).
■ **séducteur, trice 1.** adj. *Tu as un sou-rire séducteur,* qui séduit. **2.** n. *Ce per-sonnage est un séducteur,* il aime sé-duire les gens.
■ **séduction** n.f. *Cette personne a de la séduction,* elle séduit (= charme).
■ **séduisant, e** adj. *Une personne sédui-sante* attire par son charme, sa beauté. *Ce projet est séduisant.*
R. → Conj. n° 70.

segment n.m. *Tracez un segment de droite sur votre cahier,* une ligne droite limitée par deux points.

ségrégation n.f. *Dans certains pays, on pratique la ségrégation raciale,* certaines personnes sont tenues à l'écart à cause de leur race.

seiche n.f. *L'oiseau aiguise son bec sur un os de seiche,* un animal marin.
R. → *sec.*

seigle n.m. *On nous a servi des huîtres avec du pain de seigle,* une céréale.

seigneur n.m. 1. *Au Moyen Âge et sous l'Ancien Régime, un seigneur était un noble qui possédait de vastes terres.* 2. *Ce monsieur fait le grand seigneur,* il dépense très largement.

sein n.m. 1. *La maman donne le sein à son bébé,* elle l'allaite (= mamelle). 2. *Paul vit au sein de sa famille,* parmi sa famille.
R. → *saint.*

séisme n.m. *Le séisme a fait beaucoup de morts,* le tremblement de terre.
■ **sismique** adj. *Il y a un risque sismique dans cette région,* de séisme.
■ **sismographe** n.m. *Un sismographe est un appareil qui enregistre les informations sur les séismes.*

seize adj. *Quinze plus un font seize.* 10 + 6 = 16.
■ **seizième** n. et adj. *J'habite au seizième étage de la tour.*

séjourner v. *Nous avons séjourné en Suisse,* nous y sommes restés quelque temps.
■ **séjour** n.m. 1. *J'aimerais faire un séjour à la mer,* y séjourner. 2. *La famille regarde la télévision dans la salle de séjour,* une des pièces de la maison.

sel n.m. 1. *L'eau de mer contient du sel,* une substance qui sert à assaisonner les aliments. 2. *Ses plaisanteries sont pleines de sel,* d'esprit (= piquant).
■ **saler** v. SENS 1 *Sale la soupe, mets-y du sel. Les pêcheurs salent le poisson,* ils l'imprègnent de sel pour le conserver.
■ **salant** adj.m. SENS 1 *On récolte le sel de mer dans les marais salants.*
■ **salé, e** adj. 1. SENS 1 *Du beurre salé* est imprégné de sel. 2. *Fam. La facture du peintre est salée,* elle est élevée.
■ **salé** n.m. SENS 1 *On nous a servi du salé,* de la viande de porc salée.
■ **salaisons** n.f.pl. SENS 1 *Le jambon, le lard sont des salaisons,* des aliments qu'on a salés pour les conserver.
■ **salière** n.f. SENS 1 *Le sel est présenté à table dans une salière,* un récipient spécial.
■ **salin, e** adj. SENS 1 *L'eau du puits est saline,* elle contient du sel.
■ **dessaler** v. SENS 1 *Pour dessaler la morue, on la fait tremper dans l'eau.*
R. *Sel se prononce* [sɛl] *comme selle, celle et* [il] *scelle (de sceller).*

sélection n.f. *Il a fallu faire une sélection parmi les candidats,* choisir les meilleurs.
■ **sélectionner** v. *On a sélectionné les joueurs,* on a fait une sélection parmi eux.
■ **sélectionneur, euse** n. *Le sélectionneur n'a pas encore fait connaître les noms de tous les joueurs de l'équipe,* celui qui est chargé de constituer l'équipe.
■ **sélectif, ive** adj. *Un recrutement sélectif se fait par un choix.*

selle n.f. 1. *La selle d'une bicyclette, d'un cheval est un petit siège.* 2. *(au plur.) Les selles sont les excréments humains. Aller à la selle,* c'est faire ses excréments.
■ **seller** v. SENS 1 *Seller un cheval,* c'est mettre une selle sur son dos.
■ **sellier, ère** n. SENS 1 *Le sellier fabrique ou vend des selles et tout ce qui équipe les chevaux.*
■ **desseller** v. SENS 1 *Desselle le cheval !,* ôte-lui sa selle.
R. → *sceller et sel. Sellier se prononce* [sɛlje] *comme cellier.*

sellette n.f. *J'ai été sur la sellette,* on m'a interrogé, on a examiné mon cas attentivement.

sellier → *selle.*

78

512,
437,
368

selon prép. **1.** *Il doit faire beau, selon les journaux,* d'après ce qu'ils disent. **2.** *Le montage a été fait selon les instructions,* comme le disaient les instructions (= d'après, suivant). **3.** *Selon le temps, le bateau partira ou non,* son départ dépendra du temps (= en fonction de, suivant).

semailles → *semer.*

125 **semaine** n.f. **1.** *Nous avons pris une semaine de vacances,* sept jours. **2.** *Le magasin est ouvert en semaine,* tous les jours, sauf le samedi et le dimanche.
R. → *hebdomadaire.*

803, 723 **sémaphore** n.m. *Aux approches de certains ports, il y a des sémaphores,* des appareils pour faire des signaux aux navires.

semblable **1.** adj. *Ces deux objets sont semblables* (= pareil, identique, analogue ; ≠ différent). **2.** n.m. *Elle recherche ses semblables,* ceux qui lui ressemblent.
■ **similitude** n.f. SENS 1 *La similitude entre ces deux objets est parfaite,* ils sont parfaitement semblables (= ressemblance).
■ **similaire** adj. SENS 1 *Ces deux médicaments ont un effet similaire,* à peu près semblable.

sembler v. **1.** *Tu sembles fatiguée,* tu as l'air fatiguée (= paraître). **2.** *Il me semble que tu te trompes,* je le crois, j'en ai l'impression.
■ **semblant** n.m. SENS 1 *Jean fait semblant de dormir,* il fait comme s'il dormait (= feindre).

semelle n.f. **1.** *Mes chaussures ont des semelles épaisses,* leur dessous est épais. **2.** *Mon chien ne me quitte pas d'une semelle,* il me suit partout.
■ **ressemeler** v. *Le cordonnier ressemelle mes chaussures,* il remplace les semelles.
R. *Ressemeler* → conj. n° 6.

semer v. **1.** *On sème des graines,* on les met en terre pour les faire germer. **2.** *On a semé des clous sur la route,* on les y a jetés çà et là. **3.** *Les loups sèment la terreur dans la région* (= répandre). **4.** Fam. *Les voleurs ont semé les policiers,* ils sont allés plus vite et les ont distancés.
■ **semailles** n.f.pl. SENS 1 *L'époque des semailles* est celle où l'on sème.
■ **semence** n.f. SENS 1 *Les semences* sont des graines à semer.
■ **semeur, euse** n. SENS 1 *La semeuse lance les graines à la volée,* celle qui sème.
■ **semis** n.m. SENS 1 *La jardinière arrose ses semis de salades,* la terre ensemencée.
■ **semoir** n.m. SENS 1 *Le semoir* est une machine qui sème les graines.
■ **ensemencer** v. SENS 1 *On ensemence le champ,* on y met des graines.

semestre n.m. *L'année est composée de deux semestres,* de deux périodes de six mois.
■ **semestriel, elle** adj. *Une revue semestrielle paraît chaque semestre.*

semeur → *semer.*

semi-, au début de certains mots, signifie « à moitié », « à demi » : une machine *semi-automatique.*

séminaire n.m. **1.** *André est dans un séminaire,* dans un établissement où l'on prépare les futurs prêtres. **2.** *Un séminaire de savants* est une réunion où des savants travaillent ensemble.
■ **séminariste** n.m. SENS 1 *André est séminariste,* il est élève dans un séminaire.

semi-remorque → *remorque.*

semis, semoir → *semer.*

semonce n.f. *Line a reçu une semonce,* elle s'est fait gronder (= réprimande).

semoule n.f. *Je fais un gâteau avec de la semoule,* une sorte de farine.

sempiternel, elle adj. *Je suis fatiguée de ses plaintes **sempiternelles,*** perpétuelles, continuelles.
■ **sempiternellement** adv. *Tu te plains **sempiternellement*** (= perpétuellement, continuellement).

sénat n.m. *Un **sénat** est une assemblée politique.*
■ **sénateur, trice** n. *Un **sénateur** est un membre du Sénat.*

sénile adj. *Cette personne a une voix **sénile,*** de vieillard.
■ **sénilité** n.f. *Cette personne est atteinte de **sénilité,*** son corps et son esprit sont très affaiblis par l'âge.

senior n. *Un **senior** est un sportif de 18 ans et plus, selon les sports.*
R. On prononce [senjɔr].

sens n.m. **1.** *La vue, l'ouïe, l'odorat, le goût, le toucher sont les cinq **sens,*** ce qui nous permet de voir, d'entendre, etc. **2.** *Quel est le **sens** de ce mot ?,* ce qu'il veut dire (= signification). **3.** *Tu as le **sens** des affaires,* tu sais faire des affaires. **4.** *Hélène a du **bon sens,*** elle est raisonnable (= jugement). **5.** *Les fugitifs couraient dans tous les **sens,*** dans toutes les directions.
■ **sensé, e** adj. SENS 4 *Hélène est **sensée,*** elle a du bon sens.
■ **sensuel, elle** adj. SENS 1 *Bien manger est un plaisir **sensuel,*** des sens.
■ **sensualité** n.f. SENS 1 *C'est une personne d'une **sensualité** raffinée.*
■ **insensé, e** adj. SENS 4 *Ce projet est **insensé,*** contraire au bon sens (= déraisonnable).
■ **contresens** n.m. SENS 2 *Vous faites un **contresens** sur ce mot,* vous l'interprétez mal. SENS 5 *La voiture roulait **à contresens** de la circulation,* en sens contraire.
■ **faux-sens** n.m. SENS 2 *Cette traduction comporte quelques **faux-sens,*** quelques inexactitudes moins graves que des contresens.

■ **non-sens** n.m.inv. SENS 2 *Une telle supposition est un **non-sens*** (= absurdité).
R. → *censé.*

sensation n.f. **1.** *J'ai une **sensation** de froid,* je sens le froid (= impression). **2.** *Son arrivée **a fait sensation,*** elle a produit beaucoup d'intérêt, de surprise.
■ **sensationnel, elle** adj. SENS 2 *Les journaux ont annoncé un événement **sensationnel*** (= extraordinaire, remarquable ; ≠ banal).

sensé → *sens.*

sensible adj. **1.** *Marie est une enfant **sensible,*** elle est vite émue (= émotif, impressionnable). *Je suis **sensible** à vos arguments,* ils font de l'effet sur moi. **2.** *J'ai la gorge **sensible,*** j'ai souvent mal à la gorge. *Paul est **sensible** à la chaleur,* il la supporte mal. **3.** *La hausse de la température est **sensible,*** assez importante (= notable). **4.** *Une balance **sensible** est très précise.*
■ **sensiblement** adv. **1.** SENS 3 *Il a **sensiblement** grandi* (= notablement). **2.** *Ils sont **sensiblement** égaux* (= à peu près).
■ **sensibilité** n.f. SENS 1 *Cette personne n'a aucune **sensibilité,*** on ne peut pas l'émouvoir. SENS 2 *Paule est d'une grande **sensibilité** au froid,* elle le craint beaucoup. SENS 4 *La **sensibilité** du thermomètre médical est grande* (= précision).
■ **sensibiliser** v. SENS 1 *Une campagne de presse **a sensibilisé** les lecteurs à ce problème,* elle a fixé leur attention dessus.
■ **insensible** adj. SENS 1 *Claude est une personne **insensible*** (= dur). SENS 2 *Cette piqûre rendra ta dent **insensible,*** tu ne sentiras plus la douleur. SENS 3 *Ses progrès sont **insensibles,*** peu importants.
■ **insensiblement** adv. SENS 3 *L'ombre s'est déplacée **insensiblement,*** sans que cela se remarque (= imperceptiblement).

■ **insensibilité** n.f. SENS 1 *Il est peu aimé à cause de son insensibilité* (= froideur, dureté). SENS 2 *Son insensibilité au froid est grande* (= résistance).
■ **insensibiliser** v. SENS 2 *La dentiste a insensibilisé ma gencive,* elle l'a rendue insensible à la douleur.

sensuel → *sens.*

sentence n.f. 1. *La cour a rendu sa sentence,* sa décision (= verdict, jugement). 2. *« Bien mal acquis ne profite jamais »* est une *sentence,* une pensée morale.
■ **sentencieux, euse** adj. SENS 2 *Une personne sentencieuse emploie souvent des sentences.*
■ **sentencieusement** adv. SENS 2 *Cette personne est ridicule quand elle dit sentencieusement des banalités.*

senteur n.f. est un équivalent rare de *parfum, odeur.*

649 | **sentier** n.m. *Un sentier s'enfonce dans la forêt,* un chemin étroit.

sentiment n.m. 1. *L'affection, l'amour, la peur, la haine sont des sentiments,* on les ressent au fond de soi-même. 2. *J'ai le sentiment que je me trompe,* j'en ai l'impression.
■ **sentimental, e, aux** adj. SENS 1 *J'aime les chansons sentimentales,* qui parlent d'amour. *Une personne sentimentale donne beaucoup de place aux sentiments amoureux.*

762 | **sentinelle** n.f. *À l'entrée de la caserne, il y a une sentinelle,* un soldat qui monte la garde.

sentir v. 1. *Je sens la chaleur du soleil,* j'éprouve une impression de chaleur. 2. *Je sens qu'il va faire beau,* je le devine (= pressentir). 3. *Je sens l'odeur des roses,* je la perçois grâce à mon nez. 4. *Cette rose sent bon,* elle répand une odeur agréable.

■ **ressentir** v. SENS 1 *Je ressens une grande fatigue* (= sentir, éprouver). **R.** → Conj. n° 19. → *sans.*

seoir v. *Cette robe vous sied à merveille,* elle vous va très bien. *Il ne sied pas de faire le difficile,* cela ne convient pas.
■ **seyant, e** adj. *Cette robe est très seyante,* elle fait très bon effet. **R.** → Conj. n° 46. Ce verbe n'a que très peu de formes employées.

sépale n.m. *Les sépales d'une fleur sont les sortes de feuilles situées sous les pétales.*

séparer v. 1. *Le professeur a séparé Anne et Jacques,* il les a éloignés l'un de l'autre. *Nous devons nous séparer,* nous quitter. 2. *La rivière se sépare en deux* (= se diviser, se partager). 3. *Un mur sépare les deux jardins,* il est entre les deux.
■ **séparation** n.f. SENS 1 *Leur séparation a été brutale,* ils se sont séparés brutalement. SENS 3 *Une cloison sert de séparation entre deux pièces,* elle les sépare.
■ **séparatiste** adj. et n. SENS 1 *Les séparatistes cherchent à séparer une région de l'État dont elle fait partie* (= autonomiste).
■ **séparément** adv. SENS 1 *Travaillons séparément,* chacun de notre côté (≠ ensemble).
■ **inséparable** adj. SENS 1 *Ces deux amies sont inséparables,* elles sont toujours ensemble.

sept adj. *Il y a sept jours dans une semaine. 6 + 1 = 7.*
■ **septième** adj. et n. *J'habite le septième étage.*
■ **septennat** n.m. *En France, le président de la République est élu pour un septennat,* une période de sept ans. **R.** *Sept* se prononce [sɛt] comme *cet, cette, set.*

septante adj. est un équivalent de *soixante-dix* en Belgique et en Suisse.

septembre n.m. *Les vacances finissent en septembre.*

septennat → *sept.*

septentrional adj. *Les Inuit vivent dans la partie septentrionale du Canada* (= nord ; ≠ méridional).

septième → *sept.*

septique adj. *Dans une fosse septique, les excréments sont liquéfiés par une fermentation.*
R. → *sceptique.*

septuagénaire adj. et n. *Mon grand-père est septuagénaire, il a entre soixante-dix et quatre-vingts ans.*

sépulture n.f. *Où se trouve la sépulture de ton arrière-grand-mère ?, le lieu où elle est enterrée.*
■ **sépulcre** n.m. *Un tombeau est quelquefois appelé un sépulcre.*
■ **sépulcral, e, aux** adj. *M. Dupont a une voix sépulcrale, qui semble sortir d'un tombeau* (= caverneux).

séquelle n.f. *Je souffre des séquelles de l'accident, des troubles qui persistent après la guérison.*

séquence n.f. *J'ai beaucoup aimé cette séquence du film* (= scène).

séquestrer v. *Des bandits ont séquestré la caissière, ils l'ont enfermée sans en avoir le droit.*
■ **séquestration** n.f. *Le gangster est accusé de séquestration d'enfant, d'avoir séquestré un enfant.*

sérail n.m. *Autrefois, les princes turcs enfermaient leurs épouses dans le sérail, une partie de leur palais.*

séraphin, e n. et adj. *Sophie ne dépense jamais un sou, c'est une séraphine, une avare.*

serein, e adj. 1. *Le ciel est serein, pur et calme* (≠ nuageux). 2. *Son visage est serein* (= tranquille ; ≠ inquiet, troublé).

■ **sereinement** adv. SENS 2 *Elle a accueilli la nouvelle très sereinement.*
■ **sérénité** n.f. SENS 2 *Les deux amis discutent avec sérénité* (= calme).
R. *Serein* se prononce [sərɛ̃] comme *serin.*

sérénade n.f. *Une sérénade était autrefois un concert donné la nuit sous les fenêtres de quelqu'un, pour lui rendre hommage.*

sérénité → *serein.*

serf, serve n. *Les serfs devaient obéir et payer des redevances au seigneur, des paysans du Moyen Âge.*
■ **servage** n.m. *Le servage ne laissait pas beaucoup de liberté aux paysans, l'état de serf.*
R. Ne pas confondre *serf* et *cerf.* Le *f* de *serf* se prononce : [sɛrf].

serfouette n.f. *On bine et on sarcle la terre avec une serfouette, un outil de jardinage.* 366

sergent, e n. *Ce militaire a le grade de sergent, un grade entre le caporal et l'adjudant.* 394, 763

série n.f. 1. *La directrice a posé une série de questions, plusieurs questions* (= suite). 2. *Nous avons acheté une série de casseroles, plusieurs casseroles qui vont ensemble* (= lot). 3. *Une série télévisée est une suite d'émissions portant sur le même sujet ou racontant une histoire par épisodes.* 4. *On fabrique ces assiettes en série, en un grand nombre d'exemplaires identiques.*

sérieux, euse adj. 1. *Quand on est sérieux dans son travail, on le fait bien. Voilà un travail sérieux !, bien fait.* 2. *Marie a un visage sérieux, qui ne sourit pas* (= grave). 3. *Cette maladie est sérieuse* (= grave).
■ **sérieux** n.m. SENS 2 *Tâche de garder ton sérieux, de ne pas rire.* SENS 3 *On devrait prendre cette menace au sérieux, y croire* (≠ à la légère). *Sophie se*

prend au sérieux, elle attache à sa personne une importance exagérée.

■**sérieusement** adv. SENS 1 *Tu ne travailles pas sérieusement.* SENS 3 *La blessée est sérieusement atteinte* (= gravement).

serin n.m. *Nos voisins ont un serin dans une cage,* un petit oiseau jaune.
R. → *serein.*

seriner v. *Cesse de seriner cette chanson !,* de la répéter sans cesse.

38 **seringue** n.f. *On fait des piqûres avec une seringue,* une petite pompe à laquelle on adapte une aiguille.

serment n.m. *La juge nous a fait prêter serment,* nous a fait jurer de dire la vérité. *J'ai fait le serment de ne plus fumer,* je l'ai juré.

sermon n.m. 1. *Le curé a fait un sermon,* il a parlé aux fidèles réunis dans l'église (= prêche). 2. *Sa sœur aînée lui a fait un sermon,* des remontrances longues et ennuyeuses.

■**sermonner** v. SENS 2 *Je vais les sermonner,* leur faire des remontrances.

serpe n.f. *Ruth coupe des branches avec une serpe,* un outil à lame recourbée.

435 **serpent** n.m. *La vipère, la couleuvre sont des serpents,* des animaux sans pattes qui avancent en rampant.

serpenter v. *Le sentier serpente dans les bois,* il tourne tantôt dans un sens, tantôt dans l'autre.

serpentin n.m. *À la fête, on a lancé des serpentins,* des petits rouleaux de papier coloré qui se déroulent quand on les lance.

serpillière n.f. *Je lave mon carrelage avec une serpillière,* une grosse toile pour laver le sol.

578 **serpolet** n.m. *Sens-tu cette odeur de serpolet dans ce chemin ?,* de thym sauvage.

serrage → *serrer.*

serre n.f. *Ces plantes poussent en serre,* dans un endroit fermé et vitré où elles sont à l'abri du froid.

serrer v. 1. *Elle serre la poignée de son sac,* elle la tient fermement. *Nous sommes amis, serrons-nous la main,* donnons-nous une poignée de main. 2. *Les voyageurs sont serrés dans le métro,* ils sont les uns contre les autres. *Les enfants se serrent sur le banc,* ils se rapprochent les uns des autres (= tasser, comprimer). 3. *Serre ton nœud de cravate,* tire sur les extrémités. *Serre bien cette vis,* tourne-la jusqu'à ce qu'elle soit bloquée. 4. *Ce vêtement me serre,* je suis à l'étroit dedans. 5. *Cette misère vous serre le cœur,* elle vous cause une vive émotion.

■**serrage** n.m. SENS 3 *La garagiste vérifie le serrage des écrous,* s'ils sont serrés.

■**serrement** n.m. SENS 1 *Ils se saluent d'un serrement de main,* en se serrant la main. SENS 5 *On éprouve un serrement de cœur devant ce spectacle.*

■**serres** n.f.pl. SENS 1 *L'aigle a des serres,* des griffes qui serrent sa proie.

■**serré, e** adj. 1. SENS 2 *Ton écriture est serrée,* les lettres sont rapprochées. SENS 4 *Ton chandail est trop serré,* trop collé sur ton corps. 2. *La lutte est serrée,* les adversaires sont de force égale.

■**desserrer** v. SENS 3 *Il faut desserrer cet écrou,* faire qu'il soit moins serré.

■**enserrer** v. SENS 2 *Les montagnes enserrent la ville,* elles l'entourent en lui laissant peu de place.

■**resserrer** v. 1. SENS 3 *Elle a resserré son nœud de cravate,* elle l'a serré davantage. 2. *Cette rencontre a resserré nos liens d'amitié* (= renforcer). **R.** [*Je*] *serre* se prononce [sɛr] comme [*je*] *sers,* [*il*] *sert* (de *servir*).

serrure n.f. *La clef est dans la serrure,* le dispositif qui permet de fermer ou d'ouvrir la porte.

■**serrurier, ère** n. *Le serrurier fait ou répare des serrures, des clefs.*

■ **serrurerie** n.f. *Il apprend la **serrurerie**, le métier de serrurier.*

sertir v. *Le joaillier **sertit** un diamant,* il le fixe sur un bijou.

sérum n.m. *Le sang est composé de globules et de **sérum**,* un liquide jaunâtre.
R. On prononce [serɔm].

servage → serf.

servante, serveur, serviable, service → servir.

serviette n.f. **1.** *Pour s'essuyer, on utilise des **serviettes** de table et des **serviettes** de toilette.* **2.** *L'écolière porte sa **serviette**,* son cartable.
■ **porte-serviettes** n.m.inv. *On a installé un **porte-serviettes** à côté du lavabo,* un support pour suspendre les serviettes de toilette.

servile adj. *M. Duval est **servile**,* il a un caractère trop soumis (= obséquieux).
■ **servilement** adv. *M. Duval obéit **servilement**,* avec trop de soumission.
■ **servilité** n.f. *Il accepte tout avec **servilité*** (= bassesse).

servir v. **1.** *Le garçon **sert** les clients du bar,* il apporte ce qu'ils ont commandé. **2.** *Sa mémoire l'**a servie**,* elle l'a aidée. **3.** *Cet outil lui **a servi**,* il lui a été utile. **4.** *À quoi **sert** cette machine ?,* que fait-on avec ? **5.** *Ma voiture **sert** souvent,* elle est souvent utilisée. *Je **me sers** de la voiture,* je l'utilise. *Ce meuble me **sert** de bureau,* je l'utilise comme bureau.
■ **service** n.m. **1.** SENS 1 *Le **service** est rapide,* le garçon sert vite. *Au **libre-service**, on se sert seul,* un magasin. *Le **service** est compris* (= pourboire). *Cette dame **est au service de** M. Tremblay,* elle travaille pour lui. *Un **service à café** est un assortiment de vaisselle pour servir le café.* SENS 2 *Lise m'a rendu **service**,* elle m'a été utile, elle m'a aidé. SENS 5 *Ce téléphone est **hors service**,* il ne fonctionne pas. **2.** *Jacques fait son **service**.*

militaire, il est soldat pour un certain temps. **3.** *Les **services** d'une administration* sont ses bureaux.
■ **serveur, euse** n. SENS 1 *Nicole est **serveuse** dans un bar,* elle sert les clients.
■ **serviteur** n.m. SENS 1 *Un **serviteur** est un domestique.*
■ **servante** n.f. SENS 1 *Autrefois, une bonne s'appelait une **servante**.*
■ **serviable** adj. SENS 2 *Soyez **serviables**,* aimez à rendre service.
■ **desservir** v. **1.** SENS 1 *Après le repas, on **dessert** la table,* on enlève ce qui est dessus. SENS 2 *Sa réputation le **dessert**,* elle lui nuit. **2.** *Ce village n'est pas **desservi** par le train,* le train n'y passe pas.
■ **desserte** n.f. **1.** SENS 1 *Pose les assiettes sur la **desserte**,* une petite table servant à desservir. **2.** *Ce car assure la **desserte** des hameaux,* il les dessert, sert de moyen de communication.
■ **resservir** v. SENS 1 *Lise s'est **resservie** de soupe,* elle en a repris. SENS 5 *Ce cahier pourra **resservir**,* servir de nouveau.
R. *Servir, desservir, resservir* → conj. n° 20. → serrer.

servitude n.f. **1.** *Ce peuple vécut longtemps dans la **servitude*** (= esclavage). **2.** *Les **servitudes** d'un métier,* c'est tout ce que ce métier oblige à faire (= contrainte).

ses → son 1.

session n.f. *La **session** d'un examen* est la période pendant laquelle se déroule cet examen.
R. *Session* se prononce [sesjɔ̃] comme *cession.*

set n.m. *Nous avons gagné le match de volley par 3 **sets** à 2* (= manche).
R. → sept.

setter n.m. *Mon chien est un **setter**,* un chien d'une race à poil long et ondulé.
R. On prononce [setɛr].

seuil n.m. **1.** *Franchir le* **seuil** *d'une maison,* c'est entrer dans la maison. **2.** *Nous sommes au* **seuil** *de l'hiver,* au début (= entrée).

seul, e adj. **1.** *C'est mon* **seul** *chapeau,* je n'en ai qu'un (= unique). **2.** *J'ai fait cela* **seul,** sans personne. **3.** **Seuls** *deux arbres restaient,* il ne restait que deux arbres (= seulement).
■ **seulement** adv. **1.** SENS 3 *Ils sont* **seulement** *trois,* ils ne sont que trois. **2.** *Je voudrais bien lui écrire,* **seulement** *je n'ai pas son adresse* (= mais).

sève n.f. La **sève** est le liquide qui circule dans les végétaux.

sévère adj. **1.** *Son père est* **sévère,** sans indulgence (= dur, exigeant). **2.** *À l'enterrement, il portait un costume* **sévère,** sans ornement (= strict). **3.** *Notre équipe a essuyé une défaite* **sévère** (= grave).
■ **sévèrement** adv. SENS 1 *On a été puni* **sévèrement** (= durement).
■ **sévérité** n.f. SENS 1 *La juge fait preuve de* **sévérité,** elle est sévère.

sévices n.m.pl. *On l'accusait d'avoir exercé des* **sévices** *sur un enfant,* de l'avoir frappé (= violences).

sévir v. **1.** *On a* **sévi** *contre les coupables,* on les a punis sévèrement. **2.** *Une épidémie de grippe* **sévit,** elle atteint beaucoup de monde.

sevrer v. *La maman a* **sevré** *son bébé,* elle a commencé à lui donner d'autres aliments que du lait.
■ **sevrage** n.m. *Le* **sevrage** *d'un bébé se fait progressivement.*

sexagénaire adj. et n. *Mes grands-parents sont* **sexagénaires,** ils ont entre soixante et soixante-dix ans.

sexe n.m. **1.** *Jean est du* **sexe** *masculin, Marie est du* **sexe** *féminin.* **2.** *Le* **sexe** est la partie externe des organes de la reproduction.

■ **sexuel, elle** adj. SENS 2 *Un livre d'éducation* **sexuelle** *explique la reproduction des êtres humains. Les organes* **sexuels** *sont différents chez les hommes et chez les femmes,* les organes génitaux (= reproducteur).
■ **sexualité** n.f. SENS 2 *Les troubles de la* **sexualité** *sont des troubles de l'instinct sexuel.*
■ **sexisme** n.m. SENS 1 *Cette entreprise a fait preuve de* **sexisme,** elle a favorisé les hommes aux dépens des femmes.
■ **sexiste** adj. et n. SENS 1 *Une attitude* **sexiste** *consiste à faire moins de cas des personnes du sexe féminin que de celles du sexe masculin.*
■ **homosexuel, elle** adj. et n. SENS 1 *Une personne* **homosexuelle** *est celle qui éprouve une attirance pour les personnes du même sexe qu'elle.*

sextant n.m. *Pour savoir à quel endroit ils se trouvent, les navigateurs utilisent un* **sextant,** un appareil spécial.

sexuel → *sexe.*

seyant → *seoir.*

shampooing n.m. **1.** *On se lave les cheveux avec un* **shampooing,** un produit moussant. **2.** *Je me fais un* **shampooing,** je me lave la tête.
R. On prononce [ʃɑ̃pwɛ̃].

shérif n.m. *Dans ce western, le* **shérif** *est le personnage principal,* le chef des policiers.

short n.m. *Les sportifs portent souvent un* **short,** une culotte courte.
R. On prononce [ʃɔrt].

show n.m. *Le* **show** *télévisé de cette chanteuse a été formidable,* un spectacle, une série de chansons dont elle est l'unique vedette.
R. On prononce [ʃo].

1. si 1. conj. *Si le temps est beau, je sortirai,* à cette condition. *Pardonne-moi* **si** *je ne t'ai pas répondu,* de ne pas t'avoir répondu. **2.** adv. *Il est* **si** *beau !* (= telle-

ment). *Il n'est pas **si** gentil **que** toi* (= aussi). ***Si** grand **qu'**il soit, il fait des bêtises,* bien qu'il soit grand. **3.** adv. sert à interroger : *Je demande **si** tu sais ta leçon,* est-ce que tu la sais ? **4.** adv. sert à affirmer : *Personne ne manque ? — **Si**. Je ne le connais pas. — Mais **si** !* (≠ non).
R. Aux sens 1 et 3, *si* devient *s'* devant *il* et *ils* : *S'il veut.* → **scie.**

2. si n.m. *Si est la septième note de la gamme.*

sibyllin, e adj. *Tu as prononcé des paroles **sibyllines**,* difficiles à comprendre (= obscur, mystérieux).

sic adv. mis entre parenthèses après un mot, une phrase, indique une citation textuelle, même si cela paraît étrange.

sidérer v. *Je **suis sidérée** par son audace,* stupéfaite.
■ **sidérant, e** adj. *Tu as eu l'audace de recommencer, c'est **sidérant** !* (= stupéfiant).

sidérurgie n.f. *La **sidérurgie** est la transformation du minerai de fer en fonte, en fer et en acier.*
■ **sidérurgique** adj. *Il y a des usines **sidérurgiques** à Sept-Iles.*

siècle n.m. **1.** *Il y a un **siècle**, l'informatique n'existait pas,* cent ans. **2.** *Nous sommes au xxᵉ **siècle**,* la période qui va de 1900 à l'an 2000.
■ **séculaire** adj. *Il y a dans ce parc des arbres **séculaires**,* qui existent depuis plus de cent ans.

il sied → **seoir.**

siège n.m. **1.** *Une chaise, un fauteuil, un tabouret sont des **sièges**,* des meubles sur lesquels s'assoit. **2.** *Le Parlement est le **siège** de l'Assemblée nationale,* l'endroit où elle se réunit. **3.** *Aux élections, ce parti a obtenu cent **sièges** de députés,* cent membres de ce parti ont été élus députés. **4.** *Le **siège** d'une douleur,* c'est l'endroit où l'on a mal. **5.** *L'en-* nemi a fait le **siège** de la ville,* il a essayé de s'en emparer militairement.
■ **siéger** v. SENS 2 ET 3 *Les députés **siègent** à l'Assemblée nationale,* ils s'y réunissent.
■ **assiéger** v. SENS 5 *Les ennemis **ont assiégé** la ville,* ils en ont fait le siège.
■ **assiégeant, e** n. SENS 5 *La ville se défend contre ses **assiégeants**,* ceux qui l'assiègent.

sien, sienne 1. pron. possessif *Ce livre n'est pas à toi, c'est **le sien**,* il est à lui ou à elle. *Anne **y a mis du sien**,* de la bonne volonté. **2.** n.m.pl. *Elle est entourée de l'affection **des siens**,* de ses parents. **3.** n.f.pl. *Il a encore **fait des siennes**,* des sottises.

sieste n.f. *Ma grand-mère fait la **sieste**,* elle dort après le déjeuner.

siffler v. **1.** *Cléa **siffle** en travaillant,* elle produit un son aigu en chassant l'air entre ses lèvres. **2.** *Je **siffle** mon chien,* je l'appelle en sifflant. **3.** *Le merle **siffle**,* il fait entendre un son avec son gosier. **4.** *Les spectateurs **sifflent** la pièce,* ils sifflent (au sens 1) pour montrer qu'elle ne leur a pas plu (= huer). **5.** *L'arbitre **siffle** la fin de la partie,* il l'annonce en sifflant avec un sifflet.
■ **sifflement** n.m. *Il y a eu des **sifflements** dans la salle,* des bruits faits en sifflant.
■ **sifflet** n.m. SENS 5 *L'arbitre a un **sifflet**,* un petit instrument pour siffler.
■ **siffleux** n.m. *C'est un trou de **siffleux**,* de marmotte (ainsi appelé parce que cet animal siffle devant le danger).
■ **siffloter** v. SENS 1 *Jean **sifflote** un air connu,* il le siffle négligemment.

sigle n.m. « H.-Q. » *est un **sigle**,* une abréviation formée par la première lettre de chaque mot (Hydro-Québec). 768, 802

signal n.m. *Chaque panneau du Code de la sécurité routière est un **signal**,* il donne un avertissement ou un ordre.

■ **signaler** v. **1.** *La cycliste signale qu'elle va tourner en tendant le bras,* elle l'annonce. **2.** *On nous a signalé une erreur,* on nous l'a fait savoir, remarquer. **3.** *Cet homme ne se signale pas par son intelligence* (= se distinguer, se faire remarquer).

■ **signalement** n.m. *On a le signalement du voleur,* sa description.

217,
507,
727

■ **signalisation** n.f. *La signalisation d'une voie ferrée,* c'est l'ensemble des signaux qui y sont placés.

signataire, signature → *signer.*

signe n.m. **1.** *Elle a de la fièvre, c'est signe qu'elle est malade,* cela veut dire qu'elle est malade (= indication). **2.** *Je lui fais signe de venir,* je le lui fais comprendre d'un geste. **3.** *En entrant dans l'église, on a fait un signe de croix,* un geste religieux en portant la main à notre front, à notre poitrine, puis à chaque épaule. **4.** *Ça fait 15 jours qu'il n'a pas donné signe de vie,* il n'a pas donné de nouvelles. **5.** *Le signe +* signifie « plus », *le signe ×* signifie « multiplié par » (= dessin, symbole). *Le point, la virgule sont des signes de ponctuation.*

■ **se signer** v. SENS 3 *Les fidèles se signent,* ils font un signe de croix.

signer v. *Jean a signé sa lettre,* il a écrit son nom au bas de la lettre.

■ **signature** n.f. *Sa signature est illisible,* on ne peut pas lire son nom.

■ **signataire** n. *Les signataires du contrat sont Mme Rhéaume et M. Dubois,* ceux qui le signent.

■ **soussigné, e** adj. *Je soussignée Lise Rhéaume m'engage à payer 10 000 dollars à M. Dubois,* c'est Mme Rhéaume qui signe.

signifier v. **1.** *Que signifie ce mot ?,* que veut-il dire ? quel est son sens ? **2.** *Le patron a signifié son renvoi à son employée,* il lui a annoncé sa décision de la renvoyer.

■ **significatif, ive** adj. SENS 1 *Elle a fait un geste significatif,* qui exprimait nettement ce qu'elle pensait.

■ **signification** n.f. SENS 1 *La signification de cette phrase est obscure* (= sens).

silence n.m. **1.** *J'aime le silence de la forêt,* l'absence de bruit (= calme, paix ; ≠ tapage). *Marchez deux par deux et en silence !,* sans faire de bruit. **2.** *Je garde le silence,* je me tais.

■ **silencieux, euse 1.** adj. SENS 1 *La maison est silencieuse* (≠ bruyant). SENS 2 *Jean est resté silencieux toute la soirée,* il n'a pas parlé (= muet). **2.** n.m. *Le silencieux de ma voiture est percé,* le tuyau qui étouffe le bruit.

■ **silencieusement** adv. SENS 1 *Les chats marchent silencieusement,* sans faire de bruit.

siler v. Fam. **1.** *J'arrive du lieu de l'explosion, les oreilles me silent encore,* tintent. **2.** *Grand-père sile en parlant,* émet un son qui indique des difficultés de respiration. **3.** *Le chien sile à la porte,* gémit.

silex n.m. *Les hommes préhistoriques faisaient des outils en silex,* une roche très dure.

silhouette n.f. **1.** *Dans la brume, j'aperçois des silhouettes,* des formes dont on ne voit que les contours. **2.** *La silhouette élégante d'une voiture* (= aspect, allure).

silice n.f. *Le sable contient de la silice,* une matière très dure.

sillage n.m. *On voit le sillage du bateau,* la trace qu'il laisse derrière lui en avançant.

sillon n.m. *La charrue trace des sillons dans le champ,* de longues fentes.

sillonner v. *Nous avons sillonné la forêt,* nous l'avons parcourue dans tous les sens.

silo n.m. *On conserve le blé dans un silo à blé,* un grand réservoir.
- ■ **ensiler** v. *Ensiler du blé,* c'est le mettre dans un silo.

simagrées n.f.pl. *Ne fais pas tant de simagrées !* (= manières, façons).

simiesque → *singe.*

similaire, similitude → *semblable.*

simoun n.m. Le *simoun* est un vent chaud du désert.

simple adj. **1.** *J'écris sur une feuille simple,* seule, qui n'a qu'une fois le format normal (≠ double). **2.** *Le présent, l'imparfait, le passé simple sont des temps simples du verbe,* ils s'écrivent en un seul mot (≠ composé). **3.** *Ce travail est simple* (= facile ; ≠ compliqué). **4.** *Marie a une robe simple,* sans ornement. **5.** *Tu es une personne simple,* tu ne fais pas de manières (= sans façon ; ≠ compliqué). **6.** *Ce n'est qu'une simple erreur,* c'est seulement une erreur.
- ■ **simplement** adv. SENS 4 ET 5 *Marie est habillée simplement.* SENS 6 *Je suis simplement parti dix minutes* (= seulement).
- ■ **simplicité** n.f. SENS 3 *Ce problème est d'une grande simplicité* (= facilité). SENS 4 ET 5 *Il nous a reçus avec simplicité,* sans luxe, sans faire de manières.
- ■ **simplifier** v. SENS 3 *Simplifier un problème,* c'est le rendre plus simple.
- ■ **simplification** n.f. SENS 3 *Par souci de simplification, on a arrondi les chiffres,* pour que ce soit plus simple.

simuler v. *Elle simule une maladie,* elle fait semblant d'être malade (= feindre).
- ■ **simulacre** n.m. *Au cinéma, les combats sont des simulacres,* on fait semblant de se battre.
- ■ **simulateur, trice** n. et adj. *C'est une simulatrice,* une personne qui simule.
- ■ **simulation** n.f. *C'est de la simulation,* ce n'est pas vrai (= comédie).

simultané, e adj. *Deux événements simultanés se produisent en même temps.*
- ■ **simultanément** adv. *Ils arrivent simultanément aujourd'hui,* en même temps (= ensemble ; ≠ successivement).
- ■ **simultanéité** n.f. *Nous avons été surpris de la simultanéité des deux phénomènes* (= coïncidence).

sinapisme n.m. Un *sinapisme* est un cataplasme.

sincère adj. **1.** *Je suis sincère,* je dis ce que je pense (= franc ; ≠ hypocrite). **2.** *Une amitié sincère les unit* (= réel).
- ■ **sincèrement** adv. *Je suis sincèrement désolée* (= vraiment, réellement).
- ■ **sincérité** n.f. SENS 1 *Je vous parle avec sincérité,* avec franchise (≠ dissimulation, hypocrisie). SENS 2 *Je crois à la sincérité de ton amitié,* que ton amitié est sincère.

sinécure n.f. *Tu as trouvé une sinécure,* un emploi où tu n'as presque rien à faire.

sine die adv. *Le débat a été renvoyé sine die,* sans qu'aucune date soit prévue. **R.** On prononce [sinedje].

singe n.m. **1.** *Le chimpanzé, le gorille sont des singes.* **2.** Fam. *As-tu fini de faire le singe ?,* de faire des grimaces, des pitreries.
- ■ **singer** v. SENS 2 *Esther singe son professeur,* elle l'imite par moquerie.
- ■ **singerie** n.f. SENS 2 *Arrête tes singeries !,* tes grimaces et tes gestes comiques (= pitrerie).
- ■ **simiesque** adj. SENS 1 *Il a une allure simiesque,* l'allure d'un singe.

singulier, ère **1.** adj. *Il m'arrive une aventure singulière* (= bizarre, étrange). **2.** adj. et n.m. *« Le chat » est au singulier, « les chats » est au pluriel.*
- ■ **singulièrement** adv. **1.** SENS 1 *Il s'habille singulièrement* (= bizarrement). **2.** *Il fait singulièrement froid* (= très).

■**se singulariser** v. SENS 1 *Carole aime se singulariser,* se faire remarquer.

■**singularité** n.f. SENS 1 *Cet objet a une singularité,* quelque chose de particulier.

sinistre 1. adj. *Ce paysage désertique est sinistre* (= effrayant, triste). **2.** n.m. *Un incendie, une inondation sont des sinistres,* des événements catastrophiques.

■**sinistré, e** adj. et n. SENS 2 *Cette région est sinistrée,* il s'y est produit un sinistre. *Les sinistrés ont été secourus,* les victimes du sinistre.

sinon conj. *Dépêche-toi, sinon tu seras en retard,* si tu ne te dépêches pas, tu seras en retard (= sans quoi, autrement).

sinueux, euse adj. *La route est sinueuse,* elle a beaucoup de virages (≠ droit, direct).

■**sinuosité** n.f. *Nous suivons les sinuosités de la route* (= courbe, lacet).

sinusite n.f. *Son rhume a dégénéré en sinusite,* une inflammation des os de la face appelés **sinus**.

R. On prononce [sinys].

sinusoïdal, e, aux adj. *Une ligne sinusoïdale* est une succession de courbes de sens opposés.

siphon n.m. **1.** *Sous l'évier est placé un siphon,* un tuyau d'écoulement en forme d'U. **2.** *Pour transvaser un liquide d'un récipient dans un autre, on peut utiliser un siphon,* un tube recourbé.

sire n.m. **1.** *Autrefois, on s'adressait au roi en disant « sire ».* **2.** *Au Moyen Âge, « sire » signifiait « seigneur ».*

■**messire** n.m. *Autrefois, on disait « messire » au lieu de « monsieur ».*

sirène n.f. **1.** *Les sirènes sont des êtres imaginaires moitié femmes, moitié poissons.* **2.** *Une sirène annonce l'incendie,* un appareil qui fait un bruit fort et prolongé.

sirocco n.m. *Le sirocco souffle du Sahara,* un vent brûlant.

sirop n.m. **1.** *France tousse, donne-lui du sirop,* un médicament liquide sucré. **2.** *J'ai bu du sirop de fraise avec de l'eau,* du jus de fraise très sucré. **3.** *Je verse du sirop d'érable sur mes crêpes,* de la sève d'érable bouillie.

■**sirupeux, euse** adj. *Ce liquide est sirupeux,* il a la consistance du sirop (= visqueux).

siroter v. *Paule sirote son café,* elle le boit lentement, en le savourant.

sirupeux → *sirop.*

sismique, sismographe → *séisme.*

site n.m. *Ce château est dans un site grandiose* (= paysage).

sitôt adv. se dit parfois pour *aussitôt.*

situation n.f. **1.** *La situation de la mairie est centrale,* le lieu où elle se trouve (= emplacement, position). **2.** *La situation politique a changé,* les circonstances. **3.** *Elle a une belle situation* (= métier, emploi).

■**situer** v. SENS 1 *Cette ville est située en Alberta,* elle s'y trouve (= placer).

six adj. *M. Durand est parti pour six mois.* 4 + 2 = 6.

■**sixième 1.** adj. et n. *Il est classé sixième.* **2.** n.f. *Il termine sa sixième,* la dernière classe de l'enseignement primaire.

R. *Six* se prononce [si] devant une consonne : *six jours* [siʒur] ; [siz] devant une voyelle ou un *h* muet : *six hommes* [sizɔm] ; [sis] en fin de phrase.

skaï n.m. *Cette valise est en skaï,* une matière qui imite le cuir.

R. C'est un nom de marque.

sketch n.m. *Les élèves ont inventé et joué un sketch,* une courte pièce comique.

R. Noter le pluriel : des *sketches.*

ski n.m. *On glisse sur la neige avec des **skis**, des patins longs et étroits. J'aime **faire du ski**, un sport qui consiste à glisser sur la neige ou sur l'eau (ski nautique), avec des skis.*
■ **skier** v. *J'apprends à **skier**, à faire du ski.*
■ **skieur, euse** n. *Marie est bonne **skieuse**, elle skie bien.*
■ **skiable** adj. *La piste est-elle **skiable** ?, est-ce qu'on peut y skier ?*

skipper n.m. *Le **skipper** est le barreur d'un bateau à voile de régate.*
R. On prononce [skipœr].

slalom n.m. *C'est Line qui a gagné le **slalom**, une épreuve de ski qui consiste à effectuer une descente en enchaînant des virages délimités par des piquets.*

slip n.m. *Un **slip** est une culotte à taille basse servant de sous-vêtement ou de maillot de bain.*

sloche n.f. *Au printemps, il y a beaucoup de **sloche**, de la gadoue formée par la neige fondante.*

slogan n.m. *Les manifestants crient des **slogans**, des phrases courtes qui retiennent l'attention.*

smala n.f. Fam. *M. Dupont est parti en vacances avec toute sa **smala**, sa grande famille (= maisonnée).*

smash n.m. *Au tennis, un **smash** est un coup qui rabat brusquement une balle haute.*
R. On prononce [smaʃ].

smoking n.m. *Les invités étaient en **smoking**, un costume de cérémonie.*

snob adj. et n. *Cette personne est **snob**, elle cherche à passer pour quelqu'un de distingué.*
■ **snobisme** n.m. *Il fait cela par **snobisme**, parce qu'il est snob.*

sobre adj. **1.** *M. Durand est **sobre**, il évite de trop boire et manger.* **2.** *Tu portes un costume **sobre**, sans ornement (= simple ; ≠ excentrique).*
■ **sobrement** adv. SENS 1 *Buvez **sobrement**, en évitant les excès.* SENS 2 *Jean est habillé **sobrement**.*
■ **sobriété** n.f. SENS 1 *Cette athlète est d'une grande **sobriété**.*

sobriquet n.m. *Son **sobriquet** était « Poil de Carotte », son surnom moqueur.*

soc n.m. *Le **soc** de la charrue, c'est le fer large et pointu qui laboure la terre.*

soccer n.m. *Xavier joue souvent au **soccer**, un sport qui oppose deux équipes de onze joueurs qui s'efforcent d'envoyer un ballon rond dans le but adverse sans utiliser leurs mains. (C'est le nom du football en France.)*

société n.f. **1.** *Les individus ont des devoirs envers la **société**, l'ensemble des hommes avec qui ils vivent.* **2.** *Les fourmis vivent en **société**, en groupes organisés (= collectivité).* **3.** *J'aime la **société** de ces gens, j'aime les fréquenter (= compagnie).* **4.** *Je travaille dans une **société** commerciale, une maison de commerce (= entreprise, établissement).*
■ **sociable** adj. SENS 3 *Marie est **sociable**, elle aime la compagnie.*
■ **social, e, aux** adj. SENS 1 *Les sciences **sociales** étudient les sociétés humaines. Une loi **sociale** améliore les conditions de vie des gens.*
■ **socialisme** n.m. SENS 1 *Le **socialisme** est une doctrine qui accorde plus d'importance à l'intérêt collectif qu'aux intérêts particuliers.*
■ **socialiste** adj. et n. SENS 1 *Les députés **socialistes** ont proposé d'augmenter les allocations familiales.*
■ **sociétaire** adj. et n. SENS 4 *Les **sociétaires** ont touché leur part de bénéfices, les membres de la société.*
■ **sociologie** n.f. SENS 1 *La **sociologie** est une science qui étudie les sociétés humaines.*

293 **socle** n.m. *La statue est posée sur un socle* (= support).

socquette n.f. *Je mets mes socquettes pour jouer au tennis,* des chaussettes basses.

soda n.m. *Je bois un soda,* de l'eau gazeuse additionnée de sirop de fruits.

603 **sœur** n.f. **1.** *Christiane est ma sœur,* elle a le même père et la même mère que moi (≠ frère). **2.** *C'est une (bonne) sœur qui m'a fait la piqûre,* une religieuse.
■ **demi-sœur** n.f. Une *demi-sœur* est une sœur née du même père ou de la même mère seulement.
R. Noter le pluriel : des *demi-sœurs.*

sofa n.m. *Allonge-toi sur le sofa,* une sorte de lit.

soi pron.pers. **1.** *On ne doit pas penser seulement à soi,* à sa personne. *Après la classe, chacun rentre chez soi.* **2.** *Tu peux venir avec des amis, ça va de soi,* c'est évident, il n'y a pas besoin de le dire.
R. *Soi* se prononce [swa] comme *soie, soit* et [*qu'il*] *soit* (de *être*).

soi-disant **1.** adj.inv. *Ce soi-disant médecin est un charlatan,* cet homme qui prétend être médecin. **2.** adv. *Tu devais soi-disant revenir,* d'après ce que tu disais.

soie n.f. **1.** *Marie a un corsage en soie,* un tissu léger, fin et doux. **2.** *Cette brosse est en soies de sanglier* (= poil).
■ **soierie** n.f. SENS 1 *Dominique tient un magasin de soieries,* de tissus de soie.
■ **soyeux, euse** adj. SENS 1 *Jeanne a des cheveux soyeux,* doux et fins comme de la soie.
R. → *soi.*

soif n.f. **1.** *J'ai soif,* j'ai besoin de boire. **2.** *J'ai soif de grand air,* j'en ai très envie.
■ **assoiffé, e** adj. SENS 1 *Les touristes sont assoiffés,* ils ont très soif (= altéré). SENS 2 *Il est assoiffé de vengeance,* il a un violent désir de se venger.

soin n.m. **1.** *Votre travail est fait avec soin,* vous y avez fait très attention (= application). **2.** *Je prends soin de mes vêtements,* je les conserve en bon état. **3.** (au plur.) *Je confie mon chien à vos soins,* je vous charge de veiller sur lui. Fam. *Benoît est aux petits soins pour moi,* il veille à ce que rien ne me manque. **4.** (au plur.) *L'infirmière donne des soins à un blessé,* elle le soigne. *Luc a eu un accident et il a reçu les premiers soins,* les secours d'urgence.
■ **soigner** v. SENS 1 *Soigne ton travail,* fais-le avec soin. SENS 2 *Je soigne mes plantes,* je m'en occupe bien. SENS 4 *La docteure soigne ses malades,* elle essaie de les guérir.
■ **soigné, e** adj. SENS 1 ET 2 *Tu as des ongles soignés,* propres (≠ négligé).
■ **soigneux, euse** adj. SENS 1 ET 2 *Cette personne est soigneuse,* elle fait tout avec soin, elle prend soin de ses affaires (≠ négligent).
■ **soigneusement** adv. SENS 1 ET 2 *Range soigneusement tes livres !,* avec soin.
■ **soigneur, euse** n. SENS 4 *Les sportifs ont leur soigneur,* quelqu'un qui leur donne les soins nécessaires.

soir n.m. *Le soir, je suis fatiguée,* au moment où la journée s'achève.
■ **soirée** n.f. **1.** *Nous avons passé la soirée à jouer aux cartes,* du coucher du soleil jusque tard dans la nuit. **2.** *Je suis invitée à une soirée,* un spectacle, une fête, une réunion qui a lieu le soir.

soit conj. ou adv. **1.** *Utilisez soit du beurre, soit de l'huile,* ou bien du beurre, ou bien de l'huile. **2.** *Elle a payé le prix indiqué, soit 100 dollars,* c'est-à-dire 100 dollars. **3.** *Puisque tu y tiens, soit, je le ferai* (= d'accord).
R. → *soi.* Au sens 3 on prononce le *t* final : [swat].

soixante adj. *Six fois dix font soixante.* $6 \times 10 = 60$.
■ **soixantième** adj. et n. *Elle est dans sa soixantième année,* elle va avoir soixante ans.

■**soixantaine** n.f. *Le voyage coûte une soixantaine de dollars,* environ 60 dollars. *Elle a la soixantaine,* elle a environ soixante ans.

■**soixante-dix** adj. *Sept fois dix font soixante-dix. 7 × 10 = 70.*

■**soixante-dixième** adj. *Il est dans sa soixante-dixième année.*

soja n.m. *On fabrique de l'huile et de la farine à partir des graines de soja,* une sorte de haricot.

1. sol n.m. **1.** *Il est assis sur le sol de la chambre,* par terre. **2.** *Le sol de cette région est argileux,* le terrain.

■**sous-sol** n.m. SENS 1 *On met le charbon au sous-sol,* dans la partie de la maison située au-dessous du rez-de-chaussée. SENS 2 *Il y a du pétrole dans le sous-sol de ce pays,* dans les profondeurs du sol.

R. → *sole.* Noter le pluriel : des *sous-sols.*

2. sol n.m. *Sol* est la cinquième note de la gamme.

R. → *sole.*

solage n.m. *Ils ont prévu un solage en ciment,* des fondations.

solaire → *soleil.*

soldat, e 1. n. *Il est soldat,* il est dans l'armée (= militaire). **2.** n.m. *Chez les termites et les fourmis, les soldats sont chargés de défendre leur société.*

1. solde n.f. *Les militaires touchent une solde,* un salaire.

2. solde n.m. **1.** *Vous versez 100 dollars et payez le solde à la livraison,* le reste du prix. **2.** *Ces vêtements sont en solde,* ils sont vendus au rabais.

■**solder** v. **1.** SENS 2 *Solder une marchandise,* c'est la vendre en solde. **2.** *Cette tentative s'est soldée par un échec,* son résultat est un échec.

sole n.f. *La sole est un poisson de mer plat.*

R. *Sole* se prononce [sɔl] comme *sol.*

soleil n.m. **1.** *La Terre tourne autour du Soleil,* de l'astre qui nous envoie la lumière et la chaleur. **2.** *Je me fais bronzer au soleil,* à la lumière qui vient du soleil. **3.** *Sophie a de belles lunettes de soleil,* des lunettes avec des verres foncés qui protègent du soleil.

■**solaire** adj. *Une loupe concentre les rayons solaires,* les rayons du soleil.

■**ensoleillé, e** adj. SENS 2 *La pièce est ensoleillée,* le soleil y pénètre.

solennel, elle adj. **1.** *Cet enterrement a été une cérémonie solennelle,* sérieuse et célébrée avec apparat. **2.** *Elle a pris un engagement solennel,* public et définitif.

■**solennellement** adv. SENS 1 *Il s'est engagé solennellement à nous aider.*

■**solennité** n.f. SENS 1 *Elle parle avec solennité* (= gravité, emphase).

R. On prononce [sɔlanɛl], [sɔlanɛlmã], [sɔlanite].

solfier v. *En classe, on apprend à solfier,* à chanter en disant les notes.

■**solfège** n.m. *J'apprends le solfège,* à solfier.

solidaire adj. **1.** *Je suis solidaire de mon frère,* j'approuve ce qu'il fait et je le défends. **2.** *Les deux parties de cet objet sont solidaires,* elles sont fixées l'une à l'autre.

■**solidairement** adv. SENS 1 *Nous avons toujours agi solidairement,* en plein accord.

■**solidarité** n.f. SENS 1 *J'ai agi par solidarité avec lui,* parce que j'étais solidaire de lui.

■**se solidariser** v. SENS 1 *Certains ouvriers ne se sont pas solidarisés avec les grévistes* (= s'unir, s'associer).

■**se désolidariser** v. SENS 1 *Je suis d'accord sur beaucoup de choses, mais je me désolidarise de vous sur ce point* (= se séparer).

solide adj. **1.** *Cette table est très solide,* elle résiste aux chocs, à l'usure (≠ fragile, cassant). **2.** *C'est une personne*

solide, qui résiste à la fatigue et à la maladie (= robuste ; ≠ faible). **3.** adj. et n.m. *Une pierre est un **solide,*** un objet qui n'est ni liquide ni gazeux.

■ **solidement** adv. SENS 1 *Ce piquet est **solidement** enfoncé.*

■ **solidité** n.f. SENS 1 *Ce meuble manque de **solidité,*** il n'est pas solide.

■ **solidifier** v. SENS 3 *Le froid **solidifie** l'eau,* il la rend solide.

■ **consolider** v. SENS 1 *Le maçon **consolide** le mur,* il le rend plus solide (= renforcer).

soliste → *solo.*

solitaire 1. adj. *Mon grand-père vit **solitaire** à la campagne,* il reste seul (= isolé). *Lise ne veut pas venir jouer, elle est très **solitaire,*** elle aime rester seule. **2.** n.m. *Tu portais une bague ornée d'un **solitaire,*** d'un diamant monté seul sur cette bague.

■ **solitude** n.f. SENS 1 *Le berger aime la **solitude,*** il aime être seul.

solive n.f. *Dans une maison, le plancher des étages est porté par des **solives,*** de grandes barres de bois posées sur les murs (= poutre).

solliciter v. *Je **sollicite** l'autorisation de m'absenter* (= demander).

■ **sollicitation** n.f. *Elle a fini par céder aux **sollicitations** de son entourage* (= instance, prière).

sollicitude n.f. *On l'a soigné avec **sollicitude,*** une attention affectueuse.

solo n.m. *Le concert commence par un **solo** de violon,* un morceau de musique joué par un violon seul.

■ **soliste** n. *Cette musicienne est une **soliste,*** elle joue des solos.

solstice n.m. *Le **solstice** d'été est le jour le plus long de l'année, le **solstice** d'hiver est le jour le plus court* (21 juin et 21 décembre).

solution n.f. **1.** *Une **solution** de sel,* c'est de l'eau dans laquelle du sel est dissous.

2. *J'ai trouvé la **solution** du problème,* la réponse permettant de le résoudre (= résultat). *Tu ne devrais pas te fâcher, c'est une mauvaise **solution*** (= moyen).

■ **soluble** adj. SENS 1 *Le sucre est **soluble** dans l'eau,* il s'y dissout.

■ **solubilisé, e** adj. SENS 1 *Du café **solubilisé** a été rendu soluble.*

■ **solvant** n.m. SENS 1 *J'utilise un **solvant** pour dissoudre la peinture,* un produit.

■ **insoluble** adj. SENS 1 *La résine est **insoluble** dans l'eau,* elle ne s'y dissout pas. SENS 2 *Ce problème est **insoluble,*** il n'a pas de solution.

solvable adj. *Cette personne est **solvable,*** elle peut payer ce qu'elle doit.

■ **solvabilité** n.f. *La vendeuse s'est assurée de la **solvabilité** de l'acheteur avant de lui faire crédit.*

■ **insolvable** adj. *Il est **insolvable,*** il ne peut pas payer ses dettes.

sombre adj. **1.** *Ma chambre est **sombre,*** peu éclairée (= obscur ; ≠ clair). **2.** *Jean porte un costume vert **sombre*** (= foncé ; ≠ clair, pâle). **3.** *Tu as l'air **sombre,*** triste. **4.** *L'avenir paraît **sombre,*** inquiétant. *C'est une **sombre** histoire,* une histoire sinistre, ou lamentable.

■ **assombrir** v. SENS 1 *Les rideaux **assombrissent** la pièce,* ils la rendent sombre. *Le ciel **s'assombrit*** (= s'obscurcir). SENS 3 *Son visage **s'assombrit,*** il devient triste ou soucieux.

sombrer v. **1.** *Le bateau **a sombré,*** il a coulé. **2.** *Tu **sombres** dans l'alcoolisme,* tu te laisses aller à boire trop.

sommaire adj. **1.** *Votre explication est **sommaire,*** trop simple (= superficiel). **2.** *Une exécution **sommaire** n'a pas été précédée d'un jugement.* **3.** n.m. *Le **sommaire** d'un livre,* c'est sa table des matières.

■ **sommairement** adv. SENS 1 *Ces indigènes étaient **sommairement** vêtus,* très peu vêtus.

sommation → *sommer.*

1. somme n.f. 1. *La somme de deux plus trois est cinq* (= addition, total). 2. *J'ai une grosse somme à payer,* une grande quantité d'argent.

2. somme n.f. *L'âne est une bête de somme,* il est utilisé pour porter des charges.

3. somme → *sommeil.*

sommeil n.m. 1. *Le téléphone a sonné pendant mon sommeil,* pendant que je dormais. 2. *J'ai sommeil ce soir,* j'ai envie de dormir. 3. *Ce volcan est en sommeil,* il ne se manifeste pas (≠ activité).
■ **sommeiller** v. SENS 1 *Cléa sommeille,* elle dort d'un sommeil léger.
■ **somnifère** n.m. SENS 1 *Un somnifère* est un médicament qui fait dormir.
■ **somme** n.m. SENS 1 *Le malade a fait un somme,* il a dormi un petit moment.
■ **ensommeillé, e** adj. SENS 2 *Les voyageurs sont ensommeillés,* ils ont sommeil.
■ **insomnie** n.f. SENS 1 *C'est la nervosité qui cause tes insomnies,* qui fait que tu ne peux pas t'endormir.

sommelier, ère n. *Dans certains restaurants, le vin est servi par un sommelier,* une personne chargée des vins et des liqueurs.

sommer v. *La policière l'a sommé de circuler,* elle le lui a ordonné.
■ **sommation** n.f. *Il a fallu obéir à la sommation,* à l'ordre impératif.

sommet n.m. 1. *Les alpinistes ont atteint le sommet de la montagne,* son point le plus haut (= cime ; ≠ base, pied). 2. *Une conférence au sommet* (ou un *sommet*) est un entretien entre chefs d'États ou de gouvernements. 3. *Cette chanteuse est au sommet de sa gloire* (= apogée).

sommier n.m. *Le matelas est posé sur un sommier,* un cadre muni de ressorts.

sommité n.f. *Ce médecin est une sommité,* un des plus brillants en médecine.

somnambule adj. et n. *Tu es somnambule,* tu marches, tu parles en dormant.

somnifère → *sommeil.*

somnolence n.f. *Ce médicament provoque la somnolence,* un demi-sommeil.
■ **somnolent, e** adj. *M. Dupont est somnolent après les repas,* à moitié endormi.
■ **somnoler** v. *Le chat somnole près du feu,* il dort à demi.

somptuaire adj. *Des dépenses somptuaires* sont des dépenses excessives par goût du luxe.

somptueux, euse adj. *Cet appartement est somptueux,* beau et luxueux.

1. son, sa, ses adj.possessifs indiquent ce qui est à lui, ce qui lui appartient : *Son manteau, sa veste, ses chaussures.*
R. On emploie *son* au lieu de *sa* devant un nom féminin commençant par une voyelle ou un *h* muet : *son oreille. Son* se prononce [sɔ̃] comme [*ils*] *sont* (de *être*) ; *sa* se prononce [sa] comme *ça ; ses* se prononce [se] comme *ces.*

2. son n.m. *On entend le son d'une cloche,* son bruit.
■ **sonner** v. 1. *On sonne à la porte,* on fait marcher la sonnette. 2. *Le réveil sonne,* il produit un son prolongé. 3. *On sonne la fin de la récréation,* on l'annonce par une sonnerie.
■ **sonnerie** n.f. *J'entends la sonnerie du réveil,* le bruit qu'il fait quand il sonne. *La sonnerie du téléphone ne marche plus,* le mécanisme qui fait sonner.
■ **sonnette** n.f. *La visiteuse actionne la sonnette,* un mécanisme qui produit un son assez fort.
■ **sonneur, euse** n. *Le sonneur fait sonner les cloches d'une église.*
■ **sonore** adj. 1. *Ce métal est sonore,* il produit un son quand on le frappe. *En sortant du magasin, j'ai entendu un si-*

220

74,
38

gnal *sonore,* qui fait du bruit. **2.** *Cette chapelle est* **sonore,** les sons, même légers, s'y entendent bien.

■ **sonorité** n.f. *Ce piano a une bonne* **sonorité,** il produit des sons agréables.

■ **sonoriser** v. **1.** *On a* **sonorisé** *la salle de théâtre,* on l'a munie de haut-parleurs. **2.** *Sonoriser un film,* c'est l'accompagner de musique, de paroles.

■ **sonorisation** ou **sono** n.f. *C'est Louise qui est chargée de la* **sono,** de l'installation de haut-parleurs et de micros pour diffuser la musique, les paroles dans une salle ou sur une place.

■ **insonore** adj. *Le plomb est* **insonore,** il ne laisse pas passer les sons.

■ **insonoriser** v. *Cet appartement* **est insonorisé,** les bruits ne traversent pas les murs.

■ **supersonique** adj. *Un avion* **supersonique** *va plus vite que le son.*

3. son n.m. *On nourrit les porcs avec du* **son,** l'enveloppe des grains de céréales.

sonate n.f. *La pianiste interprète une so-nate,* un morceau de musique.

sonder v. **1.** *Le marin* **sonde** *la mer,* il mesure la profondeur de l'eau. **2.** *J'ai* **sondé** *mon ami,* j'ai cherché à savoir ce qu'il pensait. **3.** *Ne propose rien en premier,* **sonde le terrain** *d'abord,* assure-toi par avance de l'état des choses.

■ **sonde** n.f. SENS 1 *On mesure la profondeur de l'eau à l'aide d'une* **sonde,** un appareil.

■ **sondage** n.m. SENS 1 *Les* **sondages** *indiquent une grande profondeur.* SENS 2 *On fait des* **sondages** *d'opinion,* on essaie de connaître l'opinion de la population en interrogeant un petit nombre de gens.

■ **insondable** adj. SENS 1 *Ce gouffre est* **insondable,** on ne peut pas en connaître la profondeur.

songer v. *Je* **songe** *à mes amis,* je pense à eux.

■ **songe** n.m. *Luce a fait un beau* **songe** *la nuit dernière* (= rêve). *Jean paraît plongé dans un* **songe,** dans ses pensées.

■ **songeur, euse** adj. *Cette nouvelle l'a laissé* **songeur,** pensif, rêveur.

sonner, sonnerie → *son* 2.

sonnet n.m. *Un* **sonnet** *est un poème de 14 vers en 4 strophes.*

sonnette, sonneur, sono, sonore, sonorisation, sonoriser, sonorité → *son* 2.

sophistiqué, e adj. *Un mécanisme* **sophistiqué** *est très compliqué.*

soporifique adj. et n.m. **1.** *Ce médicament est (un)* **soporifique,** il endort (= somnifère). **2.** *La séance a commencé par un discours* **soporifique** (= ennuyeux).

soprano ou **soprane** n.m. ou f. *Les femmes qui chantent très haut sont des* **sopranos.**

sorbet n.m. *Un* **sorbet** *est une glace sans crème à base de jus de fruits.*

■ **sorbetière** n.f. *Une* **sorbetière** *est un appareil qui sert à faire des glaces.*

sorcellerie, sorcier → *sort.*

sordide adj. **1.** *Cette maison est* **sordide,** très sale. **2.** *Mon voisin est d'une avarice* **sordide,** qui atteint un degré honteux (= répugnant).

sornettes n.f.pl. *Tu nous racontes des* **sornettes,** tu dis n'importe quoi (= sottises).

sort n.m. **1.** *Je suis contente de mon* **sort,** de la façon dont mon existence se passe. **2.** *La gagnante est tirée au* **sort,** désignée par le hasard. **3.** *Il croit qu'on lui a jeté un* **sort,** que quelqu'un a attiré, par magie, un malheur sur lui.

■ **sortilège** n.m. SENS 3 *Croire aux* **sortilèges,** c'est croire qu'il existe des événements magiques.

■ **sorcier, ère** n. SENS 3 *En Afrique, les sorciers jouaient un rôle important,* les personnes qui jetaient des sorts (= magicien).

■ **sorcellerie** n.f. SENS 3 *C'est de la sorcellerie,* quelque chose que seul un sorcier pourrait faire.

■ **ensorceler** v. SENS 3 *Ensorceler quelqu'un,* c'est exercer sur lui une influence magique.
R. *Ensorceler →* conj. n° 6. *→ saur.*

sorte n.f. **1.** *On a fait un bouquet avec plusieurs sortes de fleurs,* plusieurs variétés (= genre, catégorie, espèce). **2.** *Elle a travaillé de telle sorte qu'elle a réussi,* elle a si bien travaillé qu'elle a réussi (= de telle manière, de telle façon). **3.** *Ne parle pas de la sorte,* de cette façon. **4.** *Il a fait en sorte que je ne vienne pas,* il s'est arrangé pour que cela se produise.

sortilège *→ sort.*

sortir v. **1.** *M. Durand sort de sa maison,* il va au-dehors (≠ entrer). *On va bientôt sortir de l'hiver,* cesser d'être dans cette saison. **2.** *Nous sortons ce soir,* nous allons en visite, au spectacle, en promenade. **3.** *Il sort son chien,* il le promène. **4.** *Ce livre vient de sortir,* d'être mis en vente. **5.** *Il nous a sorti une drôle d'histoire* (= raconter). **6.** *Carole va s'en sortir,* se tirer d'affaire.

■ **sortable** adj. SENS 2 Fam. *Ce garçon n'est pas sortable,* il se conduit si mal qu'on ne peut pas le présenter en société.

■ **sortant, e** adj. SENS 1 *On a affiché les numéros sortants,* ceux qui ont été tirés au sort (= gagnant). *La députée sortante ne se représente pas aux élections,* celle qui était élue.

■ **sortie** n.f. SENS 1 *C'est bientôt l'heure de la sortie,* l'heure où l'on sort. *Je l'attends à la sortie,* à l'endroit par où l'on sort. SENS 2 ET 3 *Nous avons fait une sortie,* une promenade. SENS 4 *On annonce la sortie de son nouveau roman* (= publication, parution).
R. → Conj. n° 28. *Sortir* se conjugue avec l'auxiliaire *être* aux sens 1, 2, 4 et 6, avec l'auxiliaire *avoir* aux sens 3 et 5. *→ saur.*

S. O. S. n.m. *Le bateau en détresse lance un S. O. S. par radio,* un appel au secours.

sosie n.m. *Cette personne est ton sosie,* elle te ressemble parfaitement.

sot, sotte adj. et n. *Cette réponse est sotte* (= bête, idiot, imbécile).

■ **sottement** adv. *Vous avez agi sottement* (= bêtement).

■ **sottise** n.f. **1.** *Je me rends compte de sa sottise* (= stupidité). **2.** *On a fait une sottise* (= bêtise).
R. *→ sceller.*

sou n.m. **1.** *Le sou* était une pièce de monnaie de peu de valeur. **2.** *J'ai des sous,* de l'argent. **3.** Fam. *Prête-moi un trente sous,* une pièce de vingt-cinq cents.
R. *→ soûl.*

soubassement n.m. **1.** *Le soubassement d'une maison repose sur les fondations,* le bas des murs (= base). **2.** *Il y a un bingo dans le soubassement de l'école,* le sous-sol.

soubresaut n.m. *Elle a eu un soubresaut en entendant le bruit,* un mouvement brusque et involontaire du corps (= sursaut).

souche n.f. **1.** *En forêt, je me suis assis sur une souche,* la partie de l'arbre qui reste dans le sol quand il a été coupé. **2.** *Notre famille est de souche anglaise,* d'origine anglaise. **3.** *Quand on détache un chèque du carnet, il reste la souche,* un petit rectangle de papier portant le numéro du chèque.

1. souci n.m. *Le souci* est une plante à fleurs jaunes.

2. souci n.m. **1.** *Je me fais du souci,* je m'inquiète (= tourment, tracas).

656

2. *J'ai des soucis,* des sujets d'inquiétude.

■ **se soucier** v. *Je ne me soucie pas de cela,* je ne m'en inquiète pas (= se préoccuper).

■ **soucieux, euse** adj. *Vous semblez être soucieux,* avoir du souci (= inquiet, préoccupé).

■ **insouciant, e** adj. *Un enfant insouciant* ne s'inquiète de rien.

■ **insouciance** n.f. *Elle est d'une grande insouciance,* elle est très insouciante.

soucoupe n.f. **1.** *La tasse est posée sur une soucoupe,* une petite assiette. **2.** *Les soucoupes volantes existent-elles ?,* des engins volants qui viendraient d'une autre planète.

soudain, e **1.** adj. *Une pluie soudaine s'est mise à tomber,* une pluie arrivée tout à coup (= subit, imprévu). **2.** adv. *Le ballon a soudain éclaté* (= tout à coup, brusquement).

■ **soudainement** adv. *Soudainement, il s'est mis à pleuvoir* (= soudain, subitement).

■ **soudaineté** n.f. *La soudaineté de la gelée a surpris tout le monde* (= rapidité).

soudard n.m. *C'est un rustre qui a des manières de soudard,* de soldat brutal et grossier.

souder v. *Il faut qu'on soude les deux tuyaux,* qu'on les réunisse à l'aide d'une soudure.

■ **soudeur, euse** n. *Le soudeur porte un masque pour se protéger le visage,* celui qui soude.

■ **soudure** n.f. *Tu feras la soudure avec un chalumeau,* tu réuniras les deux pièces de métal avec du métal fondu.

■ **dessouder** v. *Le choc a dessoudé la pièce,* il a fait céder la soudure.

■ **ressouder** v. *On a ressoudé les morceaux. L'os s'est ressoudé à l'endroit de la fracture.*

R. On prononce [desude], mais [rəsude]

soudoyer v. *Les gangsters avaient soudoyé le portier,* ils l'avaient payé pour le faire agir malhonnêtement.

souffler v. **1.** *Le vent souffle,* l'air se déplace. **2.** *Soufflez dans ce ballon,* envoyez-y de l'air avec votre bouche. *Souffle la bougie,* éteins-la avec ton souffle. **3.** *Laissez-moi souffler,* reprendre ma respiration. **4.** *Ne lui soufflez pas la réponse,* ne la lui dites pas pour l'aider. **5.** Fam. *Je suis soufflée,* très étonnée (= stupéfait).

■ **souffle** n.m. SENS 1 *Je sens un souffle d'air frais,* de l'air qui se déplace. SENS 2 *Les assistants, anxieux, retenaient leur souffle* (= respiration). SENS 3 *La cycliste est à bout de souffle,* elle est essoufflée. SENS 5 *Sa remarque m'a coupé le souffle* (= surprendre).

■ **soufflé** n.m. *Un soufflé est un plat qui gonfle en cuisant au four.*

■ **soufflerie** n.f. SENS 1 ET 2 *On essaie les avions dans des souffleries,* des installations faites pour produire un souffle.

■ **soufflet** n.m. **1.** SENS 2 *J'active le feu avec un soufflet,* un appareil qui envoie de l'air. **2.** *Les voitures du train sont reliées par un soufflet,* un couloir en forme d'accordéon. **3.** *Les soufflets d'un orgue, d'un accordéon sont les parties pliantes qui soufflent l'air produisant les sons.*

■ **souffleur, euse** n. SENS 4 *Au théâtre, le souffleur aide les acteurs qui ne savent plus leur texte.* SENS 2 *François est souffleur de verre,* il fabrique des objets en soufflant le verre fondu.

■ **souffleuse** n.f. SENS 1 *Une souffleuse est une sorte de chasse-neige.*

■ **essouffler** v. SENS 3 *Je suis essoufflée d'avoir couru,* je respire difficilement.

■ **essoufflement** n.m. SENS 3 *En haute montagne, cette personne souffre d'essoufflement.*

1. soufflet n.m. est un équivalent rare de *gifle.*

■ **souffleter** v. se disait autrefois pour *gifler.*

290

290

2. soufflet → *souffler.*

souffrir v. 1. *Elle souffre de sa blessure,* elle a très mal. 2. *Les légumes ont souffert du gel,* ils ont été abîmés. 3. *Je ne peux pas le souffrir,* je le déteste (= supporter, sentir).
■ **souffrance** n.f. 1. SENS 1 *L'aspirine calme la souffrance* (= douleur). 2. *Ce colis reste en souffrance,* personne ne le réclame.
■ **souffrant, e** adj. SENS 1 *Marie est souffrante* (= malade).
■ **souffreteux, euse** adj. SENS 1 *Une personne souffreteuse* est souvent malade.
■ **souffre-douleur** n.inv. SENS 1 *Cette enfant est la souffre-douleur de ses camarades,* ils la maltraitent.
R. → Conj. n° 16. → *souffre.*

soufre n.m. *Le soufre brûle en produisant une fumée suffocante,* une substance de couleur jaune.
■ **soufrer** v. *Le vigneron soufre ses tonneaux,* il y fait brûler du soufre pour les désinfecter.
R. *Soufre* se prononce [sufr] comme *[je] souffre* (de *souffrir*).

souhaiter v. 1. *Je souhaite qu'il fasse beau,* je le désire. 2. *Je viens vous souhaiter la bonne année,* vous offrir mes vœux de bonheur.
■ **souhait** n.m. SENS 1 *Il a réalisé son souhait* (= désir, vœu).
■ **souhaitable** adj. SENS 1 *Il est souhaitable que tu fasses des progrès,* il le faudrait.

souiller v. *La serviette est souillée par de la sauce* (= salir, tacher, maculer).
■ **souillon** n. *Tu es une* (ou *un*) *souillon,* tu es malpropre.

souk n.m. *Un souk est un marché arabe.*

soûl, e ou **saoul, e** adj. 1. *Le chauffeur était soûl,* il avait bu trop d'alcool (= ivre). 2. *Il y a tant de bruit que j'en suis soûle,* j'ai la tête qui tourne.
■ **soûl** n.m. *Mange tout ton soûl,* autant que tu veux.

■ **soûler** ou **saouler** v. *Il s'est soûlé au cognac,* il en a bu jusqu'à être soûl.
■ **soûlant, e** adj. SENS 2 *Elle est soûlante avec ses histoires* (= fatigant, assommant).
■ **dessoûler** v. SENS 1 *Le grand air l'a dessoûlée,* il a fait cesser son ivresse. *Depuis hier, il n'a pas dessoûlé,* il est resté ivre.
R. *Soûl* et *saoul* se prononcent [su] comme *sou* et *sous.*

soulager v. 1. *Ce médicament soulage la douleur* (= diminuer, calmer ; ≠ aggraver). 2. *Je suis soulagé de la savoir guérie,* je ne suis plus inquiet (= apaiser). 3. *Il me faut un collaborateur pour me soulager dans mon travail* (= aider).
■ **soulagement** n.m. *Elle a poussé un soupir de soulagement* (= apaisement ; ≠ accablement).

soûlant, soûler → soûl.

soulever v. 1. *Le cuisinier soulève le couvercle de la casserole,* il le lève un peu. 2. *Ce projet soulève l'enthousiasme* (= provoquer, déchaîner). 3. *Le peuple se soulève* (= se révolter). 4. *Cette odeur me soulève le cœur,* elle m'écœure.
■ **soulèvement** n.m. SENS 3 *Un soulèvement est une révolte.*

soulier n.m. *Mes souliers me font mal aux pieds* (= chaussure).

souligner v. 1. *Soulignez le titre,* tirez un trait dessous. 2. *Je tiens à souligner un détail,* à le mettre en valeur.
■ **soulignage** ou **soulignement** n.m. SENS 1 *Sa lettre est surchargée de soulignages.*

soumettre v. 1. *Les salaires sont soumis à l'impôt,* on est obligé de payer l'impôt dessus (= assujettir). 2. *Les révoltés se sont soumis,* ils se sont rendus, ils obéissent. 3. *J'ai soumis mes problèmes à mon professeur* (= présenter).

805

■ **soumis, e** adj. SENS 2 *Ce sont des enfants soumis* (= docile, obéissant).

■ **soumission** n.f. SENS 2 *Ce chef exige une soumission totale à ses décisions* (= obéissance).

■ **insoumis, e** adj. et n. SENS 2 *Un (soldat) insoumis refuse de faire son service militaire.*

■ **insoumission** n.f. SENS 2 *L'insoumission,* c'est la désobéissance.
R. → Conj. n° 57.

soupape n.f. *Les moteurs de voitures ont des soupapes,* des pièces mobiles qui se soulèvent pour laisser passer les gaz.

soupçon n.m. **1.** *La police a des soupçons contre lui,* elle pense qu'il est coupable. **2.** *Je ne boirai qu'un soupçon de vin,* un tout petit peu.

■ **soupçonner** v. SENS 1 *On la soupçonne de vol,* on pense qu'elle a commis un vol (= suspecter).

■ **soupçonneux, euse** adj. SENS 1 *Le douanier a jeté un regard soupçonneux sur nos valises,* un regard exprimant ses soupçons.

■ **insoupçonné, e** adj. SENS 1 *Cette personne chétive a montré une force insoupçonnée,* qu'on n'attendait pas de sa part.

soupe n.f. *On mange sa soupe avec une cuillère,* un aliment liquide (= potage).

■ **soupière** n.f. *On sert la soupe dans une soupière,* un récipient creux.

soupente n.f. *La nuit, les souris trottent dans la soupente,* dans le réduit situé dans la partie haute d'une pièce coupée en deux par un plancher.

souper n.m. *Après le souper, nous irons nous coucher,* un repas du soir (= dîner).

■ **souper** v. **1.** *Nous avons soupé dans un petit bistrot,* nous avons mangé le soir (= dîner). **2.** Fam. *J'en ai soupé de te voir ici,* j'en ai assez.

soupeser v. *Soupèse cette valise,* soulève-la avec la main pour juger de son poids.

soupière → *soupe.*

soupir → *soupirer.*

soupirail n.m. *Les caves sont aérées par des soupiraux,* des petites fenêtres.

soupirer v. **1.** *Les auditeurs soupirent d'ennui,* ils poussent des soupirs. **2.** *Elle soupire après ses vacances,* elle les attend avec impatience.

■ **soupir** n.m. SENS 1 *À cette nouvelle, Marie a poussé un soupir de soulagement,* une respiration forte et prolongée. *Grand-papa a rendu son dernier soupir,* il est mort.

■ **soupirant** n.m. SENS 2 *Cette femme a des soupirants,* des hommes qui lui font la cour.

souple adj. **1.** *Les saules ont des branches souples,* qui se plient facilement (= élastique, flexible ; ≠ rigide, raide). **2.** *Tu as un caractère souple,* tu t'entends bien avec les gens, car tu t'adaptes à eux.

■ **souplesse** n.f. SENS 1 *Le chat est un animal d'une grande souplesse* (= agilité ; ≠ raideur). SENS 2 *Dans cette affaire, il faut manœuvrer avec souplesse* (= adresse, diplomatie).

■ **assouplir** v. SENS 1 *J'assouplis mes chaussures,* je les rends plus souples.

■ **assouplissement** n.m. SENS 1 *Chaque matin, nous faisons des exercices d'assouplissement,* pour assouplir nos membres. SENS 2 *On a obtenu un assouplissement du règlement* (= adoucissement).

souque-à-la-corde n.f. *Les deux équipes se sont affrontées dans une épreuve de souque-à-la-corde,* où chacun tire le plus fort possible un câble de son côté.

source n.f. **1.** *Ici, il y a une source d'eau très pure,* de l'eau qui sort du sol. **2.** *Une lampe est une source de lumière,* elle fournit de la lumière. **3.** *La maladie est la* **source** *de mes ennuis* (= cause).

■ **sourcier, ère** n. SENS 1 *M. Dupuis est* **sourcier,** *il a le don de découvrir des sources.*

sourcil n.m. *Paul, surpris, lève les* **sourcils,** *les lignes de poils situées au-dessus des yeux.*

■ **sourciller** v. *Il se laissa injurier sans* **sourciller,** *sans émotion apparente.*

■ **sourcilière** adj.f. *L'* **arcade sourcilière** *est l'endroit où poussent les sourcils.*

R. On ne prononce pas le / final : [sursi].

sourcilleux, euse adj. *La direction est très* **sourcilleuse** *sur la tenue du personnel* (= pointilleux, difficile).

sourd, e adj. et n. **1.** *Cette personne est* **sourde,** *elle n'entend pas.* **2.** *Il est resté* **sourd** *à mes prières,* il n'a pas voulu m'écouter. **3.** *Le paquet est tombé avec un bruit* **sourd** (= étouffé). *J'ai une douleur* **sourde** *dans la tête,* faible mais continue (≠ aigu).

■ **sourdement** adv. SENS 3 *Le tonnerre gronde* **sourdement,** *en faisant un bruit sourd.*

■ **sourd-muet, sourde-muette** adj. et n. SENS 1 *Elle est* **sourde-muette,** *elle ne peut ni entendre ni parler.*

■ **surdité** n.f. SENS 1 *Sa* **surdité** *l'oblige à porter un appareil dans l'oreille.*

■ **assourdir** v. SENS 1 *Ce bruit m'* **assourdit,** *il me fait mal aux oreilles.* SENS 3 *Le tapis* **assourdit** *les pas,* il les rend moins sonores. *Le bruit s'* **assourdit,** *on l'entend moins.*

■ **assourdissant, e** adj. SENS 1 *Les machines font un vacarme* **assourdissant.**

R. Attention au pluriel : des *sourds-muets,* des *sourdes-muettes.*

sourdine n.f. *On entend une musique* **en sourdine** (= faiblement).

sourd-muet → *sourd.*

sourdre v. *De l'eau* **sourd** *dans ce vallon,* elle sort de terre.

R. → Conj. n° 84.

souriant → *sourire.*

souriceau, souricière → *souris.*

sourire v. **1.** *Maman* **sourit,** *elle rit doucement, en silence.* **2.** *Cette idée me* **sourit,** *elle me plaît.*

■ **souriant, e** adj. SENS 1 *Une personne* **souriante** *sourit souvent.*

■ **sourire** n.m. SENS 1 *Fais-moi un* **sourire,** souris-moi un instant.

R. → Conj. n° 67. → *souris.*

souris n.f. *Une* **souris** *a grignoté le fromage,* un petit animal rongeur.

■ **souriceau** n.m. Le **souriceau** est le petit de la souris.

■ **souricière** n.f. *Paule a posé des* **souricières** *dans le grenier* (= piège).

R. *Souris* se prononce [suri] comme [je] *souris,* [il] *sourit* (de *sourire*).

sournois, e adj. et n. *Méfie-toi de ces gens, ils sont* **sournois,** ils font des mauvaises actions en se dissimulant (= hypocrite ; ≠ franc).

■ **sournoisement** adv. *Il nous a attaqués* **sournoisement** (= lâchement).

■ **sournoiserie** n.f. *Ses compliments sont pleins de* **sournoiserie** (= hypocrisie).

1. sous- au début d'un mot indique un degré inférieur, insuffisant : *sous-lieutenant,* *sous-alimentation.*

2. sous prép. **1.** *Le tapis est* **sous** *la table,* on a mis la table dessus. **2.** *La lettre est* **sous** *enveloppe,* dans une enveloppe. **3.** *La Fontaine vivait* **sous** *Louis XIV,* à l'époque de Louis XIV. **4.** *La branche plie* **sous** *le poids des fruits,* à cause de leur poids.

R. → *soûl.*

sous-alimentation, sous-alimenté → *aliment.*

sous-bois → *bois.*

souscrire v. **1.** *M. Durand a* **souscrit** *à une encyclopédie,* il s'est engagé à acheter les volumes qui paraîtront. **2.** *Je ne* peux pas **souscrire** *à vos déclarations,* m'y associer.

■ **souscripteur** n.m. SENS 1 *Cet emprunt a attiré de nombreux* **souscripteurs,** *des personnes qui y ont souscrit.*

■ **souscription** n.f SENS 1 *Cette série de livres est vendue en* **souscription,** *les acheteurs souscrivent.*
R. → Conj. n° 71.

sous-cutané, e adj. *Une piqûre* **sous-cutanée** *se fait sous la peau (≠ intraveineux ou intramusculaire).*

sous-développé → *développer.*

sous-entendre v. *Elle n'a pas dit qu'elle viendrait, mais c'*était **sous-entendu,** *elle l'a fait comprendre sans le dire.*

■ **sous-entendu** n.m. *Tes* **sous-entendus** *sont déplaisants (≠ insinuation, allusion).*
R. → Conj. n° 50.

sous-estimer → *estimer.*

293   **sous-main** n.m.inv. Un **sous-main** est un rectangle de cuir ou de buvard qui sert d'appui pour écrire sur un bureau.

sous-marin → *marin.*

sous-ministre → *ministre.*

sous-officier → *officier.*

sous-peuplé → *peuple.*

sous-préfecture, sous-préfet → *préfet.*

sous-produit → *produire.*

soussigné → *signer.*

sous-sol → *sol* 1.

sous-titre, sous-titrer → *titre.*

soustraire v. 1. *Quand je* **soustrais** *5 de 20, il reste 15 (= retrancher, ôter ; ≠ ajouter). 2. Je ne veux pas me* **soustraire** *à mes devoirs,* y échapper, me dérober.

■ **soustraction** n.f. SENS 1 *Une* **soustraction** *est une opération qui consiste à retrancher un nombre d'un autre.*
R. → Conj. n° 79.

sous-verre n.m.inv. Un **sous-verre** est une gravure ou une photo placée entre une plaque de verre et un carton, sans cadre.

sous-vêtement → *vêtement.*

soutane n.f. *Les prêtres portaient la* **soutane,** *une grande robe noire.*

soute n.f. La **soute** est la partie d'un bateau, d'un avion où l'on met le matériel, les bagages.

soutènement → *soutenir.*

souteneur n.m. Un **souteneur** est un individu qui vit de l'argent que lui remettent des prostituées.

soutenir v. 1. *Les piliers* **soutiennent** *le plafond (= porter, retenir). 2. Hélène* **soutient** *son frère, elle prend son parti. 3. Il faut* **soutenir** *notre attention, rester attentifs. 4. Je* **soutiens** *que tu te trompes (= affirmer, assurer, prétendre).*

■ **soutènement** n.m. SENS 1 *Les murs de* **soutènement** *soutiennent la terrasse.*

■ **soutien** n.m. 1. SENS 2 *Dans son malheur, il a besoin d'un* **soutien,** *d'une aide morale. 2. Elle est* **soutien** *de famille,* c'est elle qui fait vivre sa famille.

■ **soutien-gorge** n.m. SENS 1 *Un* **soutien-gorge** *est un sous-vêtement féminin qui soutient les seins.*

■ **insoutenable** adj. 1. SENS 4 *Une opinion* **insoutenable** *ne peut être justifiée (= indéfendable). 2. Une douleur* **insoutenable** *est insupportable.*
R. → Conj. n° 22. Noter le pluriel : *des soutiens-gorge.*

souterrain, e 1. adj. *On peut changer de trottoir par un passage* **souterrain,** *qui passe sous terre. 2. n.m. Le château a des* **souterrains,** *des galeries sous terre.*

soutien, soutien-gorge → *soutenir.*

soutirer v. 1. *Soutirer du vin,* c'est le transvaser d'un tonneau dans un autre pour que la lie reste au fond du premier. 2. *Elle m'a soutiré de l'argent,* elle m'a amené par la ruse à lui en donner.

se souvenir v. *Je me souviens de cette aventure,* elle est restée dans ma mémoire (= se rappeler, se remémorer ; ≠ oublier).
■ **souvenir** n.m. 1. *Mon grand-père aime raconter ses souvenirs,* les moments de sa vie dont il se souvient. 2. *J'ai rapporté des souvenirs de Grèce,* des objets qui me rappelleront mon voyage.
R. → Conj. n° 22.

souvent adv. *En automne, il pleut souvent,* la pluie tombe à intervalles rapprochés (= fréquemment ; ≠ rarement).

souverain, e 1. n. *Un roi, un empereur, un monarque sont des souverains,* ils exercent le pouvoir suprême. **2.** adj. *Dans une démocratie, le peuple est souverain,* il est seul à décider. **3.** adj. *Ce médicament est souverain contre la grippe,* très efficace (= radical).
■ **souverainement** adv. SENS 2 *Le peuple jugera souverainement,* en maître absolu. SENS 3 *Il est souverainement intelligent,* extrêmement.
■ **souveraineté** n.f. SENS 1 ET 2 *Le peuple exerce sa souveraineté,* son pouvoir.

souvlaki n.m.pl. *J'aime les souvlaki,* des brochettes de mouton.

soyeux → *soie.*

spacieux → *espace.*

spaghetti n.m. *M. Tremblay aime les spaghettis,* des pâtes alimentaires en forme de fines baguettes. *J'ai mangé un bon spaghetti,* un plat composé de pâtes alimentaires.

sparadrap n.m. *Son pansement tient avec du sparadrap,* du tissu collant.

spartiate n.f. *L'été, je porte des spartiates,* des sandales faites de lanières croisées.

spasme n.m. *Un spasme est une contraction involontaire d'un muscle.*
■ **spasmodique** adj. *Elle était agitée d'un rire spasmodique* (= convulsif).

spatial → *espace.*

spatule n.f. 1. *J'étends de la colle avec une spatule,* une petite pelle plate. 2. *La spatule de mon ski est cassée,* le bout recourbé à l'avant.

spécial, e, aux adj. 1. *J'écris sur l'ardoise avec un crayon spécial,* fait exprès pour cela (= particulier). 2. *Cet objet a une forme spéciale,* qui ne ressemble à aucune autre (≠ ordinaire).
■ **spécialement** adv. SENS 1 *Je viens spécialement pour vous voir* (= exprès). *J'aime les fruits et spécialement les pêches* (= particulièrement, notamment).
■ **spécialiser** v. SENS 1 *Cette librairie est spécialisée en poésie,* on y vend surtout des livres de poésie. *Ce médecin s'est spécialisé dans les maladies du cœur,* il ne soigne que ces maladies.
■ **spécialisation** n.f. SENS 1 *La recherche scientifique demande une spécialisation poussée.*
■ **spécialiste** n. et adj. SENS 1 *C'est une spécialiste du cœur,* elle s'est spécialisée dans ce domaine.
■ **spécialité** n.f. 1. SENS 1 *Ma spécialité, c'est l'histoire,* ce que je connais le mieux. 2. *Le cassoulet est une spécialité toulousaine,* un plat particulier à de la région de Toulouse.

spécifier v. *Le contrat spécifie les conditions de vente de la maison,* il les indique précisément (= préciser).

spécifique adj. *L'eau bout à 100 degrés, c'est une propriété spécifique,* qui lui est particulière.

spécimen n.m. *Ce chien est un beau spécimen de sa race,* il représente bien sa race (= modèle).
R. On prononce [spesimɛn].

spectacle n.m. 1. *Je suis impressionnée par le spectacle de la mer,* par ce que je vois : la mer. 2. *Ce soir, nous allons au spectacle,* au théâtre, ou au cinéma, ou au cirque, etc.
■ **spectateur, trice** n. SENS 1 *Elle a été la spectatrice d'un accident,* elle a vu un accident. SENS 2 *Les acteurs sont applaudis par les spectateurs,* les gens qui regardent le spectacle.
■ **spectaculaire** adj. SENS 2 *Les acrobates font un numéro spectaculaire,* qui surprend les spectateurs par son audace.

spectre n.m. 1. *John prétend avoir vu un spectre dans le château* (= fantôme). 2. *Le spectre de la lumière,* c'est l'ensemble des couleurs de l'arc-en-ciel qui composent la lumière du soleil.
R. → *sceptre.*

spéculation n.f. *Il s'est enrichi par des spéculations malhonnêtes,* en exploitant les variations de prix des produits (= manœuvre).
■ **spéculer** v. *Cette personne a spéculé sur le prix des terrains,* elle a fait de la spéculation.
■ **spéculateur, trice** n. *Des spéculateurs ont fait monter le prix du sucre.*

spéléologie n.f. *On fait de la spéléologie,* on explore les grottes souterraines pour les étudier.
■ **spéléologue** n. *Une équipe de spéléologues a découvert de nouvelles grottes.*

sperme n.m. *Le sperme est le liquide émis par les glandes reproductrices mâles.*

sphère n.f. 1. *La Terre est une sphère,* elle a la forme d'une boule. 2. *Cette personne est très appréciée dans sa sphère,* dans le milieu où elle est connue.

■ **sphérique** adj. SENS 1 *La Terre est sphérique,* elle a la forme d'une sphère (= rond).

sphinx n.m. 1. *Un sphinx a un corps de lion et une tête humaine,* un animal imaginaire. 2. *Cet homme est un sphinx,* on ne peut pas deviner ce qu'il pense.

spinnaker ou **spi** n.m. *Par vent arrière, le trimaran a mis son spi,* un grand foc léger qui se gonfle beaucoup.
R. On prononce [spinekœr].

spirale n.f. *Un escalier en spirale tourne régulièrement dans le même sens. Mon cahier de français est un cahier à spirales,* les feuilles sont réunies par un fil de fer en spirale.
■ **spire** n.f. *Ce ressort a vingt spires,* le fil de fer fait vingt tours sur lui-même.

spiritisme, spirituel → *esprit.*

spiritueux n.m. *Les spiritueux sont des boissons alcoolisées.*

splendide adj. *Quel temps splendide !,* très beau (= magnifique, superbe).
■ **splendeur** n.f. *Cette décoration est une splendeur !,* elle est splendide.

spolier v. *On l'a spolié de son héritage,* on l'en a privé par des procédés malhonnêtes (= déposséder, dépouiller).

spongieux, euse adj. *On s'enfonce dans ce sol spongieux,* mou et imbibé d'eau.

spontané, e adj. 1. *La coupable a fait des aveux spontanés,* sans y être forcée. 2. *Hélène est une fillette spontanée,* elle ne cherche pas à dissimuler ses sentiments (= franc).
■ **spontanéité** n.f. *J'aime la spontanéité,* qu'on soit spontané.
■ **spontanément** adv. *Elle a proposé son aide spontanément,* sans qu'on la lui demande.

sporadique adj. *Des mouvements sporadiques de grève ont eu lieu* (= dispersé).

→ p. 809

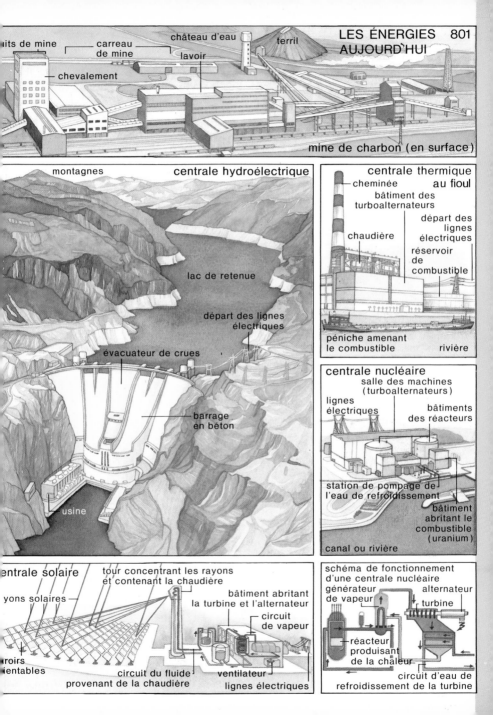

mine de charbon (en surface)

uits de mine — carreau de mine — château d'eau — terril
chevalement — lavoir

centrale hydroélectrique

montagnes
lac de retenue
départ des lignes électriques
évacuateur de crues
barrage en béton
usine

centrale thermique au fioul

cheminée
bâtiment des turboalternateurs
départ des lignes électriques
chaudière
réservoir de combustible
péniche amenant le combustible — rivière

centrale nucléaire

salle des machines (turboalternateurs)
lignes électriques
bâtiments des réacteurs
station de pompage de l'eau de refroidissement
bâtiment abritant le combustible (uranium)
canal ou rivière

centrale solaire

tour concentrant les rayons et contenant la chaudière
rayons solaires
bâtiment abritant la turbine et l'alternateur
circuit de vapeur
miroirs orientables
circuit du fluide provenant de la chaudière
ventilateur
lignes électriques

schéma de fonctionnement d'une centrale nucléaire

générateur de vapeur
alternateur
turbine
réacteur produisant de la chaleur
circuit d'eau de refroidissement de la turbine

802

galère romaine (trirème)

voile
mât
éperon
(rostre)
gouvernail
coque
rames

drakkar normand

figure de proue
cordages
étrave
boucliers

coche d'eau
(XVIIe siècle)

chemin de halage

carrosse (XVIIIe siècle)

laquais
cocher
rênes
armoiries
portière
attelage

diligence (XIXe siècle)

malles et
bagages
relais
de poste
malle-poste
postillon
aubergiste
chevaux
voyageurs
palefrenier

motrice

projecteur

rail

ballast

caravane du Far West (XIXe siècle)

troupeau de bisons
Indiens
chariots
émigrants

guide
piste
cow-boys

chemin de fer (vers 1875)

locomotive à vapeur
panache
de fumée
abri du
serre-frein
chauffeur
mécanicien
fourgon
à bagage

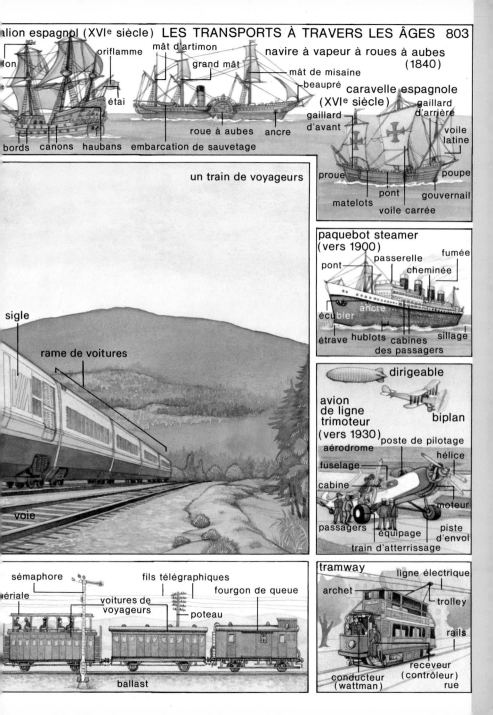

oriflamme
mât d'artimon
grand mât
navire à vapeur à roues à aubes
(1840)
...on
mât de misaine
beaupré
caravelle espagnole
(XVIe siècle)
gaillard
d'arrière
gaillard
d'avant
étai
voile
latine
bords canons haubans embarcation de sauvetage
roue à aubes ancre
proue
poupe
un train de voyageurs
pont
gouvernail
matelots
voile carrée

paquebot steamer
(vers 1900)
pont
passerelle
fumée
cheminée
sigle
écubier
ancre
étrave hublots cabines sillage
des passagers
rame de voitures

dirigeable
avion
de ligne
trimoteur
(vers 1930)
biplan
aérodrome
poste de pilotage
hélice
fuselage
cabine
moteur
passagers
équipage
piste
d'envol
voie
train d'atterrissage

sémaphore
fils télégraphiques
...ériale
fourgon de queue
voitures de
voyageurs
poteau
tramway
ligne électrique
archet
trolley
rails
ballast
conducteur
(wattman)
receveur
(contrôleur)
rue

804 Romain et Romaine

péplum
toge
tunique
sandale

Moyen Âge

saie
braies

Gaulois et Gauloise

hennin

sarrau

poulaine

voilette
chapeau melon
1916
bottines

1900
manchon
manteau

haut-de-forme
1880
tournure

caméra de télévision

clientes

stylistes

grand couturier

queue-de-pie

habit
gilet

ombrelle   capeline

cape

1860

crinoline

IIe Empire

fichu

redingote

sp

b
re

XVe siècle

manches à taillades

pourpoint

crevés

haut-de-chausses

chausses

robe à la française

Renaissance

vertugadin

cape

fraise

Henri II

Louis XIII

feutre

perruque

Louis XIV

une présentation de mode

projecteur

défilé des mannequins

journalistes

photographes

nœud papillon

volants

canons

botte à chaudron

soulier

coiffure à la caravelle

justaucorps

catogan

aumônière

incroyable

tricorne

Louis XVI

habit

bicorne

culotte

canne

robe à panier

cravate

bas

Ier Empire

fin du XVIIIe siècle

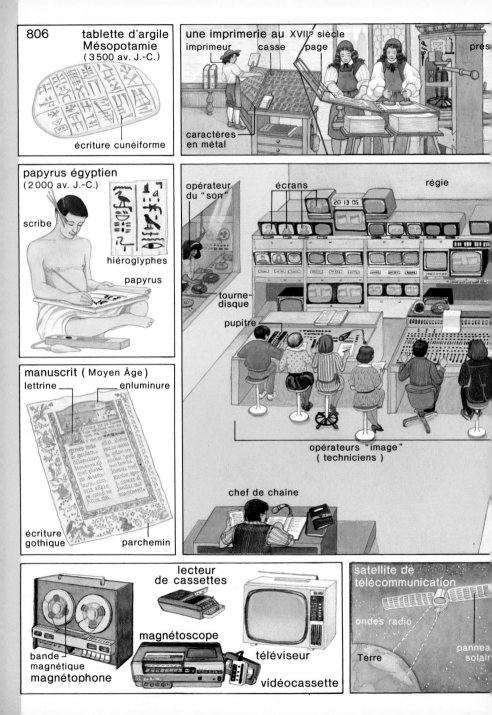

806   tablette d'argile
Mésopotamie
(3 500 av. J.-C.)

écriture cunéiforme

une imprimerie au XVIIᵉ siècle
imprimeur   casse   page   pres

caractères
en métal

papyrus égyptien
(2 000 av. J.-C.)

scribe

hiéroglyphes

papyrus

manuscrit (Moyen Âge)
lettrine   enluminure

écriture
gothique   parchemin

opérateur
du "son"   écrans   régie

tourne-
disque

pupitre

opérateurs "image"
(techniciens)

chef de chaine

lecteur
de cassettes

magnétoscope

téléviseur

bande
magnétique
magnétophone   vidéocassette

satellite de
télécommunication

ondes radio

Terre

pannea
solair

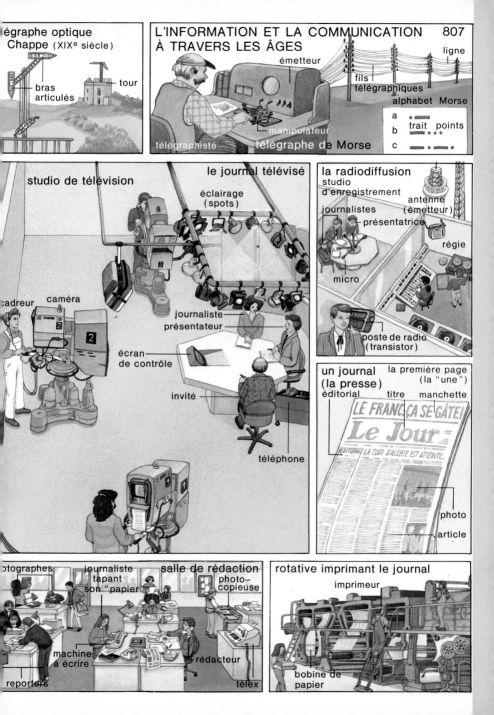

télégraphe optique
Chappe (XIXe siècle)

bras articulés
tour

L'INFORMATION ET LA COMMUNICATION
À TRAVERS LES ÂGES   807

émetteur
ligne
fils télégraphiques
alphabet Morse

a		trait	points
b			
c			

manipulateur
télégraphiste   télégraphe de Morse

studio de télévision   le journal télévisé

éclairage (spots)

la radiodiffusion
studio d'enregistrement
antenne (émetteur)
journalistes
présentatrice
régie
micro

cadreur   caméra

journaliste
présentateur

écran de contrôle

invité

téléphone

poste de radio (transistor)

un journal (la presse)   la première page (la "une")
éditorial   titre   manchette

LE FRANC, ÇA SE GÂTE!
Le Jour
ÉDITORIAL LA CÔTE D'ALERTE EST ATTEINTE.

photo
article

photographes   journaliste tapant son "papier"   salle de rédaction
photocopieuse

machine à écrire
rédacteur
reporters   télex

rotative imprimant le journal
imprimeur

bobine de papier

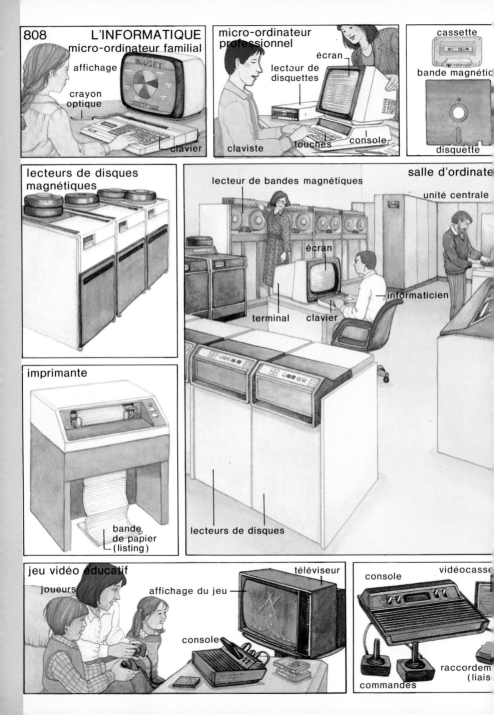

808 L'INFORMATIQUE

micro-ordinateur familial

affichage

crayon optique

clavier

micro-ordinateur professionnel

écran

lecteur de disquettes

claviste

touches

console

cassette

bande magnétique

disquette

lecteurs de disques magnétiques

salle d'ordinateur

lecteur de bandes magnétiques

unité centrale

écran

terminal

clavier

informaticien

imprimante

bande de papier (listing)

lecteurs de disques

jeu vidéo éducatif

joueurs

affichage du jeu

téléviseur

console

console

vidéocassette

commandes

raccordement (liaison)

■ **sporadiquement** adv. *Des foyers d'épidémie sont apparus **sporadiquement**, en divers endroits, ici et là.*

sport n.m. **1.** *La course, le rugby, le football, la natation sont des **sports**,* des exercices exigeant un effort physique. **2.** *Pour Noël, nous allons aux **sports d'hiver**,* à la montagne faire du ski. Les *sports d'hiver* sont les sports de neige ou de glace.
■ **sportif, ive** adj. et n. SENS 1 *Un journal sportif parle de sport. Une personne sportive fait du sport.*
■ **sportivement** adv. *Le candidat battu a reconnu **sportivement** sa défaite,* sans contestation, aussi loyalement qu'après une compétition sportive.

spot n.m. **1.** *Le couloir est éclairé par un **spot**,* un petit projecteur. **2.** *Un **spot** publicitaire* est un film publicitaire de très courte durée.
R. On prononce le *t* final : [spɔt].

sprint n.m. *Cette athlète a gagné au **sprint**,* en allant très vite à la fin de la course.
■ **sprinter** n. *Ce coureur est un bon **sprinter**,* il sait aller très vite en fin de course.
R. On prononce [sprint], [sprintœr].

squale n.m. est un équivalent de *requin*.
R. On prononce [skwal].

square n.m. *Un **square** est un petit jardin public.*
R. On prononce [skwar].

squash n.m. *Nicole joue au **squash**,* un sport dans lequel deux joueurs côte à côte se renvoient, à l'aide de raquettes, une balle qui rebondit sur les murs d'une salle.

squatter n.m. *Des **squatters** se sont installés dans cette ancienne usine,* des personnes sans abri qui l'occupent sans autorisation.
R. On prononce [skwatœr].

squelette n.m. *Le **squelette**,* c'est l'ensemble des os du corps.
■ **squelettique** adj. *Le malade était **squelettique**,* très maigre.

stable adj. **1.** *La chaise a un pied cassé, elle n'est pas **stable**,* elle bouge, elle n'est pas en équilibre (≠ branlant). **2.** *Le temps est **stable** depuis une semaine,* il ne change pas.
■ **stabilité** n.f. *Nous souhaitons la **stabilité** des prix,* que les prix soient stables.
■ **stabiliser** v. *Le gouvernement s'efforce de **stabiliser** les prix.*
■ **déstabiliser** v. *Des terroristes s'efforçaient de **déstabiliser** l'État,* de l'ébranler, de provoquer la chute du pouvoir.
■ **instable** adj. SENS 1 *Ce vase est en équilibre **instable**,* il risque de tomber. SENS 2 *Cette personne est **instable**,* elle change souvent d'idée (≠ équilibré). *Le temps est **instable**,* il change souvent.
■ **instabilité** n.f. *Il vaut mieux prendre un parapluie, étant donné l'**instabilité** du temps.*

1. stade n.m. *On peut faire du sport sur un **stade**,* un terrain équipé d'installations sportives.

2. stade n.m. *Sa maladie en est au **stade** aigu,* au moment où elle est aiguë (= phase).

stage n.m. *Faire un **stage** dans une entreprise,* c'est y rester quelque temps pour apprendre son métier.
■ **stagiaire** adj. et n. *Un (instituteur) **stagiaire** fait un stage dans notre école.*

stagner v. **1.** *L'eau **stagne** dans les flaques,* elle ne coule pas. **2.** *Le chiffre des ventes **stagne**,* il reste le même.
■ **stagnant, e** adj. SENS 1 *Une flaque, c'est de l'eau **stagnante**.*
■ **stagnation** n.f. SENS 2 *La **stagnation** du commerce,* c'est son manque d'activité (= arrêt).
R. On prononce [stagne], [stagnasjɔ̃].

35, 219

stalactite n.f., **stalagmite** n.f. *Dans la grotte, il y a des **stalactites,** des colonnes de calcaire qui tombent du plafond, et des **stalagmites,** des colonnes de calcaire qui montent du sol.*

stalle n.f. **1.** *Le cheval est dans sa **stalle,** l'emplacement qui lui est réservé dans l'écurie (= box).* **2.** *Il y a des **stalles** dans le chœur de l'église,* des sièges en bois.

stand n.m. **1.** *Au Salon de l'auto, chaque marque de voitures a son **stand,** son emplacement réservé.* **2.** *Anne va s'entraîner au **stand de tir,*** un endroit où l'on va tirer avec une arme à feu.

standard **1.** adj.inv. *L'équipement **standard** d'une voiture,* c'est celui qu'ont toutes les voitures du même type. *J'ai fait faire un **échange standard** du moteur,* l'échange du moteur usé contre un moteur du même modèle neuf ou rénové. **2.** n.m. *Quand je téléphone au bureau, c'est le **standard** qui me répond,* les personnes chargées de mettre les postes téléphoniques intérieurs en relation avec l'extérieur.
■ **standardiser** v. SENS 1 *La fabrication de ce modèle de voiture **est standardisée,*** toutes les voitures sont identiques.
■ **standardisation** n.f. SENS 1 *La standardisation accélère la production.*
■ **standardiste** n. SENS 2 *J'ai demandé le poste de Claude au **standardiste,*** l'employé du standard (= téléphoniste).

star n.f. *Une **star** de cinéma est une actrice très connue.*

station n.f. **1.** *Les marcheurs font une **station,** ils s'arrêtent un moment (= halte, pause).* **2.** *L'autobus arrive à la **station,** l'endroit où il s'arrête (= arrêt).* **3.** *Bromont est une **station** de sports d'hiver,* un lieu où on les pratique. **4.** *Une **station météorologique** est un centre,* une installation pour observer le temps.

■ **stationner** v. SENS 1 *La voiture **stationne,** elle est arrêtée. Benoît va **stationner** la voiture,* la garer.
■ **stationnement** n.m. SENS 1 *Le **stationnement** est interdit dans cette rue,* il est interdit de stationner. *Il y a un grand **stationnement** derrière l'école,* un terrain pour garer les voitures.
■ **stationnaire** adj. SENS 1 *Le temps est **stationnaire,*** il ne change pas.
■ **station-service** n.f. SENS 4 *Dans les **stations-service,** on peut faire le plein d'essence, faire laver sa voiture, etc.*

statistique n.f. *Faire la **statistique** des naissances de l'année,* c'est les compter pour faire des comparaisons avec les naissances des autres années.
■ **statistiquement** adv. *La grande criminalité est **statistiquement** en baisse.*

statue n.f. *Le sculpteur exécute des **statues,** des œuvres d'art en pierre, en bois, en métal, représentant des êtres vivants.*
■ **statuaire** n. *Une **statuaire** est une artiste qui fait des statues (= sculpteur).*
■ **statuaire** n.f. *La **statuaire** est l'art de faire des statues.*
■ **statuette** n.f. *Une **statuette** est une petite statue.*

statuer v. *Il faut **statuer** sur le cas de cette employée,* prendre une décision à son sujet.
R. → statut.

statuette → statue.

statu quo n.m. *Par prudence, on a maintenu le **statu quo,** on n'a rien changé à la situation.*

stature n.f. *Un géant est un homme d'une grande **stature** (= taille).*

statut n.m. **1.** *Les **statuts** de l'association n'ont pas été respectés,* les règles qui fixent son organisation. **2.** *Que penses-tu du **statut** de la femme aujourd'hui ?,* sa situation dans la société.

■ **statutaire** adj. SENS 1 *La réunion du comité est une obligation statutaire,* inscrite dans les statuts.
R. *Statut* se prononce [staty] comme *statue* et [*il*] *statue* (de *statuer*).

steak → *bifteck.*

stèle n.f. *À l'emplacement de la bataille, on a élevé une stèle,* une pierre qui porte une inscription.

sténographie ou **sténo** n.f. *Écrire en sténographie (en sténo),* c'est écrire à la vitesse de la parole au moyen de signes particuliers.
■ **sténographe** ou **sténo** n. *Un sténographe* est une personne qui sait écrire en sténographie.
■ **sténographier** v. *Le texte du discours a été sténographié,* il a été noté en sténo.
■ **sténodactylo** n.f. *La directrice dicte du courrier à la sténodactylo,* une employée qui connaît la dactylographie et la sténographie.

stentor n.m. *M. Martin a une voix de stentor,* une voix très forte.
R. On prononce [stãtɔr].

steppe n.f. *La steppe s'étend à l'infini,* une grande plaine herbeuse.

stère n.m. *Dans ces cheminées, on brûlait beaucoup de stères de bois,* de mesures valant 1 mètre cube.

stéréophonie ou **stéréo** n.f. *Le concert radiophonique est diffusé en stéréophonie,* par un procédé qui donne à l'auditeur l'impression d'être dans la salle de concerts.
■ **stéréophonique** ou **stéréo** adj. *Une chaîne stéréophonique,* diffuse en stéréophonie.

stéréoscope n.m. *Un stéréoscope* est un appareil d'optique qui donne une vision en relief d'images planes.

stéréotypé, e adj. *Les formules de politesse sont stéréotypées,* elles ont toujours la même forme.

stérile adj. **1.** *Un animal stérile* ne peut pas avoir de petits (≠ fécond). **2.** *Cette discussion est stérile,* elle ne mène à rien (= vain ; ≠ efficace, utile). **3.** *Un sol stérile* ne produit pas, rien n'y pousse. **4.** *On a mis un pansement stérile sur sa blessure,* sans microbes.
■ **stérilité** n.f SENS 1 *Guérir la stérilité d'une personne,* c'est faire qu'elle puisse avoir des enfants.
■ **stériliser** v. SENS 1 *Stériliser une chatte,* c'est la rendre stérile. SENS 4 *On stérilise le lait en le faisant bouillir,* on tue les microbes qui s'y trouvent.
■ **stérilisateur** n.m. SENS 4 *On stérilise les biberons dans un stérilisateur,* un appareil. 39
■ **stérilisation** n.f. SENS 4 *La stérilisation du lait se fait par ébullition.*

sterne n.f. *La sterne* est un oiseau de mer qui ressemble à une hirondelle. 722

sternum n.m. *Le sternum* est l'os plat situé au milieu de la poitrine. 40
R. On prononce [stɛrnɔm].

stéthoscope n.m. *Le médecin ausculte les gens avec un stéthoscope,* un appareil qui amplifie les bruits du corps. 39

stigmatiser v. *La présidente a stigmatisé ce lâche attentat,* elle l'a vivement condamné (= flétrir).

stimuler v. **1.** *Ce médicament stimule l'appétit* (= exciter). **2.** *La présence du public stimule les sportifs,* elle les encourage, les excite.
■ **stimulant, e** n.m. et adj. SENS 1 *Le café est un stimulant* (= excitant).
■ **stimulation** n.f. SENS 1 *Ces promenades produisent une stimulation de l'appétit.*
■ **stimulateur** n.m. SENS 1 *Un stimulateur cardiaque* est un appareil qui stimule l'activité du cœur.

stipuler v. *Le contrat stipule que le prix est définitif,* cette condition est écrite dans le contrat (= indiquer, préciser).

stock n.m. *La commerçante a des stocks,* de la marchandise en réserve.
■**stocker** v. *Stocker du sucre,* c'est en mettre beaucoup en réserve.

stoïque adj. *Tu restes stoïque sous la pluie,* tu la supportes sans te plaindre (= impassible).

stomacal, e, aux adj. *Des douleurs stomacales* sont des douleurs d'estomac.

stopper v. 1. *Le mécanicien stoppe la machine,* il l'arrête. *La voiture stoppe,* elle s'arrête. 2. *Mon pantalon neuf a un accroc, je vais le faire stopper,* réparer en refaisant le tissage.
■**stop !** interj. SENS 1 *Il y a un accident ! Stop !,* arrêtez-vous !
■**stop** n.m. 1. SENS 1 *Les voitures s'arrêtent au stop,* au niveau du panneau routier qui ordonne de stopper. 2. *Les stops d'une voiture s'allument quand on freine,* des lumières rouges placées derrière. 3. *Faire du stop,* c'est faire de l'auto-stop, du pouce.
■**stoppage** n.m. SENS 2 *Le stoppage de tes bas est invisible* (= réparation).

75, 76, 217
store n.m. *Baisse le store !,* une sorte de rideau qui protège du soleil.

strabisme n.m. *Georges est atteint de strabisme,* il louche.

strangulation n.f. *Le chien a failli mourir par strangulation,* mourir étranglé.

strapontin n.m. *Dans les salles de spectacle, il y a des strapontins au bord des allées,* des sièges qui se replient.

stratagème n.m. *On a imaginé un stratagème pour entrer gratuitement,* un moyen habile.

strate → *stratifié.*

stratégie n.f. *L'agence de publicité a décidé de la stratégie à adopter,* de la manière de conduire la campagne.

505

■**stratégique** adj. *Nos troupes occupent une position stratégique,* elles sont bien placées.

stratifié, e adj. *Des roches stratifiées sont formées de couches superposées appelées strates.*

stratosphère n.f. *La stratosphère* est la couche supérieure de l'atmosphère.

stress n.m. *La grande agitation de la vie à la ville provoque parfois un stress* (= angoisse, anxiété).

strict, e adj. 1. *La directrice a donné des ordres très stricts,* qui doivent être respectés rigoureusement. 2. *Je vous ai dit la stricte vérité* (= exact). 3. *Dans cette usine, on est très strict sur les horaires,* on en exige le respect absolu (= sévère, exigeant). 4. *Elle est partie avec le strict nécessaire,* les seules choses dont elle avait réellement besoin.
■**strictement** adv. SENS 1 *La vente de ce produit est strictement interdite* (= rigoureusement, formellement).

strident, e adj. *Tu as poussé un cri strident en voyant l'araignée* (= aigu, perçant).

strie n.f. *Ce coquillage a des stries sur sa surface,* des lignes parallèles.
■**strié, e** adj. *Ce coquillage est strié.*

strophe n.f. *Certains poèmes sont divisés en plusieurs strophes,* en plusieurs parties ayant chacune quelques vers.

structure n.f. *La structure d'une phrase* est la manière dont ses éléments sont organisés.
■**structuré, e** adj. *Ce roman est solidement structuré,* ses différentes parties sont bien organisées entre elles.
■**superstructure** n.f. *Les superstructures d'un navire,* c'est l'ensemble de ce qui est au-dessus du pont.

stuc n.m. *Les plafonds du palais ont des moulures en stuc,* une matière qui imite le marbre.

studieux → *étude.*

studio n.m. **1.** *J'habite un studio,* un petit logement d'une pièce. **2.** *Le photographe travaille dans son studio,* son atelier. **3.** *Un studio de cinéma, de télévision, de radio* est un local où l'on tourne des films, où l'on fait des émissions.

stupéfaction n.f. *Son visage exprime la stupéfaction,* un très grand étonnement.
■ **stupéfait, e** adj. *Je suis stupéfaite de ce que tu me dis,* très étonnée.
■ **stupéfier** v. *Cette nouvelle a stupéfié l'assemblée* (= abasourdir, atterrer, consterner).
■ **stupéfiant, e 1.** adj. *Cette nouvelle est stupéfiante* (= étonnant, incroyable). **2.** n.m. *Ces policiers sont chargés de lutter contre le trafic des stupéfiants* (= drogue).

stupeur n.f. *Ce spectacle horrible nous a plongés dans la stupeur,* nous a laissés sans réaction (= stupéfaction).

stupide adj. *Ce garçon ne comprend rien, il est stupide* (= idiot ; ≠ intelligent).
■ **stupidement** adv. *J'ai répondu stupidement* (= bêtement).
■ **stupidité** n.f. *Cette personne est d'une stupidité incroyable* (≠ intelligence). *Arrête de dire des stupidités,* des choses stupides (= ânerie, bêtise).

style n.m. **1.** *Cet écrivain emploie souvent un style familier,* une manière d'écrire. **2.** *Ce coureur a du style,* il court bien, avec élégance. **3.** *Les Durand ont des meubles de style Louis XV,* faits comme ceux de l'époque de Louis XV. **4.** *Claire a un style bien à elle,* une façon personnelle de se comporter, de s'habiller, etc.
■ **stylé, e** adj. SENS 2 *Les serveurs stylés* sont ceux qui ont bien appris leur métier.
■ **styliser** v. *Sa robe est ornée de fleurs stylisées,* qu'on a dessinées en les simplifiant.
■ **styliste** n. *Les stylistes* ont pour métier de créer des modèles dans le domaine de l'habillement, de l'ameublement.

stylet n.m. *Un stylet* est un petit poignard à lame très étroite.

stylo n.m. **1.** *J'écris avec un stylo,* un porte-plume ayant un réservoir d'encre. **2.** *J'ai acheté un stylo à bille* (ou *stylo bille*).

suave adj. *Les lis répandent un parfum suave,* doux et agréable.
■ **suavité** n.f. *Sylvie a une voix pleine de suavité,* de douceur.

subalterne adj. et n. *M. Martin est un employé subalterne,* il occupe un emploi secondaire. *Il a joué un rôle subalterne* (= mineur).

subdivision → *diviser.*

subir v. *J'ai subi l'opération de l'appendicite,* on m'a opéré. *La maison a subi des dégâts,* des dégâts lui ont été causés.

subit, e adj. *Une piqûre de guêpe cause une douleur subite,* qui apparaît tout à coup (= soudain).
■ **subitement** adv. *Elle est partie subitement* (= tout à coup, soudain).

subjectif, ive adj. *Vos critiques sont subjectives,* vous critiquez en ne tenant compte que de vos idées et de vos goûts (≠ objectif).
■ **subjectivement** adv. *Tu juges trop subjectivement* (≠ objectivement).
■ **subjectivité** n.f. *Une étude scientifique doit être dépourvue de subjectivité* (≠ objectivité).

subjonctif n.m. *Dans la phrase « je veux que tu viennes », le verbe « venir » est au subjonctif,* un mode du verbe.

subjuguer v. *La conférencière subjugue son auditoire,* celui-ci l'écoute avec admiration (= fasciner).

sublime adj. *Tu as fait preuve d'un dévouement sublime* (= extraordinaire, admirable).

292

submerger v. 1. *Ces rochers sont submergés à marée haute,* recouverts d'eau. 2. *On est submergé de travail,* on en a trop (= déborder).
■ **submersible** n.m. SENS 1 Un *submersible* est un sous-marin.
■ **insubmersible** adj. SENS 1 *Un bateau insubmersible a porté secours aux naufragés,* un bateau qui ne peut pas couler.

subordonner v. *Le départ du bateau est subordonné au temps,* il dépend du temps.
■ **subordonné, e 1.** n. *La directrice réunit ses subordonnés,* ceux qui sont sous ses ordres. 2. n.f. et adj. *En grammaire, une (proposition) subordonnée dépend d'une autre proposition.*
■ **subordination** n.f. *Une conjonction de subordination (comme « que », « quand ») relie une proposition subordonnée à celle dont elle dépend.*
■ **insubordination** n.f. *Ce soldat fait preuve d'insubordination* (= indiscipline).

subreptice adj. *Elle m'a averti d'un geste subreptice* (= imperceptible).
■ **subrepticement** adv. *Le malin avait quitté la salle subrepticement,* de façon à ne pas se faire remarquer.

subside n.m. *Nous avons reçu des subsides,* une aide sous forme d'argent.

subsidiaire adj. *Il y a une question subsidiaire pour départager les candidats* (= supplémentaire, accessoire).

subsister v. 1. *Dans le texte, il subsiste une erreur,* il en reste une. 2. *Une allocation lui permet tout juste de faire subsister sa famille,* de lui fournir de quoi vivre.
■ **subsistance** n.f. SENS 2 *L'animal cherche sa subsistance,* sa nourriture.

substance n.f. 1. *Le caoutchouc est une substance élastique* (= matière, corps). 2. *Résumez-nous la substance de votre discours,* ses idées essentielles.

substantiel, elle adj. 1. *Un repas substantiel est nourrissant.* 2. *Une augmentation substantielle est importante.*

substantif n.m. *« Chien », « crayon », « Jean » sont des substantifs* (= nom).

substituer v. *Substituer un mot à un autre,* c'est mettre ce mot à la place de l'autre. *Se substituer à quelqu'un,* c'est le remplacer.
■ **substitution** n.f. *Il y a eu une substitution de sacs,* on a substitué un sac à un autre.

subterfuge n.m. *Pour échapper à une invitation qui l'ennuyait, il a utilisé un subterfuge,* un moyen habile.

subtil, e adj. *Annie est une fille subtile,* fine et intelligente. *Il existe une différence subtile entre ces deux dessins,* très fine.
■ **subtilité** n.f. *Son raisonnement est plein de subtilité,* très subtil. *Ne discutons pas sur des subtilités,* des points de peu d'importance.

subtiliser v. *On lui a subtilisé son sac,* on le lui a volé adroitement.

subvenir v. *Tu es maintenant en âge de subvenir à tes besoins,* de gagner ta vie (= pourvoir).
R. → Conj. n° 22.

subvention n.f. *La ville a reçu une subvention de l'État,* de l'argent (= subside).
■ **subventionner** v. *Subventionner un théâtre,* c'est l'aider en lui donnant une subvention.

subversif, ive adj. *L'orateur a prononcé des paroles subversives,* qui visent à bouleverser les idées et les lois (= révolutionnaire).
■ **subversion** n.f. *On l'a accusé de subversion,* de dire des choses subversives.

suc n.m. *On presse les fruits pour en extraire le suc* (= jus).

succédané n.m. *Du succédané de caviar,* c'est un produit qui l'imite et vise à le remplacer.

succéder v. *Le soleil a succédé à la pluie,* il est venu après (= remplacer). *Les jours se succèdent,* ils se suivent les uns après les autres.
■ **succession** n.f. 1. *Le verglas a causé une succession d'accidents,* des accidents successifs (= série). 2. *Les héritiers se partagent la succession,* les biens d'une personne décédée.
■ **successeur** n.m. *Elle s'adresse à son successeur,* à celui qui prend sa place.
■ **successif, ive** adj. *J'ai reçu trois visites successives,* qui se suivaient.
■ **successivement** adv. *Ils sont arrivés successivement,* les uns après les autres (≠ simultanément, en même temps).

succès n.m. 1. *Je te félicite de ton succès,* d'avoir réussi (= réussite ; ≠ échec). 2. *Ce film a du succès,* il plaît au public.
■ **insuccès** n.m. SENS 1 *Sa maladie est la cause de son insuccès à l'examen* (= échec).

successeur, successif, succession, successivement → succéder.

succinct, e adj. *Faites-nous un exposé succinct* (= court, bref, sommaire).
■ **succinctement** adv. *On nous a succinctement présenté le projet* (= sommairement).
R. On prononce [syksɛ̃], [syksɛ̃tmã].

succion → sucer.

succomber v. 1. *Le blessé a succombé,* il est mort. 2. *Je succombe de fatigue,* je suis accablée de fatigue. 3. *On a succombé à la tentation,* on n'y a pas résisté (= céder).

succulent, e adj. *Ce gâteau est succulent,* très bon (= excellent).

succursale n.f. *Cette banque a une succursale dans chaque ville,* un établissement qui dépend d'elle.

sucer v. 1. *Tu suces encore ton pouce !,* tu le mets dans ta bouche. 2. *Je suce un bonbon,* je le fais fondre dans ma bouche.
■ **succion** n.f. SENS 1 *Quand le bébé tète, on entend un bruit de succion,* il aspire avec sa bouche.
■ **sucette** n.f. ou **suçon** n.m. SENS 2 Une *sucette* est un bonbon fixé au bout d'un bâtonnet.
R. *Succion* se prononce [sysjɔ̃] ou [syksjɔ̃].

sucre n.m. 1. *La canne à sucre et la betterave fournissent le sucre,* un aliment de saveur douce. *Paul met un seul sucre dans son café,* un morceau de sucre. 2. *Pendant la saison des sucres, je vais chez mon oncle à la campagne,* la période où on récolte la sève d'érable pour la faire bouillir et obtenir différents produits. 3. *On a organisé une partie de sucre,* une fête qui a lieu à la cabane à sucre, une habitation rudimentaire, située en forêt, où on fait bouillir la sève. *Toute la famille va aux sucres,* se rend à une fête dans une cabane à sucre. 4. *Maman fait du sucre à la crème,* une friandise fabriquée avec de la cassonade ou du sirop d'érable que l'on fait bouillir avec de la crème.
■ **sucrer** v. SENS 1 *As-tu sucré ton café ?,* y as-tu mis du sucre ?
■ **sucré, e** adj. SENS 1 *Un fruit sucré* a le goût du sucre.
■ **sucrerie** n.f. SENS 1. *On fabrique le sucre dans une sucrerie,* une usine. (au plur.) *Les sucreries sont des friandises sucrées.* SENS 2 *Une sucrerie est une érablière.* SENS 3 *Le grand-père de Luce a une sucrerie,* une cabane à sucre.
■ **sucrier, ère** 1. adj. *La betterave sucrière fournit le sucre.* 2. n.m. *Le sucre est dans un sucrier,* un récipient fait pour le recevoir.

sud n.m. et adj.inv. *Marseille est dans le sud de la France* (≠ nord). *Cet été, nous allons visiter la côte sud des États-Unis.*

583

294,
728

suer v. *J'ai chaud, je sue,* je suis couvert de sueur (= transpirer).

■ **sueur** n.f. **1.** *La sueur est un liquide qui sort des pores de la peau quand on a chaud* (= transpiration). **2.** *En voyant ce gros chien, j'ai eu des sueurs froides,* très peur.

■ **sudoripare** adj. *Les glandes sudoripares sont celles qui sécrètent la sueur.*

R. [*Il*] *sue* se prononce [sy] comme [*il a*] *su* (de *savoir*).

suffisant, e adj. **1.** *J'ai une note suffisante pour être reçu,* une note assez élevée. **2.** *Dominique est une personne suffisante,* toujours satisfaite d'elle (= prétentieux).

■ **suffire** v. **1.** SENS 1 *Pour cet achat, 10 dollars me suffisent;* j'ai assez de 10 dollars. **2.** *Si tu veux du chocolat, il te suffit d'en demander,* tu n'as qu'à le dire. **3.** *Arrêtez de vous chicaner, ça suffit!,* c'est assez.

■ **suffisamment** adv. SENS 1 *J'ai suffisamment mangé,* assez mangé.

■ **suffisance** n.f. SENS 1 *Il y a ici des vivres en suffisance,* en quantité suffisante. SENS 2 *Cette personne parle avec suffisance* (= vanité).

■ **insuffisant, e** adj. SENS 1 *Tu as des notes insuffisantes en maths,* trop basses.

■ **insuffisamment** adv. SENS 1 *L'affaire a échoué parce qu'elle était insuffisamment préparée.*

■ **insuffisance** n.f. SENS 1 *Les paysans se plaignent de l'insuffisance de leur récolte,* que leur récolte est insuffisante.

R. *Suffire* → conj. n° 72.

suffixe n.m. *Dans le mot « maisonnette », « -ette » est un suffixe,* un élément qui se place à la fin du mot « maison » et en modifie le sens.

suffoquer v. **1.** *On suffoque dans cette pièce,* on a du mal à respirer. **2.** *Cette nouvelle nous suffoque,* elle nous cause une violente émotion.

■ **suffocant, e** adj. SENS 1 *Ce bois vert dégage une fumée suffocante,* étouffante.

■ **suffocation** n.f. SENS 1 *L'asthme cause des accès de suffocation* (= étouffement).

R. On distingue par l'orthographe *suffocant* (adjectif) et *suffoquant* (participe).

suffrage n.m. **1.** *Ce parti a obtenu beaucoup de suffrages,* beaucoup de gens ont voté pour lui (= voix). **2.** *En France, le président de la République est élu au suffrage universel,* tout le monde vote. **3.** *Ce film a les suffrages du public,* le public le trouve bien.

suggérer v. **1.** *Je suggère que nous allions nous promener* (= proposer). **2.** *Que vous suggère cet air de musique ?* (= évoquer).

■ **suggestion** n.f. SENS 1 *Puis-je faire une suggestion ?,* suggérer quelque chose (= proposition).

R. → *sujétion.*

suicide n.m. *On apprend le suicide d'un banquier,* qu'un banquier s'est suicidé.

■ **se suicider** v. *Elle s'est suicidée par désespoir,* elle s'est tuée elle-même volontairement.

■ **suicidaire** adj. *Si vous agissiez ainsi, ce serait suicidaire,* vous causeriez votre perte.

suie n.f. *La cheminée est pleine de suie,* d'une matière noire que la fumée y a déposée.

R. *Suie* se prononce [sɥi] comme [*je*] *suis* (de *suivre* et de *être*).

suif n.m. *Le suif de bœuf* est la graisse de bœuf.

suinter v. *Les murs de la cave suintent,* de l'eau en sort goutte à goutte.

■ **suintement** n.m. *Il y a un suintement sur les murs de la cave,* l'eau suinte.

suisse n.m. Le *suisse* est le nom usuel du tamia ou écureuil rayé.

suivre v. **1.** *La voiture suit le camion,* elle avance derrière lui (≠ précéder, devancer). **2.** *Mon frère me suit partout,* il m'accompagne. **3.** *Le soleil a suivi la pluie,* il est venu après (= succéder à ; ≠ précéder). **4.** *J'ai suivi le sentier jusqu'à la route,* j'ai marché le long du sentier. **5.** *Aline suit des cours de maths,* elle en prend régulièrement. **6.** *Je ne vous suis plus,* je ne suis plus de votre avis, ou je ne comprends plus ce que vous dites. **7.** *Je suis tes conseils,* je suis d'accord avec eux (= obéir à, se conformer à ; ≠ s'opposer à). **8.** *Je suis le match de hockey à la radio,* je l'écoute. **9.** *Cette élève suit bien en classe,* elle écoute bien, elle est au niveau voulu.

■ **suite** n.f. SENS 2 *Ce chef d'État est venu avec sa suite,* les gens qui l'accompagnent (= escorte). SENS 3 *Nous avons eu une suite d'ennuis* (= série, succession). *Connais-tu la suite de cette histoire ?,* ce qui vient après. *Cet accident a eu des suites* (= conséquence). *Je mange trois fruits de suite,* l'un après l'autre (= à la file, successivement). *À la suite de sa maladie, elle a dû partir en convalescence,* après sa maladie. *L'accident a eu lieu par suite d'une rupture de freins,* à cause de cela. *Réponds-moi tout de suite,* immédiatement. *Xavier a de la suite dans les idées,* il est persévérant, tenace.

■ **suivant, e** adj. et n. SENS 3 *La solution du problème est à la page suivante,* celle qui vient après (≠ précédent). *Au suivant de ces messieurs !,* à celui qui vient après.

■ **suivant** prép. SENS 7 *Choisissez suivant vos préférences,* en suivant vos préférences (= selon).

■ **suiveur, euse** adj. *Les voitures suiveuses sont près du peloton,* les voitures qui suivent la course.

■ **suivi, e** adj. SENS 5 *Nous entretenons une correspondance suivie,* régulière.

■ **s'ensuivre** v. SENS 3 *De ce qui précède, il s'ensuit que j'ai raison,* j'ai raison : c'est la conséquence de ce qui précède (= suivre, découler).

R. → Conj. n° 62. Ne pas confondre *je suis* (de *suivre*) et *je suis* (de *être*). → **suie.**

sujet n.m. **1.** *Quel est le sujet de votre conversation ?,* de quoi parlez-vous ? (= thème). **2.** *Quel est le sujet de votre dispute ?* (= cause, motif). **3.** *Le roi parle à ses sujets,* aux personnes soumises à son autorité. **4.** *Dans la phrase « le chat dort », « le chat » est le sujet du verbe « dormir ».* **5.** adj. *Elle est sujette au mal de tête,* elle a souvent mal à la tête.

sujétion n.f. *Votre métier vous impose de nombreuses sujétions,* il vous enlève une partie de votre liberté (= obligation, contrainte).

R. Ne pas confondre *sujétion* et *suggestion.*

sulfater v. *Les vignerons sulfatent les vignes,* ils y pulvérisent des produits pour combattre les maladies.

■ **sulfatage** n.m. *Le sulfatage de la vigne permet d'éviter les maladies de la vigne, surtout le mildiou.*

sultan n.m. *Certains princes musulmans s'appellent des sultans.*

super 1. *Au début d'un mot, super-indique un degré élevé, une importance considérable : superfin, superpuissance.* **2.** adj. Fam. *C'est super,* c'est très bien, c'est extraordinaire. **3.** n.m. *Du super,* c'est du supercarburant, de l'essence spécialement raffinée.

superbe adj. *Les Dupont habitent un appartement superbe,* très beau (= magnifique, splendide).

supercarburant → **super.**

supercherie n.f. *On nous a vendu un faux tableau à la place du vrai, c'est une supercherie,* une tromperie.

superficie n.f. *Quelle est la superficie de ce terrain ?* (= surface).

578

superficiel, elle adj. 1. *Cette brûlure est superficielle,* peu profonde. 2. *En histoire, ses connaissances sont superficielles,* il ne sait pas grand-chose (≠ approfondi).
■ **superficiellement** adv. SENS 1 *Le gâteau n'est brûlé que superficiellement,* en surface. SENS 2 *La question a été examinée superficiellement* (= sommairement).

superflu, e adj. *Évitons les dépenses superflues !* (= inutile ; ≠ nécessaire).

218 **supérieur, e** adj. 1. *Montons à l'étage supérieur,* au-dessus. 2. *Sa note est supérieure à la mienne,* elle est meilleure (≠ inférieur). 3. n. *Caroline est ma supérieure,* je travaille sous ses ordres.
■ **supérieurement** adv. SENS 2 *Cette fille est supérieurement intelligente* (= extrêmement, éminemment, suprêmement).
■ **supériorité** n.f. SENS 2 *Je constate la supériorité de ce produit sur les autres,* qu'il est supérieur aux autres.

superlatif adj. et n.m. *« Très grand », « le plus grand » sont des superlatifs de « grand »,* ils expriment des degrés extrêmes de grandeur.

supermarché → *marché.*

77 **superposer** v. *À la colonie de vacances, les lits des enfants sont superposés,* ils sont mis l'un au-dessus de l'autre.

superproduction → *produire.*

supersonique → *son* 2.

superstition n.f. *Dire que le nombre 13 porte bonheur (ou malheur) est de la superstition,* une croyance aux présages que rien ne justifie.
■ **superstitieux, euse** adj. *Cette personne est superstitieuse,* elle croit aux présages, aux fantômes, etc.

superstructure → *structure.*

superviser v. *Le directeur a supervisé le travail,* il en a rapidement contrôlé la qualité.
■ **superviseur, eure** n. *Ma superviseure m'a remis du travail,* la personne qui supervise mon travail.

supplanter v. *Elle a réussi à supplanter son patron,* à prendre sa place (= évincer).

suppléer v. *Sa bonne volonté supplée à son inexpérience* (= compenser).
■ **suppléant, e** adj. et n. *Le suppléant d'un député le remplace s'il est nommé ministre.*
■ **suppléance** n.f. *La nouvelle institutrice a été chargée d'une suppléance,* de remplacer momentanément l'institutrice habituelle.

supplément n.m. *Est-ce qu'il n'y a pas un supplément de dessert ?,* du dessert en plus de celui qu'on a eu. *Le jus d'orange est en supplément,* il n'est pas compris dans le prix (= en plus).
■ **supplémentaire** adj. *Il faut faire un effort supplémentaire,* un effort en plus.

supplice n.m. 1. *Autrefois, on envoyait des condamnés au supplice,* on leur infligeait des punitions corporelles souvent mortelles* (= torture). 2. *Je suis au supplice,* je suis très mal à l'aise, je souffre beaucoup.

supplier v. *Je vous supplie de m'écouter,* je vous le demande humblement et avec insistance.
■ **supplication** n.f. *Elle est restée sourde à mes supplications,* à mes prières ardentes.

supporter v. 1. *Les piliers supportent le plafond,* ils le soutiennent (= porter). 2. *Il faut supporter ces inconvénients,* les subir sans se plaindre. 3. *Ils sont allés supporter leur équipe,* l'encourager (= soutenir).
■ **support** n.m. SENS 1 *Cette balance est vendue avec son support,* un objet destiné à la porter.

■ **supportable** adj. SENS 2 *La chaleur est supportable,* on peut la supporter.

■ **insupportable** adj. SENS 2 *Cette maladie cause des douleurs insupportables,* qu'on ne peut pas supporter (= intolérable).

■ **supporteur, trice** n. SENS 3 *L'équipe sportive est encouragée par ses supporteurs,* ceux qui la soutiennent (= partisan).

supposer v. 1. *Pierre est absent : je suppose qu'il est malade,* je pense que c'est possible (= présumer, imaginer). 2. *Faire une compétition suppose de l'entraînement,* cela exige nécessairement de l'entraînement.

■ **supposition** n.f. SENS 1 *On se perd en suppositions sur les raisons de l'accident* (= conjecture).

suppositoire n.m. Un *suppositoire* est un médicament solide que l'on introduit dans le rectum.

supprimer v. *Ce médicament supprime la douleur,* il la fait disparaître. *Supprimez cette phrase dans le texte !,* enlevez-la (= ôter ; ≠ garder, conserver). *On a supprimé cet individu,* on l'a tué.

■ **suppression** n.f. *On lui a infligé un mois de suppression de permis de conduire,* on lui a supprimé son permis pendant un mois.

suppurer v. *La plaie suppure,* il en sort du pus.

supputer v. *Supputer une dépense,* c'est la calculer, l'évaluer.

suprême adj. 1. *Le chef suprême* est celui qui est au-dessus de tous. 2. *Elle fit un suprême effort pour ne pas se noyer,* un dernier effort (= ultime, désespéré).

■ **suprêmement** adv. est un équivalent de *supérieurement.*

1. sur- au début d'un mot indique un degré supérieur : *suraigu, surestimer,* etc.

2. sur prép. 1. *Le verre est sur la table* (≠ sous). 2. *L'affiche est sur le mur,* elle est collée au mur. 3. *On tire sur la cible,* dans la direction de la cible. 4. *Réfléchissons sur ce problème,* à propos de ce problème. 5. *Six candidats sur dix sont reçus* (= parmi).
R. → *sûr.*

3. sur, e adj. *Cette pomme n'est pas mûre, elle est sure,* elle a un goût acide, piquant.
R. → *sûr.*

sûr, e adj. 1. *Cette voiture est sûre,* on y est en sécurité (≠ dangereux. 2. *Je suis sûr de gagner* (= certain). 3. *Cette nouvelle est sûre,* on peut avoir confiance en elle (= exact ; ≠ douteux). 4. *Viens-tu au cinéma ? Bien sûr,* évidemment.

■ **sécurité** n.f. SENS 1 *Nous sommes en sécurité,* à l'abri du danger. *France attache toujours sa ceinture de sécurité,* qui sert à protéger en cas d'accident.

■ **sécuriser** v. SENS 1 *Les rondes de police sécurisent les habitants du quartier,* elles leur donnent un sentiment de sécurité.

■ **sécurisant, e** adj. SENS 1 *Les rondes de police sont sécurisantes pour la population.*

■ **sûreté** n.f. SENS 1 *On met nos bijoux en sûreté,* dans un lieu sûr, à l'abri des voleurs (= sécurité).

■ **sûrement** adv. SENS 1 *Tu conduis sûrement,* de façon à éviter les accidents. SENS 2 *Je vais sûrement gagner* (= certainement).

■ **insécurité** n.f. *Les habitants du quartier se plaignent de son insécurité,* du risque d'agressions ou d'accidents.
R. *Sûr* se prononce [syr] comme *sur.*

surabondamment, surabondance, surabondant, surabonder → *abondant.*

suraigu → *aigu.*

surajouter → *ajouter.*

suralimentation → *aliment.*

suranné, e adj. *Le chapeau melon est une coiffure surannée,* on ne la porte plus, elle est démodée (= ancien).

surcharger → *charge.*

surchauffer → *chaud.*

surclasser v. *Ce concurrent surclasse tous ses adversaires,* il leur est nettement supérieur.

surcroît n.m. **1.** *Son absence nous impose un surcroît de travail,* du travail en plus (= supplément). **2.** *Cet objet est décoratif et utile par (de) sucroît* (= en plus, en outre).

surdité → *sourd.*

sureau n.m. *Benoît a fait un sifflet en sureau,* un arbuste dont on peut évider les branches en ôtant la moelle.

surélever → *élever.*

sûrement → *sûr.*

surenchère → *enchère.*

surestimer → *estimer.*

sûreté → *sûr.*

surexcitation, surexciter → *exciter.*

surf n.m. Le *surf* est un sport qui consiste à se tenir en équilibre sur une planche portée par une vague déferlante. **R.** On prononce [sœrf].

801

385, 871

surface n.f. **1.** *L'humanité vit sur la surface de la Terre,* sur sa partie extérieure. **2.** *Quelle est la surface de ce terrain ?* — *Mille mètres carrés* (= étendue, aire, superficie).

surfait, e adj. *Sa réputation est surfaite,* elle est vantée de façon exagérée.

surgelé, surgeler → *geler.*

surgir v. *Un chien a surgi devant la voiture,* il est apparu brusquement.

surhumain → *homme.*

surjet n.m. *Pour assembler les deux tissus bord à bord, il faut faire un surjet,* un point de couture.

sur-le-champ adv. *On m'a demandé de venir sur-le-champ,* sans attendre (= tout de suite, immédiatement).

surlendemain → *demain.*

surmener v. *Les sauveteurs sont surmenés,* ils sont fatigués par un travail excessif. *Elle se surmène,* elle se fatigue trop.
■ **surmenage** n.m. *Les médecins ont discuté du surmenage scolaire,* de la fatigue excessive des élèves.

surmonter v. **1.** *Le clocher surmonte l'église,* il est placé au-dessus. **2.** *Jean a surmonté sa peur,* il l'a maîtrisée (= dominer).
■ **surmontable** adj. SENS 2 *Ces difficultés sont surmontables,* on peut les surmonter.
■ **insurmontable** adj. SENS 2 *Jean était dominé par une peur insurmontable* (= irrésistible).

surmulot n.m. *Un surmulot est un type de rat.*

surnager v. *Des débris du bateau surnagent,* ils restent à la surface de l'eau.

surnaturel → *nature.*

surnom → *nom.*

surnombre → *nombre.*

surnommer → *nom.*

suroît n.m. *Les marins ont mis leur suroît,* un chapeau de pluie.

surpasser v. **1.** *Cette athlète a surpassé ses concurrents,* elle a fait mieux qu'eux (= battre, surclasser). **2.** *Le résultat surpasse les prévisions* (= dépasser). **3.** *Aujourd'hui, l'actrice s'est surpassée,* elle a joué encore mieux que d'habitude.

surpeuplé, surpeuplement → *peuple.*

surplace n.m. *Faire du surplace,* c'est être immobilisé, ne pas pouvoir avancer.

surplomb n.m. *Les balcons sont en surplomb,* au-dessus du vide (= saillie).
■ **surplomber** v. *La falaise surplombe la mer,* elle avance au-dessus de la mer.

surplus n.m. *Ils ont fait des confitures avec leur surplus de fruits,* avec ce qu'ils ont récolté en trop (= excédent).

surpopulation → *peuple.*

surprendre v. 1. *La pluie nous a surpris,* elle est venue sans que nous nous y attendions. 2. *Cette nouvelle nous a surpris* (= étonner).
■ **surprenant, e** adj. SENS 2 *Cet élève a fait des progrès surprenants* (= étonnant).
■ **surprise** n.f. 1. SENS 1 *Le voleur a été arrêté par surprise,* on l'a arrêté en le surprenant. SENS 2 *On était muet de surprise* (= étonnement). 2. *Si on lui faisait une surprise pour son anniversaire ?,* un plaisir inattendu (= cadeau).
R. → Conj. n° 54.

surproduction → *produire.*

sursaut n.m. *En entendant la sonnerie, tu as eu un sursaut,* un mouvement brusque et involontaire. *Sophie s'éveille en sursaut,* brusquement.
■ **sursauter** v. *Les bruits me font sursauter,* avoir des sursauts (= tressaillir).

sursis n.m. 1. *Il est condamné à la prison avec sursis,* il est condamné mais il n'ira en prison que s'il commet une nouvelle faute. 2. *Tu as un sursis de dix jours pour payer,* on te permet de ne payer que dans dix jours (= délai).
■ **sursitaire** n. SENS 2 *Quand un garçon fait ses études en France, il peut être sursitaire,* il bénéficie d'un sursis pour son incorporation dans l'armée.

■ **surseoir** v. SENS 1 *Surseoir à une exécution,* c'est la remettre à plus tard.
R. → Conj. n° 45.

surtaxe → *taxe.*

surtout adv. 1. *L'égoïste pense surtout à lui* (= principalement). 2. *Surtout, n'oublie pas ce que je t'ai dit,* j'insiste là-dessus.

surveiller v. 1. *La maman surveille ses enfants,* elle veille sur eux. 2. *La police surveille un suspect,* elle observe tout ce qu'il fait. 3. *Surveillez votre langage!,* veillez à parler correctement (= contrôler).
■ **surveillant, e** n. SENS 1 ET 2 *Ce surveillant est très sévère,* celui qui surveille les élèves, les prisonniers, etc.
■ **surveillance** n.f. SENS 1 ET 2 *Une monitrice assure la surveillance de la baignade.*

survenir v. *Un incident est survenu,* il est arrivé soudain, sans qu'on s'y attende.
R. → Conj. n° 22.

survêtement → *vêtement.*

survie, survivant, survivre → *vie.*

survol, survoler → *vol* 1.

survolté → *volt.*

sus adv. 1. *Courir sus à l'ennemi* se disait autrefois pour *attaquer l'ennemi.* 2. *Les taxes viennent en sus du prix indiqué,* en plus.
R. On prononce le *s* final : [sys].

susceptible adj. 1. *Tu es trop susceptible,* tu te vexes facilement. 2. *Ton dessin est susceptible d'être amélioré,* il peut l'être. 3. *Voilà un livre susceptible de plaire,* qui peut plaire (= capable de).
■ **susceptibilité** n.f. SENS 1 *Je connais sa susceptibilité,* je sais qu'il est susceptible.

susciter v. *Ce projet a suscité l'intérêt de la population,* celle-ci s'y est intéressée (= provoquer, éveiller).

suspect, e 1. adj. *Son témoignage est suspect,* on doit s'en méfier (= douteux). **2.** adj. et n. *La police a arrêté un suspect,* une personne qu'elle soupçonne.

■ **suspecter** v. SENS 1 *Je suspecte son honnêteté,* je n'en suis pas convaincu. SENS 2 *On suspecte un rôdeur,* on le soupçonne.

■ **suspicion** n.f. *Il règne un climat de suspicion,* les gens se soupçonnent les uns les autres (= méfiance).

R. On prononce [syspɛ].

suspendre v. **1.** *Suspendez votre pardessus au portemanteau,* accrochez-le en le laissant pendre. **2.** *On a dû suspendre la séance,* l'interrompre (= arrêter). **3.** *Le tribunal a suspendu un fonctionnaire,* il lui a interdit pour quelque temps d'exercer ses fonctions.

■ **suspendu, e** adj. **1.** SENS 1 *Un pont suspendu* est soutenu par des câbles. **2.** *Cette voiture est bien suspendue,* ses ressorts amortissent bien les cahots.

■ **suspension** n.f. **1.** SENS 2 ET 3 *La suspension d'un fonctionnaire n'entraîne pas d'office la suspension de son traitement.* **2.** *La suspension de cette voiture est excellente,* elle est très bien suspendue (= amortisseurs). **3.** *J'ai mis des points de suspension à la fin de ma phrase,* plusieurs points qui indiquent qu'on ne dit pas tout.

■ **en suspens** adv. SENS 2 *Le travail est resté en suspens,* il n'a pas été achevé.

R. → Conj. n° 50.

suspense n.m. *Il y a beaucoup de suspense dans ce film,* on attend la fin avec une grande impatience.

R. On prononce [syspɛns] ou [sœspɛns].

suspension → *suspendre.*

suspente n.f. *Le parachute est relié au harnais par des suspentes,* des cordes.

suspicion → *suspect.*

se sustenter v. *Nous allons nous sustenter,* manger.

susurrer v. *On m'a susurré quelques mots à l'oreille* (= murmurer).

suture n.f. *La docteure a fait une suture à la plaie,* elle l'a recousue.

suzerain, e n. et adj. Autrefois, le *suzerain* était un seigneur qui avait des vassaux sous sa domination.

■ **suzeraineté** n.f. *La suzeraineté d'un État sur un autre* est sa domination.

svelte adj. *Cette jeune fille est très svelte,* mince, élancée.

■ **sveltesse** n.f. *J'admire sa sveltesse,* comme elle est svelte.

S.V.P. C'est l'abréviation de « s'il-vous-plaît ».

syllabe n.f. « *Lapin* » *est un mot de deux syllabes,* formé par deux groupes de sons : [la] et [pɛ̃].

■ **monosyllabe** n.m. « *Sol* » *est un monosyllabe,* un mot d'une seule syllabe.

sylvestre adj. *Le pin sylvestre* est un arbre qui pousse dans les forêts.

■ **sylviculture** n.f. *La sylviculture* est la science qui étudie la culture et l'entretien des forêts.

■ **sylviculteur, trice** n. *Un sylviculteur* est un spécialiste de sylviculture.

symbole n.m. **1.** *La balance est le symbole de la justice,* la balance (mot concret) représente la justice (mot abstrait). **2.** *En chimie, « H » est le symbole de l'hydrogène,* une lettre qui désigne ce gaz.

■ **symbolique** adj. SENS 1 *Le salut au drapeau est un geste symbolique.*

■ **symboliser** v. SENS 1 *La colombe symbolise la paix* (= figurer, représenter).

symétrique adj. *Les deux moitiés du visage sont symétriques,* elles sont opposées mais semblables.

■ **symétriquement** adv. *Ces objets sont rangés symétriquement sur la table.*

■ **symétrie** n.f. *La symétrie de ce château est admirable,* les deux moitiés de sa façade sont exactement semblables.

■ **dissymétrique** ou **asymétrique** adj. *L'escargot a une coquille dissymétrique,* sans symétrie.

sympathie n.f. *J'éprouve de la sympathie pour vous,* je vous aime bien (= amitié ; ≠ antipathie).

■ **sympathique** adj. *Les Durand sont des personnes sympathiques* (= aimable, agréable ; ≠ antipathique). *Cette réunion était sympathique* (= agréable, amical).

■ **sympathiquement** adv. *Nous avons été accueillis sympathiquement.*

■ **sympathiser** v. *Ces deux personnes ont vite sympathisé,* elles se sont vite bien entendues.

symphonie n.f. *L'orchestre joue une symphonie,* un grand morceau de musique composé de plusieurs mouvements.

■ **symphonique** adj. *Un orchestre symphonique joue de la musique classique.*

symptôme n.m. *L'apparition de boutons rouges est un symptôme de la rougeole,* un signe qui permet de reconnaître cette maladie.

■ **symptomatique** adj. *Tu as fait une réflexion symptomatique de ton incrédulité,* significative, révélatrice.

synagogue n.f. *Les Juifs vont à la synagogue,* l'édifice dans lequel ils prient.

synchroniser v. *On a synchronisé la marche de ces appareils,* on les a fait fonctionner en même temps ou de façon coordonnée.

■ **synchronisation** n.f. *Dans ce film, il y a des défauts de synchronisation,* le son est décalé par rapport à l'image.

syncope n.f. *Le malade a eu une syncope,* il s'est évanoui.

syndicat n.m. **1.** *Les travailleurs ont fondé des syndicats,* des associations pour défendre leurs intérêts. **2.** *En France, les touristes peuvent se renseigner au syndicat d'initiative,* au bureau qui est chargé de les renseigner.

■ **syndical, e, aux** adj. SENS 1 *Les Durand sont abonnés à un journal syndical,* publié par le syndicat.

■ **syndicalisme** n.m. SENS 1 *Faire du syndicalisme,* c'est militer dans un syndicat.

■ **syndicaliste** n. et adj. SENS 1 *La direction a reçu une délégation de syndicalistes,* de membres des syndicats.

■ **se syndiquer** v. SENS 1 *On s'est syndiqué,* on s'est inscrit à un syndicat. *Les locataires se sont syndiqués,* ils ont fondé un syndicat.

■ **syndic** n.m. SENS 1 *Les copropriétaires de l'immeuble ont choisi un syndic,* quelqu'un qui fait exécuter leurs décisions.

synode n.m. *Un synode est une réunion de représentants d'une religion pour discuter de questions de doctrine.*

synonyme n.m. *« Rame » et « aviron » sont deux synonymes,* deux mots qui ont à peu près le même sens (≠ contraire).

synoptique adj. *Un tableau synoptique* est un résumé disposé de façon à présenter une vue d'ensemble.

syntaxe n.f. *La syntaxe étudie comment les mots s'assemblent pour former des phrases,* c'est la partie essentielle de la grammaire.

synthèse n.f. **1.** *Faire la synthèse des observations présentées par plusieurs personnes,* c'est rassembler ces observations dans un ensemble cohérent. **2.** *Faire la synthèse de l'eau,* c'est en produire artificiellement à partir des éléments qui la constituent.

■ **synthétique** adj. SENS 2 *Le Nylon est un textile synthétique* (= artificiel ; ≠ naturel).

synthétiseur n.m. *Cet orchestre est équipé d'un* **synthétiseur,** un appareil électronique qui permet de produire toutes sortes de sons.

système n.m. **1.** *Le système solaire, le système métrique, un système de signalisation routière* sont des ensembles organisés qui constituent un tout. **2.** *J'ai trouvé un nouveau système pour ranger mes vêtements* (= procédé, méthode).

■ **systématique** adj. *Tu fais de l'opposition* **systématique,** tu t'opposes à tout par principe.

■ **systématiquement** adv. *Je refuse systématiquement de voter,* je refuse à chaque fois de voter (= régulièrement, par principe).

t

t′ → te.

ta → ton 1.

tabac n.m. **1.** *Dans cette région, les paysans cultivent du **tabac**, une plante.* **2.** *M. Durand achète du **tabac** pour sa pipe,* les feuilles séchées de cette plante hachées et préparées pour être fumées. **3.** *En, France, on va au **tabac** pour acheter des cigarettes !,* à la boutique où l'on vend du tabac, des cigarettes, des allumettes, etc. (= tabagie).

■ **tabagie** n.f. SENS 1 *C'est une **tabagie**, ici !,* la pièce est pleine de fumée de tabac. SENS 3 *Va à la **tabagie**, m'acheter des cigarettes,* à la boutique où l'on vend du tabac, des pipes, des cigarettes, des revues et des journaux.

■ **tabagisme** n.m. Le ***tabagisme*** est une intoxication causée par l'abus de tabac.

■ **tabatière** n.f. SENS 1 Une ***tabatière*** est une petite boîte destinée à recevoir du tabac en poudre.

R. On ne prononce pas le *c* final de *tabac* : [taba].

tabasser v. Fam. *Des voyous l'**ont tabassé**,* ils l'ont roué de coups.

tabernacle n.m. Dans une église, le ***tabernacle*** est la petite armoire, sur l'autel, où l'on garde les hosties.

table n.f. **1.** *Pose le vase sur la **table** !* Jean ***met la table**,* il dispose dessus les assiettes et les couverts. *On s'est mis à **table** à 8 heures,* on a commencé à manger. *Le réveil est sur la **table de nuit*** (ou ***table de chevet**),* un petit meuble à côté du lit. **2.** *Il y a toujours une bonne* table *chez elle,* on mange de bonnes choses. **3.** *La **table des matières** se trouve à la fin du livre,* la liste des chapitres. **4.** *Anne apprend la **table de multiplication**,* le tableau des multiplications entre les 10 premiers nombres. **5.** *Ces spécialistes participent à une **table ronde**,* une réunion au cours de laquelle tous peuvent discuter librement.

■ **tablée** n.f. SENS 1 *Il y avait là une joyeuse **tablée**,* une assemblée de gens assis autour de la table.

■ **s'attabler** v. SENS 1 *Les invités **se sont attablés**,* ils se sont mis à table.

tableau n.m. **1.** *Il y a de très beaux **tableaux** dans ce musée,* des peintures encadrées (= toile). **2.** *La maîtresse fait un dessin au **tableau**,* la planche sur laquelle on écrit à la craie. **3.** *Il y a des tas de manettes sur le **tableau de bord** de l'avion,* le panneau où sont réunis les cadrans, les commandes, etc. **4.** *Il nous a fait un **tableau** détaillé de la situation* (= description). **5.** *Voici un **tableau** chronologique des rois de France* (= liste).

tabler v. *Il ne faut pas trop **tabler** sur la chance,* compter sur elle (= miser).

tablette n.f. **1.** *Le dentifrice est sur la **tablette** du lavabo,* la plaque posée à plat au-dessus du lavabo. **2.** *Qui a entamé la **tablette** de chocolat ?* (= plaque).

tablier n.m. **1.** *Quand on fait la cuisine, on met un **tablier** pour protéger ses vêtements.* **2.** *Le **tablier** d'un pont est la partie du pont sur laquelle se trouve la*

24

39,
76,
84

chaussée. **3.** Fam. *Rendre son tablier,* c'est se démettre de ses fonctions.

tabou, e adj. *Ne parle pas de ça, c'est un sujet **tabou** !* (= interdit).

78, 77

tabouret n.m. *Assieds-toi sur le **tabouret** !,* un siège sans bras ni dossier.

du tac au tac adv. *Quand tu m'as fait des reproches, je t'ai répondu **du tac au tac,*** immédiatement et avec vivacité.

289

tache n.f. **1.** *Oh ! J'ai fait une **tache** sur mon pull !,* une marque qui salit. **2.** *Les dalmatiens sont des chiens blancs à **taches** noires* (= marque).

■ **tacher** v. SENS 1 *J'ai taché ma chemise,* j'y ai fait des taches (= salir).

■ **tacheté, e** adj. SENS 2 *Ce chien est blanc **tacheté** de noir,* avec des petites taches noires (= moucheté).

■ **détacher** v. SENS 1 *J'ai porté ma robe à **détacher** chez le teinturier,* pour qu'on lui enlève ses taches.

■ **détachant** n.m. et adj. SENS 1 *La benzine est un bon **détachant,*** un produit qui enlève les taches.

tâche n.f. *Nous avons déménagé, ce n'est pas une **tâche** facile* (= travail).
R. Ne pas confondre *tâche* [tɑʃ] et *tache* [taʃ].

tâcher v. *Je tâcherai d'être là à 8 heures* (= essayer, s'efforcer de).
R. Ne pas confondre *tâcher* [tɑʃe] et *tacher* [taʃe].

tacher, tacheté → *tache.*

tacite adj. *Elle a agi avec mon accord **tacite,*** sans que j'aie exprimé mon accord de vive voix.

■ **tacitement** adv. *J'étais **tacitement** d'accord.*

taciturne adj. et n. *Jean est **taciturne,*** il parle peu (= renfermé ; ≠ bavard, exubérant).

tacot n.m. Fam. *Nous avons visité une exposition de vieux **tacots,*** de vieilles voitures.

tact n.m. *Tu manques de **tact** en parlant d'argent devant lui : il n'a pas un sou !* (= délicatesse, discrétion, doigté).

tactile adj. *Les sensations **tactiles** sont celles que procure le toucher.*

tactique n.f. *Puisque ça ne réussit pas comme ça, on va changer de **tactique,*** on va employer d'autres moyens pour arriver au résultat voulu (= plan, méthode).

taffetas n.m. *Marie a une robe en **taffetas,*** une sorte de soie.

taie n.f. *Les **taies** d'oreillers sont sales,* le tissu qui les recouvre.

taille n.f. **1.** *Paul est de la **taille** d'Yves,* ils ont la même hauteur de corps. **2.** *Quelle **taille** faites-vous ? — Du 12,* quelles sont les mesures de vos vêtements ? **3.** *Les sauveteurs avaient de l'eau jusqu'à la **taille,*** au-dessus des hanches (= ceinture). **4.** *La **taille** des arbres a lieu en hiver,* on coupe une partie des branches. *Cet immeuble est en **pierre de taille,*** construit avec des pierres taillées. **5.** *C'est une erreur **de taille** !,* importante (= monumental). *Il n'est pas **de taille à** nous résister* (= capable de).

■ **tailler** v. SENS 4 *Le jardinier a **taillé** la haie,* il l'a coupée pour lui donner une certaine forme. *La couturière **taille** une robe,* elle coupe les morceaux d'étoffe pour la faire.

■ **taillader** v. *Les éclats de verre lui ont **tailladé** le visage,* ils lui ont fait des coupures, des entailles.

■ **tailleur, euse** n. **1.** SENS 4 *Le **tailleur** de pierres utilise un marteau et un burin,* l'ouvrier qui taille les pierres. **2.** *Papa est allé chez le **tailleur** se faire faire un costume,* celui qui fait des vêtements d'homme. **3.** n.m. *Chantal s'est acheté un **tailleur,*** un costume de femme composé d'une jupe et d'une veste. **4.** *Les enfants, asseyez-vous en **tailleur** !,* asseyez-vous par terre, les jambes repliées et les genoux écartés.

■**taille-crayon** n.m. SENS 4 *La mine de mon crayon est cassée, prête-moi ton taille-crayon* (= aiguisoir).
R. Noter le pluriel : des *taille-crayon* ou des *taille-crayons*.

taillis n.m. *Le lièvre s'est enfui dans un taillis,* une partie de la forêt où les arbres sont petits parce qu'ils sont souvent coupés.

tain n.m. *Le tain d'une glace, d'un miroir* est la couche d'étain appliquée derrière la glace.
R. → *thym.*

taire v. **1.** *Elle a tu son secret jusqu'au bout,* elle ne l'a pas dit (= cacher). **2.** *Chut ! taisez-vous !,* ne parlez pas, gardez le silence.
R. → Conj. n° 78. → *tu.*

talc n.m. *Le talc est employé pour les soins de la peau,* une poudre blanche.
■**talquer** v. *On talque les fesses des bébés,* on y met du talc.

talé, e adj. *Un fruit talé* est un fruit meurtri (= blet).

talent n.m. *Cet acteur a du talent,* il joue bien.
■**talentueux, euse** adj. *Quelle artiste talentueuse !,* qui a du talent.

talisman n.m. *Emilien tient beaucoup à cette bague, il dit que c'est son talisman,* un objet auquel il attribue un pouvoir magique.

talle n.f. **1.** *Quelle belle talle de fraises !,* un endroit où il y a beaucoup de fraises. **2.** *Une talle* est un regroupement d'arbres ou d'arbustes d'une même espèce.

1. taloche n.f. Fam. *Quand il était enfant, son père lui flanquait souvent des taloches,* des gifles.

2. taloche n.f. *Le plâtrier étale le ciment avec une taloche,* une planche munie d'une poignée.

talon n.m. **1.** *J'ai mal au talon gauche,* à l'arrière du pied. **2.** *Mes talons sont usés,* la partie arrière de la chaussure. **3.** Fam. *Avoir l'estomac dans les talons,* c'est avoir très faim. **4.** *Il est toujours sur mes talons,* il est sans cesse derrière moi. **5.** *As-tu écrit le montant de ton chèque sur le talon ?,* la partie qui reste dans le carnet quand on détache le chèque (= souche).

talonner v. *Le fuyard est talonné par la police,* il est suivi de très près.

talquer → *talc.*

talus n.m. *Le camion a percuté contre le talus,* la partie en pente qui borde la route.

tamanoir n.m. *Le tamanoir se nourrit d'insectes à l'aide de sa longue langue visqueuse,* un grand animal d'Amérique du Sud.

tamaris n.m. *Sa villa est bordée de tamaris,* des arbustes à petites fleurs roses.
R. On prononce le *s* final : [tamaris].

tambouille n.f. Fam. *Faire la tambouille,* c'est faire la cuisine.

tambour n.m. **1.** *Les soldats jouent du tambour,* ils frappent avec deux baguettes une caisse ronde fermée à chaque bout par une peau tendue. **2.** *Voici le tambour de la fanfare,* celui qui joue du tambour. **3.** *Les policiers ont mené l'affaire tambour battant,* vite, sans traîner. **4.** *Il est parti sans tambour ni trompette,* sans bruit, en secret.
■**tambourin** n.m. SENS 1 *Nous dansons au son du tambourin,* un petit tambour.
■**tambouriner** v. SENS 1 *Aline tambourine sur la vitre,* elle frappe de petits coups rapides avec ses doigts.

tamia n.m. *Le tamia* est un écureuil rayé appelé souvent suisse.

tamis n.m. *On sépare les graviers du sable avec un tamis,* un instrument à petits trous (= crible).

■ **tamiser** v. *Tamiser de la farine,* c'est la passer au tamis.

■ **tamisé, e** adj. *Il y a dans la chambre du malade une lumière tamisée,* atténuée par un écran translucide (= doux ; ≠ cru).

tampon n.m. **1.** *Le douanier a apposé un tampon sur mon passeport,* une inscription à l'encre (= cachet). **2.** *Les tampons placés à chaque bout des wagons servent à amortir les chocs,* des gros disques. **3.** *Elle se bouche les oreilles avec des tampons de coton,* du coton roulé en boule.

■ **tamponner** v. SENS 1 *Tamponner un timbre,* c'est le marquer d'un tampon. SENS 2 *Les deux voitures se sont tamponnées* (= heurter). SENS 3 *Je me tamponne les yeux avec mon mouchoir,* je sèche mes larmes.

■ **tamponnement** n.m. SENS 2 *Le tamponnement des deux trains a fait plusieurs blessés.*

■ **tamponneur, euse** adj. SENS 2 *À la foire, on a fait un tour dans les autos tamponneuses.*

tam-tam n.m. *En Afrique, les Noirs dansent au son des tam-tams,* des tambours en bois.

tanche n.f. *Madeleine a pêché une tanche dans l'étang,* un poisson d'eau douce.

tandem n.m. **1.** *Tu as déjà fait du tandem ?,* une bicyclette spéciale à deux places. **2.** *Pascal et Françoise forment un joyeux tandem,* un groupe de deux personnes inséparables.

tandis que conj. exprime l'opposition : *Tu t'amuses, tandis que, moi, je travaille* (= alors que, pendant que).

tangage → tanguer.

tangent, e adj. **1.** *Deux cercles sont tangents* quand ils se touchent sans se couper. **2.** *Stéphanie a réussi son examen, mais c'était tangent !,* elle a failli échouer.

■ **tangente** n.f. *Trace une tangente,* une droite qui touche une courbe en un point.

tangible adj. *Donnez-moi des preuves tangibles de votre bonne foi !* (= évident, réel).

tango n.m. *Ramon et Inès connaissent tous les pas du tango,* une danse d'origine espagnole.

tanguer v. *La mer était mauvaise et le bateau tanguait,* il se balançait de l'avant vers l'arrière.

■ **tangage** n.m. *La houle provoquait un léger tangage* (≠ roulis).

tanière n.f. *Le renard s'est réfugié dans sa tanière,* le trou où il se cache (= terrier).

tank n.m. *Les tanks ennemis ont attaqué,* les chars d'assaut.

tanner v. **1.** *On tanne une peau d'animal pour en faire du cuir,* on lui fait subir une préparation spéciale. **2.** Fam. *Pascal tanne ses parents pour avoir un vélo,* il le leur demande tout le temps. **3.** *Je me tanne vite de ce genre de nourriture,* je m'en fatigue.

■ **tannage** n.m. SENS 1 *Le tannage empêche les peaux de pourrir.*

■ **tannant, e** adj. et n. Fam. SENS 2 *Sophie est tannante,* achalante.

■ **tannerie** n.f. SENS 1 *Il y a une tannerie près de la rivière,* une usine où l'on tanne les peaux.

■ **tanneur, euse** n. SENS 1 *Le tanneur tanne les peaux.*

tant adv. **1.** *Ne mange pas tant de bonbons !,* une si grande quantité (= autant, tellement). **2.** *Tu as réussi ton examen ? Tant mieux,* c'est bien, je suis contente. *Si tu ne peux pas venir, tant pis,* cela ne fait rien.

■ **tant que** conj. *J'attendrai tant qu'il faudra,* aussi longtemps que.

■ **tant** pron. indéfini *Je gagne tant par mois,* telle somme d'argent.

R. → taon.

tante n.f. *Voici **tante** Marie et son neveu Yves*, la sœur du père ou de la mère d'Yves, ou l'épouse de son oncle.

un tantinet adv. Fam. *Vous arrivez **un tantinet** trop tard*, un tout petit peu trop tard.

tantôt adv. **1.** *Tantôt il rit, **tantôt** il pleure*, à un moment..., à un autre moment... **2.** Fam. *Je reviendrai **tantôt***, cet après-midi. **3.** *À **tantôt***, à plus tard.

taon n.m. *Aïe ! j'ai été piqué par un **taon** !*, une sorte de grosse mouche.
R. *Taon* se prononce [tɑ̃] comme *tant, temps* et [*il*] *tend* (de *tendre*).

tapage n.m. **1.** *Tu entends ce **tapage** à côté ?*, ces bruits violents (= vacarme). **2.** *On a fait beaucoup de **tapage** autour de cette affaire*, on en a beaucoup parlé (= bruit).
■ **tapageur, euse** adj. SENS 2 *Ce film a été lancé avec une publicité **tapageuse***, qui cherche à attirer l'attention (≠ discret).

tapant, e adj. Fam. *Elle est arrivée à midi **tapant** et est repartie à 3 heures **tapantes***, à midi, à 3 heures exactement.

tape → taper.

tapée n.f. Fam. *Il a une **tapée** de cousins*, une grande quantité.

taper v. **1.** *La mécanicienne **tape** sur un rivet à coups de marteau* (= frapper). **2.** Fam. *Ils se sont disputés et ont fini par **se taper dessus***, se donner des coups. **3.** *Tu sais **taper** à la machine ?*, te servir d'une machine à écrire. **4.** Très fam. *Je **me suis tapé** un bon repas*, je me le suis offert, j'en ai profité. **5.** *Fais attention, le soleil **tape***, il est très chaud.
■ **tape** n.f. SENS 2 *J'ai reçu une grande **tape** dans le dos, c'était Paul*, un coup donné avec la main.
■ **tapocher** v. SENS 2 *Ils se sont **tapochés***, frappés durement.
■ **tapoter** v. SENS 2 *Papa **tapote** la joue de bébé*, il lui donne de légères tapes.

■ **taponner** v. *Je déteste les voir **taponner** sans cesse la marchandise, sans jamais acheter* (= toucher, manipuler).

en tapinois adv. *Anne est entrée dans la pièce **en tapinois**, en se cachant* (= discrètement, en catimini).

tapioca n.m. *Ce soir, il y a du potage au **tapioca**, fait avec des petits flocons blancs tirés du manioc.* 603

tapir n.m. *Le **tapir** est un animal dont le nez se prolonge en une courte trompe.*

se tapir v. *Le chat **s'est tapi** sous le lit*, il s'y est caché, en se ramassant sur lui-même.

tapis n.m. *J'ai renversé de l'eau sur le **tapis**, la pièce de tissu qui recouvre le sol. La table de jeu est recouverte d'un **tapis** vert*, une pièce de tissu. *Les passagers déposent les valises sur un **tapis roulant**, une longue bande de caoutchouc qui défile sur des rouleaux.* 34, 76 / 436
■ **tapis-brosse** n.m. *Devant la porte de l'entrée, il y a un **tapis-brosse** pour s'essuyer les pieds*, un tapis à poils durs. 77
R. Noter le pluriel : des *tapis-brosses*.

tapisser v. *On a **tapissé** le mur avec du papier peint* (= recouvrir).

tapisserie n.f. *Les Durand ont une **tapisserie** sur le mur de leur salon*, une tenture en laine ornée de dessins. 146, 296
■ **tapissier, ère** n. *Il faut faire recouvrir ce fauteuil par un **tapissier***, quelqu'un qui pose des tentures, des tissus.

tapocher, taponner, tapoter → taper.

taquet n.m. *Cette porte se ferme grâce à un **taquet***, une sorte de cale.

taquiner v. *Mais non, ce n'est pas vrai, je disais ça juste pour te **taquiner** !* (= agacer, faire enrager).
■ **taquinerie** n.f. *Pascal adore la **taquinerie***, taquiner les autres.
■ **taquin, e** adj. *Anne est très **taquine***, elle prend plaisir à taquiner.

tarabiscoté, e adj. *Une écriture **tarabiscotée** est chargée d'ornements excessifs* (= compliqué).

tarabuster v. Fam. *Parle donc gentiment à ce garçon au lieu de le **tarabuster*** (= rudoyer, malmener, harceler).

tard adv. **1.** *Il est midi, tu te lèves **tard** !,* après l'heure habituelle (≠ tôt). **2.** *Tu es arrivé trop **tard**,* après le moment convenable. **3.** *On verra ça **plus tard**,* à un autre moment dans l'avenir (= ultérieurement).

■ **tarder** v. **1.** SENS 1 *Je suis inquiet, Jean **tarde** à rentrer,* il rentre plus tard que d'habitude. **2.** *L'autobus ne va plus **tarder**,* il sera bientôt là.

■ **tardif, ive** adj. SENS 1 *Tu rentres à une heure bien **tardive** !,* il est tard.

■ **s'attarder** v. SENS 1 *Ne vous **attardez** pas trop en route,* ne rentrez pas trop tard (= flâner).

R. *Tard* se prononce [tar] comme *tare*.

tare n.f. **1.** *La **tare** est le poids de l'emballage d'une marchandise.* **2.** *Ce cheval a une **tare**,* un défaut de naissance.

■ **taré, e** adj. SENS 2 *Ce cheval est **taré**,* il a une tare.

tarentule n.f. *La piqûre de la **tarentule** est dangereuse,* une grosse araignée.

targette n.f. *Cette porte se ferme avec une **targette**,* un petit verrou.

se targuer v. *Il **se targue** d'être le plus habile,* il s'en vante.

tarif n.m. *Le **tarif** des consommations est affiché dans le café,* le prix.

■ **tarifer** v. *Chaque opération **est tarifée**,* elle a un prix fixé.

■ **demi-tarif** n.m. et adj. *Les enfants ont des billets à **demi-tarif**,* des billets **demi-tarifs**, à moitié prix.

tarir v. **1.** *La source **a tari** (ou **s'est tarie**) l'eau ne coule plus* (= s'assécher). **2.** *Pierre ne **tarit** pas d'éloges à ton sujet,* il n'arrête pas d'en faire.

■ **intarissable** adj. SENS 2 *Sur la politique, Éva est **intarissable**,* on ne peut pas l'arrêter d'en parler.

tarot n.m. *Nous avons fait une partie de **tarot**,* un jeu de cartes.

tartare adj. *On a mangé un **steak tartare**, fait avec de la viande hachée crue.*

tarte **1.** n.f. *Tu aimes la **tarte** aux fraises ?,* un gâteau plat. **2.** adj. Fam. *Qu'est-ce qu'il est **tarte**, ce film !* (= banal, médiocre, sans intérêt).

■ **tartelette** n.f. SENS 1 *Veux-tu une **tartelette** aux cerises ?,* une petite tarte.

tartine n.f. *Au petit déjeuner, je mange des **tartines** beurrées,* des tranches de pain.

■ **tartiner** v. *J'aime le fromage à **tartiner**,* qu'on étale sur le pain.

tartre n.m. *Ce dentifrice enlève le **tartre**,* le dépôt jaunâtre qui se forme sur les dents. *Il y a du **tartre** au fond de la théière,* un dépôt calcaire.

■ **détartrer** v. *La dentiste m'a **détartré** les dents,* elle en a enlevé le tartre.

■ **détartrant, e** adj. et n.m. *On a mis un (produit) **détartrant** dans la cuvette des toilettes.*

■ **entartrer** v. *L'eau calcaire **a entartré** la bouilloire,* elle y a déposé du tartre.

tartufe n.m. *Ne te fie pas à son air bienveillant, c'est un **tartufe*** (= hypocrite).

tas n.m. **1.** *Il faut jeter ce **tas** de journaux,* ces journaux placés les uns sur les autres (= pile). **2.** *Ariane connaît un **tas** de gens à Ottawa,* un grand nombre.

■ **tasserie** n.f. SENS 1 *La **tasserie** est la partie d'une grange où l'on entasse le foin.*

■ **entasser** v. SENS 1 *À force d'**entasser** des livres sur le bureau, tu n'auras plus de place,* de les mettre en tas (= accumuler). SENS 2 *À 6 heures du soir, les gens **s'entassent** dans le métro,* ils y sont nombreux et serrés les uns contre les autres (= se presser).

■ **entassement** n.m. SENS 1 *Le bureau est surchargé d'un **entassement** de livres* (= tas, amoncellement).

tasse n.f. **1.** *J'ai cassé une* **tasse** *à thé,* un petit récipient avec une anse pour boire. **2.** *Je boirais bien une* **tasse** *de café,* le contenu d'une tasse. **3.** Fam. *Marc est tombé du matelas pneumatique et il* ***a bu la tasse,*** il a avalé de l'eau.

tasseau n.m. *Les planches de l'étagère sont soutenues par des* **tasseaux,** de petits morceaux de baguette.

tasser v. **1.** *Papa* **tasse** *le tabac dans sa pipe,* il appuie dessus pour qu'il s'aplatisse (= bourrer, comprimer). **2.** *On était* ***tassés*** *dans le métro,* serrés les uns contre les autres. **3.** Fam. *Luce est en colère, mais ça va* ***se tasser,*** se calmer.
■ **tassement** n.m. SENS 1 *Il s'est produit ici un* **tassement** *du sol* (= affaissement).

tatami n.m. *On pratique le judo, le karaté sur un* **tatami,** un tapis spécial.

tâter v. **1.** *Tu as vu ma bosse ? tiens,* **tâte,** touche avec la main pour mieux te rendre compte. **2.** *J'ai* ***tâté le terrain,*** je crois que Marie va venir avec nous, j'ai essayé de savoir discrètement. **3.** *Je ne sais pas si je vais avec vous, je* ***me tâte,*** je pèse le pour et le contre (= hésiter).
■ **tâtonner** v. **1.** SENS 1 *J'avançais dans le noir en* **tâtonnant,** en tâtant les murs, les meubles, etc., pour me guider. **2.** *La police* **tâtonne** *dans ses recherches,* elle avance lentement et de façon imprécise.
■ **tâtonnement** n.m. **1.** SENS 1 *Après bien des* **tâtonnements** *dans le noir, j'ai retrouvé la sortie.* **2.** *L'enquête a commencé par des* **tâtonnements,** des recherches au hasard.
■ **à tâtons** adv. SENS 1 *L'aveugle marche* ***à tâtons,*** en tâtonnant (= à l'aveuglette).

tatillon, onne adj. *M. Dubois est* **tatillon,** trop minutieux. *Cette critique est* **tatillonne.**

tâtonnement, tâtonner, à tâtons → *tâter.*

tatouage n.m. *Ce matelot a des* ***tatouages*** *sur les bras,* des dessins à l'encre incrustés dans la peau.
■ **tatouer** v. *Ce marin s'est fait* **tatouer** *le bras,* faire un tatouage.

taudis n.m. *Ces pauvres gens vivent dans un* **taudis,** un logement misérable.

taule n.f. Très fam. **1.** *Le malfaiteur a fait plusieurs années de* **taule** (= prison). **2.** *Je suis allé le voir dans sa* **taule,** sa chambre sordide.
R. → *tôle.*

taupe n.f. *La* **taupe** *creuse des petits tunnels sous la terre,* un animal. 366
■ **taupinière** n.f. *Il y a des* **taupinières** *dans le potager,* des tas de terre que fait la taupe en creusant.

taureau n.m. *Attention au* **taureau,** *il peut être méchant!,* le mâle de la vache. 361
■ **tauromachie** n.f. *La corrida est un spectacle de* **tauromachie,** de combat contre les taureaux.

taux n.m. **1.** *Mme Buies a placé ses économies au* **taux** *de six pour cent (6 %),* cent dollars lui rapportent six dollars par an. **2.** *Quel est le* **taux** *de sodium dans cette eau ?,* la proportion par rapport à l'eau.

taverne n.f. *Une* **taverne** *est un établissement où on boit de la bière.*

taxe n.f. *On paie une* **taxe** *sur les produits de luxe,* une sorte d'impôt (= redevance).
■ **taxer** v. **1.** *L'alcool* ***est taxé,*** on paie une taxe en plus de son prix. **2.** *Vous risquez de vous faire* **taxer** *de folie* (= accuser).
■ **détaxer** v. *À l'aéroport, les cigarettes* ***sont détaxées,*** elles sont vendues sans taxe.
■ **surtaxe** n.f. *Une* **surtaxe** *est une taxe supplémentaire.*

taxi n.m. *J'ai pris un* **taxi** *pour venir chez toi,* une voiture conduite par un chauffeur à qui l'on paie le prix du trajet.

te est le pronom de la deuxième personne quand il est complément : *Je te vois.*
R. *Te* devient *t'* devant une voyelle ou un *h* muet : *Je t'appelle ; tu t'habilles ?*

145 | **té** n.m. *Le dessinateur trace des lignes avec son té,* une règle en forme de T.

technique n.f. *Je connais un peu les techniques du cinéma,* les méthodes et les procédés utilisés dans ce domaine.
■ **technique** adj. *L'enseignement technique prépare au métier de technicien. L'artiste emploie des mots techniques que je ne comprends pas,* qui font partie du vocabulaire particulier de son métier (≠ courant). *Il y a eu des problèmes techniques pendant le spectacle,* dus à un mauvais fonctionnement des appareils.
■ **technicien, enne** n. *Pour faire réparer votre téléviseur, adressez-vous à un*
806 | *technicien,* un spécialiste des techniques de la télévision.
■ **technocrate** n. *Au ministère, je n'ai rencontré que des technocrates,* des spécialistes ayant une haute formation technique mais pas d'expérience pratique.
■ **technologie** n.f. *La technologie est l'étude des techniques utilisées dans l'industrie.*

36 | **tee-shirt** ou **t-shirt** n.m. *Elle a un tee-shirt jaune,* un maillot de corps.
R. On prononce [tiʃœrt]. Attention au pluriel : des *tee-shirts,* des *t-shirts.*

teigne n.f. **1.** *Paul a eu la teigne,* une maladie qui fait perdre les cheveux. **2.** Fam. *Quelle teigne, cette personne !,* qu'elle est méchante, désagréable !

teindre v. **1.** *J'ai fait teindre mon manteau en noir,* je lui ai fait donner cette couleur (= colorer). **2.** *Je me teins les cheveux,* je les colore.
■ **teint** n.m. *Marie a le teint clair,* la couleur de son visage est claire.
■ **teinte** n.f. SENS 1 ET 2 *Les teintes de ce tissu sont très jolies,* les couleurs (= nuance, coloris).

■ **teinter** v. SENS 1 ET 2 *Tu mets des lunettes à verres teintés ?,* légèrement colorés.
■ **teinture** n.f. SENS 2 *Tes cheveux sont roux, tu t'es fait faire une teinture ?,* tu les as fait teindre ?
■ **teinturier, ère** n. SENS 1 *Il ne faut pas laver cette robe, il vaut mieux la donner au teinturier,* la personne chez qui on fait teindre ou nettoyer les vêtements, les tissus.
■ **teinturerie** n.f. SENS 1 *La teinturerie est la boutique du teinturier (= pressing).*
■ **déteindre** v. SENS 1 *Oh ! la chemise a déteint au lavage !,* elle a perdu sa couleur (= se décolorer, passer).
■ **demi-teinte** n.f. *Ce tableau est tout en demi-teintes,* les couleurs sont délicates, nuancées.
R. *Teindre* et *déteindre* → conj. n° 55. → *thym.*

tel, telle adj. **1.** *Elle est telle que je pensais,* pareille (= comme). **2.** *Tu as fait un tel bruit que tout le monde a été réveillé,* un si grand bruit. **3.** *Tout est resté tel quel,* on n'a rien changé, pareil. **4.** pron. *Un jour je m'adresse à un tel,* un jour à un autre, à une certaine personne.

1. télé-, au début d'un mot, indique que quelque chose a lieu à distance.

2. télé → *télévision.*

télécommande, télécommander → *commander.*

télécommunications n.f.pl. *Les télécommunications* sont l'ensemble des moyens permettant d'écrire ou de parler à distance, comme le téléphone, le télégraphe.

téléfilm → *télévision.*

télégramme n.m. *J'ai reçu un télégramme de Paul, il arrive demain,* un message court envoyé par télégraphe.
■ **télégraphier** v. *Il faut télégraphier à Claude que son père est malade,* lui envoyer un télégramme.

■ **télégraphe** n.m. Le *télégraphe* est un système qui permet d'envoyer très rapidement des messages.

■ **télégraphie** n.f. Une *télégraphie* est la technique qui permet de transmettre des messages.

■ **télégraphique** adj. **1.** *Les poteaux télégraphiques* supportent les fils du télégraphe. **2.** *Un style télégraphique* est très bref (= concis).

■ **télégraphiste** n. *Le télégraphiste transmet les télégrammes.*

téléguider → *guide.*

téléinformatique n.f. La *téléinformatique* nous permet d'utiliser à distance l'ordinateur.

télémètre n.m. Un *télémètre* est un appareil permettant de mesurer la distance d'un objet éloigné.

téléobjectif n.m. *J'ai photographié des oiseaux au téléobjectif,* avec un objectif photographique grossissant.

téléphérique n.m. *Pour monter au sommet de la montagne, on a pris le téléphérique,* une cabine suspendue à des câbles.

téléphone n.m. *Le téléphone sonne, réponds !,* l'appareil relié à un circuit électrique qui permet de se parler d'un endroit à un autre. *Est-ce que tu as reçu des coups de téléphone ?,* des communications téléphoniques (= coup de fil).

■ **téléphoner** v. *Je te téléphonerai ce soir,* je te parlerai au téléphone (= appeler).

■ **téléphonique** adj. *On peut téléphoner dans une cabine téléphonique.*

■ **téléphoniste** n. *Les téléphonistes sont généralement appelés aujourd'hui « standardistes »,* les employés du téléphone.

téléroman → *télévision.*

télescospage → *télescoper.*

télescope n.m. *On peut voir les étoiles au télescope,* une grande lunette.

télescoper v. *Les deux voitures se sont télescopées,* elles sont entrées en collision (= se tamponner).

■ **télescopage** n.m. Le *télescopage* est dû à une fausse manœuvre.

télescopique adj. *Une antenne télescopique* est faite d'éléments qui peuvent s'emboîter les uns dans les autres.

télésiège n.m. *Le télésiège nous a conduits au sommet de la montagne,* des sièges accrochés à un câble. 652

téléski n.m. *Les skieurs remontent la pente grâce au téléski,* un appareil qui tire les skieurs (= remonte-pente).

télévision ou **télé** n.f. *On a un poste de télévision en couleurs,* un appareil qui permet de recevoir des images sur un écran grâce à des ondes électriques. 74

■ **téléviseur** n.m. *Le téléviseur est cassé,* le poste de télévision. 808, 806, 76

■ **téléviser** v. *Le match sera télévisé,* il sera retransmis à la télévision.

■ **téléfilm** n.m. Un *téléfilm* est un film réalisé pour la télévision.

■ **téléroman** n.m. *Quel est le téléroman le plus populaire ?,* un feuilleton télévisé.

■ **téléspectateur, trice** n. *Les téléspectatrices ont été nombreuses à téléphoner,* les personnes qui regardent une émission de télévision.

■ **téléthéâtre** n.m. Un *téléthéâtre* est une pièce de théâtre présentée à la télévision.

télex n.m. Un *télex* est un procédé de transmission instantanée à distance de messages écrits. 807

tellement adv. *Pascal a tellement changé que je ne le reconnais pas,* il a beaucoup changé (= tant).

tellurique adj. *Une secoussse tellurique* est un tremblement de terre.

téméraire adj. *Il faut être bien téméraire pour plonger de si haut !,* un peu trop courageux et imprudent (= audacieux ; ≠ prudent).

■ **témérité** n.f. *Lise est d'une folle témérité* (= audace, imprudence).

témoigner v. 1. *Après l'accident, on m'a demandé de **témoigner**,* de dire ce que j'en savais, ce que j'avais vu. 2. *Il m'a **témoigné** toute sa sympathie,* il m'en a donné l'assurance (= marquer, montrer, manifester).

■ **témoignage** n.m. SENS 1 *Le **témoignage** de M. Dupont a permis d'établir l'innocence de l'accusé,* les preuves qu'il a apportées en tant que témoin (= déclaration). SENS 2 *Ces fleurs sont un **témoignage** de mon amitié,* une marque qui la prouve.

■ **témoin** n.m. 1. SENS 1 *J'ai été **témoin** d'un accident,* je l'ai vu et je peux donner des détails. *Je vous **prends à témoin** de sa mauvaise foi,* je vous demande de la remarquer pour pouvoir en témoigner. 2. Dans une course de relais, le *témoin* est le petit bâton que les concurrents se passent de la main à la main.

33 **tempe** n.f. *J'ai reçu un coup à la **tempe**,* sur le côté du front.

tempérament n.m. 1. *Michelle est d'un **tempérament** gai,* d'un caractère gai (= nature, naturel). 2. *Luce a acheté sa voiture à **tempérament**,* elle la possède mais elle la paie peu à peu (= à crédit).

tempérance n.f. *La **tempérance** est recommandée aux automobilistes,* on leur recommande de ne pas boire d'alcool (= sobriété).

■ **tempérant, e** adj. *M. Dupont est **tempérant**,* il mange et boit modérément (= sobre).

■ **intempérance** n.f. *Il s'est ruiné la santé par son **intempérance**,* ses excès.

■ **intempérant, e** adj. *Une personne **intempérante** abuse de la nourriture et de la boisson.*

température n.f. 1. *La **température** est douce pour la saison,* le degré de chaleur ou de froid de l'air extérieur. 2. *Pascal a 39 **température***

39 *39°, il a de la **température*** (= fièvre).

tempérer v. *Tu as été trop brutale, il faudrait **tempérer** tes paroles,* les modérer (= adoucir).

■ **tempéré, e** adj. *Le Canada a un climat **tempéré**,* ni trop chaud ni trop froid (= doux).

tempête n.f. *Plusieurs bateaux ont fait naufrage pendant la **tempête**,* le violent orage avec du vent et de la pluie.

tempêter v. *La directrice **tempête**,* elle est en colère.

temple n.m. 1. *À Athènes, on a visité des **temples** grecs,* des édifices construits par les Grecs pour leurs dieux. 2. *Le dimanche, les protestants vont au **temple**,* dans leur lieu de culte.

temporaire, temporairement → temps

temporel, elle adj. *La richesse, la santé sont des biens **temporels**,* qui concernent les choses matérielles, la vie terrestre (≠ spirituel).

temps n.m. 1. *Une pendule sert à mesurer le **temps**,* la durée (les minutes, les heures, les jours, etc.). 2. *Combien de **temps** mets-tu pour aller à l'école ?* — *Dix minutes.* 3. *Non, je n'ai pas le **temps** de jouer avec toi,* je n'ai pas de moment libre, je suis pressé (= loisir). 4. *Il est **temps** de partir,* le moment est venu. 5. *Aurais-tu aimé vivre au **temps** des Gaulois ?,* à leur époque. 6. *Quel **temps** fait-il aujourd'hui ?,* est-ce qu'il fait beau ou non ? 7. *En grammaire, on a étudié les **temps** du verbe,* les formes de conjugaison des différents modes : présent, imparfait, futur, etc. 8. *La valse est un air à trois **temps**,* à trois unités par mesure. 9. *On est arrivé juste à **temps** pour prendre le train,* assez tôt (= à l'heure). *Je vois Paul de **temps** en **temps**,* quelquefois. *Elle chante tout le **temps**,* sans arrêter (= toujours). *Dans le **temps**, on labourait avec des bœufs* (= autrefois, jadis). *Il pleut ici la plupart du **temps**,* le plus souvent. *Par les **temps** qui courent, on n'est jamais trop prudent,* dans les circonstances actuelles.

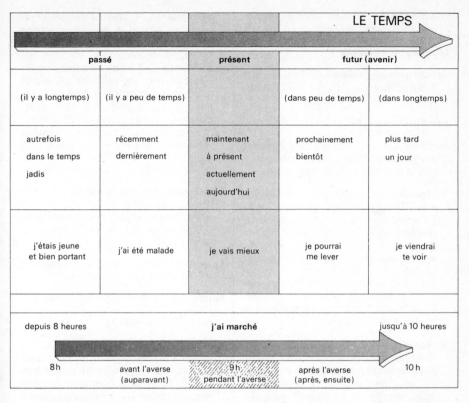

LE TEMPS				
passé		présent	futur (avenir)	
(il y a longtemps)	(il y a peu de temps)		(dans peu de temps)	(dans longtemps)
autrefois dans le temps jadis	récemment dernièrement	maintenant à présent actuellement aujourd'hui	prochainement bientôt	plus tard un jour
j'étais jeune et bien portant	j'ai été malade	je vais mieux	je pourrai me lever	je viendrai te voir

depuis 8 heures	j'ai marché	jusqu'à 10 heures
8 h	avant l'averse (auparavant) — 9 h pendant l'averse — après l'averse (après, ensuite)	10 h

■ **temporaire** adj. SENS 2 *Un emploi temporaire ne dure que peu de temps* (= momentané, provisoire ; ≠ durable).
■ **temporairement** adv. SENS 2 *M. Dubois est absent temporairement,* pour peu de temps (= momentanément).
■ **temporiser** v. *Il faut tâcher de temporiser jusqu'à son retour,* de gagner du temps, de faire durer la situation actuelle.
R. → *taon.*

tenable → *tenir.*

tenace adj. 1. *Non, je ne céderai pas, je suis tenace,* je persévère dans ce que je fais, je suis entêté, obstiné. 2. *Paul a un mal de tête tenace,* qui ne veut pas partir.

■ **ténacité** n.f. *Quelle ténacité ! elle n'a pas renoncé à son projet !* (= entêtement).

tenailler v. *La faim, le remords le tenaille,* le fait souffrir cruellement.

tenailles n.f.pl. *Passe-moi les tenailles pour arracher ce clou !,* un outil en forme de pince. 289, 291

tenancier → *tenir.*

tenant, e n. 1. *Au championnat du monde de saut, le tenant du titre a été battu,* celui qui l'avait. 2. *Les Vandamme possèdent cent vingt hectares d'un seul tenant,* formant un tout sans séparations. 3. adj. *Quand elle a reçu le télé-*

*gramme, elle est partie **séance tenante**,* immédiatement, sur-le-champ.

tendance → tendre 2.

tendancieux, euse adj. *Ton avis est **tendancieux**,* il n'est pas objectif, il traduit un parti pris (= partial).

tendeur → tendre 2.

40 **tendon** n.m. *Les muscles sont attachés aux os par des **tendons**,* la partie allongée et dure qui termine les muscles.

1. tendre adj. **1.** *Pascal est très **tendre** avec son petit frère,* gentil et doux (= affectueux). **2.** *Que cette viande est **tendre** !,* facile à couper et à mâcher (≠ dur).
■ **tendrement** adv. SENS 1 *Je t'embrasse **tendrement**,* avec tendresse.
■ **tendresse** n.f. SENS 1 *Cet enfant a besoin de **tendresse**,* d'affection douce.
■ **tendreté** n.f. SENS 2 *La **tendreté** est la qualité d'une viande tendre.*

2. tendre v. **1.** *La corde n'est pas assez **tendue**,* tirée pour être bien raide. **2.** *On a **tendu** les murs de papier peint,* on les a couverts. **3.** ***Tendez-vous** la main,* avancez-la l'un vers l'autre. *Le professeur parle bas, il faut **tendre** l'oreille,* bien écouter. **4.** *Il m'a **tendu** un piège,* il a cherché à me tromper. **5.** *La température **tend** à s'élever,* elle s'élève peu à peu. **6.** *La situation **est tendue** entre les deux pays,* arrivée à un point qui peut amener à quelque chose de grave.
■ **tendance** n.f. SENS 5 *Paul a **tendance** à exagérer,* il y est porté, c'est dans sa nature (= penchant).
■ **tendeur** n.m. SENS 1 *Fixe bien les **tendeurs** de la tente,* ce qui sert à tendre la toile.
■ **tension** n.f. **1.** SENS 6 *La **tension** est grande entre ces deux pays,* les relations sont tendues. **2.** *Ma marraine a de la **tension** (ou de l'**hypertension**),* une maladie circulatoire.

■ **détendre** v. **1.** SENS 1 ***Détends** le câble !,* rends-le plus mou, moins raide (= relâcher). **2.** *Ce bain m'a **détendue*** (= reposer, délasser).
■ **détente** n.f. **1.** SENS 6 *Il y a une certaine **détente** dans les relations internationales,* elles sont moins tendues (= accalmie). **2.** *J'ai besoin d'un moment de **détente**,* de repos (= délassement). **3.** *Le chasseur a appuyé sur la **détente**,* la pièce qui fait partir le coup d'une arme à feu.
R. → Conj. n° 50. → **taon**.

ténèbres n.f.pl. *Les **ténèbres**, c'est, en poésie, l'obscurité.*
■ **ténébreux, euse** adj. *Une affaire **ténébreuse** est obscure* (= mystérieux ; ≠ clair).

teneur n.f. *Ce vin a une forte **teneur** en alcool,* il en contient beaucoup.

ténia n.m. *Le **ténia** vit dans l'intestin de l'homme ; il est aussi appelé « ver solitaire »,* un ver très long.

tenir v. **1.** *Tu peux me **tenir** mon sac ?,* le garder à la main ou dans les bras. **2.** *Le tableau ne **tient** pas bien,* il n'est pas bien fixé. **3.** *Cette table **tient** trop de place dans la pièce* (= prendre, occuper). **4.** *C'est Mme Lippe qui **tient** cet hôtel,* qui s'en occupe. **5.** *La maison **est** bien **tenue**,* elle est bien entretenue. **6.** *Je ne sais pas si on va tous **tenir** dans la voiture,* y entrer. **7.** *Paul **tient** de son père,* il lui ressemble. **8.** *Je **tiens** à ce livre, ne le perds pas !,* j'y attache de l'importance (= être attaché à). **9.** *Tu **tiens** vraiment à aller là-bas ?,* tu en as envie ? (= désirer). **10.** ***Tiens-toi** droite !,* prends cette position. *Ne fais pas comme Yves, il **se tient** mal à table,* il se conduit en personne mal élevée. **11.** *Je m'en **tiens** à ce qui était convenu,* je ne change pas sur ce point. **12.** *Tu n'**as** pas **tenu** ta promesse,* tu ne l'as pas respectée. **13.** ***Tenez** bon !,* ne lâchez pas (= résister). **14.** *Cette voiture **tient***

bien *la route,* elle suit la direction voulue. **15.** *Vous n'êtes pas tenu de répondre,* obligé de répondre. **16.** *Je la tiens pour une fille sérieuse,* je la considère comme telle. **17.** *Il ne tient que des livres, pas de disques* (= vendre).

■ **tenable** adj. SENS 13 *La situation n'est plus tenable,* on ne peut plus tenir, résister (= supportable).

■ **tenancier, ère** n. SENS 4 *La tenancière d'un café* est la personne qui le tient, le dirige.

■ **intenable** adj. SENS 13 *La chaleur est intenable,* insupportable.

■ **tenue** n.f. **1.** SENS 5 *Qui s'occupe de la tenue de la maison ?,* de l'entretien. SENS 10 *Un peu de tenue, voyons !,* tenez-vous bien (= correction). SENS 14 *Cette voiture a une bonne tenue de route, même par mauvais temps.* **2.** *Comment faut-il s'habiller ? — En tenue de sport,* en vêtements.
R. → Conj. n° 22. → *tien.*

tennis n.m. **1.** *On joue au tennis avec une balle et des raquettes,* un sport. **2.** *Le tennis de table* est l'autre nom du ping-pong. **3.** *J'ai oublié mes tennis,* des chaussures de sport en toile blanche.

tenon n.m. *Il faut faire réparer ce fauteuil : un tenon est cassé.*

ténor n.m. *Cet artiste lyrique est un ténor,* un chanteur avec une voix aiguë.

tension → *tendre 2.*

tentacule n.m. *La pieuvre a des tentacules,* des bras souples qui lui servent à se déplacer et à capturer ses proies.

tentant, tentation, tentative → *tenter.*

tente n.f. *On a dormi sous la tente,* un abri de toile que l'on installe avec des piquets et des cordes.

tenter v. **1.** *L'athlète a tenté de sauter deux mètres,* elle a essayé de le faire

(= s'efforcer). *Tente ta chance,* essaie de gagner. **2.** *Ce voyage en Italie me tente,* il me fait envie (= attirer).

■ **tentant, e** adj. SENS 2 *Ton offre est bien tentante,* attirante (= séduisant).

■ **tentation** n.f. SENS 2 *Ne m'offre pas de chocolats, je ne pourrais pas résister à la tentation de les manger tous !,* à l'envie.

■ **tentative** n.f. SENS 1 *À la deuxième tentative,* l'athlète a réussi son saut (= essai).

tenture n.f. *Une tenture sépare les deux pièces,* une sorte de rideau. 146

ténu, e adj. *Un fil ténu* est très fin, très mince.

tenue → *tenir.*

ter adj. *J'habite au 21 ter, rue de Rome,* au numéro qui vient après le 21, le 21 *bis* et avant le 22.
R. On prononce [tɛr].

térébenthine n.f. *L'essence de térébenthine* sert à diluer la peinture, un produit.

tergal n.m. *Mon pantalon est en tergal,* un tissu synthétique qui ne se froisse pas.
R. C'est un nom de marque.

tergiverser v. *Décide-toi sans tergiverser* (= hésiter).

■ **tergiversations** n.f.pl. *Ne perdez pas votre temps en tergiversations.*

terme n.m. **1.** *Nous sommes arrivés au terme de notre voyage,* nous l'avons fini (= fin ; ≠ début). **2.** *Chaque trimestre, il faut payer le terme,* le loyer. **3.** *Des prévisions à court terme* portent sur une période brève. *Un emprunt à long terme* s'étend sur une période longue (= à courte, à longue échéance). **4.** *« Littoral » est un terme de géographie* (= mot). **5.** (au plur.) *Nous sommes en bons termes avec nos voisins,* nous avons de bons rapports avec eux (= relations).
R. → *thermes.*

terminer v. 1. *Ma grande sœur termine ses études* (= achever ; ≠ commencer). 2. *Le mot « œuf » se termine par un « f »* (= finir).

■ **terminaison** n.f. SENS 2 *La terminaison du mot « aimer » est « er »,* ses dernières lettres (= finale).

■ **terminal, e, aux** 1. adj. SENS 1 *En France, la classe terminale* (ou *la terminale*) *est celle qui termine les études au lycée.* 2. n.m. *Un terminal d'ordinateur est un calculateur relié à un ordinateur central.*

■ **terminus** n.m. SENS 1 *Je suis sorti du métro au terminus,* au dernier arrêt.

■ **interminable** adj. SENS 2 *Elle a fait un discours interminable,* très long.

R. On prononce le *s* de la fin du mot *terminus* : [tɛrminys].

termite n.m. *Les termites rongent le bois de l'intérieur,* des insectes vivant en société.

■ **termitière** n.f. *Une termitière est un nid de termites.*

terne adj. 1. *Tes cheveux sont ternes,* ils ne brillent pas (≠ brillant). 2. *C'est un personnage terne,* qui n'attire pas l'attention (≠ original).

■ **ternir** v. SENS 1 *Les couleurs ternissent au soleil,* elles deviennent ternes (= se décolorer, passer).

terrain n.m. 1. *Voilà un terrain à vendre,* une étendue de terre où il n'y a pas de constructions. *Il y a un terrain de football à l'université,* un endroit aménagé pour jouer au football. *Quel beau terrain de camping !* 2. *Il va falloir trouver un terrain d'entente pour se mettre d'accord,* un sujet, un point de discussion.

terrasse n.f. 1. *Si tu montes sur la terrasse, tu verras toute la ville,* la plate-forme qui remplace le toit d'une maison. 2. *Il n'y a plus de place à la terrasse du café,* l'endroit où sont les tables, au-dehors. 3. *Il fait beau, on mange sur la*

terrasse ?, un grand balcon. 4. *Ici, on pratique la culture en terrasses,* la culture des plantes sur des pentes qui forment des étages successifs.

terrassement n.m. *Sur le chantier, les travaux de terrassement commencent,* on creuse et on déplace la terre.

■ **terrassier** n.m. *Un terrassier est un ouvrier qui travaille au terrassement.*

terrasser v. *Elle a terrassé son adversaire,* elle l'a renversée à terre.

terre n.f. 1. *La Terre tourne autour du Soleil,* la planète sur laquelle nous sommes. 2. *Du bateau, on voit la terre,* le sol sur lequel on marche (≠ mer, air). *Asseyez-vous par terre,* sur le sol. *Le métro passe sous terre,* au-dessous du niveau du sol. 3. *Creuse un trou dans la terre,* la matière dont le sol est fait. 4. *On fait de la poterie rustique en terre (cuite),* une argile durcie au four (= céramique). 5. *La famille Dugal a des terres en Estrie,* des domaines à la campagne (= terrain). 6. *Christophe Colomb a voulu explorer les terres lointaines,* des régions inconnues. 7. *Ta plaisanterie est plutôt terre à terre,* pas très élevée (≠ fin). 8. *Ma batterie est à terre,* inutilisable. *Les affaires sont à terre,* elles vont mal.

■ **terreau** n.m. SENS 3 *Marie plante des fleurs dans du terreau,* de la terre très fertile.

■ **terre-plein** n.m. SENS 3 *Il y a une haie sur le terre-plein central de l'autoroute,* la bande de terrain qui sépare les deux chaussées.

■ **terrestre** adj. SENS 1 *Nous vivons sur le globe terrestre,* la Terre. SENS 2 *Les plantes terrestres sont celles qui vivent sur la terre* (≠ aquatique).

■ **terreux, euse** adj. SENS 3 *Cette personne est malade, elle a un teint terreux,* de la couleur de la terre (= grisâtre).

■ **terrien, enne** adj. et n. SENS 1 *Les terriens sont les habitants de la Terre.*

SENS 5 *Cet agriculteur est un gros proprié-taire* **terrien,** il possède des terres.

■ **terrier** n.m. SENS 3 *Le lapin est rentré dans son* **terrier,** le trou dans la terre qui lui sert d'abri.

■ **atterrir** v. SENS 2 *L'avion a atterri à 8 heures,* il s'est posé à terre (≠ décoller).

■ **atterrissage** n.m. SENS 2 *Les avions atterrissent sur la piste d'atterrissage* (≠ décollage).

■ **déterrer** v. SENS 3 *Au cours des fouilles, on a déterré des vases antiques,* on les a sortis de la terre.

■ **enterrer** v. SENS 3 *Le voleur avait enterré les bijoux dans le jardin,* il les avait mis dans la terre (≠ déterrer). *Mon grand-père est enterré au cimetière Côte des Neiges,* on a mis son corps en terre (= ensevelir, inhumer).

■ **enterrement** n.m. SENS 3 *Il y avait beaucoup de monde à l'enterrement de mon grand-père,* à la cérémonie au cours de laquelle on l'a enterré.

■ **extra-terrestre** n. et adj. SENS 1 *Le film imagine une rencontre avec des extra-terrestres,* des êtres venus d'un monde autre que la Terre.
R. Noter le pluriel : des *terre-pleins.*

se terrer v. *Le chat s'est terré sous le lit,* il s'y est caché.

terrestre → *terre.*

terreur n.f. *L'assassin sème la terreur dans toute la ville,* une très grande peur (= panique).

■ **terrifier** v. *Ce film m'a terrifié,* il m'a fait très peur (= épouvanter).

■ **terrifiant, e** adj. *On a entendu un cri terrifiant* (= effrayant).

■ **terroriser** v. *L'enfant était terrorisé par le chien qui aboyait,* il avait très peur (= terrifier).

■ **terrorisme** n.m. *Les attentats, les sabotages sont des actes de terrorisme,* destinés à provoquer la terreur.

■ **terroriste** n. et adj. *Une terroriste a été arrêtée,* une personne qui participait à des actes de terrorisme.

terreux → *terre.*

terrible adj. 1. *La bombe atomique est une arme terrible,* qui fait très peur (= terrifiant). 2. *Il y a un vent terrible,* très grand (= fort). 3. *C'est un enfant terrible,* insupportable (≠ sage).

■ **terriblement** adv. SENS 2 *Il fait terriblement froid* (= très, extrêmement, énormément).

terrien, terrier → *terre.*

terrifiant, terrifier → *terreur.*

terril n.m. *Un terril* est un amas énorme de déblais extraits d'une mine. | 801

terrine n.f. 1. *Le pâté est dans la terrine,* dans un plat profond en terre. 2. *Cette terrine de canard est délicieuse !,* du pâté de canard cuit dans une terrine (au sens 1).

territoire n.m. 1. *Je suis ici en territoire étranger* (= pays). 2. *Le territoire de la municipalité s'arrête ici* (= étendue).

■ **territorial, e, aux** adj. SENS 1 *Ce navire étranger a pénétré dans nos eaux territoriales,* la partie de la mer qui borde notre pays et qui nous appartient. SENS 2 *Le canton est une division territoriale,* qui constitue un territoire.

terroir n.m. *Mme Cadiergues parle avec l'accent de son terroir natal,* de la région où elle est née.

terroriser, terrorisme, terroriste → *terreur.*

tertiaire → *ère.*

tertio adv. est un équivalent de *troisième-ment* dans une énumération.
R. On prononce [tɛrsjo].

tertre n.m. *Un tertre* est une petite émi-nence de terre (= butte).

tes → *ton 1.*

tesson n.m. *Je me suis coupé avec un tesson de bouteille,* un bout de bouteille cassée.

test n.m. *Avant d'entrer en sixième, on nous a fait passer des tests,* des exercices qui permettent de mesurer nos réflexes, notre intelligence, etc.

■ **tester** v. *Nous serons testés avant d'obtenir ce poste,* on nous fera passer des tests. *Tous nos appareils ont été testés en laboratoire,* ils ont été soumis à des épreuves de vérification (= éprouver).

testament n.m. *Par son testament, M. Durand a laissé toute sa fortune à sa filleule,* la lettre où il a écrit ce qu'il voulait qu'on fasse de ses biens après sa mort.

tester → *test.*

testicule n.m. *Les testicules sont les glandes reproductrices mâles.*

tétanos n.m. *Tu t'es fait vacciner contre le tétanos ?,* une maladie qu'on peut attraper quand une blessure est en contact avec de la terre.

■ **antitétanique** adj. *Le vaccin antitétanique protège du tétanos.*

R. On prononce le *s* final : [tetanɔs].

têtard n.m. *Il y a des têtards dans la mare,* des animaux minuscules qui deviendront des grenouilles.

tête n.f. **1.** *La tête, le tronc et les membres forment le corps. Je me suis fait mal à la tête,* au crâne. *Tu as une jolie tête* (= visage). **2.** *La tête du lit* est la partie du lit où l'on pose la tête (≠ pied). **3.** *Je n'ai pas la tête à écouter tes histoires,* l'esprit. **4.** *Ça coûte cher par tête !,* par personne. **5.** *Je ne peux pas faire ce calcul de tête,* sans écrire. **6.** *Qui est à la tête de cette usine ?,* qui la dirige ? **7.** *On est en tête du train,* dans les premières voitures, après la locomotive (≠ queue). *Notre équipe est en tête,* elle gagne. **8.** *Catherine fait la tête,* elle boude. **9.** *En voyant*

le feu prendre, *j'ai perdu la tête,* je me suis affolé. **10.** *Il est parti sur un coup de tête,* par une décision soudaine, sans réfléchir. **11.** *Personne n'a osé lui tenir tête,* s'opposer à elle (= résister). **12.** *J'en ai par-dessus la tête de cette histoire,* je suis excédé.

■ **tête-à-queue** n.m.inv. SENS 7 *L'auto a fait un tête-à-queue sur la route mouillée,* elle a fait un demi-tour sur elle-même en dérapant.

■ **tête-à-tête** SENS 4 **1.** adv. *Tiens, si on dînait en tête-à-tête* (ou *en tête à tête*) *?,* tous les deux, seuls. **2.** n.m.inv. *J'ai eu un tête-à-tête avec Lise,* un entretien particulier.

■ **tête-bêche** adv. SENS 2 *Patrick et Paul ont dormi tête-bêche,* côte à côte, mais en sens inverse l'un de l'autre.

téter v. *Bébé tète,* il boit son lait en le suçant.

■ **tétée** n.f. *Bébé a six tétées par jour,* six repas où il tète.

■ **tétine** n.f. *La tétine d'un biberon* est son bout en caoutchouc qui sert à téter.

têtu, e adj. *Jean est très têtu,* il ne veut pas renoncer à ses idées (= entêté, obstiné, buté).

■ **s'entêter** v. *Malgré mes conseils, Anne s'entête à vouloir partir demain,* elle ne veut pas céder (= s'obstiner).

■ **entêté, e** adj. et n. *Jean est (un) entêté,* il est têtu (≠ souple).

■ **entêtement** n.m. *On n'a pas pu venir à bout de son entêtement* (= obstination ; ≠ docilité).

texte n.m. *J'ai lu le texte de son discours,* les mots qui le composent.

■ **textuel, elle** adj. *Cette citation est textuelle,* exactement fidèle au texte.

■ **textuellement** adv. *Je vous répète textuellement ce qu'elle a dit* (= mot à mot).

textile **1.** adj. *Dans l'industrie textile,* on fabrique des tissus. **2.** n.m. *La laine est* un **textile** naturel, le nylon, un **textile** synthétique, une matière dont on fait des tissus.

textuel, textuellement → texte.

thé n.m. 1. Tu veux une tasse de **thé ?**, d'une boisson faite avec les feuilles séchées du **théier,** arbuste cultivé en Extrême-Orient. 2. Un salon de **thé** est une sorte de pâtisserie où l'on sert du thé.
■ **théière** n.f. SENS 1 La **théière** est le récipient dans lequel on fait et on sert le thé.
R. Thé se prononce [tɛ] comme tes et T.

théâtre n.m. 1. Hier soir, nous sommes allés au **théâtre,** dans une salle où des acteurs jouent une pièce sur une scène. 2. Cet acteur de cinéma fait aussi du **théâtre,** il joue dans un théâtre. Les comédies, les tragédies, les drames, les mélodrames sont des **pièces de théâtre.** 3. Cette maison a été le **théâtre** d'un crime, le lieu où un crime a été commis. 4. Son arrivée a été un **coup de théâtre,** un événement inattendu.
■ **théâtral, e, aux** adj. SENS 2 Les comédiens ont donné une représentation **théâtrale,** ils ont joué une pièce de théâtre.

théier, théière → thé.

thème n.m. 1. Quel était le **thème** de la discussion ?, le sujet. 2. Pauline a fait son **thème** anglais, elle a traduit en anglais un texte français (≠ version).

théologie n.f. La **théologie** est l'étude des questions relatives à la religion.

théorème n.m. Un **théorème** est une démonstration mathématique.

théorie n.f. 1. En maths, on apprend la **théorie** des ensembles, le système d'idées qui permet d'expliquer les ensembles. 2. En théorie tu as raison, mais en pratique ta solution est inapplicable,

en raisonnant sans tenir compte de la réalité (= en principe ; ≠ en réalité, en fait).
■ **théoricien, enne** n. SENS 1 Le professeur Martin est un **théoricien** de l'économie, il en étudie et en enseigne la théorie.
■ **théorique** adj. SENS 2 Ton raisonnement est **théorique,** il ne tient pas compte de la réalité.
■ **théoriquement** adv. SENS 2 **Théoriquement,** cela n'aurait pas dû arriver (= en théorie ; ≠ pratiquement, en fait).

thérapeutique adj. Cette plante a des propriétés **thérapeutiques,** elle a le pouvoir de soigner des maladies.

thermes n.m.pl. Chez les Romains, les **thermes** étaient des sortes de piscines où l'on prenait des bains.
■ **thermal, e, aux** adj. Évian est une station **thermale,** une ville où les eaux servent à soigner certaines maladies.
R. Thermes se prononce [tɛrm] comme terme.

thermique adj. Une centrale **thermique** produit de l'énergie à partir de la chaleur.

801

thermomètre n.m. Un **thermomètre** sert à mesurer la température.

39

thermonucléaire adj. Une bombe **thermonucléaire** est une bombe atomique.

thermos n.m. ou f. Une bouteille **thermos** permet de garder un liquide chaud ou froid.
R. C'est un nom de marque.

thermostat n.m. Nous avons un four à **thermostat,** équipé d'un dispositif qui permet d'avoir toujours la même température.

thésauriser v. Thésauriser de l'argent, c'est le mettre de côté.

thèse n.f. La **thèse** que tu défends est absurde (= point de vue, opinion, idée).

579 **thon** n.m. *M. Durand a acheté du thon chez le poissonnier*, un gros poisson de mer.

728 ■**thonier** n.m. *Un thonier est un bateau pour la pêche au thon.*
R. *Thon se prononce* [tɔ̃] *comme ton et il tond (de tondre).*

294, **thorax** n.m. *Lise gonfle le thorax*, la par-
33 tie du corps qui contient les poumons (= poitrine, torse).
■**thoracique** adj. *La cage thoracique*, c'est le thorax.

thuya n.m. *Le thuya est un arbre en forme de cône souvent cultivé dans les parcs.*

578 **thym** n.m. *Le thym donne du goût aux plats*, une plante aromatique.
R. *Thym se prononce* [tɛ̃], *comme teint, tain et il teint (de teindre), il tint (de tenir).*

40 **tibia** n.m. *En skiant, Jean s'est cassé le tibia*, un os du devant de la jambe.

tic n.m. *Tu clignes tout le temps des yeux, c'est un tic !*, un mouvement nerveux involontaire.

ticket n.m. *Le contrôleur poinçonne les tickets*, les billets qui montrent qu'on a payé sa place.

tic-tac n.m. *Écoute le tic-tac de la pendule*, le bruit particulier qu'elle fait en marchant.

tiède adj. 1. *L'eau est tiède*, ni chaude ni froide. 2. *Elle s'est montrée tiède sur ce projet*, peu enthousiaste.
■**tiédeur** n.f. SENS 1 *La tiédeur du printemps*, c'est la température tiède.
■**tiédir** v. SENS 1 *Cléa laisse tiédir son café.*
■**s'attiédir** v. SENS 2 *Son ardeur s'est bien attiédie*, elle a bien diminué (= se refroidir).

tien pron.possessif *Ma jupe est moins jolie que la tienne*, celle qui est à toi.
R. *Tien se prononce* [tjɛ̃] *comme je tiens (de tenir) et tiens !*

tiens ! interj. marque la surprise : *Tiens !, voilà Paule !*
R. → tien.

tierce → tiers.

tiercé n.m. *Au tiercé, j'ai joué le 3, le 4 et le 8, mais je n'ai pas gagné*, un jeu qui consiste à parier l'ordre d'arrivée des chevaux dans une course.

tiers n.m. 1. *Tu as pris un tiers du gâteau*, une des trois parties égales du gâteau. 2. *Je n'aime pas raconter ma vie devant des tiers*, des personnes étrangères.
■**tierce** adj.f. SENS 2 *Une tierce personne assistait à l'entretien*, un tiers.

tige n.f. 1. *La tige de la rose a des épines*, la partie de la plante qui porte les feuilles et les fleurs. 2. *Un paratonnerre est une longue tige de métal posée sur le toit* (= barre).

tignasse n.f. Fam. *Va chez le coiffeur faire couper ta tignasse*, tes cheveux longs et mal coiffés.

tigre n.m. *Le tigre vit en Asie*, un animal féroce au pelage jaune rayé de noir.
■**tigresse** n.f. *Lucie est agressive comme une tigresse*, la femelle du tigre.

tilleul n.m. *Tu veux boire du tilleul ?*, une tisane faite avec des fleurs séchées de l'arbre appelé *tilleul*.

timbale n.f. 1. *Bébé a bu dans sa timbale*, un gobelet en métal. 2. *La timbale est un instrument de musique.*

timbre n.m. 1. *J'ai oublié de coller le timbre sur l'enveloppe*, le petit rectangle de papier qui sert à payer l'envoi de la lettre par la poste. (On dit aussi *timbre-poste*.) 2. *Sur la lettre, il y a le timbre de l'administration*, la marque imprimée (= cachet, tampon). 3. *Cette cloche a un joli timbre*, elle sonne bien (= son).
■**timbrer** v. SENS 1 *Tu as oublié de timbrer ta lettre*, d'y coller un timbre (= affranchir).

■ **timbré, e** adj. SENS 2 *Ce contrat doit être écrit sur du papier timbré,* marqué d'un timbre officiel. SENS 3 *Anne a une voix bien timbrée,* qui a un joli son.

timide adj. et n. *Pourquoi ne lui as-tu pas parlé ? — Parce que je suis timide,* je manque d'assurance, de confiance en moi (≠ hardi).
■ **timidement** adv. *Tu m'as répondu timidement* (≠ hardiment).
■ **timidité** n.f. *Il faut surmonter ta timidité,* ton manque d'assurance (≠ audace).
■ **intimider** v. *Ses menaces ne m'intimident pas,* elles ne me font pas perdre mon assurance.

timon n.m. *Les bœufs étaient attelés au timon de la charrue,* la longue pièce de bois servant à la tirer.

timonier, ère n. *Le timonier dirige le bateau,* celui qui est au gouvernail.
■ **timonerie** n.f. *La timonerie,* ce sont les appareils de navigation et la partie du bateau où ils se trouvent.

timoré, e adj. *Paul est timoré* (= timide, craintif ; ≠ entreprenant).

tintamarre n.m. *Que de bruit, quel tintamarre !,* quel vacarme ! (= tapage).

tinter v. *On entend au loin les cloches tinter,* sonner à petits coups.
■ **tintement** n.m. *Écoute le tintement des grelots,* leur bruit.
R. *Tinter* se prononce [tɛ̃te] comme *teinter.*

tipi n.m. *Un tipi est une tente d'origine amérindienne de forme conique, recouverte de peaux.*

tiquer v. Fam. *Elle a tiqué quand on lui a dit le prix,* elle a eu l'air surpris, contrarié, hésitant.

tir → *tirer.*

tirade n.f. *L'actrice a récité sa tirade trop vite,* un monologue récité en une seule fois.

tirage, tiraillement, tirailler, tirailleur → *tirer.*

tirant n.m. *Le tirant d'eau d'un bateau,* c'est la profondeur de sa coque dans l'eau.

tire, tire-bouchon → *tirer.*

à tire-d'aile adv. *L'oiseau est parti à tire-d'aile,* très vite.

à tire-larigot adv. Fam. *Boire à tire-larigot,* c'est boire abondamment.

tire-ligne → *tirer.*

tirelire n.f. *Tu entends les pièces quand je secoue la tirelire ?,* la boîte avec une fente où l'on met l'argent qu'on veut économiser.

tirer v. 1. *Le cheval tire la voiture,* il la traîne derrière lui (≠ pousser). 2. *La voyageuse a tiré la sonnette d'alarme,* elle l'a fait fonctionner en amenant la poignée vers elle ou vers le bas. 3. *Tire le rideau,* ferme-le (≠ ouvrir). 4. *Tire sur ta jupe !,* tends-la. 5. *Le prestidigitateur a tiré un lapin de son chapeau,* il l'en a fait sortir. *Le problème était difficile, mais je m'en suis bien tiré,* j'ai réussi à le faire (= s'en sortir). 6. *On tire l'essence du pétrole,* on l'extrait. 7. *On a tiré ce roman à 10 000 exemplaires,* on l'a imprimé. 8. *Il faut faire tirer ces photos,* les faire reproduire sur du papier, à partir des négatifs. 9. *Le policier a tiré sur le bandit,* il a fait feu sur lui. *Tu sais tirer à l'arc ?,* lancer des flèches avec un arc. 10. *Tirer un trait,* c'est le tracer. 11. *La cheminée tire mal,* il y a plein de fumée dans la pièce, la circulation d'air ne se fait pas bien. 12. *Dans une tombola, les lots sont tirés au sort,* ils sont désignés par le hasard. 13. *Tirer les cartes,* c'est prédire l'avenir de quelqu'un à l'aide d'un jeu de cartes. 14. *Tirer au (du) poignet,* c'est chercher à renverser l'avant-bras de l'adversaire, à la force du poignet. 15. *Elle dit qu'elle a cessé de fumer, mais il lui arrive encore de tirer une touche,* de fumer de temps en temps.

tir n.m. SENS 9 *À la foire, on est allé au stand de tir,* dans un lieu où l'on s'exerce à tirer. *Au hockey, Paul a fait quatre tirs au but,* des lancers de rondelle vers les buts.

tirage n.m. SENS 7 *Ce journal a un gros tirage,* on le tire à un grand nombre d'exemplaires. SENS 8 *Le tirage d'une photo,* c'est sa reproduction sur le papier. SENS 11 *Il faut régler le tirage du poêle, il enfume toute la pièce !,* la manière dont la circulation d'air s'y fait. SENS 12 *C'est ce soir le tirage de la loterie,* on tire au sort les numéros gagnants.

tirailler v. 1. SENS 9 *On entend les chasseurs tirailler dans le bois,* tirer çà et là, sans régularité. 2. *Je suis tiraillée entre deux désirs,* attirée dans des sens divers.

tiraillement n.m. (au plur.) *Il y a des tiraillements à l'intérieur de ce parti,* des désaccords.

tirailleur, euse n. SENS 9 *Un tirailleur est un soldat qui tire seul, pour harceler l'ennemi.*

tire n.f. 1. SENS 5 *Le vol à la tire* est celui où le voleur tire habilement un objet de la poche de quelqu'un. 2. *La tire d'érable* est de la sève d'érable épaissie comme du miel.

tiré, e adj. 1. SENS 4 *Tu as les traits tirés,* tendus par la fatigue. 2. *Yves est toujours tiré à quatre épingles !,* habillé avec soin.

tire-bouchon n.m. SENS 2 *Il y avait deux tire-bouchons et je n'en retrouve aucun !,* un appareil qui sert à déboucher une bouteille.

tire-ligne n.m. SENS 10 *La dessinatrice trace des traits à l'encre avec son tire-ligne,* un instrument.

tireur, euse n. SENS 9 *M. Dupont est un bon tireur à la carabine,* il tire bien. SENS 13 *Une tireuse de cartes* est une cartomancienne.

R. → *traction.* Noter le pluriel des *tire-lignes.*

tiret n.m. Un *tiret* est un trait horizontal (—) qu'on utilise dans les textes écrits.

tirette n.f. Une *tirette* est une petite planche qu'on peut sortir et rentrer dans un meuble.

tireur → *tirer.*

tiroir n.m. *Les couteaux sont dans le tiroir du buffet,* la partie du meuble formant une espèce de caisse qu'on peut tirer et repousser.

tiroir-caisse n.m. *Les gangsters ont emporté tout l'argent du tiroir-caisse,* du tiroir qui contient l'argent d'un commerçant.

R. Noter le pluriel : des *tiroirs-caisses.*

tisane n.f. *Qui veut boire une tisane après le dîner ?,* une boisson chaude faite avec des plantes parfumées (tilleul, menthe, verveine, etc.).

tison n.m. *On va rallumer le feu avec les tisons,* les morceaux de bois à moitié brûlés et encore rouges (= braise).

tisonnier n.m. *Remue les tisons avec le tisonnier,* une tige métallique.

tisser v. *À Lyon, en France, on tisse la soie,* on fait des tissus de soie.

tissage n.m. *Autrefois, le tissage se faisait sur des métiers à tisser,* la fabrication des tissus.

tisserand, e n. Un *tisserand* est un artisan qui tisse.

tissu n.m. *Pour les rideaux, il faudrait un tissu uni* (= étoffe).

tissu-éponge n.m. *Les serviettes de toilette sont en tissu-éponge,* en tissu de coton très absorbant.

R. Noter le pluriel : des *tissus-éponges.*

titre n.m. 1. *Quel est le titre de ce roman de Kipling ? — « Le Livre de la jungle »,* le nom. 2. *Sur la première page du journal, il y a un gros titre,* une inscription en grosses lettres. 3. *Elle court pour le titre de championne du monde* (= qualité, appellation). *C'est elle la championne du monde en titre,* elle en a le titre. 4. *Qu'est-ce que tu as comme titres universitaires ?* (= diplôme). 5. *Les titres de propriété sont rangés* dans un tiroir du bureau, les certificats qui prouvent les droits de quelqu'un. **6.** *Si elle proteste, c'est à juste titre,* avec raison (= légitimement, à bon droit).

■ **titrer** v. SENS 2 *Le journal d'aujourd'hui titre : « Terrible accident sur l'autoroute »,* il met ce titre.

■ **attitré, e** adj. SENS 3 *Melle Marceau est la responsable attitrée de cette fonction,* elle a officiellement cette fonction.

■ **intituler** v. SENS 1 *Comment s'intitule ce livre ?,* quel est son titre (= s'appeler).

■ **sous-titre** n.m. **1.** SENS 1 ET 2 *Un sous-titre est un titre plus petit que le titre principal et destiné à le compléter.* **2.** *Ce film anglais a des sous-titres en français,* des phrases écrites qui traduisent les paroles en français.

■ **sous-titrer** v. *Ce film anglais est en version originale sous-titrée,* on y parle anglais et il y a des sous-titres.

tituber v. *Regarde cet ivrogne, il titube,* il marche en ne tenant pas bien sur ses jambes (= vaciller).

titulaire adj. et n. **1.** *Un fonctionnaire titulaire est nommé définitivement à son poste.* **2.** *Les titulaires du permis de conduire sont les personnes qui l'ont obtenu.*

■ **titulariser** v. SENS 1 *Les stagiaires ont été titularisés,* nommés titulaires.

toast n.m. **1.** *Et maintenant nous allons porter un toast aux jeunes mariés,* lever nos verres en leur honneur. **2.** *Peter mange des toasts à son petit déjeuner,* des tranches de pain grillé (= rôtie). **R.** On prononce [tost].

toboggan n.m. **1.** *Au square, on joue sur le toboggan,* un appareil en pente sur lequel on se laisse glisser sur les fesses. **2.** *On fait de la traîne sauvage avec un toboggan,* un petit traîneau à fond plat, sans patin, dont l'avant est complètement recourbé. **3.** *On a construit un toboggan au-dessus de la route,* un passage supérieur à un croisement.

toc n.m. Fam. *Son collier n'est pas en or, c'est du toc !,* une imitation.

tocsin n.m. *Aujourd'hui, la sirène a remplacé le tocsin,* la sonnerie de cloche employée comme signal d'arlarme.

toge n.f. *Les juges portent une toge,* une sorte de robe.

tohu-bohu n.m.inv. *Dans ce tohu-bohu, on ne reconnaissait plus personne,* cette agitation confuse et bruyante.

toi pron.pers. peut s'employer : *a)* pour renforcer le sujet *tu* ou le complément *te* : *Toi, tu restes là ; Toi, je te parle ; b)* comme complément après une préposition : *Ce cadeau est pour toi.* **R.** *Toi* se prononce [twa] comme *toit.*

toile n.f. **1.** *La toile de la tente s'est déchirée,* le tissu dans lequel elle est faite. **2.** *L'araignée tisse sa toile,* elle fait un piège pour capturer les insectes avec les fils qu'elle sécrète. **3.** *Je n'aime pas les toiles de ce peintre,* ses tableaux (= peinture).

toilette n.f. **1.** *Pascale est dans la salle de bains, elle fait sa toilette,* elle se lave et se peigne. **2.** *Quelle toilette !, tu sors ?* (= vêtements, tenue). **3.** (au plur.) *Où sont les toilettes ?,* les cabinets.

toise n.f. *Une toise est une grande règle qui sert à mesurer la taille d'une personne.*

toiser v. *Toiser quelqu'un,* c'est le regarder de haut en bas avec mépris ou défi.

toison n.f. *La toison d'un mouton,* c'est sa laine.

toit n.m. **1.** *L'antenne de télévision est sur le toit,* la surface qui recouvre le dessus d'une maison. **2.** *Ta voiture a un toit ouvrant ?,* la partie supérieure de la carrosserie. **3.** *Toute la famille habite sous le même toit,* dans la même maison.

■ **toiture** n.f. SENS 1 *Il faut refaire la toiture,* le toit et ce qui le fait tenir.

tôle n.f. *Sur la cabane, il y a un toit en **tôle,** *en métal aplati en feuilles.

■ **tôlerie** n.f. **1.** Une *tôlerie* est un atelier où l'on travaille la tôle. **2.** *L'accident de voitures n'a fait que des dégâts de **tôlerie,** *des dégâts aux parties en tôle.

■ **tôlier, ère** n. Un *tôlier* est un ouvrier qui travaille la tôle.

R. *Tôle* se prononce [tol] comme *taule.*

tolérer v. *La gardienne **tolère** que les enfants jouent sur la pelouse,* elle l'accepte mais normalement ce n'est pas permis (= permettre, supporter). *Vous **tolérez** cet individu ?,* vous acceptez sa présence.

■ **tolérable** adj. *Un tel bruit n'est pas **tolérable*** (= supportable).

■ **tolérance** n.f. *J'ai le droit d'avoir mes idées, tu manques de **tolérance !,** *de respect pour le droit des autres à penser comme ils veulent (= largeur d'esprit).

■ **tolérant, e** adj. *Anne est très **tolérante,** *elle admet que les autres puissent avoir des opinions différentes des siennes.

■ **intolérable** adj. *La douleur est **intolérable*** (= insupportable).

■ **intolérance** n.f. *L'**intolérance*** est le manque de tolérance à l'égard des autres.

■ **intolérant, e** adj. *Laisse-moi m'expliquer : tu es trop **intolérant,** *tu manques de tolérance.

tollé n.m. *Quand elle a dit non, il y a eu un **tollé** général,* un cri pour protester (≠ acclamation).

tomahawk n.m. *Il s'est fabriqué un **tomahawk** avec un bâton et une pierre,* une arme de guerre utilisée par les Amérindiens.

367 **tomate** n.f. *À midi, on a mangé une salade de **tomates,** *de gros fruits rouges.

tombe n.f. *On est allé au cimetière mettre des fleurs sur la **tombe** de grand-père,* l'endroit où il est enterré.

■ **tombal, e** adj. *La pierre **tombale** est en marbre,* celle qui recouvre la tombe.

■ **tombeau** n.m. *Les **tombeaux** sont des monuments en pierre qu'on construit au-dessus des tombes.

tomber v. **1.** *J'ai glissé et je **suis tombé,** *je me suis renversé par terre (= dégringoler, faire une chute). **2.** *La nuit **tombe,** on ne voit plus clair,* il va faire nuit. **3.** *La pluie **est tombée** cette nuit,* il a plu. **4.** *Le vent **tombe,** *il arrête de souffler (= cesser ; ≠ se lever). **5.** *Chantal nous **laisse tomber,** on ne la voit plus,* elle nous abandonne (= délaisser, laisser choir). **6.** *Noël **tombe** un samedi cette année,* c'est un samedi. *Tiens ! tu es là, ça **tombe** bien !,* ça arrive bien. **7.** *Tu vas **tomber** malade,* le devenir brusquement. **8.** *Je **suis tombé** sur Paule dans la rue,* je l'ai rencontrée par hasard. **9.** *Il est **tombé dans le piège,** *il a été pris. **10.** Fam. *Tomber dans l'œil,* c'est plaire au premier coup d'œil. **11.** *Tous mes projets **sont tombés à l'eau,** *ils ont échoué.

■ **tombant, e** adj. SENS 2 *Il est venu à la nuit **tombante,** *à la tombée de la nuit.

■ **tombée** n.f. SENS 2 *On est parti à la **tombée** de la nuit,* au moment où la nuit tombe.

■ **retomber** v. **1.** SENS 1 *Le chat a sauté et il **est retombé** sur ses pattes,* il a touché terre. SENS 7 *Jean **est retombé** malade,* il est de nouveau malade. **2.** *C'est sur lui que **retombe** la responsabilité,* il est responsable.

■ **retombées** n.f.pl. **1.** SENS 1 *Après une explosion atomique, il y a des **retombées** radioactives,* des particules qui retombent. **2.** *Ce scandale a eu des **retombées** politiques,* des conséquences indirectes.

R. *Tomber* et *retomber* se conjuguent avec l'auxiliaire *être.*

tombereau n.m. *On a déversé trois **tombereaux** de terre dans le jardin,* le contenu de trois camions ou charrettes qui basculent.

tombola n.f. *J'ai gagné une bouteille de champagne à la **tombola**,* la loterie où l'on gagne des objets.

tome n.m. *J'ai lu le deuxième **tome** de ce roman* (= volume).

tomme n.f. *La **tomme** est un fromage de Savoie.*

tommette ou **tomette** n.f. *Dans le Sud de la France, le sol des maisons est souvent recouvert de **tommettes**,* des carreaux de céramique à 6 côtés.

1. ton, ta, tes adj. possessifs indiquent ce qui est à toi : *Ton livre, **ta** chemise, **tes** affaires.*
R. → ton 2 et *thé.* On emploie *ton* au lieu de *ta* devant un nom féminin commençant par une voyelle ou un *h* muet : *Ton oreille.*

2. ton n.m. **1.** *On m'a répondu sur un **ton** qui ne m'a pas plu,* une façon de parler. **2.** *On ne chante pas tous dans le même **ton**,* la même hauteur de la voix, du son (= tonalité). **3.** *En automne, les arbres ont des **tons** jaunâtres,* des couleurs (= nuance, teinte). **4.** *Ce qui est de **bon ton*** est conforme aux bonnes manières, à la bonne éducation.
■ **tonalité** n.f. **1.** SENS 2 *Quel est le bouton pour régler la **tonalité** de la télé ?,* la qualité du son. **2.** [Au téléphone] : *Je n'ai pas la **tonalité**,* le son qui fait qu'on peut composer un numéro quand on décroche.
R. *Ton* se prononce [tɔ̃] comme *thon* et il *tond* (de *tondre*).

tondre v. *Andréa **tond** le gazon,* elle le coupe très court.
■ **tondeuse** n.f. *La **tondeuse** à gazon est cassée,* l'appareil pour le tondre.
■ **tonte** n.f. *Quand a lieu la **tonte** des moutons ?,* l'époque où on les tond.
R. → Conj. n° 51. → ton 2.

tonifier, tonique → tonus.

tonitruant, e adj. *Georges a une voix **tonitruante**,* très forte.

tonnage → tonneau.

tonne n.f. **1.** *Cette voiture pèse une **tonne**,* mille kilogrammes. **2.** Fam. *On a épluché **des tonnes de** pommes de terre,* un très grand nombre.

871

tonneau n.m. **1.** *On a mis le vin dans des **tonneaux**,* des récipients en bois. **2.** *La voiture a fait un **tonneau**,* un tour complet sur elle-même en se renversant. **3.** *Le **tonneau** est une unité de mesure qui sert à calculer ce que peut contenir un bateau.*
■ **tonnage** n.m. SENS 3 *Les paquebots sont des navires de fort **tonnage*** (= capacité).
■ **tonnelet** n.m. SENS 1 *Les Blois ont acheté un **tonnelet** de cognac,* un petit tonneau.
■ **tonnelier, ère** n. SENS 1 *Le **tonnelier** fabrique ou répare des tonneaux.*

367,
579

766

tonnelle n.f. *On a déjeuné dans le jardin sous la **tonnelle**,* une sorte de voûte faite de feuilles et de branches d'arbres.

73

tonnerre n.m. *Il y a eu des éclairs et puis on a entendu un coup de **tonnerre**,* le bruit que fait la foudre pendant l'orage.
■ **tonner** v. *On entend **tonner** au loin,* le bruit du tonnerre.

tonsure n.f. *Les moines ont une **tonsure** sur le sommet du crâne,* un cercle de cheveux rasés.

tonte → tondre.

tonus n.m. *Ce remède lui a donné du **tonus**,* de l'énergie (= dynamisme).
■ **tonique** adj. *L'air de la montagne est **tonique**,* il donne de l'énergie (= vivifiant).
■ **tonifier** v. *Une bonne douche froide **tonifie** les muscles,* elle a un effet tonique (= stimuler).
R. On prononce le *s* final de *tonus* : [tɔnys].

top n.m. *Au troisième **top**, il sera exactement 10 heures,* au troisième signal sonore de l'horloge.

topographie n.f. *Cette région a une topographie* montagneuse (= relief).

■ **topographique** adj. *Les cartes topographiques représentent le relief.*

toquade n.f. Une *toquade* est une envie soudaine (= caprice, lubie).

toque n.f. *Les cuisiniers portent la toque,* une sorte de bonnet.

toqué, e adj. Fam. *Annie est un peu toquée !* (= fou).

torche n.f. 1. *Dans la grotte, le guide nous éclaire avec une torche,* un gros bâton qui brûle (= flambeau). 2. *Une torche électrique* est une grosse lampe portative de forme allongée.

torcher v. Fam. *Il a torché son assiette avec du pain,* il l'a essuyée.

torchis n.m. *Cette maison a des murs en torchis,* faits d'un mélange de paille et de terre.

torchon n.m. *Prends un torchon propre pour essuyer les verres !,* une sorte de serviette en toile.

tordre v. 1. *Aide-moi à tordre la serviette, elle est trempée,* à la tourner sur elle-même en serrant chaque bout en sens contraire. 2. *Aïe, tu m'as tordu le bras !,* tu me l'as tourné brutalement. 3. *La clé s'est tordue dans la serrure,* elle s'est courbée et n'est plus droite. 4. *On se tordait de rire en écoutant Lise,* on riait beaucoup.

■ **tordant, e** adj. SENS 4 *Ton histoire est tordante,* très drôle.

■ **tors, e** adj. s'emploie parfois, surtout au féminin, comme équivalent de *tordu* : *Ce vieil homme avait des jambes torses.*

■ **torsade** n.f. SENS 1 *Anne s'est fait une torsade,* elle a enroulé ses cheveux sur eux-mêmes.

■ **torsion** n.f. SENS 1, 2 ET 3 *J'ai exercé une torsion sur la ficelle,* je l'ai tordue.

■ **retordre** v. 1. SENS 1 *Retordre des fils,* c'est les tordre ensemble. 2. Fam. *Cette affaire m'a donné du fil à retordre,* elle m'a donné du mal.

R. → Conj. n° 52.

toréador ou **torero** n.m. Les *toreros* sont ceux qui combattent les taureaux dans l'arène.

R. On prononce [tɔrero].

tornade n.f. *La tornade a arraché plusieurs arbres,* la tempête accompagnée d'un vent très violent (= cyclone, ouragan).

torpeur n.f. *Le malade est dans un état de profonde torpeur,* il ne réagit plus (= assoupissement).

torpille n.f. 1. *Le navire a été coulé par une torpille,* une sorte de bombe propulsée dans l'eau par un moteur. 2. *As-tu déjà vu un poisson torpille ?,* un poisson marin capable de produire des décharges électriques.

■ **torpiller** v. SENS 1 *Torpiller un navire,* c'est le faire exploser avec une torpille.

■ **torpilleur** n.m. SENS 1 *Les torpilleurs sont utilisés pour torpiller les navires ennemis,* des bateaux de guerre.

■ **contre-torpilleur** n.m. SENS 1 *Les contre-torpilleurs sont plus petits et plus rapides que les torpilleurs.*

torréfier v. *Torréfier des grains de café,* c'est les faire griller.

■ **torréfaction** n.f. *On torréfie le café dans des usines de torréfaction.*

torrent n.m. 1. *Le torrent dévale la montagne,* un cours d'eau qui coule vite et fort. 2. *Il pleut à torrents,* très fort.

■ **torrentiel, elle** adj. SENS 2 *Des pluies torrentielles sont tombées sur la région,* des pluies très violentes.

torride adj. *On a eu un été torride,* très chaud.

tors, torsade → tordre.

torse n.m. *Il fait chaud, Pascal s'est mis torse nu,* le haut du corps, jusqu'à la taille (= poitrine).

torsion → tordre.

tort n.m. 1. *Qui est responsable ? — Je ne sais pas, chacun a des **torts**,* des choses à se reprocher. 2. *Sa négligence lui a fait du **tort*** (= préjudice). 3. *Le chauffeur du camion était **dans son tort*** (ou **en tort**), *il a brûlé le feu rouge,* il a commis une faute (≠ *dans son droit*). 4. *Tu **as eu tort** de ne pas venir* (≠ avoir raison). 5. *Il a été accusé **à tort**,* injustement (≠ à juste titre). 6. *Ne parle pas **à tort et à travers**,* sans réfléchir suffisamment (= à la légère, inconsidérément).

torticolis → col.

tortillard n.m. *Un **tortillard** est un petit train qui va lentement.*

tortiller v. *Arrête de **tortiller** ton mouchoir !,* de le tordre dans tous les sens. *Olivier **se tortille** sur sa chaise,* il se tourne sur lui-même de différentes façons.
■ **entortiller** v. *Les bonbons sont **entortillés** dans du papier,* enveloppés dans du papier tordu aux deux bouts.

tortionnaire → torture.

tortue n.f. *Jean est lent comme une **tortue**,* un animal à carapace.

tortueux, euse adj. *Un sentier **tortueux** mène au sommet de la montagne* (= sinueux ; ≠ droit).

torture n.f. *Elle a subi des **tortures**, mais elle n'a pas avoué,* des supplices.
■ **torturer** v. 1. *Le prisonnier **a été torturé**,* il a été soumis à la torture. 2. *Le coupable **est torturé** par le remords,* il souffre beaucoup moralement.
■ **tortionnaire** n. *Elle n'a rien avoué à ses **tortionnaires**,* aux personnes qui la torturaient.

tôt adv. *Le matin, je me lève **tôt**,* de bonne heure (≠ tard). *Viens me rejoindre **le plus tôt** possible,* au plus vite. ***Tôt ou tard**, on s'en apercevra,* un jour ou l'autre.

total, e, aux adj. 1. *J'ai une confiance **totale** en elle,* entière, complète (= absolu). 2. *20 $ + 10 $, ça fait une somme **totale** de 30 $,* qui comprend les deux prix (= global).
■ **total** n.m. SENS 2 *Ça vous fait un **total** de 100 $,* un somme totale obtenue en additionnant. ***Au total**, c'est une bonne affaire,* tout compte fait.
■ **totalement** adv. SENS 1 *C'est **totalement** faux,* entièrement (= complètement).
■ **totaliser** v. SENS 2 *La concurrente a **totalisé** 9 points,* est arrivée à ce total.
■ **totalité** n.f. SENS 2 *J'ai dépensé la **totalité** de mon salaire,* le tout (≠ une partie).

totalitaire adj. *Un État **totalitaire** est un État où l'opposition politique est interdite.*
■ **totalitarisme** n.m. *Plusieurs militants ont protesté contre le **totalitarisme** de la direction* (= autoritarisme, absolutisme).

totalité → total.

totem n.m. *Ces Amérindiens dansent autour de leur **totem**,* une sorte de statue qui protège la tribu.

toubib n.m. Fam. *Si tu es malade, appelle un **toubib*** (= médecin).

toucan n.m. *Le **toucan** est un oiseau des forêts tropicales au bec énorme.* 435

touchant → toucher.

touche n.f. 1. *Où est le « do » ? — Là, appuie sur cette **touche**,* une des pièces du clavier d'un piano, d'un accordéon, d'un orgue, d'une machine à écrire, etc. 2. *Il peint par petites **touches**,* à coups légers de pinceau. 3. *[À la pêche] : Ça y est, j'ai une **touche** !,* une secousse qui montre que le poisson a mordu. 4. *Le ballon est sorti **en touche**,* hors des limites du terrain de football, de soccer. 148, 293, 438, 808

toucher v. 1. *Ne **touche** pas à la prise électrique !,* ne mets pas la main dessus. 2. *Ma bille a frôlé la tienne, mais elle ne* *l'a pas **touchée,*** elle n'est pas entrée en contact avec (= atteindre). **3.** *Nos deux maisons **se touchent,*** elles sont l'une à côté de l'autre. **4.** *J'ai touché 1 000 $ pour faire ce travail,* j'ai été payé (= recevoir). **5.** *Ta lettre nous **a touchés,*** elle nous a émus. **6.** *Cette guerre **touche à sa fin,*** elle est presque terminée.

■ **toucher** n.m. SENS 1 Le ***toucher*** est l'un des cinq sens par lequel on reconnaît, en la touchant avec les doigts, la forme d'une chose.

■ **touchant, e** adj. SENS 5 *Quels adieux **touchants !,*** qui touchent le cœur (= émouvant).

R. → *tactile.*

touffe n.f. *La jardinière a arraché une **touffe** de mauvaises herbes,* un ensemble de brins d'herbe.

■ **touffu, e** adj. *Jean a une barbe **touffue,*** en touffes épaisses (= dru, serré ; ≠ clairsemé).

touiller v. Fam. ***Touille** la purée,* remue-la.

toujours adv. **1.** *J'ai **toujours** habité Hull,* tout le temps (≠ jamais). **2.** *Paul est **toujours** ici ?,* encore maintenant. **3.** *Elle est partie **pour toujours,*** définitivement.

toundra n.f. La ***toundra*** est une steppe de la région arctique dont la végétation est réduite.

toupet n.m. Fam. *Il t'a dit ça, quel **toupet !,*** il est effronté (= aplomb).

toupie n.f. *Caroline joue à la **toupie,*** un jouet qu'on fait tourner sur sa pointe.

1. tour n.f. **1.** *Montons dans la **tour** du château,* le bâtiment très haut. **2.** *Les Dupont habitent au 38ᵉ étage d'une **tour,*** un immeuble très élevé.

■ **tourelle** n.f. **1.** SENS 1 *Une **tourelle** est une petite tour.* **2.** *La **tourelle** d'un char d'assaut, d'un navire de guerre* est l'emplacement mobile qui sert au tir.

2. tour n.m. **1.** *En fermant la porte, n'oublie pas de donner un **tour** de clé,* de

tourner la clé sur elle-même dans la serrure. **2.** *Les coureurs ont fait le **tour** de la piste,* ils ont fait un parcours en rond autour de la piste, en revenant à leur point de départ. **3.** *Tu fais 40 cm de **tour** de taille ?,* de circonférence. **4.** *Il fait beau, si on allait faire un **tour** ?,* une promenade. **5.** *Cette fois, c'est mon **tour** de faire les courses,* c'est à moi. *Répondez **à tour de rôle,*** dans l'ordre fixé pour chacun (= l'un après l'autre ; ≠ ensemble). **6.** *Tu connais ce **tour** de cartes ?,* cet exercice qui demande de l'habileté. **7.** *Les élèves ont joué un **tour** à leur professeur : ils lui ont caché son stylo,* ils lui ont fait une farce. **8.** *Je n'aime pas le **tour** que prend la discussion,* l'aspect. **9.** *Ce **tour** de phrase est compliqué,* ce procédé de construction de la phrase (= tournure). **10.** *Et voici une chanson qui fait partie de mon nouveau **tour** de chant* (= récital). **11.** *L'affaire a été réglée **en un tour de main,*** très rapidement (= en un tournemain). **12.** *Sophie a réussi un **tour de force,*** un exploit. **13.** *Ce joueur de hockey a effectué un **tour du chapeau,*** il a marqué trois buts au cours d'un même match.

■ **demi-tour** n.m. SENS 1 *Fais **demi-tour,** on s'est trompé de route,* un tour sur toi-même pour revenir en arrière.

■ **pourtour** n.m. SENS 2 *Le **pourtour** de la place est planté d'arbres,* la partie qui en fait le tour, qui est au bord (≠ centre).

R. Noter le pluriel : des *demi-tours.*

3. tour n.m. *Le potier travaille l'argile sur un **tour,*** un plateau tournant. *Cette pièce métallique a été façonnée au **tour,*** avec une machine-outil.

■ **tourneur, euse** n. Le ***tourneur*** est l'ouvrier qui travaille au tour.

tourbe n.f. **1.** La ***tourbe*** est une sorte de charbon qu'on extrait des marécages. **2.** *J'ai fait poser de la **tourbe** sur le terrain,* du gazon sous forme de larges morceaux.

■ **tourbière** n.f. SENS 1 *Une **tourbière*** est un marécage d'où on extrait la tourbe.

801,
148,
147
218

147

765,
762

SENS 2 Une **tourbière** est un endroit où l'on cultive de la tourbe.

tourbillon n.m. **1.** *Le vent soulève un* ***tourbillon*** *de poussière,* de la poussière qui s'élève en tournant sur elle-même. **2.** *À cet endroit la rivière fait des* ***tourbillons,*** *l'eau est agitée d'un mouvement tournant.*
■ **tourbillonner** v. SENS 1 *Quel vent ! Regarde, les feuilles mortes* ***tourbillonnent,*** elles tournent rapidement sur elles-mêmes en volant.

tourelle → *tour* 1.

tourisme n.m. *Nous avons fait du* ***tourisme*** *en Italie,* nous avons voyagé, visité l'Italie. *Ce village vit du* ***tourisme,*** du séjour des personnes qui y viennent.
■ **touriste** n. *Avec leur guide, les* ***touristes*** *anglais visitent le Louvre,* les personnes qui font du tourisme.
■ **touristique** adj. *Aline s'est acheté un guide* ***touristique*** *de l'Italie,* un guide fait pour le tourisme. *Ce n'est pas un lieu* ***touristique,*** qui attire les touristes.

tourment n.m. *Ne te fais pas de* ***tourment,*** *l'opération se passera bien !* (= inquiétude, tracas).
■ **tourmenter** v. *Cette pensée me* ***tourmente,*** elle me tracasse, m'inquiète. *Ne te* ***tourmente*** *pas pour si peu !,* ne te fais pas de souci.

tourmente n.f. *Un bateau a fait naufrage dans la* ***tourmente,*** la violente tempête.

tourmenter → *tourment.*

tournage, tournant → *tourner.*

tourne-disque n.m. *Un* ***tourne-disque*** *sert à écouter des disques* (= électrophone).
R. Noter le pluriel : des *tourne-disques.*

tournedos n.m. *À midi, on a mangé des* ***tournedos*** *grillés,* du filet de bœuf coupé en tranches rondes.

tournée n.f. **1.** *Le facteur fait sa* ***tournée,*** il distribue le courrier selon un certain itinéraire. *Cette chanteuse rentre d'une* ***tournée*** *dans le sud de la France,* d'une série de représentations qu'elle a données dans diverses villes. **2.** [*Au café*] : *« Allez, encore un verre, c'est ma* ***tournée*** *! »,* c'est moi qui paie les boissons. **3.** *Avant Noël, on* **fait la** ***tournée*** *des magasins de jouets,* on s'arrête dans tous ces magasins.

en un tournemain adv. *On a résolu le problème* **en un** ***tournemain,*** très rapidement (= en un tour de main).

tourner v. **1.** *La Terre* ***tourne*** *autour du Soleil,* elle se déplace en faisant le tour du Soleil. *Le manège* ***tourne,*** il fait un tour en rond sur lui-même. ***Tourne*** *la salade,* retournes-en les feuilles (= remuer). **2.** ***Tourne*** *la tête vers moi,* dirige-la de mon côté. *Ces routes de montagne* ***tournent*** *beaucoup,* elles changent de direction. *Au prochain carrefour, vous* ***tournerez*** *à droite,* vous prendrez cette direction. ***Tournez*** *la page,* faites-la passer d'un côté à l'autre. **3.** *Je ne sais pas comment* ***tourner*** *ma phrase,* l'exprimer et la présenter. **4.** *Arrêtez de vous battre, ça va mal* ***tourner,*** se terminer (= évoluer). *Cette fille* **a mal** ***tourné,*** sa conduite est devenue répréhensible. **5.** *Quelle est la réalisatrice qui* **a tourné** *ce film ?,* qui a filmé avec la caméra. *Cet acteur* **a tourné** *dans de nombreux films* (= jouer). **6.** *Zut ! ma sauce* **a tourné** *!,* elle s'est décomposée. **7.** *J'ai la tête qui* ***tourne,*** j'ai des vertiges. **8.** Fam. *Tu es triste, ça ne* ***tourne*** *pas rond ?* ça ne va pas. **9.** Fam. ***Tourner*** *autour du pot,* c'est hésiter à dire, à faire quelque chose. **10.** Fam. *Luc* **a tourné** *de l'œil,* il s'est évanoui.
■ **tournage** n.m. SENS 5 *Le* ***tournage*** *du film a duré six mois,* sa réalisation.
■ **tournant** n.m. SENS 2 *Attention, ce* ***tournant*** *est dangereux !,* l'endroit où la route change de direction (= virage).
■ **tourniquet** n.m. SENS 1 *Il y a un* ***tourniquet*** *à l'entrée du magasin,* un appareil qui tourne en ne laissant passer qu'une personne à la fois.

■ **tournis** n.m. SENS 7 *Les enfants, arrêtez de courir autour de la table, vous me donnez le tournis,* la tête me tourne (= vertige).

■ **tournoyer** v. SENS 1 *Les feuilles mortes tournoient dans le ciel,* elles tournent sur elles-mêmes. *Les faucons tournoient au-dessus de leurs proies,* ils volent en faisant des cercles.

■ **tournoiement** n.m. SENS 1 *Le tournoiement des feuilles me rendait mélancolique.*

■ **tournure** n.f. **1.** SENS 4 *Je n'aime pas la tournure que prennent les événements,* la façon dont ils évoluent (= tour). SENS 3 *Cet écrivain emploie des tournures vieillies* (= expression). **2.** *Quelle drôle de tournure d'esprit !,* de façon de voir les choses (= forme).

tournesol n.m. *J'ai mis de l'huile de tournesol dans la salade,* une plante dont la grosse fleur jaune se tourne vers le soleil.

tourneur → *tour* 3.

289   **tournevis** n.m. *La vis est desserrée : passe-moi le tournevis,* l'outil qui sert à visser et à dévisser.
R. On prononce le *s* final : [turnəvis].

tourniquet, tournis → *tourner.*

tournoi n.m. **1.** Au Moyen Âge, un *tournoi* était un combat opposant deux cavaliers qui cherchaient à se faire tomber de cheval. **2.** *Marie a gagné le tournoi de tennis,* une compétition composée de plusieurs matchs.

tournoiement, tournoyer → *tourner.*

tourte n.f. Une *tourte* est une pâtisserie ronde contenant de la viande, du poisson, etc.

722   **tourteau** n.m. *J'ai mangé un tourteau à la mayonnaise,* un gros crabe.

tourterelle n.f. *Une tourterelle roucoule sur le balcon,* un oiseau voisin du pigeon.

tourtière n.f. *Ta tourtière est délicieuse,* un pâté de viande.

Toussaint n.f. *Je viendrai vous voir à la Toussaint,* le 1er novembre, jour de la fête catholique de tous les saints.

tousser, toussoter → *toux.*

tout, e 1. adj.indéfini *Toute la famille est réunie,* la famille entière. *Tous les enfants ont eu des jouets,* chacun sans exception. **2.** pron.indéfini *Marie sait tout faire,* toutes les choses. *Vous savez tous nager ?,* la totalité d'entre vous. **3.** n.m. *Vous aurez le tout pour 90 $,* l'ensemble. *On était dix en tout,* au total. **4.** adv. *Il est tout petit, tout étourdi* (= très). *Je ne suis pas du tout contente,* absolument pas.
R. Au sens 4, *tout* est adverbe mais prend un *e* devant un adjectif féminin commençant par une consonne : *Elle est toute petite,* mais *elle est tout étonnée, tout heureuse.* → *toux.*

tout à coup adv. *Tout à coup le chat a bondi sur la souris* (= soudain, subitement, brusquement).

tout à fait adv. *Je suis tout à fait ravie,* entièrement.

tout-à-l'égout → *égout.*

tout à l'heure → *heure.*

tout de suite adv. *Venez ici tout de suite,* immédiatement.

toutefois adv. *Je vous attends ; si toutefois vous ne pouviez pas venir, prévenez-moi* (= cependant).

toute-puissante → *puissance.*

toutou n.m. Fam. *Dick est un bon gros toutou* (= chien).

tout-puissant → *puissance.*

tout-venant → *venir.*

toux n.f. *Tu as pris ton sirop contre la toux ?,* pour ne plus tousser.

■ **tousser** v. *La fumée me fait tousser,* chasser de l'air par la bouche en faisant du bruit par saccades.

■ **toussoter** v. *Sylvie toussote,* elle tousse un peu.
R. *Toux* se prononce [tu] comme *tout.*

toxique adj. *L'opium, le haschisch sont des produits **toxiques,** contenant du poison.*

■ **toxicomanie** n.f. *Être atteint de **toxicomanie,** c'est se droguer avec des produits toxiques.*

■ **toxicomane** n. *Le **toxicomane** a été hospitalisé* (= drogué).

■ **intoxiquer** v. *Ils **ont été intoxiqués** par des champignons,* ils ont été empoisonnés.

■ **intoxication** n.f. *Paul est malade, il a une **intoxication** alimentaire,* il a mangé des aliments toxiques.

■ **désintoxiquer** v. *C'est un ancien drogué qui a subi un traitement pour **se désintoxiquer.***

■ **désintoxication** n.f. *La cure de **désintoxication** dure plusieurs mois.*

trac n.m. *Avant d'entrer en scène, cette actrice a le **trac,** elle a peur.*

tracas n.m. *Pourquoi te faire du **tracas** ?,* du souci.

■ **tracasser** v. *La santé de grand-père me **tracasse,** me cause du souci* (= inquiéter, tourmenter). *Arrête de **te tracasser,** de te faire du souci.*

■ **tracasserie** n.f. *J'en ai assez de ces **tracasseries** administratives,* de ces ennuis à propos de questions de détail.

trace n.f. *On voit des **traces** de pas dans la neige* (= marque, empreinte). *Il y a des **traces** de sodium dans ce produit,* des petites quantités.

tracer v. *Avec votre compas, vous allez **tracer** un cercle,* le dessiner en faisant un trait.

■ **tracé** n.m. *Les dessinateurs ont fait le **tracé** de l'autoroute,* ils ont dessiné son parcours.

trachée n.f. *La **trachée** est le principal conduit par où passe l'air que nous respirons.*

■ **trachéite** n.f. *Lucile a une **trachéite** qui la fait tousser,* une irritation de la trachée.

R. On prononce [trafe], mais [trakeit].

tract n.m. *Les manifestants distribuaient des **tracts,** des feuilles de papier imprimées.*

tractations n.f.pl. *J'ai obtenu ce que je voulais, après de nombreuses **tractations*** (= négociation, marchandage).

tracteur n.m. *C'est un **tracteur** qui a amené la remorque,* un véhicule à moteur qui sert à tirer un engin ou un instrument agricole.

traction n.f. 1. *Pour les trains, la **traction** électrique a remplacé la **traction** à vapeur,* les trains sont tirés par des locomotives électriques. 2. *J'ai une voiture à **traction** avant,* dont les roues avant sont entraînées par le moteur.

tradition n.f. *Tous les ans, au 1ᵉʳ janvier, on se souhaite une bonne année, c'est la **tradition*** (= coutume, usage, habitude).

■ **traditionnel, elle** adj. *Et voici la **traditionnelle** bûche de Noël,* qui est fondée sur une tradition et qui est passée dans les habitudes.

■ **traditionnellement** adv. *On fait **traditionnellement** des feux d'artifice le 24 juin, fête de la Saint-Jean-Baptiste.*

traduire v. 1. *L'interprète **a traduit** en français le discours du ministre allemand,* elle a dit en français ce que le ministre disait en allemand. 2. *L'accusé **a été traduit** en justice,* il a été amené devant les juges des tribunaux. 3. *La sécheresse **s'est traduite** par une hausse des prix,* elle a eu cette conséquence.

■ **traducteur, trice** n. SENS 1 *Mme Muller est **traductrice** dans une maison d'édition,* elle traduit des textes écrits.

■ **traduction** n.f. SENS 1 *La **traduction** de ce texte est mauvaise,* il a été mal traduit.

■ **intraduisible** adj. SENS 1 *Cette expression est **intraduisible** en français,* on ne peut pas la traduire.

R. → Conj. n° 50.

trafic n.m. 1. *Le **trafic** routier sera important pour le week-end,* la circulation sur les routes. 2. *Ils se livraient au **trafic** de la drogue,* à un commerce interdit.

363,
364

■ **trafiquer** v. SENS 2 *Ces escrocs trafiquaient,* ils achetaient et vendaient de la marchandise de façon illégale. *Ce vin est trafiqué,* il a subi un traitement destiné à tromper sur sa qualité.

■ **trafiquant, e** n. SENS 2 *La police a arrêté des trafiquants d'armes,* des personnes qui se livraient au trafic des armes.

440 **tragédie** n.f. **1.** *Cite-moi une tragédie de Racine !,* une pièce de théâtre dont le sujet est grave (≠ comédie). **2.** *La prise d'otages a été une véritable tragédie,* un événement grave qui finit mal (= drame).

■ **tragique** adj. SENS 1 *Corneille est un auteur tragique,* il a écrit des tragédies. SENS 2 *Un tragique accident s'est produit sur l'autoroute,* effroyable (= terrible, dramatique).

■ **tragiquement** adv. SENS 2 *Elle est morte tragiquement,* dans des circonstances tragiques.

trahir v. **1.** *En donnant des renseignements qui devaient être tenus secrets, cet homme a trahi,* il n'a pas été fidèle à sa parole et a trompé ceux qui lui avaient fait confiance. **2.** *Tu viens de dire le contraire de ce que tu disais tout à l'heure, tu t'es trahi,* tu as laissé échapper ce que tu ne voulais pas qu'on sache.

■ **trahison** n.f. SENS 1 *En temps de guerre, la trahison est punie de mort.*

■ **traître, traîtresse** n. **1.** SENS 1 *Il y a un traître parmi nous,* une personne qui a trahi. **2.** *En nous attaquant par-derrière, tu nous as pris en traître,* d'une façon qui n'est pas loyale (= perfidement).

■ **traître** adj. **1.** *Ce vélo est traître,* malgré son apparence, il est dangereux. **2.** *Il n'a pas dit un traître mot,* pas un mot.

■ **traîtrise** n.f. SENS 1 *On a des preuves de sa traîtrise,* du fait qu'elle a agi en traître (≠ loyauté, fidélité).

train n.m. **1.** *Le train entre en gare,* la suite de voitures et de wagons tirés par une locomotive. **2.** *Un train de péniches descend le fleuve,* une suite de péniches

tirées les unes derrière les autres par un remorqueur. **3.** *L'avion va se poser, la pilote a sorti le train d'atterrissage,* les roues qui servent pour atterrir. **4.** *J'étais en train d'écrire quand tu as sonné,* occupé à écrire. **5.** *Tu n'as pas l'air en train ?,* en forme. **6.** *Elle doit réduire son train de vie,* sa manière de vivre par rapport à l'argent dont elle dispose.

traînard, traîne → *traîner.*

traîneau n.m. *Le traîneau est tiré par des chiens,* un véhicule qui glisse sur la neige.

traînée n.f. *La fusée du feu d'artifice a laissé une traînée rouge dans le ciel,* une trace en longueur.

traîner v. **1.** *Pascal traîne son ourson derrière lui avec une ficelle,* il le tire. **2.** *Attention, ton manteau traîne par terre,* il pend jusqu'à terre en balayant le sol. **3.** *Les enfants, ne traînez pas en rentrant !,* ne vous mettez pas en retard (= s'attarder). **4.** *Chantal laisse traîner toutes ses affaires,* elle ne les range pas. **5.** *Mon procès traîne depuis des mois,* il dure (= s'éterniser). **6.** *Le blessé a réussi à se traîner jusqu'à la voiture,* à se déplacer péniblement (= ramper). **7.** *Anne m'a traîné au restaurant,* elle m'a forcé à y aller.

■ **traînard, e** n. SENS 3 *Quelle traînarde, dépêche-toi !,* tu ne vas pas assez vite.

■ **traîne** n.f. **1.** SENS 2 *Tu as vu la traîne de cette robe !,* la partie de la robe qui traîne derrière par terre. SENS 3 *Dominique est toujours à la traîne,* après les autres (= en retard). **2.** *Viens faire de la traîne sauvage,* descendre les pentes enneigées en toboggan.

■ **traîneries** n.f.pl. SENS 4 *Que de traîneries !,* des objets non rangés.

■ **traîneux, euse** n. et adj. Fam. SENS 3 *Félix est un traîneux,* il passe son temps à flâner. SENS 4 *Les enfants sont traîneux,* ils laissent tout en désordre.

train-train n.m. *Le train-train quotidien,* ce sont les occupations qui se répètent chaque jour.

traire v. *La fermière trait ses vaches chaque jour,* elle tire leur lait soit en pressant sur le pis, soit au moyen d'un appareil appelé une **trayeuse.**

■ **traite** n.f. *À l'étable, la traite a lieu matin et soir,* on trait les vaches.

R. → Conj. n° 79. → **trait.**

trait n.m. 1. *Un cheval de trait tire les chariots* (≠ de selle). 2. *Tire un trait avec ta règle pour souligner le mot,* une ligne. *« Abat-jour » s'écrit avec un trait d'union,* un petit trait qui joint les mots formant un mot composé. 3. *La sécheresse est un trait dominant du climat de cette région* (= caractère). 4. (au plur.) *Gaston a des traits très fins,* les lignes du visage. 5. *Vous relèverez dans ce texte tout ce qui a trait à l'agriculture,* ce qui a un rapport avec l'agriculture (= concerner). 6. *Un trait d'esprit est une parole par laquelle une personne montre qu'elle est spirituelle.* 7. *J'avais tellement soif que j'ai bu mon verre d'un trait,* en une fois, sans m'arrêter.

R. *Trait se prononce* [trɛ] *comme très et* [je] *trais (de traire).*

1. traite n.f. 1. *On a fait le voyage d'une seule traite,* sans s'arrêter. 2. *Autrefois, on pratiquait la traite des esclaves,* le trafic qui consistait à les vendre (= commerce). 3. *Une traite est un écrit indiquant la somme qu'un débiteur doit payer à une certaine date.* 4. Fam. *C'est encore elle qui a payé la traite à tout le groupe,* le prix des consommations. 5. *Il s'est payé la traite,* il ne s'est pas gêné pour profiter des circonstances.

2. traite → **traire.**

traiter v. 1. *Les prisonniers ont été bien traités,* on s'est bien comporté envers eux. 2. *Elle m'a traité d'idiot !,* elle m'a insulté en m'appelant ainsi. 3. *Le médecin a très bien traité ma grippe* (= soigner). 4. *On traite le pétrole dans des* raffineries pour en faire de l'essence, on lui fait subir certaines transformations. 5. *Ce livre traite de la politique française,* il développe ce sujet (= exposer). 6. *Mme Labbé est en train de traiter une grosse affaire,* de négocier pour arriver à un accord.

■ **traitant** adj.m. SENS 3 *Le médecin traitant est celui qui soigne habituellement un malade.*

■ **traité** n.m. SENS 5 *Un traité de chimie est un livre qui traite de chimie.* SENS 6 *La guerre s'est terminée par un traité de paix,* un texte officiel où les parties adverses se sont mises d'accord après avoir négocié.

■ **traitement** n.m. 1. SENS 1 *Ce chien a subi des mauvais traitements,* on l'a maltraité. SENS 3 *Lise suit un traitement pour ne plus fumer,* on lui donne des médicaments et on la soigne pour cela. SENS 4 *Le traitement du pétrole,* ce sont les opérations qu'on lui fait subir. 2. *Madeleine est professeure, elle reçoit un traitement,* un salaire.

■ **maltraiter** v. SENS 1 *Ce chien a été maltraité,* on lui a fait du mal, on l'a battu.

■ **intraitable** adj. SENS 6 *Je serai intraitable sur la question des retards,* on ne pourra pas discuter avec moi (= impitoyable).

traiteur, euse n. *Chez un traiteur, on peut acheter des plats cuisinés,* un commerçant qui cuisine des plats à emporter chez soi.

traître, traîtrise → **trahir.**

trajectoire n.f. *Les policiers ont étudié la trajectoire de la balle,* le chemin qu'elle a suivi.

trajet n.m. *On a fait le trajet Québec-Montréal en deux heures,* la distance entre ces deux villes (= parcours, itinéraire).

trâlée n.f. *Nous étions suivis d'une trâlée d'enfants,* une bande (= ribambelle).

tramer v. *Qu'est-ce que vous tramez tous les deux ?* (= comploter, manigancer).

tramway n.m. *Jadis, on ciculait à Montréal dans des* **tramways,** des voitures de transport en commun qui roulent sur des rails.

219, 803

tranchant, tranche → *trancher.*

tranchée n.f. *On a creusé une* **tranchée** *dans la rue,* un trou long et étroit.

151, 217

trancher v. **1.** *Louis XVI eut la tête tranchée,* coupée d'un seul coup. **2.** *Comme personne n'était d'accord, c'est Yves qui a tranché : on irait au cinéma,* qui a réglé la question en décidant. **3.** *Le fauteuil noir* **tranche** *sur la moquette blanche,* il forme un contraste (= ressortir).
■ **tranchant, e** adj. **1.** SENS 1 *Le couteau est un instrument* **tranchant,** qui coupe. **2.** *Elle m'a répondu d'un ton* **tranchant** (= brusque, cassant).
■ **tranchant** n.m. SENS 1 *Le* **tranchant** *d'un couteau* est le côté qui coupe.
■ **tranché, e** adj. SENS 2 *Lise a des opinions bien* **tranchées,** très nettes (= arrêté, définitif).
■ **tranche** n.f. **1.** SENS 1 *Veux-tu une* **tranche** *de jambon ?,* un morceau mince qu'on a coupé. **2.** *Ce livre ancien est doré sur* **tranches,** sur les surfaces que fait, quand il est fermé, l'épaisseur des feuilles.

tranquille adj. **1.** *Nous habitons dans un quartier* **tranquille,** où il n'y a pas de bruit, d'agitation (= calme, paisible ; ≠ bruyant). **2.** *Les enfants, restez un peu* **tranquilles !** (= sage ; ≠ remuant, agité). **3.** *Laisse ta sœur* **tranquille,** ne l'ennuie pas. **4.** *Soyez* **tranquille,** *tout se passera bien,* ne vous faites pas de souci, soyez rassuré (≠ inquiet).
■ **tranquillement** adv. SENS 2 *Les enfants jouent* **tranquillement,** sagement et calmement.
■ **tranquillité** n.f. SENS 1 *Quelle* **tranquillité** *dans ce quartier !* (= calme).
■ **tranquilliser** v. SENS 4 *Tranquillisez-vous, votre fils n'est pas malade* (= rassurer ; ≠ inquiéter).
■ **tranquillisant, e 1.** adj. SENS 4 *Cette nouvelle est* **tranquillisante,** rassurante.

2. n.m. *Un* **tranquillisant** *est un médicament pour combattre l'angoise.*
R. On prononce [trɑ̃kil], [trɑ̃kilmɑ̃], [trɑ̃kilite].

transaction n.f. *Des* **transactions** *immobilières,* ce sont des marchés conclus (achats, ventes).

1. transat n.m. *Papa se repose dans un* **transat,** une chaise longue pliante en toile.
R. On prononce le *t* final : [trɑ̃zat].

2. transat → *transatlantique.*

transatlantique 1. adj. et n.f. *La course* **transatlantique** (ou la **transatlantique**) oppose des voiliers qui traversent l'océan Atlantique. **2.** n.m. *Ce* **transatlantique** *relie Le Havre à New York,* ce gros bateau.
■ **transat** n.f. SENS 1 *Qui va gagner la* **transat** *en solitaire cette année ?* la course transatlantique.

transcendant, e adj. *Ce film n'a rien de* **transcendant,** d'extraordinaire.

transcrire v. *On a* **transcrit** *ce nom chinois en lettres de l'alphabet latin,* on l'a écrit en caractères différents.
■ **transcription** n.f. *On a fait des exercices de* **transcription** *phonétique.*

transept n.m. *Le* **transept** *d'une église* est la partie perpendiculaire à la nef.

transes n.f.pl. *J'étais dans les* **transes** *en attendant le résultat,* j'étais anxieux.

transférer v. **1.** *Le voleur a été arrêté à Hull, on l'a* **transféré** *à Ottawa,* on l'a conduit de ce lieu à l'autre (= transporter). **2.** *Le magasin est* **transféré** *un peu plus loin,* on l'a changé de place. **3.** *Le notaire a* **transféré** *les titres de propriété,* il les a transmis d'une personne à une autre.
■ **transfert** n.m. SENS 1 *Le prisonnier s'est évadé pendant son* **transfert,** son passage d'une prison à une autre.

transfigurer v. *Depuis qu'elle a gagné à la loterie, elle **est transfigurée**,* elle a changé complètement.

transformer v. **1.** *J'ai complètement **transformé** le salon,* je lui ai donné une forme, un aspect différent (= changer, modifier). **2.** *La chenille **se transforme** en papillon,* elle prend une autre forme (= se changer, se métamorphoser). **3.** *Au rugby, **transformer** un essai,* c'est tirer entre les poteaux pour marquer un but.
■ **transformateur** n.m. SENS 1 *Un **transformateur** sert à changer la force du courant électrique,* un appareil.
■ **transformation** n.f. SENS 1 *Tu as fait des **transformations** chez toi ?,* des changements. SENS 2 *La **transformation** du têtard en grenouille* est sa métamorphose.

transfuge n. *Un **transfuge** est une personne qui passe dans le camp adverse.*

transfusion n.f. *Cette blessée a besoin d'une **transfusion**,* qu'on fasse passer dans ses veines le sang d'une autre personne.

transgresser v. *Le soldat **a transgressé** les ordres,* il a désobéi (= enfreindre, violer ; ≠ respecter).
■ **transgression** n.f. *Toute **transgression** du règlement sera sanctionnée* (= violation).

transhumance n.f. *La **transhumance** des moutons a lieu au printemps,* leur déplacement de la plaine vers la montagne.

transi, e adj. *Brrr !, je suis **transie**,* j'ai très froid.

transiger v. *L'un voulait aller à la mer, l'autre à la campagne ; finalement ils **ont transigé** et sont partis à la montagne !,* ils se sont mis d'accord en se faisant des concessions.
■ **intransigeant, e** adj. *Qu'elle est **intransigeante** !,* avec elle c'est tout ou

rien !, elle refuse de faire des concessions (≠ accommodant).
■ **intransigeance** n.f. *L'**intransigeance** est le contraire de la souplesse de caractère.*

transistor n.m. *Jean a acheté des piles pour son **transistor**,* un poste de radio portatif.

transit n.m. *Des voyageurs **en transit** dans un aéroport* ont débarqué d'un avion et attendent d'embarquer dans un autre pour poursuivre leur voyage.
■ **transiter** v. *Nous **avons transité** par Cologne.*
R. On prononce le *t* final : [trãzit].

transitif, ive adj. *Dans la phrase « Prends ton manteau », le verbe est **transitif**,* il a un complément d'objet.
■ **intransitif, ive** adj. *Dans la phrase « Le soleil brille », le verbe est **intransitif**,* il ne peut pas avoir de complément d'objet.

transition n.f. **1.** *C'est la **transition** du chaud au froid qui t'a fait attraper un rhume,* le passage. **2.** *Un gouvernement **de transition*** est intermédiaire entre l'ancien et le nouveau.
■ **transitoire** adj. SENS 2 *Ces dispositions sont **transitoires**,* elles ne dureront pas (= momentané, temporaire, passager ; ≠ durable).

translucide adj. *Cette porcelaine est **translucide**,* elle laisse passer la lumière sans être transparente.

transmettre v. *Votre lettre m'**a été transmise** hier,* on me l'a fait parvenir. *La grippe **se transmet** facilement d'une personne à l'autre,* se passe (= communiquer).
■ **transmissible** adj. *La grippe est une maladie **transmissible**,* qui peut se transmettre (= contagieux).
■ **transmission** n.f. *Demain aura lieu la **transmission** des pouvoirs entre l'ancien gouvernement et le nouveau* (= passage).

807, 76

■ **retransmettre** v. *Le match a été retransmis en direct à la télévision,* on l'a passé (= diffusé).

■ **retransmission** n.f. *Il n'y aura pas de retransmission du concert en raison d'une grève.*

R. → Conj. n° 57.

transparent, e adj. *Ces rideaux sont transparents,* on voit à travers.

■ **transparence** n.f. *On voit par transparence ce qui se passe derrière le rideau.*

■ **transparaître** v. *Son visage laissait transparaître sa colère* (= se deviner, apparaître).

transpercer → *percer.*

transpirer v. *Paule a de la fièvre, elle a transpiré toute la nuit,* elle a été en sueur (= suer).

■ **transpiration** n.f. *C'est la chaleur qui provoque la transpiration.*

transplantation, transplanter → *planter.*

transporter v. *Le blessé a été transporté à l'hôpital,* porté (= emmener).

219,
803

■ **transport** n.m. *Ce train est réservé au transport des marchandises,* pour les transporter d'un lieu à un autre.

■ **transporteur** n.m. *Un transporteur routier* est un camionneur qui transporte des marchandises.

transposer v. *En latin, on peut plus facilement qu'en français transposer les mots d'une phrase,* les changer de place (= déplacer, intervertir).

transvaser v. *On a transvasé le vin de la bouteille dans une carafe,* on l'a changé de récipient.

transversal, e, aux adj. *Ma voiture est garée dans une rue transversale,* qui coupe celle où je suis.

385

trapèze n.m. **1.** *Un trapèze a deux côtés parallèles,* une figure de géométrie. **2.** *Au cirque, on a vu les acrobates faire du trapèze,* se suspendre à une barre tenue par deux cordes.

433

■ **trapéziste** n. SENS 2 *Les trapézistes sont spécialisés dans les exercices de trapèze.*

4

trappe n.f. **1.** *Il faut soulever la trappe pour entrer dans le grenier,* le panneau mobile du parquet. **2.** *On a installé une trappe à souris,* un piège.

trappeur, euse n. *Les trappeurs chassent les animaux à fourrure en Amérique du Nord.*

■ **trapper** v. *Autrefois, les hommes passaient beaucoup de temps à trapper,* chasser les animaux à fourrure.

trapu, e adj. *Jean est trapu,* petit et large de corps.

traquenard n.m. *On est tombé dans un traquenard,* un piège.

traquer v. *La police traque les malfaiteurs,* elle les poursuit pour les capturer.

traumatisme n.m. *Un traumatisme est un ensemble de troubles causés à quelqu'un par un choc.*

■ **traumatiser** v. *Son accident l'a traumatisé,* lui a causé un choc.

travail n.m. **1.** *Agnès est au chômage, elle cherche du travail,* une occupation qui lui permette de gagner sa vie. **2.** *Encore une semaine de travail et c'est les vacances* (≠ loisirs, repos). **3.** *Pascal, tu as fait ton travail pour demain ?,* tes devoirs et tes leçons. **4.** (au plur.) *En été, à Montréal, il y a des travaux dans les rues,* on répare, on entretient (= aménagements).

2
3

■ **travaillant, e** adj. *Brigitte est vraiment travaillante,* elle est active, entreprenante (= vaillant).

■ **travailler** v. **1.** SENS 1 ET 2 *Line travaille en usine,* elle exerce une activité, un métier. SENS 3 *Va travailler, tu as une leçon à apprendre,* étudier. **2.** *On ne peut plus fermer la porte, le bois a travaillé avec l'humidité,* il s'est déformé (= se gauchir). **3.** *Toutes ces histoires me travaillent,* reviennent sans cesse à mon esprit (= tracasser).

1
2

■ **travailleur, euse** n. et adj. SENS 1 *Les travailleurs de l'usine sont en grève,* ceux qui y travaillent. SENS 3 *Paul est très travailleur,* il travaille beaucoup (≠ paresseux).

travée n.f. 1. *Au cirque, nous étions assis dans la travée centrale,* la rangée de sièges. 2. *La travée d'un pont est l'espace compris entre deux piles de ce pont.*

travers 1. n.m. *Elle est gourmande ? Ce n'est qu'un léger travers !* (= défaut ; ≠ qualité). 2. prép. *On a marché à travers les champs,* en les traversant. *Un camion est renversé en travers de la route,* au milieu, dans le sens de la largeur. *Cette veste n'est pas chaude, le vent passe au-travers.* 3. adv. *Tu as mis ton chapeau de travers,* pas droit. *Tu comprends tout de travers,* d'une manière fausse (= mal). *Sophie m'a regardé de travers,* avec antipathie.

1. traverse → *traverser.*

2. traverse n.f. *Les traverses d'une voie ferrée* sont des barres sur lesquelles les rails sont fixés.

traverser v. 1. *Faites attention pour traverser la rue!,* pour passer d'un côté à l'autre (= franchir). 2. *La pluie a traversé mon imperméable* (= transpercer).
■ **traverse** n.f. SENS 1 *Un chemin de traverse* est plus court et plus irrégulier que la voie normale (= raccourci). *Nous sommes venus par la traverse de Godbout à Matane,* le lieu de passage entre deux rives qu'emprunte un traversier.
■ **traversée** n.f. SENS 1 *La mer était mauvaise, j'ai été malade pendant toute la traversée,* le voyage.
■ **traversier** n.m. SENS 1 *Pour aller à l'Ile aux Coudres, nous avons pris le traversier,* un bateau servant au transport des voitures et des passagers.

traversin n.m. *Paul dort avec un traversin sous son oreiller,* un long coussin de la largeur du lit (= polochon).

travestir v. *Pour le mardi gras, Pascal s'est travesti en Indien* (= se déguiser).

trayeuse → *traire.*

trébucher v. *En marchant, j'ai trébuché sur une pierre,* mon pied l'a heurtée et j'ai failli tomber.

trèfle n.m. 1. *Les vaches broutent le trèfle,* une plante fourragère. 2. *Qui a l'as de trèfle ?,* une des couleurs aux cartes.

tréfonds n.m. *Qui pourrait connaître le tréfonds de sa pensée ?,* ce qu'elle a de plus caché, de plus secret.

treillage n.m. *La vigne vierge pousse sur du treillage,* un assemblage de lattes minces entrecroisées.
■ **treille** n.f. *Une treille est une vigne dont les rameaux sont fixés à un treillage ou à un mur.*

treillis n.m. 1. *Le garde-manger est recouvert d'un treillis,* un grillage métallique. 2. *Les soldats mettent leur treillis,* un uniforme en grosse toile.

treize adj. *Il y a treize élèves dans la classe. 12 + 1 = 13.*
■ **treizième** n. et adj. *Line habite dans le treizième arrondissement à Paris.*

tréma n.m. *On met un tréma sur le « e » de Noël.*

trembler v. 1. *Tu as froid ? Tu trembles,* tu es agité de petits mouvements répétés et involontaires (= frissonner, grelotter). 2. *Je tremble à l'idée de savoir Cléa sur la route pendant cette tempête de neige !,* j'ai peur qu'il lui arrive quelque chose. 3. *La terre a tremblé,* elle a été ébranlée par une secousse.
■ **tremblant, e** adj. SENS 1 *Sophie est toute tremblante,* elle tremble.
■ **tremblement** n.m. SENS 1 *Tu dois être malade, regarde le tremblement de tes mains !,* leur agitation. SENS 3 *Il y a eu un tremblement de terre au Japon,* une violente secousse (= séisme).
■ **trembloter** v. SENS 1 *J'ai les mains qui tremblotent,* qui tremblent légèrement.

■ **tremblote** n.f. Fam. SENS 1 *Pierre est si troublé qu'il en a la tremblote,* il tremble.

trémolo n.m. *Elle nous a dit adieu avec des trémolos dans la voix,* des tremblements.

se trémousser v. *Les enfants se trémoussent au son de la musique,* ils se remuent vivement.

trempé, e adj. 1. *L'acier trempé a reçu un traitement spécial qui le rend plus dur.* 2. *Un caractère bien trempé est ferme,* énergique.
■ **trempe** n.f. SENS 1 *Cet acier a subi une trempe spéciale.* SENS 2 *On ne rencontre pas souvent un homme de cette trempe* (= énergie, vigueur).

tremper v. 1. *Il faut faire tremper le linge,* le laisser un certain temps dans l'eau. 2. *Pascal trempe sa tartine dans son café* (= plonger). 3. *Il a plu cette nuit, les fauteuils du jardin sont trempés,* tout mouillés. 4. *Cet individu a trempé dans plusieurs complots,* il y a été mêlé.
■ **trempette** n.f. SENS 2 *Julie a préparé une bonne trempette pour les légumes crus,* une sauce dans laquelle on trempe les légumes. *On sert des trempettes avec l'apéritif,* des morceaux de légumes crus, des croustilles que l'on peut tremper dans une sauce. *À la fin du repas, mon oncle aime faire une trempette,* tremper des petits morceaux de pain dans du sirop d'érable.
■ **détremper** v. SENS 3 *La terre est détrempée par la pluie,* complètement imbibée d'eau.

tremplin n.m. *À la piscine, Anne a pris son élan du tremplin et a plongé,* la planche élastique qui sert à sauter.

trente adj. *Maman a trente ans,* deux fois quinze. $2 \times 15 = 30$.
■ **trentième** adj. et n. *Vous avez le trentième numéro de la série,* le numéro trente.
■ **trentaine** n.f. *Cette femme doit avoir une trentaine d'années,* environ trente ans.

653

563

563

563

trente-et-un ou **trente-six** n.m. Fam. *Se mettre sur son trente-et-un* (ou son *trente-six*), c'est mettre ses plus beaux vêtements.

trentième → *trente.*

trépas n.m. *Il est passé de vie à trépas,* de la vie à la mort.
■ **trépasser** v. *Autrefois, on disait que quelqu'un était trépassé quand il était mort.*

trépidant, e adj. *À Paris, on mène une vie trépidante,* une vie agitée (≠ calme).

trépider v. *Quand le métro passe, on sent le sol trépider,* trembler légèrement.
■ **trépidation** n.f. *Les gens du dessus dansent, le plafond est agité de légères trépidations,* vibrations.

trépied n.m. *Un trépied est un support ou un meuble à trois pieds.*

trépigner v. *Dans sa colère, Jean s'est mis à trépigner et à crier,* à frapper des pieds par terre.

très adv. *Papa est très grand* (= tout à fait, extrêmement ; ≠ peu).
R. *Très se prononce* [trɛ] *comme trait et* [*je*] *trais (de traire).*

trésor n.m. *On a découvert un trésor dans l'épave du navire,* un ensemble de choses précieuses (des pièces d'or, des bijoux, etc.).

trésorier, ère n. *Mme Dupont est la trésorière de l'association,* elle est chargée de garder l'argent et de faire les comptes.
■ **trésorerie** n.f. *Qui s'occupe de la trésorerie de l'entreprise ?* (= finances, fonds).

tressaillir v. *Tu as tressailli, je t'ai fait peur ?,* tu as eu un brusque mouvement du corps (= sursauter).
■ **tressaillement** n.m. *Un tressaillement a marqué sa surprise* (= frémissement, frisson, haut-le-corps).
R. → Conj. n° 23.

tresse n.f. *Marie a une tresse dans le dos,* une coiffure faite de trois longues mèches de cheveux qu'on entrelace (= natte).

■ **tresser** v. *Marie tresse ses cheveux, elle les entrecroise pour faire une tresse. J'apprends à tresser des corbeilles,* à entrelacer des brins.

tréteau n.m. *On a installé la table de ping-pong sur des tréteaux,* des supports horizontaux à quatre pieds.

treuil n.m. *Pour remonter le seau du puits, on tourne le treuil,* un cylindre, une sorte de roue autour de laquelle s'enroule une corde.

trêve n.f. **1.** SENS 1 *Les combats se sont arrêtés pendant la trêve de Noël,* une période d'arrêt provisoire des combats. **2.** *Trêve de plaisanteries, je parle sérieusement maintenant* (= assez de).

tri- au début d'un mot signifie « *trois* » : *Un trimoteur* a trois moteurs, etc.

tri, triage → *trier.*

triangle n.m. **1.** *Un triangle est une figure de géométrie à trois côtés.* **2.** *Le triangle est un instrument de l'orchestre.*

■ **triangulaire** adj. SENS 1 *Le foc est une voile triangulaire,* en forme de triangle.

tribord n.m. *Attention, un voilier arrive sur nous à tribord,* du côté droit du bateau quand on regarde vers l'avant (≠ bâbord).

tribu n.f. *Le chef amérindien a rassemblé tous les membres de sa tribu,* les familles qui descendent du même ancêtre et qui ont le même chef (= bande). **R.** → *tribut.*

tribulations n.f.pl. *Après bien des tribulations, elle a réussi à regagner son pays,* des aventures plus ou moins désagréables.

tribun n.m. Dans l'Antiquité romaine, les *tribuns* étaient des officiers ou des magistrats.

tribunal n.m. **1.** *L'assassin a comparu devant le tribunal,* les juges. **2.** *L'accusé*

est convoqué au tribunal, à l'endroit où les juges rendent la justice.

tribune n.f. **1.** *La présidente est montée à la tribune pour faire son discours,* l'estrade. **2.** *Les tribunes du champ de courses sont pleines de monde,* les gradins où sont assis les spectateurs.

tribut n.m. *Cette région a payé un lourd tribut aux inondations,* elle a été durement éprouvée. **R.** On prononce [triby], comme *tribu.*

tributaire adj. *Comme il n'a pas de pétrole, le Québec est tributaire des pays qui en ont,* il en dépend.

tricentenaire → *cent.*

tricher v. *Je ne joue plus aux cartes avec toi, tu triches pour gagner,* tu trompes les autres en faisant des choses interdites par les règles du jeu.

■ **tricheur, euse** n. et adj. *Quelle tricheuse ! tu regardes mon jeu !*

■ **triche** ou **tricherie** n.f. *On n'a pas le droit de faire ça, c'est de la triche !*

tricolore → *couleur.*

tricorne n.m. *Le marquis portait un tricorne,* un chapeau à trois bords repliés.

tricot n.m. **1.** *On fait du tricot avec de la laine et des aiguilles,* on fait des rangs de mailles qui formeront un vêtement. **2.** *Mets ton tricot, il fait froid* (= pull, chandail).

■ **tricoter** v. SENS 1 *Je vais te tricoter une écharpe,* la faire en tricot.

tricycle n.m. *Ma petite sœur fait du tricycle,* un vélo à trois roues.

trident n.m. *Neptune, le dieu de la Mer, est représenté avec un trident à la main,* une fourche à trois dents.

trier v. **1.** *Il faut trier les pommes, il y en a des bonnes et des mauvaises,* les choisir et les mettre à part. **2.** *Les employés des postes trient les lettres,* ils les répartissent selon leur destination.

■ **tri** n.m. SENS 1 ET 2 *J'ai fait un tri dans mes affaires,* je les ai triées.

■ **triage** n.m. SENS 2 *Dans une gare de triage, on trie les wagons de marchandises suivant leur destination.*

trilingue adj. *Un secrétaire trilingue* parle trois langues.

trimaran n.m. Un *trimaran* est un voilier qui a une coque de chaque côté de la coque centrale.

trimbaler v. Fam. *Pauline trimbale partout sa flûte,* elle l'emporte avec elle.

trimer v. *Il a fallu trimer dur pour arriver à ce résultat* (= travailler, peiner).

trimestre n.m. *Ma grande sœur passe ses examens au troisième trimestre,* une des quatre périodes de trois mois qui divisent l'année.
■ **trimestriel, elle** adj. *Cette revue est trimestrielle,* elle paraît tous les trois mois.

tringle n.f. *Maintenant que la tringle est posée, on va pouvoir suspendre les rideaux,* la tige qui les soutient.

trinquer v. 1. *On a trinqué à la santé de l'oncle Jules,* on a cogné légèrement les verres les uns contre les autres avant de boire. 2. Très fam. *Dans l'accident, c'est surtout la petite voiture qui a trinqué,* qui a subi des dégâts, des dommages.

trio n.m. 1. *Yves, Line et Éric font un joyeux trio,* un ensemble de trois personnes inséparables. 2. *Un trio est une formation de trois musiciens ou un morceau de musique pour trois instruments.*

triomphe n.m. 1. *L'élection de cette politicienne a été un triomphe,* un très grand succès (= victoire). 2. *Le gagnant a été porté en triomphe par ses camarades,* ils l'ont porté sur leurs épaules pour qu'on l'acclame.
■ **triompher** v. SENS 1 *Cette sportive a triomphé de tous ses adversaires,* elle a gagné contre tous (= l'emporter sur).
■ **triomphant, e** adj. SENS 1 *Paule nous a annoncé son succès d'un air triomphant,* fière d'avoir gagné.

■ **triomphal, e, aux** adj. SENS 1 *Quel succès triomphal !,* quelle grande victoire ! SENS 2 *Cette chanteuse a reçu un accueil triomphal,* marqué par des acclamations (= enthousiaste).

tripartite adj. *Une commission tripartite* comprend des représentants de trois partis, trois groupes.

tripatouiller v. *Tripatouiller* est un équivalent très familier de *tripoter.*

tripes n.f.pl. *À midi, on a mangé des tripes,* des morceaux cuisinés de l'estomac et de l'intestin du bœuf.
■ **tripier, ère** n. *Va chez le tripier m'acheter des rognons,* le commerçant qui vend des tripes et des abats.
■ **triperie** n.f. *La triperie* est la boutique du tripier.

triple adj. et n.m. *Ma solution offre un triple avantage,* un avantage sur trois points. *J'ai payé ces bonbons 1 $ au supermarché et ils valent 3 $ ici, c'est le triple,* trois fois la somme.
■ **tripler** v. *Les prix ont triplé en cinq ans,* ils sont trois fois ce qu'ils étaient.

triporteur n.m. Un *triporteur* est une bicyclette à trois roues avec une caisse pour transporter les marchandises.

tripoter v. Fam. *Ne tripote pas la poignée de la portière !,* ne la touche pas tout le temps.

trique n.f. *Elle a assommé le bandit d'un coup de trique,* un gros bâton.

triste adj. 1. *Je suis bien triste que tu t'en ailles,* j'ai de la peine, du chagrin (≠ content). 2. *La fin du film est triste,* elle donne envie de pleurer (≠ gai). 3. *Après l'accident, la voiture était dans un triste état* (= lamentable, pitoyable).
■ **tristement** adv. SENS 1 *Elle m'a parlé tristement,* d'une manière triste.
■ **tristesse** n.f. SENS 1 *C'est avec une profonde tristesse que nous sommes partis* (= peine, chagrin ; ≠ gaieté, joie).

■ **attrister** v. SENS 1 *Ça m'attriste de voir mon chien si malade,* ça me rend triste (= peiner, chagriner ; ≠ réjouir).

triton n.m. Le *triton* est un batracien à queue aplatie qui vit dans les mares et les étangs.

triturer v. 1. *Triturer un mélange,* c'est le broyer (= pétrir, malaxer). 2. Fam. *J'ai beau me triturer la cervelle, je ne trouve rien,* réfléchir, chercher une solution.

trivial, e, aux adj. *Jean a employé un mot trivial,* très vulgaire (= grossier).
■ **trivialité** n.f. *Sa plaisanterie est d'une trivialité choquante,* grossièreté.

troc n.m. *Faire du troc,* c'est échanger un objet contre un autre, sans donner d'argent.
■ **troquer** v. *Linda a troqué son vélo contre mes patins* (= échanger).

troène n.m. *Il y a une haie de troènes dans le fond du jardin,* des arbustes à fleurs odorantes.

troglodyte n.m. Les *troglodytes* étaient des gens qui habitaient dans des grottes.

trogne n.f. Fam. *On voit sur ce tableau de grosses trognes de buveurs,* des visages fortement colorés, aux traits lourds.

trognon n.m. *Jean a mangé la pomme ; il a laissé le trognon,* la partie du milieu avec les pépins.

troïka n.f. Une *troïka* est un traîneau russe tiré par trois chevaux.

trois adj. *Paul a trois sœurs : Sylvie, Lucie et Anne. 2 + 1 = 3. Demain, on sera le trois mars.*
■ **troisième** adj. et n. *Anne est la troisième sœur de Paul. J'habite au troisième (étage).*

trolleybus ou trolley n.m. *Les trolleybus ont remplacé les tramways,* les autobus qui marchent à l'électricité, à l'aide d'une perche reliant des fils aériens.

trombe n.f. 1. *Cette nuit, il est tombé des trombes d'eau,* de la pluie très abondante et forte. 2. *L'automobiliste a fait un démarrage en trombe,* très rapide.

trombone n.m. 1. *Ce musicien joue du trombone,* d'un instrument à vent. 2. *Attache ces deux feuilles de papier avec un trombone !,* une sorte d'agrafe. 439 293

trompe n.f. 1. *À la chasse à courre, on fait sonner la trompe,* le cor de chasse. 2. *Avec sa trompe, l'éléphant s'asperge d'eau,* la partie très longue de son nez. 581

tromper v. 1. *J'ai pris la mauvaise route, c'est le brouillard qui m'a trompée,* qui m'a fait croire quelque chose qui n'était pas vrai (= induire en erreur). 2. *M. Martin n'a jamais trompé sa femme,* il ne lui a jamais été infidèle. 3. *Je me suis trompé dans mes calculs,* j'ai fait une erreur. *Vous vous trompez d'adresse,* vous la confondez avec une autre.
■ **tromperie** n.f. SENS 1 *J'ai été victime d'une tromperie,* on m'a trompé.
■ **trompeur, euse** adj. SENS 1 *Les apparences sont souvent trompeuses,* elles trompent (= faux).
■ **trompe-l'œil** n.m.inv. SENS 1 *Tout ce décor n'est qu'un trompe-l'œil,* une apparence trompeuse.
■ **détromper** v. SENS 1 *Tu penses que je céderai ? Eh bien, détrompe-toi ! Je ne céderai pas,* cesse de croire cela.

trompette n.f. 1. *Le clown joue de la trompette,* d'un instrument à vent. 2. *Paul a le nez en trompette,* relevé du bout, retroussé. 439, 438
■ **trompettiste** n. SENS 1 *Louis Armstrong était un remarquable trompettiste,* un joueur de trompette.

trompeur → tromper.

tronc n.m. **1.** *Il y a un **tronc** d'arbre en travers de la route,* la partie de l'arbre qui va du sol aux branches. **2.** *Cette poupée n'a plus de jambes, ni de bras, ni de tête, il ne reste que le **tronc**,* la partie du corps qui va du ventre au cou. **3.** *J'ai mis une pièce dans le **tronc** de solidarité,* une boîte avec une fente servant à faire la quête.

tronçon n.m. **1.** *Le bûcheron débite l'arbre en **tronçons**,* en morceaux coupés en travers. **2.** *On a pris le nouveau **tronçon** d'autoroute,* la partie ajoutée à ce qui existait (= section).
■ **tronçonner** v. SENS 1 *Le bûcheron **tronçonne** un arbre,* il le coupe en tronçons.
■ **tronçonneuse** n.f. SENS 1 *Une **tronçonneuse** est une scie à moteur portative pour tronçonner.*

trône n.m. **1.** *La reine préside la cérémonie assise sur son **trône**,* le siège élevé qui lui est réservé. **2.** *Ce prince accédera au **trône** dans quelques années,* il sera roi.
■ **trôner** v. SENS 1 *La présidente **trônait** à la place d'honneur,* elle y était placée et tout le monde pouvait la voir.
■ **détrôner** v. **1.** SENS 2 *Les révolutionnaires **ont détrôné** le roi,* ils lui ont fait perdre son titre de roi, en le chassant (= destituer). **2.** *La locomotive électrique **a détrôné** la locomotive à vapeur,* elle l'a remplacée.

tronquer v. *Cette citation **est tronquée**,* on en a supprimé une partie.

trop adv. *Tu as mis **trop** de sel, tu sales **trop**,* plus qu'il ne faut. *Le piano ne passe pas par la porte, il a 50 cm **en trop** (ou **de trop**),* en excédent. *Je suis **de trop**,* ma présence n'est pas voulue.

trophée n.m. *La gagnante de la course a reçu un **trophée**,* un objet qu'elle gardera en souvenir de sa victoire.

tropique n.m. *Le soleil des **tropiques** est très chaud,* une zone terrestre près de l'équateur.
■ **tropical, e, aux** adj. *Une plante **tropicale** pousse dans la zone des tropiques. Il fait une chaleur **tropicale**,* très forte.

trop-plein → plein.

troquer → troc.

trotter v. **1.** *Le cheval **trotte**,* il va à une allure intermédiaire entre le pas (plus lent) et le galop (plus rapide). **2.** *Bébé commence à **trotter** maintenant,* à marcher. **3.** *Cette chanson me **trotte** dans la tête,* elle me revient tout le temps.
■ **trot** n.m. SENS 1 *À l'hippodrome, on a vu une course de **trot**,* où les chevaux vont au trot.
■ **trotte** n.f. *Ma grand-mère **est** toujours sur la **trotte**,* ici et là, mais rarement chez elle.
■ **trotteur** n.m. SENS 1 *Ce cheval est un **trotteur**,* il est spécialement entraîné pour la course de trot.
■ **trotteuse** n.f. *La **trotteuse** d'une montre est l'aiguille qui marque les secondes.*
■ **trottiner** v. SENS 2 *Delphine **trottine** dans la rue à côté de sa maman,* elle marche à petits pas.
■ **trottinette** n.f. *Ma petite sœur fait de la **trottinette**,* un jouet composé d'une planche montée sur deux roues et d'un guidon qui oriente la roue avant (= patinette).

trottoir n.m. *Attention aux voitures, marchez sur le **trottoir** !,* la partie, de chaque côté d'une rue, réservée aux piétons.

trou n.m. **1.** *Le jardinier creuse un **trou** dans la terre,* un creux, une cavité. **2.** *Oh ! j'ai fait un **trou** dans ma chemise !,* une déchirure (= accroc). **3.** *Lise dit qu'elle a des **trous** de mémoire,* elle ne se souvient plus de certaines choses (= oubli).
■ **trouer** v. SENS 2 *Mes chaussettes **sont trouées**,* elles ont un trou.

■ **trouée** n.f. SENS 2 *Les voleurs ont fait une* **trouée** *dans les souterrains de la banque,* un grand trou pour passer.

troubadour ou **trouvère** n.m. Au Moyen Âge, les **troubadours** et les **trouvères** étaient des poètes qui chantaient, les troubadours dans la langue du midi de la France (ou langue d'oc), les trouvères dans la langue de la moitié nord de la France (ou langue d'oïl).

troubler v. 1. *Ici, l'eau* **est troublée** *par les égouts qui s'y déversent,* elle n'est plus claire. 2. *La conférence* **a été troublée** *par des gens qui manifestaient,* interrompue par du désordre. 3. *L'élève* **s'est troublé** *quand on lui a demandé de répondre,* il s'est ému et a été embarrassé. 4. *L'alcool* **trouble** *les idées,* enlève la lucidité.
■ **trouble** adj. SENS 1 *L'eau est* **trouble** *ici,* elle n'est pas parfaitement transparente (≠ clair).
■ **trouble** adv. SENS 1 *Je vois* **trouble** *avec tes lunettes,* je ne vois pas nettement les objets.
■ **trouble** n.m. 1. SENS 2 *La manifestation a été marquée par des* **troubles,** du désordre (= agitation). SENS 3 *L'accusé soutenait qu'il était innocent, mais son* **trouble** *l'a trahi,* son émotion. 2. *Yves a des* **troubles** *oculaires,* il voit mal.
■ **trouble-fête** n.m.inv. SENS 2 *Nos voisins sont venus nous dire que notre réunion était trop bruyante : quels* **trouble-fête !,** des personnes qui viennent déranger le plaisir des autres.

trouée, trouer → trou.

trouille n.f. Très fam. *Le danger est passé, mais j'ai eu la* **trouille,** j'ai eu peur.
■ **trouillard, e** n. et adj. Très fam. *Quel* **trouillard !** *Il n'ose pas bouger !* (= peureux).

troupe n.f. 1. *Il y a toute une* **troupe** *de touristes qui descendent du car,* un ensemble. 2. *Cette pièce de théâtre est* jouée par une jeune **troupe** de comédiens, un groupe (= compagnie). 3. (au plur.) *Nos* **troupes** *sont proches de la frontière,* nos soldats, notre armée.
■ **s'attrouper** v. SENS 1 *Les passants s'attroupent autour de la blessée* (= se rassembler).
■ **attroupement** n.m. SENS 1 *Circulez, pas d'attroupement !,* de rassemblement de personnes.

troupeau n.m. *Cette paysanne a plusieurs* **troupeaux** *de moutons,* des groupes d'animaux qui vivent ensemble.

trousse n.f. 1. *Range ton stylo dans la* **trousse,** un étui pour ranger des objets. 2. (au plur.) *Le voleur n'ira pas loin, la police* **est à ses trousses,** à sa poursuite.

trousseau n.m. 1. *J'avais deux* **trousseaux** *de clés, je n'en retrouve aucun,* des clés attachées ensemble par un anneau. 2. *À la rentrée, je serai pensionnaire, il faut que je prépare mon* **trousseau,** mes vêtements et mon linge.

trouver v. 1. *Alors, tu* **as trouvé** *ton disque ?,* tu as le disque que tu cherchais ? 2. *J'ai trouvé un billet de 10 $ dans la rue,* je l'ai découvert par hasard (≠ perdre). 3. *Tu* **trouves** *que j'ai raison ?* (= penser, estimer, croire). 4. *Où* **se trouve** *la rue Ste-Catherine ?,* à quel endroit est-elle située ? 5. *Attention, je vais* **me trouver mal,** m'évanouir.
■ **trouvaille** n.f. SENS 2 *J'ai fait une* **trouvaille** *dans le grenier : regarde comme ce coffret est joli !,* une découverte intéressante. SENS 3 *Cet enfant a des* **trouvailles** *de langage,* il invente des mots.
■ **introuvable** adj. SENS 1 *Ce vieux disque est* **introuvable** *aujourd'hui,* il est impossible de le trouver.
■ **retrouver** v. 1. SENS 2 *J'ai* **retrouvé** *le livre que j'avais perdu,* je l'ai trouvé après l'avoir cherché (= récupérer ; ≠ perdre). 2. *On* **se retrouve** *tous ce soir chez toi,* on se réunit.

36

802,
650,
581,
364

295

■ **retrouvailles** n.f.pl. *Ils ne s'étaient pas vus depuis dix ans, ce soir ils fêtent leurs retrouvailles,* le fait de se retrouver (≠ séparation).

trouvère → *troubadour.*

truand, e n. Fam. *Le truand a été arrêté par la police* (= bandit, malfaiteur).
■ **truander** v. Fam. *Je me suis fait truander* (= voler).

truc n.m. Fam. 1. *Il y a sûrement un truc pour réussir ce tour de cartes,* un moyen astucieux (= astuce). 2. *Qu'est-ce que c'est que ce truc-là?,* cette chose (= machin).
■ **truquer** v. SENS 1 *Mais non, dans le film, la blessée ne saigne pas vraiment, c'est truqué,* il y a un truc pour le faire croire.
■ **truquage** ou **trucage** n.m. SENS 1 *Il y a des truquages dans ce film,* des moyens utilisés pour faire croire que ce qu'on voit est vrai.

truchement n.m. *C'est par le truchement d'une amie que j'ai eu ce renseignement,* par son intermédiaire.

truculent, e adj. *Cet écrivain utilise un langage truculent,* plein de mots expressifs.

151,
150
truelle n.f. *Le maçon applique le ciment avec sa truelle,* une sorte de petite pelle plate.

656
truffe n.f. 1. *Sous les racines du chêne, le porc a flairé des truffes,* des champignons noirs et très parfumés qui se développent dans la terre. 2. *France m'a offert des truffes au chocolat,* des bonbons faits d'une pâte chocolatée.
■ **truffé, e** adj. 1. *À Noël, on a mangé du foie gras truffé,* avec des truffes à l'intérieur. 2. *Ce travail est truffé d'erreurs,* plein.

361
truie n.f. *Regarde la truie avec ses petits,* la femelle du porc.

truite n.f. *Le menu comporte des truites aux amandes,* des poissons de rivière à la chair excellente.

truquage, truquer → *truc.*

trust n.m. *Ces trois fabricants se sont réunis en un trust puissant,* un groupe qui tend à dominer tout un secteur économique.
R. On prononce [trœst].

tsar n.m. *Le tsar était l'empereur de Russie.*

tsé-tsé n.f. *Quand on est piqué par la mouche tsé-tsé, on attrape la « maladie du sommeil »,* une mouche d'Afrique.

tu pron.pers. s'emploie pour représenter la personne à qui l'on parle : *Tu viens ?*
■ **tutoyer** v. *On se connaît depuis longtemps, alors on se tutoie,* on se dit « tu » (≠ vouvoyer).
■ **tutoiement** n.m. *Le tutoiement s'emploie entre amis* (≠ vouvoiement).
R. *Tu* se prononce [ty] comme [*il*] *tue* (de *tuer*) et [*il s'est*] *tu* (de *taire*).

tuba n.m. 1. *Le tuba est un gros instrument de musique dans lequel on souffle.* 2. *Pour faire de la plongée sous-marine, je mets mon masque et mon tuba,* un tube qu'on met dans la bouche pour respirer.

tube n.m. 1. *Les fils électriques sont isolés par un tube de plastique,* un cylindre creux (= tuyau). 2. *Où est mon tube de dentifrice ?,* un récipient allongé. 3. Fam. *Tu as entendu le dernier tube ?,* la dernière chanson à grand succès.
■ **tubulaire** adj. SENS 1 *Un mobilier tubulaire est fait de tubes métalliques.*

tubercule n.m. *Les pommes de terre, les ignames sont des tubercules,* des renflements d'une racine.

tuberculose n.f. *Par le B.G.C., on est vacciné contre la tuberculose,* une maladie contagieuse qui atteint surtout les poumons.

■ **tuberculeux, euse** adj. et n. *Cette malade est **tuberculeuse**, atteinte de tuberculose.*

■ **antituberculeux, euse** adj. *Un sérum **antituberculeux** lutte contre la tuberculose.*

tubulaire → *tube*.

tuer v. 1. *Le chasseur n'a pas **tué** le lièvre, il l'a seulement blessé*, il ne l'a pas fait mourir. 2. *On joue aux cartes pour **tuer** le temps*, pour qu'il passe plus vite. 3. *Ces enfants me **tuent**,* m'épuisent. 4. Fam. *Je me **tue** à te répéter toujours la même chose*, je me fatigue beaucoup.

■ **tuant, e** adj. Fam. SENS 3 ET 4 *C'est un métier **tuant**,* très fatigant.

■ **tué, e** n. SENS 1 *Il y a eu plusieurs **tués** dans l'accident* (= mort).

■ **tuerie** n.f. SENS 1 *La fusillade a été une véritable **tuerie*** (= massacre).

■ **tueur, euse** n. SENS 1 *Un **tueur** à gages est une personne payée pour tuer quelqu'un.*

R. → *tu*.

à tue-tête adv. *Marie chante **à tue-tête**,* très fort.

tuile n.f. 1. *Plusieurs **tuiles** du toit sont cassées*, des plaques brunes en terre cuite. 2. Fam. *Il m'arrive une grosse **tuile**,* un événement fâcheux (= catastrophe).

tulipe n.f. *On cultive beaucoup de **tulipes** aux Pays-Bas*, des fleurs aux couleurs variées.

tulle n.m. *Les rideaux sont en **tulle**,* en tissu transparent et léger.

tuméfié, e adj. *Après le combat, le boxeur avait le visage **tuméfié**,* enflé à certains endroits.

tumeur n.f. *Une **tumeur** est une grosseur anormale dans le corps ou sur le corps.*

tumulte n.m. *La réunion s'est terminée dans le **tumulte**,* une agitation accompagnée de bruit, de cris.

■ **tumultueux, euse** adj. *La séance fut **tumultueuse**,* agitée et bruyante.

tunique n.f. 1. *Dans le film « Ben Hur », les personnages portent des **tuniques**,* des sortes de chemises ou de robes qu'on portait sous d'autres vêtements. 2. *Dans le film, l'officier allemand est celui qui a une **tunique**,* une veste d'uniforme à col droit et sans poches. 3. *Maman porte une **tunique** sur son pantalon*, une sorte de chemise longue. | 804

tunnel n.m. *Il fait noir, le train passe sous un **tunnel**,* un passage creusé sous le sol. | 509, 651

tuque n.f. *La **tuque** est un bonnet de laine de forme conique surmonté d'un pompon.* | 652

turban n.m. *Le fakir a un **turban** autour de la tête*, une bande d'étoffe.

turbine n.f. *Les **turbines** du bateau font un bruit épouvantable*, les machines qui le font marcher. | 801

turbo- au début d'un mot indique que quelque chose est actionné par une trubine : *turboalternateur, turbopropulseur*. | 801, 766

turboréacteur n.m. *Un **turboréacteur** est un moteur à réaction comportant une turbine.*

turbot n.m. *Au restaurant, on a mangé du **turbot**,* un poisson de mer.

turbulent, e adj. *Pascale est très **turbulente** à l'école*, elle s'agite (= remuant ; ≠ calme).

turluter v. *Il **turlute** en travaillant* (= fredonner).

turlupiner v. Fam. *Cette idée me **turlupine** depuis ce matin*, j'y pense sans cesse (= préoccuper).

turpitude n.f. *Quelle vie pleine de **turpitudes** !,* d'actions malhonnêtes.

turquoise adj.inv. *Ma robe est bleu turquoise,* d'un bleu-vert.

tuteur, trice 1. n. *Les parents de Catherine sont morts dans un accident, sa tante est devenue sa tutrice,* la personne chargée de s'occuper d'elle, selon la loi. **2.** n.m. *On a attaché le rosier à un tuteur,* un piquet planté dans le sol pour le tenir droit.
■ **tutelle** n.f. SENS 1 *Catherine est orpheline, elle est sous la tutelle de sa tante,* la protection.
■ **tutélaire** adj. SENS 1 *Une puissance tutélaire* est une puissance protectrice.

tutoiement, tutoyer → *tu.*

tutu n.m. *Les danseuses de l'Opéra portent un tutu,* une petite jupe.

tuyau n.m. **1.** *Le tuyau d'arrosage est percé,* le long tube qui sert au passage de l'eau (= boyau). **2.** Fam. *J'ai des tuyaux pour le tiercé,* des renseignements secrets.
■ **tuyauter** v. Fam. SENS 2 *Tu peux me tuyauter ?,* me donner un renseignement confidentiel.
■ **tuyauterie** n.f. SENS 1 *Le plombier a refait toute la tuyauterie de la salle de bains,* l'ensemble des tuyaux, des canalisations.

tuyère n.f. *C'est par la tuyère que la fusée peut se propulser dans l'air,* la partie par où s'échappent les gaz.

tweed n.m. *Cléa a une veste en tweed,* en tissu de laine.

tympan n.m. **1.** *L'explosion lui a déchiré le tympan,* la peau tendue au fond de l'oreille, par laquelle on perçoit les sons. **2.** *Le tympan de l'église est orné* de sculptures, la partie qui se trouve au-dessus du portail.

type n.m. **1.** *Ce fusil est d'un type très courant* (= modèle). **2.** *Odile est le type de l'intellectuelle,* elle en a les caractéristiques, les traits qui permettent de la reconnaître. **3.** Fam. *Je n'aime pas ce type,* cet homme (= bonhomme, individu).
■ **typique** adj. SENS 2 *Boire du thé est une habitude typique des Anglais,* caractéristique.
■ **typiquement** adv. SENS 2 *L'olivier est un arbre typiquement méditerranéen,* il est caractéristique des pays de la Méditerranée.

typhon n.m. *Le bateau a coulé dans un typhon* (= ouragan, cyclone).

typique, typiquement → *type.*

typographe n. Dans une imprimerie, le *typographe* assemble les lettres, les caractères pour composer un texte.
■ **typographie** n.f. *La typographie* est une technique pour imprimer.

tyran n.m. *Cet homme est un tyran avec toute sa famille,* une personne qui abuse de son autorité pour être cruelle avec les autres.
■ **tyrannie** n.f. *Ce chef d'État exerçait une véritable tyrannie sur son peuple,* un abus d'autorité (= oppression).
■ **tyrannique** adj. *Ne sois pas tyrannique avec ta petite sœur !,* autoritaire et méchant.
■ **tyranniser** v. *Ce roi tyrannisait ses sujets* (= persécuter, opprimer).

tzigane adj. et n. *J'aime la musique tzigane,* particulière aux musiciens de Bohême et de Hongrie.

761,
506,
73

75

582

148

u

ukase ou **oukase** n.m. *Je n'obéirai pas à ses ukases,* ses décisions arbitraires. **R.** On prononce [ukaz].

ulcère n.m. *Mme Cyr a un ulcère à l'estomac,* une plaie qui ne cicatrise pas.

ulcérer v. *Son ingratitude m'a ulcéré,* elle m'a beaucoup choqué (= blesser).

ultérieur, e adj. *On reparlera de ce projet à une date ultérieure,* à une date qui viendra après (= postérieur ; ≠ antérieur).
■ **ultérieurement** adv. *On en reparlera ultérieurement,* plus tard.

ultimatum n.m. *Comme il refusait de payer ses dettes, l'huissier lui a adressé un ultimatum,* un ordre impératif (= sommation). **R.** On prononce [yltimatɔm].

ultime adj. *Écoute bien, ce sont mes ultimes recommandations,* mes toutes dernières recommandations.

ultra- au début d'un mot indique une grande intensité : *ultra-confidentiel, ultra-nationaliste, etc.*

ultrason n.m. *Cet appareil émet des ultrasons,* des sons que l'homme ne peut entendre.

ultraviolet, ette adj. et n.m. *Mes lunettes fumées me protègent des rayons ultraviolets,* des radiations nocives pour l'œil.

ululer ou **hululer** v. *Le hibou ulule,* il pousse son cri.

un, une, des articles indéfinis *Donnemoi une pomme, j'en veux une autre. Je veux des pommes.*
■ **un, une** adj. ou pron. *Un et un font deux (1 + 1 = 2). Regarde page un. Il est venu une fois ou deux.*

unanime adj. *Luce a reçu une approbation unanime,* de tout le monde (= général).
■ **unanimement** adv. *La proposition a été acceptée unanimement.*
■ **unanimité** n.f. *Cette loi a été votée à l'unanimité,* tout le monde a voté pour.

une → *un.*

uni, e adj. **1.** *Le sol n'est pas assez uni pour jouer aux boules* (= plat ; ≠ inégal, accidenté). **2.** *Aimes-tu cette jupe unie ?,* d'une seule couleur (≠ bigarré).

unifier v. *On a unifié les tarifs douaniers européens,* on les a rendus semblables (≠ diversifier).
■ **unification** n.f. *L'unification de l'Allemagne a eu lieu au XIXᵉ siècle,* la création d'un seul État allemand constitué de plusieurs petits États.

uniforme **1.** adj. *Dans cette région de plaine, le paysage est uniforme,* toujours le même (≠ varié). **2.** n.m. *Les pompiers, les soldats portent un uniforme,* un costume imposé par le règlement.
■ **uniformément** adv. SENS 1 *Le ciel reste uniformément gris,* sans changer.
■ **uniformiser** v. SENS 1 *Tous ces règlements différents devraient être uniformisés* (= unifier).

563

37

■**uniformité** n.f. sens 1 *L'uniformité s'oppose à la diversité, au contraste, au changement.*

unijambiste → *jambe.*

unilatéral, unilatéralement → *latéral.*

unilingue adj. *Jean est unilingue,* il ne parle qu'une seule langue.

union → *unir.*

unique adj. 1. *Pierre est fils unique,* il est le seul enfant, il n'a ni frère ni sœur. *Cette rue est à sens unique,* un seul sens de circulation est autorisé. 2. *Attention à ce vase, c'est une pièce unique,* il n'y en a pas d'autres (= exceptionnel ; ≠ commun).

■**uniquement** adv. sens 1 *Égoïste, tu penses uniquement à toi !* (= seulement, exclusivement).

unir v. 1. *Unissons-nous pour défendre nos intérêts communs* (= s'associer ; ≠ s'opposer). *L'amitié qui les unit est très grande* (= lier, rassembler ; ≠ séparer). 2. *Isabelle unit la force et le courage,* elle a ces qualités en même temps.

■**union** n.f. sens 1 *L'union fait la force,* le fait d'être unis (= entente ; ≠ discorde). *Une fédération est une union d'États* (= association, groupement). sens 2 *Cette union de couleurs est très jolie* (= assemblage, réunion).

■**à l'unisson** adv. sens 1 *Ils ont approuvé le projet à l'unisson,* tous ensemble et en parfait accord.

■**désunir** v. sens 1 *Une dispute les a désunis* (= séparer).

■**désunion** n.f. sens 1 *La désunion règne entre eux* (= désaccord).

unisexe adj. *J'ai acheté une chemise unisexe,* qui convient aussi bien aux hommes qu'aux femmes.

unité n.f. 1. *Ces différents partis ont décidé l'unité d'action,* ils sont d'accord pour agir ensemble. 2. *Ce tableau manque d'unité,* d'harmonie d'ensemble.

3. *Ces vélos coûtent 200 dollars l'unité,* l'un, chacun. 4. *Le mètre est une unité de longueur, le kilogramme est une unité de masse. Le dollar est l'unité monétaire du Canada,* l'élément de base. 5. *Le soldat a rejoint son unité,* son corps de troupes.

■**unitaire** adj. sens 1 *Les syndicats ont décidé une action unitaire,* visant à l'unité.

univers n.m. 1. *La Terre, le Soleil, les étoiles constituent l'univers.* 2. *Ce savant est connu dans l'univers entier,* par tous les gens (= monde).

■**universel, elle** adj. sens 2 *Le président est élu au suffrage universel,* une élection où tout le monde vote.

■**universellement** adv. sens 2 *Ce tableau est universellement connu* (= mondialement).

université n.f. *Danielle fait ses études supérieures dans une université,* un établissement d'enseignement supérieur.

■**universitaire** adj. et n. *Jacques mange au restaurant universitaire,* réservé aux étudiants. *Mme Dion est une universitaire,* elle enseigne à l'université.

uranium n.m. *L'uranium est un métal rare recherché par l'industrie atomique.* R. On prononce [yranjɔm].

urbain, e adj. *La population urbaine augmente de plus en plus dans le monde,* celle des villes (≠ rural).

■**urbaniser** v. *Cette région s'est urbanisée,* des villes se sont construites.

■**urbanisation** n.f. *L'urbanisation s'est accélérée dans cette région.*

■**urbanisme** n.m. *L'urbanisme est l'ensemble des études et des méthodes d'aménagement des villes.*

■**urbaniste** n. *Un urbaniste est un architecte spécialiste d'urbanisme.*

urbanité n.f. *Elle nous a reçus avec urbanité* (= politesse).

urgent, e adj. *Je vous quitte, j'ai un rendez-vous urgent,* qui ne peut pas attendre.

LES UNITÉS DE MESURE

	10 000	1 000	100	10	1	$\frac{1}{10}$	$\frac{1}{100}$	$\frac{1}{1\,000}$
longueur		kilomètre (km)	hectomètre	décamètre	mètre (m)	décimètre	centimètre (cm)	millimètre (mm)
volume		mètre cube (m³)	hectolitre	décalitre	litre (l)	décilitre	centilitre	millilitre
surface	hectare (ha)		are		mètre carré (m²)			
poids	1 quintal = 100 kilos 1 tonne = 1000 kilos	1 kilogramme (kilo) = 2 livres	hecto-gramme	déca-gramme	gramme (g)	déci-gramme	centi-gramme	milli-gramme

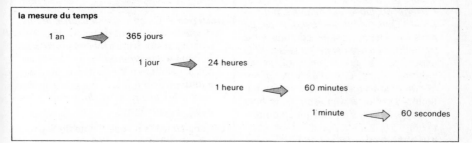

la mesure du temps

1 an ➡ 365 jours

1 jour ➡ 24 heures

1 heure ➡ 60 minutes

1 minute ➡ 60 secondes

■ **urgence** n.f. **1.** *On vous demande d'urgence,* tout de suite. **2.** *À l'hôpital, il y a un service des* **urgences,** des cas urgents de personnes malades ou blessées.

uriner v. *Ce médicament fait* **uriner,** il fait faire pipi.
■ **urine** n.f. *Le médecin a fait faire une analyse d'urine,* le liquide jaune qui vient des reins.

■ **urinoir** n.m. *Il y a des* **urinoirs** *dans les toilettes,* un endroit où les hommes peuvent uriner.

urne n.f. **1.** *Pour voter, on met son bulletin dans l'urne,* une boîte. **2.** *Quand on incinère un mort, on met ses cendres dans une* **urne,** un vase.

urticaire n.f. *Je me gratte, j'ai une crise d'urticaire,* une maladie qui cause des démangeaisons.

1. user v. **1.** *Lise a usé son pull aux coudes,* elle l'a abîmé par frottement, à force de s'en servir. **2.** *Ma voiture use peu d'essence* (= consommer).

■ **usé, e** adj. **1.** *Tes chaussures sont vraiment usées,* abîmées par l'utilisation. **2.** *Les eaux usées seront épurés,* salies par l'utilisation.

■ **usure** n.f. **1.** SENS 1 *Le tapis porte des traces d'usure,* il est usé. **2.** Fam. *On l'aura à l'usure,* avec le temps. **3.** *Ils se sont livrés une guerre d'usure,* où chaque adversaire cherche à épuiser l'autre à la longue.

■ **inusable** adj. SENS 1 *La marchande m'a garanti que ces semelles sont inusables,* que je n'arriverai pas à les user.

2. user v. *Il a fallu user de ruse pour réussir,* employer la ruse (= recourir à).

■ **us et coutumes** n.m.pl. *Je commence à connaître les us et coutumes de cette région,* la façon de se conduire (= usages).

■ **usage** n.m. *Quel est l'usage de cet appareil ?,* à quoi sert-il ? (= emploi). *L'usage du tabac est mauvais pour la santé. Quels sont les usages de ce pays ?,* les habitudes, les coutumes, les traditions. *Il est d'usage de se serrer la main pour se dire bonjour,* on le fait habituellement. *Ces vêtements m'ont fait un long usage,* ils m'ont servi longtemps. *Le mot « pâmoison » est hors d'usage,* on ne s'en sert plus couramment.

■ **usagé, e** adj. *Jean porte des vêtements usagés,* qui ont longtemps servi, qui sont plus ou moins usés ($\neq$ neuf).

■ **usager, ère** n. *La police recommande la prudence aux usagers de la route,* à ceux qui l'utilisent.

■ **usité, e** adj. *Le verbe « se pâmer » n'est plus usité,* on ne l'utilise plus (= usuel, courant).

■ **usuel, elle** adj. *Ici, le stylo est un objet usuel,* on s'en sert souvent.

■ **inusité, e** adj. *Le verbe « se pâmer » est à peu près inusité aujourd'hui.*

usine n.f. *Catherine travaille dans une usine d'automobiles,* un établissement où l'on en fabrique.

■ **usiner** v. *Ces pièces ont été usinées à la machine* (= façonner, fabriquer).

usité → *user 2.*

ustensile n.m. *Le rateau et la bêche sont des ustensiles de jardinage* (= instrument, outil). *La spatule et le fouet sont des ustensiles de cuisine.*

usuel → *user 2.*

usufruit n.m. *Nous avons l'usufruit de cette propriété,* elle ne nous appartient pas, mais nous en touchons les revenus.

usure → *user 1* et *usurier.*

usurier, ère n. *Un usurier est une personne qui prête de l'argent aux autres en leur réclamant des intérêts très élevés.*

■ **usure** n.f. *L'usure est interdite par la loi,* les pratiques des usuriers.

■ **usuraire** adj. *On lui a prêté de l'argent à des taux usuraires,* très élevés et illégaux.

usurper v. *Ce charlatan a usurpé le titre de médecin,* il l'a pris de façon illégitime.

■ **usurpateur, trice** n. *Napoléon fut surnommé « l'usurpateur » par les royalistes,* celui qui avait usurpé le pouvoir.

■ **usurpation** n.f. *Le maire proteste contre les usurpations du ministre,* les abus de pouvoir.

ut n.m. *Ut est la première note de la gamme* (= do).

utérus n.m. *L'utérus est l'organe de la femme dans lequel se développe l'enfant à naître.*

R. *On prononce le s final :* [yterys].

utile adj. *Cet outil est très utile,* il rend service. *Votre aide m'a été utile* (= profitable).

■ **utilement** adv. *Tu as travaillé utilement,* avec profit.

■ **utilité** n.f. *Quelle est l'utilité de cette machine ?,* à quoi est-elle utile ?

■**utilitaire** adj. *Les camions, les autocars sont des véhicules **utilitaires,** destinés à rendre service.*

■**inutile** adj. *On m'a donné des conseils **inutiles,** qui ne servent à rien.*

■**inutilement** adv. *Tu es venu **inutilement,** pour rien.*

■**inutilité** n.f. *Je me suis rendu compte de l'**inutilité** de ses paroles (≠ utilité).*

utiliser v. *Catherine **utilise** sa voiture pour aller à son travail, elle s'en sert (= employer).*

■**utilisable** adj. *Ce livre n'est pas **utilisable,** on ne peut pas l'utiliser.*

■**utilisateur, trice** n. *Les **utilisateurs** de l'appareil sont priés de le remettre en place.*

■**utilisation** n.f. *Pour l'**utilisation** de cette calculatrice, lire la notice jointe (= emploi).*

■**inutilisable** adj. *La voiture est **inutilisable,** on ne peut plus l'utiliser.*

■**inutilisé, e** adj. *Beaucoup de ressources restent **inutilisées,** non utilisées.*

utopie n.f. *La paix sur terre est-elle une **utopie ?,** une chose impossible à réaliser (= illusion, rêve).*

■**utopique** adj. *Il a présenté un projet **utopique** (= irréalisable, chimérique).*

V

vacances n.f.pl. *Les grandes vacances scolaires durent de juillet à septembre* (= congé ; ≠ travail).
■ **vacancier, ère** n. *Il y a beaucoup de vacanciers sur la côte du Maine,* de personnes en vacances.

vacant, e adj. *Il y a dans cet immeuble des appartements vacants,* sans occupants (= libre, disponible ; ≠ occupé).

vacarme n.m. *Les motos font un affreux vacarme,* un bruit très fort (= tapage ; ≠ silence).

vacataire n. *Cette entreprise emploie des vacataires,* des employés temporaires.

vaccin n.m. *On a découvert un nouveau vaccin contre la grippe,* une substance qu'on inocule et qui permet d'éviter cette maladie.
■ **vacciner** v. *Le médecin nous a vaccinés contre le tétanos,* il nous a fait un vaccin.
■ **vaccination** n.f. *Certaines vaccinations sont obligatoires.*

vache 1. n.f. *La fermière va traire les vaches.* 2. adj. et n.f. Fam. *Pierre est vache, il n'a pas voulu m'aider,* il est sans pitié, dur.
■ **vacherie** n.f. Fam. SENS 2 *Tu m'as fait une vacherie en refusant de m'aider,* une méchanceté.
■ **vachette** n.f. SENS 1 *Dans les Landes, on fait des courses de vachettes,* de jeunes vaches.

vachement adv. Très fam. *Je suis vachement content,* très content.

vacherie, vachette → *vache.*

vaciller v. *L'athlète est si fatiguée qu'elle vacille sur ses jambes,* elle penche d'un côté et de l'autre (= chanceler, tituber).
■ **vacillant, e** adj. *Une flamme vacillante,* qui tremble.

1. vadrouille n.f. 1. *Les marins nettoient le pont à la vadrouille,* un tampon composé de laine ou de cordes et fixé à un manche. 2. *Balaye par terre avec la vadrouille,* un balai à franges.

2. vadrouille n.f. Fam. *On est partis en vadrouille,* en promenade sans but précis (= balade).

va-et-vient n.m.inv. *Il y a dans le couloir un va-et-vient continuel,* des gens y passent (= circulation).

vagabond, e n. *Autrefois, il y avait beaucoup de vagabonds qui erraient sur les routes,* des gens sans domicile ni travail.
■ **vagabonder** v. *Des mendiants vagabondent à travers la campagne* (= errer). *Je rêvais en laissant vagabonder ma pensée.*
■ **vagabondage** n.m. *Le vagabondage est illégal,* l'état de vagabond.

vagir v. *Les nouveau-nés vagissent* (= crier).
■ **vagissement** n.m. *On entend des vagissements dans la chambre du bébé.*

1. vague n.f. 1. *La tempête soulève des vagues énormes,* des ondulations à la

38

368,
361

72

surface de l'eau (= lame). **2.** *La vague de chaleur dure depuis le 10 juillet,* une période de temps très chaud. **3.** *Samedi, il y a eu une vague de départs en vacances,* un grand nombre (= masse, série).

■ **vaguelette** n.f. SENS 1 *N'aie pas peur, ce sont des vaguelettes !,* des petites vagues.

2. vague adj. **1.** *Les promesses que Lise m'a faites étaient très vagues* (= flou, incertain ; ≠ net, précis). **2.** *Il y a un terrain vague derrière l'immeuble,* un terrain qui n'est ni utilisé ni entretenu.
■ **vague** n.m. SENS 1 *Tu restes immobile, les yeux dans le vague,* sans regarder rien de précis.

■ **vaguement** adv. SENS 1 *On voit vaguement une silhouette au loin* (= confusément ; ≠ précisément, nettement).

■ **vaguer** v. SENS 1 *Je laisse vaguer mon imagination,* je ne pense à rien de précis (= vagabonder).

vaguemestre n.m. À l'armée, le *vaguemestre* est un sous-officier qui distribue le courrier.

vaguer → *vague 2.*

vaillant, e adj. **1.** *Vaillant se dit parfois pour brave, courageux.* **2.** *Je n'ai pas un sou vaillant,* je suis sans argent.
■ **vaillamment** adv. SENS 1 *Ces troupes se battaient vaillamment.*

■ **vaillance** n.f. SENS 1 *On parle de la vaillance des chevaliers d'autrefois* (= courage).

vain, e adj. **1.** *Leurs efforts ont été vains,* ils n'ont pas réussi (= inutile ; ≠ efficace). **2.** *Mes craintes n'étaient pas vaines,* fausses, illusoires (≠ réel, fondé). **3.** *Vain se disait autrefois pour vaniteux.*
■ **en vain** adv. SENS 1 *J'ai essayé en vain de la convaincre,* sans réussir (= inutilement).

■ **vainement** adv. SENS 1 *J'ai attendu vainement pendant trois heures* (= en vain).

■ **vanité** n.f. SENS 1 *La vanité de leurs efforts était évidente* (= inefficacité). SENS 3 *En me moquant d'elle, je l'ai blessée dans sa vanité* (= orgueil, prétention).

■ **vaniteux, euse** adj. SENS 3 *Stanislas est vaniteux,* il est trop fier de lui-même (= prétentieux ; ≠ modeste).
R. → *vin.*

vaincre v. **1.** *En 1940, l'Allemagne a vaincu la France,* elle a remporté la victoire (= battre). **2.** *Pierre a réussi à vaincre sa peur de l'obscurité* (= dominer, surmonter).
■ **vaincu, e** adj. et n. SENS 1 *L'équipe vaincue a regagné tristement les vestiaires* (= perdant).

■ **vainqueur** n.m. SENS 1 *Les vainqueurs de la Coupe du monde ont été acclamés* (= gagnant).

■ **invaincu, e** adj. SENS 1 *Cette équipe est jusqu'ici invaincue,* elle n'a jamais perdu.

■ **invincible** adj. SENS 1 *Ce boxeur se croyait invincible,* le plus fort. SENS 2 *Jean est d'une timidité invincible* (= insurmontable).

■ **invinciblement** adv. SENS 2 *Nous étions invinciblement attirés par ce spectacle* (= irrésistiblement).
R. → Conj. n° 85. → *vin.*

vainement → *vain.*

vairon n.m. *Anne pêche des vairons dans la rivière,* des petits poissons.

vaisseau n.m. **1.** *Le sang circule à travers le corps dans les vaisseaux sanguins.* **2.** *Autrefois, on appelait vaisseau un grand navire de guerre.* **3.** *Le vaisseau spatial a quitté l'atmosphère terrestre,* l'engin pour voyager dans l'espace.

vaisselle n.f. *Après le repas, il faut laver la vaisselle,* les ustensiles qui ont servi (assiettes, plats, bols, etc.). *Pierre fait la vaisselle,* il la lave.
■ **vaisselier** n.m. Un *vaisselier* est un meuble pour ranger la vaisselle.

512

721

val → *vallée.*

valable → *valoir.*

valet n.m. 1. *Autrefois, les nobles avaient de nombreux valets* (= domestique, serviteur). 2. *Lise a joué le valet de cœur,* une des cartes.

valeur → *valoir.*

valeureux, euse adj. *Les valeureux sauveteurs ont fait un travail admirable* (= courageux, vaillant).

valide adj. 1. *J'ai été malade, mais je suis de nouveau valide,* en bonne santé. *Depuis son accident, elle n'a qu'un bras valide,* l'autre est dans le plâtre. 2. *Ce certificat n'est valide qu'avec la signature du médecin* (= valable, utilisable).
  ■ **valider** v. SENS 2 *Il faut faire valider votre passeport,* le rendre valide (= légaliser).
  ■ **validité** n.f. SENS 2 *Ce billet d'avion a une validité d'un mois,* il peut être utilisé pendant un mois.
  ■ **invalide** n. et adj. SENS 1 *M. Dupuis est un invalide de guerre,* il ne peut plus travailler (= infirme, handicapé).
  ■ **invalider** v. SENS 2 *L'élection a été invalidée,* elle a été déclarée non valable (= annuler).
  ■ **invalidité** n.f. SENS 1 *M. Dupuis touche une pension d'invalidité.*

valise n.f. *Pierre fait ses valises avant de partir en vacances* (= bagage).

vallée n.f. *Cette rivière coule dans une large vallée,* un endroit creux avec des versants en pente.
  ■ **val** n.m. se disait pour *vallon.*
  ■ **vallon** n.m. *Un ruisseau coule au fond du vallon,* de la petite vallée.
  ■ **vallonné, e** adj. *Cette région est vallonnée,* il y a des collines et des vallées.

valoir v. 1. *Ce livre vaut 20 dollars,* il a ce prix (= coûter). 2. *Ce tissu ne vaut rien,* il est de mauvaise qualité. 3. *Cet acteur ne vaut rien,* il joue mal. 4. *La chaleur ne te vaut rien,* elle n'est pas bonne pour ta

santé. 5. *Ça vaut la peine que tu viennes,* c'est assez important, assez intéressant pour que tu viennes. 6. *Jean cherche toujours à se faire valoir,* à se montrer à son avantage. 7. *Il vaut mieux partir demain que ce soir,* cela est préférable. 8. *Ces ordinateurs se valent,* ils sont équivalents, à peu près pareils.
  ■ **valable** adj. SENS 2, 3 ET 4 *Mon passeport n'est plus valable* (= bon ; ≠ périmé). *On s'est fâchés sans raison valable* (= acceptable, sérieux).
  ■ **valeur** n.f. 1. SENS 1 *La valeur de ce vase est très grande* (= prix). SENS 3 *Esther est une personne de valeur,* elle a de grandes qualités (= mérite). SENS 5 *Il a raconté ses exploits pour se mettre en valeur,* se faire valoir. 2. *Ses économies sont placées en valeurs,* en titres de rente, en actions, etc. 3. *Je lui ai donné la valeur d'une cuillerée à dessert de sirop,* cette quantité. 4. Fam. *C'est de valeur que tu ne viennes pas à Noël,* c'est dommage.
  ■ **valoriser** v. SENS 1 *Le passage de l'autoroute a valorisé ces terrains,* il a fait augmenter leur prix. SENS 5 *Cette promotion l'a valorisé aux yeux des collègues,* lui a donné plus d'importance, l'a mis en valeur.
  ■ **valorisant, e** adj. SENS 5 *Quel travail valorisant !,* qui met en valeur la personne.
  ■ **dévaloriser** v. SENS 1 *La monnaie de ce pays s'est dévalorisée,* elle a perdu de sa valeur, de son pouvoir d'achat.
  ■ **dévaluer** v. SENS 1 *Le franc vient d'être dévalué,* il a perdu une partie de sa valeur par rapport aux autres monnaies.
  ■ **dévaluation** n.f. SENS 1 *La dévaluation est une conséquence de la crise économique.*
  ■ **équivaloir** v. SENS 1 *Le prix de cette voiture équivaut à dix mois de mon salaire,* il a une valeur égale (= représenter).
  ■ **équivalent, e** 1. adj. SENS 1 *Ces deux terrains sont d'un prix équivalent* (=

509

650

égal). **2.** n.m. *« Complexe » est un **équi-valent** savant de « compliqué » (= synonyme).*

■**revaloriser** v. SENS 1 *Les traitements des fonctionnaires vont **être revalorisés** (= relever, augmenter).*
R. → Conj. n° 40. → *veau.*

valse n.f. *L'orchestre joue une **valse** lente,* une sorte de danse à trois temps.
■**valser** v. *Marie et Jean **valsent**,* ils dansent une valse.
■**valseur, euse** n. *Marie est bonne **valseuse**.*

valve n.f. **1.** *Pour gonfler le pneu de ton vélo, il faut d'abord dévisser la **valve**,* le mécanisme qui laisse entrer l'air mais qui ne le laisse pas sortir. **2.** *La coquille des huîtres et des moules a deux **valves**,* deux parties.

vampire n.m. *Pierre m'a raconté une histoire de **vampire**,* de fantôme buveur de sang.

1. van n.m. *Un **van** est une sorte de camion pour le transport des chevaux.*
R. → *vent.*

2. van → *vanner.*

vandale n.m. *Les arbres du boulevard ont été abîmés par des **vandales**,* des gens stupides qui détruisent pour s'amuser.
■**vandalisme** n.m. *On recherche les auteurs de ces actes de **vandalisme**.*

vanille n.f. *Fatima aime la glace à la **vanille**,* parfumée avec cette plante exotique.
■**vanillé, e** adj. *Le pâtissier met du sucre **vanillé** sur la tarte.*

vanité, vaniteux → *vain.*

vanne n.f. **1.** *Quand les **vannes** de l'écluse sont fermées, les bateaux ne peuvent pas passer* (= porte, panneau). **2.** Fam. *Arrête de m'envoyer des **vannes**,* de me dire des choses désagréables.

vanner v. **1.** *Autrefois, on **vannait** le blé pour séparer le grain des déchets.*

2. *Nous sommes rentrés **vannés** de la promenade,* très fatigués (= harasser).
■**van** n.m. SENS 1 *Un **van** est une sorte de panier qui servait à vanner le blé.*
R. → *vent.*

vannerie n.f. *À l'école, Pierre et Ève apprennent à faire de la **vannerie**,* des objets en osier ou en rotin tressé.
■**vannier, ère** n. *Un **vannier** est un artisan qui fabrique des objets en vannerie.*

vantail n.m. *La maison a une porte à deux **vantaux**,* formée de deux grands panneaux mobiles.

vanter v. **1.** *On nous **a vanté** le vin de cette région,* on nous en a dit du bien (= louer). **2.** *Tu **te vantes** quand tu dis que tu peux faire 50 kilomètres à pied,* tu exagères ta force.
■**vantard, e** n. et adj. SENS 2 *Tu es (un) **vantard*** (= fanfaron).
■**vantardise** n.f. SENS 2 *Personne ne croit tes **vantardises*** (= exagération, fanfaronnade).
R. → *vent.*

va-nu-pieds n.m.inv. *Avec ton pantalon déchiré, tu as l'air d'un **va-nu-pieds*** (= mendiant, clochard).

vapeur n.f. **1.** *L'eau bout à 100 degrés et se transforme en **vapeur**,* en très fines gouttelettes qui flottent dans l'air. **2.** *Les machines à **vapeur** fonctionnent grâce à l'énergie produite par la **vapeur*** (au sens 1) *d'eau.* **3.** *Il y a des **vapeurs** à l'horizon,* un léger brouillard. **4.** (au plur.) *J'ai eu des **vapeurs**,* un léger malaise.
■**vapeur** n.m. SENS 2 *Les **vapeurs** ont remplacé les bateaux à voiles,* les bateaux qui avançaient grâce à une machine à vapeur.
■**vaporeux, euse** adj. SENS 3 *Une robe **vaporeuse** est légère et presque transparente.*
■**vaporiser** v. SENS 1 *Le jardinier **vaporise** un insecticide sur ses fraisiers,* il l'envoie grâce à un vaporisateur (= pulvériser).

■ vaporisateur n.m. SENS 1 *Ce parfum est vendu en vaporisateur,* un appareil qui envoie le parfum en fines gouttelettes (= atomiseur, pulvérisateur).

■ s'évaporer v. SENS 1 *L'eau s'évapore au soleil,* elle se change en vapeur d'eau.

■ évaporation n.f. SENS 1 *L'évaporation des liquides augmente avec la chaleur.*

vaquer v. *M. Durand vaque à ses occupations,* il s'y applique, s'y adonne.

varan n.m. *Le varan ressemble à un petit crocodile,* une sorte de gros lézard carnivore.

varappe n.f. *Le dimanche, Line et Jean font de la varappe,* ils escaladent des rochers pour faire du sport.

varech n.m. *À marée basse, on voit les rochers couverts de varech,* une algue.
R. On prononce [varɛk].

vareuse n.f. *Le marin a relevé le col de sa vareuse,* une sorte de veste.

variable, variante, variation → *varier.*

varice n.f. *Mme Dupont a du mal à marcher à cause de ses varices,* une sorte de maladie qui dilate les veines.

varicelle n.f. *Pierre ne va pas en classe, il a la varicelle,* une maladie des enfants qui donne des boutons sur tout le corps.

varier v. *Le prix des fruits varie selon la saison,* il n'est pas le même (= changer).

■ variable adj. *Aujourd'hui, il fait un temps variable* (= changeant, instable ; ≠ constant, immuable).

■ variante n.f. *Ce modèle de voiture n'est qu'une variante du modèle précédent,* c'est le même modèle avec seulement quelques détails différents.

■ variation n.f. *Attention aux variations de température !* (= changement).

■ varié, e adj. *Mon travail n'est pas très varié,* il ne change pas (≠ monotone).

■ variété n.f. 1. *Il y a peu de variété dans ce paysage,* il change peu (= diversité).

2. *L'épicier nous a recommandé cette variété de pommes* (= sorte, espèce).
3. (au plur.) *À la télévision, il y a une émission de variétés,* composée de chansons et de sketches variés.

■ invariable adj. *Les adverbes et les prépositions sont des mots invariables,* qui ne changent pas en nombre ou en genre.

■ invariablement adv. *Claude est invariablement en retard* (= toujours, régulièrement, systématiquement).

variole n.f. *La variole est une grave maladie contagieuse* (= picote).

vasculaire adj. *Mme Dugal a une maladie vasculaire,* une maladie des vaisseaux sanguins (veines, artères).

1. vase n.m. *J'ai mis les fleurs dans un vase en cristal,* un récipient ayant un caractère décoratif.

2. vase n.f. *Le bord de l'étang est couvert de vase,* de boue très molle.

■ vaseux, euse adj. 1. *Le sol est vaseux au bord de l'étang.* 2. Fam. *Je me sens vaseuse par cette chaleur,* sans énergie, molle. *Son projet est vaseux,* il est confus, médiocre.

■ s'envaser v. *Le bateau s'est échoué et s'est envasé,* il s'est enfoncé dans la vase.

vaseline n.f. *La vaseline sert à fabriquer des pommades,* un produit gras.

vaseux → *vase* 2.

vasistas n.m. *Ouvre le vasistas pour aérer la pièce,* une sorte de fenêtre faite d'un panneau mobile et placée près du plafond.
R. On prononce le *s* final : [vazistas].

vasque n.f. *Une vasque est un bassin ou une coupe large de caractère décoratif.*

vassal, e, aux n. *Au Moyen Âge, les seigneurs étaient assistés par leurs vassaux,* des gens qui leur obéissaient, mais qu'ils devaient protéger.

vaste adj. *Les Durand habitent dans une* **vaste** *maison,* une maison très grande (= spacieux ; ≠ exigu).

va-tout n.m.inv. *Pierre a joué son va-tout et il a perdu,* il a risqué tout ce qu'il avait.

vaudeville n.m. Un *vaudeville* est une pièce de théâtre comique contenant le plus souvent des chansons.

à vau-l'eau adv. *Il laisse ses affaires aller à vau-l'eau,* il ne s'en occupe pas.

vaurien, enne n. *Petit vaurien, tu as cassé un carreau !* (= garnement, voyou).

vautour n.m. *Les vautours se nourrissent de cadavres,* de grands oiseaux.

se vautrer v. *Les cochons se vautrent dans la boue,* ils se couchent et se roulent dedans.

va-vite (à la) loc. adv. Fam. *Tu travailles à la va-vite,* vite et sans soin.

veau n.m. *La vache a eu un veau,* un petit. *On mange du veau ce soir,* la viande de cet animal.
    R. *Veau* se prononce [vo] comme *vos, vaux* (pluriel de *val*) et [il] *vaut* (de *valoir*).

vécu est le participe passé du verbe *vivre.*

vedette n.f. 1. *Plusieurs vedettes jouent dans ce film,* des acteurs très connus. 2. *Vous aimez vous mettre en vedette,* vous faire remarquer. 3. *Nous avons visité le port dans une vedette,* un bateau à moteur.

végétation n.f. 1. *Dans les déserts, il n'y a pas de végétation,* de plantes. 2. (au plur.) *Françoise a été opérée des végétations,* on lui a enlevé des sortes de peaux qui se forment tout au fond du nez et qui empêchent de bien respirer.
    ■ **végétal, e, aux** n.m. et adj. SENS 1 *Les végétaux ont besoin d'eau pour pousser* (= plante). *L'huile d'olive est une huile végétale,* faite avec une plante (≠ animal et minéral).

■ **végétarien, enne** adj. et n. SENS 1 *M. et Mme Ming sont (des) végétariens,* ils mangent des légumes, des fruits, des œufs mais pas de viande.

■ **végétatif, ive** adj. SENS 1 *Grand-père mène une vie végétative,* il est à peu près aussi inactif qu'une plante.

■ **végéter** v. *M. Durand végète dans un emploi modeste,* il reste dans une situation médiocre (= vivoter).

véhément, e adj. *Luce m'a répondu d'un ton véhément,* très violent (= impétueux, emporté).
    ■ **véhémence** n.f. *Pierre et Anne discutent avec véhémence* (= emportement ; ≠ calme).

véhicule n.m. *L'avion, le train, l'automobile sont des véhicules d'aujourd'hui, les carrosses, les carrioles sont des véhicules d'autrefois,* des moyens de transport.
    ■ **véhiculer** v. *Ces marchandises seront véhiculées par bateau* (= transporter).

511, 761

veille n.f. 1. *Les vacances commenceront la veille de Noël,* le jour d'avant (≠ le lendemain). 2. *Les Diallo sont à la veille de partir en Afrique,* sur le point de le faire. 3. *Catherine est restée deux nuits en état de veille,* sans dormir (≠ sommeil). 4. *Le marin a pris son tour de veille à 2 heures du matin* (= surveillance).
    ■ **veillée** n.f. SENS 3 *Autrefois, on racontait des histoires à la veillée,* entre le repas du soir et le moment de se coucher. *Mes parents ont organisé une veillée pour la parenté,* une fête en soirée au cours de laquelle on danse et on s'amuse.
    ■ **veiller** v. SENS 3 *Alice a veillé très tard pour terminer ses devoirs,* elle est restée éveillée, elle n'a pas dormi. SENS 4 *Tu veilleras à ce que tout se passe bien,* tu en prendras soin (= s'occuper de). *La gardienne est chargée de veiller sur les enfants,* de les surveiller.
    ■ **veilleur** n.m. SENS 4 *Le veilleur de nuit est chargé de surveiller des bâtiments pendant la nuit,* c'est son métier.

125

■ **veilleuse** n.f. 1. *Dans le train, la veilleuse est restée allumée toute la nuit,* une petite lampe. 2. *On a laissé ce problème en veilleuse,* on l'a provisoirement laissé sans le résoudre (= en attente).

■ **avant-veille** n.f. SENS 1 *Lundi est l'avant-veille de mercredi* (≠ le surlendemain).

R. Noter le pluriel : des *avant-veilles.*

veine n.f. 1. Les *veines* sont les vaisseaux qui ramènent le sang vers le cœur. 2. *Sur ce meuble poli, on voit les veines du bois,* des traits de couleurs différentes. 3. Fam. *Lise gagne souvent aux cartes, elle a de la veine* (= chance).

■ **veinard, e** adj. et n. SENS 3 Fam. *Jean est (un) veinard,* il a de la veine.

■ **veiné, e** adj. SENS 2 *Le marbre est une roche veinée,* qui a des veines.

■ **déveine** n.f. SENS 3 Fam. *J'ai encore perdu, quelle déveine !* (= malchance).

■ **intraveineux, euse** adj. SENS 1 *On m'a fait une piqûre intraveineuse,* dans une veine (≠ intramusculaire ou sous-cutané).

vêler v. *La vache a vêlé cette nuit,* elle a donné naissance à un petit veau.

véliplanchiste → *planche.*

velléité n.f. (au plur.) *Louise avait des velléités de se lever tôt,* elle en avait l'intention, sans y être tout à fait décidée, et elle ne l'a pas fait.

■ **velléitaire** n. et adj. *Louise est une velléitaire,* elle a l'intention d'agir, mais n'agit pas.

vélo n.m. Fam. *Pour Noël, Paule a eu un vélo de course* (= bicyclette).

■ **vélodrome** n.m. *L'arrivée de l'étape a eu lieu dans le vélodrome,* dans un stade avec une piste pour les vélos.

■ **vélomoteur** n.m. *Ce vélomoteur fait beaucoup de bruit,* une sorte de bicyclette à moteur (= cyclomoteur).

vélocité n.f. *Marie fait des exercices de vélocité au piano,* elle joue à une grande vitesse.

vélodrome, vélomoteur → *vélo.*

velours n.m. 1. *Jean a un pantalon en velours,* un tissu très doux. 2. Fam. *En agissant ainsi, on joue sur du velours,* on ne prend pas de risques, on est sûr de gagner. 3. *Pour ne pas réveiller bébé, on marche à pas de velours,* sans faire de bruit.

■ **velouté, e** adj. 1. SENS 1 *La peau des pêches est veloutée,* douce à toucher comme le velours. 2. *Ce cuisinier fait des sauces veloutées,* onctueuses et épaisses.

velu, e adj. *M. Duval a les bras velus,* couverts de poils (= poilu).

venaison n.f. *Nous avons mangé de la venaison,* de la chair de grand gibier (cerf, sanglier, etc.).

■ **vénerie** n.f. La *vénerie* est la chasse au gros gibier.

vénal, e, aux adj. *M. Duval est un homme vénal,* il ferait n'importe quoi pour de l'argent (≠ incorruptible, intègre).

venant → *venir.*

vendable → *vendre.*

vendange n.f. *Cette année, la vendange a commencé* (ou *les vendanges ont commencé) le 15 septembre,* la récolte du raisin.

■ **vendanger** v. *Le vigneron a vendangé toutes ses vignes en quinze jours.*

■ **vendangeur, euse** n. *À la fin de la journée, les vendangeurs sont fatigués,* ceux qui vendangent.

vendetta n.f. En Corse, une *vendetta* est un meurtre commis pour venger un autre meurtre.

vendre v. 1. *La libraire vend des livres, le pharmacien vend des médicaments,* ils les cèdent contre de l'argent (≠ acheter ou donner). 2. *Le bandit a vendu ses complices* (= trahir).

■ **vendeur, euse** n. SENS 1 *La vendeur veut être payé par chèque* (≠ acheteur). *Mme Dubois est vendeuse dans un magasin,* c'est son métier (≠ client).

■ **vendu, e** n. SENS 2 *Cet homme est un vendu* (= traître).

■ **vente** n.f. SENS 1 *Quel est le prix de vente de ces marchandises ?* (≠ achat).

■ **invendable** adj. SENS 1 *Ces fruits sont pourris, ils sont invendables.*

■ **mévente** n.f. SENS 1 *La mévente du blé inquiète les paysans,* la difficulté de vendre.

■ **revendre** v. SENS 1 *Les Durand ont revendu leur appartement* (= vendre).
R. → Conj. n° 50. → *vent.*

vendredi n.m. *L'école recommence le vendredi 15 septembre,* la veille du samedi.

vendu → *vendre.*

vénéneux, euse adj. *Attention à ce champignon, il est vénéneux !,* il contient un poison.
R. *Vénéneux* ne se dit que des choses qu'on mange. → *venin.*

vénérer v. *Les chrétiens vénèrent le Christ, la Vierge et les saints,* ils les respectent et leur vouent un culte.

■ **vénérable** adj. *Mon grand-père a atteint un âge vénérable* (= respectable).

■ **vénération** n.f. *Elle parle de ses parents avec vénération,* un grand respect.

vénerie → *venaison.*

venger v. *Louise a voulu se venger des insultes de Jean,* lui faire du mal pour le punir de l'avoir insultée.

■ **vengeance** n.f. *Louise a agi par esprit de vengeance,* pour se venger.

■ **vengeur, eresse** adj. *L'oratrice a fait un discours vengeur,* exprimant une vengeance, constituant une revanche. *Je lui ai écrit une lettre vengeresse.*

■ **vindicatif, ive** adj. *Jean est vindicatif,* il cherche à se venger (= rancunier).

véniel, elle adj. *Ne t'inquiète pas, ce n'est qu'une faute vénielle,* sans gravité (= léger).

venin n.m. *Le venin de la vipère peut être mortel,* le poison contenu dans ses crocs.

■ **venimeux, euse** adj. *Certaines araignées sont venimeuses,* leur piqûre est empoisonnée.

■ **antivenimeux, euse** adj. *Le sérum antivenimeux agit contre les effets d'un venin.*
R. Ne pas confondre *vénéneux* et *venimeux.*

venir v. 1. *J'ai demandé à Lucie de venir nous voir,* de se déplacer vers nous. 2. *Le vent vient du nord,* le nord est son point d'origine (= provenir). 3. *Pierre est venu au monde en 1978,* il est né. 4. *Ne t'inquiète pas, ton tour viendra !* (= arriver, survenir). 5. *Cléa vient de sortir,* elle est sortie il y a très peu de temps. 6. *Où veut-elle en venir ?,* quel est le but de ses paroles. 7. *Ces garçons en sont venus aux mains,* ils se sont battus. 8. *Elle devrait me téléphoner dans les jours à venir,* qui viennent.

■ **venant** n.m. SENS 1 *Ce bâtiment est ouvert à tout venant,* à n'importe qui.

■ **venu, e** n. SENS 1 *Ne parle pas aux premiers venus,* à n'importe qui. SENS 5 *Paul est un nouveau venu dans le quartier,* il vient d'arriver.

■ **venue** n.f. SENS 1 *Pierre m'a annoncé sa venue,* qu'il viendrait (= arrivée).

■ **bienvenu, e** n. SENS 1 *Entre, tu es la bienvenue !,* tu arrives bien.

■ **bienvenue** n.f. SENS 1 *Jean m'a souhaité la bienvenue,* il m'a fait un bon accueil.

■ **tout-venant** n.m.inv. SENS 1 *Cette marchandise n'est pas du tout-venant,* ce n'est pas de la qualité courante, banale.
R. → Conj. n° 22. *Venir* se conjugue avec l'auxiliaire *être.* → *vin.*

vent n.m. 1. *Le vent souffle en rafales depuis ce matin,* l'air en déplacement. 2. *La trompette, la flûte sont des instruments à vent,* dans lesquels on souffle.

3. *Ses promesses, c'est du vent,* ce n'est pas sérieux, c'est inconsistant. **4.** *Je n'ai jamais le temps de te parler, tu passes toujours en coup de vent,* très rapidement.

■ **venter** v. SENS 1 // *vente depuis ce matin,* il fait du vent.

■ **venteux, euse** adj. SENS 1 *Cette plage est venteuse,* il y a souvent du vent.

■ **ventiler** v. **1** SENS 1 // *fait trop chaud, il faut ventiler cette pièce,* faire entrer de l'air. **2.** *Il faut ventiler les frais entre les participants,* les répartir.

■ **ventilation** n.f. SENS 1 // *faudrait améliorer la ventilation de ce sous-sol* (= aération).

■ **ventilateur** n.m. SENS 1 *Le ventilateur nous envoie une petite brise agréable,* un appareil qui agite l'air en tournant.

R. *Vent* se prononce [vɑ̃] comme *van* et *[je] vends* (de *vendre*). *Venter* se prononce [vɑ̃te] comme *vanter*.

vente → *vendre*.

venter, venteux, ventilateur, ventilation, ventiler → *vent*.

ventouse n.f. **1.** *Les pieuvres ont de longs bras à ventouses,* des organes qui collent aux objets. **2.** *Mettre des ventouses à un malade,* c'est lui appliquer sur la peau des petites cloches de verre.

ventre n.m. **1.** *J'ai la colique, j'ai mal au ventre,* à l'estomac ou à l'intestin. **2.** *Jean dort sur le ventre,* sur la partie avant du corps (≠ dos).

■ **ventral, e, aux** adj. SENS 2 *Un parachute ventral* est appliqué sur le ventre (≠ dorsal).

■ **ventru, e** ou, fam., **ventripotent, e** adj. SENS 1 *M. Durand est ventru,* il a un gros ventre.

ventricule n.m. *Les ventricules* sont les compartiments inférieurs du cœur.

ventriloque n. *Un ventriloque* est une personne qui parle sans remuer les lèvres.

venu, venue → *venir.*

vêpres n.f.pl. Dans l'Église catholique, les *vêpres* sont un office religieux de l'après-midi.

ver n.m. *La pêcheuse met un ver sur son hameçon,* un petit animal allongé au corps mou.

■ **véreux, euse** adj. *Jette cette poire, elle est véreuse,* elle contient un ver.

■ **vermifuge** n.m. *Un vermifuge* est un médicament contre les vers de l'intestin.

■ **vermisseau** n.m. *Un vermisseau* est un tout petit ver.

■ **vermoulu, e** adj. *Ce vieux buffet est tout vermoulu,* plein de trous de vers.

R. *Ver* se prononce [vɛr] comme *verre, vers* et *vert.*

véracité → *vrai.*

véranda n.f. *Il y a une véranda derrière la cuisine,* une galerie vitrée.

verbe n.m. **1.** *Paul a le verbe haut,* la parole forte. **2.** *Le verbe est le mot principal de la phrase. Certains verbes ont une conjugaison irrégulière.*

■ **verbal, e, aux** adj. SENS 1 *La directrice m'a donné son accord verbal,* de vive voix (= oral ; ≠ écrit). SENS 2 *« Apitoyer » est un verbe, « faire pitié » est une locution verbale,* qui joue le même rôle qu'un verbe.

■ **verbalement** adv. SENS 1 *Elle me l'a promis verbalement* (≠ par écrit).

verbeux, euse adj. *Pierre s'est lancé dans des explications verbeuses,* longues et embrouillées (≠ concis).

■ **verbiage** n.m. *Je ne comprends rien à son verbiage,* à son discours verbeux (= bavardage).

verdâtre, verdeur → *vert.*

verdict n.m. *Le tribunal a prononcé son verdict : l'acquittement,* sa décision (= jugement).

verdir, verdoyant, verdure → *vert.*

véreux → *ver.*

505,
801

724

33

verge n.f. **1.** *Autrefois, on punissait les écoliers à coups de verges,* des baguettes de bois souple. **2.** *La verge est une unité de longueur valant presque un mètre (0,914 m).*

verger n.m. *Dans ce verger, il y a des pommiers, des poiriers et des cerisiers,* ce champ d'arbres fruitiers.

verglas n.m. *La voiture a dérapé sur le verglas,* sur la glace qui recouvre la route.
■ **verglacé, e** adj. *Attention, route verglacée !*

sans vergogne adv. *Sans vergogne, il a pris le plus gros morceau,* sans se gêner, sans honte.

vergue n.f. *Sur les grands bateaux à voiles, il y avait des vergues,* des barres de bois soutenant les voiles.

véridique, vérification, vérifier, véritable, véritablement, vérité → *vrai.*

vermeil, eille **1.** adj. *M. Tartufe est gros, il a le teint vermeil,* rouge vif. **2.** n.m. *Au repas de gala, il y avait des fourchettes et des cuillers en vermeil,* en argent doré.
■ **vermillon** adj.inv. SENS 1 *Je me mets du rouge à lèvres vermillon,* rouge vif.

vermicelle n.m. *Suzanne aime le potage au vermicelle,* aux pâtes très fines.

vermifuge → *ver.*

vermillon → *vermeil.*

vermine n.f. *Ce matelas est plein de vermine,* d'insectes nuisibles (puces, poux, punaises, etc.).

vermisseau, vermoulu → *ver.*

vermouth n.m. *Comme apéritif, M. Durand a pris un vermouth,* une sorte de vin aromatisé.

vernis n.m. *Ce tableau est recouvert de vernis,* un enduit brillant pour le protéger. *Maman s'est mis du vernis à ongles.*

■ **vernir** v. *Le plancher de la chambre est verni,* recouvert de vernis.
■ **verni, e** adj. **1.** *Pour Noël, Adèle mettra ses souliers vernis,* brillants. **2.** Fam. *Yannick a gagné, elle est vernie,* elle a de la chance.

vérole n.f. *Petite vérole* se disait autrefois pour *variole.*

verrat n.m. *Un verrat est un porc mâle apte à la reproduction.*

verre n.m. **1.** *On a cassé un carreau en jouant, il y a du verre par terre.* **2.** *On a sorti les verres de cristal pour mon anniversaire,* des récipients pour boire. *J'ai bu un verre d'eau,* le contenu d'un verre. **3.** *Marie porte des lunettes à verres fumés.* **4.** *Avant de peinturer cette chaise, je l'ai polie avec du papier de verre,* un papier sur lequel sont fixés des débris de verre.
■ **verrerie** n.f. SENS 1 *Dans une verrerie, on fabrique du verre et des objets en verre.*
■ **verrier, ère** n. SENS 1 *Un verrier travaille dans une verrerie.*
■ **verrière** n.f. SENS 1 *Les serres sont recouvertes d'une verrière,* de grands panneaux de verre.
■ **verroterie** n.f. SENS 1 *Vous portez un collier de verroterie,* en verre coloré de peu de valeur.
R. → *ver.*

verrou n.m. *Le soir, on ferme le verrou de la porte,* une grosse pièce métallique assurant la fermeture et généralement très résistante.
■ **verrouiller** v. *Verrouille bien la porte avant de partir !,* ferme-la avec le verrou.

verrue n.f. *Le médecin m'a enlevé une verrue au pied,* une sorte de bouton non douloureux.

1. vers prép. indique le lieu : *Nous allons vers la mer,* dans la direction de ; le temps : *J'arriverai vers midi* (= aux environs de).
R. → *ver.*

78, 79

508, 767

74

2. vers n.m. *Les fables de La Fontaine sont en vers,* elles sont composées en lignes rythmées (≠ prose).
■ **versification** n.f. *La rime, le nombre des syllabes du vers font partie des règles de la versification* (= poésie).
R. → *ver.*

650 **versant** n.m. *Les versants de la montagne sont très abrupts,* les pentes entre le bas et le sommet.

versatile adj. *Tu as un caractère versatile,* tu changes souvent d'idée (= changeant, inconstant ; ≠ persévérant).
■ **versatilité** n.f. *On ne peut pas se fier à toi, étant donné ta versatilité* (= inconstance).

à verse → *verser.*

versé, e adj. *Elle est très versée en musique* (= savant, compétent).

verser v. 1. *Maman verse de l'eau dans son verre,* elle la fait couler dedans (= mettre). *Je me suis versé un jus d'orange.* 2. *On est allé verser de l'argent à la banque* (= porter, remettre). 3. *La voiture a versé dans le fossé,* elle est tombée sur le côté (= se renverser, culbuter, basculer). 4. *Pendant son service militaire, il a été versé dans l'aviation* (= incorporer).
■ **versant, e** adj. SENS 3 *Ce canot est versant,* il chavire facilement.
■ **à verse** adv. SENS 1 *Il pleut à verse,* en abondance.
■ **versement** n.m. SENS 2 *Elle a payé sa dette en trois versements,* en trois fois (= paiement).
■ **verseur, euse** adj. SENS 1 *Cette casserole a un bec verseur,* servant à verser.

verset n.m. *La Bible est divisée en versets,* en petits paragraphes numérotés.

verseur → *verser.*

versification → *vers 2.*

version n.f. 1. *Jacques a fait une version anglaise,* il a traduit en français un texte anglais (≠ thème). 2. *Ce film est projeté en version originale,* dans la langue où il a été d'abord réalisé. 3. *Tu nous as raconté ta version de l'accident,* la manière dont tu l'as vu.

verso n.m. *Regardez au verso !,* de l'autre côté de la page (= dos ; ≠ recto).

vert, e adj. 1. *L'herbe est verte. Au printemps, les bois deviennent verts.* 2. *Ces raisins sont encore verts* (≠ mûr). 3. *Le bois vert brûle difficilement* (≠ sec). 4. *Mon grand-père est encore vert,* vigoureux malgré son âge. 5. *On nous a fait de vertes remontrances* (= sévère). 6. *Le projet a démarré quand on nous a donné le feu vert,* l'autorisation.
■ **vert** n.m. SENS 1 *On dit que le vert est la couleur de l'espérance.* 721 289
■ **verdâtre** adj. SENS 1 *Tu es fatiguée, tu as le teint verdâtre,* tirant sur le vert.
■ **verdeur** n.f. SENS 4 *Mon grand-père n'a pas perdu sa verdeur* (= vigueur).
■ **verdir** v. SENS 1 *Pierre a verdi de peur,* il est devenu vert.
■ **verdoyant, e** adj. SENS 1 *La Beauce est une région verdoyante,* pleine de verdure.
■ **verdure** n.f. SENS 1 *La colline est couverte de verdure,* d'herbe, de feuilles (= végétation).
■ **vert-de-gris** n.m.inv. SENS 1 *Le vert-de-gris est un dépôt verdâtre qui se forme sur le cuivre.*
■ **vertement** adv. SENS 5 *On lui a répondu vertement de faire la queue comme tout le monde,* sans ménagement, brutalement.
■ **reverdir** v. SENS 1 *La campagne reverdit au printemps.*
R. → *ver.*

vertébral, e, aux adj. *La colonne vertébrale contient la moelle épinière.* 40
■ **vertèbre** n.f. *En tombant, Hélène s'est déplacé une vertèbre,* un des os de la colonne vertébrale. 40
■ **vertébré** n.m. *Les mammifères, les oiseaux, les poissons, les serpents sont des*

vertébrés, ils ont une colonne vertébrale.

■ **invertébré** n.m. *Les insectes, les vers sont des invertébrés,* ils n'ont pas de colonne vertébrale.

vertement → *vert.*

vertical, e, aux adj. *La paroi de la falaise est verticale,* perpendiculaire au sol (≠ horizontal ou oblique).

■ **verticale** n.f. *Le fil à plomb indique la direction de la verticale.*

■ **verticalement** adv. *Les corps tombent verticalement,* de haut en bas.

vertige n.m. *En montagne, j'ai le vertige,* la tête me tourne à cause du vide.

■ **vertigineux, euse** adj. *L'avion a atteint une vitesse vertigineuse,* très grande.

vertu n.f. **1.** *Le courage, la générosité, l'honnêteté sont des vertus,* des qualités morales (≠ vice). **2.** *Cette plante a la vertu de calmer les maux de ventre* (= pouvoir, propriété). **3.** *Les policiers ont perquisitionné en vertu des pouvoirs qu'ils avaient* (= au nom de, en raison de).

■ **vertueux, euse** adj. sens 1 *Sa conduite n'a pas été très vertueuse* (= honnête ; ≠ immoral).

verve n.f. *Grand-mère raconte des histoires drôles avec beaucoup de verve* (= esprit, humour).

verveine n.f. *Veux-tu une tisane de verveine ?,* une sorte de plante.

vésicule → *bile.*

vesse-de-loup n.f. *Les vesses-de-loup* sont des champignons en forme de poire retournée qui dégagent une sorte de poussière quand ils sont vieux et qu'on les écrase.

vessie n.f. **1.** *L'urine est contenue dans la vessie,* un organe du ventre en forme de poche. **2.** *Dans un ballon de soccer, il y a une vessie en caoutchouc,* un sac gon-

flable. **3.** *La vessie natatoire des poissons* est une sorte de poche à air. **4.** Fam. *On voudrait me faire prendre des vessies pour des lanternes,* me faire croire des choses absurdes.

vestale n.f. *Dans la Rome antique, les vestales étaient des prêtresses qui s'occupaient du feu sacré.*

veste n.f. **1.** *Il fait chaud, je vais enlever ma veste,* un vêtement qui va des épaules à la taille. **2.** Fam. *Ce candidat a ramassé une veste aux élections,* il a échoué (= échec, insuccès).

■ **veston** n.m. sens 1 *Un veston est la veste d'un costume d'homme.*

vestiaire → *vêtement.*

vestibule n.m. *Attendez quelques minutes dans le vestibule !,* le couloir d'entrée.

vestiges n.m.pl. *Ces ruines sont des vestiges de la civilisation grecque,* des restes.

veston → *veste.*

vêtement n.m. *Mme Durand apporte des vêtements à nettoyer à la teinturerie,* des pantalons, des robes, des pulls, etc. (= habit).

■ **vestiaire** n.m. *Vous pouvez laisser votre manteau au vestiaire,* à l'endroit prévu pour ranger les vêtements. *J'ai oublié mon sac dans les vestiaires,* l'endroit près d'une piscine, d'un stade où on se change.

■ **vestimentaire** adj. *Ta tenue vestimentaire est négligée,* celle de tes vêtements.

■ **vêtir** v. *Marie est vêtue d'une jupe rouge et d'un pull bleu* (= habiller).

■ **dévêtir** v. *Veuillez vous dévêtir pour passer la visite médicale* (= déshabiller).

■ **sous-vêtement** n.m. *Au rayon « lingerie » de ce grand magasin on trouve des sous-vêtements,* des slips, des culottes, des tee-shirts, des soutiens-gorge, etc.

■ **survêtement** n.m. *Après la course, la sportive a enfilé un* **survêtement,** un vêtement chaud par-dessus sa tenue de sport.

vétéran n.m. *Mon arrière-grand-père est un* **vétéran** *de la Première Guerre mondiale,* un vieux soldat.

vétérinaire n. *Le chat était malade, on l'a porté chez le* **vétérinaire,** le médecin pour animaux.

vétille n.f. *Nous n'allons pas nous fâcher pour une* **vétille,** une chose sans importance.
■ **vétilleux, euse** adj. *Avec les gens vétilleux, rien n'est simple* (= pointilleux, tatillon).

vêtir → *vêtement.*

veto n.m.inv. *Il a mis son veto à toutes nos demandes,* il a refusé (= opposition).
R. On prononce [veto].

vétuste adj. *Les Dupont habitent une maison* **vétuste,** vieille et en mauvais état.
■ **vétusté** n.f. *La* **vétusté** *de cet immeuble le rend dangereux* (= délabrement).

veuf, veuve adj. et n. *Mme Martin est* **veuve,** son mari est mort.
■ **veuvage** n.m. *Depuis son* **veuvage,** *M. Dupuis s'habille toujours en noir,* depuis la mort de sa femme.

veule adj. *Ne compte pas sur lui, il est* **veule,** il manque d'énergie (= mou, faible ; ≠ volontaire).
■ **veulerie** n.f. *Par* **veulerie,** *il a renoncé à ses projets* (= mollesse).

veuvage, veuve → *veuf.*

vexer v. *Tu l'as* **vexée** *en lui disant qu'elle avait grossi* (= fâcher, froisser).
■ **vexant, e** adj. *Pierre m'a dit des paroles* **vexantes,** blessantes.
■ **vexation** n.f. *On m'a fait subir toutes sortes de* **vexations** (= humiliation).

■ **vexatoire** adj. *On ne se laissera pas intimider par ces mesures* **vexatoires,** humiliantes.

via prép. *Ce train va à Québec, via Drummondville,* en passant par cette ville.

viabilité n.f. *Ces travaux sont destinés à améliorer la* **viabilité,** l'état de la route.

viable adj. *Cette affaire n'est pas* **viable,** elle ne peut pas réussir.

viaduc n.m. *Le train traverse le fleuve sur un* **viaduc,** un grand pont.

viager, ère adj. *Mon grand-père touche une pension* **viagère,** qui lui sera versée jusqu'à sa mort.
■ **viager** n.m. *Les Durand ont acheté leur maison en* **viager,** ils paient une rente viagère au propriétaire.

viande n.f. *On achète la* **viande** *à la boucherie. Je préfère la* **viande** *de bœuf à la* **viande** *de cheval,* la chair de ces animaux.

vibrer v. 1. *Les vitres* **vibrent** *quand un camion passe dans la rue* (= trembler). 2. *Son discours a fait* **vibrer** *les auditeurs,* il les a émus.
■ **vibrant, e** adj. SENS 2 *La députée a lancé un appel* **vibrant** (= émouvant, pathétique, ardent).
■ **vibration** n.f. SENS 1 *On s'habitue aux* **vibrations** *de l'avion,* au bruit et au tremblement du moteur.
■ **vibratoire** adj. SENS 1 *Un mouvement* **vibratoire** *est formé d'une suite de vibrations.*

vicaire n.m. *Un* **vicaire** *est un prêtre qui aide le curé d'une paroisse.*

1. vice- *au début d'un mot indique que quelqu'un exerce une fonction en second :* **vice**-amiral.

2. vice n.m. 1. *La paresse, le mensonge sont des* **vices,** *de graves défauts* (≠ vertu). 2. *Cette voiture a un* **vice** *de construction,* elle est mal construite (= défaut).

■ **vicié, e** adj. SENS 2 *Dans cette ville, l'air est vicié* (= impur).

■ **vicieux, euse** adj. SENS 1 *Attention à ce cheval, il est vicieux !* (= méchant). SENS 2 *Tu as une prononciation vicieuse,* tu prononces mal (= mauvais).

R. → *vis.*

vice-présidence, vice-président → *président.*

vice versa adv. *Toutes les semaines, Mme Durand va de Montréal à Toronto et vice versa,* et de Toronto à Montréal (= inversement).

R. On prononce [viseversa].

vicié, vicieux → *vice* 2.

vicinal, e, aux adj. *Lors de notre voyage en France, nous avons roulé dans la campagne en prenant les chemins vicinaux,* les petites routes.

vicissitudes n.f.pl. *Ce projet a connu de nombreuses vicissitudes,* des hasards qui l'ont contrarié.

vicomte, vicomtesse → *comte.*

victime n.f. 1. *La catastrophe a fait une centaine de victimes,* de morts et de blessés. 2. *Les Durand ont été victimes d'un escroc,* ils ont souffert des actes de celui-ci.

victoire n.f. *L'équipe de hockey du Canada a remporté une belle victoire,* elle a gagné (= succès ; ≠ défaite).

■ **victorieux, euse** adj. *Le boxeur victorieux a été applaudi* (= vainqueur ; ≠ vaincu).

victuailles n.f.pl. *Pour le pique-nique, chacun a apporté des victuailles,* de la nourriture.

vide adj. *Cette boîte est vide,* il n'y a rien dedans (≠ plein). *Cet appartement est vide* (≠ occupé, habité).

■ **vide** n.m. 1. *En montagne, Claude a peur du vide,* des trous profonds. 2. *Il y a un vide dans le rayon de la bibliothèque,* un espace vide. 3. *On a fait le vide dans cette bouteille,* on a enlevé l'air.

4. *Le bateau est reparti à vide,* sans rien dedans.

■ **vidanger** v. *On a vidangé la citerne,* on l'a vidée pour la nettoyer.

■ **vidange** n.f. 1. *Caroline a fait faire la vidange de sa voiture,* changer l'huile usée. 2. *Veux-tu sortir les vidanges ?,* les ordures ménagères.

■ **vide-ordures** n.m.inv. *Jette ça dans le vide-ordures !,* le tuyau qui aboutit à une grande poubelle collective.

■ **vider** v. 1. *Les déménageurs ont vidé l'appartement,* il n'y reste plus rien (≠ remplir). 2. *Le cuisinier vide un poulet,* il enlève les boyaux. 3. *Vous êtes prié de vider les lieux,* de vous en aller.

vidéo 1. n.f. *La vidéo permet d'enregistrer sur magnétoscope des images et des sons et de les restituer sur un téléviseur.* 2. adj.inv. *Pour Noël, Alice a eu des jeux vidéo,* des jeux que l'on commande électroniquement sur un écran.

■ **vidéocassette** n.f. *J'ai enregistré le match télévisé sur une vidéocassette,* une cassette vidéo.

806, 808

■ **vidéoclip** ou **clipvidéo** n.m. *Ce groupe rock s'est fait connaître grâce à un vidéoclip,* un film vidéo illustrant une chanson.

■ **vidéodisque** n.m. *Un vidéodisque est un disque sur lequel sont enregistrés le son et les images.*

■ **vidéophone** n.m. *Un vidéophone est un appareil qui permet de se voir quand on se téléphone.*

vie n.f. 1. *Les sauveteurs ont risqué leur vie,* ils ont risqué de mourir. 2. *M. Blois a passé toute sa vie à Hull,* le temps pendant lequel il a vécu. 3. *Raconte-moi ta vie,* ton passé, ton histoire. 4. *Hélène est une fillette pleine de vie,* de vigueur, de vitalité. 5. *La vie est de plus en plus chère,* les produits qu'on doit acheter. 6. *Donne-moi signe de vie si tu viens à Montréal,* de tes nouvelles.

■ **vital, e, aux** adj. SENS 1 *Ces gens ne gagnent pas le minimum vital,* indispensable à la vie.

■ **vitalité** n.f. SENS 4 *Hélène est pleine de vitalité* (= énergie, dynamisme).

■ **vivre** v. **1.** SENS 1 *Le chien est blessé, mais il vit encore,* il respire, son cœur bat (≠ être mort). *Mon arrière-grand-père a vécu quatre-vingt-dix ans,* il est resté en vie. SENS 2 *Les Dupont vivent au centre ville et les Durand vivent en banlieue* (= habiter). SENS 3 *Nous avons vécu de bons moments ensemble* (= passer). SENS 5 *Il faut travailler pour vivre,* pour gagner sa vie (se nourrir, s'habiller, etc.).

■ **vivres** n.m.pl. SENS 5 *Les alpinistes ont emporté des vivres pour trois jours,* de quoi se nourrir (= provisions). *Sa mère lui a coupé les vivres,* elle ne lui donne plus d'argent.

■ **vivable** adj. SENS 1 *Je m'en vais, ce n'est plus vivable ici,* on ne peut plus y vivre.

■ **vivant, e** adj. **1.** SENS 1 *Le blessé est encore vivant* (≠ mort). SENS 4 *Nous habitons un quartier vivant* (= animé, actif). **2.** *Le latin est une langue morte et le français une langue vivante,* parlée aujourd'hui.

■ **vivant** n.m. SENS 4 *M. Dupont est un bon vivant,* il aime bien manger, il est toujours de bonne humeur. SENS 1 *De son vivant, elle n'aimait pas cela,* quand elle vivait. *Les vivants et les morts.*

■ **vivoter** v. SENS 5 *Elle a si peu d'argent qu'elle vivote,* elle vit mal.

■ **vivrier, ère** adj. SENS 5 *Les cultures vivrières* sont celles qui produisent des aliments.

■ **invivable** adj. SENS 1 *Cette région est invivable,* il est très pénible d'y vivre. *Cette personne est invivable* (= insupportable).

■ **revivre** v. SENS 1 *La malade se sentait revivre,* revenir à la vie. SENS 3 *Je ne voudrais pas revivre ces moments pénibles.*

■ **survie** n.f. SENS 1 *Une réserve d'aliments permet plusieurs jours de survie en cas d'accident,* de prolongation de la vie.

■ **survivre** v. SENS 1 *Le blessé a survécu à l'accident,* il a échappé à la mort. *Cet enfant a survécu à sa mère,* il vit encore malgré la mort de sa mère.

■ **survivant, e** n. SENS 1 *Lors de l'accident d'avion, il n'y a pas eu de survivants,* tout le monde est mort.

R. *Vie* se prononce [vi] comme [je] *vis* (de *vivre* et de *voir*). *Vivre, revivre, survivre,* → conj. n° 63.

vieil ou **vieux, vieille** adj. **1.** *Ma grand-mère est morte très vieille* (= âgé ; ≠ jeune). **2.** *Pierre est plus vieux que Lise d'un an,* il a un an de plus. **3.** *Ils habitent une vieille maison,* une maison ancienne (≠ moderne, neuf). **4.** *J'ai jeté de vieux papiers,* des papiers sans valeur (= usagé ; ≠ neuf). **5.** *Pierre est un vieil ami à moi,* nous sommes amis depuis longtemps.

■ **vieux** n.m., **vieille** n.f. SENS 1 ET 2 *Un vieux et une vieille sont assis sur le banc,* des gens âgés. SENS 3 *Luce aime mieux le vieux que le neuf* (= ancien ; ≠ moderne). SENS 5 *Bonjour, mon vieux !* (terme d'amitié).

■ **vieillard** n.m. SENS 1 *Mon arrière-grand-père est un vieillard de quatre-vingt-quinze ans,* un vieil homme.

■ **vieillerie** n.f. SENS 4 *Jette toutes ces vieilleries à la poubelle,* ces vieux objets.

■ **vieillesse** n.f. SENS 1 *M. Martin est mort de vieillesse,* parce qu'il était vieux.

■ **vieillir** v. SENS 1 *Il vieillit, sa vue baisse,* il devient vieux. SENS 2 *Cette coiffure te vieillit,* elle te fait paraître plus vieille.

■ **vieillot, otte** adj. SENS 3 ET 4 *Tu as des idées vieillottes,* anciennes et démodées.

R. Au masculin singulier, on dit *vieil* devant une voyelle ou un *h* muet et *vieux* devant une consonne.

vielle n.f. *La vielle* est un instrument de musique ancien.

vierge adj. **1.** *Une feuille de papier est vierge quand rien n'a été écrit dessus* (= blanc, intact, immaculé). *Une cas-*

sette *vierge* n'a pas encore servi. **2.** *La* **forêt** *vierge* n'est ni habitée ni exploitée par personne. **3.** n.f. *Il y a une* **vierge** *ancienne sur un pilier de l'église,* une statue de la Sainte Vierge.

vieux → *vieil.*

vif, vive adj. **1.** *Jeanne d'Arc a été brûlée* **vive,** vivante. **2.** *Jacques a l'esprit* **vif,** il comprend vite (= éveillé ; ≠ lent). **3.** *Hélène a les yeux* **vifs,** pleins de vie, de vitalité. **4.** *Son patron lui a fait de* **vifs** *reproches* (= violent, dur). **5.** *Pierre se plaint d'une* **vive** *douleur à la jambe,* d'une douleur forte, aiguë (= fort, grand, intense). **6.** *Anne a un pull rouge* **vif,** d'un rouge éclatant (≠ pâle, terne).
■ **vif** n.m. **1.** SENS 1 *Pour opérer, le médecin a dû couper dans le* **vif,** dans la chair vivante. *Ces photos* **ont été prises sur le vif,** au moment même où cela se passait. **2.** *Entrons dans le* **vif** *du sujet !,* parlons du point le plus important.
■ **vivacité** n.f. SENS 2 ET 3 *Sylvie a une grande* **vivacité** *d'esprit* (≠ lenteur). SENS 4 ET 5 *Elle m'a répondu avec* **vivacité** (= violence). SENS 6 *Ces couleurs ont beaucoup de* **vivacité** (= éclat).
■ **vivement 1.** adv. SENS 2 *Il m'a répondu* **vivement** (= rapidement). SENS 5 *J'espère* **vivement** *que tu viendras,* ardemment. **2.** interj. **Vivement** *qu'on parte en vacances !,* que cela arrive vite !
■ **raviver** ou **aviver** v. SENS 4 ET 5 *Ma réponse a* **ravivé** *sa colère,* elle l'a rendue plus vive (≠ atténuer). *Son air mystérieux* **avivait** *ma curiosité* (= exciter).

vigie n.f. *Sur les navires à voiles, il y avait une* **vigie,** un poste d'observation pour surveiller les alentours.

vigilant, e adj. *Tâche de rester* **vigilant !,** de faire attention (= attentif).
■ **vigilance** n.f. *Les prisonniers ont trompé la* **vigilance** *des gardiens* (= surveillance).
■ **vigile** n.m. *Un* **vigile** *est un homme chargé de surveiller des locaux.*

vigne n.f. **1.** *Thérèse a planté de la* **vigne** *dans son jardin,* des petits arbres qui donnent du raisin. **2.** *La façade de la maison est recouverte de* **vigne vierge,** une sorte de plante grimpante. | 73
■ **vigneron, onne** n. SENS 1 *M. Martin est* **vigneron** *en Bourgogne,* il cultive la vigne. | 578
■ **vignoble** n.m. SENS 1 *Ce* **vignoble** *donne un vin réputé,* cette plantation de vigne. | 578

vignette n.f. *Lise a collé sa* **vignette** *auto sur la plaque d'immatriculation,* une étiquette imprimée.

vignoble → *vigne.*

vigogne n.f. *Ramon a un pull en laine de* **vigogne,** une sorte d'animal d'Amérique (= lama). | 435

vigueur n.f. **1.** *L'accusée s'est défendue avec* **vigueur** (= force, énergie ; ≠ mollesse). **2.** *Cette loi* **entrera en vigueur** *le 1er janvier prochain,* elle sera appliquée.
■ **vigoureux, euse** adj. SENS 1 *Nous avons besoin de bras* **vigoureux** *pour ce travail* (= fort, puissant, robuste ; ≠ chétif, faible).
■ **vigoureusement** adv. SENS 1 *Tout le monde a protesté* **vigoureusement** *contre cette injustice* (= énergiquement).

vil, e adj. **1.** *Il a acheté ces meubles à* **vil prix,** à très bon marché. **2.** **Vil** *se dit parfois pour* **lâche, méprisable.**
■ **s'avilir** v. SENS 2 *S'abaisser à de telles flatteries, c'est* **s'avilir** (= se déshonorer, se dégrader).

vilain, e adj. **1.** *Tu as menti, c'est très* **vilain** (= mal ; ≠ bien). **2.** *Oh, la* **vilaine** *petite fille !,* méchante, désagréable (≠ gentil). **3.** *Ce tableau n'est pas* **vilain** (= laid ; ≠ joli). **4.** *Quel* **vilain** *temps aujourd'hui !* (= mauvais ; ≠ beau). **5.** n.m. *Au Moyen Âge, on appelait les paysans des* **vilains.**

vilebrequin n.m. *Le menuisier perce un trou à l'aide du **vilebrequin**,* un outil en forme de manivelle.

vilenie n.f. *Cette accusation de sa part est une **vilenie**,* une méchanceté pleine de bassesse (= infamie).
R. On prononce [vilni] ou [vileni].

vilipender v. *Le gouvernement **a été vilipendé** par certains journaux,* il a été attaqué violemment (= calomnier).

villa n.f. *Les Niven ont une **villa** au bord de la mer,* une maison avec un jardin.

365 | **village** n.m. *Les Rossi habitent dans un **village** de cent habitants,* une localité de petite taille.
■ **villageois, e** n. *Les **villageois** se réunissent pour la fête du village,* les habitants du village.

219 | **ville** n.f. **1.** *Paris est la plus grande **ville** de France* (= agglomération). **2.** *Les Durand habitent la **ville*** (≠ campagne).

villégiature n.f. *Les Muller sont en **villégiature** à la montagne,* ils y sont pour se reposer.

vin n.m. *Avec le rôti, nous avons bu une bouteille de **vin** rouge,* une boisson alcoolisée faite avec le raisin.
■ **vinasse** n.f. *Ça sent la **vinasse**, dans cette cave !,* le mauvais vin.
■ **vinicole** adj. *La Californie est une région **vinicole**,* qui produit du vin (= viticole).
■ **vinification** n.f. *La **vinification** demande beaucoup de soin,* la transformation du jus de raisin en vin.
■ **aviné, e** adj. *Cet homme a bu, il a l'haleine **avinée**,* qui sent le vin.
R. *Vin* se prononce [vɛ̃] comme *vain, vingt,* [je] *vins* (de *venir*) et [je] *vaincs,* [il] *vainc* (de *vaincre*).

vinaigre n.m. *Tu as mis trop de **vinaigre** dans la salade, ça pique !,* un condiment fait avec du vin aigre.
■ **vinaigrer** v. *Cette sauce **est** trop **vinaigrée**.*

■ **vinaigrette** n.f. *On a mangé des poireaux à la **vinaigrette**,* avec une sauce faite d'huile et de vinaigre.
■ **vinaigrier** n.m. *Un **vinaigrier** est une petite bouteille pour mettre le vinaigre.*

vinasse → *vin.*

vindicatif → *venger.*

vingt adj. *Il y a **vingt** pommes dans mon panier. 10 + 10 = 20.* | 563
■ **vingtaine** n.f. *Une **vingtaine** de personnes assistaient à la réunion,* environ vingt. | 563
■ **vingtième** adj. et n. *Nous sommes au **vingtième** siècle.* | 563
R. → *vin.*

vinicole, vinification → *vin.*

viol → *violer.*

violacé → *violet.*

violation → *violer.*

viole → *violon.*

violent, e adj. **1.** *Quand il se met en colère, Paul devient **violent*** (= brutal ; ≠ doux, calme). **2.** *Un vent **violent** a soufflé toute la nuit,* très fort (≠ léger).
■ **violemment** adv. SENS 1 *On m'a repoussé **violemment*** (= brutalement).
■ **violence** n.f. SENS 1 *Les militaires ont pris le pouvoir par la **violence**,* en employant la force brutale (≠ douceur). SENS 2 *La **violence** de la tempête a encore augmenté.*
■ **non-violence** n.f. SENS 1 *M. Dupont est partisan de la **non-violence**,* il pense qu'il ne faut jamais employer la violence.
■ **non-violent, e** adj. et n. SENS 1 *La manifestation **non-violente** a pris fin. Les **non-violents** ont manifesté contre la guerre,* les partisans de la non-violence.

violer v. **1.** *En me racontant cette histoire, tu **as violé** ta promesse,* tu ne l'as pas respectée. **2.** ***Violer** une personne est un crime puni par la loi,* le fait de l'obliger à avoir des rapports sexuels en employant la force, la menace.

■ **viol** n.m. SENS 2 *Cet individu a été condamné pour viol,* pour avoir violé une femme.

■ **violation** n.f. SENS 1 *Ces actes sont une violation de la loi,* une infraction.

721, 289 **violet, ette** adj. et n.m. *Pierre a apporté un bouquet de fleurs violettes. Tante Marie s'habille souvent en violet.*

■ **violacé, e** adj. *Ces rideaux sont bleu violacé,* tirant sur le violet.

655, 73 ■ **violette** n.f. *On m'a offert un bouquet de violettes,* des petites fleurs parfumées de couleur violette.

violon n.m. **1.** *Aline apprend à jouer du* **438** *violon,* un instrument à cordes. **2.** *Suzy aime faire de la peinture, c'est son violon d'Ingres,* son activité secondaire préférée.

■ **violoneux** n.m. SENS 1 *Il y a un violoneux chez tante Emma,* un violoniste qui joue de la musique folklorique.

■ **violoniste** n. SENS 1 *Ce morceau de musique est joué par un grand violoniste.*

■ **viole** n.f. SENS 1 *La viole est un violon d'autrefois.*

439 ■ **violoncelle** n.m. SENS 1 *Le violoncelle est une sorte de gros violon.*

■ **violoncelliste** n. SENS 1 *Un violoncelliste est un joueur de violoncelle.*

577 **vipère** n.f. *Fais attention, il y a souvent des vipères dans ce champ,* des serpents venimeux.

virage → **virer**.

virailler v. Fam. **1.** *Nous avons viraillé un bon quart d'heure avant de trouver l'endroit,* nous avons tourné en rond. **2.** *Virailler,* c'est aussi faire une virée.

■ **viraillage** n.m. Fam. SENS 1 *Quel viraillage !,* quelle perte de temps, faute d'avoir trouvé son chemin.

virée n.f. Fam. *Je vais faire une virée en ville* (= promenade, tour).

virer v. **1.** *Au carrefour, tu vireras à droite,* tu changeras de direction (= tourner).

2. *La chaloupe a failli virer,* se retourner (= chavirer). **3.** *Catherine a viré de l'argent à mon compte bancaire,* elle a fait passer de l'argent de son compte sur le mien. **4.** *Au coucher du soleil, le ciel a viré au rouge,* il a changé de couleur. **5.** *Virer une carte,* c'est la retourner.

■ **virage** n.m. SENS 1 *La voiture a dérapé* **507,** *dans un virage* (= tournant). **506**

■ **virement** n.m. SENS 2 *Est-ce que je peux vous payer par virement ?,* en vous virant de l'argent.

■ **virevolter** v. SENS 1 *Les feuilles mortes tombent en virevoltant,* en tournant et en se déplaçant dans tous les sens (= tournoyer).

virgule n.f. *Tu as oublié des virgules dans ta rédaction,* un signe de ponctuation.

viril, e adj. *Jean a atteint l'âge viril,* l'âge adulte pour un garçon.

■ **virilement** adv. *M. Durand a parlé virilement* (= énergiquement, fermement).

■ **virilité** n.f. *Jean est parvenu à la virilité,* l'âge adulte.

virole n.f. *Ce couteau à cran d'arrêt reste* **289** *ouvert grâce à une virole,* une bague de métal.

virtuel, elle adj. *Nous avons les moyens virtuels de réaliser ce projet,* ces moyens existent en principe, mais ils ne sont pratiquement pas applicables actuellement (= théorique ; ≠ réel).

■ **virtuellement** adv. *Mon travail est virtuellement fini* (= pour ainsi dire, presque).

virtuose n. *Ce violoniste est un véritable virtuose,* il joue avec un talent exceptionnel.

■ **virtuosité** n.f. *Sa virtuosité au piano est extraordinaire* (= talent, brio).

virulent, e adj. *La journaliste a fait une critique virulente du gouvernement,* très violente.

■ **virulence** n.f. *On a protesté avec viru-lence contre cette accusation* (= âpreté, violence).

virus n.m. *La grippe est une maladie cau-sée par un virus,* une sorte de microbe. **R.** On prononce le *s* final : [virys].

vis n.f. **1.** *Le verrou est fixé sur la porte par quatre vis,* des sortes de clous qu'on enfonce en tournant. **2.** *On monte en haut du phare par un escalier à vis,* un escalier qui tourne (= en spirale, en colimaçon). **3.** Fam. *Tu fais toujours des bêtises, on va te serrer la vis,* être plus sévère avec toi.

■ **visser** v. SENS 1 *L'avocate a fait visser une plaque sur sa porte,* elle l'a fait fixer par des vis. *As-tu bien vissé le couvercle du pot de confiture ?,* serré en tournant (≠ dévisser).

■ **dévisser** v. SENS 1 *Le bouchon de cette bouteille se dévisse,* on l'enlève en le tournant.
R. *Vis* se prononce [vis] comme [*je*] *visse* (de *visser*) et *vice*.

visa n.m. *Pour aller dans ce pays, il faut un visa en plus du passeport,* une auto-risation spéciale.

visage n.m. **1.** *Pierre a le plus souvent un visage souriant* (= figure, face). **2.** *Il me semble qu'il y a de nouveaux visages dans la classe,* de nouvelles personnes. **3.** *Je connais enfin ton vrai visage,* ta véritable personnalité.

vis-à-vis prép. **1.** *Elle s'est assise vis-à-vis de moi,* en face de moi. **2.** *Que comptes-tu faire vis-à-vis de Paul ?,* à son égard, envers lui.

viscère n.m. *La cuisinière enlève les vis-cères du poulet,* les boyaux, les pou-mons, etc. *Le foie est un viscère.*

■ **viscéral, e, aux** adj. **1.** *J'ai souffert de douleurs viscérales.* **2.** *J'ai une horreur viscérale de la chasse,* je la déteste profondément.

■ **viscosité** → *visqueux.*

viser v. **1.** *Elle a visé longuement avant de tirer,* elle a dirigé soigneusement son arme vers le but. **2.** *En disant cela, il vise à nous étonner,* c'est son inten-tion (= chercher à). *Cette actrice vise un rôle plus important,* elle cherche à l'obtenir.

■ **visée** n.f. SENS 1 *La ligne de visée d'un fusil part de l'œil du tireur et aboutit au but.* SENS 2 (au plur.) *Tu as des visées ambitieuses* (= intentions, ambitions).

■ **viseur** n.m. SENS 1 *Regarde dans le viseur de l'appareil photo.*

visibilité, visible, visiblement → *voir.*

visière n.f. *Pierre a abaissé la visière de sa casquette,* le bord qui protège les yeux.

vision, visionnaire, visionner, visionneuse → *voir.*

visite n.f. **1.** *La visite du musée a duré deux heures,* le parcours qu'on y a fait pour le voir. **2.** *Nous avons eu la visite de Paul,* il est venu nous voir. *Carole m'a rendu visite,* elle est venue me voir. *On a de la grande visite à Noël : tante Alice revient d'Afrique,* quelqu'un que l'on ne voit pas souvent. **3.** *Les enfants ont passé une visite médicale,* le médecin les a examinés.

■ **visiter** v. SENS 1 *Pendant les vacances, nous avons visité la Gaspésie,* nous avons parcouru ce pays pour mieux le connaître.

■ **visiteur, euse** n. SENS 1 *Les visiteurs peuvent se renseigner à la Maison du tourisme* (= touriste). SENS 2 *Mme Du-rand a reconduit sa visiteuse,* la per-sonne qui lui a rendu visite.

vison n.m. *Je veux acheter un manteau de vison,* un petit animal à la fourrure très appréciée.

visqueux, euse adj. *Le goudron chaud forme une pâte visqueuse,* épaisse, molle et collante.

289

437

37
767

■**viscosité** n.f. *Le degré de viscosité de l'huile est indiqué sur le bidon* (≠ fluidité).

visser → *vis.*

visuel → *voir.*

vital, vitalité → *vie.*

vitamine n.f. *Les fruits contiennent des vitamines,* des substances nécessaires à la santé.

vite adv. *Je n'arrive pas à te suivre, tu marches trop vite* (= rapidement ; ≠ lentement).

■**vitesse** n.f. **1.** *Quelle est la vitesse de cet avion ? — 800 kilomètres à l'heure* (= allure, rapidité). *Il est parti à toute vitesse,* très vite. **2.** *Cette voiture a quatre vitesses, il y a quatre positions du changement de vitesse,* du mécanisme qui règle l'effort du moteur.

viticulture n.f. *La viticulture,* c'est la culture de la vigne.

■**viticulteur, trice** n. *Les viticulteurs du Midi ont subi des pertes* (= vigneron).

■**viticole** adj. *La Champagne est une région viticole* (= vinicole).

vitre n.f. *Qui a cassé la vitre avec le ballon ?* (= carreau).

■**vitrage** n.m. *Un grand vitrage éclaire la pièce,* une fenêtre garnie de vitres.

■**vitrail** n.m. *Les vitraux de la cathédrale représentent la naissance du Christ,* les grandes fenêtres aux verres colorés.

■**vitré, e** adj. *On entre dans le salon par une porte vitrée,* garnie de vitres.

■**vitreux, euse** adj. **1.** *Les roches vitreuses ressemblent à du verre fondu.* **2.** *Un regard vitreux* est sans éclat, terne.

■**vitrier, ère** n. *Le vitrier est venu remplacer le carreau cassé.*

■**vitrifier** v. *On a vitrifié le parquet,* on l'a recouvert d'un enduit transparent.

■**vitrine** n.f. *De nouveaux livres sont exposés dans la vitrine du libraire,* dans la devanture vitrée.

vitriol n.m. *Le vitriol* est un acide très puissant qui ronge la peau.

vitupérer v. *On vitupère souvent contre la hausse des prix,* on la critique énergiquement.

■**vitupération** n.f. *Elle a poursuivi son chemin sans se soucier des vitupérations de ses adversaires* (= récrimination, protestation).

vivable → *vie.*

vivace adj. **1.** *Claude porte une haine vivace à son voisin* (= durable, tenace). **2.** *Mon voisin a des plantes vivaces dans son jardin,* qui peuvent vivre plusieurs années.

vivacité → *vif.*

vivant → *vie.*

vivarium n.m. *Un vivarium* est un lieu où sont installées des cages vitrées dans lesquelles on peut observer des petits animaux vivants.

vive interj. sert à acclamer : *Tout le monde a crié : « Vive la liberté ! ».*

■**vivat** n.m. (au plur.) *La reine a été accueillie par des vivats* (= acclamation ; ≠ huées).

vivement → *vif.*

vivier n.m. *Un vivier* est un bassin dans lequel on élève des poissons pour les manger.

vivifier v. *L'air de la montagne vivifie,* il donne de la vigueur, tonifie.

■**vivifiant, e** adj. *Cette région a un climat vivifiant* (= stimulant, tonique).

■**revivifier** v. *Cet enfant est anémié, mais l'air de la montagne va le revivifier* (= revigorer).

vivipare adj. *Les mammifères sont vivipares,* leurs petits naissent déjà formés et non dans des œufs (≠ ovipare).

vivoter, vivre, vivres, vivrier → *vie.*

vizir n.m. Chez les musulmans, un *vizir* était un ministre.

vlan ! interj. exprime un bruit de coup.

vocabulaire n.m. *Pierre lit beaucoup pour enrichir son **vocabulaire**,* l'ensemble des mots qu'il connaît.

■ **vocable** n.m. est un équivalent savant de *mot*.

vocal → *voix*.

vocalise n.f. *Faire des **vocalises**,* c'est chanter une seule syllabe en changeant de note, pour exercer sa voix.

vocation n.f. *Lise veut devenir médecin, c'est sa **vocation**,* la profession qu'elle veut exercer.

vociférer v. *Qu'as-tu à **vociférer** comme ça ?,* à crier avec colère (= hurler).

vodka n.f. *La **vodka** est un alcool souvent fabriqué en Russie.*

vœu n.m. 1. *Pour le nouvel an, Louise m'a envoyé ses **vœux**,* elle m'a souhaité du bonheur. 2. *Cette décision n'est pas conforme aux **vœux** de la majorité,* à ce qu'elle veut (= souhait, désir). 3. *Les moines font **vœu** de pauvreté,* ils promettent à Dieu de rester pauvres.
R. *Vœu* se prononce [vø] comme [*je*] *veux* et [*il*] *veut* (de *vouloir*). Noter le pluriel : des *vœux*.

vogue n.f. *Cette danse n'est plus **en vogue**,* appréciée du public (= à la mode).

voguer v. *Les navires de Christophe Colomb **ont vogué** plusieurs semaines* (= naviguer).

voici, voilà prép. servent à montrer : *Voici mon frère et **voilà** ma sœur.*

voie n.f. 1. *Les routes, les chemins de fer, les canaux sont des **voies de communication**.* 2. *La voiture s'est engagée dans une **voie** à sens unique,* un chemin, une rue ou une route. *Pour venir à la maison tu prends la **voie de desserte**,* le chemin qui permet l'accès aux propriétés riveraines. 3. *Nous sommes sur une route à trois **voies**,* qui a une largeur suffisante pour trois voitures. 4. *Empruntez le passage souterrain pour traverser la **voie (ferrée)**,* les rails du chemin de fer. 5. *Tu es dans la bonne **voie**,* tu te conduis bien. *Cet enfant **cherche sa voie**,* ce qu'il fera dans la vie. ***Mets-moi sur la voie**,* aide-moi à trouver ce que je cherche. 6. *Anne est **en voie de** réussir,* sur le point de réussir. *L'affaire est **en bonne voie**,* elle promet de réussir. 7. *Le bateau a coulé à cause d'une **voie d'eau**,* un trou dans la coque.

■ **voirie** n.f. SENS 2 *La **voirie**,* c'est l'entretien des rues, des routes et des chemins.
R. *Voie* se prononce [vwa] comme *voix* et [*je*] *vois* (de *voir*).

voilà → *voici*.

1. **voile** n.m. 1. *Dans les pays arabes, les femmes portent un **voile**,* un tissu sur la tête et sur le visage. 2. *La côte est cachée par un **voile** de brouillard,* le brouillard empêche de la voir nettement. 3. *Jetons un **voile** sur sa conduite malhonnête !,* cachons-la, n'en parlons pas.

■ **voilette** n.f. SENS 1 *Une **voilette** est un petit voile que les femmes mettent parfois à leur chapeau pour cacher leur visage.*

■ **voiler** v. 1. SENS 1 *Les femmes musulmanes **se voilent** le visage,* elles le cachent avec un voile. SENS 2 *Des nuages **voilent** le soleil* (= cacher, masquer). *Tu as dû entrouvrir ton appareil, les photos **sont voilées**,* les images sont effacées. 2. *La bicyclette a une roue **voilée**,* déformée, tordue.

■ **dévoiler** v. SENS 1 *On **a dévoilé** la statue,* on a enlevé le voile qui la recouvrait. SENS 3 *Il n'a pas voulu **dévoiler** ses projets,* les révéler.

2. **voile** n.f. 1. *Autrefois, on naviguait à la **voile**,* grâce à des pièces de tissu que le vent gonfle. 2. *Louise fait du **vol à voile**,* elle pilote un planeur.

508
509
802

80

72
80
43

■**voilier** n.m. SENS 1 *Dans le port, il y a des bateaux à moteur et des **voiliers**, des bateaux à voiles.*

■**voilure** n.f. SENS 1 *Le navire a déployé sa **voilure**, ses voiles.*

voir v. **1.** *Pierre **voit** mal, il porte des lunettes,* ses yeux sont faibles, il distingue mal ce qui se présente à son regard. **2.** *J'ai **vu** un beau film à la télévision,* je l'ai suivi grâce à mes yeux (= regarder). **3.** *Nous sommes allés **voir** les Dupont,* leur rendre visite. *Luc et Yves **se voient** souvent.* **4.** *Il faut **voir** ce problème de plus près,* l'examiner, l'étudier. **5.** *Je ne **vois** pas de quoi il veut parler* (= savoir, imaginer, comprendre). **6.** *Elle m'**a fait voir** sa collection de timbres,* elle me l'a montrée. **7.** *Ce genre d'accident **se voit** souvent* (= arriver, se produire).

■**voyant, e** adj. SENS 1 *Cette couleur est trop **voyante**,* elle se remarque trop (≠ discret).

■**voyant** n.m. SENS 1 *Quand on met l'appareil en marche, un **voyant** rouge s'allume,* un point lumineux.

■**voyante** n.f. SENS 5 *Une **voyante** lui a prédit de beaux succès,* une femme qui prétend savoir l'avenir.

■**visible** adj. SENS 1 ET 2 *Le bateau est trop loin, il n'est plus **visible**,* on ne peut plus le voir. *Elle a accepté avec un plaisir **visible**,* qui se voyait (= évident).

■**visibilité** n.f. SENS 1 *Avec ce brouillard, la **visibilité** est très mauvaise,* on voit très mal.

■**visiblement** adv. SENS 1 ET 2 *Pierre est **visiblement** en colère,* ça se voit.

■**vision** n.f. SENS 1 ET 2 *Jean a des troubles de la **vision**,* il voit mal (= vue). SENS 5 *Suzy a une **vision** juste de la situation,* elle voit les choses comme elles sont. *Tu es folle, tu as des **visions** !,* tu imagines des choses fausses (= hallucination).

■**visionnaire** n. SENS 5 *Un **visionnaire** est une personne qui a des visions.*

■**visionner** v. SENS 2 *Visionner un film,* c'est en examiner les images pour en faire le montage.

■**visionneuse** n.f. SENS 2 *Une **visionneuse** est un appareil permettant d'examiner les images d'un film ou des photos diapositives.*

■**visuel, elle** adj. SENS 1 *Luce a une bonne mémoire **visuelle**,* elle se souvient des choses qu'elle voit (≠ auditif).

■**vu** n.m. SENS 1 *Cela s'est passé **au vu** de tout le monde,* en public.

■**vu, e** adj. *Pierre est **bien vu** de son directeur,* bien considéré.

■**vu** prép. ***Vu** l'heure qu'il est,* il faut partir (= à cause de, étant donné).

■**vue** n.f. **1.** SENS 1 ET 2 *Les yeux sont les organes de la **vue*** (= vision). *De ce sommet, on a une belle **vue**,* on voit loin. *Cette photo représente une **vue** de la plage* (= image). *Je la connais **de vue**,* je l'ai déjà vue. *Pierre grandit **à vue d'œil**,* très rapidement. SENS 5 *Il nous a présenté ses **vues** sur cette question,* son opinion, ses intentions. *Alice est venue **en vue de** nous aider,* dans cette intention (= pour).

■**entrevoir** v. SENS 1 *Je l'**ai entrevue** à la réunion,* je l'ai vue peu de temps (= apercevoir). SENS 4 *On commence à **entrevoir** la solution du problème,* à en avoir une idée (= pressentir).

■**invisible** adj. SENS 1 ET 2 *Les microbes sont **invisibles** sans un microscope,* on ne peut pas les voir.

■**malvoyant, e** n. SENS 1 *Les **malvoyants**,* sont les personnes qui voient très mal, qui sont presque aveugles.

■**revoir** v. SENS 1 ET 2 *J'ai **revu** Paul il y a deux jours,* je l'ai vu de nouveau. SENS 4 *Il faut **revoir** tes leçons,* les étudier de nouveau.

■**au revoir** n.m. *On dit **au revoir** à quelqu'un quand on le quitte.*

R. → Conj. n° 41 → *vie*, *voie* et *voire*.

voire adv. *Je resterai absent des semaines, **voire** des mois,* ou même des mois.

R. *Voire* se prononce [vwar] comme *voir*.

voirie → *voie.*

voisin, e adj. **1.** *La poste est voisine de l'hôtel de ville,* elle n'en est pas loin (= proche ; ≠ éloigné). **2.** *Nous avons des idées voisines,* qui se ressemblent (≠ différent, opposé).

■ **voisin, e** n. SENS 1 *Louise s'entend bien avec ses voisins,* les gens qui habitent près de chez elle.

■ **voisinage** n.m. SENS 1 *Tous les gens du voisinage sont au courant,* des environs.

■ **voisiner** v. SENS 1 *Chez le brocanteur, une bassinoire voisine avec une lampe à pétrole,* elle est placée à côté.

■ **avoisinant, e** adj. SENS 1 *Il y a des embouteillages dans les rues avoisinantes* (= voisin).

507, 506, 512, 762

voiture n.f. **1.** *Autrefois, on voyageait en voiture à cheval,* un véhicule à roues tiré par des chevaux. *M. Martin pousse devant lui une voiture d'enfant,* un véhicule à roues. **2.** *Il y avait beaucoup de voitures sur l'autoroute* (= auto). **3.** *Nos places de train sont dans la voiture 6,* le véhicule de chemin de fer servant au transport des voyageurs.

508, 582, 803

voix n.f. **1.** *M. Durand parle d'une voix forte. Esther m'a dit cela de vive voix,* en me parlant et non par écrit. **2.** *Il faut écouter la voix de son cœur,* les conseils, les avertissements. **3.** *Le candidat a été élu à la majorité des voix,* de ceux qui votaient (= suffrage). **4.** *« Aimer » est à la voix active, « être aimé » est à la voix passive.*

■ **vocal, e aux** adj. SENS 1 *Les cordes vocales* sont des organes qui produisent la voix, la parole.

■ **à mi-voix** adv. SENS 1 *Paule repasse ses leçons à mi-voix,* ni tout à fait à voix haute, ni tout à fait à voix basse.

■ **porte-voix** n.m.inv. SENS 1 *Le camelot hurle dans son porte-voix,* un appareil qui amplifie la voix.

R. → *voie.*

1. vol n.m. **1.** *L'oiseau prend son vol,* il s'élève dans l'air en battant des ailes. *Un vol d'hirondelles passe dans le ciel,* un groupe d'hirondelles en train de voler. **2.** *Il y a six heures de vol entre Paris et Montréal,* de déplacement en avion. **3.** *Jean a attrapé la balle au vol,* avant qu'elle touche la terre.

51

■ **volant, e** adj. **1.** SENS 1 *As-tu déjà vu des poissons volants ?,* qui peuvent sauter hors de l'eau et voler. **2.** *Elle m'a écrit son adresse sur une feuille volante,* détachée d'un carnet ou d'un cahier.

■ **voler** v. **1.** SENS 1 *Il y a de l'orage, les hirondelles volent bas,* elles se déplacent dans l'air. SENS 2 *L'avion vole à 3 000 mètres.* **2.** *Quand il a crié, nous avons volé à son secours,* nous sommes accourus très vite.

■ **volée** n.f. **1.** SENS 3 *Elle a attrapé le ballon à la volée* (= au vol). **2.** *Elle a relancé la balle à toute volée,* avec force. **3.** Fam. *Pierre a reçu une volée,* des coups (= raclée).

■ **voleter** v. SENS 1 *Les petits oiseaux volettent dans la cage,* ils volent à petits coups d'ailes.

■ **volière** n.f. SENS 1 *Une volière* est une cage assez grande pour que les oiseaux puissent y voler.

4

■ **s'envoler** v. SENS 1 ET 2 *Quand je me suis approchée, les oiseaux se sont envolés,* ils sont partis en volant.

■ **envol** n.m. SENS 3 *L'avion s'est dirigé vers la piste d'envol,* d'où il doit s'envoler.

5
8

■ **envolée** n.f. *Dans une belle envolée, l'oratrice a glorifié sa ville* (= élan).

■ **survoler** v. **1.** SENS 3 *En allant à Londres, nous avons survolé la Manche,* l'avion est passé au-dessus. **2.** *Je n'ai fait que survoler ton compte rendu,* je l'ai regardé très vite.

■ **survol** n.m. SENS 1 *Le survol de cette zone militaire est interdit à tous les avions.*

R. *Voleter* → conj. n° 8.

2. vol n.m. *Cet individu est jugé pour le vol d'une voiture,* pour l'avoir volée.

■**voler** v. *Quelqu'un m'a volé mon portefeuille,* me l'a pris (= dérober).

■**voleur, euse** n. *La police a arrêté les voleurs.*

■**antivol** n.m. *Suzy a acheté un antivol pour son vélo,* un appareil de sécurité contre le vol.

volage adj. *M. Dupont est un homme volage,* il change facilement de sentiments (= infidèle).

volaille n.f. *Les poules, les canards, les oies, les dindons sont de la volaille* (ou *des volailles*), des oiseaux de basse-cour.

■**volailler, ère** n. *On achète des volailles chez le volailler,* le marchand de volailles.

1. volant n.m. 1. *Caroline manœuvre le volant pour se garer,* la roue qui sert à diriger la voiture. 2. *On joue au badminton avec un volant et des raquettes,* un morceau de liège muni de plumes. 3. *Marie a une robe à volant,* avec une pièce de tissu cousu en bas.

2. volant → *vol* 1.

volatil, e adj. *L'essence est une substance volatile,* qui s'évapore facilement.

■**se volatiliser** v. *Je ne l'ai pas vu partir, il s'est comme volatilisé,* il a disparu soudain.

volatile n.m. *Une poule, un canard, un dindon sont des volatiles,* des oiseaux de basse-cour (= volaille).

volatiliser → *volatil.*

vol-au-vent n.m.inv. *Un vol-au-vent est une sorte de petit pâté que l'on remplit de viande et de sauce et qui se mange chaud.*

volcan n.m. *Le Vésuve est un volcan près de Naples,* une montagne formée par des laves.

■**volcanique** adj. *Une éruption volcanique a fait de nombreux morts,* l'explosion d'un volcan et la sortie de laves en fusion.

■**volcanologue** ou **vulcanologue** n. *Un célèbre vulcanologue a présenté le film d'une éruption,* un spécialiste de l'étude des volcans.

volée → *vol* 1.

voler → *vol* 1 et 2.

volet n.m. 1. *La lumière me gêne, ferme les volets,* les panneaux qui protègent les fenêtres (= persienne). 2. *Remplissez les trois volets du questionnaire !,* les trois parties qui peuvent se détacher. 3. *Les ailes d'avions sont munies de volets à l'arrière,* de panneaux mobiles. 4. *Trier des gens sur le volet,* c'est trier très soigneusement.
R. → *volley-ball.*

voleter → *vol* 1.

voleur → *vol* 2.

volière → *vol* 1.

volley ou **volley-ball** n.m. *Nous avons gagné la partie de volley,* un sport d'équipe qui consiste à se renvoyer un ballon par dessus un filet haut.
R. *Volley* se prononce [vɔlɛ] comme *volet*.
Volley-ball se prononce [vɔlɛbol].

volontaire, volontairement, volonté, volontiers → *vouloir.*

volt n.m. *Cet appareil fonctionne en 110 volts,* le courant électrique a cette force.

■**voltage** n.m. *Vérifie le voltage avant de brancher ton rasoir,* la force du courant (= tension).

■**survolté, e** adj. 1. *Un appareil survolté* est soumis à un voltage trop élevé. 2. Fam. *La directrice est survoltée,* elle est dans un état de tension nerveuse excessive.

volte-face n.f.inv. 1. *Quand je l'ai appelé, il a fait volte-face,* il s'est retourné. 2. *On ne peut pas se fier à elle, elle a déjà fait plusieurs volte-face,* elle a changé radicalement d'opinion.

voltiger v. *Le vent fait **voltiger** les feuilles mortes,* il les soulève et les fait voler (= tournoyer).

766, 433
■ **voltige** n.f. *La trapéziste a fait un numéro de **voltige,*** d'acrobatie aérienne.

volubile adj. *Il a été **volubile** pour me raconter cette histoire,* il a parlé beaucoup et vite.
■ **volubilité** n.f. *Claudine parle avec **volubilité.***

871, 385
volume n.m. 1. *Quel est le **volume** de cette caisse ?,* la place qu'elle occupe et ce qu'elle peut contenir (= grandeur). 2. *Le **volume** des importations a augmenté* (= quantité). 3. *Où règle-t-on le **volume** du son sur ce téléviseur ?* (= puissance). 4. *M. Durand a cinq cents **volumes** dans sa bibliothèque* (= livre).
■ **volumineux, euse** adj. SENS 1 *Ce meuble est trop **volumineux,*** il tient trop de place.

volupté n.f. *Leïla écoute la musique avec **volupté,*** un plaisir très grand.
■ **voluptueux, euse** adj. *Ces fleurs ont un parfum **voluptueux*** (= enivrant).
■ **voluptueusement** adv. *Pierre est étendu **voluptueusement** au soleil.*

volute n.f. *Des **volutes** de fumée sortent de la cheminée,* la fumée forme une colonne en spirale.

vomir v. *Stéphane a eu mal au cœur en voiture et il **a vomi,*** il a rejeté par la bouche les aliments avalés (= rendre).
■ **vomissement** n.m. *La malade a eu des **vomissements** de sang,* elle a vomi du sang.
■ **vomitif** n.m. *Pour lutter contre l'empoisonnement, on lui a fait prendre un **vomitif,*** un produit qui fait vomir.

vorace adj. *Ce chien est **vorace,*** il mange beaucoup et vite.
■ **voracement** adv. *Jean s'est jeté **voracement** sur les gâteaux* (= avidement).
■ **voracité** n.f. *Jean mange avec **voracité*** (= goinfrerie).

vos → *votre.*

vote n.m. 1. *À dix-huit ans, on a le droit de **vote,*** de prendre part aux élections. 2. *Après l'élection, on a compté les **votes*** (= voix, suffrage).
■ **voter** v. SENS 1 *L'Assemblée a **voté** une loi,* elle l'a adoptée par un vote. SENS 2 *M. Durand a **voté** pour la candidate sortante,* il lui a donné sa voix.
■ **votant, e** n. *Aux élections, il y a eu 80 pour 100 de **votants,*** de personnes qui ont voté (≠ abstentionniste).

votre, vos adj.possessifs indiquent ce qui est à vous : *Votre maison, vos affaires.*
■ **vôtre (le, la), vôtres (les)** pron.possessifs : *Voici nos bagages et voilà les **vôtres,*** ceux qui sont à vous.
R. → *veau.*

vouer v. 1. *Louise **voue** une grande admiration à son père,* elle la lui manifeste, elle l'admire. 2. *Cette entreprise **est vouée à** l'échec,* elle échouera (= destiner à).

vouloir v. 1. *Esther **veut** venir demain,* elle en a l'intention, le désir, la volonté (= souhaiter). *Je **veux** qu'on me donne une explication* (= exiger). 2. *Je **veux** bien te prêter ce livre,* j'accepte de le faire (= consentir à). 3. *Je ne sais pas ce que ce mot **veut dire*** (= signifier). 4. *Depuis que nous nous sommes disputés, tu m'**en veux,*** tu as de la rancune à mon égard.
■ **vouloir** n.m. SENS 2 *On n'attend que son bon **vouloir** pour partir,* qu'il le veuille bien.
■ **volonté** n.f. SENS 1 *Cela ne dépend pas de ma **volonté,*** de ce que je peux vouloir. *Avant de partir, il nous a fait connaître ses **volontés,*** ce qu'il voulait (= désir, ordre, intention). *Cet enfant est trop gâté, on **fait ses quatre volontés,*** on cède à tous ses caprices. *Lise a de la **volonté,*** elle est énergique, opiniâtre (= caractère). *Pierre est plein de **bonne volonté,*** il veut faire de son mieux.

Aujourd'hui, on peut manger des gâteaux *à volonté,* tant qu'on en veut.

■ **volontaire** adj. SENS 1 *Je ne l'ai pas fait exprès, ce n'était pas* ***volontaire*** (= voulu, intentionnel). *Léa est une fille* ***volontaire,*** elle a de la volonté (= énergique).

■ **volontaire** n. SENS 2 *Des* ***volontaires*** *se sont présentés pour combattre l'incendie,* des gens qui ont bien voulu, mais qui n'étaient pas obligés.

■ **volontairement** adv. SENS 1 *C'est* ***volontairement*** *que je n'ai pas parlé de cette question* (= exprès).

■ **volontiers** adv. SENS 2 *Peux-tu me prêter ce livre ? —* ***Volontiers*** *!,* je veux bien, avec plaisir.

■ **involontaire** adj. SENS 1 *Elle a cassé le vase par un mouvement* ***involontaire,*** sans le vouloir.

■ **involontairement** adv. SENS 1 *Je suis arrivé* ***involontairement*** *en retard.*

R. → Conj. n° 37. → *vœu.*

vous pron.pers. s'emploie **1.** pour désigner plusieurs personnes à qui l'on parle : *Venez-****vous*** *?* **2.** pour remplacer *tu* quand on parle à quelqu'un qu'on ne connaît pas bien, à qui on parle avec respect : *Bonjour, madame, comment allez-****vous*** *?*

■ **vouvoyer** v. SENS 2 *Les élèves* ***vouvoient*** *le professeur,* ils lui disent « vous » (≠ tutoyer).

■ **vouvoiement** n.m. SENS 2 *On emploie le* ***vouvoiement*** *par politesse.*

voûte n.f. *La* ***voûte*** *de cette église est en pierre,* le plafond arrondi.

■ **voûté, e** adj. **1.** *La cave est* ***voûtée,*** son plafond est une voûte. **2.** *Pierre a le dos* ***voûté*** (= courbé, rond).

■ **se voûter** v. *Avec l'âge, mon grand-père commence à* ***se voûter,*** à se tenir courbé.

vouvoiement, vouvoyer → *vous.*

voyage n.m. **1.** *Catherine est partie en* ***voyage*** *en Italie,* elle est allée là-bas.

2. *Pour décharger la voiture, il a fallu faire trois* ***voyages,*** transporter les objets en trois fois. **3.** Très fam. *As-tu fini de crier, j'ai mon* ***voyage*** *!,* je n'en peux plus.

■ **voyager** v. SENS 1 *Catherine a beaucoup* ***voyagé,*** elle a fait de nombreux voyages (= circuler).

■ **voyageur, euse** SENS 1 **1.** n. *Après l'escale, les* ***voyageurs*** *sont remontés dans l'avion.* **2.** adj. *Les pigeons* ***voyageurs*** *sont dressés pour porter des messages au loin.*

voyant, voyante → *voir.*

voyelle n.f. *« A », « e », « i », « o », « u », « y » sont les* ***voyelles*** *de l'alphabet* (≠ consonne).

voyou n.m. *Des* ***voyous*** *ont cassé la porte du jardin,* des garçons mal élevés (= vaurien).

en vrac adv. *Il a posé ses paquets* ***en vrac*** *sur le plancher,* en désordre, pêle-mêle.

vrai, e adj. **1.** *L'histoire que je te raconte est* ***vraie,*** elle s'est passée dans la réalité (= exact ; ≠ faux, imaginaire, inventé). **2.** *Les perles de ce collier sont* ***vraies*** (≠ faux, imité, factice). **3.** *M. Duval est une* ***vraie*** *crapule,* il mérite vraiment ce nom (= véritable).

■ **vrai** n.m. SENS 1 *Il y a beaucoup de* ***vrai*** *dans ce qu'elle a dit* (= vérité). SENS 3 *À* ***vrai dire,*** *je n'avais pas pensé à cela* (= en fait).

■ **vraiment** adv. SENS 1 *Ce que je dis s'est* ***vraiment*** *passé* (= réellement). SENS 3 *Aujourd'hui, le ciel est* ***vraiment*** *nuageux* (= extrêmement, très).

■ **véracité** n.f. SENS 1 *Je te garantis la* ***véracité*** *de cette histoire* (= vérité, exactitude).

■ **véridique** adj. SENS 1 *Son récit est* ***véridique*** (= vrai, fidèle).

■ **vérifier** v. SENS 1 *Il faudrait* ***vérifier*** *tous ces calculs,* voir s'ils sont exacts.

■ **vérification** n.f. SENS 1 *Les policiers ont fait une* ***vérification*** *d'identité* (= contrôle).

508,
802,
803

■**véritable** adj. SENS 1 *On ne connaît pas la **véritable** raison de son absence* (= vrai). SENS 3 *Pierre est pour moi un **véritable** ami* (= vrai).

■**véritablement** adv. SENS 3 *Ce que tu m'as dit était **véritablement** étonnant* (= vraiment, très).

■**vérité** n.f. SENS 1 *J'ai raconté ce que j'ai vu, j'ai dit la **vérité**,* ce qui est vrai (≠ mensonge). SENS 3 *En **vérité**, il faut que je parte* (= vraiment).

■**vraisemblable** adj. SENS 1 *Il est **vraisemblable** qu'elle ne viendra pas,* cela semble vrai (= probable).

■**vraisemblablement** adv. SENS 1 *D'après son accent, cette étrangère est **vraisemblablement** allemande* (= sans doute, probablement).

■**vraisemblance** n.f. SENS 1 *Cette histoire n'a aucune **vraisemblance**,* on ne peut pas y croire, cela ne paraît pas possible.

■**invraisemblable** adj. SENS 1 *Cette histoire est **invraisemblable*** (= incroyable).

■**invraisemblance** n.f. SENS 1 *Il y a des **invraisemblances** dans son récit,* des choses bizarres.

R. Attention, *vraisemblable* et ses dérivés ne prennent qu'un seul *s*.

289 **vrille** n.f. **1.** *Le menuisier perce la planche avec une **vrille**,* un outil pointu qu'on enfonce en tournant. **2.** *L'avion est descendu en **vrille**,* en tournant sur lui-même. **3.** *Les **vrilles** de la vigne* sont des pousses qui s'enroulent autour de ce qu'elles rencontrent.

vrombir v. *Les moteurs des voitures de course se mettent à **vrombir*** (= ronfler, gronder). *Les abeilles **vrombissent** autour de la ruche* (= bourdonner).

■**vrombissement** n.m. *L'avion s'envole dans un puissant **vrombissement**.*

vu, vue → *voir.*

vulcanologue → *volcan.*

vulgaire adj. **1.** *M. Duval a un langage **vulgaire*** (= grossier, trivial ; ≠ distingué, élégant). **2.** *Les plantes ont un nom savant et un nom **vulgaire**,* connu de tout le monde (= populaire). **3.** *Je n'ai qu'une **vulgaire** robe de coton pour sortir,* une robe très ordinaire (= simple).

■**vulgairement** adv. SENS 1 *Cette personne s'exprime **vulgairement*** (≠ poliment). SENS 2 *Les moufettes sont **vulgairement** appelées « bêtes puantes »* (= communément).

■**vulgariser** v. SENS 2 *Vulgariser des connaissances scientifiques,* c'est les mettre à la portée de tout le monde.

■**vulgarisation** n.f. SENS 2 *Voilà un bon livre de **vulgarisation** sur l'informatique !*

■**vulgarité** n.f. SENS 1 *La **vulgarité** de ton langage est choquante* (= grossièreté).

vulnérable adj. *La carapace des tortues les rend peu **vulnérables**,* peu faciles à blesser, à attaquer. *Sophie pleure facilement, elle est très **vulnérable**,* fragile, sensible.

■**invulnérable** adj. *Elle a eu tort de se croire **invulnérable** : elle a perdu son procès* (= invincible ; ≠ fragile).

W

wagon n.m. *Ce train ne comporte que des **wagons** de marchandises (= voiture).*

■ **wagonnet** n.m. *Dans les mines, le charbon est transporté dans des **wagonnets**,* des petites voitures sur rails.

■ **wagon-citerne** n.m. Les ***wagons-citernes*** servent au transport des liquides.

■ **wagon-lit** n.m. *En train, on peut voyager la nuit en couchette ou en **wagon-lit**,* une voiture de chemin de fer avec des vrais lits. **R.** On prononce [vagɔ̃], [vagɔnɛ]. Noter le pluriel : *des wagons-lits.*

wampum n.m. *Cette collection d'articles amérindiens compte un magnifique **Wampum**,* une ceinture fabriquée avec des perles blanches et violettes tirées de la nacre d'un coquillage.

wapiti n.m. Le ***wapiti*** est un grand cerf d'Amérique du Nord et d'Asie.

water-polo n.m. *Le **water-polo** se joue dans l'eau avec un ballon.* **R.** On prononce [watɛrpolo].

watt n.m. *Quelle est la puissance de cette ampoule électrique ? — 40 **watts**.*

week-end n.m. *Les Durand passent leurs **week-ends** à la campagne,* le congé de fin de semaine (= fin de semaine). **R.** On prononce [wikɛnd].

western n.m. *Suzy regarde un **western** à la télévision,* un film de cow-boys.

whisky n.m. *M. Duval est soûl, il a bu trop de **whisky**,* une sorte d'alcool. **R.** Noter le pluriel : *des whiskies* ou des *whiskys.*

wigwam n.m. Un ***wigwam*** est une habitation amérindienne faite de perches recouvertes d'écorce et de peaux de bêtes.

X

xénophobe adj. et n. *M. Martin est (un) xénophobe,* il n'aime pas les étrangers. ■ **xénophobie** n.f. La *xénophobie* est une hostilité à l'égard des étrangers.

xylophone n.m. Le *xylophone* est un instrument de musique constitué de plaquettes sur lesquelles on frappe avec deux baguettes.

y

y 1. adv. exprime le lieu : *J'y vais,* je vais à cet endroit. **2.** pron.pers. : *Je n'y ai pas pensé,* je n'ai pas pensé à cela.

yacht n.m. *Ils ont traversé l'Atlantique sur un yacht,* un bateau de plaisance. ■ **yachting** n.m. *Le yachting est un sport coûteux.* **R.** On prononce [jɔt], [jɔtiŋ].

yaourt → *yogourt.*

yen n.m. Le *yen* est la monnaie japonaise.

yeux → *œil.*

yiddish n.m. *Plusieurs Juifs de mon quartier parlent yiddish entre eux,* un mélange d'hébreu et d'allemand.

yoga n.m. *Pour se maintenir en forme, elle fait du yoga,* une sorte de gymnastique d'origine hindoue.

yogourt ou **yaourt** n.m. *Au dessert, ma petite sœur a mangé un yogourt,* du lait caillé généralement présenté en petit pot.

yo-yo n.m.inv. *Les enfants jouent avec leur yo-yo,* un jouet fait de deux rondelles parallèles que l'on fait monter et descendre le long d'un fil.

youyou n.m. *Les enfants s'amusent dans un youyou,* un petit canot.

Z

zèbre n.m. *Pierre court comme un zèbre,* un animal d'Afrique, voisin du cheval, au corps rayé.

■ **zébrer** v. *Le ciel est zébré d'éclairs,* ceux-ci y font de grandes raies (= rayer).

■ **zébrure** n.f. *Une brûlure lui a fait une zébrure à la main* (= raie, rayure).

zébu n.m. Le *zébu* est un bœuf d'Asie avec une bosse sur le dos.

ZEC n.f. *La pêche est bonne dans la ZEC de la Mauricie,* la zone d'exploitation contrôlée, c'est-à-dire un territoire établi par l'État dont la gestion est confiée à un organisme agréé.

zèle n.m. *Cet employé travaille avec zèle* (= ardeur, empressement).

■ **zélé, e** adj. *Cette employée est zélée* (≠ négligent).

zénith n.m. *À midi, le soleil est au zénith,* au point le plus haut de sa course.

zéro n.m. 1. *Vingt s'écrit avec un deux suivi d'un zéro (20).* 2. *Notre équipe a gagné par deux buts à zéro,* l'équipe adverse n'a marqué aucun but. 3. *Louise a eu un zéro en dictée,* une note nulle. 4. *Pierre est un zéro en orthographe,* il est nul. 5. *La température est tombée en dessous de zéro,* le degré correspondant à celui de la glace fondante.

■ **zéro** adj. SENS 2 *J'ai fait zéro faute à ma dictée,* pas une seule (= aucun).

zeste n.m. *Pierre a mis des zestes de citron et d'orange dans le gâteau,* des morceaux de peau.

zézayer v. *Adrien zézaie,* il prononce les *j* comme des *z.*

■ **zézaiement** n.m. *Essaie de corriger ton zézaiement.*

zibeline n.f. *Mme Durand a un manteau de zibeline,* fait avec la fourrure de ce petit animal.

zigonner v. Fam. *Zigonner,* c'est hésiter, perdre son temps.

■ **zigonnage** n.m. Fam. *Quel zigonnage !,* quelles discussions interminables.

zigzag n.m. *Cette route de montagne fait des zigzags,* des angles très aigus.

■ **zigzaguer** v. *Il a trop bu, il marche en zigzaguant,* il ne marche pas droit.

zinc n.m. *Les baraques ont un toit en zinc,* un métal léger, blanc ou gris.
R. On prononce [zɛ̃g].

zizanie n.f. *Lise est venue mettre la zizanie entre nous,* provoquer une dispute (= mésentente, désunion).

zodiaque n.m. *Le Bélier, le Taureau, les Gémeaux sont des signes du zodiaque,* un ensemble de figures utilisées en astrologie.

zona n.m. *Ma tante souffre d'un zona,* une maladie très douloureuse.

zone n.f. 1. *La France fait partie de la zone tempérée,* d'une partie de la Terre de climat tempéré. 2. *Au nord de la ville, il y a une zone de cultures,* un espace, un secteur réservé aux cultures.

zoologie n.f. La *zoologie* est la science des animaux.

■ **zoologique** adj. *Dans un jardin zoologique, on peut voir des animaux rares et sauvages.*

435 ■ **zoo** n.m. Un *zoo* est un jardin zoologique.

R. *Zoo* se prononce [zo] ou [zoo].

zoom ou **zoum** n.m. *On distingue bien les détails : c'est une photo prise avec le zoom,* un dispositif qui grossit l'image dans un appareil photographique, une caméra, des jumelles.

R. On prononce [zum].

zouave n.m. **1.** *Vers 1860, le Québec constitua une troupe de zouaves,* des militaires chargés de la défense du pape à Rome. **2.** Fam. *Arrête de faire le zouave !,* l'imbécile, le malin.

zozoter v. est un équivalent de *zézayer.*

zut ! interj. marque la contrariété : *Zut, j'ai oublié ma clé !*

Le français dans le monde

Tu parles français, n'est-ce pas ?

Si tu vis au Canada depuis ta naissance dans une famille qui parle le français, le français est ta **langue maternelle.**

Il est bien sûr la langue maternelle de habitants de la France, mais aussi de quelques autres pays, par exemple la Belgique, la Suisse.

Dans un certain nombre de pays, les gens parlent le plus souvent entre eux d'autres langues, mais quand ils ont à écrire ou à s'adresser à des personnes qui ne parlent pas leur langue, ils emploient le français : le français est leur **langue officielle.** C'est le cas en particulier de plusieurs pays d'Afrique et aussi de certaines îles.

Enfin, un peu partout dans le monde, il y a des gens qui ont appris le français à l'école et qui peuvent le parler plus ou moins couramment. Au total, il y a environ 200 millions de personnes dans le monde qui peuvent parler français. On dit que ces personnes sont **francophones.** En tournant la page, tu peux voir une carte de la francophonie.

Mais peut-être connais-tu aussi une **autre langue :** l'anglais, l'espagnol, l'italien, l'arabe, le portugais, l'allemand, etc. Tes parents ou tes grands-parents sont peut-être venus d'un autre pays et ils parlent entre eux, ou avec toi, leur langue maternelle. C'est une chance de connaître plusieurs langues.

De toute façon, il est indispensable pour toi de **bien connaître le français,** et pour cela il te reste des progrès à faire. Ce dictionnaire peut beaucoup t'y aider.

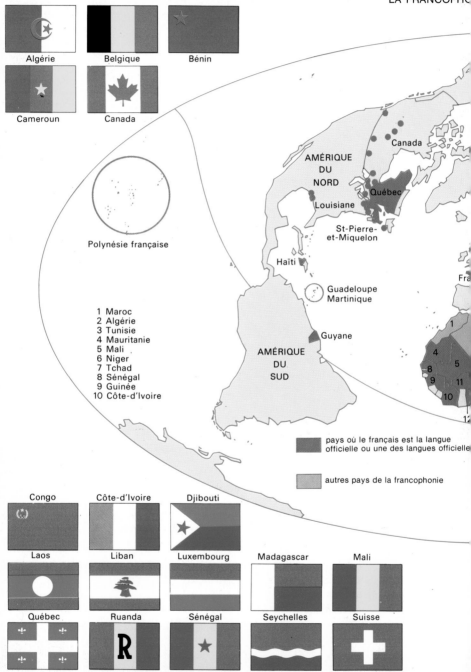

LA FRANCOPHONIE

Algérie
Belgique
Bénin
Cameroun
Canada

Polynésie française

1 Maroc
2 Algérie
3 Tunisie
4 Mauritanie
5 Mali
6 Niger
7 Tchad
8 Sénégal
9 Guinée
10 Côte-d'Ivoire

AMÉRIQUE
DU
NORD

Canada

Québec

Louisiane

St-Pierre-
et-Miquelon

Haïti

Guadeloupe
Martinique

Guyane

AMÉRIQUE
DU
SUD

France

1

4   5

8

9   11

10

12

pays où le français est la langue
officielle ou une des langues officielles

autres pays de la francophonie

Congo
Côte-d'Ivoire
Djibouti
Laos
Liban
Luxembourg
Madagascar
Mali
Québec
Ruanda
Sénégal
Seychelles
Suisse

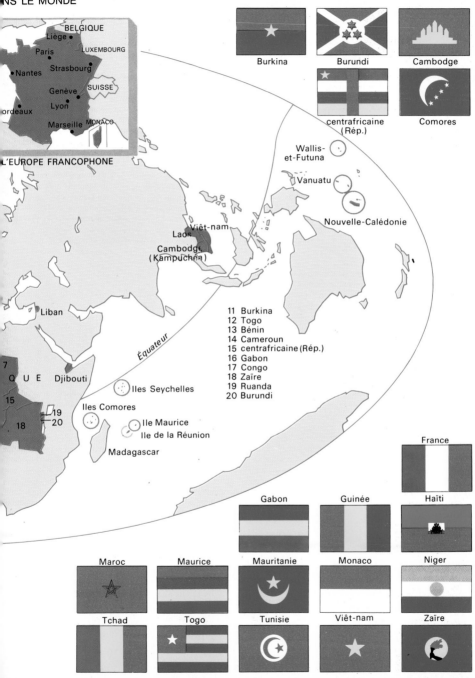

NS LE MONDE

BELGIQUE
Liège
LUXEMBOURG
Paris
Nantes   Strasbourg
Genève   SUISSE
ordeaux   Lyon
Marseille   MONACO

L'EUROPE FRANCOPHONE

Burkina   Burundi   Cambodge

centrafricaine   Comores
(Rép.)

Wallis-
et-Futuna

Vanuatu

Nouvelle-Calédonie

Viêt-nam
Laos
Cambodge
(Kampuchéa)

Liban

11 Burkina
12 Togo
13 Bénin
14 Cameroun
15 centrafricaine (Rép.)
16 Gabon
17 Congo
18 Zaïre
19 Ruanda
20 Burundi

Équateur

7
Q   U   E   Djibouti

15   Iles Seychelles
                19
        Iles Comores
18   20
                Ile Maurice
                Ile de la Réunion

Madagascar

France

Gabon   Guinée   Haïti

Maroc   Maurice   Mauritanie   Monaco   Niger

Tchad   Togo   Tunisie   Viêt-nam   Zaïre

Tu es curieux (ou curieuse) ? Est-ce que tu t'es déjà interrogé(e) sur le passé de la langue française ? En voici un aperçu.

I. Les Gaulois et la conquête romaine.

On sait peu de chose de la langue que parlaient anciennement les Gaulois. On peut seulement citer quelques dizaines de mots du français actuel ayant sûrement une origine gauloise, par exemple **bec, bruyère, char, mouton**, etc.

Après la conquête de la Gaule par les Romains (au milieu du 1er siècle avant notre ère), les Gaulois adoptent peu à peu la langue des Romains, c'est-à-dire le **latin**.

Mais c'est du latin populaire, influencé lui-même par le gaulois et différent sur bien des points du latin des écrivains. Par exemple, au lieu de **equus** (= cheval), les soldats romains disaient **caballus**, comme en français argotique certains disent **canasson**, ou **bourrin** ; le verbe **minare** signifiant normalement « menacer » était employé au sens de « faire avancer en menaçant », puis simplement « mener, conduire », au lieu du classique **ducere**. Les mots **caballus** et **minare**, du latin populaire, sont à l'origine des mots français **cheval** et **mener**.

II. Vers l'ancien français.

Au cours des mille ans qui suivent la conquête romaine, le latin populaire change beaucoup. La plupart des habitants de la Gaule ne savent ni lire ni écrire ; on ne sait rien de précis sur la façon dont ils parlaient pendant cette période.

C'est seulement un peu avant le 10ᵉ siècle qu'apparaissent les premiers textes qui sont un peu plus proches du français d'aujourd'hui que du latin.

« Pour l'amour de Dieu et pour le salut commun du peuple chrétien et le nôtre, de ce jour et à l'avenir, pour autant que... »
(Le serment de Strasbourg [en 842], le plus ancien texte « français » connu.)

On peut donc dire que le **français est né du latin** il y a un peu plus de mille ans, mais il était encore si éloigné de notre langue actuelle qu'il faut avoir fait des études spécialisées pour bien comprendre un texte français de cette époque lointaine.

Chant d'église en l'honneur de Ste Eulalie (en 881) :
« Bonne jeune fille fut Eulalie,
Elle avait un beau corps, une plus belle âme (encore).
Les ennemis de Dieu voulurent la vaincre,
Ils voulurent lui faire servir le diable... ».

« Bien me plaît le gai temps de Pâques qui fait s'épanouir feuilles et fleurs...».

Be m. plais el gais tems de Pascor que fai fuelhas e flors florir ...

III. Le français au Moyen Âge.

Le français se transforme sans cesse, mais de façon différente selon les régions, au point de constituer des langues distinctes.

On appelle **langue d'oc** l'ensemble des parlers de la partie sud de la France et **langue d'oïl** l'ensemble des parlers de la partie nord (**oc** et **oïl**, c'était la façon de dire **oui** dans chacune de ces langues).

(langue d'oc : Bertran de Born, vers 1200).

C'est un des parlers d'oïl, le **francien**, dialecte de l'Ile-de-France (la région parisienne), qui deviendra la langue nationale au fur et à mesure que l'unité de la France se fera sous l'autorité des rois.

Ce fu au tans qu'arbre florissent
Fuellent boschage, pré verdissent
Et cil oisel en lor. latin
Doucement chantent au matin

Il y avait des écoles, mais seulement un petit nombre d'enfants les fréquentaient. On y enseignait non pas le français, mais le latin, qui restait la langue des gens d'Église, des hommes de loi et des savants.

« C'était au temps où les arbres fleurissent, où les bocages se couvrent de feuilles, où les prés verdissent, Où les oiseaux en leur latin [= langage] Doucement chantent au matin » (langue d'oïl : Chrétien de Troyes, vers 1200).

IV. L'enrichissement du français : recours au latin et au grec.

Au cours du Moyen Âge et de la période qui a suivi (en particulier pendant la Renaissance), des traducteurs et des écrivains ont créé en grand nombre de nouveaux mots français en prenant, sans presque les changer, des mots **latins** (mais pas du latin populaire cette fois), et des mots **grecs**.

C'est ainsi qu'ont été formés, à partir du latin, des mots comme **sécurité, sculpteur, négation, fragile, sécurité, circuler, scientifique**, etc.

Hémorragie !

A partir du grec, ont été formés des mots tels que **démocratie, symétrie, enthousiasme, orchestre, omoplate, hémorragie**, etc.

Depuis cette époque, on a encore créé beaucoup de mots français en puisant dans le vocabulaire du latin et dans celui du grec, en particulier pour les besoins des sciences et des techniques (**locomotive, nucléaire, microscope, téléphone, photographie, aéronautique, kinésithérapie, etc.**).

La connaissance du latin et du grec peut aider à mieux comprendre des mots français ; cependant il y a souvent une grande différence entre le sens d'un mot latin ou grec et celui d'un mot français qui en provient. Il est surtout utile de connaître le sens général d'un certain nombre de **mots-racines** venant du latin et du grec et qui servent à former de très nombreux mots français. Tu en trouveras une liste, à la page 915.

V. Les apports des autres peuples.

Tout au long de leur histoire, les Gaulois, puis les Français ont eu des contacts avec d'autres peuples, c'est pourquoi des mots de nombreuses **autres langues** ont pénétré en français à l'occasion des invasions, des guerres, des échanges commerciaux (de la même façon d'ailleurs, bien des mots français sont passés dans d'autres langues).

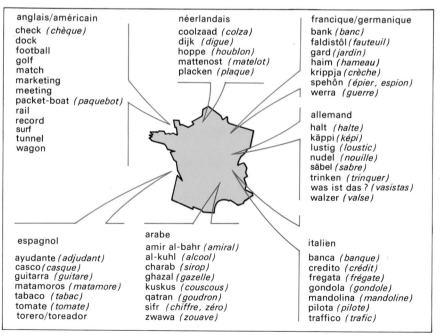

anglais/américain
check *(chèque)*
dock
football
golf
match
marketing
meeting
packet-boat *(paquebot)*
rail
record
surf
tunnel
wagon

néerlandais
coolzaad *(colza)*
dijk *(digue)*
hoppe *(houblon)*
mattenost *(matelot)*
placken *(plaque)*

francique/germanique
bank *(banc)*
faldistôl *(fauteuil)*
gard *(jardin)*
haim *(hameau)*
krippja *(crèche)*
spehôn *(épier, espion)*
werra *(guerre)*

allemand
halt *(halte)*
käppi *(képi)*
lustig *(loustic)*
nudel *(nouille)*
säbel *(sabre)*
trinken *(trinquer)*
was ist das ? *(vasistas)*
walzer *(valse)*

espagnol
ayudante *(adjudant)*
casco *(casque)*
guitarra *(guitare)*
matamoros *(matamore)*
tabaco *(tabac)*
tomate *(tomate)*
torero/toreador

arabe
amir al-bahr *(amiral)*
al-kuhl *(alcool)*
charab *(sirop)*
ghazal *(gazelle)*
kuskus *(couscous)*
qatran *(goudron)*
sifr *(chiffre, zéro)*
zwawa *(zouave)*

italien
banca *(banque)*
credito *(crédit)*
fregata *(frégate)*
gondola *(gondole)*
mandolina *(mandoline)*
pilota *(pilote)*
traffico *(trafic)*

La langue des peuples germaniques qui ont envahi la Gaule dans les premiers siècles de notre ère, nous a donné de nombreux mots tels que **hameau, jardin, crèche, banc, fauteuil, guerre, épier,** etc.

Par la suite, c'est par centaines ou par milliers qu'on peut compter les mots français venus de langues étrangères, comme l'italien (**soldat, frégate, gondole, crédit, banque, mandoline, pilote, trafic,** etc.), l'espagnol (**adjudant, casque, guitare, tomate, tabac, matamore, espadrille, toréador,** etc.), l'allemand (**sabre, képi, halte, trinquer, vasistas, valse, loustic, nouille,** etc.), le néerlandais (**digue, matelot, plaque, bouquin, colza,** etc.), l'arabe (**amiral, chiffre, zéro, alcool, sirop, couscous, gazelle, goudron, zouave,** etc.), le portugais, le turc, le persan, le russe, le suédois, le polonais, etc., et des langues d'Asie, d'Afrique, d'Amérique.

L'anglais a fourni un important stock de vocabulaire au français (**paquebot, redingote, dock, rail, wagon, tunnel, chèque, meeting, golf, record, match, football,** etc.).

C'est actuellement la langue à laquelle le français emprunte le plus de mots, à cause de la grande influence des États-Unis d'Amérique : quand une nouveauté apparaît, venant des U.S.A., la tendance naturelle est d'adopter son nom anglais au lieu de chercher un équivalent français, qui réussit pourtant parfois à s'imposer (ex. **planche à roulettes** au lieu de **skateboard**).

Les mots construits

Si on cherche **barbu** dans le dictionnaire, on trouve **barbu** → BARBE, car **barbu** est un mot dérivé construit avec BARBE et le suffixe **-u**.
Il y a plusieurs sortes de dérivés :

| im | + prudent | → | im prudent | | fleur | + iste | → | fleur iste |
| préfixe | mot de base | | dérivé | | mot de base | suffixe | | dérivé |

in + trouver + able → in trouv able ; simple + ifier + able → simpl ifi able

Les préfixes et les suffixes ont un sens :
le froid solid **ifie** l'eau = le froid **rend** l'eau solide

LES PRINCIPAUX SUFFIXES
à partir de verbes, on construit

des noms

le chanteur	celui qui	chante
l'élévateur	l'appareil qui	élève
la vendeuse	celle qui	vend
la calculatrice	la machine qui	calcule
l'arrosoir	{ l'objet qui	arroser
l'écumoire	sert à }	écumer

le stationnement	{	stationner
le nettoyage	l'action de	nettoyer
l'expédition	{	expédier

des adjectifs

inclinable	{ qui peut	} incliné
divisible	être	divisé
effrayant	{	effraie
ennuyeux	qui	ennuie
explosif	{	explose

des verbes diminutifs

| chantonner | chanter { | un petit peu |
| mordiller | mordre { | |

à partir d'adjectifs, on construit

des noms

la solidité	{	solide
la minceur	la	mince
la souplesse	qualité	souple
l'exactitude	ou le	exact
la patience	défaut	patient
la bêtise	de ce	bête
l'étourderie	qui est	étourdi
la jalousie	{	jaloux

des verbes

rougir	{ rendre	} rouge
(se) calmer	ou	calme
simplifier	devenir	simple
insonoriser	{	insonore

des adjectifs

aigrelet	{ un peu	aigre
pâlichon		pâle
verdâtre	vaguement	vert

des adverbes : rapidement, d'une manière rapide

à partir de noms, on construit

d'autres noms

un ou une garagiste	{ la personne	} de tenir un garage
un poissonnier, une poissonnière	qui a	de vendre du poisson
un chirurgien, une chirurgienne	pour métier	de pratiquer la chirurgie
un ou une disquaire	ou occupation	de vendre des disques
un vigneron	{	de travailler la vigne

une philatéliste	une passionnée	de philatélie
une poissonnerie	un magasin où on vend	du poisson

un sucrier	{ contient }	du sucre
une soupière		de la soupe

une cuillerée	{ la quantité contenue dans }	une cuiller

un poirier	{ un arbre qui produit }	des poires
un oranger		des oranges

une chênaie	un lieu planté de	chênes

une dizaine	environ	dix

le terrorisme	la doctrine	de ceux qui imposent leurs idées par la terreur

des noms diminutifs

un chaton		chat
un oisillon	un petit	oiseau
un renardeau	ou une	renard
un jardinet	petite	jardin
une fillette		fille
une tartelette		tarte

des noms d'habitants

(amuse-toi à découvrir les suffixes
dans le tableau des p. 406 et 407)

des adjectifs

une région polaire	{ du }	pôle
le choc opératoire	{ de }	l'opération
l'énergie atomique	{ de }	l'atome
un air craintif		exprime la crainte
un homme barbu	{ qui }	a une barbe
un ciel étoilé		a des étoiles
un décret ministériel		un décret du ministère
le couplet final		le couplet de la fin
un fruit véreux		un fruit avec un ver

des verbes

skier		du ski
économiser	{ faire }	des économies
solidifier.		que quelque chose devienne solide

LES PRÉFIXES

incorrect		correct
anormal	qui n'est pas	normal
non-violent		violent
malheureux		heureux

extra-fin		fin
archiconnu		connu
ultra-court	extrêmement	court
hypersensible		sensible
surdoué		doué
sous-alimenté	très mal	alimenté

hors-jeu	en dehors du jeu
intraveineux	à l'intérieur de la veine
extra-terrestre	à l'extérieur de la Terre
intercontinental	d'un continent à l'autre
transatlantique	qui traverse l'Atlantique
ex-ministre	qui n'est plus ministre
vice-présidente	qui remplace la présidente
copilote	qui est avec le pilote

antivol		le vol
contrepoison	{ contre }	le poison
parapluie		la pluie

préfabriqué = fabriqué avant
rétroviseur = pour voir en arrière

décollé, déshabillé = qui n'est plus collé, habillé
recollé, rhabillé = collé, habillé de nouveau

Quelques mots-racines grecs ou latins

On peut comprendre le sens de certains mots français inconnus, si on reconnaît dans ces mots des racines grecques ou latines qui ont servi à les former.

Si tu t'aides, par exemple, de la liste donnée ici, tu peux comprendre qu'une *cardiopathie*, en langage médical, c'est une maladie de cœur.

En te familiarisant avec ces racines, tu peux devenir vite capable de comprendre un grand nombre de mots, souvent savants.

Les éléments précédés d'un tiret (par exemple *-cide*) se trouvent seulement à la fin des mots : ce sont des **suffixes**. Tu trouveras, à leur place alphabétique dans le dictionnaire, de nombreux **préfixes**, comme *anti-*, *inter-*, etc.

élément	sens	exemple
aéro	air (puis aviation)	aéromodélisme
-algie	douleur	névralgie
anthrop	homme	philanthrope
aqu	eau	aquatique, aqueduc
arbor	arbre	arboriculteur
archie	le pouvoir	monarchie (pouvoir d'un seul)
-arque	qui a le pouvoir	monarque
bibl	livre	bibliothèque, bibliophile
cardi	cœur	cardiaque, cardiologie
carn	chair	carnivore, incarné
chrom	couleur	polychrome (de plusieurs couleurs)
chron	temps	chronomètre
-cide	meurtre ; qui tue	tyrannicide, insecticide
cosm	univers	cosmique, cosmonaute
-cratie	force, pouvoir	démocratie, bureaucratie
crypt	caché, secret	cryptographie (écriture secrète)
drom	course	hippodrome, vélodrome
dynam	force	dynamisme, aérodynamique (force de pénétration dans l'air)
-fère	qui porte, produit	mammifère, somnifère
-fique	qui produit	soporifique, maléfique
-fuge	qui fuit, ou qui chasse	transfuge, vermifuge
gastr	estomac	gastrique, gastro-intestinal
-gène	qui produit	fumigène, pathogène (qui provoque une maladie)
-gone	angle	polygone, hexagone
graph	écrire, enregistrer	graphique, photographie

élément	sens	exemple
hém(at)	sang	hémorragie, hématome
hipp	cheval	hippique
hydr	eau	hydravion
iatr	médecin, soigner	psychiatre
lith	pierre	monolithe, aérolithe (pierre qui tombe du ciel)
-logie	science	sociologie, rhumatologie
-logue	spécialiste	sociologue, rhumatologue
-mètre, métrie	mesure	thermomètre, voltmètre
neur, névr	nerf	neurologie, névrose
-oïde	qui est proche de	ellipsoïde, anthropoïde (singe proche de l'homme)
path	souffrance, émotion, maladie	pathologie, antipathie
phag	manger	anthropophage
phil	aimer, ami	philanthrope, francophile
phob	haïr, ennemi	phobie, xénophobe
phon	voix, parole, son	phonétique, francophone
photo	lumière	photographie, photo-électrique
psych	esprit	psychologie, psychiatre
scop	voir, examiner	télescope, radioscopie
-thèque	armoire, lieu de rangement	bibliothèque, discothèque
thérap	soigner	thérapeutique, chimiothérapie
therm	chaleur	thermique, thermomètre
-vore	qui mange	carnivore

La ponctuation

Quand on parle, on ne dit pas tous les mots à la file, sur le même ton. On s'arrête parfois, plus ou moins longtemps, et la voix change de hauteur. Quand on écrit, il est important de marquer ces arrêts et ces changements de ton par des signes : **les signes de ponctuation.**

.	*Je partirai demain.* *Aujourd'hui je reste ici.*	Le **point** indique la fin d'une phrase. Le ton de la voix s'abaisse.
?	*Tu viens ?* *Qu'est-ce que tu fais ?*	Le **point d'interrogation** s'emploie à la fin d'une phrase qui pose une question. Le ton de la voix monte.
!	*Comme c'est bizarre !* *J'en ai assez !* *Quelle chance !*	Le **point d'exclamation** s'emploie à la fin d'une phrase qui exprime la surprise, la colère, la joie, etc.
,	*Dans dix jours,* *c'est les vacances.*	La **virgule** indique un court arrêt.
;	*Fais comme tu veux ;* *après tout, ça ne me* *regarde pas.*	Le **point-virgule** indique une séparation entre les idées un peu plus marquée que la virgule.
:	*Il faut rentrer :* *il est tard.*	Les **deux points** annoncent un exemple ou une explication.
« »	*On nous a dit :* *« Soyez prudents. »*	Les deux points indiquent aussi qu'on va répéter ce que quelqu'un a dit. On emploie alors en même temps les **guillemets** avant et après ce qu'on répète.
( )	*Vous pouvez aussi* *(c'est la solution la plus* *simple) aller à pied.*	Les **parenthèses** ajoutent une remarque à ce qui est dit.
—	*Vous avez faim ?* *— Pas encore.*	Le **tiret** indique, dans une conversation, que la phrase qui suit est dite par un autre.
	Vous pouvez — surtout *si vous avez le temps* *— prendre la route* *touristique.*	Les tirets peuvent aussi servir à détacher des mots dans la phrase, à peu près comme les parenthèses.
...	*Si j'avais su...* *mais c'est trop tard.* *Cette absence me* *paraît...* *surprenante.*	Les **points de suspension** s'emploient quand une phrase n'est pas achevée, ou quand on marque un moment d'arrêt avant de prononcer quelque chose d'important.

Le pluriel des adjectifs et des noms

TERMINAISON	EXEMPLES	RÈGLE
-s	La rue est large → *Les rue**s** sont larges* .	En règle générale, on écrit un mot au pluriel en ajoutant un **s** au singulier.
-s, -x, -z	Ce prix est bas → *Ces prix sont bas*	Les mots terminés au singulier par **s, x, z** ne changent pas au pluriel.
-aux	Elle lit le journal → *Elle lit les journ**aux***	Les mots terminés par -*al* forment en général leur pluriel en **-aux**.
	Le veau est dans le pré → *Les ve**aux** sont dans le pré* L'étau est lourd → *Les ét**aux** sont lourds*	Les mots terminés par -*eau*, -*au* forment en général leur pluriel en **-aux**.
	Ce vitrail est vieux → *Ces vitr**aux** sont vieux*	*bail, corail, émail, soupirail, travail, vantail, vitrail* forment leur pluriel en **-aux**.
-eux	Son neveu est là → *Ses nev**eux** sont là*	Les mots terminés par -*eu* forment en général leur pluriel en **-eux**.
-oux	Ce caillou est lisse → *Ces caill**oux** sont lisses*	*bijou, caillou, chou, genou, hibou, joujou, pou* forment leur pluriel en **-oux**.
-als -aus -ails -eus -ous	Le bal est bruyant → *Les bal**s** sont bruyants* Ce landau est ancien → *Ces landau**s** sont anciens* Le rail est brillant → *Les rail**s** sont brillants* Le pneu est crevé → *Les pneu**s** sont crevés* Il est fou → *Ils sont fou**s***	Certains mots en -*al*, -*au*, -*eu* et la plupart des mots en -*ail*, -*ou* suivent la règle générale du pluriel en **-s**.

Le féminin des adjectifs et des noms

TERMINAISON	EXEMPLES	RÈGLE
-e	Ce clou est pointu → *Cette aiguille est pointue* Le jardin est grand → *La cour est grande* Le verre est plein → *La tasse est pleine* Mon cousin est là → *Ma cousine est là*	En règle générale, on écrit un mot au féminin en ajoutant un **-e** au masculin.
	Pierre est jeune → *Marie est jeune* Où est le concierge ? → *Où est la concierge ?*	Si le masculin se termine déjà par un *-e*, le mot ne change pas au féminin.
-ère	John est étranger → *Kristina est étrangère* Le boucher est aimable → *La bouchère est aimable*	Les mots terminés par *-er* forment leur féminin en **-ère**.
-tte -lle -nne	François est coquet → *Françoise est coquette* Ce vin est naturel → *Cette boisson est naturelle* Daniel est gentil → *Danielle est gentille* Le lion rugit → *La lionne rugit* Le château est ancien → *La maison est ancienne*	Dans les mots terminés par *-et, -el, -on, -en*, on double au féminin la consonne finale.
-ète	L'accord est complet → *L'entente est complète*	*complet, discret, secret, inquiet* et quelques autres adjectifs forment leur féminin en **-ète**.
-elle -olle	Ce livre est beau → *Cette image est belle* Le sol est mou → *La terre est molle*	Les adjectifs terminés par *-eau, -ou,* forment leur féminin en **-elle, -olle**.
-euse -ouse	Jacques est sérieux → *Catherine est sérieuse* André est jaloux → *Sophie est jalouse* C'est un menteur → *C'est une menteuse*	Les mots terminés par *-eux, -oux, -eur* forment leur féminin en **-euse, -ouse, -euse**.

Le féminin des adjectifs et des noms (suite)

TERMINAISON	EXEMPLES	RÈGLE
-eure	Ce plan est meilleur → *Cette solution est meilleure*	*antérieur, extérieur, inférieur, meilleur, supérieur* et quelques autres adjectifs forment leur féminin en **-eure**.
-trice	M. Dupont est directeur → *Mme Durand est directrice*	Quelques mots en *-teur* forment leur féminin en **-trice**.
-ve	Le combat a été vif → *La lutte a été vive*	Les adjectifs terminés par *-f,* forment leur féminin en **-ve**.
-sse	Ce calcul est faux → *Cette opération est fausse*	*bas, épais, faux, roux, las* forment leur féminin en **-sse**.
Féminins particuliers	blanc → *blanche* franc → *franche* frais → *fraîche* sec → *sèche* doux → *douce* long → *longue* favori → *favorite*	malin → *maligne* vieux → *vieille* pécheur → *pécheresse* maître → *maîtresse* traître → *traîtresse* grec → *grecque*

Les pronoms personnels

	SINGULIER	PLURIEL
première personne	je (j') me (m') moi	nous
deuxième personne	tu (t') te (t') toi	vous
troisième personne	il, elle le (l') lui se (s')	ils, elles les leur eux se (s')

Quelques difficultés orthographiques

Comment utiliser ce tableau ?
Exemple : pour savoir si le mot qui s'entend [A] s'écrit **a** ou **à**, tu compares la phrase que tu dois écrire avec — l'exemple n° 1 du tableau
— et l'exemple n° 2 du tableau.
Si ta phrase est construite de la même façon que dans l'exemple n° 1, tu écris **a**.
Si ta phrase est construite de la même façon que dans l'exemple n° 2, tu écris **à**.

[A]
a   à
- Jean **a** apporté son jeu. Marie **a** un pantalon neuf.   1
- Je vais **à** l'école. Je suis invité **à** manger une tarte **à** la crème.   2

[LA]
la   là   l'a
- J'aime **la** tarte aux pommes.   3
  Puisque tu en as fait une, je **la** goûterai.   4
- Je ne connais pas ce garçon-**là**. La directrice n'est pas **là**.   5
- Où est le dessert ? Le chat **l'a** mangé.   6

[u]
ou   où
- Mange une pomme **ou** une poire. Il viendra **ou** il téléphonera.   7
- **Où** passes-tu tes vacances ?   8
  Le stade **où** je m'entraîne est près de chez moi.   9

[E]
et   est
- Je bois du lait **et** je mange   du pain **et** du chocolat.   10
- Sophie **est** étudiante. Pierre **est** à l'école.   11

[õ]
on   ont   on n'
- **On** frappe à la porte.   12
- Ici, **on** n'entend **pas** de bruit : **on** n'entend **que** les oiseaux.   13
- Tous les élèves **ont** vu le même film.   14

[sõ]
son   sont
- Nicole met **son** manteau.   15
- Mes amis **sont** partis ; ils **sont** à la campagne.   16

[si]
si   s'y
- **Si** tu as peur des souris, n'approche pas de ce trou !   17
- Tu vois ce trou ? une souris **s'y** cache (y = dans le trou).   18

[sə]
ce   se
- Regarde **ce** beau chien !   19
- Le chat **se** lèche pour faire sa toilette.   20

[sE]
ces   ses
c'est   s'est
sait
- Regarde **ces** montagnes couvertes de neige !   21
- Julie a mis **ses** chaussures neuves.   22
- Regarde ce chien : **c'est** le caniche du voisin.   23
- Hier, mon frère **s'est** cassé la jambe.   24
- Léa **sait** nager. Philippe **sait** des poésies.   25

[sEtE] c'était s'était	• Quelqu'un a sonné : **c'était** le facteur.	26
	• Mais le facteur **s'était** trompé de porte.	27

[mA]

ma   m'a

• J'ai cassé **ma** montre.   28
• Pierre **m'a** apporté mon livre.   29

[tA]

ta   t'a

• Attache le lacet de **ta** chaussure.   30
• C'est Fabienne qui **t'a** emprunté ton livre.   31

[LE]

les   l'ai

• J'aime **les** films d'aventures.   32
• Monique cueille des framboises et elle **les** mange.   33
• Ce livre, je **l'ai** lu l'été dernier.   34

[nOtr]
et
[vOtr]

o   ô

• **Votre** classe est au rez-de-chaussée,   35
• la **nôtre** est au premier étage   36
• **Notre** classe est au premier étage,   37
• la **vôtre** est au rez-de-chaussée   38

[LŒr]

leur   leur(s)

• Luc parle à ses voisins : il **leur** raconte ses vacances.   39
• Les voisins et **leurs** enfants partent avec **leur** caravane.   40

[kEL]

quel(le)   qu'elle

• **Quel** mauvais temps ! **Quelle** belle fleur !   41
• **Qu'elle** est belle, cette fleur !   42
• Dis-moi **quel** jour nous sommes et **quelle** est la date.   43

[E]

é   er

• Éric **fait** manger son chien.   Anne **vient** dîner chez nous. ⎫
• Éric **va** chercher du lait.   Anne **entend** passer les voitures. ⎭   44
• Il a trou**é** son pantalon.   Il porte un pantalon trou**é**.   45

Accords des participes passés (le tableau de conjugaisons
donne les différentes terminaisons des participes).

• Pierre **a** reçu une lettre.   • Ils **ont** reçu une lettre. ⎫
                                             ⎬   46
• Claire **a** reçu une lettre.   • Elles **ont** reçu une lettre. ⎭

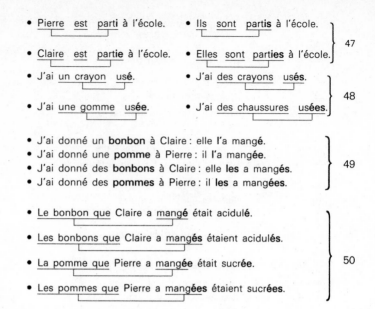

- Pierre est parti à l'école.
- Claire est partie à l'école.

- Ils sont partis à l'école.
- Elles sont parties à l'école.

47

- J'ai un crayon usé.
- J'ai une gomme usée.

- J'ai des crayons usés.
- J'ai des chaussures usées.

48

- J'ai donné un **bonbon** à Claire : elle l'a mangé.
- J'ai donné une **pomme** à Pierre : il l'a mangée.
- J'ai donné des **bonbons** à Claire : elle **les** a mangés.
- J'ai donné des **pommes** à Pierre : il **les** a mangées.

49

- Le bonbon que Claire a mangé était acidulé.
- Les bonbons que Claire a mangés étaient acidulés.
- La pomme que Pierre a mangée était sucrée.
- Les pommes que Pierre a mangées étaient sucrées.

50

Conjugaisons (auxiliaires et verbes réguliers)
Les temps simples

AVOIR

indicatif présent		subjonctif présent	
j'	ai	j'	aie
tu	as	tu	aies
il	a	il	ait
elle	a	elle	ait
nous	avons	nous	ayons
vous	avez	vous	ayez
ils	ont	ils	aient
elles	ont	elles	aient

indicatif imparfait		subjonctif imparfait	
j'	avais	j'	eusse
tu	avais	tu	eusses
il	avait	il	eût
elle	avait	elle	eût
nous	avions	nous	eussions
vous	aviez	vous	eussiez
ils	avaient	ils	eussent
elles	avaient	elles	eussent

indicatif passé simple		conditionnel présent	
j'	eus	j'	aurais
tu	eus	tu	aurais
il	eut	il	aurait
elle	eut	elle	aurait
nous	eûmes	nous	aurions
vous	eûtes	vous	auriez
ils	eurent	ils	auraient
elles	eurent	elles	auraient

indicatif futur		impératif présent	
j'	aurai		aie
tu	auras		ayons
il	aura		ayez
elle	aura	**participe présent**	
nous	aurons		ayant
vous	aurez	**participe passé**	
ils	auront		eu
elles	auront		

ÊTRE

indicatif présent		subjonctif présent	
je	suis	je	sois
tu	es	tu	sois
il	est	il	soit
elle	est	elle	soit
nous	sommes	nous	soyons
vous	êtes	vous	soyez
ils	sont	ils	soient
elles	sont	elles	soient

indicatif imparfait		subjonctif imparfait	
j'	étais	je	fusse
tu	étais	tu	fusses
il	était	il	fût
elle	était	elle	fût
nous	étions	nous	fussions
vous	étiez	vous	fussiez
ils	étaient	ils	fussent
elles	étaient	elles	fussent

indicatif passé simple		conditionnel présent	
je	fus	je	serais
tu	fus	tu	serais
il	fut	il	serait
elle	fut	elle	serait
nous	fûmes	nous	serions
vous	fûtes	vous	seriez
ils	furent	ils	seraient
elles	furent	elles	seraient

indicatif futur		impératif présent	
je	serai		sois
tu	seras		soyons
il	sera		soyez
elle	sera	**participe présent**	
nous	serons		étant
vous	serez	**participe passé**	
ils	seront		été
elles	seront		

AIMER

indicatif présent		subjonctif présent	
j'	aime	j'	aime
tu	aimes	tu	aimes
il	aime	il	aime
elle	aime	elle	aime
nous	aimons	nous	aimions
vous	aimez	vous	aimiez
ils	aiment	ils	aiment
elles	aiment	elles	aiment

indicatif imparfait		subjonctif imparfait	
j'	aimais	j'	aimasse
tu	aimais	tu	aimasses
il	aimait	il	aimât
elle	aimait	elle	aimât
nous	aimions	nous	aimassions
vous	aimiez	vous	aimassiez
ils	aimaient	ils	aimassent
elles	aimaient	elles	aimassent

indicatif passé simple		conditionnel présent	
j'	aimai	j'	aimerais
tu	aimas	tu	aimerais
il	aima	il	aimerait
elle	aima	elle	aimerait
nous	aimâmes	nous	aimerions
vous	aimâtes	vous	aimeriez
ils	aimèrent	ils	aimeraient
elles	aimèrent	elles	aimeraient

indicatif futur		impératif présent	
j'	aimerai		aime
tu	aimeras		aimons
il	aimera		aimez
elle	aimera	**participe présent**	
nous	aimerons		aimant
vous	aimerez	**participe passé**	
ils	aimeront		aimé
elles	aimeront		

FINIR

indicatif présent		subjonctif présent	
je	finis	je	finisse
tu	finis	tu	finisses
il	finit	il	finisse
elle	finit	elle	finisse
nous	finissons	nous	finissions
vous	finissez	vous	finissiez
ils	finissent	ils	finissent
elles	finissent	elles	finissent

indicatif imparfait		subjonctif imparfait	
je	finissais	je	finisse
tu	finissais	tu	finisses
il	finissait	il	finît
elle	finissait	elle	finît
nous	finissions	nous	finissions
vous	finissiez	vous	finissiez
ils	finissaient	ils	finissent
elles	finissaient	elles	finissent

indicatif passé simple		conditionnel présent	
je	finis	je	finirais
tu	finis	tu	finirais
il	finit	il	finirait
elle	finit	elle	finirait
nous	finîmes	nous	finirions
vous	finîtes	vous	finiriez
ils	finirent	ils	finiraient
elles	finirent	elles	finiraient

indicatif futur		impératif présent	
je	finirai		finis
tu	finiras		finissons
il	finira		finissez
elle	finira	**participe présent**	
nous	finirons		finissant
vous	finirez	**participe passé**	
ils	finiront		fini
elles	finiront		

Les temps composés

AIMER

INDICATIF

passé composé
j'ai aimé
nous avons aimé

plus-que-parfait
j'avais aimé
nous avions aimé

passé antérieur

j'eus aimé
nous eûmes aimé

futur antérieur
j'aurai aimé
nous aurons aimé

SUBJONCTIF

passé
j'aie aimé
nous ayons aimé

plus-que-parfait
j'eusse aimé
nous eussions aimé

**CONDITIONNEL
passé**
j'aurais aimé
nous aurions aimé

INFINITIF passé
avoir aimé

PARTICIPE passé
ayant aimé

PARTIR

INDICATIF

passé composé
je suis parti(e)
nous sommes
parti(e)s

plus-que-parfait
j'étais parti(e)
nous étions parti(e)s

passé antérieur

je fus parti(e)
nous fûmes parti(e)s

futur antérieur
je serai parti(e)
nous serions parti(e)s

SUBJONCTIF

passé
je sois parti(e)
nous soyons
parti(e)s

plus-que-parfait
je fusse parti(e)
nous fussions
parti(e)s

**CONDITIONNEL
passé**
je serais parti(e)
nous serions parti(e)s

INFINITIF passé
être parti(e)

PARTICIPE passé
étant parti(e)

Le passif

INDICATIF
présent
je suis aimé(e)

passé composé
j'ai été aimé(e)

SUBJONCTIF
présent
je sois aimé(e)

CONDITIONNEL
présent
je serais aimé(e)

INFINITIF
présent
être aimé(e)

imparfait
j'étais aimé(e)

plus-que-parfait
j'avais été aimé(e)

imparfait
je fusse aimé(e)

passé
j'aurais été aimé(e)

passé
avoir été aimé(e)

passé simple
je fus aimé(e)

passé antérieur
j'eus été aimé(e)

passé
j'aie été aimé(e)

IMPÉRATIF

sois aimé(e)

PARTICIPE
présent
étant aimé(e)

futur
je serai aimé(e)

futur antérieur
j'aurai été aimé(e)

plus-que-parfait
j'eusse été aimé(e)

passé
ayant été aimé(e)

Conjugaisons irrégulières

	1 placer	**2** manger	**3** nettoyer	**4** payer
Ind. présent	je place	je mange	je nettoie	je paie ou paye
Ind. présent	tu places	tu manges	tu nettoies	tu paies ou payes
Ind. présent	il place	il mange	il nettoie	il paie ou paye
Ind. présent	elle place	elle mange	elle nettoie	elle paie ou paye
Ind. présent	nous plaçons	nous mangeons	nous nettoyons	nous payons
Ind. présent	ils placent	ils mangent	ils nettoient	ils paient ou payent
Ind. présent	elles placent	elles mangent	elles nettoient	elles paient ou payent
Ind. imparfait	je plaçais	je mangeais	je nettoyais	je payais
Ind. p. simple	je plaçai	je mangeai	je nettoyai	je payai
Ind. futur	je placerai	je mangerai	je nettoierai	je paierai ou payerai
Cond. présent	je placerais	je mangerais	je nettoierais	je paierais ou payerais
Subj. présent	je place	je mange	je nettoie	je paie ou paye
Subj. présent	il place	il mange	il nettoie	il paie ou paye
Subj. présent	elle place	elle mange	elle nettoie	elle paie ou paye
Subj. présent	nous placions	nous mangions	nous nettoyions	nous payions
Subj. présent	ils placent	ils mangent	ils nettoient	ils paient
Subj. présent	elles placent	elles mangent	elles nettoient	elles paient
Subj. imparfait	il plaçât	il mangeât	il nettoyât	il payât
Subj. imparfait	elle plaçât	elle mangeât	elle nettoyât	elle payât
Impératif	place	mange	nettoie	paye ou paie
	plaçons	mangeons	nettoyons	payons
Participes	plaçant, placé	mangeant, mangé	nettoyant, nettoyé	payant, payé

	5 peler	**6** appeler	**7** acheter	**8** jeter
Ind. présent	je pèle	j'appelle	j'achète	je jette
Ind. présent	tu pèles	tu appelles	tu achètes	tu jettes
Ind. présent	il pèle	il appelle	il achète	il jette
Ind. présent	elle pèle	elle appelle	elle achète	elle jette
Ind. présent	nous pelons	nous appelons	nous achetons	nous jetons
Ind. présent	ils pèlent	ils appellent	ils achètent	ils jettent
Ind. présent	elles pèlent	elles appellent	elles achètent	elles jettent
Ind. imparfait	je pelais	j'appelais	j'achetais	je jetais
Ind. p. simple	je pelai	j'appelai	j'achetai	je jetai
Ind. futur	je pèlerai	j'appellerai	j'achèterai	je jetterai
Cond. présent	je pèlerais	j'appellerais	j'achèterais	je jetterais
Subj. présent	je pèle	j'appelle	j'achète	je jette
Subj. présent	il pèle	il appelle	il achète	il jette
Subj. présent	elle pèle	elle appelle	elle achète	elle jette
Subj. présent	nous pelions	nous appelions	nous achetions	nous jetions
Subj. présent	ils pèlent	ils appellent	ils achètent	ils jettent
Subj. présent	elles pèlent	elles appellent	elles achètent	elles jettent
Subj. imparfait	il pelât	il appelât	il achetât	il jetât
Subj. imparfait	elle pelât	elle appelât	elle achetât	elle jetât
Impératif	pèle	appelle	achète	jette
	pelons	appelons	achetons	jetons
Participes	pelant, pelé	appelant, appelé	achetant, acheté	jetant, jeté

	9 semer	**10** révéler	**11** envoyer	**12** aller
Ind. présent	je sème	je révèle	j'envoie	je vais
Ind. présent	tu sèmes	tu révèles	tu envoies	tu vas
Ind. présent	il sème	il révèle	il envoie	il va
Ind. présent	elle sème	elle révèle	elle envoie	elle va
Ind. présent	nous semons	nous révélons	nous envoyons	nous allons
Ind. présent	ils sèment	ils révèlent	ils envoient	ils vont
Ind. présent	elles sèment	elles révèlent	elles envoient	elles vont
Ind. imparfait	je semais	je révélais	j'envoyais	j'allais
Ind. p. simple	je semai	je révélai	j'envoyai	j'allai
Ind. futur	je sèmerai	je révélerai	j'enverrai	j'irai
Cond. présent	je sèmerais	je révélerais	j'enverrais	j'irais
Subj. présent	je sème	je révèle	j'envoie	j'aille
Subj. présent	il sème	il révèle	il envoie	il aille
Subj. présent	elle sème	elle révèle	elle envoie	elle aille
Subj. présent	nous semions	nous révélions	nous envoyions	nous allions
Subj. présent	ils sèment	ils révèlent	ils envoient	ils aillent
Subj. présent	elles sèment	elles révèlent	elles envoient	elles aillent
Subj. imparfait	il semât	il révélât	il envoyât	il allât
Subj. imparfait	elle semât	elle révélât	elle envoyât	elle allât
Impératif	sème	révèle	envoie	va
	semons	révélons	envoyons	allons
Participes	semant, semé	révélant, révélé	envoyant, envoyé	allant, allé

	13 **haïr**	14 **fleurir**	15 **bénir**	16 **ouvrir**
Ind. présent	je hais		je bénis	j'ouvre
Ind. présent	tu hais		tu bénis	tu ouvres
Ind. présent	il hait		il bénit	il ouvre
Ind. présent	elle hait		elle bénit	elle ouvre
Ind. présent	nous haïssons		nous bénissons	nous ouvrons
Ind. présent	ils haïssent		ils bénissent	ils ouvrent
Ind. présent	elles haïssent	Le verbe [flœrir]	elles bénissent	elles ouvrent
Ind. imparfait	je haïssais	est régulier sur	je bénissais	j'ouvrais
Ind. p. simple	je haïs	*finir*, la forme	je bénis	j'ouvris
Ind. futur	je haïrai	[flor-] n'existe	je bénirai	j'ouvrirai
Cond. présent	je haïrais	au sens fig.	je bénirais	j'ouvrirais
Subj. présent	je haïsse	pour *florissant*,	je bénisse	j'ouvre
Subj. présent	il haïsse	il *florissait*	il bénisse	il ouvre
Subj. présent	elle haïsse		elle bénisse	elle ouvre
Subj. présent	nous haïssions		nous bénissions	nous ouvrions
Subj. présent	ils haïssent		ils bénissent	ils ouvrent
Subj. présent	elles haïssent		elles bénissent	elles ouvrent
Subj. imparfait	il haït		il bénît	il ouvrît
Subj. imparfait	elle haït		elle bénît	elle ouvrît
Impératif	hais		bénis	ouvre
	haïssons		bénissons	ouvrons
Participes	haïssant, haï		bénissant, béni	ouvrant, ouvert

	17 **fuir**	18 **dormir**	19 **mentir**	20 **servir**
Ind. présent	je fuis	je dors	je mens	je sers
Ind. présent	tu fuis	tu dors	tu mens	tu sers
Ind. présent	il fuit	il dort	il ment	il sert
Ind. présent	elle fuit	elle dort	elle ment	elle sert
Ind. présent	nous fuyons	nous dormons	nous mentons	nous servons
Ind. présent	ils fuient	ils dorment	ils mentent	ils servent
Ind. présent	elles fuient	elles dorment	elles mentent	elles servent
Ind. imparfait	je fuyais	je dormais	je mentais	je servais
Ind. p. simple	je fuis	je dormis	je mentis	je servis
Ind. futur	je fuirai	je dormirai	je mentirai	je servirai
Cond. présent	je fuirais	je dormirais	je mentirais	je servirais
Subj. présent	je fuie	je dorme	je mente	je serve
Subj. présent	il fuie	il dorme	il mente	il serve
Subj. présent	elle fuie	elle dorme	elle mente	elle serve
Subj. présent	nous fuyions	nous dormions	nous mentions	nous servions
Subj. présent	ils fuient	ils dorment	ils mentent	ils servent
Subj. présent	elles fuient	elles dorment	elles mentent	elles servent
Subj. imparfait	il fuît	il dormît	il mentît	il servît
Subj. imparfait	elle fuît	elle dormît	elle mentît	elle servît
Impératif	fuis	dors	mens	sers
	fuyons	dormons	mentons	servons
Participes	fuyant, fui	dormant, dormi	mentant, menti	servant, servi

	21 **acquérir**	22 **tenir**	23 **assaillir**	24 **cueillir**
Ind. présent	j'acquiers	je tiens	j'assaille	je cueille
Ind. présent	tu acquiers	tu tiens	tu assailles	tu cueilles
Ind. présent	il acquiert	il tient	il assaille	il cueille
Ind. présent	elle acquiert	elle tient	elle assaille	elle cueille
Ind. présent	nous acquérons	nous tenons	nous assaillons	nous cueillons
Ind. présent	ils acquièrent	ils tiennent	ils assaillent	ils cueillent
Ind. présent	elles acquièrent	elles tiennent	elles assaillent	elles cueillent
Ind. imparfait	j'acquérais	je tenais	j'assaillais	je cueillais
Ind. p. simple	j'acquis	je tins nous tînmes	j'assaillis	je cueillis
Ind. futur	j'acquerrai	je tiendrai	j'assaillirai	je cueillerai
Cond. présent	j'acquerrais	je tiendrais	j'assaillirais	je cueillerais
Subj. présent	j'acquière	je tienne	j'assaille	je cueille
Subj. présent	il acquière	il tienne	il assaille	il cueille
Subj. présent	elle acquière	elle tienne	elle assaille	elle cueille
Subj. présent	nous acquérions	nous tenions	nous assaillions	nous cueillions
Subj. présent	ils acquièrent	ils tiennent	ils assaillent	ils cueillent
Subj. présent	elles acquièrent	elles tiennent	elles assaillent	elles cueillent
Subj. imparfait	il acquît	il tînt	il assaillît	il cueillît
Subj. imparfait	elle acquît	elle tînt	elle assaillît	elle cueillît
Impératif	acquiers	tiens	assaille	cueille
	acquérons	tenons	assaillons	cueillons
Participes	acquérant, acquis	tenant, tenu	assaillant, assailli	cueillant, cueilli

	25 **mourir**	**26** **partir**	**27** **vêtir**	**28** **sortir**
Ind. présent	je meurs	je pars	je vêts	je sors
Ind. présent	tu meurs	tu pars	tu vêts	tu sors
Ind. présent	il meurt	il part	il vêt	il sort
Ind. présent	elle meurt	elle part	elle vêt	elle sort
Ind. présent	nous mourons	nous partons	nous vêtons	nous sortons
Ind. présent	ils meurent	ils partent	ils vêtent	ils sortent
Ind. présent	elles meurent	elles partent	elles vêtent	elles sortent
Ind. imparfait	je mourais	je partais	je vêtais	je sortais
Ind. p. simple	je mourus	je partis	je vêtis	je sortis
Ind. futur	je mourrai	je partirai	je vêtirai	je sortirai
Cond. présent	je mourrais	je partirais	je vêtirais	je sortirais
Subj. présent	je meure	je parte	je vête	je sorte
Subj. présent	il meure	il parte	il vête	il sorte
Subj. présent	elle meure	elle parte	elle vête	elle sorte
Subj. présent	nous mourions	nous partions	nous vêtions	nous sortions
Subj. présent	ils meurent	ils partent	ils vêtent	ils sortent
Subj. présent	elles meurent	elles partent	elles vêtent	elles sortent
Subj. imparfait	il mourût	il partît	il vêtît	il sortît
Subj. imparfait	elle mourût	elle partît	elle vêtît	elle sortît
Impératif	meurs	pars	vêts	sors
	mourons	partons	vêtons	sortons
Participes	mourant, mort	partant, parti	vêtant, vêtu	sortant, sorti

	29 **courir**	**30** **faillir**	**31** **bouillir**	**32** **gésir**
Ind. présent	je cours	*inusité*	je bous	je gis
Ind. présent	tu cours	*inusité*	tu bous	tu gis
Ind. présent	il court	*inusité*	il bout	il gît
Ind. présent	elle court	*inusité*	elle bout	elle gît
Ind. présent	nous courons	*inusité*	nous bouillons	nous gisons
Ind. présent	ils courent	*inusité*	ils bouillent	ils gisent
Ind. présent	elles courent	*inusité*	elles bouillent	elles gisent
Ind. imparfait	je courais	*inusité*	je bouillais	je gisais
Ind. p. simple	je courus	je faillis	je bouillis	*inusité*
Ind. futur	je courrai	je faillirai	je bouillirai	*inusité*
Cond. présent	je courrais	je faillirais	je bouillirais	*inusité*
Subj. présent	je coure	*inusité*	je bouille	*inusité*
Subj. présent	il coure	*inusité*	il bouille	*inusité*
Subj. présent	elle coure	*inusité*	elle bouille	*inusité*
Subj. présent	nous courions	*inusité*	nous bouillions	*inusité*
Subj. présent	ils courent	*inusité*	ils bouillent	*inusité*
Subj. présent	elles courent	*inusité*	elles bouillent	*inusité*
Subj. imparfait	il courût	*inusité*	*inusité*	*inusité*
Subj. imparfait	elle courût	*inusité*	*inusité*	*inusité*
Impératif	cours	*inusité*	bous	*inusité*
	courons		bouillons	
Participes	courant, couru	*inusité*, failli	*inusité*, bouilli	gisant, *inusité*

	33 **saillir**	**34** **recevoir**	**35** **devoir**	**36** **mouvoir**
Ind. présent	*inusité*	je reçois	je dois	je meus
Ind. présent	*inusité*	tu reçois	tu dois	tu meus
Ind. présent	il saille	il reçoit	il doit	il meut
Ind. présent	elle saille	elle reçoit	elle doit	elle meut
Ind. présent	*inusité*	nous recevons	nous devons	nous mouvons
Ind. présent	*inusité*	ils reçoivent	ils doivent	ils meuvent
Ind. présent	*inusité*	elles reçoivent	elles doivent	elles meuvent
Ind. imparfait	il saillait	je recevais	je devais	je mouvais
	elle saillait			
Ind. p. simple	*inusité*	je reçus	je dus	je mus
Ind. futur	il saillera	je recevrai	je devrai	je mouvrai
	elle saillera			
Cond. présent	il saillerait	je recevrais	je devrais	je mouvrais
	elle saillerait			
Subj. présent	*inusité*	je reçoive	je doive	je meuve
Subj. présent	il saille	il reçoive	il doive	il meuve
Subj. présent	elle saille	elle reçoive	elle doive	elle meuve
Subj. présent	*inusité*	nous recevions	nous devions	nous mouvions
Subj. présent	*inusité*	ils reçoivent	ils doivent	ils meuvent
Subj. présent	*inusité*	elles reçoivent	elles doivent	elles meuvent
Subj. imparfait	*inusité*	il reçût	il dût	il mût
Subj. imparfait	*inusité*	elle reçût	elle dût	elle mût
Impératif	*inusité*	reçois	dois	meus
	inusité	recevons	devons	mouvons
Participes	saillant, sailli	recevant, reçu	devant, dû, due	mouvant, mû, mue

	37	38	39	40
	vouloir	**pouvoir**	**savoir**	**valoir** *
Ind. présent	je veux	je peux	je sais	je vaux
Ind. présent	tu veux	tu peux	tu sais	tu vaux
Ind. présent	il veut	il peut	il sait	il vaut
Ind. présent	elle veut	elle peut	elle sait	elle vaut
Ind. présent	nous voulons	nous pouvons	nous savons	nous valons
Ind. présent	ils veulent	ils peuvent	ils savent	ils valent
Ind. présent	elles veulent	elles peuvent	elles savent	elles valent
Ind. imparfait	je voulais	je pouvais	je savais	je valais
Ind. p. simple	je voulus	je pus	je sus	je valus
Ind. futur	je voudrai	je pourrai	je saurai	je vaudrai
Cond. présent	je voudrais	je pourrais	je saurais	je vaudrais
Subj. présent	je veuille	je puisse	je sache	je vaille
Subj. présent	il veuille	il puisse	il sache	il vaille
Subj. présent	elle veuille	elle puisse	elle sache	elle vaille
Subj. présent	nous voulions	nous puissions	nous sachions	nous valions
Subj. présent	ils veuillent	ils puissent	ils sachent	ils vaillent
Subj. présent	elles veuillent	elles puissent	elles sachent	elles vaillent
Subj. imparfait	il voulût	il pût	il sût	il valût
Subj. imparfait	elle voulût	elle pût	elle sût	elle valût
Impératif	veuille	*inusité*	sache	*inusité*
	veuillons	*inusité*	sachons	*inusité*
Participes	voulant, voulu	pouvant, pu	sachant, su	valant, valu

* *prévaloir* fait au subj. prés. *prévale*

	41	42	43	44
	voir	**prévoir**	**pourvoir**	**asseoir**
Ind. présent	je vois	je prévois	je pourvois	j'assieds/j'assois
Ind. présent	tu vois	tu prévois	tu pourvois	tu assieds/tu assois
Ind. présent	il voit	il prévoit	il pourvoit	il assied/il assoit
Ind. présent	elle voit	elle prévoit	elle pourvoit	elle assied/elle assoit
Ind. présent	nous voyons	nous prévoyons	nous pourvoyons	nous asseyons
				nous assoyons
Ind. présent	vous voyez	vous prévoyez	vous pourvoyez	vous asseyez
				vous assoyez
Ind. présent	ils voient	ils prévoient	ils pourvoient	ils asseyent/assoient
Ind. présent	elles voient	elles prévoient	elles pourvoient	elles asseyent/assoient
Ind. imparfait	je voyais	je prévoyais	je pourvoyais	j'asseyais/j'assoyais
Ind. p. simple	je vis	je prévis	je pourvus	j'assis
Ind. futur	je verrai	je prévoirai	je pourvoirai	j'assiérai/j'assoirai
Cond. présent	je verrais	je prévoirais	je pourvoirais	j'assiérais/j'assoirais
Subj. présent	je voie	je prévoie	je pourvoie	j'asseye/j'assoie
Subj. présent	nous voyions	nous prévoyions	nous pourvoyions	nous asseyions/assoyions
Subj. présent	ils voient	ils prévoient	ils pourvoient	ils asseyent
				ils assoient
Subj. présent	elles voient	elles prévoient	elles pourvoient	elles asseyent
				elles assoient
Subj. imparfait	il vît	il prévît	il pourvût	il assît
Subj. imparfait	elle vît	elle prévît	elle pourvût	elle assît
Impératif	vois	prévois	pourvois	assieds, asseyons
	voyons	prévoyons	pourvoyons	assois, assoyons
Participes	voyant, vu	prévoyant, prévu	pourvoyant, pourvu	asseyant, assis
				assoyant, assis

	45	46	47	48
	surseoir	**seoir**	**pleuvoir**	**falloir**
Ind. présent	je sursois	*inusité*	*inusité*	*inusité*
Ind. présent	tu sursois	*inusité*	*inusité*	*inusité*
Ind. présent	il sursoit	il sied	il pleut	il faut
Ind. présent	elle sursoit	elle sied	*inusité*	*inusité*
Ind. présent	nous sursoyons	*inusité*	*inusité*	*inusité*
Ind. présent	vous sursoyez	*inusité*	*inusité*	*inusité*
Ind. présent	ils sursoient	*inusité*	*inusité*	*inusité*
Ind. présent	elles sursoient	*inusité*	*inusité*	*inusité*
Ind. imparfait	je sursoyais	il seyait	il pleuvait	il fallait
Ind. imparfait		elle seyait		*inusité*
Ind. p. simple	je sursis	*inusité*	il plut	il fallut
Ind. futur	je surseoirai	il siéra	il pleuvra	il faudra
Cond. présent	je surseoirais	il siérait	il pleuvrait	il faudrait
Subj. présent	je sursoie	*inusité*	il pleuve	il faille
Subj. présent	nous sursoyions	il siée	*inusité*	*inusité*
Subj. présent	ils sursoient	*inusité*	*inusité*	*inusité*
Subj. imparfait	il sursît	*inusité*	il plût	il fallût
Impératif	sursois	*inusité*	*inusité*	*inusité*
	sursoyons	*inusité*	*inusité*	*inusité*
Participes	sursoyant, sursis	seyant, sis	pleuvant, plu	*inusité*, fallu

	49	50	51	52
	déchoir	**tendre**	**fondre**	**mordre**
Ind. présent	je déchois	je tends	je fonds	je mords
Ind. présent	tu déchois	tu tends	tu fonds	tu mords
Ind. présent	il déchoit	il tend	il fond	il mord
Ind. présent	elle déchoit	elle tend	elle fond	elle mord
Ind. présent	nous déchoyons	nous tendons	nous fondons	nous mordons
Ind. présent	ils déchoient	ils tendent	ils fondent	ils mordent
Ind. présent	elles déchoient	elles tendent	elles fondent	elles mordent
Ind. imparfait	*inusité*	je tendais	je fondais	je mordais
Ind. p. simple	je déchus	je tendis	je fondis	je mordis
Ind. futur	je déchoirai	je tendrai	je fondrai	je mordrai
Cond. présent	je déchoirais	je tendrais	je fondrais	je mordrais
Subj. présent	je déchoie	je tende	je fonde	je morde
Subj. présent	il déchoie	nous tendions	nous fondions	nous mordions
	elle déchoie			
Subj. présent	ils déchoient	ils tendent	ils fondent	ils mordent
Subj. présent	elles déchoient	elles tendent	elles fondent	elles mordent
Subj. imparfait	il déchût	il tendît	il fondît	il mordît
Subj. imparfait	elle déchût	elle tendît	elle fondît	elle mordît
Impératif	*inusité*	tends	fonds	mords
	inusité	tendons	fondons	mordons
Participes	*inusité*, déchu	tendant, tendu	fondant, fondu	mordant, mordu

	53	54	55	56
	rompre	**prendre**	**craindre**	**battre**
Ind. présent	je romps	je prends	je crains	je bats
Ind. présent	tu romps	tu prends	tu crains	tu bats
Ind. présent	il rompt	il prend	il craint	il bat
Ind. présent	elle rompt	elle prend	elle craint	elle bat
Ind. présent	nous rompons	nous prenons	nous craignons	nous battons
Ind. présent	vous rompez	vous prenez	vous craignez	vous battez
Ind. présent	ils rompent	ils prennent	ils craignent	ils battent
Ind. présent	elles rompent	elles prennent	elles craignent	elles battent
Ind. imparfait	je rompais	je prenais	je craignais	je battais
Ind. p. simple	je rompis	je pris	je craignis	je battis
Ind. futur	je romprai	je prendrai	je craindrai	je battrai
Cond. présent	je romprais	je prendrais	je craindrais	je battrais
Subj. présent	je rompe	je prenne	je craigne	je batte
Subj. présent	nous rompions	nous prenions	nous craignions	nous battions
Subj. présent	ils rompent	ils prennent	ils craignent	ils battent
Subj. présent	elles rompent	elles prennent	elles craignent	elles battent
Subj. imparfait	il rompît	il prît	il craignît	il battît
Subj. imparfait	elle rompît	elle prît	elle craignît	elle battît
Impératif	romps	prends	crains	bats
	rompons	prenons	craignons	battons
Participes	rompant, rompu	prenant, pris	craignant, craint	battant, battu

	57	58	59	60
	mettre	**moudre**	**coudre**	**absoudre**
Ind. présent	je mets	je mouds	je couds	j'absous
Ind. présent	tu mets	tu mouds	tu couds	tu absous
Ind. présent	il met	il moud	il coud	il absout
Ind. présent	elle met	elle moud	elle coud	elle absout
Ind. présent	nous mettons	nous moulons	nous cousons	nous absolvons
Ind. présent	ils mettent	ils moulent	ils cousent	ils absolvent
Ind. présent	elles mettent	elles moulent	elles cousent	elles absolvent
Ind. imparfait	je mettais	je moulais	je cousais	j'absolvais
Ind. p. simple	je mis	je moulus	je cousis	j'absolus
Ind. futur	je mettrai	je moudrai	je coudrai	j'absoudrai
Cond. présent	je mettrais	je moudrais	je coudrais	j'absoudrais
Subj. présent	je mette	je moule	je couse	j'absolve
Subj. présent	nous mettions	nous moulions	nous cousions	nous absolvions
Subj. présent	ils mettent	ils moulent	ils cousent	ils absolvent
Subj. présent	elles mettent	elles moulent	elles cousent	elles absolvent
Subj. imparfait	il mît	il moulût	il cousît	il absolût
Subj. imparfait	elle mît	elle moulût	elle cousît	elle absolût
Impératif	mets	mouds	couds	absous
	mettons	moulons	cousons	absolvons
Participes	mettant, mis	moulant, moulu	cousant, cousu	absolvant, absous, absoute

	61	62	63	64
	résoudre	**suivre**	**vivre**	**paraître**
Ind. présent	je résous	je suis	je vis	je parais
Ind. présent	tu résous	tu suis	tu vis	tu parais
Ind. présent	il résout	il suit	il vit	il paraît
Ind. présent	elle résout	elle suit	elle vit	elle paraît
Ind. présent	nous résolvons	nous suivons	nous vivons	nous paraissons
Ind. présent	ils résolvent	ils suivent	ils vivent	ils paraissent
Ind. présent	elles résolvent	elles suivent	elles vivent	elles paraissent
Ind. imparfait	je résolvais	je suivais	je vivais	je paraissais
Ind. p. simple	je résolus	je suivis	je vécus	je parus
Ind. futur	je résoudrai	je suivrai	je vivrai	je paraîtrai
Cond. présent	je résoudrais	je suivrais	je vivrais	je paraîtrais
Subj. présent	je résolve	je suive	je vive	je paraisse
Subj. présent	nous résolvions	nous suivions	nous vivions	nous paraissions
Subj. présent	ils résolvent	ils suivent	ils vivent	ils paraissent
Subj. présent	elles résolvent	elles suivent	elles vivent	elles paraissent
Subj. imparfait	il résolût	il suivît	il vécût	il parût
Subj. imparfait	elle résolût	elle suivît	elle vécût	elle parût
Impératif	résous	suis	vis	parais
	résolvons	suivons	vivons	paraissons
Participes	résolvant, résolu	suivant, suivi	vivant, vécu	paraissant, paru

	65	66	67	68
	naître	**croître**	**rire**	**conclure***
Ind. présent	je nais	je croîs	je ris	je conclus
Ind. présent	tu nais	tu croîs	tu ris	tu conclus
Ind. présent	il naît	il croît	il rit	il conclut
Ind. présent	elle naît	elle croît	elle rit	elle conclut
Ind. présent	nous naissons	nous croissons	nous rions	nous concluons
Ind. présent	ils naissent	ils croissent	ils rient	ils concluent
Ind. présent	elles naissent	elles croissent	elles rient	elles concluent
Ind. imparfait	je naissais	je croissais	je riais	je concluais
Ind. p. simple	je naquis	je crûs	je ris	je conclus
Ind. futur	je naîtrai	je croîtrai	je rirai	je conclurai
Cond. présent	je naîtrais	je croîtrais	je rirais	je conclurais
Subj. présent	je naisse	je croisse	je rie	je conclue
Subj. présent	nous naissions	nous croissions	nous riions	nous concluions
Subj. présent	ils naissent	ils croissent	ils rient	ils concluent
Subj. présent	elles naissent	elles croissent	elles rient	elles concluent
Subj. imparfait	il naquît	il crût	il rît	il conclût
Subj. imparfait	elle naquît	elle crût	elle rît	elle conclût
Impératif	nais	croîs	ris	conclus
	naissons	croissons	rions	concluons
Participes	naissant, né	croissant, crû, crue	riant, ri	concluant, conclu

* et *exclure, inclure,* sauf *inclus, incluse* (part. passé)

	69	70	71	72
	nuire	**conduire**	**écrire**	**suffire**
Ind. présent	je nuis	je conduis	j'écris	je suffis
Ind. présent	tu nuis	tu conduis	tu écris	tu suffis
Ind. présent	il nuit	il conduit	il écrit	il suffit
Ind. présent	elle nuit	elle conduit	elle écrit	elle suffit
Ind. présent	nous nuisons	nous conduisons	nous écrivons	nous suffisons
Ind. présent	ils nuisent	ils conduisent	ils écrivent	ils suffisent
Ind. présent	elles nuisent	elles conduisent	elles écrivent	elles suffisent
Ind. imparfait	je nuisais	je conduisais	j'écrivais	je suffisais
Ind. p. simple	je nuisis	je conduisis	j'écrivis	je suffis
Ind. futur	je nuirai	je conduirai	j'écrirai	je suffirai
Cond. présent	je nuirais	je conduirais	j'écrirais	je suffirais
Subj. présent	je nuise	je conduise	j'écrive	je suffise
Subj. présent	nous nuisions	nous conduisions	nous écrivions	nous suffisions
Subj. présent	ils nuisent	ils conduisent	ils écrivent	ils suffisent
Subj. présent	elles nuisent	elles conduisent	elles écrivent	elles suffisent
Subj. imparfait	il nuisît	il conduisît	il écrivît	il suffît
Subj. imparfait	elle nuisît	elle conduisît	elle écrivît	elle suffît
Impératif	nuis	conduis	écris	suffis
	nuisons	conduisons	écrivons	suffisons
Participes	nuisant, nui	conduisant, conduit	écrivant, écrit	suffisant, suffi

	73 **lire**	**74** **croire**	**75** **boire**	**76** **faire**
Ind. présent	je lis	je crois	je bois	je fais
Ind. présent	tu lis	tu crois	tu bois	tu fais
Ind. présent	il lit	il croit	il boit	il fait
Ind. présent	elle lit	elle croit	elle boit	elle fait
Ind. présent	nous lisons	nous croyons	nous buvons	nous faisons
Ind. présent	ils lisent	ils croient	ils boivent	ils font
Ind. présent	elles lisent	elles croient	elles boivent	elles font
Ind. imparfait	je lisais	je croyais	je buvais	je faisais
Ind. p. simple	je lus	je crus	je bus	je fis
Ind. futur	je lirai	je croirai	je boirai	je ferai
Cond. présent	je lirais	je croirais	je boirais	je ferais
Subj. présent	je lise	je croie	je boive	je fasse
Subj. présent	nous lisions	nous croyions	nous buvions	nous fassions
Subj. présent	ils lisent	ils croient	ils boivent	ils fassent
Subj. présent	elles lisent	elles croient	elles boivent	elles fassent
Subj. imparfait	il lût	il crût	il bût	il fît
Subj. imparfait	elle lût	elle crût	elle bût	elle fît
Impératif	lis	crois	bois	fais
	lisons	croyons	buvons	faisons
Participes	lisant, lu	croyant, cru	buvant, bu	faisant, fait

	77 **plaire**	**78** **taire**	**79** **extraire**	**80** **repaître**
Ind. présent	je plais	je tais	j'extrais	je repais
Ind. présent	tu plais	tu tais	tu extrais	tu repais
Ind. présent	il plaît	il tait	il extrait	il repaît
Ind. présent	elle plaît	elle tait	elle extrait	elle repaît
Ind. présent	nous plaisons	nous taisons	nous extrayons	nous repaissons
Ind. présent	ils plaisent	ils taisent	ils extraient	ils repaissent
Ind. présent	elles plaisent	elles taisent	elles extraient	elles repaissent
Ind. imparfait	je plaisais	je taisais	j'extrayais	je repaissais
Ind. p. simple	je plus	je tus	*inusité*	je repus
Ind. futur	je plairai	je tairai	j'extrairai	je repaîtrai
Cond. présent	je plairais	je tairais	j'extrairais	je repaîtrais
Subj. présent	je plaise	je taise	j'extraie	je repaisse
Subj. présent	nous plaisions	nous taisions	nous extrayions	nous repaissions
Subj. présent	ils plaisent	ils taisent	ils extraient	ils repaissent
Subj. présent	elles plaisent	elles taisent	elles extraient	elles repaissent
Subj. imparfait	il plût	il tût	*inusité*	il repût
Subj. imparfait	elle plût	elle tût	*inusité*	elle repût
Impératif	plais	tais	extrais	repais
	plaisons	taisons	extrayons	repaissons
Participes	plaisant, plu	taisant, tu	extrayant, extrait	repaissant, repu

	81 **clore**	**82** **oindre**	**83** **frire**	**84** **sourdre**	**85** **vaincre**
Ind. présent	je clos	j'oins	je fris	*inusité*	je vaincs
Ind. présent	tu clos	tu oins	tu fris	*inusité*	tu vaincs
Ind. présent	il clôt	il oint	il frit	il sourd	il vainc
Ind. présent	elle clôt	elle oint	elle frit	elle sourd	elle vainc
Ind. présent	*inusité*	nous oignons	*inusité*	*inusité*	nous vainquons
Ind. présent	*inusité*	ils oignent	*inusité*	ils sourdent	ils vainquent
Ind. présent	*inusité*	elles oignent	*inusité*	elles sourdent	elles vainquent
Ind. imparfait	*inusité*	j'oignais	*inusité*	*inusité*	je vainquais
Ind. p. simple	*inusité*	j'oignis	*inusité*	*inusité*	je vainquis
Ind. futur	je clorai	j'oindrai	je frirai	*inusité*	je vaincrai
Cond. présent	je clorais	j'oindrais	je frirais	*inusité*	je vaincrais
Subj. présent	je close	j'oigne	*inusité*	*inusité*	je vainque
Subj. présent	nous closions	nous oignions	*inusité*	*inusité*	nous vainquions
Subj. présent	ils closent	ils oignent	*inusité*	*inusité*	ils vainquent
Subj. présent	elles closent	elles oignent	*inusité*	*inusité*	elles vainquent
Subj. imparfait	*inusité*	il oignît	*inusité*	*inusité*	il vainquît
Subj. imparfait	*inusité*	elle oignît	*inusité*	*inusité*	elle vainquît
Impératif	*inusité*	oins	fris	*inusité*	vaincs
	inusité	oignez	*inusité*	*inusité*	vainquons
Participes	*inusité*, clos	oignant, oint	*inusité*, frit	*inusité*	vainquant, vaincu

Note aux enseignants

Le **Maxi-Débutants** s'adresse aux élèves du primaire.

Il a été conçu dans l'esprit des recherches récentes en matière de description et d'acquisition des langues.

La pédagogie d'une langue vise moins à l'accumulation de connaissances ponctuelles dispersées qu'à la prise de conscience de l'existence de systèmes organisés, notamment dans le lexique. À cet effet, de nombreux **regroupements** ont été effectués avec des indications précises sur les correspondances de sens. Leur rôle est de faire apparaître les réseaux de relations de forme et de sens qui entrent en jeu au niveau de la communication. Tous les renvois nécessaires maintiennent le principe de l'ordre alphabétique.

Soit, par exemple, l'ensemble *comprendre, compréhensible, compréhensif, compréhension, incompréhensible, incompris.* Il est précisé que *compréhensible* et *incompréhensible* correspondent au sens 1 de *comprendre (je n'ai pas compris ses explications* [= saisir]) ; *compréhensif* renvoie au sens 2 du verbe *(j'ai des amis qui me comprennent,* qui acceptent ce que je fais) ; quant à *compréhension,* deux acceptions sont signalées, renvoyant respectivement au sens 1 *(ce livre est d'une compréhension difficile,* il est difficile à comprendre) et au sens 2 *(ma tante m'a parlé avec compréhension* [= bienveillance], il en est de même pour incompris). Aucun dérivé ne correspond au sens 3 *(ce livre comprend trois parties).* On voit qu'une telle présentation ne constitue pas seulement une description analytique d'un ensemble lexical, mais qu'elle guide le choix de l'élève vers le dérivé approprié, en attirant sans cesse son attention à la fois sur la régularité des correspondances possibles et sur le caractère aléatoire des correspondances réelles. Ce dictionnaire est donc un auxiliaire précieux pour apprendre à l'élève à *s'exprimer* autant que pour lui permettre de *comprendre* ce qu'il lit ou ce qu'il entend.

L'**accès au sens** d'un mot se réalise par des voies diverses et complémentaires. Les systèmes de dérivation et de composition jouent déjà un rôle capital à cet égard, mais le *contexte* est si essentiel qu'il est souvent impossible d'indiquer le sens d'un mot (par exemple *comprendre, appréhender, réfléchir, tour*) tant qu'il ne figure pas dans un contexte. C'est pourquoi on a jugé préférable, pédagogiquement, de situer le mot dans une courte phrase *avant* d'en expliquer le sens ; la phrase est en général suffisamment éclairante pour que, dès sa lecture, l'interprétation du mot soit déjà bien avancée, sinon totalement réalisée. Les précisions données ensuite apparaissent plutôt comme des explications, des commentaires en rapport avec l'emploi du mot dans l'exemple, que comme des définitions très générales qui imposeraient à l'élève un effort d'abstraction souvent trop difficile pour son âge. Enfin, la mention des principaux **équivalents** ou **contraires** correspondant aux diverses acceptions complète l'information sur le sens, tout en favorisant l'enrichissement du vocabulaire.

Les cas d'homonymie ou de paronymie, les particularités de prononciation, de morphologie (spécialement de conjugaison), de syntaxe font l'objet de brèves **remarques** détachées en fin d'articles.

S'il est vrai que le rapport des mots et des choses peut être expliqué par le seul système linguistique, il apparaîtra encore bien plus clairement chaque fois que pourront intervenir des **tableaux** ou des **schémas** (par exemple, *calendrier, unités, parenté, géométrie*), ou des **images**. La même considération pédagogique qui a poussé à accorder une importance essentielle au contexte linguistique a fait choisir une méthode d'illustration par **ensembles** cohérents : c'est, en effet, dans des situations, réelles ou fictives, qu'un enfant est amené à interpréter ou à mobiliser un vocabulaire. Ce n'est pas la même « fraise » qu'on peut s'attendre à trouver au jardin potager, dans le cabinet du dentiste ou sur un costume Louis XIII. Une collaboration étroite entre les dessinateurs et les rédacteurs a permis de présenter des situations vraisemblables dans une illustration qui suscite l'intérêt des élèves. L'exploitation pédagogique de ces pages illustrées peut se réaliser sous diverses formes : commentaires, échanges libres, rédactions, etc., qui seront autant d'occasions de mettre en œuvre le vocabulaire. Celui-ci est proposé de la façon la plus simple : les dénominations sont placées directement sur les éléments de l'image, évitant le système fastidieux des renvois par chiffres. Des indications marginales, tout au long du texte, renvoient aux pages où apparaissent les illustrations.

La grande diversité des thèmes présentés (treize séries de cinq centres d'intérêt chacune) fait de ces 104 pages illustrées un large panorama du monde contemporain sur lequel le **Maxi-Débutants** se propose de contribuer à ouvrir l'esprit des jeunes.

IMPRIMERIE NEW INTERLITHO
Dépôt légal Janvier 1989 - N° Série Editeur 15632
Imprimé en Italie (Printed in Italy) - 320010 A - Avril 1990

Arrêt obligatoire

Obligation de céder
le passage

Accès interdit

Complémentaire à
accès interdit

Trajet obligatoire

Interdiction aux
véhicules lourds

Stationnement interdit

Dépassement interdit

Début d'une chaussée
séparée

Fin d'une chaussée
séparée

Contournement par la
droite ou par la gauche

Circulation dans
les deux sens

Signal avancé de
passage à niveau

Pente raide

Fin du revêtement
bitumineux

Chaussée cahoteuse

Signal avancé d'un
passage pour piétons

Signal avancé d'un
terrain de jeu

Signal avancé d'un
passage pour camions

Travaux d'entretien
mineurs

Aire de stationnement

Hôpital

Station-service

Salle à manger